Inhalt | Table des matières

Hinweise für die Benutzer

Die Tilde ~ ersetzt das ganze Stichwort innerhalb des Artikels:

aimer [ɛme] lieben; **~ bien** (= **aimer bien**) mögen

amitié [amitje] F Freundschaft; **~s** (= **amitiés**) freundliche, herzliche Grüße *mpl*

avancer [avɑ̃se] vorrücken; **s'~** (= **s'avancer**) näher kommen

Auto N voiture *f*; **~ fahren** (= **Auto fahren**) *Fahrer* conduire

beste(**r, -s**) meilleur(e); **am ~n** (= **am besten**) le mieux

Wortart und grammatisches Geschlecht in Kapitälchen bzw. in kursiver Schrift:

animal [animal] **1** M Tier *n* **2** ADJ tierisch, Tier...

Erholung F repos *m*

Das grammatische Geschlecht wird bei den Übersetzungen nur dann angegeben, wenn es mit dem des Stichwortes nicht übereinstimmt:

plage [plaʒ] F Strand *m*

Gruppe F groupe *m*

Übernachtung F nuit

Arabische Ziffern unterscheiden grammatikalische Kategorien:

chouette [ʃwɛt] **1** F Eule **2** ADJ *umg* toll, prima

Anwendungsbeispiele und Wendungen in fetter Schrift:

Reise F voyage *m*; **auf ~n** en voyage; **gute ~!** bon voyage!

Verständnishilfen und Erklärungen in kursiver Schrift:

Ticket N *Flugticket, Eintrittskarte* billet *m*; *Fahrschein* ticket *m*

Definitionen in kursiver Schrift:

charlotte [ʃarlɔt] F *Süßspeise aus Löffelbiskuits, Früchten und Vanillecreme*

Sachgebietsangaben in Kapitälchen:

portable [pɔrtabl] M IT Laptop; TEL Handy *n*

Angaben zum Stil und Sprachgebrauch in kursiver Schrift:

piger [piʒe] *umg* kapieren

Aussicht F vue; *fig* perspective, chance

Unregelmäßige Formen des Stichworts in spitzen Klammern:

frais[1] [frɛ] ⟨*f* fraîche [frɛʃ]⟩ frisch; *froid* kühl

morceau [mɔrso] M ⟨*pl* morceaux⟩ Stück *n*

Ausspracheangaben bei jedem französischen Stichwort in eckigen Klammern:

antivirus [ɑ̃tivirys] M IT Antivirenprogramm *n*, Virenschutz(programm *n*)

TER® [teøɛr] M (*train express régional*) Regionalzug

Bei schwierig auszusprechenden französischen Übersetzungen ist eine Aussprachehilfe in eckigen Klammern angegeben:

Flipflop(s) M(PL) tong(s) [tõg] *f(pl)*

Techno M *od* N MUS techno [-k-] *f*

°**h** steht für ein h, vor dem der Artikel le beziehungsweise la nicht zu l' gekürzt wird:

°**hasard** *m* (= le hasard, *Aussprache:* [ləazar])

°**hanche** *f* (= la hanche, *Aussprache:* [laɑ̃ʃ])

aber **heure** *f* (= l'heure, *Aussprache:* [lœr])

Die Aussprache des Französischen

Vokale

a	[a]	kurz und hell wie in Ratte	**valise, déjà**
		lang und hell wie in Straße	**courage**
	[ɑ]	kurzes dunkles a	**bas**
		langes dunkles a	**pâte**
ai	[e]	geschlossenes e wie in schwer	**j'ai**
	[ɛ]	offen wie in Bär	**raison, chaîne**
au	[o]	geschlossenes o wie in Lohn	**faux, chaud**
	[ɔ]	offenes o wie in Tonne	**Paul**
e	[e]	geschlossenes e wie in Feder	**été, arriver, rendez-vous**
	[ɛ]	offen wie in gähnen	**cher, après**
		offen wie in fällen	**fenêtre, mère**
	[ə]	kurzes dumpfes ö	**le, que**
ei	[ɛ]	offen wie in gähnen	**peine**
eau	[o]	geschlossenes o wie in Boot	**bateau**
eu	[ø]	geschlossenes ö wie in Öse	**feu**
	[œ]	offenes ö wie in öfter	**fleur**
i	[i]	kurz und hell wie in Wind	**cri**
		lang und hell wie in Dieb	**dire**
o	[o]	geschlossen wie in Sohle	**pot, hôtel**
	[ɔ]	offen wie in Tonne	**fort**
œu	[ø]	geschlossenes ö wie in Öse	**nœud**
	[œ]	offenes ö wie in öfter	**œuf**
ou	[u]	geschlossenes u wie in Mut	**goût, tour**
u	[y]	wie deutsches ü in für	**sûr, mur**

Gleitlaute

oi	[wa]	kurzes, gleitendes o + a	**choisir**
oui	[wi]	kurzes, gleitendes u + i	**oui**
ui	[ɥi]	kurzes, gleitendes u + i	**suite, fuir**

Nasale

Sie sind eine Eigentümlichkeit der französischen Sprache, für die es keine vergleichbaren Laute im Deutschen gibt:

[ɑ̃] **chambre, chanter, membre, entente**
[ɛ̃] **cinq, timbre, train, éteindre, nymphe**
[wɛ̃] **coin, moins**
[ɔ̃] **bombe, fonds**
[œ̃] **un, humble** (oft wie [ɛ̃] gesprochen)

Konsonanten

c	[k]	vor *a*, *o*, *u* und vor Konsonanten wie k	**calcul**
	[s]	vor *e* oder *i* wie stimmloses s	**citron**
ç	[s]	vor *a* oder *o* wie stimmloses s	**façon**
ch	[ʃ]	wie deutsches sch in Schule	**chercher**
g	[g]	vor *a*, *o*, *u* und vor Konsonanten wie g	**gant**
	[ʒ]	vor *e* oder *i* wie stimmhaftes sch in Genie	**genre**
gn	[ɲ]	wie deutsches nj in Champagner	**gagner**
h	[-]	h ist immer stumm	**horizon**

j	[ʒ]	wie stimmhaftes sch in Genie	**journal**
ll	[l]	wie deutsches l in Spiel	**ville**
	[j]	wie j in Jacke	**fille**
ph	[f]	wie f in Fahrt	**phare**
qu	[k]	wie deutsches k in können	**quand**
s	[s]	am Wortanfang stimmlos wie in Bus	**service**
	[z]	zwischen Vokalen stimmhaft wie in Rose	**raison**
t	[s]	vor *i* + Vokal oft wie stimmloses s in Passion	**nation**
v	[v]	wie deutsches w in Wagen	**variable**
x	[ks]	vor Konsonanten stimmlos wie in Text	**texte**
	[gz]	vor Vokalen stimmhaft wie in langsam	**examen**
y	[j]	vor Vokalen wie deutsches j	**payer**
	[i]	vor Konsonanten wie i in Lilie	**typique**
z	[z]	wie stimmhaftes s in Sonne	**zéro**

Ein Betonungszeichen ['] wird bei den französischen Stichwörtern nicht gesetzt, da das Französische nicht die eindeutige und ausgeprägte Wortbetonung des Deutschen besitzt. Im Französischen werden die aufeinanderfolgenden Silben gleichmäßig schwebend betont. Der etwas stärkere Ton auf der letzten Silbe eines Einzelwortes verschwindet, wenn dieses nicht mehr am Ende einer Wortgruppe steht: vergleiche etwa **rembourser** [rãbur'se] und **rembourser ses dettes** [rãbursese'dɛt].

Ebenso werden bei den französischen Stichwörtern keine Vokallängen [:] angegeben, da diese für die Bedeutungsunterscheidung im Französischen ohne Belang sind. Vergleiche dagegen im Deutschen **Rate** ['ra:tə] und **Ratte** ['ratə], **zählen** ['tsɛ:lən] und **Zellen** ['tsɛlən] usw.
Unbekannt ist im Französischen der Knacklaut [ʔ], der im Deutschen oft gebildet wird, wenn zwei Vokale aufeinandertreffen: **Beamter** [bə'ʔamtər], **E-Mail-Adresse** ['i:me:lʔadrɛsə] usw.

Die Aussprache der Alphabete | La prononciation des alphabets

	französisch	deutsch
a	[a]	[a]
b	[be]	[be]
c	[se]	[tse]
d	[de]	[de]
e	[ø]	[e]
f	[ɛf]	[ɛf]
g	[ʒe]	[ge]
h	[aʃ]	[hɑ]
i	[i]	[i]
j	[ʒi]	[jɔt]
k	[ka]	[kɑ]
l	[ɛl]	[ɛl]
m	[ɛm]	[ɛm]
n	[ɛn]	[ɛn]

	französisch	deutsch
o	[o]	[o]
p	[pe]	[pe]
q	[ky]	[ku]
r	[ɛr]	[ɛr]
s	[ɛs]	[ɛs]
ß	–	[ɛstsɛt]
t	[te]	[te]
u	[y]	[u]
v	[ve]	[fau]
w	[dubləve]	[ve]
x	[iks]	[iks]
y	[igrɛk]	[ypsilɔn]
z	[zɛd]	[tsɛt]

Französisch – Deutsch

A

à [a] in, an, auf (*dat od akk*); **~ la mer** am Meer, ans Meer; **~ Paris** in Paris, nach Paris; **~ la maison** zu Hause, nach Hause; **au printemps** im Frühling; **~ 5 heures** um 5 (Uhr); **~ demain!** bis morgen!
abaisser [abɛse] senken
abandon [abãdõ] M Aufgabe *f* (*a.* SPORT); **à l'~** verwahrlost
abandonné [abãdɔne] *lieu* verlassen; *chat, voiture* herrenlos **abandonner** [abãdɔne] verlassen, im Stich lassen; *études*, SPORT aufgeben
abattre [abatr] *maison* niederreißen; *arbre* fällen; *animal* schlachten; *tuer* niederschießen
abattu [abaty] niedergeschlagen
abbaye [abei] F Abtei
abcès [apsɛ] M Abszess
abdiquer [abdike] abdanken; *fig* aufgeben, kapitulieren
abdomen [abdɔmɛn] M Bauch, Unterleib
abeille [abɛj] F Biene
aberrant [abɛrã] abwegig, aberwitzig **aberration** [abɛrasjõ] F Absurdität
abîme [abim] M Abgrund **abîmer** [abime] beschädigen; **s'~** beschädigt werden; *fruits* verderben
abolir [abɔlir] abschaffen, aufheben
abominable [abɔminabl] abscheulich
abondance [abõdãs] F Überfluss *m* **abondant** [abõdã] reichlich; *nourriture* reichhaltig
abonné(e) [abɔne] M(F) Abonnent(in); TEL Teilnehmer(in)
abonnement [abɔnmã] M Abonnement *n*; TEL Anschluss
abonner [abɔne] **s'~ à qc** etw abonnieren; **être abonné à qc** etw abonniert haben
abord [abɔr] **d'~** zuerst
abordable [abɔrdabl] erschwinglich **aborder** [abɔrde] *personne* ansprechen; *sujet* angehen; SCHIFF anlegen
aboutir [abutir] zu e-m Ergebnis führen; **~ à** führen zu
aboyer [abwaje] bellen
abrégé [abreʒe] M Kurzfassung *f* **abréger** [abreʒe] abkürzen

abréviation [abrevjasjõ] F Abkürzung
abri [abri] M Schutz(dach *n*, -raum); *habitation* Unterschlupf; **à l'~ de** sicher vor (*dat*)
abricot [abriko] M Aprikose *f*
abriter [abrite] **s'~** Schutz suchen (**de** vor *dat*); *de la pluie* sich unterstellen
abrupt [abrypt] steil
abruti [abryti] benommen; *umg stupide* blöd
absence [apsɑ̃s] F Abwesenheit
absent [apsɑ̃] abwesend
absenter [apsɑ̃te] **s'~** weggehen
absolu [apsɔly] absolut **absolument** [apsɔlymɑ̃] unbedingt; *entièrement* völlig
absorber [apsɔrbe] *liquide* aufnehmen; *nourriture* zu sich nehmen
abstenir [apstənir] **s'~** POL sich der Stimme enthalten; **s'~ de qc** etw (*akk*) unterlassen
abstrait [apstrɛ] abstrakt
absurde [apsyrd] absurd
abus [aby] M Missbrauch
abuser [abyse] **~ de qc** etw missbrauchen; **~ de l'alcool** zu viel trinken
acarien [akarjɛ̃] M ZOOL Milbe *f*
accablant [akablɑ̃] *chaleur* drückend; *preuves* erdrückend
accabler [akable] **~ de** überhäufen mit
accélérateur [akseleratœr] M Gaspedal *n* **accélérer** [akselere] beschleunigen; AUTO Gas geben
accent [aksɑ̃] M Akzent; Betonung *f*
accepter [aksɛpte] annehmen; **~ de** (*+inf*) zusagen zu
accès [aksɛ] M Zugang; *d'une autoroute* Zufahrt *f*; MED Anfall; **~ à Internet** Internetzugang **accessible** zugänglich; **~ aux °handicapés** barrierefrei
accessoires [aksɛswar] MPL Zubehör *n*
accident [aksidɑ̃] M Unfall; **~ de la route/de sport** Verkehrs-/Sportunfall; **~ majeur** GAU (*größter anzunehmender Unfall*)
accompagnateur [akõpaɲatœr] M, **accompagnatrice** [akõpaɲatris] F Begleiter(in) *m(f)*; *de touristes* Reiseleiter(in) *m(f)*; *d'enfants* Begleitperson *f*
accompagnement [akõpaɲəmɑ̃] M MUS Begleitung *f*; GASTR Beilage *f* **accompagner** [akõpaɲe] begleiten
accomplir [akõplir] ausführen; *devoir* erfüllen
accord [akɔr] M *acceptation* Zustimmung *f*; *traité* Abkommen *n*; MUS Akkord; **d' ~!** einverstanden!; **se mettre d'~** sich einigen (**sur** über *akk*)
accorder [akɔrde] bewilligen
accoster [akɔste] (ungeniert)

ansprechen; SCHIFF anlegen
accotement [akɔtmɑ̃] M Randstreifen
accouchement [akuʃmɑ̃] M Entbindung *f* **accoucher** [akuʃe] entbinden
accourir [akurir] herbeieilen
accoutumer [akutyme] **(s'~** sich) gewöhnen (**à** an *akk*)
accrochage [akrɔʃaʒ] M (leichter) Zusammenstoß
accrocher [akrɔʃe] *tableau* aufhängen; *remorque* anhängen; AUTO streifen; **s'~ à** sich festhalten an (*dat*)
accueil [akœj] M Empfang
accueillant [akœjɑ̃] gastfreundlich; *maison* gemütlich
accueillir [akœjir] empfangen; *film, nouvelle* aufnehmen
accumuler [akymyle] anhäufen
accus [aky] MPL *umg* AUTO Batterie *f*
accusé(e) [akyze] M(F) Angeklagte(r) *m/f(m)* **accuser** [akyze] anklagen
achat [aʃa] M Kauf; **faire des ~s** Einkäufe machen, einkaufen
acheter [aʃte] kaufen **acheteur** [aʃtœr] M Käufer
achever [aʃve] beenden; *œuvre* vollenden
acide [asid] **1** sauer **2** M Säure *f*
acier [asje] M Stahl
acné [akne] F Akne
acompte [akõt] M Anzahlung *f*
acouphène [akufɛn] M Tinnitus
acoustique [akustik] **1** MED Hör..., Gehör...; PHYS akustisch, Schall... **2** F Akustik
acquérir [akerir] erwerben
acquittement [akitmɑ̃] M Freispruch **acquitter** [akite] freisprechen
acte [akt] M *action* Tat *f*; Handlung *f*; *document* Urkunde *f*; *théâtre* Akt
acteur [aktœr] M Schauspieler
actif [aktif] aktiv; *médicament* wirksam
action [aksjõ] F Tat, Handlung; *effet produit* Wirkung; *en Bourse* Aktie
activité [aktivite] F Aktivität, Tätigkeit
actualiser [aktɥalize] aktualisieren
actualité [aktɥalite] F Zeitgeschehen *n*; **~s** PL Nachrichten *fpl*
actuel [aktɥɛl] aktuell; *présent* gegenwärtig **actuellement** [aktɥɛlmɑ̃] zurzeit
acupuncture [akypõktyr] F Akupunktur
adaptateur [adaptatœr] M Bearbeiter; TECH Adapter
adapter [adapte] **(s'~** sich) anpassen (**à** *dat od* an *akk*); TV *etc* bearbeiten
addition [adisjõ] F *au restaurant* Rechnung; MATH Addition; **l'~, s'il vous plaît!** zahlen,

bitte!
additionner [adisjɔne] zusammenzählen, addieren
adhérent [aderɑ̃] M Mitglied *n*
adieu [adjø] **~!** leb wohl!, leben Sie wohl!; **~x** MPL Abschied *m*
adjectif [adʒɛktif] M Adjektiv *n*
adjoint(e) [adʒwɛ̃ (adʒwɛ̃t)] M(F) Stellvertreter(in)
admettre [admɛtr] zulassen; *à une école* aufnehmen (**à** in *akk*); *reconnaître* zugeben; *supposer* annehmen
administration [administrasjõ] F Verwaltung; *service* Behörde
admirer [admire] bewundern
admission [admisjõ] F Zulassung
ado [ado] *umg* M/F → adolescent(e)
adolescence [adɔlesɑ̃s] F Jugend(alter *n*) **adolescent(e)** [adɔlesɑ̃(t)] M(F) Jugendliche(r) *m/f(m)*
adopter [adɔpte] adoptieren **adoption** [adɔpsjõ] F Adoption
adorable [adɔrabl] entzückend, süß
adorer [adɔre] über alles lieben; **~ faire qc** etw für sein Leben gern tun
adoucir [adusir] mildern; *peau* weich machen
adresse [adrɛs] F Adresse, Anschrift; *habileté* Geschick *n*; **~ électronique, e-mail** E-Mail-Adresse; **~ de vacances** Urlaubsanschrift
adresser [adrese] **~ à** richten, senden an (*akk*); **s'~ à** sich wenden an (*akk*)
adroit [adrwa] geschickt
adulte [adylt] **1** erwachsen **2** M/F Erwachsene(r) *m/f(m)*
adverbe [advɛrb] M Adverb *n*
adversaire [advɛrsɛr] M/F Gegner(in) *m(f)*
aération [aerasjõ] F Lüftung
aérer [aere] lüften **aérien** [aerjɛ̃] Luft..., Flug...
aérobic [aerɔbik] F Aerobic *n*
aérodrome [aerɔdrom] M Flugplatz **aérogare** [aerɔgar] F Terminal *m/n* **aéroglisseur** [aerɔglisœr] M Luftkissenfahrzeug *n* **aéroport** [aerɔpɔr] M Flughafen
affaiblir [afɛblir] schwächen; **s'~** schwächer werden
affaire [afɛr] F Angelegenheit, Sache (*a.* JUR); HANDEL Geschäft *n*; *scandale* Affäre; **~s** PL *objets personnels* Sachen; HANDEL Geschäft(e) *n(pl)*; **avoir ~ à qn** mit j-m zu tun haben
affamé [afame] ausgehungert
affection [afɛksjõ] F Zuneigung; MED Erkrankung
affectueusement [afɛktɥøzmɑ̃] liebevoll; *fin d'une lettre* herzliche Grüße **affectueux** [afɛktɥø] liebevoll

affichage [afiʃaʒ] M INFORM Anzeige *f* **affiche** [afiʃ] F Plakat *n* **afficher** [afiʃe] *Plakate* anschlagen; IT anzeigen
affirmation [afirmasjõ] F Behauptung **affirmer** [afirme] behaupten, versichern
affluence [aflyɑ̃s] F Andrang *m*, Ansturm *m*; **heures** *fpl* **d'~** Stoßzeit
affluent [aflyɑ̃] M Nebenfluss
affoler [afɔle] **s'~** sich aufregen
affranchir [afrɑ̃ʃir] frankieren
affréter [afrete] chartern
affreux [afrø] schrecklich, abscheulich
affronter [afrõte] **~ qn** j-m gegenübertreten; SPORT auf j-n treffen; **s'~** sich gegenüberstehen (*a.* SPORT)
afin [afɛ̃] **~ de** um zu; **~ que** (+*subj*) damit
africain [afrikɛ̃] **1** afrikanisch **2** **Africain** M Afrikaner
Afrique [afrik] F **l'~** Afrika *n*; **l'~ du Sud** Südafrika *n*
after-shave [aftœrʃɛv] M Aftershave *n*; Rasierwasser *n*
agacer [agase] ärgern
agave [agav] M Agave *f*
âge [aʒ] M Alter *n*; **quel ~ avez-vous?** wie alt sind Sie?
âgé [aʒe] alt; **~ de 5 ans** 5 Jahre alt
agence [aʒɑ̃s] F Agentur; *succursale* Geschäftsstelle; **~ immobilière** Maklerbüro *n*; **~ de voyages** Reisebüro *n*
agenda [aʒɛ̃da] M Taschenkalender
agent [aʒɑ̃] M **~ (de police)** (Verkehrs)Polizist; **~ d'assurances** Versicherungsagent
agglomération [aglɔmerasjõ] F *ville* Ortschaft; *métropole* Ballungsraum *m*; **l'~ parisienne** das Pariser Ballungsgebiet
aggravation [agravasjõ] F Verschlechterung (*a.* MED) **aggraver** [agrave] verschlimmern; **s'~** sich verschlechtern
agile [aʒil] gewandt
agir [aʒir] handeln; **il s'agit de** … es handelt sich um …
agitation [aʒitasjõ] F Unruhe (*a.* POL)
agité [aʒite] unruhig (*a. mer*) **agiter** [aʒite] schütteln; *mouchoir* schwenken
agneau [aɲo] M Lamm *n*; *viande* Lammfleisch *n*
agrafe [agraf] F *de bureau* Heftklammer; MED Klammer **agrafer** [agrafe] (zusammen)heften
agrandir [agrɑ̃dir] vergrößern **agrandissement** [agrɑ̃dismɑ̃] M Vergrößerung (*a.* FOTO)
agréable [agreabl] angenehm
agréer [agree] genehmigen; **veuillez ~, Monsieur, mes salutations distinguées** mit freundlichen Grüßen
agresser [agrɛse] *dans la rue* überfallen; *verbalement* angreifen **agresseur** [agrɛsœr] M

Angreifer **agressif** [agrɛsif] aggressiv **agression** [agrɛsjõ] F Überfall *m* **agressivité** [agrɛsivite] F Aggressivität, Angriffslust

agricole [agrikɔl] landwirtschaftlich, Agrar... **agriculteur** [agrikyltœr] M Landwirt **agriculture** [agrikyltyr] F Landwirtschaft

agrumes [agrym] MPL Zitrusfrüchte *fpl*

ai [e] PRÄS → **avoir**

aide [ɛd] F Hilfe; **à l'~ de** mithilfe von

aider [ɛde] helfen (**qn** j-m, **à faire qc** etw zu tun *od* bei etw)

aïe! [aj] au!

aigle [ɛgl] M Adler

aiglefin [ɛgləfɛ̃] M Schellfisch

aigre [ɛgr] sauer

aigre-doux [ɛgrədu] süßsauer

aigreurs [ɛgrœr] FPL **~ (d'estomac)** saures Aufstoßen *n*

aigri [ɛgri] verbittert

aigu [egy] spitz; *voix* schrill; MED akut; *douleur* stechend

aiguillage [egɥijaʒ] M Weiche *f*

aiguille [egɥij] F Nadel; *d'une montre* Zeiger *m*; **~ à tricoter** Stricknadel

aiguilleur [egɥijœr] M **~ du ciel** Fluglotse

aiguiser [egize] *couteau* schleifen; *appétit* anregen

ail [aj] M Knoblauch

aile [ɛl] F Flügel *m*; AUTO Kotflügel *m*

ailleurs [ajœr] anderswo(hin), woanders(hin); **nulle part ~** sonst nirgends; **d'~** übrigens

ailloli [ajɔli] M Knoblauchmayonnaise *f*

aimable [ɛmabl] liebenswürdig, freundlich

aimant [ɛmɑ̃] M Magnet

aimer [ɛme] lieben; **~ bien** mögen; **~ la bière** gern Bier trinken; **~ faire qc** gern etw tun; **j'aimerais** ich möchte *od* würde gern; **~ mieux** lieber mögen, haben; **~ mieux faire qc** etw lieber tun

aine [ɛn] F ANAT Leiste

aîné [ɛne] ältere(r, -s); *le plus âgé* älteste(r, -s)

ainsi [ɛ̃si] so; **~ que** sowie

aïoli → **ailloli**

air [ɛr] M Luft *f*; *apparence* Aussehen *n*; *mine* Miene *f*; *mélodie* Melodie *f*; **~ conditionné** Klimaanlage *f*; **en l'~** in die Luft; **en plein ~** im Freien; **avoir l'~** aussehen (**de** wie); **avoir l'~ de** (+*inf*) scheinen zu

airbag [ɛrbag] M Airbag; **~ latéral** Seitenairbag

aire [ɛr] F **~ de jeu** Spielplatz *m*; **~ de repos** Rastplatz *m*

airelle [ɛrɛl] F **~ (rouge)** Preiselbeere

aise [ɛz] F **être (mal) à l'~** sich (nicht) wohlfühlen

aisé [ɛze] *facile* leicht; *riche* wohlhabend

aisselle [ɛsɛl] F Achsel(höhle)

ait [ɛ] SUBJ → **avoir**

Aix-la-Chapelle [ɛkslaʃapɛl] Aachen
ajouter [aʒute] hinzufügen
alarme [alarm] F Alarm *m*
Albanie [albani] F **l'~** Albanien *n*
album [albɔm] M Album *n*
alcool [alkɔl] M Alkohol; **sans ~** alkoholfrei; **~ à brûler** Brennspiritus
alcoolique [alkɔlik] M/F Alkoholiker(in) *m(f)*
alcoolisé [alkɔlize] alkoholhaltig; **boisson** *f* **~e/non ~e** alkoholisches/alkoholfreies Getränk *n*
alcootest [alkɔtɛst] M Alkoholtest
al dente [aldɛnte] al dente
alentours [alɑ̃tur] MPL Umgebung *f*; **aux ~ de** in der Gegend von; *environ* um ... herum
alerte [alɛrt] 1 rege, flink 2 F Alarm *m* **alerter** [alɛrte] alarmieren
algèbre [alʒɛbr] F Algebra
Algérie [alʒeri] F **l'~** Algerien *n*
algérien [alʒerjɛ̃] 1 algerisch 2 **Algérien** M Algerier
algue [alg] F Alge
alibi [alibi] M Alibi *n*
aliment [alimɑ̃] M Nahrungsmittel *n*
alimentaire [alimɑ̃tɛr] Nahrungs..., Ernährungs...; **pension** *f* **~** Unterhaltszahlung
alimentation [alimɑ̃tasjõ] F Ernährung; *nourriture* Nahrung; **magasin** *m* **d'~** Lebensmittelgeschäft *n*
alimenter [alimɑ̃te] ernähren; *eau, électricité* versorgen (**en** mit)
allaiter [alɛte] stillen
allécher [aleʃe] (an)locken
allée [ale] F Allee
allégé [aleʒe] *produit* light **alléger** [aleʒe] leichter machen
Allemagne [almaɲ] F **l'~** Deutschland *n*
allemand [almɑ̃] 1 deutsch 2 M *langue* **l'~** Deutsch *n* 3 **Allemand(e)** [almɑ̃(d)] M(F) Deutsche(r) *m/f(m)*
aller [ale] 1 *à pied* gehen; (*dans un*) *véhicule* fahren (**en voiture** mit dem Auto; **à Nice** nach Nizza); **~ à qn** *vêtement* j-m stehen, passen; **~ chercher** holen; **~ voir qn** j-n besuchen; **s'en ~** weg-, fortgehen; (**comment**) **ça va?** wie gehts?; **ça va** es geht (ganz gut); **je vais bien/mal/mieux** es geht mir gut/schlecht/besser; **~ faire** (**qc**) gleich (etw) tun 2 M Hinfahrt *f*; **~ (simple)** einfache Fahrkarte *f*; **~ (et) retour** Hin- und Rückfahrt *f*, Rückfahrkarte *f*; **match** *m* **~** Hinspiel *n*
allergie [alɛrʒi] F Allergie **allergique** [alɛrʒik] allergisch
alliance [aljɑ̃s] F POL Bündnis *n*; *anneau* Trauring *m*
alligator [aligatɔr] M Alligator

allô [alo] TEL ja, bitte? *en Allemagne, on donne son nom*
allocation [alɔkasjõ] F Unterstützung; **~s** *pl* **familiales** Kindergeld *n*
allonger [alõʒe] verlängern; **s'~** *jours* länger werden; *se coucher* sich hinlegen; **être allongé** liegen
allumage [alymaʒ] M Zündung *f* **allumer** [alyme] anzünden; *lumière, radio,* TV einschalten **allumette** [alymɛt] F Streich-, Zündholz *n*
allure [alyr] F *vitesse* Tempo *n; air* Aussehen *n; classe* Stil *m;* **à toute ~** mit vollem Tempo
allusion [alyzjõ] F Anspielung (**à** auf *akk*)
alors [alɔr] *à cette époque* damals; *en conséquence* dann; **et ~?** na und?; **~ que** während, wo(hin)gegen
alouette [alwɛt] F Lerche
alourdir [alurdir] schwer(er) machen
aloyau [alwajo] M Lende *f*
alpage [alpaʒ] M Alm *f*
Alpes [alp] FPL **les ~** die Alpen
alphabet [alfabɛ] M Alphabet *n* **alphabétique** [alfabetik] alphabetisch
alpinisme [alpinism] M Bergsteigen *n* **alpiniste** [alpinist] M/F Bergsteiger(in) *m(f)*
Alsace [alzas] F **l'~** das Elsass
alsacien [alzasjɛ̃] **1** elsässisch **2** **Alsacien** M Elsässer
alternance [altɛrnɑ̃s] F Wechsel *m;* **en ~** im Wechsel, abwechselnd
alternative [altɛrnativ] F Alternative **alternativement** [altɛrnativmɑ̃] abwechselnd
alterner [altɛrne] abwechseln (**avec** mit)
altitude [altityd] F Höhe
aluminium [alyminjɔm] M Aluminium *n*
alzheimer [alzajmœr] M Alzheimerkrankheit *f;* **maladie** *f* **d'Alzheimer** Alzheimerkrankheit
amabilité [amabilite] F Liebenswürdigkeit
amaigri [amɛgri] abgemagert
amande [amɑ̃d] F Mandel
amant [amɑ̃] M Liebhaber, Geliebte(r)
amarrer [amare] F SCHIFF festmachen
amaryllis [amarilis] F Amaryllis
amas [ama] M Haufen
amasser [amase] anhäufen
amateur [amatœr] M Liebhaber; SPORT Amateur
ambassade [ɑ̃basad] F Botschaft **ambassadeur** [ɑ̃basadœr] M Botschafter
ambiance [ɑ̃bjɑ̃s] F Stimmung
ambigu [ɑ̃bigy] zweideutig
ambitieux [ɑ̃bisjø] ehrgeizig
ambition [ɑ̃bisjõ] F Ehrgeiz *m*
ambulance [ɑ̃bylɑ̃s] F Krankenwagen *m*
ambulatoire [ɑ̃bylatwar] am-

bulant
âme [ɑm] F Seele
amélioration [ameljɔrasjõ] F (Ver)Besserung **améliorer** [ameljɔre] verbessern; **s'~** besser werden; sich bessern
amen [amɛn] amen
aménager [amenaʒe] *appartement* einrichten
amende [amɑ̃d] F Geldstrafe
amener [amne] mitbringen; *entraîner* mit sich bringen
amer [amɛr] bitter (*a. fig*)
américain [amerikɛ̃] **1** amerikanisch **2** **Américain** M Amerikaner
Amérique [amerik] F **l'~** Amerika *n*; **l'~ du Sud** Südamerika *n*; **l'~ latine** Lateinamerika *n*
ameublement [amœbləmɑ̃] M (Zimmer-, Wohnungs)Einrichtung *f*
ami(e) [ami] M(F) Freund(in)
amiable [amjabl] **à l'~** einvernehmlich, gütlich
amiante [amjɑ̃t] M Asbest
amical [amikal] freundschaftlich **amicale** [amikal] F Verein *m*
amicalement [amikalmɑ̃] mit herzlichem Gruß
amidon [amidõ] M Stärke *f*
amincir [amɛ̃sir] schlank machen; V/I dünner werden
amiral [amiral] M ⟨*pl* amiraux [amiro]⟩ Admiral
amitié [amitje] F Freundschaft; **~s** PL freundliche, herzliche Grüße *mpl*
amoindrir [amwɛ̃drir] verringern, vermindern
amont [amõ] **en ~** fluss-, stromaufwärts; **en ~ de** oberhalb von
amorcer [amɔrse] in Gang bringen; **s'~** in Gang kommen
amortir [amɔrtir] *choc, bruit* dämpfen; HANDEL amortisieren **amortisseur** [amɔrtisœr] M Stoßdämpfer
amour [amur] M Liebe *f*; **faire l'~ avec qn** mit j-m schlafen
amoureux [amurø] verliebt (**de** in *akk*); **tomber ~ de** sich verlieben in (*akk*)
amour-propre [amurprɔpr] M Selbstachtung *f*
ampère [ɑ̃pɛr] M Ampere *n*
amphithéâtre [ɑ̃fiteɑtr] M *université* Hörsaal; *arènes* Amphitheater *n*
ample [ɑ̃pl] *vêtement* weit
ampleur [ɑ̃plœr] F Weite; *fig* Umfang *m*, Ausmaß *n*
ampli(ficateur) [ɑ̃pli(fikatœr)] M Verstärker
amplifier [ɑ̃plifje] verstärken (*a.* TECH)
ampoule [ɑ̃pul] F *lampe* Glühbirne; *cloque* Blase; *médicament* Ampulle
amputer [ɑ̃pyte] amputieren
amulette [amylɛt] F Amulett *n*
amusant [amyzɑ̃] unterhaltend, lustig
amuse-gueule [amyzgœl] M

Appetithäppchen *n*
amuser [amyze] unterhalten; *qc* Spaß machen (**qn** j-m); **s'~** sich amüsieren; *jouer* spielen; **pour s'~** zum Spaß
amygdales [ami(g)dal] FPL ANAT Mandeln
an [ɑ̃] M Jahr *n*; **jour** *m* **de l'~** Neujahrstag; **à vingt ~s** mit zwanzig (Jahren); **par ~** im *od* pro Jahr; **tous les ~s** jedes Jahr; **avoir dix ~s** zehn (Jahre alt) sein
analgésique [analʒezik] **1** schmerzstillend **2** M Schmerzmittel *n*
analyse [analiz] F Analyse; **~ de sang** Blutuntersuchung
analyser [analize] analysieren, untersuchen
ananas [anana(s)] M Ananas *f*
anarchie [anarʃi] F Anarchie
anchois [ɑ̃ʃwa] M Sardelle *f*, Anschovis *f*
ancien [ɑ̃sjɛ̃] alt; *précédent* ehemalig
ancre [ɑ̃kr] F Anker *m*
Andorre [ɑ̃dɔr] F **l'~** Andorra *n*
andouille [ɑ̃duj] F Kuttelwurst; *umg* Dummkopf *m* **andouillette** [ɑ̃dujɛt] F Kuttelbratwurst
âne [ɑn] M Esel
anéantir [aneɑ̃tir] vernichten; *fig* niederschmettern
anecdote [anɛgdɔt] F Anekdote
anémie [anemi] F Blutarmut
anesthésie [anɛstezi] F Betäubung, Narkose; **~ locale** örtliche Betäubung; **~ générale** Vollnarkose
aneth [anɛt] M Dill
ange [ɑ̃ʒ] M Engel
angine [ɑ̃ʒin] F Angina; **~ de poitrine** Angina pectoris
anglais [ɑ̃glɛ] **1** englisch **2** **Anglais** M Engländer
angle [ɑ̃gl] M *coin* Ecke *f*; MATH Winkel; **sous cet ~** unter diesem Blickwinkel
Angleterre [ɑ̃glətɛr] F **l'~** England *n*
angoisse [ɑ̃gwas] F Angst (-gefühl) *f(n)* **angoisser** [ɑ̃gwase] (**s'~** sich) ängstigen
anguille [ɑ̃gij] F Aal *m*; **~ fumée** Räucheraal *m*
animal [animal] **1** M ⟨*pl* animaux [animo]⟩ Tier *n* **2** ADJ tierisch, Tier… **animalerie** [animalri] F Zoogeschäft *n*, Tierhandlung
animateur [animatœr] M, **animatrice** [animatris] F TV, *d'un débat* Moderator(in) *m(f)*; *d'un groupe* Betreuer(in) *m(f)*
animé [anime] *rue* belebt; *discussion* lebhaft **animer** [anime] beleben; *émission* moderieren; *groupe* betreuen; *débat* leiten
anis [ani(s)] M Anis **anisette** [anizɛt] F Anislikör *m*
ankylosé [ɑ̃kiloze] MED steif
anneau [ano] M Ring
année [ane] F Jahr *n*; **~ scolai-**

re Schuljahr *n*; **bonne ~!** ein gutes neues Jahr!
année-lumière [anelymjɛr] F Lichtjahr *n*
annexe [anɛks] F *bâtiment* Nebengebäude *n*; **~s** PL *d'un dossier etc* Anlagen
anniversaire [anivɛrsɛr] M Geburtstag; *d'un événement* Jahrestag; **~ de mariage** Hochzeitstag; **bon ~!** alles Gute zum Geburtstag!
annonce [anõs] F Ankündigung; **petite ~** Anzeige; **petites ~s** PL *rubrique* Anzeigenteil *m*
annoncer [anõse] ankündigen
annuaire [anɥɛr] M Jahrbuch *n*; **~ du téléphone** Telefonbuch *n*
annuel [anɥɛl] jährlich, Jahres...
annulaire [anylɛr] M Ringfinger
annulé [anyle] fällt aus **annuler** [anyle] *réservation* annullieren; *rendez-vous* absagen; *voyage* abbestellen; *vol* streichen; *commande* stornieren
anorak [anorak] M Anorak
anorexie [anɔrɛksi] F Magersucht **anorexique** [anɔrɛksik] magersüchtig
ANPE [aɛnpeə] F (*Agence nationale pour l'emploi*) Arbeitsamt *n*
Antarctique [ɑ̃tarktik] M **l'~** die Antarktis
antenne [ɑ̃tɛn] F Antenne; ZOOL Fühler *m*; **~ de télévision** Fernsehantenne; **~ parabolique** Parabolantenne, Satellitenschüssel; **être à l'~** auf Sendung sein
antérieur [ɑ̃terjœr] vordere(r, -s), Vorder...; *d'avant* frühere(r, -s); **~ à** früher als
antibiotique [ɑ̃tibjɔtik] M Antibiotikum *n*
antibrouillard [ɑ̃tibrujar] M *phare* Nebelscheinwerfer; *feu arrière* Nebelschlussleuchte *f*
anticiper [ɑ̃tisipe] vorwegnehmen (**sur qc** etw); *paiement* im Voraus leisten
anticorps [ɑ̃tikɔr] M Antikörper
anticyclone [ɑ̃tisiklon] M Hoch(druckgebiet) *n*
antidopage [ɑ̃tidɔpaʒ] **contrôle** *m* **~** Dopingkontrolle *f*
antidote [ɑ̃tidɔt] M Gegenmittel *n*, -gift *n*
antigel [ɑ̃tiʒel] M Frostschutzmittel *n*
Antilles [ɑ̃tij] FPL **les ~** die Antillen *pl*
antilope [ɑ̃tilɔp] F Antilope
antipathique [ɑ̃tipatik] unsympathisch
antiquaire [ɑ̃tikɛr] M Antiquitätenhändler
antique [ɑ̃tik] antik
Antiquité [ɑ̃tikite] F Altertum *n*, Antike; **antiquités** PL Antiquitäten
antiseptique [ɑ̃tiseptik] antiseptisch, keimtötend
antivirus [ɑ̃tivirys] M IT Anti-

virenprogramm *n*, Virenschutz (-programm *n*)
antivol [ɑ̃tivɔl] M Diebstahlsicherung *f*
anus [anys] M After
Anvers [ɑ̃vɛr] Antwerpen
anxiété [ɑ̃ksjete] F Angst
anxieux [ɑ̃ksjø] ängstlich
août [u(t)] M August
apaiser [apɛze] beruhigen; *maux de dents* lindern
apercevoir [apɛrsəvwar] *discerner* erkennen; *brièvement* (flüchtig) sehen; **s'~ de qc** etw merken
aperçu [apɛrsy] M kurzer Überblick
apéritif [aperitif] M, *umg* **apéro** [apero] M Aperitif
aplanir [aplanir] planieren, ebnen
aplatir [aplatir] platt drücken
apoplexie [apɔplɛksi] F Schlaganfall *m*
apostrophe [apɔstrɔf] F Apostroph *m* **apostropher** [apɔstrɔfe] anherrschen, anfahren
apparaître [aparɛtr] erscheinen, zum Vorschein kommen
appareil [aparɛj] M Apparat (*a.* TEL), Gerät *n*; *avion* Maschine *f*; **~ (de) photo** Fotoapparat, Kamera *f*
appareiller [aparɛje] SCHIFF ablegen, auslaufen (**pour** nach)
apparence [aparɑ̃s] F Aussehen *n*; **~s** PL (An)Schein *m*; **en ~** scheinbar
apparent [aparɑ̃] *visible* sichtbar; *en apparence* scheinbar
apparition [aparisjõ] F Erscheinen *n*; *vision* Erscheinung
appartement [apartəmɑ̃] M Wohnung *f* **appartement-témoin** [apartəmɑ̃temwɛ̃] M Musterwohnung *f*
appartenir [apartənir] **~ à** gehören (*dat*); *faire partie de* angehören (*dat*)
appât [apɑ] M Köder
appel [apɛl] M Ruf; TEL Anruf; JUR Berufung *f*; **~ au secours** Hilferuf; **faire ~ à qn** j-n heranziehen; **faire un ~ de phares** die Lichthupe betätigen
appeler [aple] rufen; *nommer* nennen; TEL anrufen; **s'~** heißen
appellation [apɛlasjõ] F **~ (d'origine) contrôlée** geprüfte Herkunftsbezeichnung
appendicite [apɛ̃disit] F Blinddarmentzündung
appétissant [apetisɑ̃] appetitlich
appétit [apeti] M Appetit; **bon ~!** guten Appetit!
applaudir [aplodir] Beifall klatschen (**qn** j-m) **applaudissements** [aplodismɑ̃] MPL Applaus *m*, Beifall *m*
appli [apli] F TEL, INFORM App *f*/*n*
appliqué [aplike] fleißig
appliquer [aplike] *produit* auftragen; *loi, méthode* anwenden

(à auf); s'~ fleißig sein; s'~ à gelten für; s'~ à (+inf) sich bemühen zu
apporter [apɔrte] (mit)bringen
apprécier [apresje] schätzen
apprendre [aprɑ̃dr] lernen; *nouvelle* erfahren (**par qn** durch j-n); **~ qc à qn** *enseigner* j-m etw beibringen; *annoncer* j-m etw mitteilen
apprenti [aprɑ̃ti] M Lehrling
apprentissage [aprɑ̃tisaʒ] M Lehre *f*
apprêter [aprɛte] **s'~ à partir** gerade im Begriff sein wegzugehen
apprivoiser [aprivwaze] *animal* zähmen
approche [aprɔʃ] F **à l'~ de** beim Herannahen (*+gen*) **approcher** [aprɔʃe] heranrücken; **s'~ de** sich nähern (*dat*)
approfondir [aprɔfõdir] vertiefen
approprié [aprɔprije] angemessen, passend
approuver [apruve] billigen, gutheißen; **~ qn** j-m zustimmen
approvisionner [aprɔvizjɔne] versorgen (**en** mit)
approximatif [aprɔksimatif] annähernd
appui [apɥi] M Stütze *f*; *fig* Unterstützung *f*
appui(e)-tête [apɥitɛt] M Kopfstütze *f*
appuyer [apɥije] lehnen (**contre** gegen), (an)lehnen (**an** *akk*); **~ sur** drücken auf (*akk*); **s'~ sur** sich stützen auf (*akk*) (*a. fig*)
après [aprɛ] nach, hinter; ADV nachher; **d'~** gemäß; **~ que** nachdem
après-demain [aprɛdmɛ̃] übermorgen **après-guerre** [aprɛgɛr] M/F Nachkriegszeit *f*
après-midi [aprɛmidi] M/F Nachmittag *m* **après-rasage** [aprɛrɑzaʒ] M Aftershave *n*, Rasierwasser *n* **après-ski** [aprɛski] M Schneestiefel; Après-Ski *n*
aptitude [aptityd] F Fähigkeit
aquarelle [akwarɛl] F Aquarell *n*
aquarium [akwarjɔm] M Aquarium *n*
aqueduc [akdyk] M Aquädukt
arabe [arab] **1** arabisch **2** **Arabe** M Araber
araignée [arɛɲe] F Spinne
arbitraire [arbitrɛr] willkürlich
arbitre [arbitr] M Schlichter; SPORT Schiedsrichter
arbitrer [arbitre] *conflit* schlichten; SPORT Schiedsrichter sein (**qc** bei etw)
arbre [arbr] M Baum; **~ de Noël** Weihnachtsbaum
arbuste [arbyst] M (kleiner) Strauch
arc [ark] M Bogen
arc-en-ciel [arkɑ̃sjɛl] M Regenbogen
archéologie [arkeɔlɔʒi] F Ar-

chäologie
archevêque [arʃəvɛk] M Erzbischof
architecte [arʃitɛkt] M/F Architekt(in) *m(f)* **architecture** [arʃitɛktyr] F Architektur
archives [arʃiv] FPL Archiv *n*
Arctique [arktik] M **l'~** die Arktis
ardent [ardɑ̃] glühend
ardeur [ardœr] F Glut, Hitze
ardoise [ardwaz] F Schiefer *m*
arène(s) [arɛn] F(PL) Arena *f*
arête [arɛt] F Gräte
argent [arʒɑ̃] M Silber *n*; *monnaie* Geld *n*; **~ liquide** Bargeld *n*; **~ de poche** Taschengeld *n*
argenté [arʒɑ̃te] silbern
Argentine [arʒɑ̃tin] F **l'~** Argentinien *n*
argile [arʒil] F Ton *m*
argot [argo] M Argot *n od m*; Jargon *m*
aride [arid] trocken (*a. fig*), ausgedörrt
aristocratie [aristɔkrasi] F Aristokratie **aristocratique** [aristɔkratik] aristokratisch
arme [arm] F Waffe; **~ à feu** Feuer-, Schusswaffe
armé [arme] bewaffnet; **béton** *m* **~** Eisenbeton
armée [arme] F Armee
armer [arme] bewaffnen; *pays* aufrüsten; *arme à feu, appareil photo* spannen
armistice [armistis] M Waffenstillstand
armoire [armwar] F Schrank *m*; **~ à pharmacie** Hausapotheke *f*
armoiries [armwari] FPL Wappen *n*
arobase [arɔbaz] F IT Klammeraffe *m*
aromate [arɔmat] M Gewürz *n* **aromatique** [arɔmatik] aromatisch
arôme [arom] M Aroma *n*, Duft
arr. (*arrondissement*) Stadtbezirk
arracher [araʃe] (her)ausreißen; *pommes de terre* ernten; *dent* ziehen; **~ qc à qn** j-m etw entreißen (*a. fig*)
arranger [arɑ̃ʒe] (wieder) in Ordnung bringen; *organiser* arrangieren; **ça m'arrange (bien)** das kommt mir sehr gelegen; **s'~** (wieder) in Ordnung kommen; **s'~ avec qn** sich mit j-m einigen; **s'~ pour** (*+inf*) es so einrichten, dass
arrestation [arɛstasjõ] F Verhaftung, Festnahme
arrêt [arɛ] M Anhalten *n*; Stehenbleiben *n*; *de bus* Haltestelle *f*; *train* Aufenthalt; **sans ~** ununterbrochen
arrêter [arɛte] anhalten; *moteur* abstellen; *j-n* verhaften; **s'~** stehen bleiben; *bruit* aufhören; *faire halte* haltmachen; *train* halten (**à** in); **(s')~ de** (*+inf*) aufhören zu; **arrête!** hör auf!
arrhes [ar] FPL Anzahlung *f*

arriéré [arjere] rückständig; *enfant* zurückgeblieben
arrière [arjɛr] **1** ADJ Hinter…, Rück… **2** M Heck *n*; SPORT Verteidiger; **en ~** rückwärts, zurück, nach hinten; **à l'~** hinten
arrière-goût [arjɛrgu] M Nachgeschmack **arrière-grand-mère** [arjɛrgrɑ̃mɛr] F Urgroßmutter **arrière-pays** [arjɛrpei] M Hinterland *n* **arrière-pensée** [arjɛrpɑ̃se] F Hintergedanke *m* **arrière-plan** [arjɛrplɑ̃] M Hintergrund **arrière-saison** [arjɛrsɛzõ] F Nachsaison
arrivée [arive] F Ankunft
arriver [arive] ankommen; *malheur* passieren (**à qn** j-m); **~ à** (+*inf*) es schaffen zu …
arrondir [arõdir] abrunden
arrondissement [arõdismɑ̃] M (Stadt)Bezirk
arroser [aroze] (be)gießen **arrosoir** [arozwar] M Gießkanne *f*
art [ar] M Kunst *f*
artère [artɛr] F ANAT Arterie; AUTO Hauptverkehrsstraße
artériosclérose [arterjɔskleroz] F Arterienverkalkung, Arteriosklerose
arthrose [artroz] F Arthrose
artichaut [artiʃo] M Artischocke *f*; **fond** *m* **d'~** Artischockenboden
article [artikl] M Artikel; **~s** *pl* **de voyage** Reisebedarf *m*; **~s** *pl* **de cuir** Lederwaren *fpl*; **~s** *pl* **de sport** Sportartikel *fpl*
articulation [artikylasjõ] F Gelenk *n*
artificiel [artifisjɛl] künstlich
artillerie [artijri] F Artillerie
artisan [artizɑ̃] M Handwerker
artisanal [anal] handwerklich
artiste [artist] M/F Künstler(in) *m(f)* **artistique** [artistik] künstlerisch
as¹ [as] M Ass *n* (*a. umg fig*); SPORT *a.* Kanone *f*
as² [a] PRÄS → avoir
ascenseur [asɑ̃sœr] M Aufzug, Fahrstuhl
ascension [asɑ̃sjõ] F Besteigung; *fig* Aufstieg *m*; **l'Ascension** (Christi) Himmelfahrt
asiatique [azjatik] **1** asiatisch **2** **Asiatique** M Asiat
Asie [azi] F **l'~** Asien *n*
asile [azil] M Asyl *n*
aspect [aspɛ] M Aussehen *n*, Anblick; *point de vue* Aspekt, Gesichtspunkt
asperge [aspɛrʒ] F Spargel *m*
asphyxier [asfiksje] ersticken
aspirateur [aspiratœr] M Staubsauger
aspirer [aspire] *air* einatmen; *liquide, poussière* ansaugen; **~ à** streben nach
aspirine® [aspirin] F Aspirin® *n*
assaillir [asajir] angreifen, überfallen; *fig* bestürmen (**de** mit)

assaisonnement [asɛzɔnmɑ̃] M Würzen *n; ingrédients* Gewürze *npl; vinaigrette* Salatsoße *f* **assaisonner** [asɛzɔne] würzen; *salade* anmachen
assassin [asasɛ̃] M Mörder
assassinat [asasina] M Mord
assassiner [asasine] ermorden
assemblée [asɑ̃ble] F Versammlung
assembler [asɑ̃ble] zusammenfügen, -bauen; **s'~** sich versammeln
asseoir [aswar] *enfant* setzen; **s'~** sich (hin)setzen
assez [ase] genug; *plutôt* ziemlich; **~ d'argent** genug Geld; **j'en ai ~** ich habe es satt
assiette [asjɛt] F Teller *m*; **~ anglaise** *Platte mit kaltem Braten und Rohkost*
assis [asi] sitzend; **être ~** sitzen
assistant(e) [asistɑ̃(t)] M(F) Assistent(in); **~e médicale** Arzthelferin; **~e sociale** Sozialarbeiterin
assister [asiste] **~ qn** j-m beistehen; **~ à** *spectacle* sich ansehen (*akk*); *dispute* dabei sein bei; **assisté par ordinateur** computergestützt
association [asɔsjasjõ] F Verein *m*; WIRTSCH Verband *m*
associer [asɔsje] verbinden; **~ qn à** j-n beteiligen an (*dat*); **s'~ avec** sich zusammenschließen mit
assoiffé [aswafe] durstig
assommer [asɔme] bewusstlos schlagen
Assomption [asõpsjõ] F **l'~** Mariä Himmelfahrt
assortiment [asɔrtimɑ̃] M Auswahl *f*; **~ de charcuterie** Wurstplatte *f*
assoupir [asupir] **s'~** einschlummern
assouplir [asuplir] lockern (*a. fig*); *linge* weich machen
assurance [asyrɑ̃s] F Versicherung; *confiance en soi* (Selbst)Sicherheit; **~ auto** Kfz-Versicherung; **~ maladie** Krankenversicherung; **~ responsabilité civile** Haftpflichtversicherung; **~ tous risques** Vollkaskoversicherung
assurément [asyremɑ̃] sicher (-lich)
assurer [asyre] versichern; *garantir* sichern; **s'~** sich versichern (**contre** gegen); **s'~ de** sich vergewissern (*gen*)
asthme [asm] M Asthma *n*
astre [astr] M Gestirn *n*
astronaute [astronot] M Astronaut, Raumfahrer
astucieux [astysjø] raffiniert; *personne* einfallsreich
atelier [atəlje] M Werkstatt *f*; *d'artiste* Atelier *n*; *pour un groupe de travail* Workshop
athée [ate] M Atheist
athlète [atlɛt] M (Leicht)Athlet
athlétisme [atletism] M Leichtathletik *f*
Atlantique [atlɑ̃tik] M **l'~** der

Atlantik
atlas [atlas] M Atlas
atmosphère [atmɔsfɛr] F Atmosphäre
atome [atom] M Atom *n*
atomique [atɔmik] Atom…
atout [atu] M Trumpf
atroce [atrɔs] entsetzlich
attaché-case [ataʃekɛz] M Aktenkoffer
attacher [ataʃe] festmachen, fest-, anbinden (**à** an *dat*); *lacets* zubinden; *tablier* umbinden; GASTR ansetzen; **~ sa ceinture** sich anschnallen; **s'~ à** hängen an (*dat*)
attaquant [atakɑ̃] M SPORT Angriffsspieler **attaque** [atak] F Angriff *m*; MED Anfall *m*
attaquer [atake] angreifen, *dans la rue* überfallen; *fig* **s'~ à qc** etw anpacken
attarder [atarde] **s'~** sich zu lange aufhalten
atteindre [atɛ̃dr] erreichen; *projectile* treffen; MED befallen; *fig toucher* treffen
attendant [atɑ̃dɑ̃] **en ~** in der Zwischenzeit
attendre [atɑ̃dr] warten (**qn** auf j-n); **~ que** (+*subj*) warten, bis; **~ de** erwarten von; **s'~ à** gefasst sein auf (*akk*)
attendrir [atɑ̃drir] rühren
attentat [atɑ̃ta] M Attentat *n*; **~ suicide** Selbstmordanschlag
attente [atɑ̃t] F Warten *n* (**de** auf *akk*); *durée* Wartezeit; *espoir* Erwartung; **file** *f* **d'~** Schlange
attentif [atɑ̃tif] aufmerksam; **être ~ à** achten auf (*akk*)
attention [atɑ̃sjõ] F Aufmerksamkeit; **~!** Vorsicht!, Achtung!; **faire ~** aufpassen, achten (**à** auf *akk*)
atténuer [atenɥe] abschwächen, mildern; *bruit* dämpfen; *douleur* lindern
atterrir [atɛrir] FLUG landen
attestation [atɛstasjõ] F Bescheinigung
attirance [atirɑ̃s] F Anziehungskraft **attirant** [atirɑ̃] anziehend
attirer [atire] anziehen; **~ l'attention sur** die Aufmerksamkeit lenken auf (*akk*)
attitude [atityd] F Haltung
attraction [atraksjõ] F Anziehungskraft; *pour le public* Attraktion
attrait [atrɛ] M Reiz
attraper [atrape] fangen; *balle a.* auffangen; *train, bus* erreichen; *umg maladie* sich holen; **être attrapé** hereinfallen
attrayant [atrɛjɑ̃] anziehend
attribuer [atribɥe] *donner* zuweisen; *comme cause* zurückführen (**à qc** auf etw *akk*)
au [o] = *à* + *le*
aube [ob] F Morgendämmerung
aubépine [obepin] F Weißdorn *m*
auberge [obɛrʒ] F (Land)Gasthof *m*; **~ de (la) jeunesse** Ju-

gendherberge
aubergine [obɛrʒin] F Aubergine
aucun [okɛ̃, okœ̃], **aucune** [okyn] **(ne ... ~, ~ ... ne)** kein(e); *employé seul* keine(r, -s)
aucunement [okynmɑ̃] keineswegs
audacieux [odasjø] kühn
au-delà [od(ə)la] **~ de** jenseits (*gen*); *fig* über ... hinaus
au-dessous [od(ə)su] darunter; **~ de** unter (*dat od akk*)
au-dessus [od(ə)sy] darüber; **~ de** über (*dat od akk*)
audioguide [odjogid] M Audioguide
auditeur [oditœr] M Zuhörer
augmentation [ogmɑ̃tasjõ] F Zunahme; *des prix* Erhöhung; **~ de salaire** Lohn-, Gehaltserhöhung
augmenter [ogmɑ̃te] erhöhen; VI *population* zunehmen; *prix* steigen
aujourd'hui [oʒurdɥi] heute; *de nos jours* heutzutage
aulne [on] M Erle *f*
aumône [omon] F Almosen *n*
auparavant [oparavɑ̃] vorher, zuvor
auprès [oprɛ] **~ de** bei
aurai [ɔre] *fut* → avoir
aurore [ɔrɔr] F Morgenröte
ausculter [ɔskylte] MED abhorchen
aussi [osi] auch; KONJ daher; **~ ... que** (eben)so ... wie
aussitôt [osito] sofort, (so)gleich; **~ que** sobald
austère [ostɛr] streng
Australie [ostrali] F **l'~** Australien *n*
australien [ostraljɛ̃] **1** australisch **2** **Australien** M Australier
autant [otɑ̃] **~ (que)** soviel ... (wie); *souffrir* so sehr (wie); **~ de ... (que)** soviel (wie); **d'~ plus que** umso mehr als
autel [otɛl] M Altar
auteur [otœr] M Autor(in) *m(f)*, Verfasser(in) *m(f)*; **~ du crime** Täter(in) *m(f)*
authentique [otɑ̃tik] echt
auto [oto] F Auto *n* **autobiographie** [otobjɔgrafi] F Autobiografie **autobus** [otobys] M Bus **autocar** [otokar] M (Reise-, Überland)Bus
autocuiseur [otokɥizœr] M Schnellkochtopf
auto-école [otoekɔl] F Fahrschule
autographe [otograf] M Autogramm *n* **automatique** [otomatik] automatisch
automne [otɔn] M Herbst
automobile [otomɔbil] ADJ Auto(mobil)..., Kraftfahrzeug... **automobiliste** [otomɔbilist] M Auto-, Kraftfahrer
autopsie [otɔpsi] F Obduktion
autoradio [otoradjo] M Autoradio *n*
autorisation [otorizasjõ] F Genehmigung **autoriser** [otorize] erlauben (**qc** etw; **qn**

à faire qc j-m, etw zu tun)
autorités [otorite] FPL Behörden
autoroute [otɔrut] F Autobahn
auto-stop [otostɔp] M **faire de l'~** per Anhalter fahren
auto-stoppeur [otostɔpœr] M, **auto-stoppeuse** [otostɔpøz] F Anhalter(in) *m(f)*
autour [otur] d(a)rum herum; **~ de** um ... (herum); *umg environ* um ... herum
autre [otr] andere(r, -s); *de plus* weitere(r, -s); **une ~ bière** noch ein Bier; **~ chose** etwas anderes; **rien d'~** nichts anderes, sonst nichts; **entre ~s** unter anderem
autrefois [otrəfwa] früher
autrement [otrəmã] anders; *sinon* sonst
Autriche [otriʃ] F **l'~** Österreich *n*
autrichien [otriʃjɛ̃] **1** österreichisch **2** **Autrichien** M Österreicher
autruche [otryʃ] F ZOOL Strauß *m*
auvent [ovã] M Vordach *n*
aval [aval] **en ~** fluss-, stromabwärts; **en ~ de** unterhalb von (*od gen*)
avalanche [avalãʃ] F Lawine
avaler [avale] (hinunter)schlucken; *involontairement* verschlucken; **~ de travers** sich verschlucken
avance [avãs] F *course* Vorsprung *m*; *argent* Vorschuss *m*; **à l'~, d'~** im Voraus; **en ~** zu früh
avancement [avãsmã] M *progrès* Fortschritt; *dans la carrière* Beförderung *f*
avancer [avãse] vorrücken; *argent* vorstrecken; *rendez-vous* vorverlegen; V/I vorankommen (*a. dans le travail*); *montre* vorgehen; **s'~** näher kommen; **s'~ vers** zugehen auf (*akk*)
avant [avã] **1** PRÄP vor (*dat od akk*); ADV vorher; ADJ Vorder...; **~ tout** vor allem; **en ~** vorwärts, nach vorn; **à l'~** vorn; **~ que** (+ *subj*), **~ de** (+*inf*) bevor **2** M Vorderteil *n od m*; SPORT Stürmer
avantage [avãtaʒ] M Vorteil
avantager [avãtaʒe] begünstigen **avantageux** [avãtaʒø] vorteilhaft
avant-bras [avãbra] M Unterarm **avant-dernier** [avãdɛrnje] vorletzte(r, -s)
avant-goût [avãgu] M Vorgeschmack
avant-hier [avãtjɛr] vorgestern
avare [avar] geizig
avarié [avarje] verdorben
avec [avɛk] mit; **et ~ ça?** darf es sonst noch was sein?
avenir [avnir] M Zukunft *f*; **à l'~** in Zukunft
aventure [avãtyr] F Abenteuer *n*; *en amour* (Liebes)Affäre
aventurer [avãtyre] **s'~** sich

wagen **aventurier** [avɑ̃tyrje] M Abenteurer
avenue [avny] F Avenue, Prachtstraße
avérer [avere] **s'~** (+*adj*) sich als … erweisen
averse [avɛrs] F (Regen)Schauer *m*
aversion [avɛrsjõ] F Abneigung (**pour** gegen)
avertir [avɛrtir] benachrichtigen (**de** von); *mettre en garde* warnen **avertissement** [avɛrtismɑ̃] M Warnung *f*; **~ aux voyageurs** Reisewarnung *f*
avertisseur [avɛrtisœr] M AUTO Hupe *f*; **~ d'incendie** Feuermelder
aveu [avø] M Geständnis *n*
aveugle [avœgl] **1** blind **2** M/F Blinde(r) *m/f(m)* **aveugler** [avœgle] *lumière* blenden; *fig* blind machen
aviaire [avjɛr] Vogel…, der Vögel; **grippe** *f* **~** Vogelgrippe
aviateur [avjatœr] M Flieger
aviation [avjasjõ] F Luftfahrt
avide [avid] gierig (**de** nach)
avidité [avidite] F Gier
avion [avjõ] M Flugzeug *n*; **~ de ligne** Linienmaschine *f*; **prendre l'~** fliegen; **par ~** mit, per Luftpost
aviron [avirõ] M *rame* Ruder *n*; SPORT Rudersport
avis [avi] M Meinung *f*; *information* Bekanntmachung *f*; **à mon ~** meiner Meinung nach; **~ de tempête** Sturmwarnung *f*; **~ d'imposition** Steuerbescheid
avocat¹ [avɔka] M BOT Avocado *f*
avocat² [avɔka] M (Rechts)Anwalt **avocate** [avɔkat] F (Rechts)Anwältin
avoine [avwan] F Hafer *m*
avoir [avwar] **1** haben; *obtenir* bekommen; *umg tromper* reinlegen; **il y a** es gibt; **il y a 2 ans** vor 2 Jahren; **~ 15 ans** 15 Jahre alt sein **2** M Guthaben *n*
avortement [avɔrtəmɑ̃] M Abtreibung *f*
avorter [avɔrte] **se faire ~** abtreiben (lassen)
avouer [avwe] (ein)gestehen; zugeben; JUR gestehen
avril [avril] M April
axe [aks] M Achse *f*
ayez [ɛje] SUBJ → avoir
azalée [azale] F Azalee
azote [azɔt] M Stickstoff

B

baba¹ [baba] *umg* verblüfft
baba² [baba] M **~ au rhum** *rumgetränkter Napfkuchen*
babeurre [babœr] M Buttermilch *f*
babiole [babjɔl] F Kleinigkeit
bâbord [babɔr] M Backbord; **à ~** backbord(s)

babouin [babwɛ̃] M Pavian
baby-foot [babifut] M Tischfußball **babyphone®** [babifɔn] M/F Babyfon® *n* **babysitter** [bebisitœr] M/F Babysitter *m*
bac [bak] M *bateau* Fähre *f*
bac(calauréat) [bak(alorea)] M Abi(tur) *n*; **~ + 3** UNIV Bachelor *m*
bâche [baʃ] F Plane
bacille [basil] M Bazillus
bâcler [bɑkle] *umg* hinschludern
bactérie [bakteri] F Bakterie
badge [badʒ] M Button
badminton [badmintɔn] M Federball, Badminton *n*
baeckeoffe [bɛkəofe] M *Elsässer Fleischeintopf mit Kartoffeln*
baffle [bafl] M Lautsprecherbox *f*
bagages [bagaʒ] MPL Gepäck *n*; **~ accompagnés** Reisegepäck *n*
bagarre [bagar] F Schlägerei
bagnole [baɲɔl] F *umg* Karre
bague [bag] F (Finger)Ring *m*
baguette [bagɛt] F Stab *m*; *pour manger* (Ess)Stäbchen *n*; *pain* Stangenweißbrot *n*, Baguette *f od n*
baie [bɛ] F Bucht; BOT Beere
baignade [bɛɲad] F Baden *n*
baigner [bɛɲe] **se ~** baden
baignoire [bɛɲwar] F Badewanne
bâiller [bɑje] gähnen
bain [bɛ̃] M Bad *n*; **salle** *f* **de ~s** Badezimmer *n*; **~ de pieds** Fußbad *n*; **~ de soleil** Sonnenbad *n*; **prendre un ~** ein Bad nehmen, (sich) baden
bain-marie [bɛ̃mari] M GASTR Wasserbad *n*
baiser¹ [beze] M Kuss
baiser² [beze] *sl* bumsen
baisse [bɛs] F Sinken *n*, Fallen *n*; **être en ~** *prix* fallen
baisser [bɛse] *vitre, store* herunterlassen; *gaz, lumière* kleiner stellen; *radio* leiser stellen; V/I *température, prix* sinken, fallen; **se ~** sich bücken
bal [bal] M Ball
balade [balad] F *umg* Spaziergang *m*; *en voiture* Spazierfahrt
balader [balade] spazieren gehen, fahren
baladeur [baladœr] M Walkman®; **~ MP3** MP3-Player
balai [balɛ] M Besen
balance [balɑ̃s] F Waage
balancer [balɑ̃se] schwenken; **se ~** schaukeln; **~ les jambes** die Beine baumeln lassen
balançoire [balɑ̃swar] F Schaukel
balayer [balɛje] (aus-, weg)fegen
balcon [balkõ] M Balkon
Bâle [bal] Basel
baleine [balɛn] F Wal *m*
balise [baliz] F Bake; *d'un sentier* Markierung
balle [bal] F Ball *m*
ballet [balɛ] M Ballett *n*

ballon [balõ] M (großer) Ball; *jouet* Luftballon; FLUG Ballon; *umg* AUTO **souffler dans le ~** in die Tüte *od* ins Röhrchen blasen
balnéaire [balneɛr] **station** *f* **~** Seebad *n*
Baltique [baltik] **la mer ~** die Ostsee
balustrade [balystrad] F Geländer *n*, Balustrade
bambou [bɑ̃bu] M Bambus
banal [banal] banal, alltäglich
banane [banan] F Banane
banc [bɑ̃] M (Sitz)Bank *f*; **~ de sable** Sandbank *f*
bancaire [bɑ̃kɛr] Bank...
bandage [bɑ̃daʒ] M Verband
bande[1] [bɑ̃d] F *ruban* Band *n*, Streifen *m*; MED Binde; **~ dessinée** Comic *m*; **~ magnétique** Tonband *n*; **~ sonore** Tonspur; AUTO **~ d'arrêt d'urgence** Standspur
bande[2] [bɑ̃d] F *groupe* Schar; *pej* Bande
bandeau [bɑ̃do] M Stirnband *n*; *pour les yeux* Augenbinde *f*
bander [bɑ̃de] verbinden
banlieue [bɑ̃ljø] F Vororte *mpl*; **train** *m* **de ~** Vorortzug
banque [bɑ̃k] F HANDEL Bank; IT **~ de données** Datenbank; **~ en ligne** Onlinebanking *n*
banquet [bɑ̃kɛ] M Bankett *n*, Festessen *n*
banquette [bɑ̃kɛt] F Bank; **~ arrière** Rücksitz *m*
banquier [bɑ̃kje] M Bankier
baptême [batɛm] M Taufe *f*
baptiser [batize] taufen
bar [bar] M Stehkneipe *f*; *d'un hôtel* Bar *f*; *comptoir* Theke *f*
barbare [barbar] **1** barbarisch **2** M Barbar
barbe [barb] F Bart *m*; **~ à papa** Zuckerwatte
barbecue [barbəkju] M *appareil* Holzkohlengrill; *repas* Grillparty *f*
barbelé [barbəle] **fil** *m* **de fer ~** *od* **~** M Stacheldraht
barbu [barby] bärtig
baril [baril] M Fass *n*
barman [barman] M Barkeeper; *garçon* Kellner
baromètre [barɔmɛtr] M Barometer *n*
baroque [barɔk] Barock...
barque [bark] F Kahn *m*, Boot *n*
barrage [baraʒ] M Staudamm, Talsperre *f*; *barrière* Sperre *f*; *d'une route* Straßensperre *f*
barre [bar] F Stange; SCHIFF Ruderpinne; SPORT **~ fixe** Reck *n*; **~s** *pl* **parallèles** Barren *m*
barreau [baro] M Gitterstab
barrer [bare] versperren; *police* sperren; *rayer* (aus-, durch)streichen
barricade [barikad] F Barrikade
barrière [barjɛr] F Schranke (*a. Bahn*), Sperre; *fig* Barriere
bas[1] [bɑ] **1** niedrig; *inférieur* untere(r, -s); *parler* leise; **en ~** unten **2** M unterer Teil

bas[2] [bɑ] M (Damen)Strumpf
bascule [baskyl] F Wippe
basculer [baskyle] kippen
base [bɑz] F Basis (*a.* MIL); IT **~ de données** Datenbank
basilic [bazilik] M Basilikum *n*
basilique [bazilik] F Basilika
basket(-ball) [basket(bol)] M Basketball
baskets [baskɛt] MPL Turn-, Sportschuhe
basque [bask] **1** baskisch; **le Pays ~** das Baskenland **2** **Basque** M Baske
basse-cour [baskur] F Hühnerhof *m*
bassin [basɛ̃] M Becken *n*
basson [basõ] M MUS Fagott *n*
bastingage [bastɛ̃gaʒ] M Reling *f*
bas-ventre [bavɑ̃tr] M Unterleib
bataille [bataj] F Schlacht
bâtard [batar] M *chien* Promenadenmischung *f*; *pain* Stangenweißbrot *n* (*von e-m Pfund*)
bateau [bato] M Schiff *n*; *non ponté* Boot *n*; **~ à voiles** Segelschiff *n*, -boot *n*
bateau-mouche [batomuʃ] M kleines Ausflugsschiff *n* (*auf der Seine*)
batik [batik] M Batik *f*
bâtiment [batimɑ̃] M Gebäude *n*, Bau; *secteur* Baubranche *f*
bâtir [batir] bauen
bâton [batõ] M Stock; **~ de ski** Skistock *m*
battant [batɑ̃] M (Tür-, Fensterflügel
battement [batmɑ̃] M Schlagen *n*
batterie [batri] F AUTO Batterie; MUS Schlagzeug *n*; **~ de cuisine** Kochtöpfe *mpl* und Pfannen *fpl*
battre [batr] schlagen (*a. Gegner*); *cartes* mischen; *maltraiter* verprügeln; **se ~** sich schlagen (**avec qn** mit j-m)
baume [bom] M Balsam; **~ à lèvres** Lippenbalsam
bavard [bavar] **1** geschwätzig **2** **bavard(e)** [bavar(d)] M(F) Schwätzer(in)
bavardage [bavadaʒ] M Geschwätz *n* **bavarder** [bavarde] schwatzen; IT **~ (en ligne)** chatten
bave [bav] F Speichel *m*, *umg* Sabber *m* **baver** [bave] sabbern **bavette** [bavɛt] F Lätzchen *n*
Bavière [bavjɛr] **la ~** Bayern *n*
BCE [beseə] F (Banque centrale européenne) EZB (*Europäische Zentralbank*)
bd → boulevard
BD [bede] F (*bande dessinée*) *umg* Comics *pl*
beach volley [bitʃvɔlɛ] M Beachvolleyball
beau [bo] ⟨*vor Vokal* bel, *f* belle [bɛl]⟩ schön; **il fait ~** es ist schön(es Wetter)
beaucoup [boku] *travailler* viel; *décevoir* sehr; **~ de** viel(e)
beau-fils [bofis] M Schwieger-

sohn; *d'un remariage* Stiefsohn **beau-frère** [bofrɛr] M Schwager **beau-père** [bopɛr] M Schwiegervater; *d'un remariage* Stiefvater
beauté [bote] F Schönheit
beaux-arts [bozar] MPL **les ~** die bildende Kunst *f*
beaux-parents [boparɑ̃] MPL Schwiegereltern *pl*
bébé [bebe] M Baby *n*
bec [bɛk] M Schnabel
bêche [bɛʃ] F Spaten *m*
bécoter [bekɔte] *umg* **se ~** knutschen
bégayer [begɛje] stottern
bégonia [begɔnja] M Begonie *f*
beige [bɛʒ] beige
beignet [bɛɲɛ] M Krapfen
bel → beau
bêler [bele] *mouton* blöken; *chèvre* meckern
belette [bəlɛt] F Wiesel *n*
belge [bɛlʒ] **1** belgisch **2** **Belge** M Belgier
Belgique [bɛlʒik] **la ~** Belgien *n*
bélier [belje] M Widder
belle [bɛl] → beau
belle-fille [bɛlfij] F Schwiegertochter; *d'un remariage* Stieftochter **belle-mère** [bɛlmɛr] F Schwiegermutter; *d'un remariage* Stiefmutter **belle-sœur** [bɛlsœr] F Schwägerin
belon [bəlõ] M *flache, runde Austernart*
belote [bəlɔt] F *beliebtes Kartenspiel*
belvédère [bɛlvedɛr] M Aussichtspunkt
bénédiction [benediksjõ] F Segen *m*
bénéfice [benefis] M Gewinn; *avantage* Vorteil **bénéficier** [benefisje] **~ de** genießen (*akk*); *profiter de* Vorteil ziehen aus
bénévole [benevɔl] ehrenamtlich
bénin [benɛ̃] ⟨*f* bénigne [beniɲ]⟩ harmlos; MED gutartig
bénir [benir] segnen
bénit [beni] geweiht; **eau** *f* **~e** Weihwasser *n*
béotien(ne) [beɔsjɛ̃ (beɔsjɛn)] M(F) Banause *m*
béquille [bekij] F Krücke
berceau [bɛrso] M Wiege *f*
bercer [bɛrse] *bébé* wiegen, schaukeln **berceuse** [bɛrsøz] F Wiegenlied *n*
béret [berɛ] M Baskenmütze *f*
berge [bɛrʒ] F Böschung
berger [bɛrʒe] M Schäfer; **~ allemand** (deutscher) Schäferhund
Berlin [bɛrlɛ̃] Berlin
berline [bɛrlin] F Limousine
berne [bɛrn] **en ~** auf halbmast
besogne [bəzɔɲ] F Arbeit
besoin [bəzwɛ̃] M Bedürfnis *n*; **~s** PL Bedarf *m* (**en** an *dat*); **avoir ~ de** brauchen (*akk*); **au ~** notfalls, bei Bedarf

bestiole [bɛstjɔl] F Tierchen *n*, *bes* Insekt *n*
best-seller [bɛstsɛlœr] M Bestseller
bétail [betaj] M Vieh *n*
bête [bɛt] **1** dumm **2** F Tier *n*
bêtise [bɛtiz] F Dummheit
béton [betõ] M Beton
bette [bɛt] F Mangold *m*
betterave [bɛtrav] F Rübe; **~ rouge** Rote Bete; **~ sucrière** Zuckerrübe
beurre [bœr] M Butter *f*; **petit ~** Butterkeks **beurrer** [bœre] mit Butter bestreichen **beurrier** [bœrje] M Butterdose *f*
biais [bjɛ] **de** *od* **en ~** schräg
biberon [bibrõ] M (Saug)Flasche *f*
Bible [bibl] F Bibel
bibliothèque [biblijɔtɛk] F Bücherei, Bibliothek; *meuble* Bücherschrank *m*
bicarbonate [bikarbɔnat] M **~ (de soude)** Natron *n*
biche [biʃ] F Hirschkuh
bicyclette [bisiklɛt] F Fahrrad *n*; **aller à ~** Rad fahren
bidet [bidɛ] M Bidet *n*
bidon [bidõ] M (Benzin-, Öl-)Kanister
bidonville [bidõvil] M Elendsviertel *n*
bielle [bjɛl] F Pleuel(stange) *m* (*f*)
bien [bjɛ̃] **1** gut; *très* sehr; *beaucoup* viel; *umg* **un type ~** ein prima Kerl; **manger ~** gut essen; **être, se sentir ~** sich wohlfühlen; **~ meilleur, ~ mieux** viel besser; **je veux ~!** gerne! **2** M Gute(s) *n*; **~s** PL *fortune* Vermögen *n*; **dire du ~ de** Gutes sagen über (*akk*); **faire du ~ à** guttun (*dat*); **pour son ~** zu s-m Besten
bien-être [bjɛ̃nɛtr] M Wohlbefinden *n*; **centre** *m* **de ~** Wellnesscenter *n*; **espace** *m* **~** Wellnessbereich
bien que [bjɛ̃kə] (*+subj*) obwohl, obgleich
bientôt [bjɛ̃to] bald; **à ~!** bis bald!
bienveillant [bjɛ̃vɛjɑ̃] wohlwollend
bienvenu [bjɛ̃v(ə)ny] willkommen
bienvenue [bjɛ̃v(ə)ny] F Willkommen *n*; **souhaiter la ~ à qn** j-n willkommen heißen
bière [bjɛr] F Bier *n*; **~ blonde/brune** helles/dunkles Bier; **~ (à la) pression** Bier vom Fass
bifteck [biftɛk] M (Beef)Steak *n*; **~ °haché** Hacksteak *n*
bifurcation [bifyrkasjõ] F Abzweigung **bifurquer** [bifyrke] sich gabeln; *voiture* abbiegen (**vers, à** nach)
bigorneau [bigɔrno] M Strandschnecke *f*
bigoudi [bigudi] M Lockenwickler
bijou [biʒu] M Schmuckstück *n*; **~x** PL Schmuck *m*
bijouterie [biʒutri] F Schmuck(waren)geschäft *n* **bi-**

joutier [biʒutje] M Juwelier
bikini [bikini] M Bikini
bilan [bilɑ̃] M Bilanz *f*
bile [bil] F Galle
bilingue [bilɛ̃g] zweisprachig
billard [bijar] M Billard *n*
bille [bij] F Kugel
billet [bijɛ] M *bus, train* Fahrkarte *f*; *avion* Flugticket *n*; *cinéma* Eintrittskarte *f*; **~ (de banque)** (Geld)Schein, Banknote *f*; **~ aller** einfache Fahrkarte *f*; **~ aller-retour** Rückfahrkarte *f*
billetterie [bijɛtri] F Geldautomat *m*
bimensuel [bimɑ̃sɥɛl] zweimal monatlich **bimoteur** [bimɔtœr] zweimotorig
biniou [binju] M (bretonischer) Dudelsack
biocarburant [bjokarbyrɑ̃] M Biokraftstoff, *umg* Biosprit
biologie [bjɔlɔʒi] F Biologie
biologique [bjɔlɔʒik] biologisch; Bio... **biologiste** [bjɔlɔʒist] M/F Biologe *m*, Biologin *f*
biotope [bjɔtɔp] M Biotop *n*
bis [bis] **~!** Zugabe!; **habiter au 12 ~** Nummer 12 a wohnen
biscotte [biskɔt] F Zwieback *m*
biscuit [biskɥi] M Keks; **~ de Savoie** Biskuit *m*
bise[1] [biz] F Nord(ost)wind *m*
bise[2] [biz] F Kuss *m*, Küsschen *n*
bisexuel [bisɛksɥɛl] bisexuell
bisou [bizu] M Kuss, Küsschen *n*
bisque [bisk] F **~ d'écrevisses** Krebssuppe
bistro [bistro] M *umg* Kneipe *f*
bizarre [bizar] seltsam
blague [blag] F Witz *m*; *farce* Streich *m*; **sans ~!** im Ernst!
blaguer [blage] Witze machen
blaireau [blɛro] M Rasierpinsel; ZOOL Dachs
blâmer [blame] tadeln
blanc [blɑ̃] ‹*f* blanche [blɑ̃ʃ]› **1** weiß **2** M Weiß *n*; *vin* Weißwein; **~ d'œuf** Eiweiß *n*; **~ de poulet** Hähnchenbrust *f*; **Blanc** *m*, **Blanche** F Weiße(r) *m/f(m)*
blanchir [blɑ̃ʃir] weiß machen; *mur* weißen; *personne* weiß werden **blanchissage** [blɑ̃ʃisaʒ] M Waschen *n* (*von Wäsche*) **blanchisserie** [blɑ̃ʃisri] F Wäscherei
blanquette [blɑ̃kɛt] F **~ de veau** (*Art*) Kalbsragout *n*
blé [ble] M Weizen; *céréales* Getreide *n*
blême [blɛm] bleich
blennorragie [blenɔraʒi] F Tripper *m*, Gonorrhö
blessé [blɛse] **1** verletzt **2** **blessé(e)** [blɛse] M(F) Verletzte(r) *m/f(m)* **blesser** [blɛse] verletzen (*a. fig*) **blessure** [blɛsyr] F Verletzung
bleu [blø] **1** blau **2** M Blau *n*; *sur la peau* blauer Fleck; *fromage* Blauschimmelkäse
blindé [blɛ̃de] **1** gepanzert **2**

M MIL Panzer
bloc [blɔk] M Block; *hôpital* **~ opératoire** Operationstrakt
blockhaus [blɔkos] M Bunker
bloc-notes [blɔknɔt] M Notizblock
blog [blɔg] M INFORM Blog
blond [blõ] blond
bloquer [blɔke] blockieren; **rester bloqué** stecken bleiben, festsitzen
blouse [bluz] F Kittel *m*
blouson [bluzõ] M Blouson *n*
blue-jean [bludʒin] M Bluejeans *pl*
bluff [blœf] M Bluff, Täuschungsmanöver *n* **bluffer** [blœfe] *umg* bluffen, täuschen
boa [bɔa] M ZOOL, *parure* Boa *f*
bobine [bɔbin] F Spule
bocal [bɔkal] M ⟨*pl* bocaux [bɔko]⟩ Einmachglas *n*
body [bɔdi] M Body
bodybuilding [bɔdibildiŋ] M Bodybuilding *n*
bœuf [bœf, PL bø] M Ochse; *viande* Rindfleisch *n*; **~ bourguignon** *Rindfleischtopf auf Burgunderart*
bœuf-mode [bœfmɔd] M Rinderschmorbraten
bohémien [bɔemjɛ̃] M Zigeuner
boire [bwar] trinken; *umg* **~ un coup** einen trinken
bois [bwa] M Holz *n*; *forêt* Wald; ZOOL Geweih *n*
boisson [bwasõ] F Getränk *n*
boîte [bwat] F *en carton* Schachtel; *en métal, plastique* Dose, Büchse; *umg discothèque* Disko; **~ de conserve** Konservenbüchse, -dose; **~ d'allumettes** Schachtel Streichhölzer; **~ à ordures** Mülleimer *m*; **~ de nuit** Nachtlokal *n*; **~ de vitesses (automatique** Automatik)Getriebe *n*; AUTO **~ à gants** Handschuhfach *n*; **~ aux lettres** Briefkasten *m*; **~ postale** Postfach *n*; IT **~ à lettres électronique** elektronischer Briefkasten *m*, Mailbox
boiter [bwate] hinken
bol [bɔl] M Trinkschale *f*
bombarder [bõbarde] bombardieren
bombe [bõb] F Bombe; **~ insecticide** Insektenspray *n*
bon [bõ] **1** ⟨*f* bonne [bɔn]⟩ gut; **à quoi ~?** wozu?; **ah ~!** ach so! **2** M Gutschein; **~ d'essence** Benzingutschein; **~ de caisse** Kassenbon; **~ de commande** Bestellschein
bonbon [bõbõ] M Bonbon *n*
bond [bõ] M Sprung, Satz
bondé [bõde] überfüllt
bonheur [bɔnœr] M Glück *n*
bonhomme [bɔnɔm] M *umg* Kerl; *dessiné* Männchen *n*; **~ de neige** Schneemann
bonjour [bõʒur] M **~!** guten Tag!; *le matin* guten Morgen!; *umg* Gruß (*an j-n*); **donne-lui le ~ de ma part!** grüße ihn (*od* sie) von mir

bonne → bon

bonnet [bɔnɛ] M Mütze *f*; **~ de bain** Bademütze

bonsoir [bõswar] M **~!** guten Abend!

bonté [bõte] F Güte

bord [bɔr] M Rand; *d'un fleuve* Ufer *n*; **à ~ (de)** an Bord (*gen*); **au ~ de la mer** am Meer

bordure [bɔrdyr] F Einfassung

borne [bɔrn] F *kilométrique* Kilometerstein *m*; *umg* Kilometer *m*

borné [bɔrne] beschränkt

borner [bɔrne] **se ~ à** sich beschränken auf (*akk*)

bosse [bɔs] F Beule; *d'un bossu* Buckel *m*

bosser [bɔse] *umg* schuften

bossu [bɔsy] buck(e)lig

botte [bɔt] F Stiefel *m*; *de radis* Bund *n*

bouc [buk] M Ziegenbock

bouche [buʃ] F Mund *m*; **~ d'égout** Gully *m*; **~ de métro** U-Bahn-Eingang *m*

bouche-à-bouche [buʃabuʃ] M Mund-zu-Mund-Beatmung *f*

bouchée [buʃe] F Bissen *m*; **~ à la reine** Königinpastete

boucher[1] [buʃe] verstopfen; *bouteille* zu-, verkorken; *route* versperren

boucher[2] [buʃe] M Fleischer, Metzger

boucherie [buʃri] F Fleischerei, Metzgerei

bouchon [buʃõ] M Stöpsel; *de liège* Korken; AUTO Stau

boucle [bukl] F *de cheveux* Locke; *de ceinture* Schnalle; *lacet* Schleife; **~ d'oreille** Ohrring *m*

bouclé [bukle] lockig **boucler** [bukle] *ceinture* zuschnallen

bouder [bude] schmollen (**qn** mit j-m)

boudin [budɛ̃] M Blutwurst *f*; **~ blanc** Weißwurst *f*

boue [bu] F Schlamm *m*; (Straßen)Schmutz *m*; *umg* Dreck *m*

bouée [bwe] F Boje; **~ de sauvetage** Rettungsring *m*

bouffe [buf] *umg* F Essen *n*; *sl* Fressen *n* **bouffer** [bufe] *umg* essen, futtern

bougé [buʒe] FOTO verwackelt

bouger [buʒe] sich bewegen, sich rühren; *meuble* (ver)rücken; *dent* wackeln

bougie [buʒi] F Kerze; AUTO Zündkerze; **~ parfumée** Duftkerze

bouillabaisse [bujabɛs] F *Marseiller* Fischsuppe

bouillant [bujɑ̃] kochend heiß

bouillie [buji] F Brei *m*

bouillir [bujir] sieden, kochen **bouilloire** [bujwar] F Wasserkessel *m*

bouillon [bujõ] M Brühe *f*; **~ gras** Fleischbrühe *f*

bouillotte [bujɔt] F Wärmflasche

boulanger [bulɑ̃ʒe] M Bäcker

boulangerie [bulɑ̃ʒri] F Bäckerei

boule [bul] F Kugel; **~ de nei-**

ge Schneeball *m*; **jouer aux ~s** Boule spielen
bouleau [bulo] M Birke *f*
boulette [bulɛt] F GASTR Fleischklößchen *n*
boulevard [bulvar] M breite (Ring)Straße *f*, Boulevard
bouleverser [bulvɛrse] *changer* tiefgreifend verändern; **~ qn** j-n erschüttern
boulimie [bulimi] F MED Bulimie
boulon [bulõ] M Schraube *f* (mit Mutter)
boulot [bulo] M *umg* Arbeit *f*; *umg* Job; **petit ~** Minijob, Nebenjob
boum [bum] F *umg* Fete
bouquet [bukɛ] M (Blumen)-Strauß; *d'un vin* Bukett *n*
bouquin [bukɛ̃] M *umg* Buch *n*; *umg* Schmöker
bourdon [burdõ] M Hummel *f*
bourdonner [burdɔne] summen
bourgeois [burʒwa] **1** bürgerlich; *pej* spießig **2** M Bürger; *pej* Spießer
bourgeon [burʒõ] M Knospe *f*
Bourgogne [burgɔɲ] **1** **la ~** Burgund *n* **2** **bourgogne** M Burgunder(wein)
bourrasque [burask] F Bö
bourré [bure] gestopft voll; *umg ivre* voll
bourrer [bure] vollstopfen
bourse [burs] F *d'études* Stipendium *n*; *porte-monnaie* Geldbeutel *m*
Bourse [burs] F Börse
bousculer [buskyle] *heurter* anstoßen; *brusquer* hetzen; **se ~** drängeln
bouse [buz] F **~ (de vache)** Kuhfladen *m*
boussole [busɔl] F Kompass *m*
bout [bu] M Ende *n*; *morceau* Stück *n*; **au ~ de** am Ende (*+gen*); **au ~ d'un an** nach e-m Jahr; **jusqu'au ~** (konsequent) bis zum Ende
bouteille [butɛj] F Flasche; **~ de gaz** Gasflasche; **~ consignée** Pfandflasche; **~ non consignée** Einwegflasche; **mettre en ~s** in Flaschen (ab)-füllen
boutique [butik] F Laden *m*, Geschäft *n*; **~ °hors taxes** Duty-free-Shop *m*; **~ en ligne** Onlineshop *m*
bouton [butõ] M Knopf (*a.* ELEK); BOT Knospe *f*; MED Pickel; IT **~ gauche, droit de la souris** linke, rechte Maustaste *f*
boutonner [butɔne] zuknöpfen **boutonnière** [butɔnjɛr] F Knopfloch *n*
bouton-pression [butõprɛsjõ] M Druckknopf
bovin [bɔvɛ̃] ZOOL Rinder…
boxe [bɔks] F Boxen *n*
boxer¹ [bɔkse] boxen
boxer² [bɔksœr] M *short* Boxershorts *pl*
boxeur [bɔksœr] M Boxer

bracelet [braslɛ] M Armband *n*, Armreif
braconnier [brakɔnje] M Wilddieb, Wilderer
brader [brade] verschleudern **braderie** [bradri] F Trödelmarkt *m*
brailler [braje] grölen
braise [brɛz] F (Holzkohlen)-Glut
braiser [brɛze] schmoren; **bœuf** *m* **braisé** Rinderschmorbraten
brancard [brɑ̃kar] M Tragbahre *f*
branche [brɑ̃ʃ] F Ast *m*; *domaine* Fach *n*; HANDEL Branche
branchement [brɑ̃ʃmɑ̃] M Anschluss **brancher** [brɑ̃ʃe] anschließen (**sur** an *akk*)
brandade [brɑ̃dad] F ~ (**de morue**) *provenzalisches Stockfischgericht*
braquer [brake] AUTO einschlagen (**à droite** nach rechts); ~ **bien/mal** e-n kleinen/zu großen Wendekreis haben
bras [bra] M Arm; ANAT Oberarm
brasse [bras] F Brustschwimmen *n*
brasserie [brasri] F Brauerei; *café-restaurant* Gaststätte (*mit durchgehend warmer Küche*)
brave [brav] tapfer; *umg* nett
break [brɛk] M Kombi(wagen)
brebis [brəbi] F Schaf *n*
bref [brɛf] ⟨*f* brève [brɛv]⟩ kurz
Brésil [brezil] **le ~** Brasilien *n*
Bretagne [brətaɲ] **la ~** die Bretagne
bretelle [brətɛl] F *lingerie* Träger *m*; *autoroute* Zubringer *m*; **~s** PL Hosenträger *mpl*
breton [brətõ] **1** bretonisch **2** **Breton** M Bretone
brève → **bref**
brevet [brəvɛ] M Diplom *n*; *d'invention* Patent *n*; **~ de pilote** Pilotenschein
bribes [brib] FPL Brocken *mpl*
bric-à-brac [brikabrak] M Trödel
bricoler [brikɔle] basteln **bricoleur** [brikɔlœr] M Bastler, Heimwerker
bride [brid] F Zaum *m*, Zügel *m*
bridge [bridʒ] M *jeu* Bridge *n*; *prothèse dentaire* Brücke *f*
brie [bri] M Brie(käse)
brièvement [brijɛvmɑ̃] kurz
brigand [brigɑ̃] M Räuber
brillant [brijɑ̃] **1** glänzend (*a. fig*) **2** M Brillant; **~ à lèvres** Lipgloss **briller** [brije] glänzen (*a. fig*); *soleil* scheinen
brin [brɛ̃] M Halm; *fig* **un ~ de** ein bisschen
brioche [brijɔʃ] F (*ein*) Hefekuchen *m*
brique [brik] F Ziegel(stein) *m*, Backstein *m*
briquet [brikɛ] M Feuerzeug *n*
brise [briz] F Brise

briser [brize] (zer)brechen

britannique [britanik] **1** britisch **2** **Britannique** M Brite

brocante [brɔkɑ̃t] F (Handel *m* mit) Trödelwaren *fpl* **brocanteur** [brɔkœr] M Trödler

broche [brɔʃ] F Bratspieß *m*; *bijou* Brosche; **à la ~** am Spieß (gebraten)

brochet [brɔʃɛ] M Hecht

brochette [brɔʃɛt] F GASTR kleiner Bratspieß *m*; *plat* Schaschlik *n od m*

brochure [brɔʃyr] F Broschüre

brocoli [brɔkɔli] M Brokkoli *pl*

broder [brɔde] sticken **broderie** [brɔdri] F Stickerei

bronches [brɔ̃ʃ] FPL Bronchien **bronchite** [brɔ̃ʃit] F Bronchitis

bronzage [brɔ̃zaʒ] M Bräune *f*

bronze [brɔ̃z] M Bronze *f*

bronzer [brɔ̃ze] bräunen; braun werden; **se faire ~** sich braun brennen lassen

brosse [brɔs] F Bürste; **~ à dents** Zahnbürste; **~ à habits** Kleiderbürste

brosser [brɔse] (ab-, aus)bürsten

brouette [bruɛt] F Schubkarre

brouillard [brujar] M Nebel

brouillé [bruje] zerstritten, verfeindet (**avec qn** mit j-m); GASTR **œufs** *mpl* **~s** Rührei(er) *n(pl)*

brouiller [bruje] durcheinanderbringen; *émission de radio* stören; **se ~** *souvenirs* durcheinandergeraten; *amis* sich überwerfen (**avec qn** mit j-m)

brouillon [brujɔ̃] M Konzept *n*

broussailles [brusaj] FPL Gestrüpp *n*

brousse [brus] F Busch *m* (*in den Tropen*)

broyer [brwaje] zerkleinern, zerquetschen, zerreiben

bru [bry] F Schwiegertochter

Bruges [bryʒ] Brügge *n*

brugnon [bryɲɔ̃] M Nektarine *f*

bruine [brɥin] F Sprühregen *m* **bruiner** [brɥine] nieseln

bruit [brɥi] M Lärm; *rumeur* Gerücht *n*; **un ~** ein Geräusch

brûlant [brylɑ̃] heiß

brûler [bryle] verbrennen; *maison* brennen; GASTR anbrennen; **se ~** sich verbrennen; AUTO **~ le feu rouge** bei Rot durchfahren

brûlure [brylyr] F MED Verbrennung; *dans un tissu* Brandfleck *n*; **~s** *pl* **d'estomac** Sodbrennen *n*

brume [brym] F Dunst *m* **brumeux** [brymø] dunstig

brun [brɛ̃, brœ̃] ⟨*f* brune [bryn]⟩ braun; *personne* braun-, dunkelhaarig **brunir** [brynir] bräunen

brusque [brysk] *ton* barsch; *départ* plötzlich

brut [bryt] roh; *champagne* trocken; *cidre* herb; HANDEL Brut-

to…
brutal [brytal] brutal **brutaliser** [brytalize] misshandeln
Bruxelles [bry(k)sɛl] Brüssel
bruyant [brɥijɑ̃] laut
bruyère [brɥijɛr, bryjɛr] F Heidekraut *n*
bu [by] PPERF → boire
bûche [byʃ] F (Holz)Scheit *n*; ~ **de Noël** Weihnachtskuchen *m* (*Buttercremetorte in Form e-s Holzscheits*)
bûcher [byʃe] *umg* pauken, büffeln
budget [bydʒɛ] M Haushalt; *de qn* finanzielle Mittel *npl*
buée [bɥe] F Beschlag *m*; **couvert de** ~ beschlagen
buffet [byfɛ] M Büfett *n*; ~ **(de la gare)** Bahnhofsrestaurant *n*; ~ **de petit-déjeuner** Frühstücksbüfett *n*; ~ **froid** kaltes Büfett *n*
buffle [byfl] M Büffel
building [bildiŋ] M Hochhaus *n*
buisson [bɥisõ] M Busch; ~**s** PL Gebüsch *n*
bulldozer [byldozɛr] M Planierraupe *f*
bulle [byl] F Blase
bulletin [byltɛ̃] M ~ **météorologique** Wetterbericht; ~ **d'information** Kurznachrichten *fpl*; ~ **de bagages** Gepäckschein; ~ **de vote** Stimmzettel
bungalow [bœ̃galo, bɛ̃galo] M Bungalow
bureau [byro] M *meuble* Schreibtisch; *lieu de travail* Büro *n*; *pièce* Arbeitszimmer *n*; ~ **de change** Wechselstube *f*; ~ **de location** Theaterkasse *f*; ~ **de poste** Postamt *n*; ~ **de tabac** Tabakladen *m*
bureaucratique [byrokratik] bürokratisch
bus [bys] M Bus
buse [byz] F ZOOL Bussard *m*
buste [byst] M Oberkörper; *sculpture* Büste *f* **bustier** [bystje] M *mode* Bustier *n*
but [byt, by] M Zweck, Ziel *n*; SPORT Tor *n*; **dans le** ~ **de** (+*inf*) in der Absicht zu
butane [bytan] M Butan(gas) *n*
buter [byte] stoßen (**contre** an *akk*)
butin [bytɛ̃] M Beute *f*
buvable [byvabl] trinkbar **buvard** [byvar] M Löschblatt *n*
buvette [byvɛt] F Erfrischungsstand *m*, Ausschank *m* **buveur** [byvœr] M Trinker
buvez [byve] PRÄS → boire

C

c' [s] → ce²
ça [sa] *umg* (= **cela**) das; ~ **y est** es ist soweit; ~ **alors!** na so was!; **c'est** ~**!** richtig!
cabane [kaban] F Hütte

cabaret [kabarɛ] M Nachtlokal *n*
cabillaud [kabijo] M Kabeljau
cabine [kabin] F Kabine; **~ de bain** Umkleidekabine; **~ d'essayage** Anprobekabine; **~ (téléphonique)** Telefonzelle; **~ intérieure** Innenkabine; **~ extérieure** Außenkabine
cabinet [kabinɛ] M *médical* Praxis *f*; **~s** PL Toilette *f*
câble [kɑbl] M Kabel *n*; **(télévision** *f* **par) ~** Kabelfernsehen *n*; AUTO **~ de frein** Bremsseil *n*
cabriolet [kabriɔlɛ] M AUTO Kabrio(lett) *n*
cacah(o)uète [kakawɛt] F Erdnuss
cacao [kakao] M Kakao
cache-cache [kaʃkaʃ] **jouer à ~** Verstecken spielen
cache-nez [kaʃne] M (Woll)-Schal
cacher [kaʃe] **(se ~** sich) verstecken; **~ qc à qn** j-m etw verheimlichen
cachet [kaʃɛ] M Stempel; *comprimé* Tablette *f*
cachette [kaʃɛt] F Versteck *n*; **en ~** heimlich
cactus [kaktys] M Kaktus
c.-à-d. (*c'est-à-dire*) d. h. (*das heißt*)
cadavre [kadɑvr] M Leiche *f*
caddie® [kadi] M Einkaufswagen; *à l'aéroport* Kofferkuli
cadeau [kado] M Geschenk *n*; **faire un ~ à qn, faire ~ de qc à qn** j-m etw schenken
cadenas [kadna] M Vorhängeschloss *n*
cadran [kadrɑ̃] M **~ solaire** Sonnenuhr *f*
cadre [kɑdr] M Rahmen; *d'une entreprise* Führungskraft *m*; **dans le ~ de** im Rahmen (*gen*)
cafard [kafar] M ZOOL (Küchen)Schabe *f*, Kakerlake *f*; *umg* **avoir le ~** deprimiert sein
café [kafe] M Kaffee; *lieu public* Lokal *n*; *plus élégant* Café *n*; **~ noir** schwarzer Kaffee; **~ crème, ~ au lait** Milchkaffee; **~ liégeois** Eiskaffee; **faire du ~** Kaffee kochen; **prendre le ~** Kaffee trinken
caféine [kafein] F Koffein *n*
café-restaurant [kaferɛstɔrɑ̃] M Gaststätte *f*
cafétéria [kafeterja] F Cafeteria
cafetière [kaftjɛr] F Kaffeekanne; **~ électrique** Kaffeemaschine
cage [kaʒ] F Käfig *m*
cahier [kaje] M Heft *n*
caille [kaj] F Wachtel
cailler [kaje] **(se) ~** gerinnen; *umg* **ça caille** es ist eiskalt
caillou [kaju] M Kiesel(stein), Stein(chen) *m(n)*
caisse [kɛs] F Kiste; *argent* Kasse; **~ d'épargne** Sparkasse; **~ d'assurance maladie** Krankenkasse
caissier [kɛsje] M Kassierer
cake [kɛk] M englischer Sandkuchen

calamar [kalamar] M Tintenfisch

calcaire [kalkɛr] **1** kalkhaltig, Kalk… **2** M Kalk(stein); *tartre* Kesselstein

calcul[1] [kalkyl] M Rechnung *f*; *école* Rechnen *n*; *fig intérêt* Berechnung *f*

calcul[2] [kalkyl] M MED **~ biliaire** Gallenstein; **~ rénal** Nierenstein

calculateur [kalkylatœr] berechnend

calculatrice [kalkylatris] F Rechenmaschine; **~ de poche** Taschenrechner *m*

calculer [kalkyle] aus-, berechnen; *risque* einkalkulieren; **~ de tête** im Kopf rechnen

calculette [kalkylɛt] F Taschenrechner *m*

cale [kal] F Keil *m*

caleçon [kalsõ] M Unterhose *f*; *pantalon pour femmes* Leggin(g)s *pl*

calendrier [kalɑ̃drije] M Kalender

caler [kale] *moteur* absterben; *roue* blockieren

calmant [kalmɑ̃] M Beruhigungsmittel *n*

calmar → calamar

calme [kalm] **1** ruhig; still **2** M Ruhe *f*; Stille *f*

calmer [kalme] *personne* beruhigen; *douleur* lindern

calomnier [kalɔmnje] verleumden

calorie [kalɔri] F Kalorie

calvados [kalvados] M Calvados, Apfelbranntwein

camarade [kamarad] M/F Kamerad(in) *m(f)*; **~ d'école** Schulfreund(in) *m(f)*

cambrioleur [kɑ̃brijɔlœr] M Einbrecher

caméléon [kameleõ] M Chamäleon *n*

camembert [kamɑ̃bɛr] M Camembert

caméra [kamera] F (Film-, Fernseh)Kamera; **~ de surveillance** Überwachungskamera

Cameroun [kamrun] **le ~** Kamerun *n*

caméscope [kameskɔp] M Camcorder

camion [kamjõ] M Lastwagen

camionnette [kamjɔnɛt] F Lieferwagen *m*

camomille [kamɔmij] F Kamille; **(infusion** *f* **de) ~** Kamillentee *m*

camp [kɑ̃] M Lager *n*; **~ de vacances** Ferienlager *n*; *umg* **foutre le ~** abhauen

campagne [kɑ̃paɲ] F Land *n*; **~ électorale** Wahlkampf *m*; **~ publicitaire** Werbekampagne; **à la ~** auf dem (*od* aufs) Land

camper [kɑ̃pe] campen, zelten

campeur [kɑ̃pœr] M, **campeuse** [kɑ̃pøz] F Camper(in) *m(f)*

camping [kɑ̃piŋ] M Camping *n*, Campen *n*, Zelten *n*; **~ sauvage** wildes Campen *n*, Zelten *n*; **(terrain** *m* **de) ~** Camping-

platz; **faire du ~** campen, zelten
camping-car [kɑ̃piŋkar] M Wohnmobil *n* **camping-gaz** [kɑ̃piŋgaz] M Campinggaskocher
Canada [kanada] **le ~** Kanada *n*
canadien [kanadjɛ̃] **1** kanadisch **2** **Canadien** M Kanadier
canal [kanal] M Kanal
canapé [kanape] M Couch *f*, Sofa *n*; GASTR Kanapee *n*; **~ convertible** → **canapé-lit** [kanapeli] M Schlafcouch *f*
canard [kanar] M Ente *f*
canari [kanari] M Kanarienvogel
cancer [kɑ̃sɛr] M MED Krebs
candidat [kɑ̃dida] M Kandidat
candidature [kɑ̃didatyr] F Bewerbung; **poser sa ~** sich bewerben (**à** um *akk*)
candide [kɑ̃did] naiv, treuherzig
caniche [kaniʃ] M Pudel
canicule [kanikyl] F Gluthitze
canif [kanif] M Taschenmesser *n*
canine [kanin] F Eckzahn *m*
canne [kan] F (Spazier)Stock *m*; BOT Rohr *n*; **~ blanche** Blindenstock *m*; **~ à pêche** Angelrute; **~ à sucre** Zuckerrohr *n*
cannelle [kanɛl] F Zimt *m*
cannibale [kanibal] M Kannibale
canoë [kanɔe] M Kanu *n* **canoë-kayak** [kanɔekajak] M Kajak
canon [kanõ] M Kanone *f*
canot [kano] M Boot *n*, Kahn; **~ pneumatique** Schlauchboot *n*; **~ à moteur** Motorboot *n*; **~ de sauvetage** Rettungsboot *n*
cantatrice [kɑ̃tatris] F Sängerin
cantine [kɑ̃tin] F Kantine
canton [kɑ̃tõ] M *Suisse* Kanton
caoutchouc [kautʃu] M Gummi *n* (*a. m*); **de** *od* **en ~** Gummi...
cap [kap] M Kap *n*; SCHIFF, FLUG Kurs
CAP [seape] M *etwa* Facharbeiter- *od* Gesellenbrief
capable [kapabl] fähig (**de** zu)
capacité [kapasite] F Fähigkeit; *contenance* Fassungsvermögen *n*
capitaine [kapitɛn] M MIL Hauptmann; SCHIFF Kapitän; SPORT Mannschaftskapitän
capital [kapital] ⟨*pl* capitaux [kapito]⟩ **1** Haupt ..., entscheidend **2** M Kapital *n*; **capitaux** PL Gelder *npl*
capitale [kapital] F Hauptstadt; *lettre* Großbuchstabe *m*
capot [kapo] M AUTO Motorhaube *f*
capote [kapɔt] F AUTO Verdeck *n*; *sl* **~ (anglaise)** Pariser *m*
cappuccino [kaputʃino] M Cappuccino

câpre [kɑpr] F Kaper
caprice [kapris] M Laune *f* **capricieux** [kaprisjø] launenhaft
capsule [kapsyl] F Kapsel; *de bouteilles* Kronenverschluss *m*
capter [kapte] *radio*, TV empfangen
captiver [kaptive] *fig* fesseln
capturer [kaptyre] fangen; *arrêter* festnehmen; *faire prisonnier* gefangen nehmen
capuchon [kapyʃõ] M Kapuze *f*
car[1] [kar] M (Reise-, Überland-)Bus
car[2] [kar] denn
caractère [karaktɛr] M Charakter; **~ d'imprimerie** Druckbuchstabe
carafe [karaf] F Karaffe
carambolage [karɑ̃bɔlaʒ] M (Massen)Karambolage *f*
caramel [karamɛl] M Karamell; Karamellbonbon *n*
caravane [karavan] F Wohnwagen *m*
carbone [karbɔn] M Kohlenstoff
carburant [karbyrɑ̃] M Kraftstoff **carburateur** [karbyratœr] M Vergaser
cardiaque [kardjak] **1** Herz… **2** M/F Herzkranke(r) *m/f(m)*
cardiologue [kardiolɔg] M/F Herzspezialist(in) *m(f)*
carême [karɛm] M Fastenzeit *f*
caresser [karɛse] streicheln
car-ferry [karfɛri] M Autofähre *f*
cargaison [kargɛzõ] F Schiffsladung
cargo [kargo] M Frachter
carie [kari] F Karies
carillon [karijõ] M Glockenspiel *n*
carnaval [karnaval] M Karneval, Fasching
carnet [karnɛ] M Notizbuch *n*; **~ (de tickets)** Fahrscheinheft *n*; **~ de chèques** Scheckheft *n*; **~ de vaccination** Impfpass
carotte [karɔt] F Möhre, Karotte; **~s** *pl* **râpées** *Salat aus geriebenen Möhren*
carpe [karp] F Karpfen *m*
carré [kare] **1** quadratisch; **mètre** *m* **~** Quadratmeter *m* **2** M Quadrat *n*
carreau [karo] M *vitre* (Fenster)Scheibe *f*; *dalle* Fliese *f*; *dessin, cartes* Karo *n*
carrefour [karfur] M (Straßen)Kreuzung *f*
carrelage [karlaʒ] M Fliesenbelag
carrière [karjɛr] F Steinbruch *m*; *profession* Laufbahn
carrosserie [karɔsri] F Karosserie
carte [kart] F **1** Karte; *au restaurant* (Speise)Karte; **à la ~** nach der Karte; **~ graphique/son** Grafik-/Soundkarte; **~ à puce/mémoire** Chip-/Speicherkarte; **~ de crédit** Kreditkarte; **~ de fidélité** Kundenkarte; **~ d'identité** Personal-

ausweis *m*; ~ **d'étudiant** Studentenausweis *m*; ~ **de séjour** Aufenthaltserlaubnis; ~ **(de visite)** Visitenkarte **2** ~ **postale** Postkarte **3** *transports* ~ **orange** Netz-, Zeitkarte (*in Paris*); ~ **grise** Kfz-Schein *m*; ~ **vermeil** Seniorenkarte; ~ **d'embarquement** Bordkarte

carton [kartõ] M Pappe *f*; *boîte* (Papp)Schachtel *f*; SPORT ~ **jaune** Gelbe Karte

cartouche [kartuʃ] F Patrone; *cigarettes* Stange

cas [kɑ] M Fall; Kasus; **en tout/aucun** ~ auf jeden/keinen Fall

cascade [kaskad] F Wasserfall *m*

case [kɑz] F *jeux* Feld *n*

casier [kɑzje] M Fach *n*; ~ **judiciaire** Strafregister *n*

casino [kazino] M Spielkasino *n*

casque [kask] M Helm; *de motard* Sturzhelm; *radio* Kopfhörer; ~ **bleu** Blauhelm

casquette [kakɛt] F (Schirm)-Mütze

cassé [kɑse] kaputt

casse-croûte [kɑskrut] M Imbiss

casser [kɑse] zerbrechen; *œuf* aufschlagen; **se** ~ (zer)brechen, *umg* kaputtgehen; *verre* zersplittern; *fil* reißen; **se ~ la jambe** sich das Bein brechen

casserole [kasrɔl] F (Stiel)Topf *m*; Kasserolle

cassette [kasɛt] F Kassette

cassis [kasis] M Schwarze Johannisbeere *f*

cassoulet [kasulɛ] M *Bohneneintopf mit Fleisch*

castor [kastɔr] M Biber

catalogue [katalɔg] M Katalog

catamaran [katamarɑ̃] M Katamaran

catastrophe [katastrɔf] F Katastrophe **catastrophique** [katastrɔfik] katastrophal

catégorie [kategɔri] F Kategorie, Klasse

cathédrale [katedral] F Dom *m*, Kathedrale, Münster *n*

catholique [katɔlik] **1** katholisch **2** M/F Katholik(in) *m(f)*

cauchemar [koʃmar] M Albtraum

cause [koz] F Ursache, Grund *m*; **à ~ de** wegen (*gen*)

causer [koze] verursachen; *parler* reden (**de** über *akk*)

cavalier [kavalje] M Reiter; *danse* Tanzpartner; *échecs* Springer

cave [kav] F Keller *m*; *à vin* Weinkeller *m*

caverne [kavɛrn] F Höhle

caviar [kavjar] M Kaviar

CCP [sesepe] M (*compte chèque postal*) Postgirokonto *n*

CD [sede] M CD *f*

CD-ROM [sederɔm] M CD-ROM *f*

ce[1] [sə] ⟨*vor Vokal* cet [sɛt], *f* cette [sɛt], *pl* ces [se]⟩ diese(r, -s); ~ **soir** heute Abend

ce[2] [sə] ‹*vor Vokal* c'› das, es; **c'est** das ist, es ist; **~ que, ~ qui** (das,) was
ceci [səsi] das, dieses, dies
céder [sede] nachgeben; *sa place* abtreten
cédérom [sederɔm] M CD-ROM *f*
cedex *od* **CEDEX** [sedɛks] M *Postadresscode für Großkunden*
CEE [seəə] **la ~** die E(W)G
CEI [seəi] **la ~** die GUS
ceinture [sɛ̃tyr] F Gürtel *m*; **~ de sécurité** Sicherheitsgurt *m*
cela [səla, sla] das (da)
célèbre [selɛbr] berühmt
célébrer [selebre] feiern
célébrité [selebrite] F Berühmtheit (*a. Person*)
céleri [selri] M Sellerie *m/f*
célibataire [selibatɛr] **1** ledig **2** M Junggeselle
celle(s) → **celui**
cellule [sɛlyl] F Zelle **cellulite** [sɛlylit] F MED Cellulite **cellulose** [sɛlyloz] F Zellstoff *m*
celui [səlɥi] ‹*f* celle [sɛl], *pl* ceux [sø], celles [sɛl]› der, die, das(jenige) **celui-ci** [səlɥisi] der, die, das (hier), diese(r, -s) **celui-là** [səlɥila] der, die, das (da, dort), jene(r, -s)
cendre [sɑ̃dr] F Asche
cendrier [sɑ̃drije] M Aschenbecher
Cène [sɛn] F Abendmahl *n*
censé [sɑ̃se] **il est ~ être malade** er soll krank sein
cent[1] [sɑ̃] hundert; **cinq pour ~** fünf Prozent
cent[2] [sɑ̃] M **~ (d'euro)** (Euro)-Cent
centaine [sɑ̃tɛn] F Hundert *n*; **une ~ de** etwa hundert
centenaire [sɑ̃tnɛr] M Hundertjahrfeier *f*
centième [sɑ̃tjɛm] **1** hundertste(r, -s) **2** M Hundertstel *n*
centime [sɑ̃tim] M *hist* Centime; **~ (d'euro)** (Euro)Cent
centimètre [sɑ̃timɛtrə] M Zentimeter *n*
central [sɑ̃tral] **1** zentral, Zentral... **2** M Telefonzentrale *f*
centrale [sɑ̃tral] F **~ (électrique)** Kraftwerk *n*; **~ nucléaire** Atomkraftwerk *n*
centre [sɑ̃tr] M Mitte *f*; *d'une ville* Stadtmitte *f*, (Stadt)Zentrum *n*; **au ~ de** in der Mitte (*gen*); **~ de rééducation** Rehabilitationszentrum *n*; **~ commercial** Einkaufszentrum *n*
centre-ville [sɑ̃trəvil] M Stadtmitte *f*
cèpe [sɛp] M Steinpilz
cependant [s(ə)pɑ̃dɑ̃] jedoch, dennoch
ce que [səkə] was
ce qui [səki] was
céramique [seramik] F Keramik
cercle [sɛrkl] M Kreis
cercueil [sɛrkœj] M Sarg
céréales [sereal] FPL Getreide

n; au petit déjeuner Getreideflocken *pl*
cérébral [serebral] Gehirn...
cerf [sɛr] M Hirsch
cerf-volant [sɛrvɔlɑ̃] M (Papier)Drachen
cerise [s(ə)riz] F Kirsche **cerisier** [s(ə)rizje] M Kirschbaum
cernes [sɛrn] MPL Ringe (um die Augen)
certain [sɛrtɛ̃] sicher; *devant le nom* gewisse(r, -s); **~s** PL einige
certainement [sɛrtɛnmɑ̃] sicher(lich)
certificat [sɛrtifika] M Bescheinigung *f*, Zeugnis *n*; **~ médical** ärztliches Attest *n*
certifier [sɛrtifje] bescheinigen
certitude [sɛrtityd] F Gewissheit
cerveau [sɛrvo] M Gehirn *n*
cervelas [sɛrvəla] M Fleischwurst *f*
cervelle [sɛrvɛl] F Hirn *n* (*a.* GASTR)
ces → **ce**¹
cesse [sɛs] F **sans ~** ununterbrochen
cesser [sese] aufhören
c'est-à-dire [setadir] das heißt
cet(te) → **ce**¹
ceux → **celui**
CFC [seɛfse] MPL (*chlorofluorocarbones*) FCKW (Fluorchlorkohlenwasserstoffe)
chacun(e) [ʃakɛ̃ *od* ʃakœ̃ (ʃakyn)] jede(r, -s)
chagrin [ʃagrɛ̃] M Kummer; Leid *n*
chaîne [ʃɛn] F Kette; TV Programm *n*, Sender *m*; **~ (de montagne)** Gebirgskette; **~ (d'hôtels)** Hotelkette; **~ (stéréo)** Stereoanlage *f*; **~ (de vélo)** Fahrradkette; AUTO **~s** PL Schneeketten
chair [ʃɛr] F Fleisch *n*; **avoir la ~ de poule** e-e Gänsehaut haben
chaire [ʃɛr] F Kanzel
chaise [ʃɛz] F Stuhl *m*; **~ longue** Liegestuhl *m*
châle [ʃɑl] M Umschlag(e)tuch *n*, Stola *f*
chalet [ʃalɛ] M Chalet *n*
chaleur [ʃalœr] F Hitze; Wärme
chaleureux [ʃaløRø] herzlich
chambre [ʃɑ̃br] F Zimmer *n* (*mit Bett*); **~ à coucher** Schlafzimmer *n*; **~ d'hôtel** Hotelzimmer *n*; **~ double** Doppelzimmer *n*; **~ individuelle** Einzelzimmer *n*; **~ et petit déjeuner** Übernachtung mit Frühstück; **~ à air** Schlauch *m*; **~ de commerce** Handelskammer *f*
chameau [ʃamo] M Kamel *n*
chamois [ʃamwa] M Gämse *f*; **peau** *f* **de ~** Fenster-, Autoleder *n*
champ [ʃɑ̃] M Feld *n*; **~ de course(s)** (Pferde)Rennbahn *f*; **~ de foire** Rummelplatz
Champagne [ʃɑ̃paɲ] **la ~** die

Champagne **champagne** M Champagner
champignon [ʃɑ̃piɲɔ̃] M Pilz; **~ de Paris** Champignon
champion(ne) [ʃɑ̃pjɔ̃ (ʃɑ̃pjɔn)] M(F) SPORT Meister(in)
championnat [ʃɑ̃pjɔna] M Meisterschaft *f*
chance [ʃɑ̃s] F Glück *n*; **~s** PL Chancen, Aussichten; **avoir de la ~** Glück haben; **bonne ~!** viel Glück
chancelier [ʃɑ̃səlje] M Kanzler
chandail [ʃɑ̃daj] M Pullover
chandelier [ʃɑ̃dəlje] M Leuchter
chandelle [ʃɑ̃dɛl] F Kerze
change [ʃɑ̃ʒ] M Tausch; HANDEL Umtausch, (Geld)Wechsel
changement [ʃɑ̃ʒmɑ̃] M (Ver)Änderung *f*; **~ de pneu** Reifenwechsel; **~ de vitesse** Gangschaltung *f*
changer [ʃɑ̃ʒe] tauschen (**contre** gegen); *argent* wechseln (**en** in *akk*), umtauschen (gegen); *bébé* trockenlegen; *transformer* verändern; *se transformer* sich (ver)ändern; **~ de qc** etw (*akk*) wechseln; **~ d'adresse** umziehen; **~ (de train)** umsteigen; **~ de vitesse** schalten; **se ~** sich umziehen
chanson [ʃɑ̃sɔ̃] F Lied *n*, Chanson *n*; *à la mode* Schlager *m*
chansonnier [ʃɑ̃sɔnje] M Kabarettist
chant [ʃɑ̃] M Gesang
chantage [ʃɑ̃taʒ] M Erpressung *f*
chanter [ʃɑ̃te] singen; **faire ~ qn** j-n erpressen
chanterelle [ʃɑ̃trɛl] F Pfifferling *m*
chanteur [ʃɑ̃tœr] M, **chanteuse** [ʃɑ̃tøz] F Sänger(in) *m(f)*
chantier [ʃɑ̃tje] M Baustelle *f*; **~ naval** Werft *f*
chantilly [ʃɑ̃tiji] F (**crème** F) **~** Schlagsahne
chaotique [kaɔtik] chaotisch
chapeau [ʃapo] M Hut; **~ de soleil** Sonnenhut
chapelle [ʃapɛl] F Kapelle
chapiteau [ʃapito] M (Zirkus)-Zelt *n*
chapitre [ʃapitr] M Kapitel *n*
chaque [ʃak] jede(r, -s)
char [ʃar] M MIL Panzer; *au carnaval* (geschmückter) Wagen
charbon [ʃarbɔ̃] M Kohle *f*
charcuterie [ʃarkytri] F Wurstwaren *fpl*; *magasin* Wurstwarengeschäft *n*; **assiette** *f* **de ~** Wurstplatte
chardon [ʃardɔ̃] M Distel *f*
charge [ʃarʒ] F (Höchst-, Nutz)Last; ELEK, *d'une arme* Ladung; **~s** PL Nebenkosten
chargement [ʃarʒəmɑ̃] M (Be-, Ver)Laden *n*; *cargaison* Ladung *f*, Fracht *f*
charger [ʃarʒe] *véhicule* beladen; *arme, batterie*, IT laden; **~ qn de qc** j-n mit etw beauftra-

gen; **se ~ de qc** etw übernehmen
chargeur [ʃarʒœr] M Ladegerät *n*
chariot [ʃarjo] M Karren; *machine à écrire* Wagen; *bagages* Kofferkuli; *achats* Einkaufswagen
charité [ʃarite] F Mild-, Wohltätigkeit
charlotte [ʃarlɔt] F *Süßspeise aus Löffelbiskuits, Früchten und Vanillecreme*
charmant [ʃarmɑ̃] reizend
charme [ʃarm] M Reiz; *d'une personne* Charme **charmer** [ʃarme] bezaubern
charpentier [ʃarpɑ̃tje] M Zimmermann
charrette [ʃarɛt] F Karren *m*
charrue [ʃary] F Pflug *m*
charter [ʃartɛr] **1** Charter... **2** M *vol* Charterflug; *avion* Chartermaschine *f*
charts [ʃarts] MPL MUS Charts *pl*
chasse [ʃas] F Jagd; **~ d'eau** Wasserspülung (*WC*)
chasse-neige [ʃasnɛʒ] M Schneepflug (*a. Skisp*)
chasser [ʃase] jagen **chasseur** [ʃasœr] M Jäger
châssis [ʃɑsi] M (Tür)Rahmen; AUTO Fahrgestell *n*
chasteté [ʃastəte] F Keuschheit
chat[1] [ʃa] M ZOOL Katze *f*
chat[2] [tʃat] M IT Chat
châtaigne [ʃɑtɛɲ] F Kastanie
châtaignier [ʃɑtɛɲe] M Kastanienbaum
châtain [ʃɑtɛ̃] kastanienbraun
château [ʃɑto] M Schloss *n*; **~ fort** Burg *f*; **~ d'eau** Wasserturm
chatouiller [ʃatuje] kitzeln
chatter [tʃate] IT chatten
chaud [ʃo] **1** warm; **(très) ~** heiß; **j'ai ~** mir ist warm, heiß; **il fait ~** es ist warm **2** M Wärme *f*; **être (bien) au ~** im Warmen sein
chaudière [ʃodjɛr] F (Heiz-, Dampf)Kessel *m*
chauffage [ʃofaʒ] M Heizung *f*; **~ central** Zentralheizung *f*; **~ au mazout** Ölheizung *f*
chauffard [ʃofar] M Verkehrsrowdy
chauffe-eau [ʃofo] M Heiß-, Warmwasserbereiter
chauffer [ʃofe] (er)wärmen; *maison* heizen; *eau* erhitzen (*v/i* warm werden); *moteur* heiß laufen; **se ~** sich wärmen; **faire ~** (auf)wärmen
chauffeur [ʃofœr] M Fahrer, Chauffeur; **~ de taxi** Taxifahrer
chaussée [ʃose] F Fahrbahn
chausse-pied [ʃospje] M Schuhanzieher
chausser [ʃose] **~ du 40** Schuhgröße 40 haben **chaussette** [ʃosɛt] F Socke
chausson [ʃosõ] M Hausschuh; GASTR **~ aux pommes** Apfeltasche *f*
chaussure [ʃosyr] F Schuh *m*;

~s *pl* **de montagne** Bergschuhe *mpl*; **magasin** *m* **de ~s** Schuhgeschäft *n*
chauve [ʃov] kahl(köpfig)
chauve-souris [ʃovsuri] F Fledermaus
chaux [ʃo] F Kalk *m*
chef [ʃɛf] M Leiter, Chef; **~ d'entreprise** Unternehmer; **~ (cuisinier)** Küchenchef, Chefkoch; **~ de gare** Bahnhofsvorsteher; **~ d'orchestre** Dirigent
chef-d'œuvre [ʃɛdœvr] M Meisterwerk *n*
chef-lieu [ʃɛfljø] M Hauptort
chemin [ʃ(ə)mɛ̃] M Weg; **~ du retour** Heimweg; **~ de fer** (Eisen)Bahn *f*
cheminée [ʃəmine] F Schornstein *m*; *au coin du feu* Kamin *m*
chemise [ʃ(ə)miz] F Hemd *n*; *dossier* Aktendeckel *m*; **~ de nuit** Nachthemd *n*
chemisier [ʃ(ə)mizje] M Bluse *f*
chêne [ʃɛn] M Eiche *f*
chenille [ʃ(ə)nij] F Raupe
chèque [ʃɛk] M Scheck; **~ barré** Verrechnungsscheck; **~ de voyage** Reisescheck
chèque-restaurant [ʃɛkrɛstɔrɑ̃] M Essen(s)marke *f*
cher [ʃɛr] teuer; *personne* lieb; *dans une lettre* **Chère Madame** Liebe Frau (+*nom*)
chercher [ʃɛrʃe] suchen; **aller ~** holen
chéri(e) [ʃeri] M(F) Liebling *m*
chétif [ʃetif] schmächtig
cheval [ʃ(ə)val] M ⟨*pl* chevaux [ʃ(ə)vo]⟩ Pferd *n*; **~ de course** Rennpferd *n*; **aller à ~, faire du ~** reiten
chevalier [ʃəvalje] M Ritter
cheval-vapeur [ʃ(ə)valvapœr] M TECH Pferdestärke *f*
chevelure [ʃəvlyr] F Haar *n*
cheveu [ʃ(ə)vø] M (Kopf)Haar *n*; **~x** PL Haar(e) *n(pl)*
cheville [ʃ(ə)vij] F (Fuß)Knöchel *m*; TECH Dübel *m*
chèvre [ʃɛvr] F Ziege
chevreuil [ʃəvrœj] M Reh *n*
chez [ʃe] bei; *direction* zu; **~ moi** bei *od* zu mir, zu *od* nach Hause; **~ le médecin** beim *od* zum Arzt
chic [ʃik] schick
chicorée [ʃikɔre] F *plante* Zichorie; *salade* Endivie
chien [ʃjɛ̃] M Hund; **~ de combat** Kampfhund
chienne [ʃjɛn] F Hündin
chiffon [ʃifõ] M Lappen *m*, Lumpen *m*
chiffre [ʃifr] M Ziffer *f*; *total* Zahl *f*; *code* Chiffre *f*; **~ d'affaires** Umsatz
Chili [ʃili] **le ~** Chile *n*
chimie [ʃimi] F Chemie
chimpanzé [ʃɛ̃pɑ̃ze] M Schimpanse
Chine [ʃin] **la ~** China *n*
chinois [ʃinwa] **1** chinesisch **2** **Chinois** M Chinese
chipolata [ʃipɔlata] F *Schweinswürstchen*

chips [ʃips] FPL (Kartoffel)Chips *mpl*
chirurgien [ʃiryrʒjɛ̃] M Chirurg
chlore [klɔr] M Chlor *n*
choc [ʃɔk] M Zusammenstoß; MED Schock
chocolat [ʃɔkɔla] M Schokolade *f*; *boisson a.* Kakao *m*; **~s** PL Pralinen *fpl*; **~ au lait** Vollmilchschokolade *f*; **~ noir** Bitterschokolade *f*, dunkle Schokolade *f*; **glace** *f* **au ~** Schokolade(n)eis *n*
chœur [kœr] M Chor
choisir [ʃwazir] (aus)wählen; *décider* sich entscheiden
choix [ʃwa] M Wahl *f*; *sélection* Auswahl *f*; **au ~** zur Auswahl
choléra [kɔlera] M Cholera *f*
cholestérol [kɔlɛsterɔl] M Cholesterin *n*; **sans ~** cholesterinfrei
chômage [ʃomaʒ] M Arbeitslosigkeit *f*; **allocation** *f* **(de) ~** Arbeitslosengeld *n*; **être au ~** arbeitslos sein
chômeur [ʃomœr] M, **chômeuse** [ʃomøz] F Arbeitslose(r) *m/f(m)*
choquant [ʃɔkɑ̃] schockierend; *révoltant* empörend
choquer [ʃɔke] schockieren
chose [ʃoz] F Ding *n*, Sache
chou [ʃu] M Kohl; **~ rouge** Rotkohl; **~ de Bruxelles** Rosenkohl; **~ à la crème** Windbeutel mit Schlagsahne; **pâte** *f* **à ~** Brandteig *m*
choucroute [ʃukrut] F Sauerkraut *n*; **~ garnie** Sauerkraut *n* auf elsässische Art (*mit Würsten und Schweinerippchen*)
chouette [ʃwɛt] **1** F Eule **2** ADJ *umg* toll, prima
chou-fleur [ʃuflœr] M Blumenkohl **chou-rave** [ʃurav] M Kohlrabi
chrétien [kretjɛ̃] **1** christlich **2** **chrétien(ne** [kretjɛn]) M(F) Christ(in)
chronique [krɔnik] **1** chronisch (*a.* MED) **2** F Chronik
chronomètre [krɔnɔmɛtr] M Stoppuhr *f*
CHU [seaʃy] M (*centre hospitalier universitaire*) Universitätsklinikum *n*
chuchoter [ʃyʃɔte] flüstern
chute [ʃyt] F Sturz *m*; **~ d'eau** Wasserfall *m*; **~s** *pl* **de neige** Schneefälle *mpl*; **~ de pierres** Steinschlag *m*
Chypre [ʃipr] Zypern *n*
ci [si] **à cette heure-~** um diese Zeit
cible [sibl] F Zielscheibe
ciboulette [sibulɛt] F Schnittlauch *m*
cicatrice [sikatris] F Narbe
cicatriser [sikatrize] **(se) ~** vernarben
ci-contre [sikõtr] nebenstehend **ci-dessous** [sid(ə)su] unten stehend, weiter unten
ci-dessus [sid(ə)sy] oben stehend, weiter oben
cidre [sidr] M Apfelwein; *de*

France Cidre
ciel [sjɛl] M Himmel
cierge [sjɛrʒ] M Kerze *f*
cigale [sigal] F ZOOL Grille
cigare [sigar] M Zigarre *f* **cigarette** [sigarɛt] F Zigarette
cigogne [sigɔɲ] F Storch *m*
ci-joint [siʒwɛ̃] anliegend, anbei
cil [sil] M Wimper *f*
cime [sim] F *d'une montagne* Gipfel *m*; *d'un arbre* Wipfel *m*
ciment [simɑ̃] M Zement
cimetière [simtjɛr] M Friedhof
ciné [sine] M *umg* Kino *n*
cinéma [sinema] M Kino *n*; *umg fig* Theater *n*; **aller au ~** ins Kino gehen
cinq [sɛ̃k] fünf
cinquantaine [sɛ̃kɑ̃tɛn] F *âge* Fünfzig; **une ~ (de …)** etwa fünfzig (…)
cinquante [sɛ̃kɑ̃t] fünfzig
cinquantième [sɛ̃kɑ̃tjɛm] fünfzigste(r, -s)
cinquième [sɛ̃kjɛm] **1** fünfte(r, -s) **2** M MATH Fünftel *n*; *étage* fünfter Stock **3** F AUTO fünfter Gang *m*
cintre [sɛ̃tr] M ARCH Bogen; *vêtements* Kleiderbügel
cirage [siraʒ] M Schuhcreme *f*
circonstances [sirkõstɑ̃s] FPL Umstände *mpl*; **dans ces ~** unter diesen Umständen
circuit [sirkɥi] M **~ (touristique)** Rundreise *f*, -fahrt *f*; SPORT **~ (automobile)** Autorennstrecke *f*; **~ (électrique)** Stromkreis
circulaire [sirkylɛr] **1** kreisförmig **2** F Rundschreiben *n*
circulation [sirkylasjõ] F (Auto-, Straßen)Verkehr *m*; **~ en sens inverse** Gegenverkehr *m*; MED **~ du sang** (Blut)Kreislauf *m*
circuler [sirkyle] *piétons* gehen; *voitures, conducteurs* fahren; *sang* fließen; *bruit* umgehen; **circulez!** weitergehen!
cire [sir] F Wachs *n* **cirer** [sire] *chaussures* wichsen, putzen; *parquet* bohnern
cirque [sirk] M Zirkus
ciseaux [sizo] MPL Schere *f*
citadin [sitadɛ̃] M Städter
citation [sitasjõ] F Zitat *n*
cité [site] F Stadt; *immeubles* (Wohn)Siedlung *f*
citer [site] *auteur* zitieren; *nommer* nennen
citoyen [sitwajɛ̃] M (Staats)-Bürger
citron [sitrõ] M Zitrone *f*
citrouille [sitruj] F Kürbis *m*
civet [sivɛ] M **~ de lièvre** Hasenpfeffer
civette [sivɛt] F Schnittlauch *m*
civière [sivjɛr] F Tragbahre
civil [sivil] **1** Zivil…, bürgerlich; **bureau** *m* **de l'état ~** Standesamt *n* **2** M Zivilist; **en ~** in Zivil
civilisation [sivilizasjõ] F Zivilisation

clafoutis [klafuti] M Kirschauflauf
clair [klɛr] **1** klar; *couleur, chambre* hell **2** M **~ de lune** Mondschein
clairière [klɛrjɛr] F Lichtung
clandestin [klɑ̃dɛstɛ̃] heimlich
claque [klak] F Ohrfeige
claquer [klake] *porte* zuschlagen (*a. v/t*); *volet* schlagen; **se ~ un muscle** sich e-n Muskel zerren
clarté [klarte] F Licht *n*; *de l'eau, du ciel, fig* Klarheit
classe [klɑs] F Klasse (*a. fig*); **(salle** *f* **de) ~** Klasse(nzimmer) *f(n)*; **aller en ~** in die, zur Schule gehen; **~ de neige** Skilager *n*; **~ verte** Schullandheim *n*; **~ économique** Economyklasse; **~ affaires** Business-Class
classement [klasmɑ̃] M *école,* SPORT (Be)Wertung *f* **classer** [klase] ordnen (**par** nach)
classeur [klasœr] M Ordner
classique [klasik] **1** klassisch **2** M Klassiker
clavicule [klavikyl] F Schlüsselbein *n*
clavier [klavje] M Tastatur *f*
clé, clef [kle] F Schlüssel *m* (*a.* TECH, *fig,* MUS); **~ de contact** Zündschlüssel *m*; **~ de voiture** Autoschlüssel *m*; **fermer à ~** abschließen, -sperren
clémentine [klemɑ̃tin] F Klementine
clergé [klɛrʒe] M Klerus
clic [klik] **1** **~!** klick! **2** M Klicken *n*; IT **~ (de la souris)** Mausklick
clic-clac [klikklak] M Schlafcouch *f*
client(e) [klijɑ̃(t)] M(F) Kunde *m*, Kundin *f*; *d'un hôtel, d'un restaurant* Gast *m*
clientèle [klijɑ̃tɛl] F Kundschaft
cligner [kliɲe] **~ des yeux** (mit den Augen) blinzeln
clignotant [kliɲɔtɑ̃] M Blinker
climat [klima] M Klima *n*
climatique [klimatik] klimatisch, Klima…; **changement** *m* **~** Klimawandel *m*; **station** *f* **~** Luftkurort *m*
climatisation [klimatizasjɔ̃] F Klimaanlage
clin d'œil [klɛ̃dœj] M Zwinkern *n*; **en un ~** im Nu
clinique [klinik] **1** klinisch **2** F Klinik
cliquer [klike] IT klicken; **~ sur** anklicken
cloche [klɔʃ] F Glocke **clocher** [klɔʃe] M Glocken-, Kirchturm **clochette** [klɔʃɛt] F Glöckchen *n*
cloison [klwazɔ̃] F Zwischenwand
cloître [klwatr] M ARCH Kreuzgang; *monastère* Kloster *n*
clonage [klonaʒ] M Klonen *n*
cloner [klone] klonen
cloque [klɔk] F (Haut)Blase
clôture [klotyr] F Zaun *m*
clou [klu] M Nagel; *fig* Clou;

umg **~s** PL Fußgängerüberweg *m*; **~ de girofle** Gewürznelke *f*
clouer [klue] an-, festnageln
clown [klun] M Clown
club [klœb] M Klub
coaguler [koagyle] **(se) ~** gerinnen
cobaye [kɔbaj] M Meerschweinchen *n*
coca [kɔka] M Cola *f*
coccinelle [kɔksinɛl] F Marienkäfer *m*
cocher [kɔʃe] abhaken
cochon [kɔʃõ] M Schwein *n*; **~ d'Inde** Meerschweinchen *n*
cockpit [kɔkpit] M Cockpit *n*
coco [kɔko] M **noix** *f* **de ~** Kokosnuss
cocotte [kɔkɔt] F Schmortopf *m* **cocotte-minute** [kɔkɔtminyt] F Schnellkochtopf *m*
code [kɔd] M Code *od* Kode; JUR Gesetzbuch *n*; AUTO **~s** PL Abblendlicht *n*; **~ confidentiel** Geheimnummer *f*; **~ postal** Postleitzahl *f*; **~ de la route** Straßenverkehrsordnung *f*; **se mettre en ~** abblenden
code-barres [kɔdbar] M Strichkode
cœur [kœr] M Herz *n*; **au ~ de** mitten in (*dat*); **de bon ~** von Herzen gern; **par ~** auswendig; **j'ai mal au ~** mir ist übel; **cela lui tient à ~** das liegt ihm *od* ihr am Herzen
coffre [kɔfr] M *meuble* Truhe *f*; AUTO Kofferraum
coffre-fort M Safe, Tresor
cognac [kɔɲak] M Cognac *od* Kognak
cogner [kɔɲe] schlagen; *moteur* klopfen; **se ~** sich stoßen (**contre** an *dat*)
cohérent [kɔerɑ̃] zusammenhängend
cohue [kɔy] F Gedränge *n*
coiffer [kwafe] **(se ~** sich) frisieren **coiffeur** [kwafœr] M Friseur **coiffeuse** [kwaføz] F Friseuse **coiffure** [kwafyr] F Frisur
coin [kwɛ̃] M Ecke *f*; **~ fenêtre** Fensterplatz; **au ~ de la rue** an der Straßenecke
coincer [kwɛ̃se] einklemmen; TECH ver-, festkeilen; **être coincé** verklemmt sein (*a. fig*)
coing [kwɛ̃] M Quitte *f*
col [kɔl] M Kragen; *de montagne* Pass
colère [kɔlɛr] F Zorn *m*, Wut; **être en ~** zornig, wütend sein (**contre qn** auf, über j-n); **se mettre en ~** wütend werden
coléreux [kɔlerø] jähzornig
colibri [kɔlibri] M Kolibri
colin [kɔlɛ̃] M Seehecht
colique [kɔlik] F Kolik
colis [kɔli] M Paket *n*
collaborer [kɔlabɔre] mitarbeiten (**à** an *dat*)
collant [kɔlɑ̃] **1** klebend, Klebe...; *doigts* klebrig; *robe, jeans* hauteng; *umg personne* aufdringlich **2** M Strumpfhose *f*
colle [kɔl] F Klebstoff *m*
collection [kɔlɛksjõ] F Samm-

lung **collectionner** [kɔlɛksjɔne] sammeln
collège [kɔlɛʒ] M *etwa* Realschule *f*
collègue [kɔlɛg] M Kollege
coller [kɔle] (an-, auf-, zusammen-, zu)kleben; *adhérer* kleben (**à** an *dat*)
collier [kɔlje] M Halskette *f*
colline [kɔlin] F Hügel *m*
collision [kɔlizjõ] F Zusammenstoß *m*
Cologne [kɔlɔɲ] Köln
colombe [kɔlõb] F Taube
colonie [kɔlɔni] F Kolonie **~ (de vacances)** Ferienlager *n*
colonne [kɔlɔn] F Säule; *d'un journal* Spalte; **~ Morris** Litfaßsäule *f*; ANAT **~ vertébrale** Wirbelsäule *f*, Rückgrat *n*
colorant [kɔlɔrɑ̃] **1** Farb... **2** M Farbstoff **colorer** [kɔlɔre] färben **colorier** [kɔlɔrje] *dessin* ausmalen **coloris** [kɔlɔri] M Kolorit *n*
colza [kɔlza] M BOT Raps
coma [koma] M MED Koma *n*; **être dans le ~** im Koma liegen
combat [kõba] M Kampf
combattant [kõbatɑ̃] M Kämpfer **combattre** [kõbatr] (be)kämpfen
combien [kõbjɛ̃] wie viel; *à quel point* wie (sehr); **~ de** wie viel; **~ de fois** wie oft; **~ de temps** wie lange
combinaison [kõbinɛzõ] F Kombination, Zusammenstellung; *vêtement* Overall *m*; *de femme* Unterrock *m*; **~ de ski** Skianzug *m*
comble [kõbl] **1** (gedrängt) voll **2** M Gipfel
combler [kõble] *trou* zuschütten; *lacune* ausfüllen; **~ de** überschütten mit
combustible [kõbystibl] **1** brennbar **2** M Brennmaterial *n* **combustion** [kõbystjõ] F Verbrennung
comédie [kɔmedi] F Komödie; *fig* Theater *n*; **~ musicale** Musical *n*
comédien(ne) [kɔmedjɛ̃ (kɔmedjɛn)] M(F) Schauspieler(in)
comestible [kɔmɛstibl] **1** essbar **2 comestibles** MPL Lebensmittel *npl*
comique [kɔmik] komisch
comité [kɔmite] M Ausschuss; **~ d'entreprise** Betriebsrat
commandant [kɔmɑ̃dɑ̃] M Major, Kommandant; FLUG **~ de bord** Flugkapitän
commande [kɔmɑ̃d] F Bestellung **commander** [kɔmɑ̃de] *ordonner* befehlen; *au café*, HANDEL bestellen
comme [kɔm] wie; *en tant que* als; *au moment où* als; *parce que* da; **~ si** als ob
commencement [kɔmɑ̃smɑ̃] M Anfang
commencer [kɔmɑ̃se] beginnen, anfangen (**à** zu, **par** mit, **qc** etw, mit etw); **~ par faire qc** zuerst etw tun
comment [kɔmɑ̃] wie

commentaire [kɔmɑ̃tɛr] M Kommentar
commerçant [kɔmɛrsɑ̃] **1** Geschäfts… **2** M **(petit) ~** Einzelhändler
commerce [kɔmɛrs] M Handel; *magasin* Geschäft *n*; **faire du ~** Handel treiben
commercial [kɔmɛrsjal] Handels…; *directeur* kaufmännisch; *chaîne* Privat…
commettre [kɔmɛtr] begehen
commissaire [kɔmisɛr] M **~ (de police)** Kommissar **commissariat** [kɔmisarja] M **~ (de police)** Polizeirevier *n*
commission [kɔmisjõ] F Kommission; HANDEL Provision; **~s** PL *courses* Besorgungen *fpl*; **Commission européenne** Europäische Kommission
commode [kɔmɔd] **1** bequem **2** F Kommode
commotion [kɔmosjõ] F **~ cérébrale** Gehirnerschütterung
commun [kɔmœ̃] gemeinsam, Gemeinschafts…; *ordinaire* gewöhnlich (*a. pej*); **en ~** gemeinsam; **peu, pas ~** außer-, ungewöhnlich
communauté [kɔmynote] F Gemeinschaft
commune [kɔmyn] F POL Gemeinde
communication [kɔmynikasjõ] F Kommunikation, Verständigung; *message* Mitteilung; TEL *ligne* Verbindung; *conversation* Gespräch *n*
communier [kɔmynje] zur Kommunion gehen
communion [kɔmynjõ] F Kommunion; **première ~** Erstkommunion
communiqué [kɔmynike] M Kommuniqué *n* **communiquer** [kɔmynike] *renseignements* mitteilen; *se faire comprendre* sich verständigen
communisme [kɔmynism] M Kommunismus **communiste** [kɔmynist] M Kommunist
commutateur [kɔmytatœr] M Schalter
compagne [kõpaɲ] F Gefährtin; *d'un homme* Lebensgefährtin
compagnie [kõpaɲi] F Gesellschaft; **~ aérienne** Fluggesellschaft; **en ~ de** in Begleitung von
compagnon [kõpaɲõ] M Gefährte; *d'une femme* Lebensgefährte
comparaison [kõparɛzõ] F Vergleich *m* **comparer** [kõpare] vergleichen (**à, avec** mit)
compartiment [kõpartimɑ̃] M *case* Fach *n*; *train* Abteil *n*; **~ (non) fumeurs** (Nicht)Raucherabteil *n*; **~ congélateur** Gefrierfach *n*
compas [kõpɑ] M MATH Zirkel; SCHIFF Kompass
compassion [kõpasjõ] F Mitleid *n*
compatible [kõpatibl] verein-

bar; IT kompatibel

compatriote [kõpatrijɔt] M/F Landsmann *m*, -männin *f*

compenser [kõpɑ̃se] ausgleichen

compétent [kõpetɑ̃] kompetent; JUR zuständig

compétition [kõpetisjõ] F Wettbewerb *m*; SPORT Wettkampf *m*

complément [kõplemɑ̃] M Ergänzung *f*; GRAM **~ d'objet direct** Akkusativobjekt *n*

complet [kõplɛ] 1 *entier* vollständig; *plein* voll, besetzt; *hôtel* belegt; *théâtre* ausverkauft 2 M Anzug

complètement [kõplɛtmɑ̃] völlig

compléter [kõplete] vervollständigen

complexe [kõplɛks] 1 kompliziert 2 M Komplex

compliment [kõplimɑ̃] M Kompliment *n*

compliqué [kõplike] kompliziert

comporter [kõpɔrte] enthalten; *impliquer* mit sich bringen; **se ~** sich verhalten

composer [kõpoze] zusammensetzen; *former* bilden; TEL *numéro* wählen; MUS komponieren; **se ~ de** bestehen aus

compositeur [kõpozitœr] M Komponist

composter [kõpɔste] entwerten **composteur** [kõpɔstœr] M Entwerter

comprendre [kõprɑ̃dr] verstehen; *comporter* umfassen

compresse [kõprɛs] F Kompresse

comprimé [kõprime] M Tablette *f*

comprimer [kõprime] *air* verdichten; *substance* zusammenpressen, -drücken

compris [kõpri] inbegriffen (**dans** in *dat*); **tout ~** alles inbegriffen; **service non ~** ohne Bedienung; **y ~** einschließlich

comptabilité [kõtabilite] F Buchführung

comptable [kõtabl] M Buchhalter **comptant** [kõtɑ̃] bar

compte [kõt] M *calcul* Berechnung *f*; *en banque* Konto *n*; **~ courant** Girokonto *n*; **~ chèque postal** Postgirokonto *n*; **se rendre ~ de** sich klar werden über (*akk*); **tenir ~ de** berücksichtigen (*akk*)

compter [kõte] zählen; *prévoir* rechnen (mit); *facturer* berechnen (**à qn** j-m); **~** (*+inf*) beabsichtigen zu; **~ sur** zählen, rechnen auf (*akk*)

compteur [kõtœr] M Zähler; *de vitesse* Tachometer

comptoir [kõtwar] M *café* Theke *f*; *magasin* Ladentisch

comte [kõt] M Graf

comté [kõte] M *Art Schweizer Käse aus der Franche-Comté*

comtesse [kõtɛs] F Gräfin

con [kõ] *sl* ⟨*f* conne [kɔn]⟩ saublöd

concéder [kõsede] zugestehen
concentration [kõsɑ̃trasjõ] F Konzentration **concentrer** [kõsɑ̃tre] (**se ~** sich) konzentrieren (**sur** auf *akk*)
conception [kõsɛpsjõ] F *idée* Vorstellung; *création* Entwurf *m*
concerner [kõsɛrne] betreffen, angehen; **en ce qui concerne …** was (*akk*) betrifft
concert [kõsɛr] M Konzert *n*
concerto [kõsɛrto] M Konzert *n*
concession [kõsɛsjõ] F Konzession, Zugeständnis *n*
concessionnaire [kõsesjɔnɛr] M Vertragshändler
concevoir [kõsəvwar] *comprendre* begreifen; *imaginer* entwerfen
concierge [kõsjɛrʒ] M/F Hausmeister(in) *m(f)*
conclure [kõklyr] *marché* abschließen; *discours* beschließen; *déduire* **~ qc de** etw schließen aus
conclusion [kõklyzjõ] F Schluss *m*; **en ~** abschließend
concombre [kõkõbr] F Gurke; **salade** *f* **de ~s** Gurkensalat *m*
concorder [kõkɔrde] F übereinstimmen
concourir [kõkurir] **~ à** mitwirken an; **~ pour** sich bewerben um
concours [kõkur] M Wettbewerb; Preisausschreiben *n*
concurrence [kõkyrɑ̃s] F Konkurrenz **concurrent** [kõkyrɑ̃] M Konkurrent
condamner [kõdane] verurteilen (**à** zu)
condiment [kõdimɑ̃] M Gewürz *n*
condition [kõdisjõ] F Bedingung; **à ~ que** (+ *subj*), **à ~ de** (+*inf*) unter der Bedingung, dass; **sans ~s** bedingungslos
condoléances [kõdɔleɑ̃s] FPL Beileid *n*
conducteur [kõdyktœr] M, **conductrice** [kõdyktris] F Fahrer(in) *m(f)*
conduire [kõdɥir] führen; *entreprise* leiten; *voiture* fahren; **~ à** führen zu; **se ~** sich benehmen
conduite [kõdɥit] F *comportement* Benehmen *n*; *canalisation* Leitung; AUTO Fahren *n*, Fahrweise; **~ en état d'ivresse** Trunkenheit am Steuer
cône [kon] M Kegel
confection [kõfɛksjõ] F Anfertigung; *vêtements* Konfektion **confectionner** [kõfɛksjɔne] anfertigen
conférence [kõferɑ̃s] F Konferenz; *exposé* Vortrag *m*
confesser [kõfɛse] gestehen; **se ~** beichten (**de qc** etw)
confession [kõfɛsjõ] F Beichte
confiance [kõfjɑ̃s] F Vertrauen *n*; **avoir ~ en** Vertrauen haben zu; **faire ~ à** vertrauen (*dat*)

confiant [kõfjɑ̃] vertrauensvoll
confidence [kõfidɑ̃s] F̲ **faire une ~ à qn** j-m etw anvertrauen
confidentiel [kõfidɑ̃sjɛl] vertraulich
confier [kõfje] **~ qc à qn** j-m etw anvertrauen; **se ~ à qn** sich j-m anvertrauen
confirmation [kõfirmasjõ] F̲ Bestätigung; REL Konfirmation
confirmer [kõfirme] bestätigen
confiserie [kõfizri] F̲ Süßigkeit; *magasin* Süßwarengeschäft *n*
confisquer [kõfiske] beschlagnahmen
confit [kõfi] **1** *fruits* kandiert **2** M̲ **~ de canard** *im eigenen Fett konservierte Entenstücke*
confiture [kõfityr] F̲ Marmelade
conflit [kõfli] M̲ Konflikt, Auseinandersetzung *f*
confondre [kõfõdr] verwechseln
conforme [kõfɔrm] **~ à** gemäß (*dat*), entsprechend (*dat*)
conformément [kõfɔrmemɑ̃] **~ à** gemäß (*dat*), laut (*dat*)
confort [kõfɔr] M̲ Komfort
confortable [kõfɔrtabl] bequem, komfortabel
confronter [kõfrõte] gegenüberstellen
confus [kõfy] *forme, bruit* undeutlich; *idées* unklar; *embarrassé* verlegen
confusion [kõfyzjõ] F̲ Verwirrung; *erreur* Verwechslung
congé [kõʒe] M̲ Urlaub; **~s** *pl* **payés** bezahlter Urlaub; **être en ~** im, in Urlaub sein; **prendre ~ de** sich verabschieden von
congélateur [kõʒelatœr] M̲ Tiefkühltruhe *f*; *armoire* Gefrierschrank
congeler [kõʒle] ge-, einfrieren, tiefkühlen
congère [kõʒɛr] F̲ Schneeverwehung
congrès [kõgrɛ] M̲ Kongress, Tagung *f*
conjonctif [kõʒõktif] **tissu ~** Bindegewebe *n*
conjonctivite [kõʒõktivit] F̲ Bindehautentzündung
conjugal [kõʒygal] ehelich
connaissance [kɔnɛsɑ̃s] F̲ Kenntnis; *conscience* Bewusstsein *n*; *personne* Bekannte(r) *m/f(m)*; **~s** P̲L̲ Kenntnisse
connaisseur [kɔnɛsœr] M̲ Kenner
connaître [kɔnɛtr] kennen; *personne* kennenlernen
conne → con
connecter [kɔnɛkte] ELEK anschließen (**an** *akk*); IT **se ~** (sich) einloggen
connexion [kɔnɛksjõ] F̲ Verbindung; **~ Internet** Internetanschluss *m*
connu [kɔny] bekannt
conquérir [kõkerir] erobern

conquête [kõkɛt] F Eroberung
consacrer [kõsakre] **(se) ~ à** (sich) widmen (*dat*)
conscience [kõsjɑ̃s] F Bewusstsein *n*; *morale* Gewissen *n* **consciencieux** [kõsjɑ̃sjø] gewissenhaft
conscient [kõsjɑ̃] bewusst
conseil [kõsɛj] M Rat(schlag); *assemblée* Rat; *réunion* Ratsversammlung *f*; **~ de surveillance** Aufsichtsrat
conseiller [kõseje] **1** raten; **~ qn** j-n beraten **2** M Berater
consentir [kõsɑ̃tir] einwilligen (**à qc** in etw *akk*)
conséquence [kõsekɑ̃s] F Konsequenz, Folge **conséquent** [kõsekɑ̃] **par ~** folglich
conservatoire [kõsɛrvatwar] M Musikhochschule *f*
conserve [kõsɛrv] F Konserve
conserver [kõsɛrve] behalten
considérable [kõsiderabl] beträchtlich
considération [kõsiderasjõ] F Überlegung, Erwägung; *estime* Achtung; **prendre en ~** berücksichtigen
considérer [kõsidere] betrachten (**comme** als); *estimer* achten; **~ que** finden, dass
consigne [kõsiɲ] F *instruction* Anweisung; *de bouteilles* Pfand *n*; *pour les bagages* Gepäckaufbewahrung; **~ automatique** Schließfächer *npl*
consister [kõsiste] **~ en** bestehen aus; **~ à** (*+inf*) darin bestehen zu (*+inf*)
consolation [kõsɔlasjõ] F Trost *m* **consoler** [kõsɔle] trösten
consommateur [kõsɔmatœr] M, **consommatrice** [kõsɔmatris] F Verbraucher(in) *m(f)*
consommation [kõsɔmasjõ] F Verbrauch *m*; Konsum *m*; *au café* Verzehr *m*, Getränk *n*; *tarif affiché* **~s** PL Getränkepreise *mpl*; **... basse consommation** Energiespar...
consommé [kõsɔme] M Kraftbrühe *f*
consommer [kõsɔme] verbrauchen; *au café* verzehren
consonne [kõsɔn] F Konsonant *m*
conspiration [kõspirasjõ] F Verschwörung
constamment [kõstamɑ̃] ständig
Constance [kõstɑ̃s] Konstanz; **le lac de ~** der Bodensee
constant [kõstɑ̃] (be)ständig; *température* konstant
constat [kõsta] M (amtliches) Protokoll *n*; AUTO Unfallprotokoll *n*
constater [kõstate] feststellen
consterné [kõstɛrne] bestürzt
constipation [kõstipasjõ] F MED Verstopfung
constituer [kõstitɥe] bilden
constitution [kõstitysjõ] F POL Verfassung
construction [kõstryksjõ] F

Bau *m*
construire [kõstrɥir] bauen
consulat [kõsyla] M Konsulat *n*
consultation [kõsyltasjõ] F Beratung; MED Sprechstunde
consulter [kõsylte] um Rat fragen, zu Rate ziehen
contact [kõtakt] M Kontakt; **faux ~** Wackelkontakt; **prendre ~ avec qn** sich mit j-m in Verbindung setzen; AUTO **mettre le ~** die Zündung einschalten
contagieux [kõtaʒjø] ansteckend
contaminer [kõtamine] anstecken; *eau* verseuchen
conte [kõt] M Erzählung *f*; **~ (de fées)** Märchen *n*
contempler [kõtɑ̃ple] (aufmerksam) betrachten
contemporain [kõtɑ̃pɔrɛ̃] zeitgenössisch
conteneur [kõtnœr] M Container
contenir [kõtnir] enthalten; *réservoir, stade* fassen
content [kõtɑ̃] zufrieden
contenter [kõtɑ̃te] zufriedenstellen; **se ~** sich begnügen (**de** mit)
contenu [kõtny] M Inhalt
conter [kõte] erzählen
contester [kõtɛste] bestreiten
contigu [kõtigy] angrenzend (**à** an *akk*)
continent [kõtinɑ̃] M Kontinent
continuel [kõtinɥɛl] (be)ständig **continuellement** [kõtinɥɛlmɑ̃] ständig
continuer [kõtinɥe] *qc* fortsetzen; *personne* weitermachen, -arbeiten, -fahren *etc*; *durer* andauern; **~ à** *od* **de** (+*inf*) weiter… (+*inf*)
contours [kõtur] MPL Umrisse, Konturen *fpl*
contraceptif [kõtrasɛptif] M Verhütungsmittel *n*
contracter [kõtrakte] zusammenziehen; *alliance* schließen; *assurance* abschließen
contradiction [kõtradiksjõ] F Widerspruch *m* **contradictoire** [kõtradiktwar] widersprüchlich
contraindre [kõtrɛ̃dr] zwingen (**à** zu)
contrainte [kõtrɛ̃t] F Zwang *m*
contraire [kõtrɛr] **1** entgegengesetzt **2** M Gegenteil *n*; **au ~** im Gegenteil **contrairement** [kõtrɛrmɑ̃] **~ à** im Gegensatz zu
contrarier [kõtrarje] (ver)ärgern
contraste [kõtrast] M Kontrast
contrat [kõtra] M Vertrag
contravention [kõtravɑ̃sjõ] F Verstoß *m* (**à** gegen); *amende* gebührenpflichtige Verwarnung
contre [kõtr] gegen (*akk*); **(tout) ~** dicht bei, neben; **par**

~ andererseits
contrebande [kõtrəbɑ̃d] F Schmuggel *m*; **faire de la ~** schmuggeln; **passer, introduire en ~** einschmuggeln
contrecœur [kõtrəkœr] **à ~** ungern, widerwillig
contredire [kõtrədir] widersprechen (**qn** j-m)
contrée [kõtre] F Gegend
contremaître [kõtrəmɛtr] M Werkführer
contresens [kõtrəsɑ̃s] M Sinnwidrigkeit *f*; **en ~** gegen die Fahrtrichtung
contribuable [kõtribyabl] M Steuerzahler
contribuer [kõtribɥe] beitragen (**à** zu)
contribution [kõtribysjõ] F Beitrag *m*
contrôle [kõtrol] M Kontrolle *f*; *école* Klassenarbeit *f*; **~ des billets** Fahrscheinkontrolle *f*; **~ des passeports** Passkontrolle *f*; **~ d'identité** Ausweiskontrolle *f*; AUTO **~ technique** *etwa* TÜV
contrôler [kõtrole] kontrollieren **contrôleur** [kõtrolœr] M Kontrolleur; *train* Schaffner
contusion [kõtyzjõ] F MED Prellung, Quetschung
convaincre [kõvɛ̃kr] überzeugen (**qn de qc** j-n von etw)
convalescence [kõvalesɑ̃s] F Genesung
convenable [kõvnabl] *approprié* passend; *acceptable* (recht) ordentlich; *décent* anständig
convenir [kõvnir] **~ à qn** j-m passen; **~ à qc** sich für etw eignen, für etw geeignet sein; **~ de qc** etw vereinbaren; *admettre* etw zugeben
conversation [kõvɛrsasjõ] F Unterhaltung, Gespräch *n*
convertir [kõvɛrtir] REL bekehren (**à** zu); *fractions* umwandeln; *unités de mesure* umrechnen (**en** in *akk*); REL **se ~** übertreten (**à** zu)
conviction [kõviksjõ] F Überzeugung
convivial [kõvivjal] einladend, gemütlich; INFORM benutzerfreundlich
convoi [kõvwa] M Konvoi
convoiter [kõvwate] begehren
convoquer [kõvɔke] *employé* kommen lassen, rufen; JUR (vor)laden
cool [kul] *umg* cool
coopérer [kɔɔpere] zusammenarbeiten; **~ à qc** an etw (*dat*) mitarbeiten
coordonnée [kɔɔrdɔne] F Koordinate; *umg* **~s** *pl* Adresse *f*, Telefonnummer *f etc*; IT Kontaktdaten *pl*
copain [kɔpɛ̃] *umg* M Freund; *umg* Kumpel
copie [kɔpi] F Kopie; *école* (Klassen)Arbeit
copier [kɔpje] kopieren; *élève* abschreiben (**sur** von)
copieux [kɔpjø] reichlich

copine [kɔpin] *umg* F Freundin
coq [kɔk] M Hahn; GASTR **~ au vin** Hähnchen *n* in Burgunder
coque [kɔk] F *œuf, noix* Schale; *bateau* Rumpf *m*; **œuf** *m* **à la ~** weiches Ei *n*
coquelicot [kɔkliko] M Klatschmohn
coqueluche [kɔklyʃ] F Keuchhusten *m*
coquet [kɔkɛ] hübsch; *cherchant à plaire* kokett
coquetier [kɔktje] M Eierbecher
coquillage [kɔkijaʒ] M Muschel(schale) *f*
coquille [kɔkij] F Schale; GASTR **~ Saint-Jacques** Jakobsmuschel
cor [kɔr] M Horn *n*; MED Hühnerauge *n*
corail [kɔraj] M ⟨*pl* coraux [kɔro]⟩ Koralle *f*
Coran [kɔrɑ̃] M Koran
corbeau [kɔrbo] M Rabe
corbeille [kɔrbɛj] F Korb *m*; **~ à papier** Papierkorb *m*
corbillard [kɔrbijar] M Leichenwagen
corde [kɔrd] F Leine, Strick *m*; *épaisse* Seil *n*; *ficelle* Schnur; MUS Saite; **~ à linge** Wäscheleine *f*
cordial [kɔrdjal] herzlich
cordon [kɔrdõ] M Schnur *f*
cordonnier [kɔrdɔnje] M Schuhmacher
coriace [kɔrjas] zäh
corne [kɔrn] F Horn *n*
corneille [kɔrnɛj] F Krähe
corner [kɔrnɛr] M SPORT Eckball
cornet [kɔrnɛ] M Tüte *f*
corn-flakes [kɔrnflɛks] MPL Cornflakes *pl*
corniche [kɔrniʃ] F kurvenreiche Küstenstraße
cornichon [kɔrniʃõ] M Essiggürkchen *n*, Cornichon *n*
corporel [kɔrpɔrɛl] körperlich
corps [kɔr] M Körper
correct [kɔrɛkt] richtig, korrekt
correction [kɔrɛksjõ] F Korrektheit; *amélioration* Verbesserung, Korrektur
correspondance [kɔrɛspõdɑ̃s] F Korrespondenz; *lettres* Briefwechsel *m*; (aus-, eingehende) Post; *train* Anschluss (-zug) *m*
correspondant [kɔrɛspõdɑ̃] **1** entsprechend **2 correspondant(e)** [kɔrɛspõdɑ̃(t)] M(F) Briefpartner(in); *école* Brieffreund(in); *presse* Korrespondent(in); TEL Gesprächspartner(in)
correspondre [kɔrɛspõdr] **~ à qc** e-r Sache (*dat*) entsprechen; **~ avec qn** mit j-m in Briefwechsel stehen
corrida [kɔrida] F Stierkampf *m*
corridor [kɔridɔr] M Korridor, Flur
corriger [kɔriʒe] verbessern;

école korrigieren
corrosif [kɔrozif] ätzend
corsage [kɔrsaʒ] M Bluse *f*
corse [kɔrs] korsisch **Corse** [kɔrs] **la ~** Korsika *n*
cortège [kɔrtɛʒ] M (Fest-, Um)Zug
cortisone [kɔrtizɔn] F Kortison *n*
corvée [kɔrve] F lästige Pflicht; **~ de vaisselle** Küchendienst *m*
cosmétique [kɔsmetik] 1 kosmetisch 2 M Schönheitsmittel *n*
costume [kɔstym] M Anzug; *théâtre* Kostüm *n*; *régional* Tracht *f*
côte [kot] F *mer* Küste; *colline* Hang *m*; *montée* Steigung; ANAT Rippe; GASTR Kotelett *n*; *de bœuf* Rippenstück *n*; **la Côte (d'Azur)** die Côte d'Azur
côté [kote] M Seite *f*; **à ~ de** neben; **à ~** nebenan; **de l'autre ~** auf der anderen Seite; **du ~ de** in der Nähe von
côtelé [kotle] **velours** *m* **~** Cord
côtelette [kɔtlɛt] F Kotelett *n*
côtier [kotje] Küsten…
cotisation [kɔtizasjõ] F Beitrag *m* **cotiser** [kɔtize] Beitrag zahlen; **se ~** sammeln
coton [kɔtõ] M Baumwolle *f*; **~ (hydrophile)** Watte *f*; **(morceau** *m* **de) ~** Wattebausch
cou [ku] M Hals
couche [kuʃ] F Schicht; *pour bébés* Windel; MED **fausse ~** Fehlgeburt
couché [kuʃe] liegend; **être ~** liegen; *au lit* im Bett sein
coucher [kuʃe] 1 *étendre* hinlegen (**sur** auf *akk*); *enfant* zu Bett bringen; *passer la nuit* schlafen, übernachten; **se ~** schlafen gehen; *soleil* untergehen; *umg* **~ avec qn** mit j-m schlafen 2 M **~ du soleil** Sonnenuntergang
couchette [kuʃɛt] F Koje; *train* Platz *m* im Liegewagen; **~s** PL Liegewagen *m*
coude [kud] M Ellbogen
coudre [kudr] nähen; *bouton* annähen (**à** an *akk*)
couenne [kwan] F (Speck)-Schwarte
couette [kwɛt] F Federbett *n*
couler [kule] fließen; *robinet* tropfen; *nez* laufen; *bateau* sinken
couleur [kulœr] F Farbe
couleuvre [kulœvr] F Natter
couloir [kulwar] M Flur
coup [ku] M Schlag; *de couteau* Stich; *de feu* Schuss; *échecs* Zug; **~ de poing** Faustschlag; **~ de pied** (Fuß)Tritt; **~ d'œil** Blick; **~ de soleil** Sonnenbrand; SPORT **~ franc** Freistoß; **~ de téléphone** (*umg* **de fil**) Anruf; **boire un ~** einen trinken; **tenir le ~** durchhalten; **tout à ~** plötzlich; **du premier ~** (gleich) beim ersten Mal; **après ~** hinterher

coupable [kupabl] **1** schuldig (**de** *gen*) **2** M/F Schuldige(r) *m/f(m)*

coupe[1] [kup] F (Obst-, Sekt-)Schale; SPORT Pokal *m*, Cup *m*; **~ glacée** Eisbecher *m*; **Coupe du monde** Weltmeisterschaft

coupe[2] [kup] F **~ (de cheveux)** Haarschnitt *m*

coupe-circuit [kupsirkɥi] M Sicherung *f*

couper [kupe] schneiden (*a. v/i*); *morceau* abschneiden; *eau, gaz* abstellen; *conversation*, TEL unterbrechen; *vin* verdünnen; *cartes* abheben; *prendre un raccourci* e-e Abkürzung nehmen; **~ en deux** teilen

couple [kupl] M Paar *n*; *mari et femme* Ehepaar *n*

couplet [kuplɛ] M Strophe *f*

coupole [kupɔl] F Kuppel

coupon [kupõ] M Abschnitt

coupure [kupyr] F *blessure* Schnitt(wunde) *m(f)*; **~ de courant** Stromsperre

cour [kur] F Hof *m*; JUR Gericht(shof) *n(m)*

courage [kuraʒ] M Mut

couramment [kuramɑ̃] fließend; *souvent* häufig

courant [kurɑ̃] **1** üblich **2** M Strömung *f*; ELEK Strom; **~ d'air** Luftzug; **être au ~** auf dem Laufenden sein (**de** über *akk*)

courbatures [kurbatyr] FPL Muskelkater *m*

courbe [kurb] **1** gebogen **2** F Kurve **courber** [kurbe] biegen

coureur [kurœr] M Läufer; *automobile, cycliste* Rennfahrer

coureuse [kurøz] F Läuferin

courge [kurʒ] F Kürbis *m*

courgette [kurʒɛt] F Zucchini

courir [kurir] laufen, rennen; *bruit* umgehen; *danger* sich aussetzen (*dat*); *risque* eingehen; **~ le danger, le risque de** (*+inf*) Gefahr laufen zu

couronne [kurɔn] F Krone; *de fleurs* Kranz *m*

courrier [kurje] M Post *f*

courroie [kurwa] F Riemen *m*

cours [kur] M Kurs; *leçon* (Unterrichts)Stunde *f*; **~ de langue** Sprachkurs; **~ du change** Wechselkurs; **au ~ de** im Laufe (*gen*); **en ~ de route** unterwegs

course [kurs] F SPORT Rennen *n*; *à pied* Lauf *m*; **~s** PL Einkäufe; **faire la ~** e-n Wettlauf machen; **faire des ~s** einkaufen

court [kur] **1** kurz **2** M **~ (de tennis)** Tennisplatz

court-circuit [kursirkɥi] M Kurzschluss

couscous [kuskus] M Kuskus

cousin [kuzɛ̃] M Cousin, Vetter; ZOOL (Stech)Mücke *f*

cousine [kuzin] F Cousine

coussin [kusɛ̃] M Kissen *n*

coût [ku] M Kosten *pl*

coûtant [kutɑ̃] **prix** *m* **~** Selbstkostenpreis

couteau [kuto] M Messer *n*
coûter [kute] kosten; **~ cher** teuer sein
coutume [kutym] F Gewohnheit; Brauch *m*, Sitte
couture [kutyr] F Naht (*a.* MED); *occupation* Nähen *n*, Schneidern *n*; Schneiderei
couturier [kutyrje] M Modeschöpfer **couturière** [kutyrjɛr] F Schneiderin
couvent [kuvɑ̃] M Kloster *n*
couver [kuve] **~ (ses œufs)** brüten
couvercle [kuvɛrkl] M Deckel
couvert [kuvɛr] **1** bedeckt; **marché** *m* **~** Markthalle *f*; **être bien ~** warm angezogen sein **2** M Besteck *n*
couverture [kuvɛrtyr] F Decke; *livre* Einband *m*; *magazine* Titelseite; **~ chauffante** Heizdecke; **~ de laine** Wolldecke
couvre-lit [kuvrəli] M Tagesdecke *f*
couvrir [kuvrir] zu-, bedecken (**de** mit); *fig* überschütten (**de** mit); *frais* decken; *distance* zurücklegen; **se ~** *personne* sich warm anziehen; *ciel* sich bedecken
covoiturage [kovwatyraʒ] M Fahrgemeinschaft *f*
cow-boy [kobɔj] M Cowboy
crabe [krɑb] M Krabbe *f*
cracher [kraʃe] spucken
craie [krɛ] F Kreide
craindre [krɛ̃dr] fürchten, sich fürchten vor (*dat*); *chaleur* nicht vertragen; **~ que ... ne** (*+subj*) (be)fürchten, dass
crainte [krɛ̃t] F Furcht, Angst; **~s** PL Befürchtungen
craintif [krɛ̃tif] ängstlich
crampe [krɑ̃p] F Krampf *m*
cramponner [krɑ̃pɔne] **se ~ à** sich klammern an (*akk*)
crâne [krɑn] M Schädel
crâner [krɑne] *umg* angeben
crapaud [krapo] M Kröte *f*
craquer [krake] knacken, krachen; *parquet* knarren; *couture* platzen; *fig personne* zusammenbrechen
crasse [kras] F Dreck *m*
cratère [kratɛr] M Krater
cravate [kravat] F Krawatte
crayon [krɛjõ] M Bleistift; **~ feutre** Filzstift; **~ de couleur** Buntstift; **~ à sourcils** Augenbrauenstift
création [kreasjõ] F Gründung, Schaffung; *mode* Kreation; *théâtre* Erstinszenierung
crèche [krɛʃ] F REL Krippe; *garderie* Kinderkrippe
crédible [kredibl] glaubwürdig
crédit [kredi] M Kredit; **à ~** auf Kredit
créditer [kredite] gutschreiben (**qn de 300 euros** j-m 300 Euro)
crédule [kredyl] leichtgläubig
créer [kree] gründen; *emplois, problèmes* schaffen
crématorium [krematɔrjɔm] M Krematorium *n*

crème[1] [krɛm] F GASTR Sahne; **~ glacée** Eiscreme; **~ caramel** Karamelpudding *m*; **~ d'asperges** Spargelcremesuppe; **~ de cassis** Johannisbeerlikör *m*
crème[2] [krɛm] F *cosmétique* Creme; **~ pour les mains** Handcreme; **~ dépilatoire** Enthaarungscreme; **~ hydratante** Feuchtigkeitscreme; **~ de nuit** Nachtcreme; **~ à raser** Rasiercreme; **~ solaire** Sonnen(schutz)creme
crémerie [krɛmri] F Milchgeschäft *n*
créneau [kreno] M Schießscharte *f*; AUTO Parklücke *f*; **faire un ~** einparken
crêpe [krɛp] F GASTR Crêpe (*dünner Pfannkuchen*)
crépuscule [krepyskyl] M (Abend)Dämmerung *f*
cresson [krɛsõ] M Kresse *f*
Crète [krɛt] **la ~** Kreta *n*
crête [krɛt] F (Hahnen-, Berg)-Kamm *m*
crétin [kretɛ̃] *umg* M Dummkopf
creuser [krøze] graben; *fruit* aushöhlen; **se ~ la tête** sich den Kopf zerbrechen
creux [krø] **1** hohl; leer **2** M Höhlung *f*; Vertiefung *f*; **~ de la main** hohle Hand *f*
crevaison [krəvɛzõ] F Reifenpanne
crevasse [krəvas] F Riss *m*
crever [krəve] platzen lassen; *pneu* zerstechen; V/I platzen; *umg mourir* verrecken; AUTO **j'ai crevé** ich habe e-n Platten
crevette [krəvɛt] F Garnele
cri [kri] M Schrei
crible [kribl] M Sieb *n*
cric [krik] M Wagenheber
crier [krije] schreien
crime [krim] M Verbrechen *n*
criminel [kriminɛl] **1** kriminell **2** M Verbrecher
crinière [krinjɛr] F Mähne
criquet [krikɛ] M Heuschrecke *f*
crise [kriz] F Krise; **~ cardiaque** Herzanfall *m*; **~ financière** Finanzkrise, Bankenkrise
critique [kritik] **1** kritisch **2** M Kritiker **3** F Kritik
critiquer [kritike] kritisieren
Croatie [krɔasi] **la ~** Kroatien *n*
crochet [krɔʃɛ] M Haken; **faire un ~** e-n Abstecher machen
crocodile [krɔkɔdil] M Krokodil *n*
croire [krwar] glauben (**qc** etw *akk*, **qn** j-m); **~ à, ~ en** glauben an (*akk*); **se ~ malin** sich für klug halten
croisement [krwazmɑ̃] M Kreuzung *f*
croiser [krwaze] kreuzen; **~ qn** j-m begegnen; **mots croisés** Kreuzworträtsel *n*
croisière [krwazjɛr] F Kreuzfahrt
croissance [krwasɑ̃s] F Wachstum *n*
croissant [krwasɑ̃] M Hörn-

chen *n*, Croissant *n*; ~ **de lune** Mondsichel *f*
croix [krwa] F Kreuz *n*
Croix-Rouge [krwaruʒ] **la** ~ das Rote Kreuz
croquant [krɔkɑ̃] knusprig, knackig **croque-monsieur** [krɔkməsjø] M Schinkentoast mit Käse
croquette [krɔkɛt] F Krokette
croquis [krɔki] M Skizze *f*
crotte [krɔt] F Kot *m*; ~ **en** *od* **de chocolat** Praline
croustillant [krustijɑ̃] knusprig
croûte [krut] F *du pain* Kruste; *du fromage* Rinde; *pâté* **en** ~ im Teigmantel
croûton [krutõ] M (Brot)Kanten; GASTR gerösteter Brotwürfel, Croûton
croyant [krwajɑ̃] gläubig
CRS [seɛrɛs] M Bereitschaftspolizist; **les** ~ PL die Bereitschaftspolizei
cru[1] [kry] **1** roh **2** M Wein(bau)gebiet *n*; *vin* Wein
cru[2] [kry] PPERF → croire
cruauté [kryote] F Grausamkeit
cruche [kryʃ] F Krug *m*
crucifier [krysifje] kreuzigen
crudités [krydite] FPL Rohkost *f*; **assiette** *f* **de** ~ Salatplatte
crue [kry] F Hochwasser *n*; **être en** ~ Hochwasser führen
cruel [kryɛl] grausam
crustacés [krystase] MPL Krustentiere *npl*
cube [kyb] M Würfel; **mètre** *m* ~ Kubikmeter
cueillir [kœjir] pflücken
cuillère *od* **cuiller** [kɥijɛr] F Löffel *m*; **petite** ~ Teelöffel *m*; ~ **à soupe** Esslöffel *m*
cuillerée [kɥijere] F Löffel *m* voll
cuir [kɥir] M Leder *n*
cuire [kɥir] *à l'eau* kochen (*a. v/i*); *à la poêle* braten; *pain, gâteau* backen (*a. v/i*)
cuisine [kɥizin] F Küche; Kochen *n*; ~ **intégrée** Einbauküche; **faire la** ~ kochen
cuisiné [kɥizine] **plat** ~ Fertiggericht *n* **cuisiner** [kɥizine] kochen **cuisinier** [kɥizinje] M Koch **cuisinière** [kɥizinjɛr] F Köchin; *appareil* (Elektro-, Gas)Herd *m*
cuisse [kɥis] F ANAT (Ober)-Schenkel *m*; GASTR Keule; **~s** *pl* **de grenouille** Froschschenkel *mpl*
cuisson [kɥisõ] F Kochen *n*; Backen *n*
cuit [kɥi] gekocht, gar; ~ **au four** gebacken
cuivre [kɥivr] M Kupfer *n*
cul [ky] M *sl* Arsch
cul-de-sac [kydsak] M Sackgasse *f*
culinaire [kylinɛr] kulinarisch
culotte [kylɔt] F (kurze) Hose; *femme* Schlüpfer *m*
culpabilité [kylpabilite] F Schuld
culte [kylt] M REL Kult (*a. fig*);

confession Konfession *f*; *service* Gottesdienst
cultivateur [kyltivatœr] M Landwirt
cultivé [kyltive] gebildet; *champ* bebaut **cultiver** [kyltive] *champ* bebauen; *céréales* anbauen; **se ~** sich bilden
culture [kyltyr] F Kultur; *de la terre* Bebauung; *de légumes* Anbau *m*
culturel [kyltyrɛl] kulturell
cumin [kymɛ̃] M Kreuzkümmel
cure [kyr] F Kur; **~ d'amaigrissement** Abmagerungskur
curé [kyre] M (katholischer) Pfarrer
cure-dent [kyrdɑ̃] M Zahnstocher
curieux [kyrjø] neugierig; *bizarre* seltsam
curiosité [kyrjozite] F Neugier; **~s** PL *d'une ville* Sehenswürdigkeiten
curiste [kyrist] M/F Kurgast *m*
curry [kyri] M Curry
curseur [kyrsœr] M Cursor
cuver [kyve] **~ son vin** s-n Rausch ausschlafen
cuvette [kyvɛt] F Waschbecken *n*
CV[1] M (*curriculum vitae*) Lebenslauf
CV[2] M (*cheval fiscal*) Steuer-PS *n*
cybercafé [sibɛrkafe] M Internetcafé *n* **cyberespace** [sibɛrɛspas] M, **cybermonde** [sibɛrmõd] M Cyberspace
cyclable [siklabl] **piste** *f* **~** Radweg *m*
cyclisme [siklism] M Radsport
cycliste [siklist] **1** M/F Radfahrer(in) *m(f)* **2** M *vêtement* Radhose *f* **cyclomoteur** [siklomɔtœr] M Mofa *n*
cyclone [siklon] M Wirbelsturm
cygne [siɲ] M Schwan
cylindre [silɛ̃dr] M Zylinder
cylindrée [silɛ̃dre] F Hubraum *m*
cymbale [sɛ̃bal] F MUS Becken *n*
cynique [sinik] zynisch
cyprès [siprɛ] M Zypresse *f*
cystite [sistit] F Blasenentzündung

D

d' [d] → de[1]
dactylo [daktilo] F Schreibkraft
daim [dɛ̃] M ZOOL Damhirsch; *cuir* Wildleder *n*
dalle [dal] F Fliese
dalmatien [dalmasjɛ̃] M Dalmatiner
dame [dam] F Dame
dancing [dɑ̃siŋ] M Tanzlokal *n*
Danemark [danmark] **le ~** Dänemark *n*
danger [dɑ̃ʒe] M Gefahr *f*

dangereux [dɑ̃ʒrø] gefährlich
danois [danwa] **1** dänisch **2** **Danois** M Däne
dans [dɑ̃] *lieu* in (*dat od akk*); *temps* in (*dat*); **~ la rue** auf der Straße; *boire* **~ un verre** aus e-m Glas
dansant [dɑ̃sɑ̃] **1** Tanz…; **soirée** *f* **~e** Tanzabend *m*; **thé** *m* **~** Tanztee **2** tanzend
danse [dɑ̃s] F Tanz *m* **danser** [dɑ̃se] tanzen **danseur** [dɑ̃sœr] M, **danseuse** [dɑ̃søz] F Tänzer(in) *m(f)*
Danube [danyb] **le ~** die Donau
dard [dar] M Stachel
date [dat] F Datum *n*; **~ de naissance** Geburtsdatum *n*; **~ limite de vente** Mindesthaltbarkeitsdatum *n*
dater [date] datieren
datte [dat] F Dattel
daube [dob] F **bœuf** *m* **en ~** Rinderschmorbraten
dauphin [dofɛ̃] M Delfin
daurade [dorad] F Goldbrasse
davantage [davɑ̃taʒ] mehr
de[1] [də] ⟨*vor Vokal* d'⟩ PRÄP von (*od gen*); *provenance, matière* aus, von; *cause* vor (*dat*); **le train ~ Paris** der Zug aus Paris; **le train ~ banlieue** der Nahverkehrszug; **le train du matin** der Morgenzug; **~ … à** von … bis …
de[2] [də] *article partitif* **~ l'eau** Wasser; **du pain** Brot; **des épinards** Spinat
dé [de] M Würfel; **~ (à coudre)** Fingerhut *m*
dealer [dilœr] M Dealer
déballer [debale] auspacken
débarcadère [debarkadɛr] M Landungsbrücke *f*
débarquer [debarke] an Land gehen; *décharger* ausladen; **~ de** aussteigen aus
débarrasser [debarase] ausräumen; **~ (la table)** den Tisch abräumen; **se ~ de** loswerden (*akk*); *chose(s)* wegwerfen (*akk*)
débat [deba] M Debatte *f*; **~ télévisé** Talkshow *f*
débile [debil] *umg* schwachsinnig
débit [debi] M Absatz, Vertrieb; **~ de boissons** Ausschank
débiter [debite] belasten (**qn de 300 euros** j-n mit 300 Euro)
déblayer [debleje] wegräumen
déboiser [debwaze] abholzen
déboîter [debwate] MED ver-, ausrenken; AUTO ausscheren
déborder [debɔrde] *rivière* über die Ufer treten; *eau, lait* überlaufen
déboucher [debuʃe] *bouteille* aufmachen; **~ de** (heraus)kommen aus; **~ sur** führen zu (*a. fig*)
débouchés [debuʃe] MPL WIRTSCH Absatzmärkte; *emplois* Berufsaussichten *fpl*
debout [dəbu] stehend, aufrecht (stehend); **être ~** stehen;

levé auf(gestanden) sein
déboutonner [debutɔne] aufknöpfen
débraillé [debraje] nachlässig, salopp
débrancher [debrɑ̃ʃe] TECH abschalten
débrayer [debrɛje] AUTO auskuppeln
débris [debri] MPL Scherben *fpl*; *d'un avion* Trümmer *pl*
débrouiller [debruje] **se ~** zurechtkommen
début [deby] M Anfang; **au ~** anfangs, am Anfang
débutant(e) [debytɑ̃(t)] M/F Anfänger(in) **cours** *m* **pour ~s** Anfängerkurs **débuter** [debyte] anfangen (**par** mit)
décaféiné [dekafeine] **1** koffeinfrei **2** M koffeinfreier Kaffee
décapotable [dekapɔtabl] F Kabrio(lett) *n*
décapsuleur [dekapsylœr] M Flaschenöffner
décédé [desede] verstorben
décéder [desede] (ver)sterben
décembre [desɑ̃br] M Dezember
décent [desɑ̃] anständig
déception [desɛpsjõ] F Enttäuschung
décerner [desɛrne] *prix* verleihen
décès [desɛ] M Tod(esfall)
décevoir [des(ə)vwar] enttäuschen
déchaîné [deʃɛne] *personne* außer Rand und Band; **~ contre** aufgebracht gegen
décharge [deʃarʒ] F **~ (électrique)** elektrischer) Schlag *m*; **~ (publique)** Müllkippe *f* **décharger** [deʃarʒe] *camion, arme* entladen; *bagages* ausladen (**de** aus)
déchausser [deʃose] **se ~** sich die Schuhe ausziehen
déchets [deʃɛ] MPL Abfälle; **~ radioactifs** Atommüll *m*
déchiffrer [deʃifre] entziffern; *code* entschlüsseln
déchirer [deʃire] **~** *u.* **se ~** zerreißen **déchirure** [deʃiryr] F Riss *m*
décidé [deside] entschlossen; *ton* entschieden
décider [deside] **~ qc** etw beschließen; **~ de qc** über etw (*akk*) entscheiden; **~ de** (+*inf*) beschließen zu; **se ~ à** (+*inf*) sich entschließen zu
décisif [desizif] entscheidend
décision [desizjõ] F Entscheidung
déclarer [deklare] erklären; *naissance* anmelden; *à la douane* verzollen; **se ~** sich äußern; *maladie* ausbrechen
déclencher [deklɑ̃ʃe] auslösen; **se ~** ausgelöst werden
décodeur [dekɔdœr] M Decoder *m*
décollage [dekɔlaʒ] M FLUG Start **décoller** [dekɔle] *timbre* ablösen; *avion* starten
décombres [dekõbr] MPL

Trümmer *pl*, Schutt *m*
décommander [dekɔmɑ̃de] absagen (**qc** etw *akk*, **qn** j-m); HANDEL abbestellen; **se ~** absagen
décomposer [dekõpoze] zerlegen; **se ~** verwesen
déconcerter [dekõsɛrte] verwirren
décongeler [dekõʒəle] auftauen
déconnecter [dekɔnɛkte] ELEK unterbrechen; IT **se ~** (sich) ausloggen
déconseiller [dekõsɛje] abraten (**qc à qn** j-m von etw)
décor [dekɔr] M Ausstattung *f*, Dekor; *fig* Umgebung *f*; **~s** PL *théâtre* Bühnenbild *n*
décoration [dekɔrasjõ] F Ausstattung; Dekoration; *médaille* Orden *m* **décorer** [dekɔre] schmücken (**de** mit)
découler [dekule] **~ de** sich ergeben aus
découper [dekupe] *rôti, gâteau* aufschneiden; *poulet* tranchieren
décourager [dekuraʒe] entmutigen
décousu [dekusy] *fig* zusammenhanglos
découvert [dekuvɛr] unbedeckt, offen; *compte* **à ~** überzogen **découverte** [dekuvɛrt] F Entdeckung **découvrir** [dekuvrir] entdecken; **se ~** *en dormant* sich aufdecken
décrire [dekrir] beschreiben
décrocher [dekrɔʃe] *tableau, wagon* abhängen; *rideaux*, TEL abnehmen
déçu [desy] enttäuscht
dédaigner [dedɛɲe] verachten **dédaigneux** [dedɛɲø] verächtlich
dedans [dədɑ̃] **1** darin; drinnen; *déplacement* hinein *od* herein, *umg* rein **2** M Innere(s) *n*
dédicace [dedikas] F Widmung **dédier** [dedje] widmen
dédommager [dedɔmaʒe] entschädigen (**de** für)
dédouaner [dedwane] verzollen
déduction [dedyksjõ] F *conclusion* Ableitung, (Schluss)Folgerung; *soustraction* Abzug *m*
déduire [dedɥir] *conclure* ableiten (**de** von); *soustraire* abziehen (**de** von)
déesse [deɛs] F Göttin
défaillance [defajɑ̃s] F Schwächeanfall *m*; TECH, *fig* Versagen *n*, Ausfall *m*
défaire [defɛr] *ceinture, paquet* aufmachen; *valise* auspacken; *lit* abziehen
défaite [defɛt] F Niederlage
défaut [defo] M Fehler; *inconvénient* Nachteil
défavorable [defavɔrabl] ungünstig; *réponse* negativ **défavoriser** [defavɔrize] benachteiligen
défectueux [defɛktɥø] fehlerhaft; *machine* defekt
défendre [defɑ̃dr] verteidi-

gen; *interdire* verbieten; **se ~** sich verteidigen, sich wehren
défendu [defɑ̃dy] verboten
défense [defɑ̃s] F Verteidigung; *interdiction* Verbot *n*; **~ de fumer** Rauchen verboten!; **~ du consommateur** Verbraucherschutz *m*
défi [defi] M Herausforderung *f*
défiance [defjɑ̃s] F Misstrauen *n*
défibrillateur [defibrijatœr] M MED Defibrillator
defilé [defile] M MIL Aufmarsch; **~ de mode** Modenschau *f*
définir [definir] *mot* definieren
définitif [definitif] endgültig
déformation [defɔrmasjõ] F Verformung
défouler [defule] **se ~** sich abreagieren *od* austoben
défunt [defɛ̃] verstorben
dégager [degaʒe] befreien (**de** aus); *rue, nez* frei machen; **se ~** sich befreien (**de** aus); *nez* frei werden; *ciel* aufklaren; *gaz* ausströmen (aus); *fumée* aufsteigen (aus)
dégât [dega] M Schaden; **~s** *pl* **matériels** Sachschaden
dégel [deʒɛl] M Tauwetter *n*
dégeler [deʒle] auftauen
dégivrer [deʒivre] abtauen; entfrosten
dégonflé [degõfle] **le pneu est ~** der Reifen hat Luft verloren
dégoût [degu] M Ekel
dégoûtant [degutɑ̃] widerlich
dégoûter [degute] anekeln; **~ qn de qc** j-m etw verleiden
degré [dəgre] M Grad; **11 ~s** *température* 11 Grad, *vin* 11 Prozent
dégueulasse [degœlas] *umg* ekelhaft, zum Kotzen
déguiser [degize] **se ~** sich verkleiden (**en** als)
dégustation [degystasjõ] F **~ de vins** Weinprobe
déguster [degyste] kosten; *savourer* genießen
dehors [dəɔr] **1** draußen; *déplacement* hinaus *od* heraus, nach draußen, *umg* raus **2** M Äußere(s) *n*; **en ~ de** außerhalb (*gen*); *à part* außer (*dat*)
déjà [deʒa] schon
déjeuner [deʒœne] **1** (zu) Mittag essen **2** M Mittagessen *n*; **petit ~** Frühstück *n*
délabré [delabre] verfallen
délai [delɛ] M Frist *f*; *prolongation* Aufschub; **sans ~** fristlos
délasser [delase] entspannen; **se ~** sich erholen
délayer [delɛje] verdünnen
délibérément [deliberemɑ̃] absichtlich
délibérer [delibere] **~ sur qc** (über) etw (*akk*) beraten
délicat [delika] zart; *problème* heikel; *avec tact* feinfühlig; *difficile* wählerisch
délice [delis] M Genuss **délicieux** [delisjø] köstlich

délimiter [delimite] abgrenzen
délinquant [delɛ̃kɑ̃] M Straffällige(r)
délire [delir] M Wahn
délit [deli] M Vergehen *n*; ~ **de fuite** Fahrerflucht *f*
délivrer [delivre] befreien; *passeport* ausstellen
déloyal [delwajal] unfair; *ami* treulos
deltaplane [dɛltaplan] M (Flug)Drachen; *sport* Drachenfliegen *n*
déluge [delyʒ] M Sintflut *f*
demain [d(ə)mɛ̃] morgen; ~ **matin/soir** morgen früh/Abend
demande [d(ə)mɑ̃d] F Bitte; *écrite* Antrag *m*; ~ **d'emploi** Stellengesuch *n*; **faire une** ~ e-n Antrag stellen
demandé [d(ə)mɑ̃de] gefragt, begehrt
demander [d(ə)mɑ̃de] bitten (**qc à qn** j-n um etw); *réclamer* verlangen (**qc à qn** etw von j-m); *vouloir savoir* fragen (**qc à qn** j-n nach etw)
démanger [demɑ̃ʒe] jucken
démarche [demarʃ] F Gang *m*; *fig* **~s** PL Schritte *mpl*
démarrage [demaraʒ] M Anfahren *n* **démarrer** [demare] *voiture* anfahren; *moteur* anspringen; *fig* beginnen **démarreur** [demarœr] M AUTO Anlasser
déménagement [demenaʒmɑ̃] M Umzug **déménager** [demenaʒe] umziehen
dément [demɑ̃] wahnsinnig
démesuré [deməzyre] riesig; *fig* maßlos
démettre [demɛtr] *bras* aus-, verrenken
demeurer [d(ə)mœre] *habiter* wohnen; *rester* bleiben
demi [d(ə)mi] **1** halbe(r, -s); **une heure et ~e** anderthalb Stunden; **il est onze heures et ~e** es ist halb zwölf **2** M *bière* **un** ~ ein (kleines) Glas Bier
demi-douzaine [d(ə)miduzɛn] F halbes Dutzend *n*
demi-heure [d(ə)mijœr] F halbe Stunde **demi-pension** [d(ə)mipɑ̃sjõ] F Halbpension
démission [demisjõ] F Rücktritt *m* **démissionner** [demisjɔne] zurücktreten (**de** aus)
demi-tour [d(ə)mitur] M **faire** ~ umkehren
démocratie [demɔkrasi] F Demokratie
démodé [demɔde] altmodisch
demoiselle [d(ə)mwazɛl] F Fräulein *n*
démolir [demɔlir] ab-, niederreißen; *casser* kaputt machen
démon [demõ] M Teufel
démonter [demõte] auseinandernehmen, zerlegen; *tente* abbrechen
démontrer [demõtre] beweisen
dénigrer [denigre] herabset-

zen
dénivelé(e) [denivle] M(F) Höhenunterschied *m*
dénoncer [denõse] denunzieren
dense [dɑ̃s] dicht
dent [dɑ̃] F Zahn *m*; **~ de lait** Milchzahn *m*; **~ de sagesse** Weisheitszahn *m*
dentaire [dɑ̃tɛr] Zahn...; zahnärztlich; **fil** *m* **~** Zahnseide
dentelle [dɑ̃tɛl] F Spitze
dentier [dɑ̃tje] M (künstliches) Gebiss *n*
dentifrice [dɑ̃tifris] **1** M Zahnpasta *f* **2** ADJ **eau** *f* **~** Mundwasser *n*
dentiste [dɑ̃tist] M Zahnarzt
dentition [dɑ̃tisjõ] F ANAT Gebiss *n*
déodorant [deɔdɔrɑ̃] M Deo(-dorant) *n*
dépannage [depanaʒ] M Reparatur *f*; **entreprise** *f* **de ~** Abschleppdienst *m*
dépanner [depane] reparieren; *remorquer* abschleppen; *umg fig* aushelfen (**qn** j-m)
dépanneuse [depanøz] F Abschleppwagen *m*
départ [depar] M Abfahrt *f*; *avion* Abflug; *en voyage* Abreise *f*; SPORT Start; *début* Anfang; **au ~** am Anfang, anfangs
département [departəmɑ̃] M Departement *n*; *service* Abteilung *f*
dépasser [depɑse] *doubler* überholen; *être plus grand* überragen; *somme, temps* überschreiten; *fig* übertreffen
depêcher [depɛʃe] **se ~** sich beeilen
dépendance [depɑ̃dɑ̃s] F Abhängigkeit; MED Pflegebedürftigkeit; *bâtiment* **~s** PL Nebengebäude *npl*
dépendant [depɑ̃dɑ̃] abhängig (**de** von); MED pflegebedürftig; **~ (d'une drogue)** drogenabhängig
dépendre [depɑ̃dr] abhängen (**de** von); **cela dépend(ra) du temps** es kommt auf das Wetter an
dépens [depɑ̃] MPL **aux ~ de** auf Kosten von
dépense [depɑ̃s] F Ausgabe; *de temps* Aufwand *m* (**de** an)
dépenser [depɑ̃se] ausgeben; *consommer* verbrauchen; **se ~** sich (physisch) verausgaben
dépérissement [deperismɑ̃] M **~ des forêts** Waldsterben *n*
dépistage [depistaʒ] M MED Früherkennung *f*, Vorsorge *f*
dépister [depiste] aufspüren
déplacé [deplase] unpassend
déplacer [deplase] umstellen; *reporter* verlegen; **se ~** *pour son travail* (geschäftlich) unterwegs sein
déplaire [deplɛr] **~ à qn** j-m nicht gefallen, missfallen
dépliant [deplijɑ̃] M Faltprospekt
déplorable [deplɔrabl] bekla-

genswert
déporter [depɔrte] *personne* deportieren; *véhicule* abdrängen; **se ~** ausscheren
déposer [depoze] abstellen, ablegen; *argent* einzahlen; *personne* absetzen; **se ~** *boue* sich ablagern
dépouiller [depuje] berauben (**de** *gen*)
dépourvu [depurvy] **~ de** ohne; ...los; **prendre au ~** (völlig) überraschen
dépression [deprɛsjõ] F MED Depression(en) *f(pl)*; *météo* Tief *n*; **~ nerveuse** Nervenzusammenbruch *m*
déprimer [deprime] deprimieren; *umg* down sein
depuis [dəpɥi] PRÄP seit (*dat*), *lieu* von ... aus; ADV seitdem; KONJ **~ que** seit(dem); **~ quand?** seit wann?, wie lange (schon)?
député(e) [depyte] M(F) Abgeordnete(r) *m/f(m)*
déraciner [derasine] entwurzeln
dérailler [deraje] entgleisen
dérailleur [derajœr] M *vélo* Gangschaltung *f*
déranger [derɑ̃ʒe] stören; *objets* in Unordnung bringen
déraper [derape] *voiture* ins Schleudern kommen; *piéton* ausrutschen
dérégler [deregle] verstellen; **se ~** nicht mehr richtig funktionieren
dérive [deriv] SCHIFF **aller à la ~** treiben
dériver [derive] SCHIFF, FLUG abgetrieben werden
dermatologue [dɛrmatɔlɔg] M Hautarzt
dernier [dɛrnje] letzte(r, -s); *après nom* vergangen, vorig; *employé seul* **le ~, la dernière** der, die, das Letzte; **en ~** zuletzt; **l'an ~, l'année dernière** im letzten Jahr
dernièrement [dɛrnjɛrmɑ̃] neulich
dérouler [derule] aufrollen; **se ~** sich abspielen
derrière [dɛrjɛr] **1** PRÄP hinter (*dat od akk*); ADV hinten; **de ~** Hinter...; **par ~** von hinten **2** M Rückseite *f*; *umg postérieur* Hintern
des [de] = *de* + *les*
dès [dɛ] von ... an; **~ que** sobald
désaccord [dezakɔr] M Uneinigkeit *f*
désagréable [dezagreabl] unangenehm
désaltérer [dezaltere] **se ~** s-n Durst stillen
désapprouver [dezapruve] missbilligen
désarmement [dezarməmɑ̃] M Abrüstung *f*
désastre [dezastr] M Katastrophe *f* **désastreux** [dezastrø] katastrophal
désavantage [dezavɑ̃taʒ] M Nachteil **désavantager** [de-

zavãtaʒe] benachteiligen
descendant [desãdã] M Nachkomme
descendre [desãdr] hinunter- *od* heruntergehen, *en voiture* -fahren; *objet* hinunter- *od* herunterbringen; *route* abwärtsgehen; *température* fallen; *marée* zurückgehen; **~ de** *train* aussteigen aus, *origine* abstammen von
descente [desãt] F *du train* Aussteigen *n*; *pente* abschüssige Strecke; *ski* Abfahrtslauf *m*
description [dɛskripsjõ] F Beschreibung
désert [dezɛr] 1 einsam, öde, leer 2 M Wüste *f*
déserter [dezɛrte] verlassen; MIL desertieren
désespéré [dezɛspere] verzweifelt
désespoir [dezɛspwar] M Verzweiflung *f*
déshabiller [dezabije] (**se ~** sich) ausziehen
désigner [deziɲe] bezeichnen; bestimmen
désinfectant [desɛ̃fɛktã] M Desinfektionsmittel *n*
désintéressé [dezɛ̃terɛse] uneigennützig
désintoxication [dezɛ̃tɔksikasjõ] F **cure** *f* **de ~** Entziehungskur
désir [dezir] M Wunsch
désirer [dezire] wünschen; **vous désirez?** was darf es sein?
désobéir [dezɔbeir] ungehorsam sein; **~ à qn** j-m nicht gehorchen
désobéissant [dezɔbeisã] ungehorsam, unfolgsam
désobligeant [dezɔbliʒã] unfreundlich
désodorisant [dezɔdɔrizã] M Deodorant *n*
désolé [dezɔle] (tief) betrübt (**de** über *akk*); *région* trostlos; (**je suis**) **~** (es) tut mir leid
désordre [dezɔrdr] M Unordnung *f*; **en ~** in Unordnung
désormais [dezɔrmɛ] von nun an
dessécher [deseʃe] **~** *u.* **se ~** austrocknen
desserrer [desɛre] lockern, lösen
dessert [desɛr] M Nachtisch
desservir [desɛrvir] *village* (regelmäßig) fahren zu; *gare* halten an (*dat*); *port* anlaufen; *aéroport* anfliegen
dessin [desɛ̃] M Zeichnung *f*; Plan; Muster *n*; **~ animé** Zeichentrickfilm
dessiner [desine] zeichnen
dessous [dəsu] 1 darunter; **en ~** darunter; **en ~ de** unter (*dat*) 2 M Unterseite *f*
dessus [dəsy] 1 darauf 2 M Oberseite *f*
destin [dɛstɛ̃] M Schicksal *n*
destinataire [dɛstinatɛr] M Empfänger
destination [dɛstinasjõ] F Bestimmungsort *m*; **à ~ de Paris**

nach Paris
destinée [dɛstine] F Schicksal *n* **destiner** [dɛstine] **~ à** bestimmen für
destruction [dɛstryksjõ] F Zerstörung, Vernichtung
détachant [detaʃã] M Fleckentferner
détacher [detaʃe] lösen, losmachen; *chien* losbinden; *feuille* abreißen (**de** von); **se ~** sich lösen; *chien* sich losreißen; **se ~ sur** sich abzeichnen gegen
détail [detaj] M Einzelheit *f*; *sans importance* Kleinigkeit *f*; **en ~** ausführlich; **au ~** stückweise
déteindre [detɛ̃dr] ausbleichen; **~ sur** abfärben auf (*akk*)
détendre [detãdr] (**se ~** sich) entspannen
détenir [detənir] besitzen; *record* halten; *secret* bewahren; *criminel* gefangen halten
détente [detãt] F Entspannung
détention [detãsjõ] F Haft
détenu [detəny] M Häftling
détergent [detɛrʒã] M Reinigungs-/Waschmittel *n*
déterminer [detɛrmine] bestimmen, festlegen; **~ qn à** (*+inf*) j-n veranlassen zu
détester [detɛste] hassen
détonation [detɔnasjõ] F Knall *m*
détour [detur] M Umweg
détourner [deturne] *circulation* umleiten; **~ qn de qc** j-n von etw abbringen
détresse [detrɛs] F Not; **~ en mer/montagne** Seenot/Bergnot
détroit [detrwa] M Meerenge *f*
détruire [detrɥir] zerstören
dette [dɛt] F Schuld
deuil [dœj] M Trauer *f*
deux [dø] zwei; **les ~** beide
deuxième [døzjɛm] zweite(r, -s)
deux-points [døpwɛ̃] M Doppelpunkt
dévaliser [devalize] ausrauben
devancer [d(ə)vãse] **~ qn** j-m voraus sein (**de** um); *aller au devant de* j-m zuvorkommen
devant [d(ə)vã] **1** PRÄP vor (*dat od akk*); ADV vorn(e); **de ~** Vorder... **2** M Vorderseite *f*, vorderer Teil
devanture [d(ə)vãtyr] F Auslage
dévaster [devaste] verwüsten
développement [devlɔpmã] M Entwicklung *f* **développer** [devlɔpe] entwickeln
devenir [dəvnir] werden
déviation [devjasjõ] F Umleitung
dévier [devje] AUTO umleiten; *projectile* (von s-r Richtung) abweichen
deviner [d(ə)vine] (er)raten
devinette [d(ə)vinɛt] F Rätsel *n*
devis [d(ə)vi] M Kostenvoran-

-schlag
devises [d(ə)viz] FPL Devisen
dévisser [devise] ab-, losschrauben
dévoiler [devwale] enthüllen
devoir [dəvwar] **1** müssen; *conseil, regret* sollen; *intention* wollen; *argent* schulden; *vie* verdanken; **tu devrais ...** du solltest ... **2** M Pflicht *f*; *école* **~s** PL (Haus)Aufgaben *fpl*
dévorer [devɔre] verschlingen (*a. fig*)
dévoué [devwe] ergeben
dévouer [devwe] **se ~** sich aufopfern (**pour** für)
diabète [djabɛt] M Zuckerkrankheit *f*, Diabetes
diable [djabl] M Teufel
diabolique [djabɔlik] teuflisch
diagnostic [djagnɔstik] M Diagnose *f*
dialecte [djalɛkt] M Dialekt
dialogue [djalɔg] M Dialog
dialoguer [djalɔge] IT **~ (en ligne)** chatten
diamant [djamã] M Diamant
diamètre [djamɛtr] M Durchmesser
diapo(sitive) [djapo(zitiv)] F Dia(positiv) *n*
diarrhée [djare] F MED Durchfall *m*
dictée [dikte] F Diktat *n* **dicter** [dikte] diktieren
dictionnaire [diksjɔnɛr] M Wörterbuch *n*
diesel [djezɛl] M Dieselmotor; Diesel(fahrzeug) *m(n)*
diète [djɛt] F Diät
Dieu [djø] M Gott
différence [diferɑ̃s] F Unterschied *m* **différent** [diferɑ̃] unterschiedlich, verschieden; *autre* anders, andere(r, -s); **~s** PL verschiedene; **~ de** anders als
difficile [difisil] schwierig
difficulté [difikylte] F Schwierigkeit
diffuser [difyze] verbreiten; *radio* ausstrahlen, senden
digérer [diʒere] verdauen (*a. fig*)
digeste [diʒɛst] leicht verdaulich **digestif** [diʒɛstif] M Digestif, Verdauungsschnaps **digestion** [diʒɛstjõ] F Verdauung
digne [diɲ] würdig (**de** *gen*)
digue [dig] F Damm *m*, Deich *m*
dilater [dilate] ausdehnen
dimanche [dimɑ̃ʃ] M Sonntag; **le ~** sonntags
dimension [dimɑ̃sjõ] F Dimension
diminuer [diminɥe] verringern, *prix* senken; VI abnehmen; *prix* sinken; *température* zurückgehen; *chaleur* nachlassen
dinde [dɛ̃d] F Pute **dindon** [dɛ̃dõ] M Truthahn, Puter
dîner [dine] **1** zu Abend essen **2** M Abendessen *n*
dinosaure [dinɔzɔr] M Dinosaurier

dip [dip] M GASTR Dip
diplomate [diplɔmat] M Diplomat
diplôme [diplom] M Diplom *n*; *de fin d'études* Abschluss (-zeugnis) *m*(*n*)
dire [dir] sagen; **vouloir ~** bedeuten; **pour ainsi ~** sozusagen
direct [dirɛkt] direkt, unmittelbar; **émission** *f* **en ~** Live-Sendung
directeur [dirɛktœr] M Direktor, Leiter
direction [dirɛksjõ] F Leitung; *dirigeants* Geschäftsleitung; *sens* Richtung; AUTO Lenkung; **toutes ~s** *panneau* alle Richtungen, Durchgangsverkehr; **~ assistée** Servolenkung
directrice [dirɛktris] F Leiterin
diriger [diriʒe] leiten; *véhicule* lenken
discerner [disɛrne] unterscheiden
discipline [disiplin] F Disziplin; *matière* Fach *n*
disc-jockey [diskʒɔkɛ] M Discjockey
discothèque [diskɔtɛk] F Diskothek
discours [diskur] M Rede *f*
discret [diskrɛ] diskret
discrimination F [diskriminasjõ] Diskriminierung **discriminer** [diskrimine] diskriminieren
discussion [diskysjõ] F Diskussion
discuter [diskyte] diskutieren
disparaître [disparɛtr] verschwinden; *animaux* aussterben **disparition** [disparisjõ] F Verschwinden *n*; Aussterben *n*
dispensaire [dispɑ̃sɛr] M Ambulanz *f*
dispenser [dispɑ̃se] befreien (**de** von)
disperser [dispɛrse] zerstreuen
disponible [dispɔnibl] verfügbar; *libre* frei; *argent* flüssig
disposé [dispoze] **~ à** (+*inf*) bereit zu
disposer [dispoze] anordnen; **~ de** verfügen über (*akk*)
dispositif [dispositif] M Vorrichtung *f* **disposition** [disposisjõ] F Verfügung
disproportion [disprɔpɔrsjõ] F Missverhältnis *n*
dispute [dispyt] F Streit *m* **disputer** [dispyte] *match* austragen; **se ~** (sich) streiten
disquaire [diskɛr] M Schallplattenhändler
disque [disk] M MUS (Schall)-Platte *f*; TECH Scheibe *f*; SPORT Diskus; IT Platte *f*; **~ compact** CD *f*; **~ dur** Festplatte *f*; AUTO **~ de stationnement** Parkscheibe *f*
disquette [diskɛt] F Diskette
dissertation [disɛrtasjõ] F *école* Aufsatz *m*
dissimuler [disimyle] (**se ~**

sich) verbergen
dissipé [disipe] unaufmerksam
dissiper [disipe] **se ~** *brume* sich auflösen
dissolvant [disɔlvɑ̃] M Nagellackentferner
dissoudre [disudr] auflösen
dissuader [disɥade] (**qn de qc** j-m von etw) abraten
distance [distɑ̃s] F Abstand *m*, Entfernung; Distanz (*a. fig*)
distinct [distɛ̃(kt)] unterschiedlich; *voix* deutlich
distinction [distɛ̃ksjõ] F Unterscheidung; *différence* Unterschied *m*; *élégance* Vornehmheit
distingué [distɛ̃ge] vornehm
distinguer [distɛ̃ge] unterscheiden
distraction [distraksjõ] F Zerstreutheit; *détente* Ablenkung; **~s** PL Zeitvertreib *m*
distraire [distrɛr] ablenken (**de** von); *public* unterhalten; **se ~** sich ablenken
distrait [distrɛ] zerstreut
distribuer [distribɥe] aus-, verteilen; *courrier* austragen
distributeur [distribytœr] M Automat; **~ de billets** Geldautomat; **~ de boissons** Getränkeautomat
divan [divɑ̃] M Couch *f*
diverger [divɛrʒe] abweichen
divers [divɛr] verschieden
divertir [divɛrtir] (**se ~** sich) unterhalten **divertissement** [divɛrtismɑ̃] M Vergnügen *n*
divin [divɛ̃] göttlich
diviser [divize] teilen (**en** in *akk*, **par** durch); *partager* aufteilen (**entre** unter *dat*); *fig personnes* entzweien, *groupe* spalten **division** [divizjõ] F (Auf)-Teilung; *football* Liga
divorce [divɔrs] M (Ehe)Scheidung *f* **divorcer** [divɔrse] sich scheiden lassen (**de** von)
divulguer [divylge] verbreiten
dix [dis, di] zehn
dizaine [dizɛn] F **une ~ (de)** etwa zehn
docile [dɔsil] folgsam
docteur [dɔktœr] M Doktor, Arzt
document [dɔkymɑ̃] M Dokument *n*; **~s** PL Unterlagen *fpl*
documentaire [dɔkymɑ̃tɛr] M Dokumentarfilm
doigt [dwa] M Finger; **~ de pied** Zeh(e) *m(f)*
dois [dwa] PRÄS → devoir
dollar [dɔlar] M Dollar
dolmen [dɔlmɛn] M Dolmen
domaine [dɔmɛn] M *propriété* (Land)Gut *n*; *fig* Gebiet *n*, Bereich
dôme [dom] M Kuppel *f*
domestique [dɔmɛstik] **1** Haus…, häuslich **2** M/F Hausangestellte(r) *m/f(m)*
domicile [dɔmisil] M Wohnsitz **domicilié** [dɔmisilje] **~ à** wohnhaft in
dominer [dɔmine] beherrschen; SPORT dominieren; *prédominer* überwiegen, vorherr-

schen; **se ~** sich beherrschen
dommage [dɔmaʒ] M Schaden; **~s** *pl* **et intérêts** Schadenersatz; **(c'est) ~** (es ist) schade; **quel ~!** wie schade!
dompter [dõte] bändigen
DOM-TOM [dɔmtɔm] MPL (*départements et territoires d'outre-mer*) überseeische Departements und Gebiete
don [dõ] M Spende *f*; *talent* Begabung *f*
donation [dɔnasjõ] F Schenkung
donc [dõk] also; **pourquoi ~?** warum denn?; **tais-toi ~!** halt doch den Mund!
döner [dønɛr] M Döner
donjon [dõʒõ] M Bergfried
donné [dɔne] bestimmt; **à un moment ~** irgendwann; **étant ~ que** da (ja)
données [dɔne] MPL Daten *npl*
donner [dɔne] geben (**qc à qn** j-m etw); *cadeau* schenken; **~ sur** hinausgehen auf (*akk*)
dont [dõ] von dem, von der, von denen, wovon; *complément d'un nom a.* dessen, deren
dopage [dɔpaʒ] M Doping *n* **doper** [dɔpe] dopen
dorade → daurade
dorénavant [dɔrenavɑ̃] von jetzt an, künftig
dorer [dɔre] vergolden
dormir [dɔrmir] schlafen
dortoir [dɔrtwar] M Schlafsaal
dos [do] M Rücken; *chèque* Rückseite *f*; *chaise* Rücken-, Stuhllehne *f*
dose [doz] F Dosis
dossier [dosje] M Rückenlehne *f*; *documents* Akten *fpl*; Portfolio *n*
douane [dwan] F Zoll(amt) *m(n)* **douanier** [dwanje] 1 Zoll… 2 M Zollbeamte(r)
double [dubl] 1 doppelt 2 M Duplikat *n*; *tennis* Doppel *n*; **le ~** das Doppelte
double-clic [dubləklik] M IT Doppelklick **double-cliquer** [dubləklike] IT doppelklicken (**sur** auf *akk*)
doubler [duble] verdoppeln; *vêtement* füttern; AUTO überholen; *film* synchronisieren
douce → doux
doucement [dusmɑ̃] sanft, behutsam; *parler* leise; *rouler* langsam
douceur [dusœr] F Sanftmut
douche [duʃ] F Dusche **doucher** [duʃe] duschen
doué [dwe] begabt
douleur [dulœr] F Schmerz *m*
douloureux [dulurø] schmerzhaft
doute [dut] M Zweifel; **sans ~** wahrscheinlich; **sans aucun ~** zweifellos
douter [dute] zweifeln (**de** an *dat*); **se ~ de** ahnen
douteux [dutø] zweifelhaft, fraglich
doux [du] ⟨*f* douce [dus]⟩ *fruit* süß; *temps* mild; *personne*,

musique sanft; *peau* zart
douzaine [duzɛn] F **une ~ (de ...)** ein Dutzend *n* (...); *environ douze* etwa zwölf (...)
douze [duz] zwölf
dragée [draʒe] F Dragée *n*, Pille
draguer [drage] *umg filles* anmachen
drame [dram] M Drama *n*
drap [dra] M **~ (de lit)** (Bett)Laken *n*; **~s** PL Bettwäsche *f*
drapeau [drapo] M Fahne *f*
dresser [drɛse] aufstellen; *tête* aufrichten; *animal* dressieren; GASTR anrichten; **se ~** *personne* sich aufrichten; *montagne* emporragen
drogue [drɔg] F Droge(n) *f(pl)*, Rauschgift *n*
drogué(e) [drɔge] M(F) Drogen-, Rauschgiftsüchtige(r) *m/f(m)* **droguer** [drɔge] **se ~** Drogen, Rauschgift nehmen
droit [drwa] **1** rechte(r, -s); *ligne* gerade; *vertical, personne* aufrecht; **tout ~** geradeaus **2** M Recht *n*; *taxe* Gebühr *f*; **~ de garde** Sorgerecht *n*; **avoir le ~ de** das Recht haben zu, dürfen; **avoir ~ à** ein (An)-Recht haben auf (*akk*)
droite [drwat] F Rechte (*a.* POL), rechte Seite; **à ~** rechts (**de** von)
drôle [drol] lustig; *bizarre* seltsam, komisch; **un ~ de ...** ein komischer ...
du [dy] = *de* + *le*
dû [dy] PPERF → devoir
duc [dyk] M Herzog
duchesse [dyʃɛs] F Herzogin
duel [dɥɛl] M Duell *n*
dune [dyn] F Düne
duper [dype] betrügen
dur [dyr] **1** ADJ hart; *difficile* schwierig; *sévère* streng; *climat* rau; *viande* zäh **2** *umg m* **un ~ (à cuire)** *umg* ein hartgesottener Bursche
durable [dyrabl] dauerhaft; *développement* nachhaltig
durant [dyrɑ̃] während (*gen*)
durcir [dyrsir] hart machen, härten; **(se) ~** hart werden
durée [dyre] F Dauer
durer [dyre] dauern; *beau temps* anhalten
dureté [dyrte] F Härte
duvet [dyvɛ] M Flaum; *sac de couchage* Schlafsack
DVD [devede] M (*digital versatile disc*) DVD *f*
dynamo [dinamo] F Dynamo *m*; AUTO Lichtmaschine
dyslexie [dislɛksi] F Lese--Rechtschreib-Schwäche

E

eau [o] F Wasser *n*; **~ chaude** Warmwasser *n*; **~ courante** fließendes Wasser *n*; **~ du robinet** Leitungswasser *n*; **~ mi-**

nérale Mineralwasser *n*; **~ gazeuse** Sprudel *m*; **~ non potable** kein Trinkwasser

eau-de-vie [odwi] F Schnaps *m*

ébauche [eboʃ] F Entwurf *m*

éblouir [ebluir] blenden; *fig* hinreißen

éboulement [ebulmɑ̃] M Einsturz, Erdrutsch

écaille [ekaj] F Schuppe

écart [ekar] M Abstand; *différence* Unterschied; SPORT **grand ~** Spagat; **à l'~** abseits

écarter [ekarte] *jambes* spreizen; *table* wegrücken (**de** von); **s'~ de** sich entfernen von; **s'~ du chemin** vom Weg abkommen; **s'~ du sujet** vom Thema abschweifen

ecclésiastique [ɛklezjastik] kirchlich

échafaudage [eʃafodaʒ] M Gerüst *n*

échalote [eʃalɔt] F Schalotte

échange [eʃɑ̃ʒ] M Austausch; **faire un ~** tauschen (**avec** mit)

échanger [eʃɑ̃ʒe] austauschen (**contre** gegen); *lettres, alliances* wechseln; *soldes* **ni repris ni échangés** vom Umtausch ausgeschlossen

échangeur [eʃɑ̃ʒœr] M Autobahnkreuz *n*

échantillon [eʃɑ̃tijõ] M Probe *f*, Muster *n*

échappement [eʃapmɑ̃] M Auspuff

échapper [eʃape] **~ à** entkommen (*dat*); *obligations* sich entziehen (*dat*); **~ à qn** *mots* j-m entschlüpfen; *nom* j-m nicht einfallen; **s'~** entkommen (**de** aus)

écharde [eʃard] F Splitter *m*

écharpe [eʃarp] F Schal *m*; MED (Arm)Binde

échasse [eʃas] F Stelze

échauffer [eʃofe] SPORT **s'~** sich warm laufen

échéance [eʃeɑ̃s] F Fälligkeit

échec [eʃɛk] M Misserfolg

échecs [eʃɛk] MPL **(jeu** *m* **d')~** Schach(spiel) *n*; **jouer aux ~** Schach spielen

échelle [eʃɛl] F Leiter; *carte* Maßstab *m*; *fig niveau* Ebene

écho [eko] M Echo *n* **échographie** [ekografi] F Ultraschalluntersuchung, Sonografie

échouer [eʃwe] scheitern; *à un examen* durchfallen

éclair [eklɛr] M Blitz; *gâteau* Eclair *n*, Liebesknochen

éclairage [eklɛraʒ] M Beleuchtung *f*

éclaircie [eklɛrsi] F (vorübergehende) Aufheiterung

éclaircir [eklɛrsir] aufhellen; *fig* (auf)klären; **s'~** *ciel* sich aufhellen, -heitern

éclairer [eklɛre] be-, erleuchten; aufklären

éclat [ekla] M *morceau* Splitter; *de la neige* Helligkeit *f*; *du métal, des yeux* Glanz

éclater [eklate] platzen; *coup*

de feu knallen; *incendie* ausbrechen; **~ de rire** laut auflachen
éclipse [eklips] F **~ de soleil** Sonnenfinsternis; **~ de lune** Mondfinsternis
écluse [eklyz] F Schleuse
école [ekɔl] F Schule; **~ maternelle** Kindergarten *m*; **~ primaire** Grundschule
écolier [ekɔlje] M, **écolière** [ekɔljɛr] F (Grund)Schüler(in) *m(f)*
écologie [ekɔlɔʒi] F Umweltschutz *m* **écologiste** [ekɔlɔʒist] M/F Umweltschützer(in) *m(f)*
écomusée [ekɔmyze] M Freilichtmuseum *n*, Heimatmuseum *n*
économe [ekɔnɔm] sparsam
économie [ekɔnɔmi] F Wirtschaft; **~s** PL Ersparnisse; **faire des ~s** sparen
économique [ekɔnɔmik] Wirtschafts... **économiser** [ekɔnɔmize] sparen
économiseur [ekɔnɔmizœr] M **~ d'écran** Bildschirmschoner
écorce [ekɔrs] F Rinde; *d'orange* Schale
écorcher [ekɔrʃe] *peau* aufschürfen **écorchure** [ekɔrʃyr] F Schürfwunde
écossais [ekɔsɛ] **1** schottisch **2** **Écossais** M Schotte **Écosse** [ekɔs] F **l'~** Schottland *n*
écosystème [ekɔsistɛm] M Ökosystem *n* **écotourisme** [ekɔturism] M Ökotourismus
écoute-bébé [ekutbebe] M Babyfon® *n*
écouter [ekute] hören; *concert a.* sich anhören; **~ qn** j-m zuhören; *obéir* auf j-n hören
écouteur [ekutœr] M TEL, RADIO Hörer
écran [ekrɑ̃] M Bildschirm (*a.* IT); *sur petits appareils a.* Display *n*; *cinéma* Leinwand *f*; **~ plat** Flachbildschirm; **le petit ~** das Fernsehen
écraser [ekraze] zerdrücken; AUTO überfahren; **s'~ (au sol)** abstürzen
écrémé [ekreme] entrahmt
écrevisse [ekrəvis] F (Fluss)-Krebs *m*
écrier [ekrije] **s'~** ausrufen
écrire [ekrir] schreiben (**à qn** j-m); **s'~** geschrieben werden
écrit [ekri] M Schrift(stück) *f (n)*; **par ~** schriftlich
écriteau [ekrito] M Schild *n*
écriture [ekrityr] F Schrift
écrivain [ekrivɛ̃] M Schriftsteller
écrouler [ekrule] **s'~** einstürzen; *fig personne* zusammenbrechen
écume [ekym] F Schaum *m*
écureuil [ekyrœj] M Eichhörnchen *n*
écurie [ekyri] F Pferdestall *m*
eczéma [ɛgzema] M Ekzem *n*
édifice [edifis] M Gebäude *n*
édifier [edifje] erbauen
éditer [edite] herausgeben

éditeur [editœr] M Verleger
édition [edisjõ] F Ausgabe; *tirage* Auflage; **~s** PL Verlag *m*
édredon [edrədõ] M Federbett *n*
éducation [edykasjõ] F Erziehung; *culture* Bildung
effacer [efɑse] (aus)löschen; *gommer* ausradieren; *enregistrement* löschen; **s'~** verwischen; *couleur* verblassen
effectif [efɛktif] **1** wirklich, tatsächlich **2** M *od* **~s** PL Personalbestand *m*; *d'un parti* Mitgliederzahl *f* **effectivement** [efɛktivmɑ̃] tatsächlich
effectuer [efɛktɥe] aus-, durchführen; **s'~** erfolgen
effet [efɛ] M Wirkung *f*; *impression* Eindruck; **~s** *pl* **secondaires** Nebenwirkungen *fpl*; **faire son ~** wirken; **faire de l'~** beeindrucken; **en ~** in der Tat
efficace [efikas] wirksam
effleurer [eflœre] streifen
effondrer [efõdre] **s'~** einstürzen; *personne* zusammenbrechen
efforcer [efɔrse] **s'~** sich bemühen (**de** zu)
effort [efɔr] M Anstrengung *f*; **faire un ~** sich anstrengen
effrayant [efrɛjɑ̃] schrecklich **effrayer** [efrɛje] (**s'~** sich) erschrecken
effronté [efrõte] frech
effroyable [efrwajabl] entsetzlich
égal [egal] gleich; *vitesse* gleichmäßig; **ça m'est ~** das ist mir gleich(gültig), egal
également [egalmɑ̃] ebenfalls
égalité [egalite] F Gleichheit
égard [egar] M **~s** PL Rücksicht *f*; **à l'~ de** gegenüber (**qn** j-m); **à cet ~** in dieser Beziehung
égarer [egare] *qc* verlegen; **s'~** sich verirren, sich verlaufen; *en voiture* sich verfahren
égayer [egɛje] aufheitern
église [egliz] F Kirche
égoïste [egɔist] **1** egoistisch **2** M/F Egoist(in) *m(f)*
égoutter [egute] abtropfen lassen
égratigner [egratiɲe] (**s'~** sich) zerkratzen **égratignure** [egratiɲyr] F Kratzer *m*
Égypte [eʒipt] F **l'~** Ägypten *n*
égyptien [eʒipsjɛ̃] **1** ägyptisch **2** **Égyptien** M Ägypter
élan [elɑ̃] M Schwung; SPORT Anlauf; ZOOL Elch
élancer [elɑ̃se] **s'~** sich stürzen
élargir [elarʒir] verbreitern; *fig* erweitern
élastique [elastik] **1** elastisch **2** M Gummiband *n*
électeur [elɛktœr] M, **électrice** [elɛktris] F Wähler(in) *m(f)*
élections [elɛksjõ] FPL Wahlen
électricien [elɛktrisjɛ̃] M Elektriker **électricité** [elɛktrisite] F Elektrizität **électrique**

[elɛktrik] elektrisch
électrocardiogramme [elɛktrɔkardjɔgram] M EKG *n*
électroménager [elɛktrɔmenaʒe] M elektrische Haushaltsgeräte *npl*
élégance [elegɑ̃s] F Eleganz
élément [elemɑ̃] M Element *n*
éléphant [elefɑ̃] M Elefant
élevage [elvaʒ] M Zucht *f*; *du bétail* Viehzucht *f*
élevé [elve] hoch; **bien/mal ~** gut/schlecht erzogen
élève [elɛv] M/F Schüler(in) *m(f)*
élever [elve] *mur* errichten; *enfants* großziehen; *animaux* aufziehen; *voix* heben; **s'~** sich erheben; *température* (an)steigen; **s'~ à** betragen (*akk*)
éleveur [elvœr] M Viehzüchter
éliminer [elimine] *obstacle* beseitigen; *adversaire* ausschalten; SPORT **être éliminé** ausscheiden (müssen)
élire [elir] wählen
elle(s) [ɛl] F(PL) sie
éloge [elɔʒ] M Lob *n*; **faire l'~ de** (sehr) loben (*akk*)
éloigné [elwaɲe] entlegen
éloigner [elwaɲe] entfernen
élu [ely] PPERF von **élire**
e-mail [imɛl] M E-Mail *f*; **envoyer qc à qn par ~** j-m etw mailen
émail [emaj] M ⟨*pl* émaux [emo]⟩ Email *n*; *dents* (Zahn)-Schmelz
émancipation [emɑ̃sipasjõ] F Emanzipation, Befreiung
émanciper [emɑ̃sipe] emanzipieren, befreien; **s'~** sich emanzipieren, unabhängig werden
emballage [ɑ̃balaʒ] M Verpackung *f* **emballer** [ɑ̃bale] ein-, verpacken; *umg public* hinreißen; *umg fille* herumkriegen
embarcadère [ɑ̃barkadɛr] M Anlegeplatz
embargo [ɑ̃bargo] M Embargo *n*
embarquement [ɑ̃barkəmɑ̃] M Verladung *f*; Einschiffung *f*
embarquer [ɑ̃barke] an Bord gehen; **s'~** sich einschiffen (**sur** auf *dat*, **pour** nach)
embarras [ɑ̃bara] M Verlegenheit *f*; **~ gastrique** Magenverstimmung *f*
embarrassant [ɑ̃barasɑ̃] peinlich
embarrassé [ɑ̃barase] verlegen **embarrasser** [ɑ̃barase] stören, behindern; *troubler* in Verlegenheit bringen
embaucher [ɑ̃boʃe] ein-, anstellen
embellir [ɑ̃bɛlir] verschönern
embêtant [ɑ̃bɛtɑ̃] ärgerlich
embêter [ɑ̃bɛte] ärgern; **s'~** sich langweilen
embouchure [ɑ̃buʃyr] F Mündung
embouteillage [ɑ̃butɛjaʒ] M (Verkehrs)Stau
emboutir [ɑ̃butir] AUTO ein-

drücken, zerbeulen

embrasser [ɑ̃brase] **(s'~** sich) küssen

embrayage [ɑ̃brɛjaʒ] M Kupplung *f* **embrayer** [ɑ̃brɛje] kuppeln

embrouiller [ɑ̃bruje] verwirren

embué [ɑ̃bɥe] *vitre* beschlagen

éméché [emeʃe] beschwipst

émeraude [emrod] F Smaragd *m*

émerger [emɛrʒe] auftauchen (*a. fig*)

émetteur [emɛtœr] M Sender

émettre [emɛtr] ausstrahlen; *opinion* äußern

émeute [emøt] F Aufruhr *m*

émigrer [emigre] auswandern

émincé [emɛ̃se] M **~ de veau** Kalbsgeschnetzelte(s) *n* **émincer** [emɛ̃se] in dünne Scheiben schneiden

éminent [eminɑ̃] hervorragend

émission [emisjõ] F *radio*, TV Sendung

emménager [ɑ̃menaʒe] einziehen (**dans** in *akk*)

emmener [ɑ̃mne] mitnehmen

émotion [emosjõ] F *excitation* Aufregung; *attendrissement* Rührung

émouvoir [emuvwar] *toucher* rühren; *bouleverser* tief bewegen

empailler [ɑ̃paje] *animal* ausstopfen

empaqueter [ɑ̃pakte] einpacken

emparer [ɑ̃pare] **s'~ de** in s-e Gewalt bringen (*akk*), an sich reißen (*akk*)

empêcher [ɑ̃pɛʃe] **~ qc** etw verhindern; **~ qn de** (*+inf*) j-n daran hindern zu; **(il) n'empêche que** trotz allem; **je ne peux m'~ de** (*+inf*) ich muss einfach (*+inf*)

empereur [ɑ̃prœr] M Kaiser

empester [ɑ̃pɛste] stinken

empiffrer [ɑ̃pifre] *umg* **s'~** sich vollstopfen (**de** mit)

empiler [ɑ̃pile] aufstapeln

empire [ɑ̃pir] M Reich *n*; **l'Empire** das Erste Kaiserreich

empirer [ɑ̃pire] sich verschlimmern

emplacement [ɑ̃plasmɑ̃] M Stelle *f*

emploi [ɑ̃plwa] M Gebrauch; *travail* Stelle *f*; **~ du temps** Zeitplan; *école* Stundenplan; **~ à plein temps** Vollzeit-, Ganztagsbeschäftigung *f*

employé(e) [ɑ̃plwaje] M(F) Angestellte(r) *m/f(m)* **employer** [ɑ̃plwaje] verwenden; *moyen* anwenden; **s'~** *mot* gebraucht werden **employeur** [ɑ̃plwajœr] M Arbeitgeber

empoisonner [ɑ̃pwazɔne] vergiften

emporter [ɑ̃pɔrte] mitnehmen; *courant* fortreißen; **l'~** siegen (**sur** über *akk*); **s'~** aufbrausen; **s'~ contre** loswet-

tern gegen
empreinte [ɑ̃prɛ̃t] F Abdruck *m*; ~ **digitale** Fingerabdruck *m*
empresser [ɑ̃prɛse] **s'~ de** (*+inf*) sich beeilen zu
emprisonner [ɑ̃prizɔne] einsperren
emprunt [ɑ̃prɛ̃, ɑ̃prœ̃] M Anleihe *f*
emprunter [ɑ̃prɛ̃te, ɑ̃prœ̃te] ~ **qc à qn** sich etw von j-m (aus)leihen; ~ **de l'argent à qn** sich bei j-m Geld leihen
en[1] [ɑ̃] PRÄP *lieu* in (*dat od akk*), nach; *durée* in (*dat*), innerhalb von (*od gen*); *matériau* aus; ~ **ville** in der (die) Stadt; ~ **France** in (nach) Frankreich; ~ **été** im Sommer; ~ **1945** (im Jahre) 1945; ~ **mangeant** beim Essen
en[2] [ɑ̃] ADV *u.* PRON **1** *de cet endroit* **j'~ reviens** ich komme von dort **2** *de cela* **qu'en pensez-vous?** was halten Sie davon?; **je m'en souviens** ich erinnere mich daran
encadrer [ɑ̃kadre] einrahmen
encaisser [ɑ̃kɛse] kassieren; *chèque* einlösen
enceinte [ɑ̃sɛ̃t] schwanger
encens [ɑ̃sɑ̃] M Weihrauch
enchanté [ɑ̃ʃɑ̃te] entzückt; ~! sehr erfreut!
enchère [ɑ̃ʃɛr] F **vente aux ~s** Auktion, Versteigerung
enclume [ɑ̃klym] F Amboss *m*
encolure [ɑ̃kɔlyr] F Kragenweite
encombrant [ɑ̃kɔ̃brɑ̃] sperrig
encombrement [ɑ̃kɔ̃brəmɑ̃] M AUTO Stau
encombrer [ɑ̃kɔ̃bre] *couloir* versperren; *rue* verstopfen; **s'~ de** sich herumschleppen mit
encore [ɑ̃kɔr] noch; *toujours* immer noch; ~ **une fois** noch einmal, nochmals; **pas** ~ noch nicht
encourager [ɑ̃kuraʒe] ermutigen
encre [ɑ̃kr] F Tinte
endetté [ɑ̃dɛte] verschuldet
endimanché [ɑ̃dimɑ̃ʃe] festlich gekleidet
endive [ɑ̃div] F Chicorée *m*
endommager [ɑ̃dɔmaʒe] beschädigen
endormir [ɑ̃dɔmir] einschläfern; MED betäuben; **s'~** einschlafen
endroit [ɑ̃drwa] M *lieu* Ort; *place* Stelle *f*; *étoffe* rechte Seite *f*
enduire [ɑ̃dɥir] ~ **de** be-, überstreichen mit; **s'~ de** sich einreiben mit
enduit [ɑ̃dɥi] M Überzug
endurance [ɑ̃dyrɑ̃s] F Ausdauer
endurer [ɑ̃dyre] ertragen
énergie [enɛrʒi] F Energie; ~ **solaire** Sonnenenergie; ~ **éolienne/hydraulique** Wind-/Wasserkraft **énergique** [enɛrʒik] energisch
énerver [enɛrve] nervös machen

enfance [ɑ̃fɑ̃s] F Kindheit; **dès l'~** von Kind an
enfant [ɑ̃fɑ̃] M/F Kind *n*
enfantin [ɑ̃fɑ̃tɛ̃] kindlich; *facile* kinderleicht
enfer [ɑ̃fɛr] M Hölle *f*
enfermer [ɑ̃fɛrme] (**s'~** sich) einschließen
enfiler [ɑ̃file] *perles* auffädeln; *aiguille* einfädeln; *umg vêtement* (sich) rasch überziehen
enfin [ɑ̃fɛ̃] zuletzt; *soulagement* endlich; *résignation* nun (ja); *conclusion* kurz
enflammer [ɑ̃flame] anzünden; **s'~** sich entzünden
enfler [ɑ̃fle] anschwellen
enfoncer [ɑ̃fõse] *clou* einschlagen; *pieu* einrammen; *porte* eindrücken; V/I versinken (**dans** in *dat*)
enfouir [ɑ̃fwir] vergraben
enfreindre [ɑ̃frɛ̃dr] übertreten, verstoßen gegen
enfuir [ɑ̃fɥir] **s'~** fliehen
enfumé [ɑ̃fyme] verräuchert
engager [ɑ̃gaʒe] *embaucher* an-, einstellen; *conversation* anknüpfen; **s'~ à** (*+inf*) sich verpflichten zu
engelure [ɑ̃ʒlyr] F Frostbeule
engendrer [ɑ̃ʒɑ̃dre] erzeugen
engin [ɑ̃ʒɛ̃] M Gerät *n*
englober [ɑ̃glɔbe] umfassen
engloutir [ɑ̃glutir] verschlingen (*a. fig*)
engourdi [ɑ̃gurdi] gefühllos, taub
engrais [ɑ̃grɛ] M Dünger, Dung
engraisser [ɑ̃grɛse] mästen; *grossir* Fett ansetzen
engrenage [ɑ̃grənaʒ] M Getriebe *n*
engueulade [ɑ̃gœlad] F *umg* Anpfiff *m*, Anschiss *m* **engueuler** [ɑ̃gœle] *umg* (**s'~** sich) anschnauzen
énigme [enigm] F Rätsel *n*
enjeu [ɑ̃ʒø] M Einsatz
enjoliveur [ɑ̃ʒɔlivœr] M Radkappe *f*
enlèvement [ɑ̃lɛvmɑ̃] M Abtransport; *rapt* Entführung *f*
enlever [ɑ̃lve] entfernen; wegnehmen; *vêtement* ausziehen; *kidnapper* entführen
enneigé [ɑ̃nɛʒe] verschneit
enneigement [ɑ̃nɛʒmɑ̃] M Schneehöhe *f*, -verhältnisse *npl*
ennemi [ɛnmi] **1** feindlich **2** M Feind
ennui [ɑ̃nɥi] M Langeweile *f*; **~s** PL Ärger *m*
ennuyer [ɑ̃nɥije] langweilen; *embêter* ärgern; **s'~** sich langweilen
ennuyeux [ɑ̃nɥijø] langweilig, *embêtant* ärgerlich
énorme [enɔrm] enorm, ungeheuer **énormément** [enɔrmemɑ̃] ungeheuer; **~ de** enorm viel(e)
enquête [ɑ̃kɛt] F Untersuchung; *sondage* Umfrage; *de police* Ermittlungen *fpl*
enragé [ɑ̃raʒe] tollwütig; *fig*

besessen, fanatisch
enregistrement [ɑ̃rəʒistrəmɑ̃] M *disque* Aufnahme *f*, *vidéo* Aufzeichnung *f*; **~ des bagages** Gepäckabfertigung *f*
enregistrer [ɑ̃rəʒistre] eintragen, registrieren; *émission* aufnehmen, aufzeichnen; FLUG einchecken; *bagages* **faire ~** aufgeben
enregistreur [ɑ̃rəʒistrœr] M **~ DVD** DVD-Rekorder
enrhumé [ɑ̃ryme] erkältet
enrhumer [ɑ̃ryme] **s'~** sich erkälten
enrichir [ɑ̃riʃir] bereichern
enroué [ɑ̃rwe] heiser
enrouer [ɑ̃rwe] **s'~** heiser werden
enrouler [ɑ̃rule] *tapis* zusammenrollen; *fil* aufwickeln; **~ autour de** wickeln um
enseignant(e) [ɑ̃sɛɲɑ̃(t)] M(F) Lehrer(in)
enseigne [ɑ̃sɛɲ] F Schild *n*
enseignement [ɑ̃sɛɲmɑ̃] M Unterricht; *institution* Schulwesen *n* **enseigner** [ɑ̃sɛɲe] unterrichten (**qc à qn** j-n in etw *dat*)
ensemble [ɑ̃sɑ̃bl] **1** zusammen; *en commun* gemeinsam; *en même temps* gleichzeitig **2** M Ganze(s) *n*, Gesamtheit *f*; *tailleur* Kostüm *n*; **l'~ du personnel** das ganze, gesamte Personal; **dans l'~** insgesamt
ensevelir [ɑ̃səvlir] begraben
ensoleillé [ɑ̃sɔlɛje] sonnig
ensuite [ɑ̃sɥit] dann, darauf
entaille [ɑ̃taj] F Kerbe; *blessure* Schnittwunde
entamer [ɑ̃tame] *pain* anschneiden; *bouteille* anbrechen
entasser [ɑ̃tase] auf-, anhäufen; **s'~** *courrier* sich stapeln; *personnes* sich (dicht zusammen)drängen
entendre [ɑ̃tɑ̃dr] hören; **~ par** verstehen unter (*dat*); **~ parler de** hören von; **s'~** sich verstehen; *se mettre d'accord* sich einigen (**sur** über *akk*)
entendu [ɑ̃tɑ̃dy] **~!** abgemacht!; **bien ~** selbstverständlich
enterrement [ɑ̃tɛrmɑ̃] M Beerdigung *f*
enterrer [ɑ̃tɛre] vergraben; *mort* beerdigen
en-tête [ɑ̃tɛt] M Briefkopf
entêté [ɑ̃tɛte] eigen-, starrsinnig, stur
entêter [ɑ̃tɛte] **s'~ dans** sich versteifen auf (*akk*)
enthousiasme [ɑ̃tuzjasm] M Begeisterung *f* **enthousiasmer** [ɑ̃tuzjasme] begeistern; **s'~** sich begeistern (**pour** für)
entier [ɑ̃tje] ganz; *liberté* völlig; **en ~** ganz **entièrement** [ɑ̃tjɛrmɑ̃] ganz, völlig
entonnoir [ɑ̃tɔnwar] M Trichter
entorse [ɑ̃tɔrs] F Verstauchung; **se faire une ~ au pied** sich den Fuß verstauchen
entortiller [ɑ̃tɔrtije] einwi-

ckeln
entourage [ɑ̃turaʒ] M Umgebung *f* **entourer** [ɑ̃ture] umgeben (**mit** de)
entracte [ɑ̃trakt] M Pause *f*
entraider [ɑ̃trɛde] **s'~** sich (gegenseitig) helfen, beistehen
entrain [ɑ̃trɛ̃] M Schwung
entraîner [ɑ̃trɛne] mit sich fortreißen; SPORT trainieren
entraîneur [ɑ̃trɛnœr] M, **entraîneuse** [ɑ̃trɛnøz] F Trainer(in) *m(f)*
entre [ɑ̃tr] zwischen (*dat od akk*); *parmi* unter (*dat*); **d'~** von
entrebâiller [ɑ̃trəbaje] halb öffnen; *porte* anlehnen **entrechoquer** [ɑ̃trəʃɔke] aneinanderstoßen
entrecôte [ɑ̃trəkot] F Rippenstück *n*; **~ marchand de vin** *Rippenstück in Rotweinsauce*
entrecouper [ɑ̃trəkupe] unterbrechen
entrée [ɑ̃tre] F Eintritt *m*, *porte* Eingang *m*; *couloir* Diele; *billet* Eintrittskarte; GASTR Vorspeise; **~ libre, gratuite** Eintritt frei
entrelarder [ɑ̃trəlarde] spicken
entremets [ɑ̃trəmɛ] M Süßspeise *f*, Pudding *m*
entrepôt [ɑ̃trəpo] M Lager (-halle) *n(f)*
entreprendre [ɑ̃trəprɑ̃dr] unternehmen **entrepreneur** [ɑ̃trəprənœr] M Unternehmer
entreprise [ɑ̃trəpriz] F Unternehmen *n*
entrer [ɑ̃tre] eintreten, hereinkommen, hineingehen; *objets* (hinein)passen (**dans** in *akk*); IT eingeben; **entrez!** herein!
entresol [ɑ̃trəsɔl] M Zwischen-, Halbgeschoss *n*
entre-temps [ɑ̃trətɑ̃] inzwischen
entretenir [ɑ̃trətnir] *routes, maison* instand halten; TECH warten; *vêtements, relations* pflegen; **s'~ de qc** sich über etw (*akk*) unterhalten
entretien [ɑ̃trətjɛ̃] M Instandhaltung *f*; Wartung *f*; Pflege *f*; *conversation* Gespräch *n*
entrevue [ɑ̃trəvy] F Begegnung; *entretien* Unterredung
énumérer [enymere] aufzählen
envahir [ɑ̃vair] *pays* einfallen in (*akk*); **être envahi par** *vacanciers, moustiques* heimgesucht werden von
enveloppe [ɑ̃vlɔp] F Hülle; (Brief)Umschlag *m* **envelopper** [ɑ̃vlɔpe] einwickeln, -hüllen
envergure [ɑ̃vɛrgyr] F Spannweite; *fig* Format *n*
envers [ɑ̃vɛr] **1** gegenüber (*dat*) **2** M Rückseite *f*; **à l'~** verkehrt (herum)
envie [ɑ̃vi] F Lust; *jalousie* Neid *m*; **avoir ~** Lust haben (**de qc** auf etw *akk*, **de faire qc** etw zu tun); **faire ~ à qn** j-n reizen

envier [ɑ̃vje] beneiden (**qc à qn** j-n um etw *akk*) **envieux** [ɑ̃vjø] neidisch
environ [ɑ̃virõ] 1 ungefähr 2 **~s** *mpl* Umgebung *f*; **aux ~s de** in der Nähe von
environnement [ɑ̃virɔnmɑ̃] M Umwelt *f*
envisager [ɑ̃vizaʒe] ins Auge fassen
envoi [ɑ̃vwa] M Sendung *f*
envoler [ɑ̃vɔle] **s'~** wegfliegen; *avion* abfliegen
envoyer [ɑ̃vwaje] schicken; *balle* werfen
épais [epɛ] ⟨*f* épaisse [epɛs]⟩ dick; *brouillard* dicht
épanouir [epanwir] **s'~** aufblühen (*a. fig*); *se développer* sich entfalten
épargner [eparɲe] sparen; **~ qc à qn** j-m etw ersparen
épatant [epatɑ̃] großartig
épaule [epol] F Schulter
épave [epav] F Wrack *n*
épeautre [epotr] M Dinkel
épée [epe] F Schwert *n*
épeler [eple] buchstabieren
éperons [eprõ] MPL Sporen
épi [epi] M Ähre *f*; **~ de maïs** Maiskolben
épice [epis] F Gewürz *n* **épicer** [epise] würzen
épicerie [episri] F Lebensmittelgeschäft *n* **épicier** [episje] M Lebensmittelhändler
épidémie [epidemi] F Epidemie, Seuche
épier [epje] belauern
épilepsie [epilɛpsi] F Epilepsie
épiler [epile] enthaaren; *sourcils* auszupfen
épinards [epinar] MPL Spinat *m*
épine [epin] F Dorn *m*; **~ dorsale** Rückgrat *n*
épingle [epɛ̃gl] F Nadel; **~ de nourrice** *od* **de sûreté** Sicherheitsnadel; **~ à cheveux** Haarnadel
Épiphanie [epifani] F Dreikönigsfest *n*
épisode [epizɔd] M Episode *f*
éplucher [eplyʃe] *légumes* putzen; *fruits, pommes de terre* schälen **épluchures** [eplyʃyr] FPL Schalen; *de légumes* Abfälle *mpl*
éponge [epõʒ] F Schwamm *m*
époque [epɔk] F Zeit; **à l'~ de** zur Zeit (G); **à notre ~** heutzutage
epouse [epuz] F Gattin **epouser** [epuze] heiraten
épouvantable [epuvɑ̃tabl] entsetzlich **épouvanter** [epuvɑ̃te] entsetzen
époux [epu] M Gatte; PL Eheleute
épreuve [eprœv] F Prüfung; SPORT Wettkampf *m*; FOTO Abzug *m*; **mettre à l'~** auf die Probe stellen
éprouver [epruve] prüfen, erproben; *ressentir* empfinden; **~ qn** j-n (sehr) mitnehmen
épuisé [epɥize] erschöpft; *livre*

vergriffen **épuiser** [epɥize] erschöpfen **épuisette** [epɥizɛt] F Fangnetz *n*
équateur [ekwatœr] M Äquator *m*
équilibre [ekilibr] M Gleichgewicht *n*; **perdre l'~** das Gleichgewicht verlieren; **tenir qc en ~** etw balancieren
équilibré [ekilibre] ausgeglichen **équilibrer** [ekilibre] *roue* auswuchten
équipage [ekipaʒ] M SCHIFF, FLUG Besatzung *f*
équipe [ekip] F Team *n*; SPORT Mannschaft
équipement [ekipmɑ̃] M Ausrüstung *f* **équiper** [ekipe] ausstatten, ausrüsten (**de** mit)
équitable [ekitabl] gerecht
équitation [ekitasjõ] F Reiten *n*
équivalent [ekivalɑ̃] **1** gleichwertig (**à** mit) **2** M Äquivalent *n* **équivaloir** [ekivalwar] **~ à** entsprechen (*dat*)
érafler [erafle] zerkratzen **éraflure** [eraflyr] F Kratzer *m*
ermite [ɛrmit] M Einsiedler
érotique [erɔtik] erotisch **érotisme** [erɔtism] M Erotik *f*
errer [ɛre] umherirren
erreur [ɛrœr] F Fehler *m*; *idée fausse* Irrtum *m*; **par ~** aus Versehen
éruption [erypsjõ] F Ausbruch *m*; MED Ausschlag *m*
es [ɛ] PRÄS → **être**
ESB [əɛsbe] F (*encéphalopathie spongiforme bovine*) BSE (*bovine spongiforme Enzephalopathie*)
escabeau [ɛskabo] M Hocker; *échelle* Tritthocker
escalade [ɛskalad] F Besteigung; SPORT Klettern *n* **escalader** [ɛskalade] besteigen
escalator [ɛskalatɔr] M Rolltreppe *f*
escale [ɛskal] F Zwischenaufenthalt *m*; FLUG Zwischenlandung; **vol** *m* **sans ~** Direktflug, Nonstop-Flug; **faire ~ à Francfort** in Frankfurt zwischenlanden
escalier [ɛskalje] M Treppe *f*; **~ roulant** Rolltreppe
escalope [ɛskalɔp] F Schnitzel *n*
escargot [ɛskargo] M Schnecke *f*; **~ de Bourgogne** Weinbergschnecke *f*
escarpé [ɛskarpe] steil
esclave [ɛsklav] M/F Sklave *m*, Sklavin *f*
escrime [ɛskrim] F Fechten *n*
escroc [ɛskro] M Betrüger
escroquer [ɛskrɔke] betrügen (**qn** j-n, **qc à qn** j-n um etw) **escroquerie** [ɛskrɔkri] F Gaunerei
espace [ɛspas] M Raum; *cosmos* Weltraum; *intervalle* Zwischenraum; **~s** *pl* **verts** Grünflächen *fpl*
espadrille [ɛspadrij] F Leinenschuh *m*
Espagne [ɛspaɲ] F **l'~** Spanien *n*

espagnol [ɛspaɲɔl] **1** spanisch **2** **Espagnol** M Spanier
espèce [ɛspɛs] F Art; **~s** PL Bargeld *n*; **une ~ de** (...) e-e Art (...); **en ~s** (in) bar
espérer [ɛspere] hoffen (**qc** auf etw *akk*)
espion [ɛspjõ] M Spion
espionner [ɛspjɔne] ausspionieren
espoir [ɛspwar] M Hoffnung *f*; **sans ~** hoffnungslos
esprit [ɛspri] M Geist; *humour* Witz
Esquimau [ɛskimo] M Eskimo
esquisse [ɛskis] F Skizze
essai [esɛ] M *test* Probe *f*; *tentative* Versuch (*a.* SPORT); *littérature* Essay
essaim [esɛ̃] M Schwarm
essayage [esɛjaʒ] M Anprobe *f* **essayer** [esɛje] versuchen; *vêtement* (an)probieren
essence [esɑ̃s] F Benzin *n*; **prendre de l'~** tanken
essentiel [esɑ̃sjɛl] **1** wesentlich **2** M Hauptsache *f*
essieu [esjø] M Achse *f*
essor [esɔr] M Aufschwung
essorer [esɔre] schleudern **essoreuse** [esɔrøz] F (Wäsche-, Trocken)Schleuder
essoufflé [esufle] außer Atem
essuie-glace [esɥiglas] M Scheibenwischer **essuie-mains** [esɥimɛ̃] M Handtuch *n*
essuyer [esɥije] *vaisselle, mains* abtrocknen; *table* abwischen; *lunettes* putzen; **s'~** sich abtrocknen
est¹ [ɛ] PRÄS → **être**
est² [ɛst] M Osten; **à l'~** im Osten; **à l'~ de** östlich von
est-ce que [ɛskə] **~ tu sais qui ...?** weißt du, wer ...?; **~ tu viens?** kommst du?
esthéticienne [ɛstetisjɛn] F Kosmetikerin
estimation [ɛstimasjõ] F Schätzung; HANDEL Kostenvoranschlag *m*
estime [ɛstim] F Achtung (**pour qn** vor j-m)
estimer [ɛstime] schätzen; **~ que** der Meinung sein, dass
estival [ɛstival] Sommer... **estivant** [ɛstivɑ̃] M Sommergast
estomac [ɛstɔma] M Magen
estrade [ɛstrad] F Podium *n*; Podest *n*
et [e] und
étable [etabl] F Stall *m*
établi [etabli] M Werkbank *f*
établir [etablir] *usine* einrichten; *devis, record* aufstellen; *liaison* herstellen; **s'~** sich niederlassen **établissement** [etablismɑ̃] M (Kur-, Lehr)Anstalt
étage [etaʒ] M Stock(werk) *m* (*n*), Etage *f*; **~ supérieur** Obergeschoss *n*
étagère [etaʒɛr] F Regalbrett *n*; *meuble* Regal *n*
étain [etɛ̃] M Zinn *n*
étalage [etalaʒ] M Auslage *f*
étaler [etale] ausbreiten; *va-*

cances verteilen; *beurre* streichen (**sur** auf *akk*)
étalon [etalõ] M ZOOL Hengst
étanche [etɑ̃ʃ] wasserdicht
étang [etɑ̃] M Teich
état [eta] M Zustand; **~ des routes** Straßenzustand; **~ civil** Familienstand; MED **~ général** Allgemeinzustand, Allgemeinbefinden *n*; **État** Staat
États-Unis [etazyni] MPL **les ~** die Vereinigten Staaten
etc. [ɛtsetera] (*et cetera*) usw. (*und so weiter*)
été[1] [ete] M Sommer; **en ~** im Sommer
été[2] [ete] PPERF → être
éteindre [etɛ̃dr] *feu* löschen; *lumière, télé, cigarette* ausmachen; **s'~** ausgehen
étendre [etɑ̃dr] *blessé* legen; *bras, jambes* (aus)strecken; *linge* aufhängen; **s'~** *personne* sich hinlegen; *tissu* sich (aus)dehnen; *épidémie* sich ausbreiten; *forêt* sich erstrecken (**jusqu'à** bis, bis zu)
étendu [etɑ̃dy] ausgedehnt, weit **étendue** [etɑ̃dy] F Ausdehnung, Größe; *région* Fläche; *d'une catastrophe* Ausmaß *n*
éternel [etɛrnɛl] ewig **éternité** [etɛrnite] F Ewigkeit
éternuer [etɛrnɥe] niesen
éther [etɛr] M Äther
étinceler [etɛ̃sle] funkeln
étincelle [etɛ̃sɛl] F Funke *m*
étiquette [etikɛt] F Etikett *n*
étoffe [etɔf] F Stoff *m*
étoile [etwal] F Stern *m*; **~ de mer** Seestern *m*; **hôtel** *m* **trois ~s** Dreisternehotel *n*
étonnant [etɔnɑ̃] erstaunlich
étonné [etɔne] erstaunt
étonner [etɔne] erstaunen, wundern; **s'~** sich wundern (**de** über *akk*)
étouffant [etufɑ̃] schwül
étouffer [etufe] ersticken
étourdi [eturdi] zerstreut
étourdissement [eturdismɑ̃] M **j'ai un ~** mir wird schwindlig
étrange [etrɑ̃ʒ] seltsam
étranger [etrɑ̃ʒe] **1** ausländisch; *inconnu* fremd **2** M Ausland *n*; **à l'~** im (ins) Ausland **3** M, **étrangère** [etrɑ̃ʒɛr] F Ausländer(in) *m(f)*; *inconnu(e)* Fremde(r) *m/f(m)*
étrangler [etrɑ̃gle] erwürgen
être [ɛtr] sein
étrennes [etrɛn] FPL Neujahrsgeschenk(e) *n(pl)*
étrier [etrije] M Steigbügel
étroit [etrwa] schmal; *vêtements* eng; *borné* kleinlich
étude [etyd] F Lernen *n*; *analyse* Untersuchung; **~s** PL Studium *n*; **faire ses ~s** studieren
étudiant(e) [etydjɑ̃(t)] M(F) Student(in)
étudier [etydje] studieren; *piano* spielen lernen; *langue* (er)lernen
étui [etɥi] M Etui *n*
eu [y] PPERF → avoir

eucalyptus [økaliptys] M Eukalyptus
euro [øro] M Euro **eurochèque** [øroʃɛk] M Eurocheque
Europe [ørɔp] F **l'~** Europa *n*; **l'~ orientale/occidentale** Ost-/Westeuropa *n*
européen [ørɔpeɛ̃] **1** europäisch **2** **Européen** M Europäer
eut [y] PASSÉ SIMPLE → **avoir**
eux [ø] sie (*akk*), ihnen (*dat*)
évader [evade] **s'~** ausbrechen, (ent)fliehen
évaluer [evalɥe] schätzen
évanouir [evanwir] **s'~** ohnmächtig werden **évanouissement** [evanwismɑ̃] M Ohnmacht *f*
évaporer [evapɔre] **s'~** verdunsten, verdampfen
évasion [evazjõ] F Flucht
éveiller [evɛje] wecken; **s'~** erwachen
événement [evɛnmɑ̃] M Ereignis *n*
éventail [evɑ̃taj] M Fächer
éventuel(lement) [evɑ̃tɥɛl(mɑ̃)] eventuell
évêque [evɛk] M Bischof
évidemment [evidamɑ̃] selbstverständlich **évident** [evidɑ̃] offensichtlich
évier [evje] M Spülbecken *n*
éviter [evite] *erreur, accident* vermeiden; *obstacle* ausweichen (*dat*); *personne* meiden; **~ de faire qc** vermeiden, etw zu tun; **~ qc à qn** j-m etw ersparen
évoluer [evɔlɥe] sich entwickeln **évolution** [evɔlysjõ] F Entwicklung
évoquer [evɔke] in Erinnerung bringen; *souvenirs* wachrufen
exact [ɛgzakt] genau, exakt; *réponse* richtig; *personne* pünktlich
exagérer [ɛgzaʒere] übertreiben
examen [ɛgzamɛ̃] M Prüfung *f*; MED Untersuchung *f* **examiner** [ɛgzamine] prüfen, untersuchen (*a.* MED)
excédent [ɛksedɑ̃] M Überschuss; **~ de bagages** Übergepäck *n*
excéder [ɛksede] *dépasser* überschreiten, übersteigen; *énerver* wütend machen
excellent [ɛksɛlɑ̃] hervorragend, ausgezeichnet
excepté [ɛksɛpte] außer (*dat*)
exception [ɛksɛpsjõ] F Ausnahme
exceptionnel [ɛksɛpsjɔnɛl] außergewöhnlich
excès [ɛksɛ] M Übermaß *n*; **~ de vitesse** Geschwindigkeitsüberschreitung *f*
excessif [ɛksɛsif] übermäßig; *exagéré* übertrieben; *loyer, vitesse* überhöht
exciter [ɛksite] erregen (*a. sexuellement*); *appétit* anregen
exclamer [ɛksklame] **s'~** ausrufen
exclure [ɛksklyr] ausschließen

exclusion [ɛksklyzjõ] F Ausschluss *m*
excursion [ɛkskyrsjõ] F Ausflug *m*
excuse [ɛkskyz] F Entschuldigung
excuser [ɛkskyze] (**s'~** sich) entschuldigen; **excusez-moi!** entschuldigen Sie (bitte)!
exécuter [ɛgzekyte] *ordre, projet* ausführen; *personne* hinrichten
exemplaire [ɛgzãplɛr] **1** vorbildlich **2** M Exemplar *n*
exemple [ɛgzãpl] M Beispiel *n*; **par ~** zum Beispiel
exempt [ɛgzã] **~ de douane** zollfrei
exercer [ɛgzɛrse] ausüben; *mémoire* üben; **s'~** üben; **s'~ à faire qc** sich in etw (*dat*) üben
exercice [ɛgzɛrsis] M Übung *f*
exigeant [ɛgziʒã] anspruchsvoll **exiger** [ɛgziʒe] *réclamer* fordern; *nécessiter* erfordern
existence [ɛgzistãs] F Existenz; *vie* Leben *n* **exister** [ɛgziste] existieren; **il existe** es gibt
exp. (*expéditeur*) Abs. (*Absender*)
expédier [ɛkspedje] versenden; *lettre* absenden; *travail* (zügig) erledigen **expéditeur** [ɛkspeditœr] M Absender
expérience [ɛksperjãs] F Erfahrung; *scientifique* Experiment *n*; **~ professionnelle** Berufserfahrung
expert [ɛkspɛr] **1** sach-, fachkundig **2** M Sachverständige(r); *spécialiste* Fachmann
expertise [ɛkspɛrtiz] F Gutachten *n* **expertiser** [ɛkspɛrtize] ein Gutachten abgeben über (*akk*)
expier [ɛkspje] (ab)büßen, sühnen
expirer [ɛkspire] ausatmen; *passeport* ablaufen
explication [ɛksplikasjõ] F Erklärung
expliquer [ɛksplike] erklären
exploit [ɛksplwa] M (hervorragende) Leistung
exploitation [ɛksplwatasjõ] F *entreprise* Betrieb *m*; *pej* Ausbeutung **exploiter** [ɛksplwate] *commerce* betreiben; *situation* ausnutzen; *ouvriers* ausbeuten
explorer [ɛksplɔre] erforschen
exploser [ɛksploze] explodieren **explosif** [ɛksplozif] **1** explosiv (*a. fig*) **2** M Sprengstoff
explosion [ɛksplozjõ] F Explosion
expo [ɛkspo] F *umg* Ausstellung
exportation [ɛkspɔrtasjõ] F Ausfuhr, Export *m* **exporter** [ɛkspɔrte] exportieren
exposé [ɛkspoze] M Darlegung *f*; *école* Referat *n* **exposer** [ɛkspoze] *dessins, produits* ausstellen; *problème* darlegen; **(s')~ à** (sich) aussetzen (*dat*)

exposition [ɛkspozisjõ] F Ausstellung
exprès[1] [ɛksprɛ] absichtlich; *spécialement* extra
exprès[2] [ɛksprɛs] **(par)** ~ Eilzustellung *f*, durch Eilboten; **lettre** *f* ~ Eilbrief *m*
express [ɛksprɛs] **1** Schnell… **2** M *train* Schnellzug, D-Zug; *café* Espresso
expressif [ɛksprɛsif] ausdrucksvoll **expression** [ɛksprɛsjõ] F Ausdruck *m*
expressionnisme [ɛksprɛsjɔnism] M Expressionismus
exprimer [ɛksprime] ausdrücken
expulser [ɛkspylse] vertreiben; *étranger* ausweisen
exquis [ɛkski] auserlesen; *plat* köstlich; *personne* charmant
exténué [ɛkstenɥe] ermattet, erschöpft
extérieur [ɛksterjœr] **1** äußere(r, -s); Außen… **2** M Äußere(s) *n*; **à l'~** (dr)außen; **à l'~ de** außerhalb (*gen*)
externe [ɛkstɛrn] äußere(r, -s); **à usage ~** zur äußeren Anwendung
extincteur [ɛkstɛ̃ktœr] M Feuerlöscher
extraire [ɛkstrɛr] *charbon* fördern; *dent* ziehen
extrait [ɛkstrɛ] M Auszug; *d'une plante* Extrakt
extraordinaire [ɛkstraɔrdinɛr] außerordentlich
extrême [ɛkstrɛm] **1** äußerste(r, -s); **d'~ droite/gauche** rechts-/linksextrem, rechts-/linksradikal **2** M Extrem *n*
extrêmement [ɛkstrɛmmɑ̃] äußerst
extrémisme [ɛkstremism] M POL Radikalismus, Extremismus; **~ de droite/gauche** Rechts-/Linksextremismus
extrémiste [ɛkstremist] M/F POL Radikale(r) *m/f(m)*; Extremist(in) *m(f)*
eye-liner [ailainœr] M Eyeliner

fable [fabl] F Fabel
fabricant [fabrikɑ̃] M Fabrikant; Hersteller **fabrication** [fabrikasjõ] F Herstellung
fabrique [fabrik] F Fabrik **fabriquer** [fabrike] herstellen
fabuleux [fabylø] märchen-, sagenhaft
façade [fasad] F Fassade
face [fas] F Gesicht *n*; **de ~** von vorn; **en ~ de** vor (*dat od akk*); gegenüber (*dat*); **~ à** zu (*dat*) hin
fâché [faʃe] böse (**contre** auf *akk*); *brouillé* verzankt (**avec** mit)
fâcher [faʃe] ärgern; **se ~** böse werden; **se ~ contre qn** mit

j-m schimpfen; **se ~ avec qn** sich mit j-m verzanken
facile [fasil] leicht, mühelos
facilité [fasilite] F Leichtigkeit **faciliter** [fasilite] erleichtern
façon [fasõ] F Art, Weise; **de ~ que** (*od* **à ce que** *+subj*) so ..., dass; **de toute ~** auf jeden Fall; **de cette ~** auf diese Art; **de quelle ~?** wie?; **~s** PL Benehmen *n*; **sans ~s** zwanglos; **faire des ~s** Umstände machen
facteur [faktœr] M Briefträger
facture [faktyr] F Rechnung
facturer [faktyre] berechnen
facultatif [fakyltatif] **arrêt** *m* ~ Bedarfshaltestelle *f*
faculté [fakylte] F Fähigkeit; *université* Fakultät
fade [fad] fad(e) (*a. fig*)
faible [fɛbl] **1** schwach **2** M Schwäche *f* (**pour** für) **faiblesse** [fɛblɛs] F Schwäche **faiblir** [fɛblir] schwächer werden, nachlassen
faille [faj] F Schwachstelle; **~ de sécurité** Sicherheitslücke
faillir [fajir] **j'ai failli tomber** ich wäre beinahe gefallen
faillite [fajit] F Konkurs *m*
faim [fɛ̃] F Hunger *m*
faire [fɛr] machen, tun; *sport* treiben; *tennis* spielen; **~ ~** machen lassen; **~ jeune** jung aussehen; **il fait chaud** es ist warm; **se ~ à qc** sich an etw (*akk*) gewöhnen; **pour quoi ~?** wozu?, wofür?
faisan [fəzɑ̃] M Fasan
fait [fɛ] M Tatsache *f*; **en ~** [ɑ̃fɛ(t)] in Wirklichkeit; **au ~** [ofɛ(t)] übrigens
falaise [falɛz] F Steilküste
falloir [falwar] **il faut** (*+inf*) man muss; **il ne faut pas** man darf nicht; **il me faut qc** ich brauche etw; **il faut que j'y aille** ich muss jetzt gehen
falsifier [falsifje] fälschen
fameux [famø] berühmt; *excellent* hervorragend
familial [familjal] Familien..., familiär
familier [familje] vertraut; *irrespectueux* (allzu) vertraulich; *expression* umgangssprachlich
famille [famij] F Familie
famine [famin] F Hungersnot
fan [fan] M/F Fan *m*
faner [fane] **se ~** welken
fanfare [fɑ̃far] F *orchestre* Blaskapelle; *air* Fanfare
fantaisie [fɑ̃tɛzi] F *originalité* Fantasie; *caprice* Laune
fantôme [fɑ̃tom] M Gespenst *n*
far [far] M **~ (breton)** Milch-Eier-Auflauf (*mit Backpflaumen*)
farce [fars] F *tour* Streich *m*; GASTR Füllung
farci [farsi] GASTR gefüllt
fard [far] M Schminke *f*; **~ à paupières** Lidschatten
farine [farin] F Mehl *n*
fart [fart] M Skiwachs *n*
fasciner [fasine] faszinieren

fasse [fas] SUBJ → **faire**
fatal [fatal] verhängnisvoll; *mortel* tödlich; *inévitable* zwangsläufig, unvermeidlich
fatigant [fatigɑ̃] ermüdend; *personne* lästig
fatigue [fatig] F Müdigkeit; **~s** PL Strapazen
fatigué [fatige] müde
fatiguer [fatige] ermüden; *énerver* auf die Nerven gehen (**qn** j-m); *ennuyer* langweilen; **se ~** müde werden
faubourg [fobur] M Vorstadt *f*, Vorort
faucher [foʃe] AGR mähen; *piéton* umfahren; *umg voler* klauen
faucille [fosij] F Sichel
faucon [fokõ] M Falke
faudra [fodra] *fut* → **falloir**
fausse [fos] → **faux²**
faut [fo] PRÄS → **falloir**
faute [fot] F Fehler *m*; *responsabilité* Schuld; **~ de** aus Mangel an (*dat*), mangels (*gen*)
fauteuil [fotœj] M Sessel; **~ roulant** Rollstuhl
fauve [fov] M Raubtier *n*
faux¹ [fo] F AGR Sense
faux² [fo] **1** ‹*f* **fausse** [fos]› falsch **2** M Fälschung *f*
faveur [favœr] F Gefälligkeit; **en ~ de** zugunsten von
favorable [favɔrabl] günstig
favori [favɔri] Lieblings... **favoriser** [favɔrize] begünstigen
fax [faks] M Fax *n* **faxer** [fakse] faxen
fébrile [febril] fieberhaft
fécond [fekõ] fruchtbar (*a. fig*) **fécondation** [fekõdasjõ] F BIOL Befruchtung **féconder** [fekõde] BIOL befruchten
fédéral [federal] Bundes... **fédération** [federasjõ] F Bund *m*
fêler [fɛle] **se ~** e-n Sprung *od* Sprünge bekommen
félicitations [felisitasjõ] FPL Glückwunsch *m* **féliciter** [felisite] **~ qn** j-m gratulieren (**pour, de** zu)
fêlure [fɛlyr] F Sprung *m*, Riss *m*
femelle [fəmɛl] ZOOL **1** weiblich **2** F Weibchen *n*
féminin [feminɛ̃] weiblich, Frauen...; *mode* Damen...
femme [fam] F Frau; *épouse* Ehefrau; **~ de chambre** Zimmermädchen *n*; **~ de ménage** Putzfrau; **~ médecin** Ärztin
fendre [fɑ̃dr] spalten
fenêtre [f(ə)nɛtrə] F Fenster *n*
fenouil [fənuj] M Fenchel
fente [fɑ̃t] F Spalte; Spalt *m*; *d'une boîte aux lettres, d'une jupe* Schlitz *m*
fer [fɛr] M Eisen *n*; **~ à repasser** Bügeleisen *n*; **~ à cheval** Hufeisen *n*
ferai [f(ə)re] *fut* → **faire**
férié [ferje] **jour** *m* **~** Feiertag
ferme [fɛrm] **1** fest; *personne* standhaft **2** F Bauernhof *m*
fermenter [fɛrmɑ̃te] gären

fermer [fɛrme] schließen; *à clé* abschließen; *radio, télé, lumière* ausschalten
fermeture [fɛrmətyr] F *des magasins* Ladenschluss(zeit) *m(f)*; *définitive* Schließung; *de sac à main* Verschluss *m*; **~ éclair** Reißverschluss *m*, *österr* Zippverschluss *m*; **~ annuelle** Betriebsferien *pl*; **jour** *m* **de ~** Ruhetag
fermier [fɛrmje] M Bauer **fermière** [fɛrmjɛr] F Bäuerin
féroce [ferɔs] wild; *homme* grausam; *appétit* unbändig
ferraille [fɛraj] F Schrott *m*
ferroviaire [fɛrɔvjɛr] Eisenbahn...
ferry [fɛri] M Fährschiff *n*; *bac* Fähre *f*
fertile [fɛrtil] fruchtbar
fesse [fɛs] F Hinterbacke; **~s** PL Hintern *m*
festival [fɛstival] M Festspiele *npl*, Festival *n*
fête [fɛt] F Fest *n*; *jour férié* Feiertag *m*; REL Namenstag *m* **Fête-Dieu** [fɛtdjø] F Fronleichnam(sfest) *m(n)* **fêter** [fete] feiern
feu [fø] M Feuer *n*; *incendie* Brand; **~ (rouge** rote) Ampel *f*; **~ d'artifice** Feuerwerk *n*; AUTO **~ stop** Bremslicht *n*; **~x** *pl* **de position** Standlicht *n*; **~x** *pl* **de croisement** Abblendlicht *n*; **~(x)** *m(pl)* **arrière** Rücklicht(er) *n(pl)*; **~x** *pl* **de détresse** Warnblinkanlage *f*
feuillage [fœjaʒ] M Laub *n*
feuille [fœj] F Blatt *n*; **~ morte** welkes Blatt *n*; **~ de maladie, de soins** Krankenschein *m*
feuilleté [fœjte] M Blätterteiggebäck *n* **feuilleter** [fœjte] durchblättern
feutre [føtr] M Filz; *stylo* Filzschreiber
février [fevrije] M Februar
FF (*francs français*) *hist* FF (*französische Francs*)
fiançailles [f(i)jɑ̃saj] FPL Verlobung *f*
fiancé(e) [f(i)jɑ̃se] M(F) Verlobte(r) *m/f(m)* **fiancer** [f(i)jɑ̃se] **se ~** sich verloben
fibre [fibr] F Faser
ficeler [fisle] verschnüren
ficelle [fisɛl] F Bindfaden *m*
fiche [fiʃ] F Karteikarte; ELEK Stecker *m*
ficher [fiʃe] **~ le camp** abhauen; *umg* **je m'en fiche** das ist mir egal, wurscht
fichier [fiʃje] M Kartei *f*; IT Datei *f*; **~ attaché** Attachment *n*
fichu [fiʃy] *umg montre, soirée* im Eimer, hin; *mauvais* verdammt
fidèle [fidɛl] treu
fidélité [fidelite] F Treue
fier[1] [fje] **se ~ à qn** j-m vertrauen
fier[2] [fjɛr] stolz (**de** auf *akk*)
fierté [fjɛrte] F Stolz *m*
fièvre [fjɛvr] F Fieber *n*; **~ jaune** Gelbfieber *n*
figue [fig] F Feige

figure [figyr] F̲ *visage* Gesicht *n*; MATH, *patinage* Figur; **~s** *pl* **libres** Kür *f*; **~s** *pl* **imposées** Pflicht *f*

figurer [figure] *sur une liste* stehen; **se ~ qc** sich etw vorstellen

fil [fil] M̲ *couture* Faden (*a. fig*), Garn *n*; *électrique* Leitung *f*; *d'une lampe, du téléphone* Schnur *f*, Kabel *n*; **~ (de fer)** Draht; **sans ~** drahtlos, kabellos

file [fil] F̲ Reihe; *d'attente* Schlange; *voie* (Fahr)Spur; **à la ~** hintereinander; **prendre la ~** sich (hinten) anstellen

filer [file] *umg donner* geben; *umg s'en aller* (weg)gehen; *umg s'enfuir* davonlaufen; *umg aller vite* flitzen, sausen

filet [filɛ] M̲ Netz *n*; GASTR Filet *n*; **bifteck** *m* **dans le ~** Filetsteak *n*; **faux ~** Lende *f*

fille [fij] F̲ Tochter; *opposé à garçon* Mädchen *n* **fillette** [fijɛt] F̲ kleines Mädchen *n*

filleul(e) [fijœl] M(F) Patenkind *n*

film [film] M̲ Film; **~ policier** Kriminalfilm; **~ publicitaire** Werbefilm

filmer [filme] filmen

fils [fis] M̲ Sohn

filtre [filtr] M̲ Filter **filtrer** [filtre] filtern

fin[1] [fɛ̃] fein; *tranche* dünn; *mains* schmal; *personne* feinsinnig

fin[2] [fɛ̃] F̲ Ende *n*, Schluss *m*; *but* Zweck *m*; **à la ~** am Ende (**de** *gen*)

final [final] *résultat* End…; *remarque* Schluss…

finale [final] F̲ SPORT Finale *n*

finalement [finalmɑ̃] letzten Endes

financer [finɑ̃se] finanzieren

finances [finɑ̃s] FPL Finanzen

financier [finɑ̃sje] finanziell, Finanz…

finir [finir] *se terminer* enden; *terminer* beenden; *cesser* aufhören (**de** zu); **avoir fini** fertig sein (**qc** mit etw); **~ bien** gut enden, schlecht *od* böse enden; **~ par faire qc** schließlich etw tun

finlandais [fɛ̃lɑ̃dɛ] **1** finnisch **2** **Finlandais** M̲ Finne

Finlande [fɛ̃lɑ̃d] **la ~** Finnland *n*

fioul [fjul] M̲ Heizöl *n*

firme [firm] F̲ Firma

fisc [fisk] M̲ Fiskus

fissure [fisyr] F̲ Riss *m*, Sprung *m*

fixation [fixasjõ] F̲ *ski* Bindung

fixe [fiks] **1** fest; *objet* unbeweglich; TEL **réseau** *m* **~** Festnetz *n*; **à prix ~** zum Festpreis **2** M̲ (**téléphone** *m*) **~** Festnetztelefon *n*; **numéro** *m* **de ~** Festnetznummer *f*

fixer [fikse] *objet* befestigen; *date, prix* festsetzen

flageolet [flaʒɔlɛ] M̲ *kleine weißgrüne Bohne*

flair [flɛr] M Witterung *f*; *fig* Gespür *n* **flairer** [flere] beschnuppern; *fig* wittern
flamand [flamɑ̃] flämisch
flamant [flamɑ̃] M Flamingo
flamber [flɑ̃be] lichterloh brennen; GASTR flambieren
flamme [flam] F Flamme
flan [flɑ̃] M Pudding
flanc [flɑ̃] M Flanke *f*, Seite *f*; *d'une montagne* (Ab)Hang
Flandre [flɑ̃dr] **la ~** *od* **les ~s** FPL Flandern *n*
flanelle [flanɛl] F Flanell *m*
flâner [flɑne] bummeln
flanquer *umg* [flɑ̃ke] schmeißen; *gifle* verpassen
flaque [flak] F Pfütze, Lache
flash [flaʃ] M Blitzlicht *n*
flatter [flate] schmeicheln (**qn** j-m)
flèche [flɛʃ] F Pfeil *m* **fléché** [fleʃe] ausgeschildert
fléchir [fleʃir] *genoux* beugen; *poutre* sich biegen; *céder* nachgeben
flegmatique [flɛgmatik] gelassen, ruhig; *pej* phlegmatisch
flegme [flɛgm] M Gelassenheit *f*, Ruhe *f*; *pej* Phlegma *n*
flétrir [fletrir] **se ~** (ver)welken
fleur [flœr] F Blume **fleurir** [flœrir] blühen **fleuriste** [flœrist] M/F Blumenhändler(in) *m(f)*
fleuve [flœv] M Fluss
flexible [flɛksibl] biegsam; *fig* flexibel, anpassungsfähig
flic [flik] *umg* M Polizist
flipper [flipe] *umg être déprimé* durchhängen; *paniquer* ausflippen
flirt [flœrt] M Flirt
flocon [flɔkõ] M Flocke *f*; **~s** *pl* **d'avoine** Haferflocken *fpl*
floraison [flɔrɛzõ] F Blüte(zeit)
florissant [flɔrisɑ̃] *fig* blühend
flot [flo] M Flut *f*, Strom (*a. fig*); **~s** PL Fluten *fpl*
flotte [flɔt] F Flotte; *umg* Wasser *n* **flotter** [flɔte] schwimmen; *à la dérive* abgetrieben werden **flotteur** [flɔtœr] M TECH Schwimmer
flou [flu] FOTO unscharf, verschwommen; *pensée* unklar
fluide [flɥid] flüssig
flûte [flyt] F Flöte
fluvial [flyvjal] Fluss…
FM [ɛfɛm] F (*modulation de fréquence*) UKW (*Ultrakurzwelle*)
foi [fwa] F Glaube(n) *m*; **de bonne ~** aufrichtig; **de mauvaise ~** unaufrichtig
foie [fwa] M Leber *f*; **~ gras** Gänse- *od* Entenleber *f*
foin [fwɛ̃] M Heu *n*
foire [fwar] F (Jahr)Markt *m*; *exposition* Messe
fois [fwa] F Mal *n*; **une ~** einmal; **deux ~** zweimal; **une ~ pour toutes** ein für alle Mal; **à la ~** zugleich; *umg* **des ~** manchmal; **chaque ~ que** jedes Mal, wenn
folie [fɔli] F Wahnsinn *m*; **~ meurtrière** Amoklauf *m*

folklore [fɔlklɔr] F Folklore
folklorique [fɔlklɔrik] F Volks…, folkloristisch; **costume** *m* **~** Tracht *f*; **musique** *f* **~** Volksmusik
folle → fou
foncé [fõse] dunkel; **bleu ~** dunkelblau
fonction [fõksjõ] F Funktion; *charge a.* Amt *n*; **~ publique** öffentlicher Dienst *m*; **en ~ de** entsprechend (*dat*), je nach
fonctionnaire [fõksjɔnɛr] M/F Beamte(r) *m*, Beamtin *f*
fonctionnel [fõksjɔnɛl] funktionell **fonctionner** [fõksjɔne] funktionieren, gehen
fond [fõ] M *d'un récipient* Boden; *d'un lac* Grund; *d'une pièce* Hintergrund (*a.* FOTO); **au ~** im Grunde; **au ~ de** (ganz) unten *od* hinten in (*dat*); **à ~** gründlich; *respirer* tief
fondamental [fõdamɑ̃tal] grundlegend
fondateur [fõdatœr] M Gründer **fondation** [fõdasjõ] F Gründung; *institution* Stiftung; **~s** PL Fundament *n*
fonder [fõde] gründen; **être fondé sur** beruhen auf (*dat*)
fondre [fõdr] schmelzen; *glaçon, sucre* sich auflösen
fonds [fõ] MPL Gelder *npl*, Kapital *n*; Fonds *msg*; **~commun de placement** Investmentfonds
fondue [fõdy] F **~ (savoyarde)** (Käse)Fondue *f/n*; **~ bourguignonne** Fleischfondue *f/n*
font [fõ] PRÄS → **faire**
fontaine [fõtɛn] F Brunnen *m*
football [futbol] M Fußball(-spiel) *m*(*n*) **footballeur** [futbolœr] M Fußball(spiel)er
force [fɔrs] F Kraft; *contrainte* Zwang *m*, Gewalt; **~ majeure** höhere Gewalt; **de ~, par la ~** mit Gewalt
forcer [fɔrse] zwingen (**à faire qc** zu etw); *porte* aufbrechen; **se ~** sich zwingen
forestier [fɔrɛstje] Wald…, Forst…
forêt [fɔrɛ] F Wald *m* **Forêt-Noire** [fɔrɛnwar] **la ~** der Schwarzwald
forfait [fɔrfɛ] M Pauschalpreis *m*, Pauschale *f*; **~ illimité** TEL Flatrate *f*; **voyage** *m* **à ~** Pauschalreise *f*
forger [fɔrʒe] schmieden
formalité [fɔrmalite] F Formalität
format [fɔrma] M Format *n*
formater [fɔrmate] formatieren
formation [fɔrmasjõ] F Bildung; *professionnelle* Ausbildung; *intensive* Schulung
forme [fɔrm] F Form; **être en ~** in Form sein
former [fɔrme] bilden; *apprenti* ausbilden
formidable [fɔrmidabl] *umg* toll, prima, klasse
formulaire [fɔrmylɛr] M Formular *n*

formule [fɔrmyl] F Formel
fort [fɔr] 1 stark; *fièvre* hoch; *sauce* scharf; *gros* beleibt; *euph* vollschlank; *doué* (sehr) gut 2 ADV *frapper, sentir* stark; *serrer* fest; *parler* laut 3 M Stärke *f*, starke Seite *f*
forteresse [fɔrtərɛs] F Festung **fortifiant** [fɔrtifjɑ̃] M Stärkungsmittel *n* **fortifications** [fɔrtifikasjõ] FPL Befestigungsanlagen
fortune [fɔrtyn] F Vermögen *n*; **faire ~** sein Glück machen
forum [forɔm] M Forum *n a.* INTERNET
fossé [fose] M Graben; *fig* Kluft *f*
fou [fu] ⟨*f* **folle** [fɔl]⟩ 1 verrückt 2 M(F) Verrückte(r) *m/f(m)*
foudre [fudr] F Blitz *m*
fouet [fwɛ] M Peitsche *f*
fougère [fuʒɛr] F Farn(kraut) *m(n)*
fouille [fuj] F Durchsuchung; **~s** PL (Aus)Grabungen **fouiller** [fuje] durchsuchen **fouillis** [fuji] M Durcheinander *n*
foulard [fular] M Halstuch *n*, Kopftuch *n*
foule [ful] F (Menschen)Menge; **une ~ de ...** e-e Menge ...
fouler [fule] **se ~ la cheville** sich den Knöchel verstauchen
four [fur] M Backofen; **~ à micro-ondes** Mikrowellenherd
fourchette [furʃɛt] F Gabel
fourgonnette [furgɔnɛt] F Lieferwagen *m*
fourmi [furmi] F Ameise
fourmilière [furmiljɛr] F Ameisenhaufen *m* **fourmiller** [furmije] wimmeln
fournaise [furnɛz] F *fig* Backofen *m*
fournir [furnir] *restaurant* beliefern (**en qc** mit etw); *marchandises* liefern; *effort* machen
fournisseur [furnisœr] M Lieferant; **~ d'accès** INFORM Provider **fournitures** [furnityr] FPL (Schul-, Büro)Bedarf *m*
fourré [fure] *gâteaux* gefüllt (**à** mit); *manteau* pelzgefüttert
fourrer [fure] (hinein)stecken (**dans** in *akk*); GASTR füllen
fourrure [furyr] F Pelz *m*
foutre [futr] *sl* **~ le camp** abhauen; **je m'en fous!** das ist mir wurscht!
foutu [futy] → **fichu**
foyer [fwaje] M *de la cheminée* Feuerstelle *f*; *famille* Haushalt; *résidence* Wohnheim *n*; *du théâtre* Foyer *n*
fraction [fraksjõ] F (An)Teil; MATH Bruch *m*
fracture [fraktyr] F MED Bruch *m*
fragile [fraʒil] *verre* zerbrechlich; *personne, estomac* empfindlich
fragment [fragmɑ̃] M Bruchstück *n*
fraîche → **frais**[1]
fraîcheur [frɛʃœr] F Frische; *froid* Kühle

frais[1] [frɛ] ⟨*f* fraîche [frɛʃ]⟩ frisch; *froid* kühl
frais[2] [frɛ] MPL Kosten *pl*, Ausgaben *pl*; *de déplacement* Spesen *pl*; *taxe* Gebühr(en) *f(pl)*
fraise [frɛz] F Erdbeere
framboise [frɑ̃bwaz] F Himbeere
franc[1] [frɑ̃] ⟨*f* franche [frɑ̃ʃ]⟩ offen; *couleur* klar, rein; **~ de port** portofrei
franc[2] [frɑ̃] M *en Suisse* Franken; *hist en France, en Belgique* Franc
français [frɑ̃sɛ] **1** französisch **2** **le ~** Französisch *n*
Français [frɑ̃sɛ] M Franzose
Française [frɑ̃sɛz] F Französin
France [frɑ̃s] **la ~** Frankreich *n*
France 2 [frɑ̃sdø] *größter öffentlich-rechtlicher Fernsehsender*
Francfort [frɑ̃kfɔr] Frankfurt
franche → **franc**[1]
franchement [frɑ̃ʃmɑ̃] offen; *nettement* (ganz) eindeutig
franchir [frɑ̃ʃir] überschreiten
franchise [frɑ̃ʃiz] F Offenheit; AUTO Selbstbeteiligung
franco-allemand [frɑ̃koalmɑ̃] französisch-deutsch
frange [frɑ̃ʒ] F Franse; *de cheveux* Pony(frisur) *m(f)*
frangin [frɑ̃ʒɛ̃] M *umg* Bruder
frangine [frɑ̃ʒin] F *umg* Schwester
frangipane [frɑ̃ʒipan] F Mandelcreme
frapper [frape] schlagen; *à la porte* klopfen; *atteindre* treffen; *étonner* auffallen (**qn** j-m)
fraternel [fratɛrnɛl] brüderlich
fraude [frod] F Betrug *m*; **passer en ~** (ein- *od* heraus)-schmuggeln
frayeur [frɛjœr] F Schrecken *m*
freezer [frizœr] M Gefrierfach *n*
frein [frɛ̃] M Bremse *f*; **~ moteur** Motorbremse *f*; **~ à disque** Scheibenbremse *f*; **~ à main** Handbremse *f*
freiner [frɛne] bremsen
frelon [frəlõ] M Hornisse *f*
frémir [fremir] zittern (**de** vor); *feuilles* rauschen
fréquemment [frekamɑ̃] häufig
fréquence [frekɑ̃s] F Häufigkeit
fréquent [frekɑ̃] häufig **fréquenter** [frekɑ̃te] *café* verkehren in (*dat*); *école* besuchen; *personne* verkehren mit
frère [frɛr] M Bruder
fresque [frɛsk] F Fresko *n*
fret [frɛ] M Fracht *f*
friand [frijɑ̃] M kleine Blätterteigpastete
friandises [frijɑ̃diz] FPL Leckereien
fricassée [frikase] F Frikassee *n*
frictionner [friksjɔne] **se ~** sich abreiben; **se ~ à qc** sich mit etw einreiben

frigidaire® [friʒidɛr] M Kühlschrank
frigo [frigo] M *umg* Kühlschrank
frileux [frilø] **être ~** leicht frieren
fringues [frɛ̃g] FPL *umg* Klamotten
frire [frir] **(faire) ~** *dans une poêle* braten; *dans une friteuse* frittieren
friser [frize] *cheveux* sich kräuseln; *personne* krauses Haar haben
frisson [frisõ] M Schauder; Zittern *n*; **avoir des ~s** *de froid* frösteln; *de fièvre* Schüttelfrost haben
frissonner [frisɔne] schaudern, zittern (**de** vor); *de fièvre* Schüttelfrost haben
frites [frit] FPL Pommes frites *pl*, *umg* Pommes *pl*, Fritten *pl*
friteuse [fritøz] F Fritteuse
friture [frityr] F kleine frittierte Fische *mpl*
froid [frwa] **1** kalt; *personne* kühl **2** M Kälte *f*; **avoir ~** frieren; **il fait ~** es ist kalt; **prendre ~** sich erkälten
froisser [frwase] zerknittern; *fig* kränken; **se ~** knittern
frôler [frole] streifen
fromage [frɔmaʒ] M Käse; **~ blanc** Quark; **~ de chèvre** Ziegenkäse; **~ de tête** Schweinskopfsülze *f*
froment [frɔmɑ̃] M Weizen
front [frõ] M Stirn *f*; MIL Front *f*; **~ de mer** Strandpromenade *f*
frontalier [frõtalje] Grenz...
frontière [frõtjɛr] F Grenze
frotter [frɔte] reiben; *friction-ner* abreiben; *sol, poêle* scheuern; *meuble* polieren; **~ contre** reiben an (*dat*); **se ~ les yeux** sich die Augen reiben
frottis [frɔti] M MED Abstrich
fructueux [fryktɥø] fruchtbar; *rentable* einträglich
fruit [frɥi] M Frucht *f*; **~s** PL Obst *n*; **~s** *pl* **de mer** Meeresfrüchte *fpl*
fuchsia [fyʃja] M Fuchsie *f*
fuir [fɥir] fliehen, flüchten; *liquide* auslaufen; *tonneau* lecken; *robinet* tropfen; **~ qn, qc** j-n, etw meiden
fuite [fɥit] F Flucht
fumé [fyme] GASTR geräuchert, Räucher...; *verres* getönt, dunkel
fumée [fyme] F Rauch *m*
fumer [fyme] rauchen; **je ne fume pas** ich bin Nichtraucher(in)
fumeur [fymœr] M Raucher
fumier [fymje] M Mist
funambule [fynɑ̃byl] M/F Seiltänzer(in) *m(f)*
funèbre [fynɛbr] Trauer...
funérailles [fyneraj] FPL Bestattung *f*
funiculaire [fynikylɛr] M (Stand)Seilbahn *f*
fur [fyr] **au ~ et à mesure** nach und nach; **~ de** je nach; **~ que**

j'avançais je weiter ich vorankam
fureur [fyrœr] F Wut
furieux [fyrjø] wütend
furoncle [fyrõkl] M Furunkel
fusée [fyze] F Rakete
fusible [fyzibl] F Sicherung
fusil [fyzi] M Gewehr *n*
fusiller [fyzije] erschießen
fut [fy] PASSÉ SIMPLE → être
fût [fy] M Fass *n*
futur [fytyr] 1 (zu)künftig 2 M Zukunft *f*

G

gâcher [gɑʃe] *argent* verschwenden; *vacances* verderben **gâchis** [gɑʃi] M Verschwendung *f*
gaga [gaga] *umg* vertrottelt
gagnant [gaɲɑ̃] 1 Gewinn… 2 M Gewinner **gagner** [gaɲe] gewinnen; *argent* verdienen
gai [ge, gɛ] fröhlich
gain [gɛ̃] M Gewinn; **~s** PL Verdienst; **~ de temps** Zeitgewinn
gaine [gɛn] F (Schutz)Hülle; *sous-vêtement* Mieder *n*
galant [galɑ̃] galant
galerie [galri] F *d'art* (Kunst)-Galerie; AUTO Dachgepäckträger *m*
galette [galɛt] F flacher, runder Kuchen *m*, Fladen *m*; *crêpe* (Buchweizen)Pfannkuchen *m*; **~ de pommes de terre** Kartoffelkuchen *m*; **~s** *pl* **bretonnes** bretonische Butterplätzchen *npl*; **~ des Rois** Dreikönigskuchen
galop [galo] M Galopp
galoper [galɔpe] galoppieren
gamin(e) [gamɛ̃ (gamin)] M(F) *umg* kleiner Junge *m*, kleines Mädchen *n*; *fils, fille* Kleine(r) *m/f(m)*
gamme [gam] F Tonleiter
gant [gɑ̃] M Handschuh; **~ de toilette** Waschlappen
garage [garaʒ] M Garage *f*; *atelier* (Autoreparatur)Werkstatt *f* **garagiste** [garaʒist] M Werkstattbesitzer
garantie [garɑ̃ti] F Garantie
garantir [garɑ̃tir] garantieren
garbure [garbyr] F *Kohlsuppe mit Speck*
garçon [garsõ] M Junge; **~ (de café)** Kellner
garde [gard] 1 F Bewachung, Beaufsichtigung; MIL Wache; **~ à vue** Polizeigewahrsam *m*; **prendre ~ à** achtgeben auf (*akk*); **être de ~** Bereitschaftsdienst haben; *hôpital a.* (Nacht- *od* Sonntags)Dienst haben 2 M Wächter
garde-boue [gardbu] M Schutzblech *n*
garder [garde] beaufsichtigen; *prisonniers* bewachen; *conserver*

aufbewahren; *ne pas rendre* behalten; *vêtement* anbehalten; **se** ~ *aliments* sich halten; **se** ~ **de** sich hüten vor (*dat*)
garderie [gardəri] F (Kinder-)Hort *m*
garde-robe [gardərɔb] F Garderobe
gardien [gardjɛ̃] M Aufseher, Wächter; *d'immeuble* Hausmeister; ~ **de musée** Museumswärter; ~ **de but** Torwart
gare[1] [gar] F Bahnhof *m*; ~ **routière** Busbahnhof *m*
gare[2] [gar] ~ **à toi!** nimm dich in Acht!, na warte!
garer [gare] ~ *u.* **se** ~ parken
gargariser [gargarize] **se** ~ gurgeln
garni [garni] GASTR mit Beilage **garnir** [garnir] *munir* ausstatten (**de** mit); *décorer* (aus-)schmücken (**de** mit); GASTR garnieren (**de** mit)
garniture [garnityr] F Verzierung; GASTR Beilage; ~ **de freins** Bremsbelag *m*
gars *umg* [ga] M Kerl
gasoil [gazwal] M → gazole
gaspiller [gaspije] verschwenden, vergeuden
gastrique [gastrik] Magen...
gastronome [gastrɔnɔm] M Feinschmecker **gastronomie** [gastrɔnɔmi] F Kochkunst, Gastronomie **gastronomique** [gastrɔnɔmik] Feinschmecker...
gâteau [gato] M Kuchen **~x** *pl* **secs** Kekse, Plätzchen *npl*; **petits ~x** PL Kleingebäck *n*
gâter [gate] verwöhnen; *gâcher* verderben; **se** ~ sich verschlechtern
gauche [goʃ] **1** linke(r, -s); *maladroit* linkisch; **à** ~ links (**de** von) **2** F Linke (*a.* POL), linke Seite
gaucher [goʃe] M, **gauchère** [goʃɛr] F Linkshänder(in) *m(f)*
gaufre [gofrə] F Waffel **gaufrette** [gofrɛt] F Waffel
gaule [gol] F (lange) Stange; Angelrute
gaz [gaz] M Gas *n*
gaze [gaz] F MED Mull *m*
gazelle [gazɛl] F Gazelle
gazette [gazɛt] F Zeitung
gazinière [gazinjɛr] F Gasherd *m*
gazole [gazɔl] M Diesel (-kraftstoff)
gazon [gazõ] M Rasen
géant [ʒeã] **1** riesig **2** M Riese
gel [ʒɛl] M Frost; *substance, cosmétique* Gel *n*; ~ **coiffant/moussant** Dusch-/Haargel *n*
gélatine [ʒelatin] F Gelatine
gelée [ʒəle] F Frost *m*; *confiture* Gelee *n*; ~ **(blanche)** (Rau-)Reif *m*; GASTR **en** ~ in Aspik
geler [ʒəle] *eau* gefrieren; *canal* zufrieren; *fleurs* erfrieren; *grelotter* frieren; **il gèle** es friert
gémir [ʒemir] stöhnen; *se plaindre* jammern

gencive [ʒɑ̃siv] F Zahnfleisch *n*
gendarme [ʒɑ̃darm] M Sicherheitspolizist
gendre [ʒɑ̃dr] M Schwiegersohn
gène [ʒɛn] M Gen *n*
gêner [ʒɛne] *circulation* behindern; *déranger* stören; *embarrasser* in Verlegenheit bringen; **ne pas se ~** keine Hemmungen haben
général [ʒeneral] allgemein; **en ~** im Allgemeinen, gewöhnlich → **généralement** [ʒeneralmɑ̃] im Allgemeinen, gewöhnlich **généraliser** [ʒeneralize] verallgemeinern **généraliste** [ʒeneralist] M MED praktischer Arzt
génération [ʒenerasjõ] F Generation
généreux [ʒenerø] großzügig
générique [ʒenerik] M *cinéma* Vorspann
genêt [ʒənɛ] M Ginster
génétique [ʒenetik] genetisch; **test** *m* **~** Gentest
génétiquement [ʒenetikmɑ̃] gentechnisch; **~ modifié** gentechnisch verändert, genmanipuliert
Genève [ʒənɛv] Genf
génial [ʒenjal] genial
génie [ʒeni] M Genie *n*
genou [ʒənu] M Knie *n*
genre [ʒɑ̃r] M Art *f*; GRAM Genus *n*, Geschlecht *n*
gens [ʒɑ̃] MPL Leute *pl*
gentiane [ʒɑ̃sjan] F Enzian *m*
gentil [ʒɑ̃ti] nett, freundlich
gentillesse [ʒɑ̃tijɛs] F Freundlichkeit
géographie [ʒeɔgrafi] F Erdkunde
géranium [ʒeranjɔm] M Geranie *f*
gérant [ʒerɑ̃] M Geschäftsführer
gerbe [ʒɛrb] F Garbe
gerçure [ʒɛrsyr] F Riss *m*
gérer [ʒere] verwalten
germe [ʒɛrm] M Keim **germer** [ʒɛrme] keimen
geste [ʒɛst] M Geste *f*
gestion [ʒɛstjõ] F Verwaltung; **~ (des entreprises)** Betriebswirtschaft
gibier [ʒibje] M Wild *n*
giboulée [ʒibule] F (Regen-, Graupel)Schauer *m*
gifle [ʒifl] F Ohrfeige
gigantesque [ʒigɑ̃tɛsk] riesig
gigot [ʒigo] M **~ (de mouton)** Hammelkeule *f*
gilet [ʒilɛ] M *chandail* Strickjacke *f*; *de costume* Weste *f*; **~ de sauvetage** Schwimmweste *f*; AUTO **~ de sécurité** Warnweste *f*
gingembre [ʒɛ̃ʒɑ̃br] M Ingwer
girafe [ʒiraf] F Giraffe
girolle [ʒirɔl] F Pfifferling *m*
gisement [ʒizmɑ̃] M Lagerstätte *f*, Vorkommen *n*
gitan [ʒitɑ̃] M Zigeuner
gîte [ʒit] M Unterkunft *f*; **~ ru-**

ral Ferienquartier *n* auf dem Land; **~ d'étape** Unterkunft *f* für Wanderer

givre [ʒivrə] M (Rau)Reif

glace [glas] F GASTR Eis *n*; *miroir* Spiegel *m*; AUTO Fenster *n*

glacé [glase] *gelé* vereist; *personne* durchgefroren; *vent, servir* eiskalt; *boisson* eisgekühlt; *coupe, crème* Eis...; *accueil* eisig

glacer [glase] erstarren lassen; GASTR glasieren **glacial** [glasjal] *vent* eiskalt; *accueil* eisig

glacier [glacier] M Gletscher; *café* Eisdiele *f*; *pâtissier* Eiskonditor

glacière [glasjɛr] F Kühlbox

glaçon [glasõ] M Eiswürfel

glaïeul [glajœl] M Gladiole *f*

glaires [glɛr] FPL Schleim *m*; **avoir des ~** verschleimt sein

glaise [glɛz] F Lehm *m*

gland [glã] M Eichel *f*

glande [glãd] F Drüse; **~ thyroïde** Schilddrüse

glissant [glisã] rutschig, glatt; *panneau* **chaussée** *f* **~e** Schleudergefahr

glisser [glise] *pâtineurs* gleiten; *sans le vouloir* rutschen; *tomber* ausrutschen; *être glissant* rutschig, glatt sein; **~ des mains** aus der Hand rutschen

glissière [glisjɛr] F **~ de sécurité** Leitplanke

global [glɔbal] Gesamt... **globalement** [glɔbalmã] im Großen und Ganzen

globe [glɔb] M Globus; *de lampe* Glaskugel *f*; **~ (terrestre)** Erdkugel *f*; **~ oculaire** Augapfel

gloire [glwar] F Ruhm *m*

gloss [glɔs] M Lipgloss

gluant [glyã] klebrig

glucose [glykoz] M Traubenzucker

gluten [glytɛn] M CHEM Gluten *n*; **sans ~** glutenfrei

glycémie [glisemi] F Blutzucker *m*; **lecteur** *m* **de ~** Blutzuckermessgerät *n*; **taux** *m* **de ~** Blutzuckerspiegel

gobelet [gɔblɛ] M Becher

godasse [gɔdas] F *umg* Latschen *m*

goéland [gɔelã] M (große) Möwe *f*

goitre [gwatr] M Kropf

golf [gɔlf] M Golf *n*; **~ miniature** Minigolf *n*

golfe [gɔlf] M Golf

gomme [gɔm] F (Radier)Gummi *m* **gommer** [gɔme] radieren

gondole [gõdɔl] F Gondel

gonflé [gõfle] geschwollen

gonfler [gõfle] *ballon* aufblasen; *pneu* aufpumpen; *genou* anschwellen

gorge [gɔrʒ] F Kehle, Hals *m*; GEOGR Schlucht; **avoir mal à la ~** Halsschmerzen haben

gorgée [gɔrʒe] F Schluck *m*

gorgonzola [gɔrgõzɔla] M Gorgonzola

gorille [gɔrij] M Gorilla
gosse [gɔs] *umg* M/F Kind *n*
gothique [gɔtik] gotisch
gouda [guda] M Gouda
goudron [gudrõ] M Teer
gouffre [gufr] M Abgrund
goulache [gulaʃ] F Gulasch *m/n*
gourde [gurd] F Feldflasche
gourmand [gurmã] **être ~** gern essen, *de sucreries* gern naschen
gourmandises [gurmãdiz] FPL Leckereien
gourmet [gurmɛ] M Feinschmecker
gousse [gus] F Hülse, Schote; **~ d'ail** Knoblauchzehe
goût [gu] M Geschmack
goûter [gute] **1** kosten (à von); *apprécier* genießen **2** M (Nachmittags)Imbiss
goutte [gut] F Tropfen *m;* MED Gicht **goutter** [gute] tropfen **gouttière** [gutjɛr] F Dachrinne
gouvernail [guvɛrnaj] M Ruder *n*
gouvernement [guvɛrnəmã] M Regierung *f* **gouverner** [guvɛrne] regieren
GPS [ʒepeɛs] M (*global positioning system*) Navigationsgerät *n*, *umg* Navi *n*
grâce [gras] F Gnade; JUR *a.* Begnadigung; *charme* Anmut; **~ à** dank (*dat od gen*)
gracier [grasje] begnadigen **gracieux** [grasjø] anmutig
grade [grad] M Dienstgrad; MIL *a.* Rang
gradins [gradɛ̃] MPL (ansteigende) Sitzreihen *fpl*
grain [grɛ̃] M Korn *n; raisin* Beere *f; café* Bohne *f*
graine [grɛn] F Samen *m;* **~ de lin** Leinsamen *m;* **~s** *pl* **de tournesol** Sonnenblumenkerne *mpl*
graissage [grɛsaʒ] M TECH (Ab)Schmieren *n*
graisse [grɛs] F Fett *n;* TECH Schmierfett *n* **graisser** [grɛse] TECH schmieren; AUTO abschmieren **graisseux** [grɛsø] fettig
grammaire [gramɛr] F Grammatik
gramme [gram] M Gramm *n*
grand [grã] groß
grand-chose [grãʃoz] **pas ~** nicht viel
Grande-Bretagne [grãdbrətaɲ] **la ~** Großbritannien *n*
grandeur [grãdœr] F Größe **grandir** [grãdir] wachsen
grand-mère [grãmɛr] F Großmutter **grand-père** [grãpɛr] M Großvater **grand-route** [grãrut] F Landstraße **grand-rue** [grãry] F Hauptstraße
grands-parents [grãparã] MPL Großeltern *pl*
grange [grɑ̃ʒ] F Scheune
granit(e) [granit] M Granit
grappe [grap] F Traube *umg;* **~ de raisin** Weintraube
gras [gra] **1** ‹*f* grasse [gras]›

fett; *graisseux* fettig; **mardi** *m* ~ Fastnacht *f* **2** M Fett *n*
gratin [gratɛ̃] M Gratin *n*; **au ~** überbacken; **~ dauphinois** *überbackener Kartoffelauflauf*
gratiné [gratine] überbacken **gratinée** [gratine] F *mit Käse überbackene Zwiebelsuppe*
gratitude [gratityd] F Dankbarkeit
gratte-ciel [gratsjɛl] M Wolkenkratzer **gratte-langue** [gratlɑ̃g] M Zungenreiniger
gratter [grate] kratzen; *enlever* ab-, auskratzen; **se ~** sich kratzen
gratuit [gratɥi] kostenlos
gravats [grava] MPL Bauschutt *m*
grave [grɑv] ernst; *faute* schwer(wiegend); *maladie* schwer; *voix* tief
gravement [grɑvmɑ̃] **~ malade** schwer krank
graver [grave] eingravieren
graveur [gravœr] M **~ de CD/DVD** CD-/DVD-Brenner
gravier [gravje] M Kies
gravillon [gravijõ] M Splitt
gravité [gravite] F Ernst *m*
gravure [gravyr] F Grafik; *sur métal* Stich *m*
gré [gre] M **de son plein ~** (ganz) freiwillig; **contre son ~** widerwillig
grec [grɛk] **1** griechisch **2** **Grec** M Grieche
Grèce [grɛs] **la ~** Griechenland *n*
greffe [grɛf] F MED Transplantation
grêle [grɛl] F Hagel *m* **grêler** [grɛle] **il grêle** es hagelt **grêlon** [grɛlõ] M Hagelkorn *n*
grelotter [grəlɔte] (vor Kälte) zittern
grenier [grənje] M Speicher, Dachboden
grenouille [grənuj] F Frosch *m*
grève [grɛv] F Streik *m*; **~ du zèle** Bummelstreik *m*; **faire ~** streiken
gréviste [grevist] M/F Streikende(r) *m/f(m)*
gribouiller [gribuje] (hin)-schmieren
grièvement [grijɛvmɑ̃] **~ blessé** schwer verletzt
griffe [grif] F Kralle, Klaue **griffé** [grife] **mode ~e** Designermode
gril [gril] M Brat-, Grillrost; **sur le ~** auf dem Rost
grillade [grijad] F gegrilltes Fleischstück *n*; **~s** PL Gegrillte(s) *n*
grillage [grijaʒ] M (Draht)Gitter *n*
grille [grij] F Gitter *n*
grille-pain [grijpɛ̃] M Toaster
griller [grije] (auf dem Rost) braten, grillen; *pain* toasten
grillon [grijõ] M Grille *f*
grimper [grɛ̃pe] klettern
grincer [grɛ̃se] knarren
grippe [grip] F Grippe; **~ A** Schweinegrippe **grippé**

[gripe] **être ~** (die) Grippe haben
gris [gri] grau (*a. ciel*); *temps* trüb; *fig* angetrunken
grogner [grɔɲe] *personne* murren (**contre** über *akk*) **grognon** [grɔɲõ] mürrisch
gronder [grõde] *enfant* (aus)schimpfen; *tonnerre* grollen
groom [grum] Hotelboy, Page
gros [gro] ⟨*f* grosse [gros]⟩ groß; *gras* dick; ADV groß; *beaucoup* viel; **en ~** im Wesentlichen; HANDEL im Großen, en gros
groseille [grõzɛj] F (rote) Johannisbeere; **~ à maquereau** Stachelbeere
grosse → gros **grossesse** [grosɛs] F Schwangerschaft
grosseur [grosœr] F Größe; MED Geschwulst
grossier [grosje] grob; *mot* derb **grossièreté** [grosjɛrte] F Grobheit
grossir [grosir] *personne* zunehmen; *robe* dick machen; *microscope* vergrößern
grotesque [grɔtɛsk] grotesk
grotte [grɔt] F Höhle, Grotte
groupe [grup] M Gruppe *f*; **~ sanguin** Blutgruppe *f*; **en ~** in der Gruppe
grue [gry] F Kran *m*
gruyère [gryjɛr] M Schweizer Käse
guêpe [gɛp] F Wespe
guère [gɛr] **ne … ~** kaum
guérir [gerir] heilen; *aller mieux* gesund werden; *plaie* (ver)heilen **guérison** [gerizõ] F Heilung
guerre [gɛr] F Krieg *m*
guetter [gɛte] lauern (**qn** auf j-n); auflauern (**qn** j-m)
gueule [gœl] F Maul *n* (*a. umg*); *umg visage* Gesicht *n*
guichet [giʃɛ] M Schalter; **~ automatique** Geldautomat; FLUG **~ d'enregistrement** Check-in-Schalter
guide [gid] M (Fremden)Führer; *accompagnateur* Reiseleiter; *livre* **~ (touristique)** Reiseführer; **~ des hôtels** Hotelführer
guider [gide] *touristes* führen; *diriger* lenken; **se ~ sur** sich richten nach
guidon [gidõ] M Lenker, Lenkstange *f*
guignol [giɲɔl] M Kasper(le); *théâtre* Kasper(le)theater *n*
guirlande [girlɑ̃d] F Girlande
guitare [gitar] F Gitarre
gymnase [ʒimnɑz] M Turnhalle *f*
gymnaste [ʒimnast] M/F Turner(in) *m(f)* **gymnastique** [ʒimnastik] F Gymnastik; *école* Turnen *n*
gynécologue [ʒinekɔlɔg] M/F Frauenarzt *m*, -ärztin *f*
gypse [ʒips] M Gips

H

habile [abil] geschickt **habileté** [abilte] F Geschicklichkeit
habiller [abije] anziehen; **s'~** sich anziehen; *en tenue de soirée* sich festlich kleiden
habitant [abitã] M Einwohner *m*; *d'un immeuble* Bewohner **habitation** [abitasjõ] F Wohnung **habiter** [abite] wohnen in (*dat*), bewohnen (*akk*)
habits [abi] MPL Kleider *npl*
habitude [abityd] F Gewohnheit; **d'~** gewöhnlich
habitué(e) [abitɥe] M(F) Stammgast *m* **habituel** [abitɥɛl] üblich, gewöhnlich
habituer [abitɥe] (**s'~** sich) gewöhnen (**à** an *akk*)
°**hache** [aʃ] F Axt °**hacher** [aʃe] hacken °**hachis** [aʃi] M Gehackte(s) *n* °**hachoir** [aʃwar] M Fleischwolf; *couteau* Hackbeil *n*
°**hachurer** [aʃyre] schraffieren
°**haie** [ɛ] F Hecke; SPORT Hürde
°**haine** [ɛn] F Hass *m*
°**haïr** [air] hassen
°**hâlé** [ɑle] (sonnen-, wetter)-gebräunt
haleine [alɛn] F Atem *m*
°**hall** [ol] M Halle *f*; **~ de l'hôtel** Hotelhalle *f*
°**Halles** [al] F **les ~** die *früheren* Pariser Markthallen
°**halte** [alt] F Halt *m*; **faire (une) ~** haltmachen
°**hamac** [amak] M Hängematte *f*
°**Hambourg** [ãbur] Hamburg
°**hamburger** [ãburgœr] M GASTR Hamburger
hameçon [amsõ] M Angelhaken
°**hanche** [ãʃ] F Hüfte
°**handball** [ãdbal] M Handball
°**handicapé** [ãdikape] **1** behindert **2** °**handicapé(e)** M(F) Behinderte(r) *m/f(m)*
°**hangar** [ãgar] M Schuppen
°**hanneton** [antõ] M Maikäfer
°**Hanovre** [anɔvr] Hannover
°**harcèlement** [arsɛlmã] M **~ (moral)** Mobbing *n*
°**hardi** [ardi] kühn
°**hareng** [arã] M Hering; **~ saur** [sɔr] Bückling
°**haricot** [ariko] M Bohne *f*; **~s** *pl* **verts** grüne Bohnen *fpl*
harmonie [armɔni] F Harmonie **harmonieux** [armɔnjø] harmonisch
°**harpe** [arp] F Harfe
°**harpon** [arpõ] M Harpune *f*
°**hasard** [azar] M Zufall; **au ~** auf gut Glück; **par ~** zufällig
°**hâte** [ɑt] F Eile; **avoir ~ de faire qc** es kaum erwarten können, etw zu tun
°**hâter** [ɑte] **se ~** sich beeilen
°**hausse** [os] F Anstieg *m*; *de*

salaire Erhöhung; **être en ~** steigen
°**hausser** [ose] erhöhen; *voix* heben; **~ les épaules** mit den Achseln zucken
°**haut** [o] **1** hoch, hohe(r, -s); *parler* laut; **~e tension** F Hochspannung **2** M oberer Teil; *d'une robe* Oberteil *n*; **en ~** oben
°**hautain** [otɛ̃] hochmütig
°**hautbois** [obwa] M Oboe *f*
°**hauteur** [otœr] F Höhe; **être à la ~ de qc** e-r Sache (*dat*) gewachsen sein
°**haut-parleur** [oparlœr] M Lautsprecher
hebdomadaire [ɛbdɔmadɛr] **1** wöchentlich, Wochen... **2** M Wochenzeitschrift *f*
héberger [ebɛrʒe] beherbergen
°**hélas** [elɑs] leider
hélice [elis] F Propeller *m*; SCHIFF Schraube
hélicoptère [elikɔptɛr] M Hubschrauber **héliport** [elipɔr] M Hubschrauberlandeplatz
hématome [ematom] M Bluterguss
hémophile [emɔfil] M/F Bluter *m*
hémorragie [emɔraʒi] F Blutung; **~ cérébrale** Hirnblutung
hémorroïdes [emɔrɔid] FPL Hämorr(ho)iden
hémostatique [emɔstatik] **1** blutstillend **2** M blutstillendes Mittel *n*
°**henné** [ene] M Henna *n*
hépatique [epatik] Leber...
hépatite [epatit] F Hepatitis
herbe [ɛrb] F Gras *n*; *umg drogue* Stoff *m*; **mauvaise(s) ~(s)** F(PL) Unkraut *n*; GASTR **fines ~s** PL Küchenkräuter *npl*
héréditaire [ereditɛr] Erb..., erblich
°**hérisson** [erisõ] M Igel
héritage [eritaʒ] M Erbe *n*
hériter [erite] erben **héritier** [eritje] M Erbe **héritière** [eritjɛr] F Erbin
hermétique [ɛrmetik] luftdicht
°**hernie** [ɛrni] F MED Bruch *m*; **~ discale** Bandscheibenvorfall *m*; **~ inguinale** Leistenbruch *m*
héroïne[1] [erɔin] F Heldin
héroïne[2] [erɔin] F *drogue* Heroin *n*
°**héron** [erõ] M Reiher
°**héros** [ero] M Held
herpès [ɛrpɛs] M Herpes
hésiter [ezite] zögern; **~ entre** schwanken zwischen (*dat*)
°**hêtre** [ɛtrə] M Buche *f*
heure [œr] F *60 minutes* Stunde; *à sa montre* (Uhr)Zeit; **~ d'été** Sommerzeit; **~ d'arrivée** Ankunftszeit; **~ du départ** Abfahrtszeit; **~s** *pl* **de pointe, d'affluence** Stoßzeit *f*; **~s** *pl* **de visite** Besuchszeit *f*; **~s** *pl* **de consultation** Sprechstunde *f*; **~s** *pl* **d'ouverture** Öffnungszeiten; **quelle ~ est-il?** wie

spät ist es?; **il est °huit ~s** es ist acht (Uhr); **à quelle ~?** um wie viel Uhr?; **de bonne ~** früh; **tout à l'~** *passé* (so)eben, gerade, *futur* gleich, sofort; **à tout à l'~!** bis nachher!
heureusement [øʀøzmɑ̃] glücklicherweise
heureux [œʀø] glücklich
°heurter [œʀte] stoßen gegen; *fig* verletzen; **se ~** zusammenstoßen; **se ~ à** stoßen auf (*akk*)
°hibou [ibu] M Eule *f*
°hideux [idø] scheußlich
hier [ijɛʀ] gestern; **~ matin/soir** gestern früh/Abend
hilarité [ilaʀite] F Heiterkeit
°hip-hop [ipɔp] M Hip-Hop
hippique [ipik] **concours** *m* **~** Reitturnier *n*
hippocampe [ipɔkɑ̃p] M Seepferdchen *n*
hippopotame [ipɔpɔtam] M Nilpferd *n*
hirondelle [iʀɔ̃dɛl] F Schwalbe
histoire [istwaʀ] F Geschichte
historique [istɔʀik] historisch
hiver [ivɛʀ] M Winter
HLM [aʃɛlɛm] M/F (*habitation à loyer modéré*) Sozialwohnung *f*
°hocher [ɔʃe] **~ la tête** *d'accord* (mit dem Kopf) nicken; *pas d'accord* den Kopf schütteln
°hockey [ɔkɛ] M Hockey *n*; **~ sur glace** Eishockey *n*
hold-up [ɔldœp] M Raubüberfall
°hollandais [ɔlɑ̃dɛ] **1** holländisch **2** **°Hollandais** M Holländer
°Hollande [ɔlɑ̃d] **la ~** Holland *n*
°homard [ɔmaʀ] M Hummer; **~ à l'armoricaine** (*od* **à l'américaine**) *Hummerstücke in Weißwein*
homéopathe [ɔmeɔpat] M/F Homöopath(in) *m(f)* **homéopathie** [ɔmeɔpati] F Homöopathie
homicide [ɔmisid] M **~ involontaire** fahrlässige Tötung *f*
hommage [ɔmaʒ] M Huldigung *f*; **rendre ~ à qn** j-m huldigen
homme [ɔm] M Mann; *être humain* Mensch; **~ d'affaires** Geschäftsmann; **~ politique** Politiker
homme-grenouille [ɔmgʀənuj] M Froschmann
homosexuel [ɔmɔsɛksyɛl] homosexuell
°Hongrie [ɔ̃gʀi] **la ~** Ungarn *n*
°hongrois [ɔ̃gʀwa] **1** ungarisch **2** **°Hongrois** M Ungar
honnête [ɔnɛt] ehrlich, anständig **honnêtement** [ɔnɛtmɑ̃] auf ehrliche (Art und) Weise; *franchement* ehrlich
honneur [ɔnœʀ] M Ehre *f*; **en l'~ de** zu Ehren von
honoraires [ɔnɔʀɛʀ] MPL Honorar *n*
honorer [ɔnɔʀe] ehren
°honte [ɔ̃t] F Scham; *scandale*

Schande; **avoir ~** sich schämen

°**honteux** [õtø] *personne* verschämt; *scandaleux* schändlich

hôpital [opital] M ⟨*pl* hôpitaux [opito]⟩ Krankenhaus *n*

°**hoquet** [ɔkɛ] M **avoir le ~** den Schluckauf haben

horaire [ɔrɛr] M *cars, trains* Fahrplan; *avions* Flugplan; *emploi du temps* Zeitplan; *école* Stundenplan

horizon [ɔrizõ] M Horizont

horizontal [ɔrizõtal] waagerecht

horloge [ɔrlɔʒ] F (Wand-, Turm)Uhr; TEL **~ parlante** Zeitansage

horloger [ɔrlɔʒe] M Uhrmacher

hormonal [ɔrmɔnal] hormonell **hormone** [ɔrmɔn] F Hormon *n*

horodateur [ɔrɔdatœr] M Parkscheinautomat

horreur [ɔrœr] F Entsetzen *n*; **avoir ~ de** verabscheuen (*akk*)

horrible [ɔribl] entsetzlich

°**hors** [ɔr] **~ de** außerhalb (*gen*); **~ de danger** außer Gefahr; **~ service** außer Betrieb; **~ taxes** ohne Mehrwertsteuer, *importations* zollfrei; SPORT **~ jeu** abseits

°**hors-bord** [ɔrbɔr] M Boot *n* mit Außenbordmotor

°**hors-d'œuvre** [ɔrdœvrə] M Vorspeise *f* °**hors-jeu** [ɔrʒø] M SPORT Abseits *n*

horticulture [ɔrtikyltyr] F Gartenbau *m*

hospitalier [ɔspitalje] gastfreundlich **hospitaliser** [ɔspitalize] in ein Krankenhaus einliefern **hospitalité** [ɔspitalite] F Gastfreundschaft

hostile [ɔstil] feindlich

°**hot-dog** [ɔtdɔg] M Hotdog

hôte [ot] **1** M Gastgeber **2** M/F *invité(e)* Gast *m*

hôtel [otɛl] M Hotel *n*; **~ de ville** Rathaus *n*

hôtel-Dieu M (Zentral)Krankenhaus *n*

hôtelier [otəlje] Hotel…

hôtellerie [otɛlri] F Hotelgewerbe *n*

hôtesse [otɛs] F Gastgeberin; **~ (d'accueil)** Hostess; **~ de l'air** Stewardess

°**houblon** [ublõ] M Hopfen

°**housse** [us] F (Schutz)Hülle; AUTO Schonbezug *m*

H.T. (*hors taxes*) o. MwSt. (*ohne Mehrwertsteuer*)

°**hublot** [yblo] M SCHIFF Bullauge *n*; FLUG Fenster *n*

°**huer** [ɥe] ausbuhen

huile [ɥil] F Öl *n*; **~ d'olive** Olivenöl *n*; **~ moteur** Motorenöl *n*; **~ solaire** Sonnenöl *n*

huiler [ɥile] (ein)ölen

huilier [ɥilje] M Essig- und Ölständer

huissier [ɥisje] M Gerichtsvollzieher

°**huit** [ɥit, ɥi] acht °**huitième** [ɥitjɛm] **1** achte(r, -s) **2** M

MATH Achtel *n*
huître [ɥitrə] F Auster
humain [ymɛ̃] menschlich
humanitaire [ymanitɛr] humanitär **humanité** [ymanite] F Menschheit
humecter [ymɛkte] anfeuchten; *linge* einsprengen; **s'~** *yeux* feucht werden; **s'~ qc** sich etw befeuchten
humeur [ymœr] F Laune; **être de bonne/mauvaise ~** gut/schlecht gelaunt sein, gute/schlechte Laune haben
humide [ymid] feucht
humilier [ymilje] demütigen
humour [ymur] M Humor
°**hurler** [yrle] schreien, brüllen; *loup* heulen
°**hutte** [yt] F Hütte
hydrate [idrat] M Hydrat *n*; **~ de carbone** Kohlenhydrat *n*
hydravion [idravjõ] M Wasserflugzeug *n*
hyène [jɛn] F Hyäne
hygiène [iʒjɛn] F Hygiene
hygiénique [iʒjenik] hygienisch
hyperactif [ipɛraktif] hyperaktiv **hyperlien** [ipɛrljɛ̃] M Hyperlink **hypermarché** [ipɛrmarʃe] M großer Supermarkt
hypersensible [ipɛrsɑ̃sibl] überempfindlich **hypertension** [ipɛrtɑ̃sjõ] F Bluthochdruck *m*
hypnose [ipnoz] F Hypnose
hypnotiser [ɔtize] hypnotisieren
hypocrite [ipɔkrit] **1** heuchlerisch **2** M/F Heuchler(in) *m(f)*
hypoglycémie [ipɔglysemi] F Unterzuckerung **hypotension** [ipɔtɑ̃sjõ] F zu niedriger Blutdruck *m*
hypothèque [ipɔtɛk] F Hypothek
hypothèse [ipɔtɛz] F Hypothese
hystérique [isterik] hysterisch

I

iceberg [ajsbɛrg, isbɛrg] M Eisberg
ici [isi] hier, hierher; **par ~** hier entlang; **jusqu'~** bis hierher; *temporel* bis jetzt; **les gens** *mpl* **d'~** die Einheimischen
idéal [ideal] M Ideal *n*
idée [ide] F Idee, Gedanke *m*, Vorstellung; **changer d'~** es sich anders überlegen
identique [idɑ̃tik] identisch
identité [idɑ̃tite] F Identität; **pièce** *f* **d'~** Ausweis(papier) *m(n)*
idiot [idjo] **1** dumm **2** M Dummkopf **idiotie** [idjosi] F Dummheit
idole [idɔl] M Idol *n*
ignoble [iɲɔbl] *odieux* gemein; *répugnant* widerlich
ignorant [iɲɔrɑ̃] unwissend

ignorer [iɲɔre] nicht wissen
iguane [igwan] M Leguan
il [il] er; *impersonnel* es
île [il] F Insel; **~ flottante** *Eierschnee auf Vanillesoße*
illégal [ilegal] ungesetzlich
illimité [ilimite] unbegrenzt
illisible [ilizibl] unleserlich
illuminer [ilymine] (festlich) beleuchten
illustre [ilystr] berühmt
illustré [ilystre] M Illustrierte *f*
ils [il] sie
image [imaʒ] F Bild *n*; **~ (de marque)** Image *n*
imaginaire [imaʒinɛr] nicht wirklich; Fantasie… **imagination** [imaʒinasjõ] F Fantasie
imaginer [imaʒine] (*a.* **s'~**) sich vorstellen; *inventer* sich einfallen lassen; **s'~ que** sich einbilden, dass
imbécile [ɛ̃besil] **1** dumm **2** M/F Dummkopf *m*
imbuvable [ɛ̃byvabl] ungenießbar, nicht trinkbar
imitation [imitasjõ] F Nachahmung **imiter** [imite] nachahmen
immangeable [ɛ̃mɑ̃ʒabl] ungenießbar, nicht essbar
immatriculation [imatrikylasjõ] F Eintragung; AUTO Zulassung
immédiat [imedja] unmittelbar; *départ* sofortig **immédiatement** [imedjatmɑ̃] sofort
immense [imɑ̃s] riesig
immeuble [imœbl] M Gebäude *n*
immigré [imigre] **1** eingewandert **2** M **(travailleur** M**)** ~ Gastarbeiter
imminent [iminɑ̃] unmittelbar bevorstehend
immobile [imɔbil] unbeweglich
immobilier [imɔbilje] Immobilien…
immoral [imɔral] unmoralisch
immortel [imɔrtɛl] unsterblich
immunisé [imynize] immun
immunitaire [imynitɛr] Immun…; **déficience** *f* **~** Immunschwäche
impair [ɛ̃pɛr] ungerade
impartial [ɛ̃parsjal] unparteiisch
impasse [ɛ̃pɑs] F Sackgasse
impatience [ɛ̃pasjɑ̃s] F Ungeduld
impatient [ɛ̃pasjɑ̃] ungeduldig **impatienter** [ɛ̃pasjɑ̃te] **s'~** die Geduld verlieren
impératrice [ɛ̃peratris] F Kaiserin
imperméable [ɛ̃pɛrmeabl] **1** undurchlässig; *tissu* wasserdicht **2** M Regenmantel
impertinent [ɛ̃pɛrtinɑ̃] unverschämt
impitoyable [ɛ̃pitwajabl] unbarmherzig
implant [ɛ̃plɑ̃] M Implantat *n*
impliquer [ɛ̃plike] *mêler* verwickeln (**dans** in *akk*); *signifier* bedeuten; *supposer* voraussetzen

implorer [ɛ̃plɔre] **~ qn** j-n anflehen; **~ qc** um etw flehen
impoli [ɛ̃pɔli] unhöflich
importance [ɛ̃pɔrtɑ̃s] F Wichtigkeit; **sans ~** unwichtig
important [ɛ̃pɔrtɑ̃] **1** wichtig; *somme, dégâts* groß **2** M Hauptsache *f*
importation [ɛ̃pɔrtasjõ] F Einfuhr, Import *m*
importer[1] [ɛ̃pɔrte] HANDEL einführen, importieren
importer[2] [ɛ̃pɔrte] wichtig sein (**à qn** j-m, für j-n); **peu importe** das ist nicht so wichtig; **n'importe!** das ist egal!; **n'importe où** irgendwo(hin), egal wo(hin); **n'importe qui** jeder (x-beliebige)
importuner [ɛ̃pɔrtyne] belästigen
imposer [ɛ̃poze] vorschreiben, auferlegen; *de force* aufzwingen; **s'~** sich aufdrängen; *par sa valeur* sich durchsetzen
impossible [ɛ̃pɔsibl] unmöglich
impôt [ɛ̃po] M Steuer *f*
impraticable [ɛ̃pratikabl] unbefahrbar
imprécis [ɛ̃presi] ungenau
imprégner [ɛ̃preɲe] tranken (**de** mit)
impression [ɛ̃prɛsjõ] F Eindruck *m*; **avoir l'~ de** (+ *inf*) *od* **que** ... den Eindruck haben, zu *od* dass ...
impressionnant [ɛ̃prɛsjɔnɑ̃] beeindruckend **impressionner** [ɛ̃prɛsjɔne] beeindrucken
impressionnisme [ɛ̃prɛsjɔnism] M Impressionismus
imprévu [ɛ̃prevy] unvorhergesehen
imprimante [ɛ̃primɑ̃t] F IT Drucker *m*; **~ couleur/laser** Farb-/Laserdrucker *m*
imprimer [ɛ̃prime] drucken
imprimerie [ɛ̃primri] F Druckerei **imprimeur** [ɛ̃primœr] M Drucker
improviser [ɛ̃prɔvize] improvisieren
improviste [ɛ̃prɔvist] **à l'~** unerwartet
imprudence [ɛ̃prydɑ̃s] F Unvorsichtigkeit **imprudent** [ɛ̃prydɑ̃] unvorsichtig
impudique [ɛ̃pydik] schamlos
impuissant [ɛ̃pɥisɑ̃] machtlos; MED impotent
inabordable [inabɔrdabl] *prix* unerschwinglich
inacceptable [inaksɛptabl] unannehmbar
inaccessible [inaksɛsibl] unzugänglich
inactif [inaktif] untätig
inanimé [inanime] leblos
inattendu [inatɑ̃dy] unerwartet
inaugurer [inogyre] einweihen; *musée* eröffnen
incapable [ɛ̃kapabl] unfähig
incendie [ɛ̃sɑ̃di] M Brand **incendier** [ɛ̃sɑ̃dje] in Brand stecken
incertain [ɛ̃sɛrtɛ̃] unsicher;

temps unbeständig **incertitude** [ɛ̃sɛrtityd] F Unsicherheit
incessant [ɛ̃sɛsɑ̃] unaufhörlich
incident [ɛ̃sidɑ̃] M Zwischenfall
incisive [ɛ̃siziv] F Schneidezahn *m*
inciter [ɛ̃site] anregen (**à** zu)
incliner [ɛ̃kline] neigen; **s'~** sich neigen; *fig* **s'~ devant** sich beugen (*dat*)
inclus [ɛ̃kly] einschließlich
incohérent [ɛ̃kɔerɑ̃] zusammenhanglos
incolore [ɛ̃kɔlɔr] farblos
incombustible [ɛ̃kõbystibl] feuerfest
incommoder [ɛ̃kɔmɔde] belästigen, plagen
incomparable [ɛ̃kõparabl] unvergleichlich
incompatible [ɛ̃kõpatibl] unvereinbar; IT inkompatibel
incompréhensible [ɛ̃kõpreɑ̃sibl] unverständlich
inconnu [ɛ̃kɔny] unbekannt
inconsciemment [ɛ̃kõsjamɑ̃] unbewusst
inconscience [ɛ̃kõsjɑ̃s] F Leichtsinn *m* **inconscient** [ɛ̃kõsjɑ̃] **1** *inanimé* bewusstlos; *fou* leichtsinnig **2** M Unterbewusstsein *n*
inconstant [ɛ̃kõstɑ̃] unbeständig
inconvénient [ɛ̃kõvenjɑ̃] M Nachteil
incorrect [ɛ̃kɔrɛkt] unkorrekt; *personne* nicht korrekt
incorrigible [ɛkɔriʒibl] unverbesserlich
incroyable [ɛ̃krwajabl] unglaublich
inculper [ɛ̃kylpe] beschuldigen (**de** *gen*)
inculte [ɛ̃kylt] ungebildet; AGR unbebaut
incurable [ɛ̃kyrabl] unheilbar
Inde [ɛ̃d] F **l'~** Indien *n*
indécent [ɛ̃desɑ̃] unanständig
indécis [ɛ̃desi] unentschlossen
indéfini [ɛ̃defini] unbestimmt
indemne [ɛ̃dɛmn] unverletzt
indemniser [ɛ̃dɛmnize] entschädigen (**de** für) **indemnité** [ɛ̃dɛmnite] F Entschädigung
indépendance [ɛ̃depɑ̃dɑ̃s] F Unabhängigkeit **indépendant** [ɛ̃depɑ̃dɑ̃] unabhängig (**de** von)
indescriptible [ɛ̃dɛskriptibl] unbeschreiblich
index [ɛ̃dɛks] M Register *n*, Index; *doigt* Zeigefinger
indicatif [ɛ̃dikatif] M TEL Vorwahl(nummer) *f* **indication** [ɛ̃dikasjõ] F Hinweis *m*
indice [ɛ̃dis] M Anzeichen *n*; JUR Indiz *n*; *crème solaire* Schutzfaktor
indien [ɛ̃djɛ̃] **1** *Inde* indisch; *Amérique* indianisch **2** **Indien** M *Inde* Inder; *Amérique* Indianer
indifférent [ɛ̃diferɑ̃] gleichgültig
indigène [ɛ̃diʒɛn] M/F Einge-

borene(r) *m/f(m)*
indigeste [ɛ̃diʒɛst] schwer verdaulich **indigestion** [ɛ̃diʒɛstjõ] F Magenverstimmung
indignation [ɛ̃diɲasjõ] F Empörung
indigne [ɛ̃diɲ] unwürdig
indigner [ɛ̃diɲe] **s'~** sich entrüsten, sich empören (**contre qn, de qc** über j-n, etw)
indiquer [ɛ̃dike] zeigen; *prix, température* angeben; *recommander* nennen
indiscret [ɛdiskrɛ] indiskret
indispensable [ɛ̃dispɑ̃sabl] unentbehrlich
individu [ɛ̃dividy] M Individuum *n*
individuel [ɛ̃dividɥɛl] individuell; **chambre** *f* **~le** Einzelzimmer *n*; **maison** *f* **~le** Einfamilienhaus *n*
indolore [ɛ̃dɔlɔr] schmerzlos
indulgence [ɛ̃dylʒɑ̃s] F Nachsicht **indulgent** [ɛ̃dylʒɑ̃] nachsichtig
industrialisation [ɛ̃dystrijalizasjõ] F Industrialisierung **industrie** [ɛ̃dystri] F Industrie; **~ d'avenir** Zukunftsindustrie
industriel [ɛ̃dystrijɛl] **1** Industrie... **2** M Industrielle(r)
inefficace [inefikas] unwirksam
inerte [inɛrt] regungslos
inespéré [inɛspere] unverhofft
inévitable [inevitabl] unvermeidlich
inexact [inɛgza(kt)] ungenau; *faux* falsch; *personne* unpünktlich
inexpérimenté [inɛksperimɑ̃te] unerfahren **inexplicable** [inɛksplikabl] unerklärlich
infaillible [ɛ̃fajibl] unfehlbar
infantile [ɛ̃fɑ̃til] Kinder...; *pej* kindisch
infarctus [ɛ̃farktys] M Infarkt
infatigable [ɛ̃fatigabl] unermüdlich
infect [ɛ̃fɛkt] scheußlich; *personne* ekelhaft
infecter [ɛ̃fɛkte] **s'~** sich infizieren
infection [ɛ̃fɛksjõ] F Infektion
inférieur [ɛ̃ferjœr] untere(r, -s), Unter...; **~ à** unterlegen *(dat)*
infernal [ɛ̃fɛrnal] höllisch
infidèle [ɛ̃fidɛl] untreu
infime [ɛ̃fim] winzig
infini [ɛ̃fini] unendlich
infirme [ɛ̃firm] (körper)behindert **infirmerie** [ɛ̃firməri] F Krankenabteilung **infirmier** [ɛ̃firmje] M Krankenpfleger **infirmière** [ɛ̃firmjɛr] F Krankenschwester
inflammation [ɛ̃flamasjõ] F Entzündung
inflation [ɛ̃flasjõ] F Inflation
influence [ɛ̃flyɑ̃s] F Einfluss *m*
influencer [ɛ̃flyɑ̃se] beeinflussen
informaticien(ne) [ɛ̃fɔrmatisjɛ̃ (ɛ̃fɔrmatisjɛn)] M(F) Informatiker(in)
information [ɛ̃fɔrmasjõ] F In-

formation; *renseignement* a. Auskunft; JUR Ermittlungen *fpl*; **~s** PL Nachrichten
informatique [ɛ̃fɔrmatik] F Informatik; *techniques* EDV
informer [ɛ̃fɔrme] benachrichtigen (**de** von); **s'~** sich erkundigen (**de** nach)
infraction [ɛ̃fraksjõ] F Verstoß *m* (**à** gegen)
infroissable [ɛ̃frwasabl] knitterfrei
infusion [ɛ̃fyzjõ] F (Kräuter)-Tee, Aufguss *m*; **~ de menthe** Pfefferminztee *m*
ingénieur [ɛ̃ʒenjœr] M Ingenieur
ingénieux [ɛ̃ʒenjø] *personne* erfinderisch; *explications* geistreich
ingrat [ɛ̃gra] undankbar
ingrédients [ɛ̃gredjã] MPL Zutaten *fpl*
inguinal [ɛ̃ginal] ANAT Leisten…
inhabituel [inabitɥɛl] ungewöhnlich
inhumain [inymɛ̃] unmenschlich
inimaginable [inimaʒinabl] unvorstellbar
ininflammable [inɛ̃flamabl] unentzündbar
initial [inisjal] Anfangs…
initiative [inisjativ] F Initiative; **syndicat** *m* **d'~** Fremdenverkehrsamt *n*
initier [inisje] einweihen (**à** in *akk*)
injecter [ɛ̃ʒɛkte] injizieren, (ein)spritzen (**dans** in *akk*) **injection** [ɛ̃ʒɛksjõ] F Injektion, Einspritzung
injure [ɛ̃ʒyr] F Beleidigung; *gros mot* Schimpfwort *n* **injurier** [ɛ̃ʒyrje] beschimpfen
injuste [ɛ̃ʒyst] ungerecht
inlay [inlɛ] M MED Inlay *n*
inné [ine] angeboren
innocence [inɔsãs] F Unschuld **innocent** [inɔsã] unschuldig
innombrable [inõbrabl] zahllos, unzählig
innovation [inɔvasjõ] F Neuerung, Innovation
inoccupé [inɔkype] *personne* untätig; *maison* unbewohnt, leer stehend
inodore [inɔdɔr] geruchlos
inoffensif [inɔfãsif] harmlos
inondation [inõdasjõ] F Überschwemmung **inonder** [inõde] überschwemmen
inoubliable [inublijabl] unvergesslich
inouï [inwi] unerhört
inquiet [ɛ̃kjɛ] unruhig
inquiéter [ɛ̃kjete] beunruhigen; **s'~** sich Sorgen machen (**pour qn** um j-n, **de qc** um etw)
inquiétude [ɛ̃kjetyd] F Unruhe, Sorge
inscription [ɛ̃skripsjõ] F Anmeldung, Einschreibung; *sur un écriteau* Aufschrift
inscrire [ɛ̃skrir] **~ sur** eintra-

gen in (*akk*); ~ **à** *école, crèche* anmelden in (*dat*); **s'~ à** *cours* sich anmelden zu
insecte [ɛ̃sɛkt] M Insekt *n* **insecticide** [ɛ̃sɛktisid] M Insektenvertilgungsmittel *n*
insensé [ɛ̃sɑ̃se] unsinnig **insensible** [ɛ̃sɑ̃sibl] unempfindlich
insérer [ɛ̃sere] einfügen
insigne [ɛ̃siɲ] M Abzeichen *n*
insignifiant [ɛ̃siɲifjɑ̃] unbedeutend
insinuer [ɛ̃sinɥe] zu verstehen geben
insister [ɛ̃siste] darauf bestehen (**pour** zu); ~ **sur qc** Nachdruck auf etw (*akk*) legen
insolation [ɛ̃sɔlasjõ] F Sonnenstich *m*
insolent [ɛ̃sɔlɑ̃] frech
insoluble [ɛ̃sɔlybl] unlösbar
insomnie [ɛ̃sɔmni] F Schlaflosigkeit; **avoir des ~s** schlaflose Nächte haben
insouciant [ɛ̃susjɑ̃] sorglos
inspecter [ɛ̃spɛkte] kontrollieren
inspirer [ɛ̃spire] inspirieren; *respirer* einatmen
instable [ɛ̃stabl] unbeständig
installateur [ɛ̃stalatœr] M Installateur **installation** [ɛ̃stalasjõ] F Einrichtung; **~s** PL Anlagen
installer [ɛ̃stale] installieren; *cuisine* einrichten; **s'~** sich niederlassen; **s'~ chez qn** bei j-m wohnen
instant [ɛ̃stɑ̃] M Augenblick; **à l'~** soeben
instantané [ɛ̃stɑ̃tane] augenblicklich
instinct [ɛ̃stɛ̃] M Instinkt
institut [ɛ̃stity] M Institut *n*; ~ **de beauté** Schönheitssalon
instituteur [ɛ̃stitytœr] M, **institutrice** [ɛ̃stitytris] F (Grundschul)Lehrer(in) *m(f)*
instructif [ɛ̃stryktif] lehrreich
instruction [ɛ̃stryksjõ] F Unterricht *m*; *formation* Ausbildung; *culture* (Schul)Bildung; **~s** PL *directives* Anweisungen; *notice* (Betriebs)Anleitung *f*
instruire [ɛ̃strɥir] unterrichten; **s'~** sich bilden
instrument [ɛ̃strymɑ̃] M Instrument *n*
insuffisant [ɛ̃syfizɑ̃] ungenügend
insuline [ɛ̃sylin] F Insulin *n*
insulte [ɛ̃sylt] F Beleidigung, Beschimpfung **insulter** [ɛ̃sylte] beleidigen, beschimpfen
insupportable [ɛ̃sypɔrtabl] unerträglich; *personne a.* unausstehlich
intact [ɛ̃takt] unbeschädigt
intégral [ɛ̃tegral] vollständig
intellectuel [ɛ̃telɛktɥɛl] **1** geistig, Geistes... **2** **intellectuel(le)** [ɛ̃telɛktɥɛl] M(F) Intellektuelle(r) *m/f(m)*
intelligence [ɛ̃teliʒɑ̃s] F Intelligenz **intelligent** [ɛ̃teliʒɑ̃] intelligent

intendance [ɛ̃tɑ̃dɑ̃s] F Verwaltung **intendant(e)** [ɛ̃tɑ̃dɑ̃(t)] M(F) Verwaltungsdirektor(in)
intense [ɛ̃tɑ̃s] stark **intensif** [ɛ̃tɑ̃sif] intensiv, Intensiv... **intensité** [ɛ̃tɑ̃site] F Stärke, Intensität
intention [ɛ̃tɑ̃sjõ] F Absicht
intentionnel [ɛ̃tɑ̃sjɔnɛl] absichtlich
interactif [ɛ̃tɛraktif] interaktiv **interaction** [ɛ̃tɛraksjõ] F Wechselwirkung
intercalaire [ɛ̃tɛrkalɛr] eingeschoben; **jour** *m* **~** Schalttag
intercaler [ɛ̃tɛrkale] einschieben
intercéder [ɛ̃tɛrsede] sich einsetzen (**pour qn** für j-n)
intercepter [ɛ̃tɛrsɛpte] abfangen
interchangeable [ɛ̃tɛrʃɑ̃ʒabl] austauschbar
interdépendance [ɛ̃tɛrdepɑ̃dɑ̃s] F gegenseitige Abhängigkeit; Verflechtung **interdépendant** [ɛ̃tɛrdepɑ̃dɑ̃] voneinander abhängend
interdiction [ɛ̃tɛrdiksjõ] F Verbot *n*; **~ de vol/de fumer** Flug-/Rauchverbot *n* **interdire** [ɛ̃tɛrdir] verbieten **interdit** [ɛ̃tɛrdi] verboten
intéressant [ɛ̃terɛsɑ̃] interessant
intéresser [ɛ̃terɛse] interessieren; *concerner* betreffen; **s'~ à** sich interessieren für
intérêt [ɛ̃terɛ] M Interesse *n*; *égoïsme* Eigennutz; **~s** PL *Zinsen* PL
interface [ɛ̃tɛrfas] F Schnittstelle; **~ utilisateur** Benutzeroberfläche
intérieur [ɛ̃terjœr] **1** innere(r, -s), Innen...; *mer* Binnen...; *vol* Inland... **2** M Innere(s) *n* (*a. fig*); **à l'~** (dr)innen; **à l'~ de** innerhalb (*gen*)
interlocuteur [ɛ̃tɛrlɔkytœr] M Gesprächspartner
intermédiaire [ɛ̃tɛrmedjɛr] **1** Zwischen... **2** M Vermittler; **par l'~ de qn** über j-n
internat [ɛ̃tɛrna] M Internat *n*
international [ɛ̃tɛrnasjɔnal] international
internaute [ɛ̃tɛrnot] M/F Internetsurfer(in) *m(f)*
interne [ɛ̃tɛrn] intern
Internet [ɛ̃tɛrnɛt] M Internet *n*; **adresse** *f* **~** Internetadresse; **connexion** *f* **~** Internetanschluss *m*
interphone [ɛ̃tɛrfɔn] M Sprechanlage *f*
interprète [ɛ̃tɛrprɛt] M/F Dolmetscher(in) *m(f)*; MUS, *théâtre* Interpret(in) *m(f)*; *d'un rôle* Darsteller(in) *m(f)* **interpréter** [ɛ̃tɛrprete] interpretieren
interrogatoire [ɛ̃terɔgatwar] M Verhör *n* **interroger** [ɛ̃terɔʒe] befragen (**sur** über *akk*); *élève* prüfen; JUR verhören
interrompre [ɛ̃tɛrõpr] unterbrechen; *entretien, voyage* ab-

brechen
interrupteur [ɛ̃tɛryptœr] M ELEK Schalter **interruption** [ɛ̃terypsjõ] F Unterbrechung
intersaison [ɛ̃tɛsezõ] F Zwischensaison
intersection [ɛ̃tɛrsɛksjõ] F *carrefour* Kreuzung
intervalle [ɛ̃tɛrval] M Zwischenraum; *dans le temps* Zwischenzeit *f*
intervenir [ɛ̃tɛrvənir] einschreiten, eingreifen
intestin [ɛ̃tɛstɛ̃] M Darm; ~ **grêle** Dünndarm
intime [ɛ̃tim] intim; *ami* eng; *vie* Privat…
intimider [ɛ̃timide] einschüchtern
intoxication [ɛ̃tɔksikasjõ] F Vergiftung
Intranet [ɛ̃tranɛt] M IT Intranet *n*
introduction [ɛ̃trɔdyksjõ] F Einführung; *préface* Einleitung **introduire** [ɛ̃trɔdɥir] einführen
inusable [inyzabl] unverwüstlich
inutile [inytil] unnütz
invalide [ɛ̃valid] **1** erwerbsunfähig, schwerbehindert **2** M/F Invalide **invalidité** [ɛ̃validite] F Invalidität, Erwerbsunfähigkeit
inventaire [ɛ̃vɑ̃tɛr] M Aufstellung *f*
inventer [ɛ̃vɑ̃te] erfinden **inventeur** [ɛ̃vɑ̃tœr] M Erfinder
invention [ɛ̃vɑ̃sjõ] F Erfindung
inverse [ɛ̃vɛrs] **1** umgekehrt **2** M Gegenteil *n* (**de** von)
investir [ɛ̃vɛstir] investieren (**dans** in *akk*) **investissement** M Investition *f*
invisible [ɛ̃vizibl] unsichtbar
invitation [ɛ̃vitasjõ] F Einladung **invité(e)** [ɛ̃vite] M(F) Gast *m* **inviter** [ɛ̃vite] einladen (**au cinéma** ins Kino; **à dîner** zum Abendessen)
involontaire [ɛ̃vɔlõtɛr] unabsichtlich
invraisemblable [ɛ̃vrɛsɑ̃blabl] unwahrscheinlich
iode [jod] M Jod *n*
irai [ire] → aller
Iran [irɑ̃] M **l'~** der Iran
Iraq [irak] M **l'~** der Irak
irlandais [irlɑ̃dɛ] **1** irisch **2** **Irlandais** M Ire
Irlande [irlɑ̃d] F **l'~** Irland *n*
ironique [irɔnik] ironisch
irréel [ireɛl] unwirklich
irrégulier [iregylje] unregelmäßig; *situation* regelwidrig
irréparable [ireparabl] nicht (mehr) zu reparieren
irréprochable [ireprɔʃabl] tadellos
irrésistible [irezistibl] unwiderstehlich
irritable [iritabl] reizbar **irriter** [irite] reizen
islam [islam] M Islam **islamique** [islamik] islamisch **islamiste** [islamist] islamistisch

isolé [izɔle] *retiré* abgelegen; *seul* einsam; *unique* einzeln, Einzel…; ELEK, ARCH isoliert
isoler [isɔle] isolieren
Israël [israɛl] M Israel *n*
israélien [israeljɛ̃] **1** israelisch **2** **Israélien** M Israeli
issu [isy] hervorgegangen (**de** aus)
issue [isy] F Ausgang *m*; *fig solution* Ausweg *m*; **~ de secours** Notausgang *m*; **voie** *f* **sans ~** Sackgasse
Italie [itali] F **l'~** Italien *n*
italien [italjɛ̃] **1** italienisch **2** **Italien** M Italiener
itinéraire [itinerɛr] M Route *f*, Weg(beschreibung) *m(f)*; **~ bis** Ausweichstrecke *f*
itinérance [itinerɑ̃s] F TEL Roaming *n*; **frais d'~** Roaminggebühren *fpl*
ivoire [ivwar] M Elfenbein *n*
ivre [ivr] betrunken **ivresse** [ivrɛs] F Trunkenheit
ivrogne [ivrɔɲ] **1** trunksüchtig **2** M/F Säufer(in) *m(f)*

J

j' [ʒ] → je
jacinthe [ʒasɛ̃t] F Hyazinthe
jacuzzi® [ʒakyzi] M Whirlpool
jadis [ʒadis] einst, früher
jaillir [ʒajir] *gicler* herausspritzen (**de** aus)
jalouse → jaloux
jalousie [ʒaluzi] F Neid *m*; *en amour* Eifersucht
jaloux [ʒalu] ⟨*f* jalouse [ʒaluz]⟩ *envieux* neidisch; *en amour* eifersüchtig
jamais [ʒamɛ] je(mals); **à ~** für immer; *négatif* **ne … ~** nie (-mals); **ne … plus ~, ne … ~ plus** nie mehr, nie wieder
jambe [ʒɑ̃b] F Bein *n*
jambon [ʒɑ̃bɔ̃] M Schinken; **~ blanc** *od* **de Paris** gekochter Schinken; **~ cru/fumé** roher/geräucherter Schinken; **~ de Bayonne** *roher, leicht gesalzener Schinken*
jambonneau [ʒɑ̃bɔno] M Eisbein *n*, Schweinshaxe *f*
jante [ʒɑ̃t] F Felge
janvier [ʒɑ̃vje] M Januar; **en ~** im Januar
Japon [ʒapɔ̃] **le ~** Japan *n* **japonais** [ʒapɔnɛ] **1** japanisch **2** **Japonais** M Japaner
jardin [ʒardɛ̃] M Garten; **~ d'enfants** Kindergarten
jardinage [ʒardinaʒ] M Gartenarbeit *f* **jardinier** [ʒardinje] M Gärtner **jardinière** [ʒardinjɛr] F Gärtnerin; GASTR **~ de légumes** gemischtes Gemüse *n*
jarret [ʒarɛ] M (Schweins-, Kalbs)Hachse *f*
jauge [ʒoʒ] F **~ d'essence** Benzinuhr
jaune [ʒon] **1** gelb **2** M Gelb

n; ~ **d'œuf** Eigelb *n*
jaunisse [ʒonis] F Gelbsucht
javelot [javlo] M Speer
je [ʒə] ⟨*vor Vokal* j'⟩ ich
jerrican(e), jerrycan [(d)ʒerikan] M (Benzin)Kanister
jet [ʒɛ] M Wurf; ~ **(d'eau)** (Wasser)Strahl
jetée [ʒəte] F Mole
jeter [ʒəte] werfen; *se débarrasser de* wegwerfen
jeton [ʒətõ] M Marke *f*, Münze *f*; *au jeu* Spielmarke *f*; ~ **de téléphone** Telefonmarke *f*
jeu [ʒø] M Spiel *n* (*a.* TECH); *de clés* Satz; ~ **de cartes** Kartenspiel *n*; ~ **de construction** Baukasten; ~ **vidéo** Computer-, Videospiel *n*; ~ **télévisé** Quiz(sendung) *n(f)*; **Jeux** *pl* **Olympiques** Olympische Spiele *npl*
jeudi [ʒødi] M Donnerstag; **le** ~ donnerstags
jeun [ʒɛ̃, ʒœ̃] **à** ~ nüchtern
jeune [ʒœn] jung
jeûner [ʒøne] fasten
jeunesse [ʒœnɛs] F Jugend
joaillier [ʒɔɑje] M Juwelier
job [dʒɔb] M *umg* Job; ~ **pour les vacances** Ferienjob
jogging [dʒɔgiŋ] Jogging *n*; **faire du** ~ joggen
joie [ʒwa] F Freude
joindre [ʒwɛ̃dr] miteinander verbinden; *à une lettre* beilegen (**à** *dat*); ~ **qn (par téléphone)** j-n (telefonisch) erreichen
joint [ʒwɛ̃] **1** PPERF → joindre **2** M *du robinet* Dichtung *f*
joli [ʒɔli] hübsch, niedlich
jonction [ʒõksjõ] F Verbindung
jongler [ʒõgle] jonglieren
joue [ʒu] F Backe
jouer [ʒwe] spielen; *somme* setzen; ~ **aux cartes** Karten spielen; ~ **au football** Fußball spielen; ~ **du piano** Klavier spielen
jouet [ʒwɛ] M Spielzeug *n*
joueur [ʒwœr] M, **joueuse** [ʒwøz] F Spieler(in) *m(f)*
jour [ʒur] M Tag; ~ **férié** Feiertag; ~ **ouvrable** Werktag; ~ **de l'An** Neujahrstag; ~ **d'arrivée** Anreisetag; ~ **de départ** Abreisetag; ~ **de repos** Ruhetag; ~ **de travail** Arbeitstag; **un** ~ eines Tages; **le** ~, **de** ~ am Tag(e); **de nos** ~**s** heutzutage; **il fait** ~ es ist Tag, es ist hell; **à** ~ auf dem Laufenden; **mettre à** ~ auf den neuesten Stand bringen, aktualisieren; **par** ~ täglich, pro Tag; **l'autre** ~ neulich
journal [ʒurnal] M ⟨*pl* journaux [ʒurno]⟩ Zeitung *f*; *télévisé* Nachrichten *fpl*; *intime* Tagebuch *n*
journaliste [ʒurnalist] M/F Journalist(in) *m(f)*
journée [ʒurne] F Tag *m*; **pendant la** ~ tagsüber; **toute la** ~ den ganzen Tag (lang, über)
joyeux [ʒwajø] fröhlich
judiciaire [ʒydisjɛr] gericht-

lich
judo [ʒydo] M Judo *n*
juge [ʒyʒ] M Richter(in) *m(f)*
jugement [ʒyʒmɑ̃] M Urteil *n*
juger [ʒyʒe] *affaire* entscheiden; *personne* das Urteil sprechen über (*akk*); *fig* ~ **(de)** beurteilen (*akk*)
juif [ʒɥif] **1** jüdisch **2** **Juif** M Jude
juillet [ʒɥijɛ] M Juli
juin [ʒɥɛ̃] M Juni
juke-box [(d)ʒykbɔks] M Musikbox *f*
julienne [ʒyljɛn] F *dünne Gemüsestreifen*; *potage* Gemüsesuppe
jumeau [ʒymo] **1** ‹*f* jumelle [ʒymɛl]› Zwillings… **2** M Zwillingsbruder; **~x** PL Zwillinge
jumelage [ʒymlaʒ] M Städtepartnerschaft *f*
jumelé [ʒymle] **villes** *fpl* **~es** Partnerstädte
jumelle [ʒymɛl] F Zwillingsschwester
jumelles [ʒymɛl] FPL Fernglas *n*; ~ **de théâtre** Opernglas *n*
jument [ʒymɑ̃] F Stute
jupe [ʒyp] F Rock *m* **jupe-culotte** [ʒypkylɔt] F Hosenrock *m*
jupon [ʒypõ] M Unterrock
jurer [ʒyre] schwören
juridique [ʒyridik] Rechts…
juron [ʒyrõ] M Fluch
jury [ʒyri] M Jury *f*; JUR die Geschworenen *pl*
jus [ʒy] M Saft; *de viande* Bratensaft; ~ **d'orange** Orangensaft; ~ **de tomate** Tomatensaft
jusque [ʒysk(ə)] **jusqu'à** bis; **jusqu'à la gare** bis zum Bahnhof; **jusqu'à Paris** bis nach Paris; **jusqu'à quand?** bis wann?; **jusqu'à ce que** (+*subj*) bis
juste [ʒyst] *correct* richtig; *exact* genau; *équitable* gerecht; *serré* zu eng; ADV *chanter* richtig; *exactement* genau; *seulement* nur; *depuis peu* **(tout)** ~ gerade (noch)
justement [ʒystəmɑ̃] *précisément* gerade; *avec raison* zu *od* mit Recht
justice [ʒystis] F Gerechtigkeit; *institution* Justiz
justifier [ʒystifje] rechtfertigen
juteux [ʒytø] saftig
juvénile [ʒyvenil] jugendlich

K

K7 [kasɛt] F Kassette
kangourou [kɑ̃guru] M Känguru *n*
karaoké [karaɔke] M *action* Karaoke *n*; *appareil* Karaokeanlage *f*
kart [kart] M Gokart
kayak [kajak] M Kajak
képi [kepi] M Käppi *n*

kermesse [kɛrmɛs] F Kirmes
kérosène [kerozɛn] M Kerosin *n*
khôl [kol] M Kajal *n*
kif-kif [kifkif] *umg* **c'est ~** das ist Jacke wie Hose
kilo(gramme) [kilɔ(gram)] M Kilo(gramm) *n*
kilométrage [kilɔmetraʒ] M Kilometerstand
kilomètre [kilɔmɛtr] M Kilometer; **130 ~s à l'heure, 130 ~s-heure** 130 Stundenkilometer
kinésithérapeute [kineziterapøt] M/F Krankengymnast(in) *m(f)* **kinésithérapie** [kineziterapi] F Heil-, Krankengymnastik
kiosque [kjɔsk] M Kiosk
kir [kir] M *Cocktail aus Weißwein und Johannisbeerlikör;* **~ breton/royal** *Cocktail aus Cidre/Sekt und Johannisbeerlikör*
kirsch [kirʃ] M Kirsch, Kirschwasser *n*
kitchenette [kitʃənɛt] F Kochnische
kiwi [kiwi] M *fruit* Kiwi *f*
klaxon® [klaksɔn] M Hupe *f*
klaxonner [klaksɔne] hupen
koala [kɔala] M Koala(bär)
kouglof [kuglɔf] M Napfkuchen, Gugelhupf (*aus dem Elsass*)
kyste [kist] M Zyste *f*

L

l' [l] → le
la [la] → le
là [la] da *od* dahin; *là-bas* dort *od* dorthin; **par ~** da, dort (entlang, hindurch)
là-bas [labɑ] dort
laboratoire [labɔratwar] M Labor(atorium) *n*
lac [lak] M See
lacer [lase] *chaussures* (zu)schnüren **lacet** [lasɛ] M Schnürsenkel
lâche [laʃ] **1** feige **2** M/F Feigling *m*
lâcher [laʃe] loslassen; *freins* versagen
lactose [laktoz] M Laktose *f*; **sans ~** laktosefrei
lacune [lakyn] F Lücke
là-dedans [lad(ə)dɑ̃] drinnen **là-dessous** [lad(ə)su] darunter **là-dessus** [lad(ə)sy] darüber, darauf **là-haut** [lao] da oben
laid [lɛ] hässlich
laine [lɛn] F Wolle
laisse [lɛs] F Leine
laisser [lɛse] lassen; *adresse, message* hinterlassen; *oublier* liegen lassen; **~ faire qc à qn** j-n etw tun lassen; **se ~ aller** sich gehen lassen; **se ~ faire** sich alles gefallen lassen

lait [lɛ] M Milch *f*; **~ écrémé/entier** Mager-/Vollmilch *f*; **~ en poudre** Milchpulver *n*; **~ démaquillant** Reinigungsmilch *f*
laiterie [lɛtri] F Molkerei **laitier** [lɛtje] Milch..., Molkerei...
laitue [lɛty] F Kopfsalat *m*
lambeau [lɑ̃bo] M Fetzen
lame [lam] F **~ (de rasoir)** Rasierklinge
lamentable [lamɑ̃tabl] kläglich, jämmerlich **lamenter** [lamɑ̃te] **se ~** jammern
lampadaire [lɑ̃padɛr] M *d'appartement* Stehlampe *f*; *réverbère* Straßenlaterne *f*
lampe [lɑ̃p] F Lampe; **~ de poche** Taschenlampe; **~ de chevet** Nachttischlampe
lancer [lɑ̃se] werfen; *produit* einführen; *mode* aufbringen; **~ qc à qn** j-m etw zuwerfen
landau [lɑ̃do] M Kinderwagen
lande [lɑ̃d] F Heide
langage [lɑ̃gaʒ] M Sprache *f*
langer [lɑ̃ʒe] M *bébé* wickeln
langouste [lɑ̃gust] F Languste
langoustines [lɑ̃gustin] FPL Scampi *pl*
langue [lɑ̃g] F ANAT Zunge; *langage* Sprache; **~ étrangère** Fremdsprache; **~ maternelle** Muttersprache
lanière [lanjɛr] F Riemen *m*
lanterne [lɑ̃tɛrn] F Laterne
lapin [lapɛ̃] M Kaninchen *n*
laque [lak] F Lack *m*; *pour les cheveux* Haarspray *n*
laquelle [lakɛl] → lequel
lard [lar] M Speck **lardons** [lardõ] MPL Speckwürfel
large [larʒ] **1** breit; *vêtements* weit; *généreux* großzügig **2** M SCHIFF hohe, offene See *f*; **3 mètres de ~** 3 Meter breit, in der Breite; **au ~ de** auf der Höhe von
largeur [larʒœr] F Breite
larme [larm] F Träne
laryngite [larɛ̃ʒit] F Kehlkopfentzündung
laser [lazɛr] M Laser; **spectacle** *m* **~** Lasershow *f*
lasser [lɑse] ermüden; **se ~ de qc** e-r Sache (*gen*) müde, überdrüssig werden
latéral [lateral] seitlich, Seiten..., Neben...
latin [latɛ̃] M Latein(isch) *n*
latitude [latityd] F GEOGR Breite
lauréat(e) [lɔrea(t)] M(F) Preisträger(in)
laurier [lɔrje] M Lorbeer
lavable [lavabl] waschbar
lavabo [lavabo] M Waschbecken *n*; *pièce* Waschraum; **~s** PL Toilette *f*
lavage [lavaʒ] M Waschen *n*, Wäsche *f*; AUTO **~ automatique** Waschanlage *f*
lavande [lavɑ̃d] F Lavendel *m*
lave [lav] F Lava
lave-glace [lavglas] M Scheibenwaschanlage *f*
lave-linge [lavlɛ̃ʒ] M Wasch-

maschine *f*
laver [lave] (**se ~** sich) waschen; **se ~ les dents** sich die Zähne putzen
laverie [lavri] F **~ automatique** Waschsalon *m*
lave-vaisselle [lavvesɛl] M Geschirrspülmaschine *f*
laxatif [laksatif] M Abführmittel *n*
le [lə] M, **la** [la] F ⟨*beide vor Vokal* l'⟩, **les** [le] PL der, die, das; PL die; PRON ihn, sie, es; PL sie
lécher [leʃe] lecken
leçon [ləsõ] F (Unterrichts-)Stunde, Lektion; *fig* Lehre; **~s** *pl* **de conduite** Fahrstunden
lecteur [lɛktœr] M Leser; IT Laufwerk *n*; **~ de cassettes** Kassettenrekorder; **~ de CD** CD-Player; *ordinateur* CD-Laufwerk *n*; **~ de DVD** DVD-Player
lecture [lɛktyr] F (Vor-, Durch)Lesen *n*; *livre* Lektüre
légal [legal] gesetzlich
légende [leʒɑ̃d] F Legende
léger [leʒe] leicht; *couche* dünn; **à la légère** leichtfertig
législation [leʒislasjõ] F Gesetzgebung
légitime [leʒitim] rechtmäßig, legitim; *enfant* ehelich; *juste* gerecht(fertigt); **~ défense** F Notwehr
léguer [lege] vererben (*a. fig*)
légume [legym] M Gemüsesorte *f*; **~s** PL Gemüse *n*
Léman [lemɑ̃] M **le lac ~** der Genfer See
lendemain [lɑ̃dmɛ̃] M **le ~** am nächsten Tag, am Tag danach
lent [lɑ̃] langsam
lentille [lɑ̃tij] F BOT, TECH Linse; **~s** *pl* **de contact** Kontaktlinsen
lequel [ləkɛl] ⟨*f* laquelle [lakɛl]⟩ PRON *interrogatif* welche(r, -s)?; PRON *relatif* der, die, das
les [le] → **le**
lésion [lezjõ] F Beschädigung
lessive [lɛsiv] F Waschmittel *n*, -pulver *n*; *lavage, linge* Wäsche; **faire la ~** (Wäsche) waschen
lest [lɛst] M Ballast
lettre [lɛtr] F Brief *m*; *caractère* Buchstabe *m*; **~ piégée** Briefbombe
leucémie [løsemi] F Leukämie
leur [lœr] PRON *possessif* ihr(e); PRON *personnel* ihnen
levée [ləve] F Leerung
lever [ləve] **1** (hoch)heben; AUTO *vitre* zu-, hochmachen; *pâte* gehen; **se ~** aufstehen; *soleil, lune* aufgehen; *jour* anbrechen; *brouillard* sich auflösen **2** M Aufstehen *n*; **~ du soleil** Sonnenaufgang; **au ~** beim Aufstehen
levier [ləvje] M Hebel; **~ de changement de vitesse** Schalthebel
lèvre [lɛvr] F Lippe

levure [ləvyr] F Hefe
lézard [lezar] M Eidechse *f*
liaison [ljɛzõ] F Verbindung; *amoureuse* Verhältnis *n*; GRAM Bindung; **~ aérienne** Flugverbindung
libéral [liberal] liberal; *médecin etc* freiberuflich
libération [liberasjõ] F Befreiung **libérer** [libere] befreien (**de** von)
liberté [libɛrte] F Freiheit
libraire [librɛr] M Buchhändler **librairie** [librɛri] F Buchhandlung
libre [libr] frei
libre-service [librəsɛrvis] M Selbstbedienung *f*; *magasin* Selbstbedienungsladen
licence [lisɑ̃s] F UNIV Bachelor *m*
licenciement [lisɑ̃simɑ̃] M Entlassung *f* **licencier** [lisɑ̃sje] entlassen
licorne [likɔrn] F Einhorn *n*
liège [ljɛʒ] M Kork
lien [ljɛ̃] M Band *n*; *affectif* Bindung *f*; *rapport* Verbindung *f*; IT Link *m/n*
lier [lje] (zusammen)binden; *idées, personnes* verbinden; **se ~ d'amitié avec qn** sich mit j-m anfreunden
lierre [ljɛr] M Efeu
lieu [ljø] M Ort; **~ de naissance** Geburtsort; **au ~ de** (an)statt (*gen*); **avoir ~** stattfinden
lièvre [ljɛvr] M Hase
ligne [liɲ] F Linie; *dans un texte* Zeile; *transports a.* Strecke; TEL Leitung; *communication* Verbindung; **~ directe** Direktverbindung; TEL *a.* Hotline; *chemin de fer* **grandes ~s** PL Fernverbindungen; **~ de métro** U-Bahn-Linie; IT **en ~** online; IT **°hors ~** offline; **avoir la ~** e-e schlanke Figur haben
ligoter [ligɔte] fesseln
lilas [lila] 1 lila 2 M Flieder
limace [limas] F (Nackt)Schnecke
lime [lim] F Feile **limer** [lime] feilen
limitation [limitasjõ] F Beschränkung; **~ de vitesse** Geschwindigkeitsbeschränkung, Tempolimit *n*
limite [limit] F Grenze
limiter [limite] begrenzen, beschränken (**à** auf *akk*); **se ~** sich einschränken
limonade [limɔnad] F Limonade
limpide [lɛ̃pid] klar
lin [lɛ̃] M Leinen *n*
linge [lɛ̃ʒ] M Wäsche *f*; **~ (de corps)** Unterwäsche *f* **lingerie** [lɛ̃ʒri] F Damen(unter)wäsche
lion [ljõ] M Löwe
lionne [ljɔn] F Löwin
liqueur [likœr] F Likör *m*; **~ aux œufs** Eierlikör *m*
liquidation [likidasjõ] F JUR Auflösung; HANDEL **~ (du stock)** (Räumungs)Ausverkauf *m*

liquide [likid] **1** flüssig **2** M Flüssigkeit *f*; *argent* Bargeld *n*; **~ de frein** Bremsflüssigkeit *f*; **en ~** (in) bar
lire [lir] lesen; *à voix haute* vorlesen (**qc à qn** j-m etw)
lisible [lizibl] leserlich
lisse [lis] glatt
liste [list] F Liste; **~ de contrôle** Checkliste
lit [li] M Bett *n*; **~ d'enfant** Kinderbett *n*; **petit ~** Einzelbett *n*; **grand ~** französisches Bett *n*; **~s** *pl* **jumeaux** Doppelbett *n* (*2 Einzelbetten*)
litchi [litʃi] M BOT Litschi *f*
litre [litr] M Liter *n od m*
littéraire [literɛr] literarisch
littérature [literatyr] F Literatur
littoral [litɔral] **1** Küsten... **2** M Küstenstrich, Küste *f*
livraison [livrɛzõ] F Lieferung
livre¹ [livr] M Buch *n*
livre² [livr] F Pfund *n*
livre-cassette [livrəkasɛt] M Hörbuch *n*
livrer [livre] liefern
livret [livrɛ] M Heft *n*; **~ (de caisse) d'épargne** Spar(kassen)buch *n*
lobe [lɔb] M *de l'oreille* Ohrläppchen *n*
local [lɔkal] **1** örtlich **2** M Raum **localité** [lɔkalite] F Ortschaft
locataire [lɔkatɛr] M/F Mieter(in) *m(f)*
location [lɔkasjõ] F Vermietung; *par le locataire* Mieten *n*; *de vélos, skis, etc* Verleih *m*; *loyer* Miete; **~ de vélos** Fahrradverleih; **~ de voitures** Autovermietung
locomotive [lɔkɔmɔtiv] F Lokomotive
logement [lɔʒmɑ̃] M Wohnung *f* **loger** [lɔʒe] beherbergen; *habiter* wohnen
logiciel [lɔʒisjɛl] M Software *f*; Programm *n*
logique [lɔʒik] logisch
loi [lwa] F Gesetz *n*
loin [lwɛ̃] weit; **au ~** weit weg; **de ~** von weitem; *fig* bei weitem
lointain [lwɛtɛ̃] **1** fern **2** M Ferne *f*
Loire [lwar] **la ~** die Loire; *vallée* das Loiretal
loisirs [lwazir] MPL Freizeit *f*; *occupations* Freizeitbeschäftigung *f*
Londres [lõdr] London
long [lõ] **1** lang **2** M Länge *f*; **dix mètres de ~** zehn Meter lang; **le ~ de** längs, entlang (*gen*), an ... (*dat*) entlang
longer [lõʒe] entlanggehen, fahren (**qc** an etw *dat*); *voie ferrée* entlangführen (an *dat*)
longitude [lõʒityd] F GEOGR Länge
longtemps [lõtɑ̃] lange
longueur [lõgœr] F Länge
longue-vue [lõgvy] F Fernrohr *n*
Lorraine [lɔrɛn] **la ~** Lothrin-

gen *n*
lors [lɔr] **~ de** bei
lorsque [lɔrsk(ə)] ⟨*vor Vokal* lorsqu'⟩ *au présent ou futur* wenn, *au passé* als
lot [lo] M *loterie* Gewinn
loterie [lɔtri] F Lotterie
lotion [losjõ] F Lotion, Gesichts-, Rasierwasser *n*
loto [lɔto] M Lotto *n*; **~ sportif** Fußballtoto *n*
lotte [lɔt] F *de mer* Seeteufel *m*
loucher [luʃe] schielen
louer [lwe] *propriétaire* vermieten; *locataire* mieten; **à ~** zu vermieten; **chambre à ~** Zimmer frei
loup [lu] M Wolf
loupe [lup] F Lupe
lourd [lur] schwer; *temps* schwül; *plaisanterie* plump
loyer [lwaje] M Miete *f*
lu [ly] PPERF → lire
lubrifiant [lybrifjã] M Schmiermittel *n*
lucarne [lykarn] F Dachfenster *n*
luge [lyʒ] F (Rodel)Schlitten *m*; **faire de la ~** Schlitten fahren, rodeln
lui [lɥi] *objet indirect* ihm (*m u. n*), ihr (*f*); *après* PRÄP ihn (*akk*), ihm (*dat*); *sujet* er
luire [lɥir] *soleil* scheinen; *métal* glänzen
lumbago [lõbago] M Hexenschuss
lumière [lymjɛr] F Licht *n* (*a. fig*)
lumineux [lyminø] leuchtend
lunatique [lynatik] launisch
lunch [lœntʃ, lɛ̃ʃ] M kaltes Büfett *n*
lundi [lɛ̃di, lœ̃di] M Montag; **~ de Pâques** Ostermontag; **le ~** montags
lune [lyn] F Mond *m*; **~ de miel** Flitterwochen *fpl*
lunette [lynɛt] F Fernrohr *n*
lunettes [lynɛt] FPL Brille *f*; **~ de plongée** Taucherbrille *f*; **~ de ski** Skibrille *f*; **~ de soleil** Sonnenbrille *f*
lustre [lystr] M Kronleuchter
lutte [lyt] F Kampf *m*; SPORT Ringen *n*, Ringkampf *m* **lutter** [lyte] kämpfen (**pour** für *od* um, **contre** gegen); SPORT ringen
luxation [lyksasjõ] F Verrenkung
luxe [lyks] M Luxus
Luxembourg [lyksãbur] **le ~** Luxemburg *n*
luxembourgeois [lyksãburʒwa] **1** luxemburgisch **2** **Luxembourgeois** M Luxemburger
luxer [lykse] **se ~ le bras** sich den Arm ausrenken *od* verrenken
luxueux [lyksɥø] luxuriös
lycée [lise] M Gymnasium *n*
lycéen(ne) [liseɛ̃ (liseɛn)] M(F) Gymnasiast(in)
lyncher [lɛ̃ʃe] lynchen
lynx [lɛ̃ks] M Luchs
lys [lis] M Lilie *f*

M

M. (*monsieur*) Herr
m' [m] → me
ma [ma] → mon
macaronis [makarɔni] MPL Makkaroni *pl*
macédoine [masedwan] F ~ **de fruits** Obstsalat *m*; ~ **de légumes** Mischgemüse *n*
mâche [mɑʃ] F Feldsalat *m*
mâcher [mɑʃe] kauen
machin [maʃɛ̃] M *umg* Dings(da) *n*
machinal [maʃinal] mechanisch, automatisch
machine [maʃin] F Maschine; ~ **à coudre** Nähmaschine; ~ **à laver** Waschmaschine; ~ **à écrire** Schreibmaschine; ~ **à sous** Spielautomat *m*
mâchoire [mɑʃwar] F Kiefer *m*
maçon [masõ] M Maurer
madame [madam] F Frau; *lettre* **Madame**, Sehr geehrte Frau (+ *nom de famille*)
mademoiselle [madmwazɛl] F Frau
magasin [magazɛ̃] M Geschäft *n*, Laden; **grand** ~ Kaufhaus *n*; ~ **de bricolage** Baumarkt
magazine [magazin] M Zeitschrift *f*, Magazin *n* (*a.* TV)
Maghreb [magrɛb] M Maghreb (*Nordafrika*)
magicien [maʒisjɛ̃] M Zauberer **magique** [maʒik] magisch, Zauber...; **baguette** *f* ~ Zauberstab
magnétique [maɲetik] magnetisch **magnétophone** [maɲetɔfɔn] M Tonbandgerät *n* **magnétoscope** [maɲetɔskɔp] M Videorekorder
magnifique [maɲifik] herrlich, prächtig
magret [magrɛ] M ~ **de canard** Entenbrust(filets) *f* (*npl*)
mai [mɛ] M Mai
maigre [mɛgr] mager **maigrir** [mɛgrir] abnehmen
mail [mɛl] M IT Mail *f*
maille [mɑj] F Masche
maillot [majo] M SPORT Trikot *n*; ~ **(de bain)** Badehose *f*, *de femme* Badeanzug; ~ **de corps** Unterhemd *n*
main [mɛ̃] F Hand
mainate [mɛnat] M Beo
main-d'œuvre [mɛ̃dœvr] F Arbeitskräfte *fpl*; *travail* Arbeit
maintenant [mɛ̃tnɑ̃] jetzt
maintenir [mɛ̃tnir] aufrechterhalten; *tradition* erhalten; ~ **que ...** dabei bleiben, dass
maire [mɛr] M Bürgermeister
mairie [mɛri] F Rathaus *n*
mais [mɛ] aber; *après une négation* sondern
maïs [mais] M Mais
maison [mɛzõ] **1** F Haus *n*; **à la** ~ zu Hause *od* nach Hause; ~ **de campagne** Landhaus *n*;

~ de retraite Altersheim *n* **2** ADJ GASTR hausgemacht; *tarte* selbst gebacken

maître [mɛtr] M Herr; **~ d'école** Grundschullehrer; **~ nageur** Bademeister; **~ d'hôtel** Oberkellner

maîtresse [mɛtrɛs] F Herrin; *amante* Geliebte; **~ d'école** Grundschullehrerin; **~ de maison** Dame des Hauses

maîtriser [mɛtrize] *agresseur* überwältigen; *langue* beherrschen; *incendie* unter Kontrolle bringen

majeur [maʒœr] **1** Haupt…; *partie* Groß…; JUR volljährig; MUS **do** *m* **~** C-Dur *n* **2** M Mittelfinger

majorité [maʒɔrite] F Mehrheit (*a.* POL); JUR Volljährigkeit

Majorque [maʒɔrk] Mallorca *n*

mal [mal] **1** ⟨*pl* maux [mo]⟩ Böse(s) *n*; *effort* Mühe *f*; **être, se sentir ~** sich nicht wohlfühlen; **avoir ~ (aux dents/à la tête)** (Zahn-/Kopf)Schmerzen haben; **faire ~** wehtun **(à qn** j-m); **se donner du ~** sich Mühe geben; **avoir le ~ de mer** seekrank sein **2** ADV schlecht; **pas ~** ganz gut; **pas ~ de** ziemlich viel(e)

malade [malad] **1** krank **2** M/F Kranke(r) *m/f(m)*, Patient(in) *m(f)* **maladie** [maladi] F Krankheit **maladif** [maladif] *personne* kränklich; *curiosité* krankhaft

maladroit [maladrwa] ungeschickt

malaise [malɛz] M Unbehagen *n*; MED Unwohlsein *n*; **avoir un ~** ohnmächtig werden

malbouffe [malbuf] F *umg* Junkfood *n*

malchance [malʃɑ̃s] F Unglück *n*, Pech *n*

mâle [mɑl] **1** männlich **2** M ZOOL Männchen *n*; *umg* Mann

malentendu [malɑ̃tɑ̃dy] M Missverständnis *n*

malfaiteur [malfɛtœr] M Übeltäter

malgré [malgre] trotz (*gen*)

malheur [malœr] M Unglück *n* **malheureusement** [malørøzmɑ̃] leider **malheureux** [malørø] unglücklich

malhonnête [malɔnɛt] unehrlich

malicieux [malisjø] schelmisch

malin [malɛ̃] ⟨*f* maligne [maliɲ]⟩ *rusé* schlau; *malveillant* boshaft; MED bösartig

malle [mal] F Reisekoffer *m*

malsain [malsɛ̃] ungesund

malt [malt] M Malz *n*

maltraiter [maltrɛte] misshandeln

malveillant [malvɛjɑ̃] böswillig

malvoyant [malvwajɑ̃] sehbehindert

maman [mamɑ̃] F Mutti, Mama, Mami

mamie [mami] F Oma
mammifère [mamifɛr] M Säugetier *n*
manche¹ [mɑ̃ʃ] M *d'une pelle* Stiel; *d'un tournevis* Griff
manche² [mɑ̃ʃ] F Ärmel *m*; **à ~s courtes, longues** kurz-, langärm(e)lig; **sans ~s** ärmellos
Manche [mɑ̃ʃ] **la ~** der Ärmelkanal
mandarine [mɑ̃darin] F Mandarine
mandat [mɑ̃da] M **~ (postal)** Postanweisung *f*; **~ d'arrêt** Haftbefehl
manège [manɛʒ] M Reitbahn *f*; *de fête foraine* Karussell *n*
mangeable [mɑ̃ʒabl] essbar
manger [mɑ̃ʒe] essen; *animal* fressen; **inviter qn à ~** j-n zum Essen einladen
mangue [mɑ̃g] Mango **manguier** [mɑ̃gje] M Mangobaum
maniable [manjabl] handlich; AUTO wendig
maniaque [manjak] *tatillon* pingelig; *fou* wahnsinnig
manier [manje] umgehen (**qc** mit etw); *voiture* lenken
maniéré [manjere] geziert, gekünstelt
manière [manjɛr] F Art, Weise; **~s** PL Manieren *fpl*, Benehmen *n*; **faire des ~s** sich zieren
manifestation [manifɛstasjõ] F, *umg* **manif** F Kundgebung, Demonstration; *événement* Veranstaltung **manifester** [manifɛste] (**se ~** sich) äußern; POL demonstrieren
manipuler [manipyle] handhaben; *pej* manipulieren
manivelle [manivɛl] F Kurbel
mannequin [mankɛ̃] M (Schaufenster)Puppe; *modèle* Mannequin *n*
manœuvre¹ [manœvr] M Hilfsarbeiter
manœuvre² [manœvr] F AUTO, MIL Manöver *n* **manœuvrer** [manœvre] manövrieren
manque [mɑ̃k] M Mangel (**de** an *dat*)
manquer [mɑ̃ke] fehlen; *cible* verfehlen; *occasion* verpassen; **~ de** Mangel haben an (*dat*)
manteau [mɑ̃to] M Mantel
manucure [manykyr] F Maniküre
manuel [manɥɛl] **1** Hand..., manuell **2** M Handbuch *n*
maquereau [makro] M Makrele *f*; *sl* Zuhälter
maquillage [makijaʒ] M Schminke *f*, Make-up *n* **maquiller** [makije] (**se ~** sich) schminken
maracuja [marakyʒa] M BOT Maracuja *f*
marais [marɛ] M Sumpf, Moor *n*
marbre [marbr] M Marmor
marc [mar] M Trester *mpl*; *eau de vie* Tresterschnaps; **~ de café** Kaffeesatz
marchand(e) [marʃɑ̃(d)] M(F)

Händler(in); **~ des quatre saisons** Obst- und Gemüsehändler(in); **~ de journaux** Zeitungshändler(in)
marchandise [marʃɑ̃diz] F Ware
marche [marʃ] F Marsch *m* (a. MIL); *randonnée* Wanderung; *d'escalier* Stufe; **en ~** *véhicule* in Fahrt; *machine, moteur* in Gang; AUTO **~ arrière** Rückwärtsgang *m*
marché [marʃe] M Markt; *arrangement* Geschäft *n*; **~ aux puces** Flohmarkt; **au ~** auf dem Markt, auf den Markt; **bon/meilleur ~** billig/billiger; **par-dessus le ~** (auch) noch dazu
marcher [marʃe] gehen, laufen; *fonctionner* laufen; **faire ~** *appareil* anstellen; *umg personne* zum Narren halten
marcotte [markɔt] F BOT Ableger *m*
mardi [mardi] M Dienstag; **~ gras** Fastnacht *f*
mare [mar] F Tümpel *m*
marécage [marekaʒ] M Sumpf, Moor *n* **marécageux** [marekaʒø] sumpfig, morastig
marée [mare] F Ebbe und Flut, Gezeiten *pl*; **~ basse** Ebbe; **~ °haute** Flut; **~ noire** Ölpest
marennes [marɛn] FPL *Austern aus Marennes*
margarine [margarin] F Margarine
marge [marʒ] F Rand *m*; *fig* Spielraum *m* **marginal** [marʒinal] **1** Rand...; *fig a.* nebensächlich **2** M Außenseiter, Aussteiger
mari [mari] M (Ehe)Mann
mariage [marjaʒ] M Heirat *f*; *fête* Hochzeit *f*; *institution* Ehe *f*
marié [marje] **1** verheiratet **2** **marié(e)** M(F) Bräutigam *m*, Braut *f*
marier [marje] **se ~** heiraten (**avec qn** j-n)
marin [marɛ̃] **1** Meer(es)..., See... **2** M Seemann
marine [marin] **1** F Marine **2** ADJ **(bleu) ~** marineblau
mariner [marine] in Marinade liegen; **(faire) ~** marinieren
maritime [maritim] See...
marjolaine [marʒɔlɛn] F Majoran *m*
mark [mark] M *hist* Mark *f*
marmite [marmit] F Kochtopf *m*
Maroc [marɔk] **le ~** Marokko *n*
marocain [marɔkɛ̃] **1** marokkanisch **2** **Marocain** M Marokkaner
maroquinerie [marɔkinri] F Lederwarengeschäft *n*
marquant [markɑ̃] bedeutend, hervorstechend, markant
marque [mark] F Zeichen *n*; *trace* Spur; HANDEL Marke
marquer [marke] (kenn)zeichnen; *noter* aufschreiben; *influencer* prägen, *but* schießen
marraine [marɛn] F Patin
marron[1] [marɔ̃] braun

marron[2] [marõ] M (Ess)Kastanie *f*, Marone *f*
mars [mars] M März
marteau [marto] M Hammer
martre [martr] F Marder *m*
masculin [maskylɛ̃] männlich
masque [mask] M Maske *f*; **~ à gaz** Gasmaske
massage [masaʒ] M Massage *f*
masse [mas] F Masse, Menge; **en ~** massenweise, in Massen
masser [mase] massieren
masseur [masœr] M, **masseuse** [masøz] F Masseur(in) *m(f)*
massif [masif] **1** massiv; *gros* massig **2** M (Gebirgs)Massiv *n*; **~ de fleurs** Blumenbeet *n*; **le Massif central** das Zentralmassiv
mat [mat] matt (*a. échecs*)
mât [mɑ] M Mast
match [matʃ] M SPORT Spiel *n*; **~ de foot(ball)** Fußballspiel *n*; **~ aller** Hinspiel *n*; **~ retour** Rückspiel *n*; **~ nul** unentschieden
matelas [matla] M Matratze *f*; **~ pneumatique** Luftmatratze *f*
matelot [matlo] M Matrose
matériau [materjo] M Material *n*; **~x** PL Baumaterial *n*
matériel [materjɛl] **1** materiell; *problèmes* finanziell **2** M Material *n*; IT Hardware *f*; **~ de camping** Campingausrüstung *f*
maternel [matɛrnɛl] Mutter…, mütterlich **maternelle** [matɛrnɛl] F Kindergarten *m* **maternité** [matɛrnite] F Mutterschaft; *hôpital* Entbindungsstation
mathématiques [matematik] FPL Mathematik *f*
matière [matjɛr] F Stoff *m*, Material *n*; *sujet* Thema *n*; *école* (Schul)Fach *n*; **~ première** Rohstoff *m*; **~s** *pl* **grasses** Fett *n*
matin [matɛ̃] M Morgen; *matinée* Vormittag; **ce ~** heute Morgen
matinée [matine] F Vormittag *m*, Morgen *m*; *théâtre* **(en) ~** (in der) Nachmittagsvorstellung *f*; **faire la grasse ~** ausschlafen
maudire [modir] verfluchen
mauvais [movɛ] schlecht; *méchant* böse; *faux* falsch; *mer* bewegt; **il fait ~** es ist schlechtes Wetter
maux → **mal**
Mayence [majɑ̃s] Mainz
mayonnaise [majɔnɛz] F Mayonnaise
mazout [mazut] M Heizöl *n*
me [m(ə)] ⟨*vor Vokal* m'⟩ mich; mir
mécanicien [mekanisjɛ̃] M Mechaniker; *umg* **~ auto** Automechaniker
mécanique [mekanik] **1** mechanisch **2** F Mechanik **mécanisme** [mekanism] M Mechanismus
méchanceté [meʃɑ̃ste] F Bos-

heit **méchant** [meʃɑ̃] böse; *chien* bissig
mèche [mɛʃ] F *bougie* Docht *m*; *explosif* Zündschnur *f*; *de cheveux* Strähne
mécontent [mekõtɑ̃] unzufrieden
médaille [medaj] F Medaille
médecin [medsɛ̃] M Arzt, Ärztin *f*; **~ de garde** Notarzt
médecine [medsin] F Medizin
médias [medja] MPL Medien *npl*
médical [medikal] ärztlich
médicament [medikamɑ̃] M Medikament *n*
médiéval [medjeval] mittelalterlich
médiocre [medjɔkr] unzureichend; *élève* schwach
méditatif [meditatif] nachdenklich **méditation** [meditasjõ] F Nachdenken *n*, Meditation **méditer** [medite] nachdenken (**sur qc** über etw *akk*), meditieren
Méditerranée [meditɛrane] **la ~** das Mittelmeer
méduse [medyz] F Qualle
méfiance [mefjɑ̃s] F Misstrauen *n* **méfiant** [mefjɑ̃] misstrauisch
méfier [mefje] **se ~ de qn** j-m misstrauen
meilleur [mɛjœr] besser; **le ~, la ~e** der, die, das beste; *de la classe* der, die Beste
mélange [melɑ̃ʒ] M Mischung *f* **mélanger** [melɑ̃ʒe] (ver)mischen (**à** *od* **avec** mit); *dossiers, dates* durcheinanderbringen
mêler [mɛle] (ver)mischen; **se ~ de** sich (ein)mischen in (*akk*)
mélèze [melɛz] M Lärche *f*
mélodie [melɔdi] F Melodie
melon [məlõ] M Melone *f*
membre [mɑ̃br] M ANAT Glied *n*; *d'un club* Mitglied *n*
mémé [meme] F Oma
même [mɛm] ADV sogar, selbst; ADJ *u.* PRON **le ~, la ~** derselbe, dieselbe, dasselbe; **la ~ chose** dasselbe, das Gleiche; **~ si** selbst wenn; **de ~ que** ebenso (wie); **de ~!** gleichfalls!
mémoire [memwar] F Gedächtnis *n*; IT Speicher *m*; **~s** PL Memoiren; **de ~** aus dem Gedächtnis; **à la ~ de, en ~ de** zur Erinnerung an
menace [mənas] F Drohung; *danger* Bedrohung **menacer** [mənase] drohen (**qn de** j-m mit); *avec une arme* bedrohen (j-n mit)
ménage [menaʒ] M Haushalt; *couple* Ehepaar *n*; **faire le ~** putzen
ménager[1] [menaʒe] schonen
ménager[2] [menaʒe] ADJ Haushalt(ung)s…
mendiant(e) [mɑ̃djɑ̃(t)] M(F) Bettler(in) **mendier** [mɑ̃dje] betteln
mener [məne] *conduire* bringen; *fig* führen; *diriger* leiten; *route* führen (**à** nach, zu);

SPORT führen
menhir [menir] M Menhir, Hinkelstein
méningite [menɛ̃ʒit] F Hirnhautentzündung
ménisque [menisk] M Meniskus
mensonge [mɑ̃sɔ̃ʒ] M Lüge *f*
mensuel [mɑ̃sɥɛl] 1 monatlich 2 M Monatszeitschrift *f*
mental [mɑ̃tal] geistig, Geistes…
mentalité [mɑ̃talite] F Mentalität
menteur [mɑ̃tœr] M, **menteuse** [mɑ̃tøz] F Lügner(in) *m(f)*
menthe [mɑ̃t] F Minze; **crème de ~** Pfefferminzlikör *m*
mentionner [mɑ̃sjɔne] erwähnen
mentir [mɑ̃tir] lügen
menton [mɑ̃tɔ̃] M Kinn *n*
menu[1] [məny] schmächtig; *hacher* fein
menu[2] M Menü *n* (*a.* IT); *carte* Speisekarte *f*
menuisier [mənɥizje] M Tischler, Schreiner
mépris [mepri] M Verachtung *f* **mépriser** [meprize] verachten
mer [mɛr] F Meer *n*, See; **la ~ Baltique** die Ostsee; **la ~ du Nord** die Nordsee; **à la ~** am *od* ans Meer, an der *od* an die See
mercerie [mɛrsəri] F *articles* Kurzwaren *fpl*; *magasin* Kurzwarengeschäft *n*
merci [mɛrsi] danke; **~ beaucoup!** vielen Dank!; **~ de** *od* **pour** danke für
mercredi [mɛrkrədi] M Mittwoch; **le ~** mittwochs
mercure [mɛrkyr] M Quecksilber *n*
merde [mɛrd] F *sl* Scheiße, Kacke
mère [mɛr] F Mutter
merguez [mɛrgɛz] F *scharf gewürztes Würstchen*
méridional [meridjɔnal] südfranzösisch
meringue [mərɛ̃g] F Baiser *n*
mérite [merit] M Verdienst *n*
mériter [merite] verdienen
merlan [mɛrlɑ̃] M Merlan
merle [mɛrl] M Amsel *f*
merveille [mɛrvɛj] F Wunder *n*; **à ~** vortrefflich
merveilleux [mɛrvɛjø] wunderbar
mesdames [mɛdam] **~ (et messieurs)!** meine Damen (und Herren)!
mesquin [mɛskɛ̃] kleinlich
message [mɛsaʒ] M Nachricht *f*; *petit mot* **un ~** ein paar Zeilen *fpl*; **laisser un ~ à qn** j-m e-e Nachricht hinterlassen
messe [mɛs] F Messe
messieurs [mesjø] MPL Herren; **~!** meine Herren!; *sl* **~ dames!** die Herrschaften!
mesure [məzyr] F Maß *n*; *disposition* Maßnahme; MUS Takt *m*; **être en ~ de** in der Lage

sein zu; **sur ~** nach Maß; **en ~** im Takt
mesurer [məzyre] messen; **~ 1,80 m** 1,80 m groß sein; **tu mesures combien?** wie groß bist du?
métal [metal] M ‹*pl* métaux [meto]› Metall *n*
météo [meteo] *umg* F Wetterbericht *m*
méthode [metɔd] F Methode
méticuleux [metikylø] peinlich genau
métier [metje] M Beruf; Handwerk *n*
mètre [mɛtr] M Meter *n*; *règle, ruban* Metermaß *n*
métro [metro] M U-Bahn *f*
mets [mɛ] M GASTR Gericht *n*
metteur [mɛtœr] M **~ en scène** Regisseur
mettre [mɛtr] (**se ~** sich) legen, stellen, setzen; *vêtements* (sich) anziehen; **~ deux jours à** (*+inf*) zwei Tage brauchen, um zu; **~ en marche** anlassen; **~ au courant** informieren; **se ~ à faire qc** anfangen, etw zu tun
meuble [mœbl] M Möbel (-stück) *n*; **~s** PL Möbel
meublé [mœble] möbliert
meubler [mœble] (**se ~** sich) einrichten
meunière [mønjɛr] F (**à la**) **~** nach Müllerinart
meurt [mœr] PRÄS → mourir
meurtre [mœrtr] M Mord
meurtrier [mœrtrije] M Mörder
mi-... [mi] halb...; (**à la**) **~janvier** Mitte Januar
micro [mikro] M Mikrofon *n*; *micro-ordinateur* PC
microbe [mikrɔb] M Mikrobe *f*
microfibre [mikrofibr] F Mikrofaser **micro-ondes** [mikroõd] M Mikrowellenherd
micro-ordinateur [mikroɔrdinatœr] M PC **microprocesseur** [mikroprɔsɛsœr] M Mikroprozessor **microscope** [mikroskɔp] M Mikroskop *n*
midi [midi] M Mittag; *heure* zwölf (Uhr); **le Midi** Südfrankreich *n*; **à ~** mittags; *heure* um zwölf (Uhr)
mie [mi] F Krume
miel [mjɛl] M Honig
mien [mjɛ̃] ‹*f* mienne [mjɛn]› **le ~, la ~ne** meine(r, -s); **les ~s, les ~nes** meine
mieux [mjø] besser; **le ~** am besten; **beaucoup ~, bien ~** viel besser; **un peu ~** etwas besser; **le ~ possible** so gut wie möglich; **au ~** bestenfalls; **de ~ en ~** immer besser
mignon [miɲõ] niedlich
migraine [migrɛn] F Migräne
migrant(**e**) [migrɑ̃(t)] M(F) Migrant(in)
mijoter [miʒɔte] bei schwacher Hitze schmoren
mil [mil] *dans une date* tausend
milieu [miljø] M Mitte *f*; *entourage* Umwelt *f*; *social* Milieu *n*; **au ~ de** in der Mitte (*gen*)

militaire [militɛr] **1** militärisch **2** M Soldat
milk-shake [milkʃɛk] M Milchshake
mille [mil] **1** tausend **2** M **~ (marin)** Seemeile *f*
millefeuille [milfœj] M *Cremeschnitte aus Blätterteig*
millénaire [milenɛr] M Jahrtausend *n*
millésime [milezim] M *d'un vin* Jahrgang
milliard [miljar] M Milliarde *f*
millième [miljɛm] **1** tausendste(r, -s) **2** M MATH Tausendstel *n*
millier [milje] M Tausend *n*; **un ~ de** tausend; **des ~s (de)** Tausende (von)
millimètre [milimɛtr] M Millimeter *m*
million [miljõ] M Million *f*
mince [mɛ̃s] dünn; *personne* schlank
mine[1] [min] F Mine (*a.* MIL)
mine[2] [min] F *expression* Gesicht *n*; *aspect* Äußere(s) *n*; **avoir bonne ~** gut aussehen
mineur[1] [minœr] zweitrangig; JUR minderjährig; MUS **do** *m* **~** c-Moll *n*
mineur[2] [minœr] M Bergmann
minibar [minibar] M Minibar *f*
minibus [minibys] M Kleinbus
minijupe [miniʒyp] F Minirock *m*
minime [minim] winzig
minimum [minimɔm] M Minimum *n*
ministère [ministɛr] M Ministerium *n* **ministre** [ministr] M Minister
minitel® [minitɛl] M *etwa* Btx (-Gerät) *n*, Bildschirmtext
minorité [minɔrite] F Minderheit
minuit [minɥi] M Mitternacht *f*
minute [minyt] F Minute; **une ~!** e-n Augenblick!
minutieux [minysjø] peinlich genau
mirabelle [mirabɛl] F Mirabelle
miracle [mirakl] M Wunder *n*
miroir [mirwar] M Spiegel
mis [mi] PPERF → **mettre**
mise [miz] F *au jeu* Einsatz *m*; **~ à jour** Aktualisierung, INFORM Update *n*; **~ au point** Einstellung, *fig* Richtigstellung; **~ en plis** *chez le coiffeur* Waschen und Legen *n*; **~ en scène** Inszenierung
miser [mize] setzen (**sur** auf *akk*)
misérable [mizerabl] elend, erbärmlich
misère [mizɛr] F Elend *n*
mission [misjõ] F Auftrag *m*
missionnaire [misjɔnɛr] M Missionar
mite [mit] F Motte
mi-temps [mitɑ̃] F SPORT Halbzeit; **travailler à ~** halbtags arbeiten
mitraillette [mitrajɛt] F Ma-

schinenpistole **mitrailleuse** [mitrajøz] F Maschinengewehr *n*
mixeur [miksœr] M Mixer
mixte [mikst] gemischt
MJC [ɛmʒise] F (*Maison des jeunes et de la culture*) städtisches Jugendklubhaus *n*
Mlle (*mademoiselle*) Fr. (*Frau*)
Mme (*madame*) Fr. (*Frau*)
mobile [mɔbil] **1** beweglich **2** M Beweggrund, Motiv *n*
mobilité [mɔbilite] F Beweglichkeit; **à ~ réduite** gehbehindert
mobylette® [mɔbilɛt] F Mofa *n*
mode¹ [mɔd] M Art *f*, Weise *f*; **~ d'emploi** Gebrauchsanweisung *f*
mode² [mɔd] F Mode; **à la ~** Mode..., modisch
modèle [mɔdɛl] **1** Muster... **2** M Modell *n*; *fig exemple* Vorbild *n* **3** *mode* Model *n*
modem [mɔdɛm] M Modem *n*
modération [mɔderasjõ] F Mäßigung
modéré [mɔdere] mäßig; *prix, personne* maßvoll
moderne [mɔdɛrn] modern **moderniser** [mɔdɛrnize] modernisieren
modeste [mɔdɛst] bescheiden
modification [mɔdifikasjõ] F (Ab)Änderung **modifier** [mɔdifje] ändern; *retoucher* abändern
modulation [mɔdylasjõ] F (en) **~ de fréquence** (auf) UKW
moelle [mwal] F Mark *n*; **~ épinière** Rückenmark *n*
mœurs [mœr(s)] FPL Sitten
moi [mwa] *après* PRÄP mich (*akk*), mir (*dat*); *sujet* ich
moindre [mwɛ̃dr] geringer, minder; **le/la ~** der/die/das geringste
moine [mwan] M Mönch
moineau [mwano] M Spatz
moins¹ [mwɛ̃] weniger (**que, de** als); **le ~** am wenigsten; **~ cher** billiger; **le ~ cher** am billigsten; **du ~, au ~** wenigstens; **de ~ en ~** immer weniger; **à ~ que** es sei denn, dass
moins² [mwɛ̃] PRÄP MATH, *température* minus; HANDEL abzüglich (*gen*); **cinq heures ~ dix** zehn vor fünf
mois [mwa] M Monat
moisi [mwazi] **1** schimm(e)lig **2** M Schimmel **moisir** [mwazir] (ver)schimmeln **moisissures** [mwazisyr] FPL Schimmel *m*
moisson [mwasõ] F Ernte
moissonner [mwasɔne] ernten
moitié [mwatje] F Hälfte; **à ~** halb, zur Hälfte
moka [mɔka] M Mokka; *gâteau* Mokka- *od* Schokoladentörtchen *n*
molaire [mɔlɛr] F Backenzahn *m*
molle → **mou**
mollet [mɔlɛ] M Wade *f*

moment [mɔmɑ̃] M Augenblick, Moment; **en ce ~** im Augenblick, in diesem Moment; **dans un ~** gleich; **pour le ~** vorerst; **au ~ où** in dem Augenblick, als *od* wo
momentané [mɔmɑ̃tane] augenblicklich
mon [mõ] ⟨*f* ma [ma], *pl* mes [me]⟩ mein(e)
monastère [mɔnastɛr] M Kloster *n*
monde [mõd] M Welt *f*; **du ~** Leute *pl*; **tout le ~** jeder (-mann), alle
mondial [mõdjal] Welt…, global **mondialisation** [mõdjalizasjõ] F Globalisierung
Moneo [moneo] **carte** *f* **~** Geldkarte
monétaire [mɔnetɛr] Geld…, Währungs…, Münz…
moniteur [mɔnitœr] M, **monitrice** [mɔnitris] F *de ski* Skilehrer(in) *m(f)*; *d'auto-école* Fahrlehrer(in) *m(f)*; *de colonie de vacances* Betreuer(in) *m(f)*
monnaie [mɔnɛ] F *d'un pays* Währung; *argent* Geld *n*; *pièces* Kleingeld *n*; **rendre la ~** herausgeben; **faire la ~ de 100 euros** 100 Euro wechseln
monologue [mɔnɔlɔg] M Selbstgespräch *n*
monotone [mɔnɔtɔn] eintönig
monsieur [məsjø] M Herr; *lettre* **Monsieur**, Sehr geehrter Herr (+ *nom de famille*)
monstre [mõstr] **1** M Ungeheuer *n* **2** ADJ Monster…, Riesen… **monstrueux** [mõstryø] scheußlich
mont [mõ] M Berg
montagne [mõtaɲ] F *mont* Berg *m*; *opposé à plaine* Gebirge *n*, Berge *mpl*; **à la ~** im *od* ins Gebirge
montant [mõtɑ̃] M Betrag
montée [mõte] F *ascenscion* Aufstieg *m*; *pente* Steigung; *fig hausse* Anstieg *m*
monter [mõte] steigen (**à, sur** auf *akk*), hinauf- *od* herauf- *od* hochgehen (*véhicule* -fahren); *route* ansteigen; *température, marée* steigen; TECH montieren; *tente* aufschlagen; **~ dans** (ein)steigen in (*akk*); **se ~ à** betragen (*akk*)
montre [mõtr] F Uhr **montre-bracelet** [mõtrbraslɛ] F Armbanduhr
montrer [mõtre] zeigen
monture [mõtyr] F **~ (de lunettes)** Brillengestell *n*
monument [mɔnymɑ̃] M Denkmal *n*
moquer [mɔke] **se ~ de** sich lustig machen über (*akk*)
moquette [mɔkɛt] F Teppichboden *m*
moqueur [mɔkœr] spöttisch
moral [mɔral] **1** moralisch; *psychologique* seelisch **2** M Moral *f*, Stimmung *f*
morale [mɔral] F Moral
morceau [mɔrso] M ⟨*pl* mor-

ceaux› Stück *n*
mordre [mɔrdr] beißen; *insecte* stechen; *poisson* anbeißen; **se ~ la langue** sich auf die Zunge beißen
morille [mɔrij] F Morchel
morse [mɔrs] M ZOOL Walross *n*
morsure [mɔrsyr] F Bisswunde; (Insekten)Stich *m*
mort [mɔr] **1** tot, gestorben; *bois* dürr **2** F Tod *m* **3** **mort(e)** [mɔr(t)] M(F) Tote(r) *m/f(m)*
mortel [mɔrtɛl] tödlich; *l'homme* sterblich; *umg très ennuyeux* sterbenslangweilig
morue [mɔry] F Kabeljau *m*
mosaïque [mɔzaik] M Mosaik *n*
mosquée [mɔske] F Moschee
mot [mo] M Wort *n*; **~s** *pl* **croisés** Kreuzworträtsel *n*; IT **~ de passe** Passwort *n*
motard [mɔtar] M Motorradfahrer *m* (*der Polizei*)
motel [mɔtɛl] M Motel *n*
moteur [mɔtœr] M Motor; **~ Diesel** Dieselmotor; **~ à deux temps** Zweitaktmotor; IT **~ de recherche** Suchmaschine *f*
motif [mɔtif] M Motiv *n*
moto [mɔto] *umg* F, **motocyclette** [mɔtosiklɛt] F Motorrad *n* **motocycliste** [mɔtosiklist] M Motorradfahrer
motte [mɔt] F **~ (de terre)** Scholle; **~ de beurre** Butterklumpen *m*
mou [mu] ‹*f* molle [mɔl]› weich; *apathique* lahm
mouche [muʃ] F Fliege
moucher [muʃe] **se ~** sich die Nase putzen **mouchoir** [muʃwar] M Taschentuch *n*; **~ en papier** Papiertaschentuch *n*
moudre [mudr] mahlen
mouette [mwɛt] F Möwe
mouillé [muje] nass; **être tout mouillé** völlig durchnässt sein
mouiller [muje] nass machen; **se ~** nass werden
moule[1] [mul] F ZOOL Miesmuschel; **~s** *pl* **marinière** *in Weinsud gekochte Miesmuscheln*
moule[2] [mul] M (Gieß)Form *f*; GASTR Back-, Kuchenform
mouler [mule] *statue* gießen; *briques* formen
moulin [mulɛ̃] M Mühle *f*; **~ à vent** Windmühle *f*; **~ à café** Kaffeemühle *f*; **~ à poivre** Pfeffermühle *f*
moulu [muly] gemahlen
mourir [murir] sterben
mousse[1] [mus] F BOT Moos *n*
mousse[2] [mus] F Schaum *m*; GASTR Mousse; *matière plastique* Schaumstoff *m*; **~ au chocolat** Schokoladenmousse; **~ coiffante** Schaumfestiger *m*; **~ à raser** Rasierschaum *m*
mousser [muse] schäumen
mousseux [musø] **1** schäumend **2** M Schaumwein
moustache [mustaʃ] F Schnurrbart *m*
moustiquaire [mustikɛr] F

Moskitonetz *n*
moustique [mustik] M (Stech)Mücke *f*
moût [mu] M Most
moutarde [mutard] F Senf *m*
mouton [mutõ] M Schaf *n*; *mâle castré* Hammel; *viande* Hammelfleisch *n*
mouvement [muvmɑ̃] M Bewegung *f*
mouvementé [muvmɑ̃te] *séance* erregt; *vie* bewegt
moyen [mwajɛ̃] **1** mittlere(r, -s), durchschnittlich **2** M Mittel *n*; **~s** PL (Geld)Mittel *npl*; *capacités* Fähigkeiten *fpl*
moyenne [mwajɛn] F Durchschnitt *m*
mozzarella [mɔdzarela] F Mozzarella *m*
MST F (*maladie sexuellement transmissible*) Geschlechtskrankheit
muesli [mysli] M Müsli *n*
muet [mɥɛ] ‹*f* muette [mɥɛt]› stumm
muguet [mygɛ] M Maiglöckchen *n*
mule [myl] F Pantoffel *m*
mulet [mylɛ] M Maulesel
multicolore [myltikɔlɔr] bunt
multiculturel [myltikyltyrɛl] multikulturell
multiple [myltipl] verschieden; **à de ~s reprises** mehrmals
multiplier [myltiplije] vermehren; MATH multiplizieren; **se ~** sich häufen; BIOL sich vermehren
multitude [myltityd] F **une ~ de ...** e-e Vielzahl von (*od gen*)
Munich [mynik] München
municipal [mynisipal] ‹*pl* municipaux [mynisipo]› kommunal; städtisch **municipalité** [mynisipalite] F *commune* Gemeinde; *ville* Stadt
munir [mynir] ausrüsten, versehen (**de** mit)
munitions [mynisjõ] FPL Munition *f*
mur [myr] M Mauer *f*; *intérieur* Wand *f*
mûr [myr] reif
muraille [myraj] F (Stadt)Mauer **mural** [myral] Wand...
mûre [myr] F Brombeere
murer [myre] zumauern
mûrir [myrir] reifen
murmure [myrmyr] M Gemurmel *n* **murmurer** [myrmyre] murmeln
muscade [myskad] F Muskatnuss
muscat [myska] M Muskateller(-wein)
muscle [myskl] M Muskel
musclé [myskle] muskulös
musculation [myskylasjõ] F Muskeltraining *n*
museau [myzo] M Schnauze *f*
musée [myze] M Museum *n*
musicien [myzisjɛ̃] **1** musikalisch **2** M Musiker
musique [myzik] F Musik; **~ classique** klassische Musik; **~ pop** Popmusik; **~ de chambre**

Kammermusik
musulman [myzylmɑ̃] **1** moslemisch, mohammedanisch **2** M Moslem, Mohammedaner
mutiler [mytile] verstümmeln
mutuel(lement) [mytɥɛl(mɑ̃)] gegenseitig
mygale [migal] F Vogelspinne
myope [mjɔp] kurzsichtig
myosotis [mjɔzɔtis] M Vergissmeinnicht *n*
myrtille [mirtij] F Heidel-, Blaubeere
mystère [mistɛr] M Geheimnis *n*; *énigme* Rätsel *n*
mystérieux [misterjø] geheimnisvoll

N

nacre [nakr] F Perlmutt *n*
nage [naʒ] F Schwimmen *n*; **être en ~** schweißgebadet sein
nageoire [naʒwar] F Flosse
nager [naʒe] schwimmen; **~ le crawl** kraulen
nageur [naʒœr] M, **nageuse** [naʒøz] F Schwimmer(in) *m(f)*
naïf [naif] naiv
nain [nɛ̃] M Zwerg
naissance [nɛsɑ̃s] F Geburt; *fig* Entstehung
naître [nɛtr] geboren werden; *fig* entstehen
nappe [nap] F Tischtuch *n*
narcisse [narsis] M Narzisse *f*
narcotique [narkɔtik] M Betäubungsmittel *n*
narine [narin] F Nasenloch *n*
narration [narasjõ] F Erzählung
natal [natal] Geburts..., Heimat... **natalité** [natalite] F **(taux** *m* **de) ~** Geburtenzahl
natation [natasjõ] F Schwimmen *n*
natif [natif] **~ de** gebürtig aus
nation [nasjõ] F Nation
national [nasjɔnal] National...
nationale [nasjɔnal] F *correspond à* Bundesstraße
nationalité [nasjɔnalite] F Staatsangehörigkeit, Nationalität
natte [nat] F Zopf *m*; **~ isolante** Isomatte
nature [natyr] F Natur; *caractère a.* Wesen *n*; **~ morte** Stilleben *n*; **café** *m* **~** schwarzer Kaffee
naturel [natyrɛl] natürlich, Natur... **naturellement** [natyrɛlmɑ̃] natürlich, selbstverständlich
naturisme [natyrism] M Freikörperkultur *f*, FKK
naufrage [nofraʒ] M Schiffbruch
nausée [noze] F Übelkeit
nautique [notik] Wasser...
naval [naval] See...
navarin [navarɛ̃] M Lammragout *n*

navet [navɛ] M weiße Rübe *f*
navette [navɛt] F Pendelzug *m*, -bus *m*; *bac* Fähre; *correspondance* Zubringer(bus) *m*; **faire la ~** pendeln
navigateur [navigatœr] M IT Browser
navigation [navigasjõ] F Schifffahrt; **~ aérienne** Luftfahrt; **~ spatiale** Raumfahrt
naviguer [navige] *bateau* fahren; *marin* zur See fahren; *voilier* segeln; FLUG fliegen; IT **~ sur Internet** im Internet surfen
navire [navir] M (See)Schiff *n*
navré [navre] tief betrübt
ne [nə] **~ … pas** nicht; **~ … que** nur, *temporel* erst; **~ … plus** nicht mehr
né [ne] PPERF *von* **naître** geboren
néanmoins [neɑ̃mwɛ̃] dennoch, trotzdem
nécessaire [nesɛsɛr] **1** notwendig **2** M **le ~** das Notwendige; *trousse* Necessaire *n*
nécessité [nesesite] F Notwendigkeit **nécessiter** [nesesite] erfordern
néerlandais [neɛrlɑ̃dɛ] **1** niederländisch **2** **Néerlandais** M Niederländer
nef [nɛf] F Schiff *n*
néfaste [nefast] verhängnisvoll
négatif [negatif] **1** negativ; *réponse* verneinend **2** M FOTO Negativ *n*
négation [negasjõ] F Verneinung
négligent [negliʒɑ̃] nachlässig **négliger** [negliʒe] vernachlässigen
négociant [negɔsjɑ̃] M **~ en vins** Weinhandlung *f* **négocier** [negɔsje] verhandeln
neige [nɛʒ] F Schnee *m*; **~ fraîche** Neuschnee *m*; **~ fondue** Schneeregen *m*; **~ verglacée** Schneeglätte
neiger [nɛʒe] schneien; **il neige** es schneit
neigeux [nɛʒø] verschneit; *sommet* schneebedeckt
néon [neõ] M Neon *n*; *tube* Neonröhre *f*
nerf [nɛr] M Nerv
nerveux [nɛrvø] nervös, Nerven… **nervosité** [nɛrvozite] F Nervosität
n'est-ce pas? [nɛspa] nicht wahr?
net [nɛt] *propre* sauber, rein; *clair* klar, deutlich; *réponse* eindeutig; FOTO, TV scharf; HANDEL netto
Net [nɛt] **le ~** *Internet* das Net(z)
netteté [nɛtte] F Sauberkeit; Klarheit; FOTO, TV Schärfe
nettoyage [nɛtwajaʒ] M Reinigung *f*; **~ à sec** chemische Reinigung *f*
nettoyer [nɛtwaje] reinigen, säubern
neuf[1] [nœf] neun
neuf[2] [nœf] ⟨*f* neuve [nœv]⟩ neu

neutre [nøtr] neutral; GRAM sächlich
neuvième [nœvjɛm] **1** neunte(r, -s) **2** M MATH Neuntel *n*
névé [neve] M Firn
neveu [nəvø] M Neffe
névralgie [nevralʒi] F Neuralgie **névrodermite** [nevrɔdɛrmit] F MED Neurodermitis
névrotique [nevrɔtik] neurotisch
nez [ne] M Nase *f*
ni [ni] und nicht; **~ ... ~ ...** weder ... noch ...
niais [njɛ] albern
Nice [nis] Nizza
niche [niʃ] F Nische; *de chien* Hundehütte
nid [ni] M Nest *n*
nièce [njɛs] F Nichte
nier [nje] leugnen
n'importe → importer[2]
niveau [nivo] M Niveau *n* (*a. fig*); *hauteur* Höhe *f*; **~ d'huile** Ölstand; **~ de la mer** Meeresspiegel; **~ de vie** Lebensstandard; **au ~ de** auf gleicher Höhe mit
Nobel [nɔbɛl] **prix** *m* **~** Nobelpreis
noble [nɔbl] **1** ad(e)lig; *fig* edel **2** M/F Adlige(r) *m/f(m)*
noblesse [nɔblɛs] F Adel *m*
noce [nɔs] F, **~s** PL Hochzeit *f*
nocif [nɔsif] schädlich
nocturne [nɔktyrn] **1** nächtlich, Nacht... **2** F *od* M HANDEL *Öffnungszeit am Abend*
Noël [nɔɛl] M Weihnachten *n*; **père** *m* **~** Weihnachtsmann
nœud [nø] M Knoten
noir [nwar] **1** schwarz; *sombre* dunkel; *umg ivre* blau **2** **Noir(e)** M(F) Schwarze(r) *m/f(m)*
noisette [nwazɛt] F Haselnuss
noix [nwa] F (Wal)Nuss
nom [nõ] M Name; **petit ~** Vorname; **~ de famille** Familienname; **~ de jeune fille** Geburts- *od* Mädchenname; **~ propre** Eigenname; **de ~** dem Namen nach
nombre [nõbr] M Zahl *f*; *quantité a.* Anzahl *f*
nombreux [nõbrø] zahlreich
nombril [nõbri(l)] M Nabel
nommer [nɔme] nennen; *à une fonction* ernennen; **se ~** sich nennen, heißen
non [nõ] nein; **moi ~** ich nicht!; **moi ~ plus** ich auch nicht; **~ seulement ..., mais encore** nicht nur ..., sondern auch
nonante [nɔnɑ̃t] *Belgique, Suisse* neunzig
non-fumeur [nõfymœr] M Nichtraucher; **espace** *m* **~** Nichtraucherzone *f* **non-nageur** [nõnaʒœr] M Nichtschwimmer
nord [nɔr] M Norden; **au ~ de** nördlich von
nord-est [nɔrɛst] M Nordosten
nordique [nɔrdik] nordisch; **marche** *f* **~** Nordic Walking *n*

nord-ouest [nɔrwɛst] M Nordwesten
normal [nɔrmal] normal **normalement** [nɔrmalmɑ̃] normalerweise
normand [nɔrmɑ̃] normannisch, aus der Normandie **Normandie** [nɔrmɑ̃di] **la ~** die Normandie
Norvège [nɔrvɛʒ] **la ~** Norwegen *n*
norvégien [nɔrveʒjɛ̃] **1** norwegisch **2** **Norvégien** M Norweger
nos [no] → **notre**
nostalgie [nɔstalʒi] F Sehnsucht (**de** nach)
notaire [nɔtɛr] M Notar
notamment [nɔtamɑ̃] besonders
note [nɔt] F Note; *annotation* Anmerkung; *d'hôtel* Rechnung
noter [nɔte] *écrire* (sich) notieren, (sich) aufschreiben; *constater* feststellen
notice [nɔtis] F *d'un lave-linge* Anleitung; *d'un médicament* Beipackzettel *m*
notion [nosjõ] F Begriff *m*; **~s** PL Grundkenntnisse (**de** in *dat*)
notre [nɔtr] ⟨*pl* nos [no]⟩ unser(e)
nôtre [notr] **le ~, la ~** unsere(r, -s); **les ~s** PL unsere
nouer [nwe] (zusammen-, zu-)binden
nouilles [nuj] FPL Nudeln
nourrice [nuris] F Tagesmutter
nourrir [nurir] ernähren; *animaux* füttern; **se ~** sich ernähren (**de** von)
nourrissant [nurisɑ̃] nahrhaft
nourrisson [nurisõ] M Säugling
nourriture [nurityr] F Nahrung
nous [nu] wir; *complément d'objet* uns
nouveau [nuvo] ⟨*vor Vokal* nouvel, *f* nouvelle [nuvɛl]⟩ neu; **de** *od* **à ~** wieder, noch einmal; **~-né** [nuvone] M Neugeborene(s) *n*
nouveauté [nuvote] F Neuheit
nouvel(le) → **nouveau**
nouvelle [nuvɛl] F Nachricht; *récit* Novelle; *radio*, TV **~s** PL Nachrichten
Nouvelle-Zélande [nuvɛlzelɑ̃d] **la ~** Neuseeland *n*
novembre [nɔvɑ̃br] M November
novice [nɔvis] **1** unerfahren **2** M Neuling
noyau [nwajo] M Kern
noyer[1] [nwaje] ertränken; **se ~** ertrinken
noyer[2] [nwaje] M Nussbaum
nu [ny] **1** nackt; *plaine, arbre* kahl **2** M *peinture, sculpture* Akt
nuage [nɥaʒ] M Wolke *f*
nuageux [nɥaʒø] wolkig
nuancer [nɥɑ̃se] nuancieren, differenzieren
nucléaire [nykleɛr] Kern...,

nuklear; **centrale** *f* **~** Kernkraftwerk *n*
nudisme [nydism] M Freikörperkultur *f*, FKK
nuire [nɥir] schaden (**à** *dat*)
nuisible [nɥizibl] schädlich (**à** für)
nuit [nɥi] F Nacht; *à l'hôtel a.* Übernachtung; **cette ~** heute Nacht; **la ~** nachts; **bonne ~!** gute Nacht; **il fait ~** es ist Nacht, dunkel; **la ~ tombe** es wird Nacht, dunkel
nuitée [nɥite] F Übernachtung
nul [nyl] SPORT unentschieden; *visibilité, risques* gleich null; *devoir* wertlos
nullement [nylmɑ̃] keineswegs
numérique [nymerik] digital
numéro [nymero] M Nummer *f*; **~ de la chambre** Zimmernummer *f*; **~ de fax** Faxnummer *f*; **~ d'immatriculation** Zulassungsnummer *f*; **~ de téléphone** Telefonnummer *f*; **~ vert** Service-130-Rufnummer *f*; **faire le ~** wählen; **faire un faux ~** sich verwählen
numéroter [nymerɔte] nummerieren
nu-pieds [nypje] **1** barfuß **2** MPL (einfache) Sandalen *fpl*
nuque [nyk] F Genick *n*, Nacken *m*

O

oasis [ɔazis] F Oase
obéir [ɔbeir] gehorchen (**à** *dat*)
obéissance [ɔbeisɑ̃s] F Gehorsam *m*
obélisque [ɔbelisk] M Obelisk
objectif [ɔbʒɛktif] **1** objektiv **2** M *but* Ziel *n*; FOTO Objektiv *n*
objection [ɔbʒɛksjõ] F Einwand *m*
objet [ɔbʒɛ] M Gegenstand; **~ d'art** Kunstgegenstand; **~s** *pl* **de valeur** Wertsachen *fpl*; **bureau** *m* **des ~s trouvés** Fundbüro *n*
obligation [ɔbligasjõ] F Verpflichtung
obligatoire [ɔbligatwar] obligatorisch; **enseignement** *m* **~** Schulpflicht *f*
obligé [ɔbliʒe] dankbar, verbunden; **je vous serais très ~(e) de bien vouloir faire qc** ich wäre Ihnen sehr dankbar, wenn Sie etw tun würden
obligeant [ɔbliʒɑ̃] freundlich, entgegenkommend **obliger** [ɔbliʒe] zwingen (**à** zu)
oblique [ɔblik] schief, schräg
oblitérer [ɔblitere] entwerten
obscène [ɔpsɛn] obszön
obscur [ɔpskyr] dunkel (*a. fig*)
obscurité [ɔpskyrite] F Dun-

kelheit
obsèques [ɔpsɛk] FPL Trauerfeier *f*, Beisetzung *f*
observation [ɔpsɛrvasjõ] F Beobachtung; *remarque* Bemerkung
observatoire [ɔpsɛrvatwar] M Observatorium *n*
observer [ɔpsɛrve] beobachten; *remarquer* bemerken; *règlement* einhalten
obstacle [ɔpstakl] M Hindernis *n*
obstiné [ɔpstine] hartnäckig
obstiner [ɔpstine] **s'~** stur sein; **s'~ à faire qc** sich darauf versteifen, etw zu tun
obtenir [ɔptənir] erlangen
obturateur [ɔptyratœr] M FOTO Verschluss
obus [ɔby] M Granate *f*
occasion [ɔkazjõ] F Gelegenheit; **à l'~** gelegentlich, bei Gelegenheit; **à l'~ de** anlässlich (*gen*); **d'~** gebraucht; **voiture** *f* **d'~** Gebrauchtwagen *m*
occasionner [ɔkazjɔne] verursachen
Occident [ɔksidã] M **l'~** der Westen
occidental [ɔksidãtal] westlich
occupant [ɔkypã] M (Haus-)Bewohner; AUTO Insasse **occupation** [ɔkypasjõ] F Beschäftigung; MIL Besetzung
occupé [ɔkype] *personne* beschäftigt; *place, taxi,* TEL besetzt; *appartement* bewohnt
occuper [ɔkype] *enfant* beschäftigen; *temps, soirées* verbringen; *de la place* ein-, wegnehmen; *appartement* bewohnen; *poste* innehaben; MIL besetzen; **s'~ de** sich beschäftigen mit, sich kümmern um
océan [ɔseã] M Ozean
octante [ɔktãt] *Belgique, Suisse* achtzig
octobre [ɔktɔbr] M Oktober
oculiste [ɔkylist] M/F Augenarzt *m*, -ärztin *f*
odeur [ɔdœr] F Geruch *m*; *parfum* Duft *m*; **mauvaise ~** Gestank *m*
odieux [ɔdjø] grässlich; **~ avec qn** gemein zu j-m
odorat [ɔdɔra] M Geruchssinn
œdème [edɛm] M MED Ödem *n*
œil [œj] M ⟨*pl* yeux [jø]⟩ Auge *n*; **coup** *m* **d'~** Blick
œillet [œjɛ] M Nelke *f*
œuf [œf] M ⟨*pl* œufs [ø]⟩ Ei *n*; **~ à la coque** weiches Ei *n*; **~ dur** hartes Ei *n*; **~ sur le plat** Spiegelei *n*; **~s** *pl* **brouillés** Rührei(er) *n(pl)*
œuvre [œvrə] F Werk *n*; **~ d'art** Kunstwerk *n*
offense [ɔfãs] F Beleidigung
offenser [ɔfãse] beleidigen
office [ɔfis] M Dienststelle *f*; *messe* Gottesdienst; **~ du tourisme** Fremdenverkehrsamt *n*; **d'~** von Amts wegen
officiel [ɔfisjɛl] offiziell
officier [ɔfisje] M Offizier

offre [ɔfr] F Angebot *n*; **~s** *pl* **d'emploi** Stellenangebote *npl*; **~ de dernière minute** Last-Minute-Angebot *n*
offrir [ɔfrir] anbieten; *en cadeau* schenken; **s'~ qc** sich etw leisten
OGM M (organisme génétiquement modifié) gentechnisch veränderter Organismus
oie [wa] F Gans
oignon [ɔɲõ] M Zwiebel *f*
oiseau [wazo] M Vogel; **~ de proie** Greifvogel
olive [ɔliv] F Olive; ADJ *couleur* oliv
ombragé [õbraʒe] schattig
ombre [õbr] F Schatten *m*; **~ à paupières** Lidschatten *n*; **à l'~** im Schatten
ombrelle [õbrɛl] F Sonnenschirm *m*
omelette [ɔmlɛt] F Omelett *n*; **~ au jambon** Schinkenomelett *n*
omettre [ɔmɛtr] auslassen; **~ de** (*+inf*) (es) unterlassen zu
omoplate [ɔmɔplat] F Schulterblatt *n*
on [õ] man; *umg* wir; **~ frappe** es klopft
oncle [õkl] M Onkel
onde [õd] F Welle; *radio*; **sur les ~s** im Rundfunk
ongle [õgl] M Nagel
onguent [õgã] M Salbe *f*
ont [õ] PRÄS → avoir
ONU [ɔny] F **l'~** die UNO
onze [õz] elf
opaque [ɔpak] undurchsichtig
opéra [ɔpera] M Oper *f*
opération [ɔperasjõ] F (Rettungs-, Polizei)Aktion; MED, MIL Operation; *affaire* Geschäft *n* **opérer** [ɔpere] MED operieren; *procéder* vorgehen; *médicament* wirken
ophtalmologiste [ɔftalmɔlɔʒist] M/F Augenarzt *m*, -ärztin *f*
opiniâtre [ɔpinjɑtr] hartnäckig
opinion [ɔpiɲõ] F Meinung
opportun [ɔpɔrtɛ̃, ɔpɔrtœ̃] günstig, angebracht
opposé [ɔpoze] **1** gegenüberliegend; *direction, goûts* entgegengesetzt; **être ~ à qc** gegen etw sein **2** M Gegenteil *n*; **à l'~ de** im Gegensatz zu
opposer [ɔpoze] gegenüberstellen (**à** *dat*); **s'~ à** *personne* sich widersetzen (*dat*); *chose* im Wege stehen (*dat*)
opposition [ɔpɔzisjõ] F Gegensatz *m*; *résistance* Widerstand *m* (**à** gegen); JUR Einspruch *m*; POL Opposition
oppresser [ɔprɛse] beklemmen; *fig* bedrücken **opprimer** [ɔprime] unterdrücken
opticien [ɔptisjɛ̃] M Optiker
option [ɔpsjõ] F Wahl; AUTO **~s** PL Extras *npl*; *école* **(matière *f* à) ~** Wahlfach *n*
or¹ [ɔr] M Gold *n*
or² [ɔr] KONJ nun (aber)
orage [ɔraʒ] M Gewitter *n*
orageux [ɔraʒø] gewittrig

oral [ɔral] **1** mündlich; MED **par voie ~e** oral **2** M mündliche Prüfung *f*
orange [ɔrɑ̃ʒ] **1** *couleur* orange(farben) **2** F Apfelsine, Orange
orchestre [ɔrkɛstr] M Orchester *n*; *théâtre* (Platz im) Parkett *n*
ordinaire [ɔrdinɛr] **1** gewöhnlich; *pej* ordinär **2** M *essence* Normalbenzin *n*; **d'~** gewöhnlich
ordinateur [ɔrdinatœr] M Computer, PC; **~ portable** Laptop, Notebook
ordonnance [ɔrdɔnɑ̃s] F MED Rezept *n*
ordonné [ɔrdɔne] *personne* ordentlich; *intérieur* wohlgeordnet
ordonner [ɔrdɔne] *classer* ordnen; *commander* befehlen
ordre [ɔrdr] M Ordnung *f*; *classement* Reihenfolge *f*; *commandement* Befehl (*a.* IT)
ordures [ɔrdyr] FPL Müll *m*
oreille [ɔrɛj] F Ohr *n* **oreiller** [ɔrɛje] M Kopfkissen *n* **oreillons** [ɔrɛjõ] MPL Mumps *m*
orfèvre [ɔrfɛvrə] M Goldschmied
organe [ɔrgan] M Organ *n*
organisation [ɔrganizasjõ] F Organisation **organiser** [ɔrganize] organisieren
organisme [ɔrganism] M ANAT, BOT Organismus; *institution* Organisation *f*
orgasme [ɔrgasm] M Orgasmus
orge [ɔrʒ] F Gerste
orgie [ɔrʒi] F Orgie
orgue [ɔrg] M (*od* **~s** FPL) Orgel *f*
orgueil [ɔrgœj] M *vanité* Hochmut; *fierté* Stolz
Orient [ɔrjɑ̃] M **l'~** der Orient **oriental** [ɔrjɑ̃tal] orientalisch; *à l'est* östlich
orientation [ɔrjɑ̃tasjõ] F Orientierung **orienter** [ɔrjɑ̃te] **s'~** sich orientieren
originaire [ɔriʒinɛr] **être ~ de** stammen aus
original [ɔriʒinal] **1** original; Original...; *idée* originell; *personne* sonderbar **2** M Original *n*
origine [ɔriʒin] F Ursprung *m*, Herkunft; *cause* Ursache
ORL [oɛrɛl] M/F (*otorhino-laryngologiste*) HNO-Arzt *m*, -Ärztin *f*
orme [ɔrm] M Ulme *f*
orner [ɔrne] schmücken
orphelin(e) [ɔrfəlɛ̃ (ɔrfəlin)] M(F) Waise *f*
orteil [ɔrtɛj] M Zehe *f*
orthodoxe [ɔrtɔdɔks] orthodox
orthographe [ɔrtɔgraf] F Rechtschreibung
orthopédiste [ɔrtɔpedist] M Orthopäde *m*
ortie [ɔrti] F Brennnessel
os [ɔs, PL o] M Knochen
osciller [ɔsile] schwingen; *fig*

schwanken (**entre** zwischen *dat*)
osé [oze] gewagt **oser** [oze] wagen, sich trauen
osier [ozje] M Korbweide *f*; **en ~** Korb...
otage [ɔtaʒ] M Geisel *f*
OTAN [ɔtɑ̃] F **l'~** die NATO
ôter [ote] wegnehmen; *manteau* ablegen
otite [ɔtit] F Ohrenentzündung
oto-rhino(-laryngologiste) [ɔtorino(larɛ̃gɔlɔʒist)] M/F Hals-Nasen-Ohren-Arzt *m*, -Ärztin *f*
ou [u] oder; **~ bien** oder; **~ (bien) ... ~ (bien) ...** entweder ... oder ...; **cinq ~ six ...** fünf bis sechs ...
où [u] **~?** wo? wohin?; **d'~?** woher?; PRON *relatif* in dem (der), in den (die, das); **d'~** aus dem; **là ~** da, dort, wo; **le soir ~** der Abend, an dem
ouate [wat] F Watte
oubli [ubli] M Vergessen *n*; **tomber dans l'~** in Vergessenheit geraten
oublier [ublijə] vergessen (**de** zu)
ouest [wɛst] M Westen; **à l'~ de** westlich von
oui [wi] ja; **mais ~** aber ja, ja doch
ouïe [wi] F Gehör(sinn) *n*(*m*)
ouragan [uragɑ̃] M Orkan
ourlet [urlɛ] M Saum
ours [urs] M Bär; **~ blanc** Eisbär
oursin [ursɛ̃] M Seeigel
outil [uti] M Werkzeug *n*
outre [utr] PRÄP außer (*dat*); ADV **en ~** außerdem
outré [utre] entrüstet
outre-mer [utrəmɛr] **d'~** überseeisch, Übersee...
ouvert [uvɛr] geöffnet **ouverture** [uvɛrtyr] F Öffnung; *d'un compte, d'une exposition* Eröffnung; MUS Ouvertüre
ouvrage [uvraʒ] M Arbeit *f*; *livre* Werk *n*
ouvre-boîtes [uvrəbwat] M Dosenöffner
ouvre-bouteilles [uvrəbutɛj] M Flaschenöffner
ouvreuse [uvrøz] F Platzanweiserin
ouvrier [uvrije] M, **ouvrière** [uvrijɛr] F Arbeiter(in) *m*(*f*)
ouvrir [uvrir] (er)öffnen; *lumière* anmachen
ovale [ɔval] oval
oxygène [ɔksiʒɛn] M Sauerstoff
ozone [ozon, ozɔn] M Ozon *n*; **couche** *f* **d'~** Ozonschicht; **taux** *m* **d'~** Ozonwert; **trou** *m* **d'~** Ozonloch *n*

P

pace-maker [pɛsmɛkœr] M Herzschrittmacher

pacifique [pasifik] friedlich
Pacifique [pasifik] **le ~, l'océan ~** der Pazifik
pacs, Pacs [paks] M (*pacte civil de solidarité*) *vom frz Staat anerkannte Lebenspartnerschaft*
pacte [pakt] M Pakt
pagayer [pagɛje] paddeln
page [paʒ] F Seite; TEL **~s** *pl* **jaunes** Gelbe Seiten; IT **~ d'accueil** Homepage
paie [pɛ] F (Arbeits)Lohn *m*
paiement [pɛmɑ̃] M Zahlung *f*
paillasson [pajasõ] M Strohmatte *f* **paille** [paj] F Stroh *n*; *pour boire* Strohhalm *m*
pain [pɛ̃] M Brot *n*; **~ de campagne** Landbrot *n*; **~ complet** Vollkornbrot *n*; **~ de mie** Toastbrot *n*; **petit ~** Brötchen *n*; **~ au chocolat** (*rechteckiger*) Schokocroissant; **~ aux raisins** Rosinenbrötchen *n*
pair [pɛr] *nombre* gerade
paire [pɛr] F Paar *n*
paisible [pɛzibl] friedlich; *sommeil, vie* ruhig
paix [pɛ] F Friede *m*; *tranquillité* Ruhe (*a. fig*)
palace [palas] M Luxushotel *n*
palais[1] [palɛ] M Palast
palais[2] [palɛ] M ANAT Gaumen
Palatinat [palatina] **le ~** die Pfalz
pâle [pɑl] blass, bleich
palier [palje] M Treppenabsatz
pâlir [pɑlir] erblassen
palissade [palisad] F Lattenzaun *m*
palme [palm] F Schwimmflosse
palmier [palmje] M Palme *f*
palper [palpe] abtasten
palpitations [palpitasjõ] FPL Herzklopfen *n* **palpiter** [palpite] *cœur* klopfen
paludisme [palydism] M Malaria *f*
pamplemousse [pɑ̃pləmus] M Pampelmuse *f*, Grapefruit *f*
panaché [panaʃe] M **(demi) ~** Bier *n* mit Limonade
pan-bagnat [pɑ̃baɲa] M *mit Nizza-Salat gefüllte Brötchen*
pancarte [pɑ̃kart] F Schild *n*
pancréas [pɑ̃kreas] M Bauchspeicheldrüse *f*
pandémie [pɑ̃demi] F Pandemie
paner [pane] panieren
panga M **(filet** *m* **de) ~** Pangasius(filet) *m(n)*
panier [panje] M Korb **panier-repas** [panjerəpa] M Lunchpaket *n*
panique [panik] F Panik
panne [pan] F Panne; **~ de courant** Stromausfall *m*; **en ~** defekt; **tomber en ~** e-e Panne haben; **avoir une ~ d'essence** kein Benzin mehr haben
panneau [pano] M Schild *n*, Tafel *f*; TECH Platte *f*; **~ de signalisation** Verkehrsschild *n*; **~x solaires** Solaranlage *fsg*
panorama [panɔrama] M

Panorama *n*, Rundblick
pansement [pɑ̃smɑ̃] M Verband; Pflaster *n*; **~ provisoire** Notverband
pantalon [pɑ̃talõ] M Hose *f*; **~ corsaire** Caprihose *f*
pantoufle [pɑ̃tufl] F Pantoffel *m*, Hausschuh *m*
paon [pɑ̃] M Pfau
papa [papa] M Papa, Vati
papaye [papaj] F Papaya
pape [pap] M Papst
papeterie [papɛtri] F Schreibwarengeschäft *n*
papi [papi] M Opa
papier [papje] M Papier *n*; **un ~** ein Blatt *n*, ein Stück *n* Papier; **~ hygiénique** Toilettenpapier *n*; **~ à lettres** Briefpapier *n*; **~ d'emballage** Packpapier *n*; **~ d'alu(minium)** Alu(minium)folie *f*; **~ peint** Tapete *f*; **~s** *pl* **(d'identité)** (Ausweis)-Papiere *npl*; **~s** *pl* **de la voiture** Wagen-, Fahrzeugpapiere *npl*
papillon [papijõ] M Schmetterling; *umg contravention* Strafzettel *m*
paprika [paprika] M Paprika
papy [papi] M Opa
paquebot [pakbo] M Passagierschiff *n*
Pâques [pak] FPL Ostern *n*; **à ~** (zu, an) Ostern
paquet [pakɛ] M Paket *n*; *de cigarettes* Schachtel *f*; **petit ~** Päckchen *n*
paquet-cadeau [pakɛkado] M **faire un ~** als Geschenk verpacken
par [par] *en passant* durch, über (*akk*); *moyen* mit; *passif* von, durch; *raison* aus; **~ Paris** über Paris; **~ le train** mit dem Zug; **~ an** pro Jahr; **~ chèque** mit Scheck
parachute [paraʃyt] M Fallschirm
paradis [paradi] M Paradies *n*
paragraphe [paragraf] M Absatz (*a.* JUR)
paraître [parɛtr] erscheinen (*a. livre*); *sembler* scheinen, aussehen; **il paraît que tu …** man sagt, dass du …; du sollst …
parallèle [paralɛl] **1** parallel **2** F Parallele
paralyser [paralize] lähmen
paralysie [paralizi] F Lähmung
parapente [parapɑ̃t] M Gleitschirmfliegen *n*; *engin* Gleitschirm
parapet [parapɛ] M Brüstung *f*
parapluie [paraplɥi] M Regenschirm
parasite [parazit] M Parasit (*a. fig*); **~s** PL *radio* Störgeräusche *npl*, Störungen *fpl*
parasol [parasɔl] M Sonnenschirm
paratonnerre [paratɔnɛr] M Blitzableiter
paravent [paravɑ̃] M Wandschirm
parc [park] M Park; **~ national, régional** National-/Naturpark; **~ d'attractions** Erlebnis-,

Vergnügungspark; ~ **de loisirs** Freizeitpark; ~ **de stationnement** Parkplatz

parce que [pars(ə)kə] ⟨*vor Vokal* parce qu'⟩ weil

parcmètre [parkmɛtr] M Parkuhr *f*

parcourir [parkurir] *ville* durchlaufen, -fahren; *trajet* zurücklegen; *lettre* überfliegen

parcours [parkur] M (Fahr-, Renn)Strecke *f*

par-derrière [parderjɛr] von hinten; *passer, fig dire du mal* hinten(he)rum

par-dessous [pardəsu] darunter hindurch

pardessus [pardəsy] M Überzieher

par-dessus [pardəsy] darüber (hinweg) **par-devant** [pardəvɑ̃] vorn (herum)

pardon [pardõ] M ~! Entschuldigung!; ~? wie bitte?

pardonner [pardɔne] verzeihen

pare-brise [parbriz] M Windschutzscheibe *f* **pare-chocs** [parʃɔk] M Stoßstange *f*

pareil [parɛj] *semblable* gleich, ähnlich (**à** *dat*); *tel* solche(r, -s)

pareillement [parɛjmɑ̃] gleichfalls

parent [parɑ̃] 1 verwandt 2 **parent(e)** [parɑ̃(t)] M(F) Verwandte(r) *m/f(m)*

parenthèse [parɑ̃tɛz] F Klammer

parents [parɑ̃] MPL Eltern

paresseux [parɛsø] faul

parfait [parfɛ] 1 perfekt, vollkommen 2 M Parfait *n*

parfaitement [parfɛtmɑ̃] vollkommen; *très bien* sehr gut; *réponse* gewiss

parfois [parfwa] manchmal

parfum [parfɛ̃, parfœ̃] M Duft; *en parfumerie* Parfüm *n*, Parfum *n*; *d'une glace* Geschmack *m*

pari [pari] M Wette *f*

parier [parje] wetten (**qc** um etw)

Paris [pari] Paris

parisien [parizjɛ̃] 1 Pariser, pariserisch 2 **Parisien** M Pariser

parking [parkiŋ] M Parkplatz; ~ **couvert** Parkhaus *n*; ~ **souterrain** Tiefgarage *f*

parlement [parləmɑ̃] M Parlament *n*

parler [parle] sprechen, reden (**de** von, über *akk*; **à qn** mit j-m); TEL **pourrais-je ~ à M. ...?** kann ich bitte Herrn ... sprechen?

parmesan [parməsɑ̃] M Parmesan(käse)

parmi [parmi] unter (*dat*)

paroi [parwa] F Wand

paroisse [parwas] F (Kirchen-, Pfarr)Gemeinde

parole [parɔl] F Wort *n*; **~s** PL *d'une chanson* Text *m*; ~ **(d'honneur)!** Ehrenwort!

parquet [parkɛ] M Parkett *n*

parrain [parɛ̃] M Pate

part [par] F Anteil *m* (*a.* WIRTSCH); *partie* Teil *m/n*; *de gâteau* Stück *n*; **nulle ~** nirgends; **autre ~** anderswo(hin); **quelque ~** irgendwo(hin); **d'autre ~** außerdem; **d'une ~, ... d'autre ~** einerseits ... andererseits; **(mis) à ~** abgesehen von; **de la ~ de qn** von j-m; **prendre ~ à** teilnehmen an (*dat*); TEL **c'est de la ~ de qui?** wer ist am Apparat?
partager [partaʒe] M (auf)teilen; **(se) ~ qc avec qn** (sich) etw mit j-m teilen
partance [partɑ̃s] F **en ~** abfahrbereit; **le train en ~ pour ...** der Zug nach ...
partenaire [partənɛr] M/F Partner(in) *m(f)*
parterre [partɛr] M *fleurs* Blumenbeet *n*; *théâtre* Parkett *n*
parti [parti] M Partei *f*
partial [parsjal] parteiisch
participant [partisipɑ̃] M Teilnehmer **participer** [partisipe] **~ à** teilnehmen an (*dat*); *aux frais* sich beteiligen an (*dat*)
particularité [partikylarite] F Besonderheit
particulier [partikylje] besondere(r, -s); *privé* Privat...; **en ~** → **particulièrement** [partikyljɛrmɑ̃] besonders
partie [parti] F Teil *m*; *jeux*, SPORT Spiel *n*, Partie; JUR Partei; **en ~** teilweise; **faire ~ de** gehören zu
partir [partir] (weg)gehen; *en voyage* abreisen; *train* abfahren (**à, pour** nach); *avion* abfliegen; *peinture* abgehen; *tache* weggehen; **à ~ de** ab, von ... an
partout [partu] überall
paru [pary] PPERF → paraître
parvenir [parvənir] gelangen (**à** zu); **faire ~** zukommen lassen; **il parvient à** (+*inf*) er kann ..., es gelingt ihm zu ...
pas¹ [pɑ] **ne ... ~** nicht; **ne ... ~ de** kein(e); **ne ... ~ non plus** auch nicht; **~ du tout** überhaupt nicht
pas² [pɑ] M Schritt; **~ à ~** Schritt für Schritt; **le ~ de Calais** die Straße von Dover
passable [pasabl] leidlich; *note* ausreichend
passage [pasaʒ] M Durchgang, -fahrt *f*; *couvert, extrait* Passage *f*; **~ à niveau** Bahnübergang; **~ pour piétons** Fußgängerüberweg; *panneau* **~ protégé** Vorfahrt *f* (*an der nächsten Kreuzung*); **de ~** auf der Durchreise
passager [pasaʒe] **1** vorübergehend **2** **passager** M, **passagère** [pasaʒɛr] F FLUG, SCHIFF Passagier *m*; *d'un train* Reisende(r) *m/f(m)*; *d'une voiture* Insasse *m*, Insassin *f*
passant [pasɑ̃] **1** **en ~** beiläufig **2** M Passant
passe [pɑs] F SPORT Zuspiel *n*; *football* Pass *m*
passé [pase] **1** vergangen;

couleur verblichen; PRÄP nach **2** M Vergangenheit *f* (*a.* GRAM)

passe-partout [paspartu] M Hauptschlüssel

passeport [paspɔr] M (Reise)-Pass

passer [pase] *frontière* überschreiten; *vacances* verbringen; *examen* machen; *soupe* passieren; *donner* reichen; V/I *temps* vergehen; *film* laufen; *café* durchlaufen; **se ~** sich ereignen; **~ devant qn, qc** an j-m, etw vorbeigehen (*od* -fahren); **~ chez qn** bei j-m hereinschauen; **~ par Lyon** über Lyon fahren; **laisser ~** durchlassen; **se ~ de** auskommen ohne; **qu'est- ce qui se passe?** was ist los?

passerelle [pasrɛl] F Steg *m*, Fußgängerbrücke; SCHIFF, FLUG Gangway

passe-temps [pastɑ̃] M Zeitvertreib

passif [pasif] **1** passiv **2** M GRAM Passiv *n*

passion [pasjõ] F Leidenschaft

passionnant [pasjɔnɑ̃] aufregend, spannend **passionner** [pasjɔne] begeistern

passoire [paswar] F Sieb *n*

pastèque [pastɛk] F Wassermelone

pasteur [pastœr] M (evangelischer) Pfarrer

pastille [pastij] F (Zucker)-Plätzchen *n*; *petite pilule* Pastille; AUTO **~ verte** Umweltplakette; **~ de charbon** Kohletablette

pastis [pastis] M *Aperitif mit Anis*

pataugeoire [patoʒwar] F Plan(t)schbecken *n* **patauger** [patoʒe] plan(t)schen

pâte [pat] F Teig *m*; **~s** PL Teigwaren; **~ feuilletée** Blätterteig *m*; **~ d'amande** Marzipan *n*; **~ dentifrice** Zahnpasta

pâté [pɑte] M Pastete *f*; **~ de foie** Leberpastete *f*; **~ de campagne** *Pastete aus verschiedenen Fleischsorten*

paternel [patɛrnɛl] Vater..., väterlich

patience [pasjɑ̃s] F Geduld

patient [pasjɑ̃] **1** geduldig **2** **patient(e)** [pasjɑ̃(t)] M(F) Patient(in)

patienter [pasjɑ̃te] sich gedulden

patin [patɛ̃] M **~ (à glace)** Schlittschuh; **~ à roulettes** Rollschuh; **~ en ligne** Inlineskate *n*; **faire du ~** Schlittschuh laufen

patinage [patinaʒ] M Schlittschuhlaufen *n*; **~ artistique** Eiskunstlauf

patiner [patine] Schlittschuh laufen; *roues* durchdrehen; *embrayage* rutschen

patinette [patinɛt] F Roller *m*

patineur [patinœr] M, **patineuse** [patinøz] F Schlitt-

schuhläufer(in) *m(f)*
pâtisserie [patisri] F feines Gebäck *n*, Kuchen *m*; *magasin* Konditorei
patois [patwa] M Mundart *f*
patrie [patri] F Vaterland *n*, Heimat
patron(ne) [patrõ (patrɔn)] M(F) Chef(in); *d'un café* Besitzer(in), Wirt(in)
patrouille [patruj] F MIL Patrouille; *police* Streife
patte [pat] F Pfote; *fauve* Tatze; *oiseau, insecte* Bein *n*
pâturage [patyraʒ] M (Vieh)-Weide *f*
paume [pom] F Handfläche
paupière [popjɛr] F Augenlid *n*
paupiette [popjɛt] F Roulade
pauvre [povr] **1** arm **2** M/F Arme(r) *m/f(m)*
pauvreté [povrəte] F Armut
pavé [pave] M Pflasterstein
payant [pɛjɑ̃] *personne* zahlend; *parking* gebührenpflichtig; *fig* **être ~** sich lohnen
paye [pɛj] F (Arbeits)Lohn *m*
payer [pɛje] (be)zahlen (**qc dix euros** für etw zehn Euro); **~ séparément/tout ensemble** getrennt/zusammen zahlen; **se ~ qc** sich etw leisten
pays [pei] M Land *n*
paysage [peizaʒ] M Landschaft *f*
paysan [peizɑ̃] M Bauer **paysanne** [peizan] F Bäuerin
Pays-Bas [peiba] MPL **les ~** die Niederlande *npl*
PC [pese] M (*personal computer*) PC
P-DG [pedeʒe] M (*président-directeur général*) Generaldirektor
péage [peaʒ] M AUTO Autobahngebühr *f*; *lieu* Zahlstelle *f*; **à ~** gebührenpflichtig, Maut...
peau [po] F Haut; *fourrure* Fell *n*; *cuir* Leder *n*; *de fruits* Schale
péché [peʃe] M Sünde *f*
pêche¹ [pɛʃ] F BOT Pfirsich *m*; **~ Melba** Pfirsich Melba
pêche² [pɛʃ] F Fischerei, Fischfang *m*; *action* Fischen *n*; *à la ligne* Angeln *n*; **aller à la ~** angeln gehen
pêcher¹ [pɛʃe] fischen; **~ à la ligne** angeln
pêcher² [pɛʃe] M Pfirsichbaum
pêcheur [pɛʃœr] M Fischer; **~ (à la ligne)** Angler
pédale [pedal] F (Kupplungs-, Brems)Pedal *n* **pédaler** [pedale] (in die Pedale) treten
pédalo® [pedalo] M Tretboot *n*
pédé [pede] M *umg* Schwule(r)
pédiatre [pedjatr] M/F Kinderarzt *m*, -ärztin *f*
pédicure [pedikyr] M/F Fußpfleger(in) *m(f)*
peigne [pɛɲ] M Kamm **peigner** [pɛɲe] kämmen
peignoir [pɛɲwar] M *de bain* Bademantel; *robe de chambre* Morgenrock
peindre [pɛ̃dr] malen; *mur*

(an)streichen; *fig* schildern
peine [pɛn] F *chagrin* Kummer *m*; *effort* Mühe; JUR Strafe; **ce n'est pas la ~** das ist nicht nötig; **à ~** kaum
peintre [pɛ̃tr] M Maler; **~ (en bâtiment)** Anstreicher
peinture [pɛ̃tyr] F *couche* Anstrich *m*; *d'une voiture* Lack *m*; *action* (An)Streichen *n*; *matière* Farbe; *art* Malerei; *tableau* Gemälde *n*
pêle-mêle [pɛlmɛl] bunt durcheinander
peler [pəle] (ab)schälen; *nez* sich schälen
pèlerinage [pɛlrinaʒ] M Pilger-, Wallfahrt *f*
pélican [pelikɑ̃] M Pelikan
pelle [pɛl] F Schaufel
pellicule [pɛlikyl] F Film *m*; **~s** PL (Kopf)Schuppen *fpl*
pelote [p(ə)lɔt] F Knäuel *n od m*; SPORT **~ basque** Pelota
peloton [p(ə)lɔtõ] M SPORT (Haupt)Feld *n*
pelouse [p(ə)luz] F Rasen *m*
peluche [p(ə)lyʃ] F Plüsch *m*; **ours** *m* **en ~** Teddy(bär)
pelure [p(ə)lyr] F Schale
pénal [penal] JUR Straf…
penalty [penalti] M Elfmeter, Strafstoß
penchant [pɑ̃ʃɑ̃] M Hang, Neigung *f* (**à** *od* **pour** zu)
pencher [pɑ̃ʃe] neigen; *bateau* sich (zur Seite) neigen; *tableau* schief hängen; **se ~ en avant** sich nach vorn beugen; **se ~ par la fenêtre** sich zum Fenster hinauslehnen
pendant [pɑ̃dɑ̃] **1** während (*gen*); **~ que** während **2** M Gegenstück *n*
penderie [pɑ̃dri] F (eingebauter) Kleiderschrank *m*; *pièce* Kleiderkammer
pendre [pɑ̃dr] aufhängen; V/I hängen; **se ~** sich erhängen; **se ~ à qc** sich an etw (*akk*) hängen
pendule [pɑ̃dyl] F Pendel-, Wand-, Küchenuhr
pénétrer [penetre] **~ dans** eindringen in (*akk*)
pénible [penibl] *travail* mühsam; *circonstances* traurig; *umg personne* schwierig
péniche [peniʃ] F Lastkahn *m*
pénicilline [penisilin] F Penizillin *n*
péninsule [penɛ̃syl] F Halbinsel
pénis [penis] M Penis
pensée [pɑ̃se] F Denken *n*; *idée* Gedanke *m*; BOT Stiefmütterchen *n*
penser [pɑ̃se] denken; **~ à** denken an (*akk*); **~ de** halten von; **je pense que …** ich glaube, dass …; **je pense partir demain** ich habe vor, morgen abzureisen
pensif [pɑ̃sif] nachdenklich
pension [pɑ̃sjõ] F *hôtel* Pension; *allocation* Rente; *internat* Internat *n*; **~ de famille** kleine Pension; **~ complète** Vollpen-

sion
pente [pɑ̃t] F (Ab)Hang *m; d'une route* Gefälle *n;* **en ~** abfallend
Pentecôte [pɑ̃tkot] F Pfingsten *n*
pépé [pepe] M Opa
pépin [pepɛ̃] M Kern
pépinière [pepinjɛr] F Baumschule
percer [pɛrse] *trou, tunnel* bohren; *planche, mur* durchbohren; *dents* durchkommen; *réussir* den Durchbruch schaffen
percevoir [pɛrsəvwar] wahrnehmen; *somme, impôts* einnehmen
perche [pɛrʃ] F Stange; SPORT Stab *m;* **saut** *m* **à la ~** Stabhochsprung
perdre [pɛrdr] verlieren; *occasion* versäumen; *temps* vergeuden; **se ~** verloren gehen; *personne* sich verlaufen; *en voiture* sich verfahren
perdrix [pɛrdri] F Rebhuhn *n*
perdu [pɛrdy] verloren
père [pɛr] M Vater; REL Pater
perfectionner [pɛrfɛksjɔne] vervollkommnen; *connaissances* verbessern; **se ~** sich verbessern
péril [peril] M Gefahr *f*
périlleux [perijø] gefährlich
périmé [perime] *passeport* abgelaufen; *dépassé* überholt
périmètre [perimɛtr] M Umfang
période [perjɔd] F Periode; **~ des vacances** Ferienzeit
périodique [perjɔdik] M Zeitschrift *f* **périodiquement** [perjɔdikmɑ̃] immer wieder
périphérique [periferik] **1** (Stadt)Rand…; IT peripher **2** M IT Peripheriegerät *n; à Paris* **le ~** die Ringautobahn
périr [perir] umkommen
périssable [perisabl] verderblich
perle [pɛrl] F Perle
permanence [pɛrmanɑ̃s] F *service* Bereitschaftsdienst *m;* **en ~** ständig
permanent [pɛrmanɑ̃] ständig **permanente** [pɛrmanɑ̃t] F Dauerwelle
permettre [pɛrmɛtr] **(se ~** sich) erlauben
permis [pɛrmi] M Erlaubnis(-schein) *f(m);* **~ (de conduire)** Führerschein; **~ de séjour** Aufenthaltserlaubnis *f*, Aufenthaltsgenehmigung *f*
permission [pɛrmisjõ] F Erlaubnis; MIL Urlaub *m;* **avoir la ~ de** (+*inf*) dürfen
perpétuel(lement) [pɛrpetɥɛl(mɑ̃)] dauernd, ständig
perpétuité [pɛrpetɥite] F **à ~** lebenslänglich
perplexe [pɛrplɛks] ratlos
perquisition [pɛrkizisjõ] F Haussuchung
perroquet [pɛrɔkɛ] M Papagei
perruche [peryʃ] F Wellensittich *m*

perruque [pεryk] F Perücke **persévérance** [pεrseverɑ̃s] F Ausdauer **persévérant** [pεrseverɑ̃] ausdauernd **persévérer** [pεrsevere] nicht aufgeben **persienne** [pεrsjεn] F Fensterladen *m* **persil** [pεrsi] M Petersilie *f* **persister** [pεrsiste] anhalten, andauern; ~ **dans** bleiben bei, beharren auf (*dat*) **personnage** [pεrsɔnaʒ] M Person *f* (*a. théâtre*) **personnalité** [pεrsɔnalite] F Persönlichkeit **personne** [pεrsɔn] **1** **ne ... ~** niemand **2** F Person; **~ dépendante** Pflegefall *m* **personnel** [pεrsɔnεl] **1** persönlich **2** M Personal *n* **persuader** [pεrsɥade] überzeugen (**de qc** von etw), überreden (**de faire qc** etw zu tun) **perte** [pεrt] F Verlust *m* **perturbation** [pεrtyrbasjõ] F Störung (*a. radio*, TV) **pesant** [pəzɑ̃] schwer; *démarche* schwer(fällig); *silence* erdrückend **pesanteur** [pəzɑ̃tœr] F Schwerkraft **peser** [pəze] wiegen (*a. v/i*); *fig* abwägen **peste** [pεst] F Pest **pétanque** [petɑ̃k] F Boule (-spiel) *n* **pétarader** [petarade] knattern **pétard** [petar] M Knallkörper **pétiller** [petije] *eau minérale* sprudeln; *champagne* prickeln; *yeux* funkeln, blitzen **petit** [p(ə)ti] klein **petit-beurre** [p(ə)tibœr] M Butterkeks **petite-fille** [p(ə)titfij] F Enkelin **petit-fils** [p(ə)tifis] M Enkel **petit-suisse** [p(ə)tisɥis] M *kleiner runder Doppelrahmfrischkäse* **pétrir** [petrir] kneten **pétrole** [petrɔl] M Erdöl *n* **pétrolier** [petrɔlje] M Tanker **peu** [pø] wenig; **~ à ~** nach und nach; **à ~ près** beinahe, fast **peuple** [pœpl] M Volk *n* **peupler** [pœple] bevölkern **peuplier** [pœplije] M Pappel *f* **peur** [pœr] F Angst **peureux** [pœrø] ängstlich **peut** [pø] PRÄS → pouvoir **peut-être** [pøtεtr] vielleicht **phare** [far] M Leuchtturm; AUTO Scheinwerfer **pharmacie** [farmasi] F Apotheke; **~ de garde** dienstbereite Apotheke; (**armoire** *f* **à**) **~** Hausapotheke **pharmacien(ne)** [farmasjɛ̃ (farmasjεn)] M(F) Apotheker(in) **philosophe** [filɔzɔf] M Philosoph **philosophie** [filɔzɔfi] F Philosophie **phoque** [fɔk] M Seehund **photo** [fɔto] F Foto *n*; **~ d'identité** Passbild *n*; **~ (en) couleur** Farbfoto *n*; **prendre qn en ~** ein Foto von j-m machen

photocopie [fɔtɔkɔpi] F Fotokopie **photocopier** [fɔtɔkɔpje] fotokopieren **photocopieuse** [fɔtɔkɔpjøz] F (Foto)-Kopiergerät *n*
photographe [fɔtɔgraf] M/F Fotograf(in) *m(f)* **photographie** [fɔtɔgrafi] F Fotografie **photographier** [fɔtɔgrafje] fotografieren
phrase [frɑz] F Satz *m*
physique [fizik] **1** körperlich, physisch; *lois* physikalisch **2** M Äußere(s) *n* **3** F Physik
piano [pjano] M Klavier *n*; **~ à queue** Flügel
pic [pik] M Bergspitze *f*; *outil* Spitzhacke *f*; ZOOL Specht; **à ~** senkrecht; *umg arriver, tomber* wie gerufen
picard [pikar] aus der Pikardie
Picardie [pikardi] **la ~** die Pikardie (*Region nördlich von Paris*)
pichet [piʃɛ] M Krug
pickpocket [pikpɔkɛt] M Taschendieb
picoter [pikɔte] kribbeln; *yeux* brennen
pie [pi] F Elster
pièce [pjɛs] F Stück *n*; *élément* Teil *m*; *d'habitation* Zimmer *n*; **~ de dix centimes** Zehn-Cent-Stück *n*; **~ de monnaie** Geldstück *n*, Münze; **~ de rechange** Ersatzteil *n*; **~ d'identité** Ausweis *m*; **deux ~s** zweiteilig
pied [pje] M Fuß; **à ~** zu Fuß
piédestal [pjedɛstal] M Sockel
piège [pjɛʒ] M Falle *f*
piercing [pirsiŋ] M Piercing *n*
pierre [pjɛr] F Stein *m*; **~ précieuse** Edelstein *m*
piéton(ne) [pjetõ (pjetɔn)] M(F) Fußgänger(in)
pieu [pjø] M Pfahl
pieux [pjø] fromm
pigeon [piʒõ] M Taube *f*
piger [piʒe] *umg* kapieren
pile [pil] F *tas* Stapel *m*; ELEK Batterie; **~ solaire** Solarzelle; **~ ou face?** Kopf oder Zahl?
pilier [pilje] M Pfeiler
piller [pije] plündern
pilote [pilɔt] M Pilot; *de course* (Renn)Fahrer; SCHIFF Lotse **piloter** [pilɔte] *avion* fliegen; *voiture* fahren; SCHIFF lotsen; *fig qn* führen
pilule [pilyl] F Pille
piment [pimã] M Paprika
pimenté [pimãte] sehr scharf
pin [pɛ̃] M BOT Kiefer *f*; **~ parasol** Pinie *f*
pince [pɛ̃s] F Zange; *de homard* Schere; **~ à linge** Wäscheklammer; **~ à épiler** Pinzette
pinceau [pɛ̃so] M Pinsel
pincer [pɛ̃se] kneifen; **se ~ le doigt** sich den Finger (ein)-klemmen (**dans** in *dat*)
ping-pong [piŋpõg] M Tischtennis *n*
pioche [pjɔʃ] F Hacke
pion [pjõ] M *échecs* Bauer; *dames* Stein

pipe [pip] F Pfeife
piquant [pikɑ̃] GASTR pikant; *moutarde* sehr scharf
pique [pik] M *cartes* Pik *n*
pique-nique [piknik] M Picknick *n* **pique-niquer** [piknike] picknicken, Picknick machen
piquer [pike] stechen (*a. insecte*); *fumée, moutarde* beißen; MED e-e Spritze geben (**qn** j-m)
piquet [pikɛ] M Pflock; **~ de tente** Hering
piqûre [pikyr] F Stich *m*; MED Spritze; **~ de moustique** Mückenstich *m*
pirate [pirat] M Pirat; INFORM Hacker; **copie** *f* **~** Raubkopie
pire [pir] schlimmer; **le, la ~** der, die, das schlimmste
piscine [pisin] F Schwimmbad *n*; **~ couverte** Hallenbad *n*
pissaladière [pisaladjɛr] F Anchovisfladen *m* (*provenzalische Pizza*)
pissenlit [pisɑ̃li] M Löwenzahn
pistache [pistaʃ] F Pistazie
piste [pist] F *trace* Spur (*a. fig*); *de danse* Tanzfläche; SPORT (Renn)Bahn; FLUG Rollbahn; *de ski* Piste; **~ de fond** Loipe; **~ cyclable** Rad(fahr)weg *m*
pistolet [pistɔlɛ] M Pistole *f*
piston [pistõ] M Kolben
pistou [pistu] M **soupe** *f* **au ~** Gemüsesuppe mit Basilikum
pitbull [pitbyl, pitbul] M Pitbull
pitié [pitje] F Mitleid *n*
pitoyable [pitwajabl] mitleiderregend; *pej* erbärmlich
pittoresque [pitɔrɛsk] malerisch
pizza [pidza] F Pizza **pizzeria** [pidzerja] F pizzeria
placard [plakar] M Wandschrank
place [plas] F Platz *m*; *emploi* Stelle; **à la ~ de** anstelle von; **à ta ~** an deiner Stelle; **sur ~** an Ort und Stelle
placement [plasmɑ̃] M (Geld)Anlage *f*
placer [plase] (hin)stellen, (hin)legen; *argent* anlegen; **~ qn** *à table* j-n setzen; **se ~** sich setzen
plafond [plafõ] M (Zimmer)-Decke *f*
plage [plaʒ] F Strand *m*; **~ de sable** Sandstrand *m*; **aller à la ~** an den Strand gehen
plaie [plɛ] F Wunde
plaindre [plɛ̃dr] bedauern; **se ~** sich beklagen (**de** über *akk*); *de douleurs* klagen (über *akk*); **se ~ à qn** sich bei j-m beschweren (**de** über *akk*)
plaine [plɛn] F Ebene
plainte [plɛ̃t] F Klage; **porter ~** Anzeige erstatten (**contre** gegen)
plaire [plɛr] gefallen; **s'il te** *od* **vous plaît** bitte; **se ~ à Paris** gern in Paris sein
plaisanter [plɛzɑ̃te] scherzen, Spaß machen **plaisanterie**

[plɛzɑ̃tri] F Scherz *m*, Spaß *m*
plaisir [plɛzir] M Vergnügen *n*, Freude *f*; **avec ~** mit Vergnügen; **pour le ~** zum Vergnügen
plan [plɑ̃] 1 eben 2 M *surface* Fläche *f*; *projet* Plan; *d'une rédaction* Gliederung *f*; **~ de la ville** Stadtplan
planche [plɑ̃ʃ] F Brett *n*; **~ à voile** Surfbrett *n*; SPORT Windsurfen *n*; **~ à roulettes** Skateboard *n*; **faire de la ~ à voile** (wind)surfen
plancher [plɑ̃ʃe] M Fußboden
planchette [plɑ̃ʃɛt] F Brettchen *n*, kleines Brett *n*
planer [plane] schweben
planète [planɛt] M Planet
planeur [planœr] M Segelflugzeug *n*
plantation [plɑ̃tasjõ] F Plantage
plante [plɑ̃t] F Pflanze; **~s** *pl* **médicinales** Heilpflanzen; **~ du pied** Fußsohle
planter [plɑ̃te] (an-, ein)pflanzen; *piquet* einschlagen; *tente* aufstellen
plaque [plak] F Platte; *chocolat* Tafel; *sur la peau* Fleck *m*; **~ commémorative** Gedenktafel; **~ électrique** Kochplatte; **~ minéralogique, d'immatriculation** Nummernschild *n*; **~ d'égout** Kanaldeckel *m*; **~ d'identité du chien** Hundemarke; **~ dentaire** Zahnbelag *m*
plastique [plastik] F Plastik
plat[1] [pla] flach; **à ~** *batterie* leer; *pneu* platt
plat[2] [pla] M *vaisselle* Platte *f*; *creux* Schüssel *f*; GASTR Gericht *n*; **~ du jour** Tagesgericht *n*; **~ cuisiné** Fertiggericht *n*
platane [platan] F Platane
plateau [plato] M Tablett *n*; GEOGR Hochebene *f*; GASTR **~ de fromages** Käseplatte *f*
plâtre [plɑtr] M Gips; MED Gipsverband **plâtrer** [plɑtre] (ver)gipsen; MED eingipsen
plein [plɛ̃] voll; **~ de** (*+nom*) voll(er); **~e lune** F Vollmond *m*; **en ~ été** im Hochsommer; **en ~ air** im Freien, Open-Air-...; **en ~e nuit** mitten in der Nacht; **en ~ soleil** in der prallen Sonne; **à ~ temps** ganztags; **faire le ~** volltanken
pleurer [plœre] weinen (**de** vor)
pleurésie [plœrezi] F Rippenfellentzündung
pleurote [plœrɔt] M Austernpilz
pleuvoir [plœvwar] regnen; **il pleut** es regnet
pli [pli] M Falte *f*; *du pantalon* Bügelfalte *f*; *lettre* Brief; *cartes* Stich
pliant [plijɑ̃] zusammenklappbar; **chaise** *f* **~e, siège** *m* **~** Klappstuhl *m*; **canot** *m* **~** Faltboot *n*
plie [pli] F ZOOL Scholle
plier [plije] (zusammen)falten, (-)legen; *chaise* zusammenklappen; *genoux* beugen; *se courber*

sich biegen
plomb [plõ] M Blei *n*; **sans ~** bleifrei
plombage [plõbaʒ] M Plombe *f*, Füllung *f*
plongée [plõʒe] F Tauchen *n*; **~ sous marine** Tauchsport *m*
plongeoir [plõʒwar] M Sprungbrett *n*
plongeon [plõʒõ] M Kopfsprung
plonger [plõʒe] tauchen; *qc* (ein)tauchen (**dans** in *akk*); *faire un plongeon* springen; **se ~ dans** *fig* sich vertiefen, versenken in (*akk*)
plongeur [plõʒœr] M, **plongeuse** [plõʒøz] F Taucher(in) *m(f)*; *natation* Springer(in) *m(f)*
plu [ply] PPERF → **pleuvoir** *und von* **plaire**
pluie [plɥi] F Regen *m*
plume [plym] F Feder
plupart [plypar] **la ~ des** ... die meisten ...; **la ~ du temps** meistens
pluriel [plyrjɛl] M Plural, Mehrzahl *f*
plus¹ [ply, *alleinstehend* plys] mehr (**que, de** als); **le ~** am meisten; **~ grand** größer (**que** als); **le ~ grand** der größte; **ne** ... **~** nicht mehr; **ne** ... **~ de** kein(e) ... mehr; **ne** ... **~ que** nur noch; **non ~** auch nicht; **de ~** mehr; *en outre* außerdem; **en ~** noch dazu; **(tout) au ~** höchstens; **d'autant ~** umso mehr; **de ~ en ~** immer mehr
plus² [plys] **1** MATH plus **2** M *signe, avantage* Plus *n*
plusieurs [plyzjœr] mehrere
plutôt [plyto] eher; *mieux* lieber; *assez* ziemlich
pluvieux [plyvjø] regnerisch
pneu [pnø] M Reifen; **~ neige** Winterreifen
pneumonie [pnømɔni] F Lungenentzündung
poche [pɔʃ] F Tasche; **livre** *m* **de ~** Taschenbuch *n*
poêle¹ [pwal] M Ofen
poêle² [pwal] F (Brat)Pfanne
poème [pɔɛm] M Gedicht *n*
poésie [pɔezi] F Poesie (*a. fig*); *poème* Gedicht *n*
poète [pɔɛt] M Dichter
poids [pwa] M Gewicht *n*; *fig* Last *f*; **~ lourd** Lkw, Lastwagen, *umg* Laster; **prendre du ~** zunehmen
poignard [pwaɲar] M Dolch
poignée [pwaɲe] F *quantité* Handvoll *f*; *d'une fenêtre, d'une valise* Griff *m*; **~ (de porte)** Türgriff *m*, Klinke; **~ de main** Händedruck *m*
poignet [pwaɲɛ] M Handgelenk *n*
poil [pwal] M (Tier-, Körper-)Haar *n*; **à ~** (splitter)nackt
poilu [pwaly] behaart
poing [pwɛ̃] M Faust *f*
point [pwɛ̃] M Punkt; *endroit* Stelle *f*; *couture* Stich; **deux ~s** PL Doppelpunkt *m*; **~ d'exclamation** Ausrufezeichen *n*;

~ **d'interrogation** Fragezeichen *n*; ~ **de départ** Ausgangspunkt; ~ **de vue** Stand-, Gesichtspunkt; MED ~ **de côté** Seitenstechen *n*; **à** ~ *steak* medium; **être sur le** ~ **de** (+*inf*) gerade im Begriff sein zu
pointe [pwɛ̃t] F Spitze; **de** ~ Spitzen…
pointu [pwɛ̃ty] spitz
pointure [pwɛ̃tyr] F (Schuh)-Größe
poire [pwar] F Birne
poireau [pwaro] M Porree
poirier [pwarje] M Birnbaum
pois [pwa] M Erbse *f*; **petits** ~ PL grüne Erbsen
poison [pwazõ] M Gift *n*
poisson [pwasõ] M Fisch
poissonnerie [pwasɔnri] F Fischgeschäft *n*
poitrine [pwatrin] F Brust
poivre [pwavr] M Pfeffer
poivré [pwavre] gepfeffert
poivrer [pwavre] pfeffern
poivrier [pwavrije] M, **poivrière** [pwavrijɛr] F Pfefferstreuer *m*
poivron [pwavrõ] M Paprika (-schote) *m*(*f*)
polaire [pɔlɛr] Polar…
pôle [pol] M Pol; ~ **Nord** Nordpol; ~ **Sud** Südpol
poli [pɔli] höflich; *métal, pierre* glatt, poliert
police[1] [pɔlis] F Polizei; ~ **judiciaire** Kriminalpolizei; ~ **de la route** Verkehrspolizei; ~ **secours** Überfallkommando *n*
police[2] [pɔlis] F ~ **(d'assurance)** (Versicherungs)Police
policier [pɔlisje] **1** *enquête* polizeilich; *chien* Polizei…; *film, roman* Kriminal… **2** M Polizist
polir [pɔlir] schleifen, polieren, glätten
politesse [pɔlitɛs] F Höflichkeit
politique [pɔlitik] **1** politisch **2** F Politik **3** M Politiker
polluant [pɔlɥɑ̃] umweltschädlich **polluer** [pɔlɥe] verschmutzen **pollution** [pɔlysjõ] F (Luft-, Umwelt)Verschmutzung
Pologne [pɔlɔɲ] **la** ~ Polen *n*
polonais [pɔlɔnɛ] **1** polnisch **2 Polonais** M Pole
polycopier [pɔlikɔpje] vervielfältigen
pommade [pɔmad] F Salbe
pomme [pɔm] F Apfel *m*; ANAT ~ **d'Adam** Adamsapfel *m*; ~ **de pin** Tannenzapfen *m*; ~ **de terre** Kartoffel; ~**s** *pl* **de terre sautées** Bratkartoffeln; ~**s** *pl* **de terre à l'eau** Salzkartoffeln; ~ *pl* **de terre en robe des champs** Pellkartoffeln; ~**s** *pl* **mousseline** *sahnig geschlagenes Kartoffelpüree*
pommier [pɔmje] M Apfelbaum
pompe [põp] F Pumpe; ~ **à vélo** Luftpumpe; ~ **à essence** Zapfsäule; ~**s** *pl* **funèbres** Beerdigungsinstitut *n*

pomper [põpe] ab-, hochpumpen
pompier [põpje] M Feuerwehrmann; **~s** PL Feuerwehr *f*
pompiste [põpist] M Tankwart
poncer [põse] (ab)schleifen; *au papier émeri* (ab)schmirgeln
ponctuel [põktɥɛl] pünktlich
pondre [põdr] *œufs* legen
poney [pɔnɛ] M Pony *n*
pont [põ] M Brücke *f*; SCHIFF Deck *n*; AUTO **~ arrière** Hinterachse *f*
pontage [põtaʒ] M MED Bypass
pop-corn [pɔpkɔrn] M Popcorn *n*
populaire [pɔpylɛr] Volks…; *aimé* populär, beliebt
population [pɔpylasjõ] F Bevölkerung
porc [pɔr] M Schwein *n*; *viande* Schweinefleisch *n*
porcelaine [pɔrsəlɛn] F Porzellan *n*
port[1] [pɔr] M Hafen; *ville* Hafenstadt *f*; **~ de pêche** Fischereihafen *m*; **~ de plaisance** Jacht-, Segelhafen *m*
port[2] [pɔr] M *lettre* Porto *n*; **en ~ dû** unfrankiert; **en ~ payé** frankiert
portable [pɔrtabl] **1** tragbar **2** M IT Laptop; TEL Handy *n*
portant [pɔrtã] **bien ~** gesund
portatif [pɔrtatif] tragbar
porte [pɔrt] F Tür; *ville* Tor *n*; **~ (d'embarquement)** Flugsteig *m*
porte-avions [pɔrtavjõ] M Flugzeugträger **porte-bagages** [pɔrtbagaʒ] M Gepäckträger **porte-bébé** [pɔrtbebe] M Babytragetasche *f*, -sack
porte-bonheur [pɔrtbɔnœr] M Glücksbringer **porte-clés** [pɔrtkle] M Schlüsselring, -tasche *f* **porte-documents** [pɔrtdɔkymã] M (Kolleg)Mappe *f*
portée [pɔrte] F **à ~ de la main** in Reichweite; *fig* **à la ~ de qn** für j-n verständlich
porte-fenêtre [pɔrtfənɛtr] F Verandatür
portefeuille [pɔrtfœj] M Brieftasche *f* **portemanteau** [pɔrtmãto] M Garderobe (-nständer) *f(m)*, Kleiderhaken
portemonnaie [pɔrtmɔnɛ] M Geldbeutel, Portemonnaie *n*
porte-parole [pɔrtparɔl] M Sprecher
porter [pɔrte] tragen; *apporter* (hin)bringen, (hin)schaffen; **~ sur** betreffen; **elle se porte bien/mal** es geht ihr gut/schlecht; **~ bonheur** Glück bringen
porte-serviettes [pɔrtsɛrvjɛt] M Handtuchhalter **porte-skis** [pɔrtski] M Skiträger
porteur [pɔrtœr] M *à la gare* Gepäckträger; *d'un chèque* Überbringer
portier [pɔrtje] M Pförtner
portière [pɔrtjɛr] F (Wagen)-

Tür
portion [pɔrsjõ] F GASTR Portion, Stück *n; partie* Teil *m*
porto [pɔrto] M Portwein
portrait [pɔrtrɛ] M Porträt *n*
portugais [pɔrtygɛ] **1** portugiesisch **2** **Portugais** M Portugiese
Portugal [pɔrtygal] **le ~** Portugal *n*
pose [poz] F *de carrelage* Verlegung; FOTO Belichtung
poser [poze] *à plat* (hin)legen; *debout* (hin)stellen; *carrelage, moquette* (ver)legen; *question* stellen; **se ~** *oiseau* sich setzen (**sur** auf *akk*); *avion* aufsetzen
positif [pozitif] positiv
position [pozisjõ] F *du corps* Stellung; *emplacement, situation* Lage; *place* Stelle
posologie [pozɔlɔʒi] F Dosierung
posséder [pɔsede] besitzen
possesseur [pɔsɛsœr] M Besitzer **possession** [pɔsɛsjõ] F Besitz *m*
possibilité [pɔsibilite] F Möglichkeit
possible [pɔsibl] möglich; **autant que ~** so viel wie möglich; **le plus vite ~** so schnell wie möglich; **faire (tout) son ~ (pour** *+inf*) sein Möglichstes tun (um zu)
postal [pɔstal] Post…
poste[1] [pɔst] F Post®; **à la ~** auf der Post
poste[2] [pɔst] M Posten; *emploi a.* Stelle *f; radio,* TV Apparat, Gerät *n;* **~ de police** Polizeiwache *f*
postérieur [pɔsterjœr] **1** *de derrière* hintere(r, -s), Hinter…; *d'après* spätere(r, -s); **~ à** später als **2** M *umg* Hintern
post-it® [pɔstit] M Haftnotiz *f*
pot [po] M (Blumen-, Farb)-Topf; AUTO **~ d'échappement** Auspuff(topf); **~ catalytique** Kat(alysator)
potable [pɔtabl] trinkbar; **eau** *f* **~** Trinkwasser *n*
potage [pɔtaʒ] M Suppe *f*
pot-au-feu [pɔtofø] M *Eintopf aus Suppenfleisch und Gemüse*
pot-de-vin [podvɛ̃] M Schmiergeld *n*
poteau [pɔto] M Pfosten (*a.* SPORT); **~ indicateur** Wegweiser
potée [pɔte] F *Eintopf aus gekochtem Fleisch und Gemüse*
poterie [pɔtri] F Töpferei; **~s** PL Töpferwaren *fpl*
potiron [pɔtirõ] M Riesenkürbis
pou [pu] M Laus *f*
poubelle [pubɛl] F Mülleimer *m; d'un immeuble* Mülltonne
pouce [pus] M Daumen
poudre [pudr] F Pulver *n; maquillage* Puder *m;* **café** *m* **en ~** Pulverkaffee
poudreuse [pudrøz] F Pulverschnee *m*
poulailler [pulaje] M Hühnerstall; *théâtre* Galerie *f*

poulain [pulɛ̃] M Fohlen *n*
poularde [pulard] F Poularde
poule [pul] F Huhn *n*, Henne
poulet [pulɛ] M Hähnchen *n*
pouls [pu] M Puls; **prendre le ~** den Puls messen
poumon [pumõ] M Lunge *f*
poupe [pup] F SCHIFF Heck *n*
poupée [pupe] F Puppe
pour [pur] für; *contre* gegen; *à destination de* nach; *en raison de* wegen (*gen*); **~** (+*inf*) um zu; **~ que** (+*subj*) damit; **cinq ~ cent** fünf Prozent
pourboire [purbwar] M Trinkgeld *n*
pourcentage [pursɑ̃taʒ] M Prozentsatz
pourquoi [purkwa] warum, weshalb, wieso; **c'est ~** darum, deshalb
pourrai [pure] *fut* → pouvoir
pourri [puri] faul, verfault; *été* verregnet **pourrir** [purir] (ver)faulen
poursuite [pursɥit] F Verfolgung; JUR **~s** PL Strafverfolgung *f*
poursuivre [pursɥivr] verfolgen; *continuer* fortsetzen; JUR **~ qn (en justice)** j-n gerichtlich belangen
pourtant [purtɑ̃] dennoch, doch
pourvoir [purvwar] ausstatten, versehen (**de** mit)
pourvu [purvy] **~ que** (+*subj*) vorausgesetzt dass; *espérons que* hoffentlich, wenn nur
pousse-pousse [puspus] M Rikscha *f*
pousser[1] [puse] schieben; *voiture en panne* anschieben; *personne* anstoßen; **~ à** (+*inf*) drängen zu; **se ~** zur Seite rücken; **ne poussez pas!** bitte nicht drängen; *inscription* **poussez** drücken
pousser[2] [puse] wachsen; *dents* durchbrechen
poussière [pusjɛr] F Staub *m*
poussiéreux [pusjerø] staubig
poussin [pusɛ̃] M Küken *n*
poutre [putr] F Balken *m*
pouvoir [puvwar] **1** können; *avoir le droit de* dürfen; **il se peut que** (+*subj*) es kann sein, dass; **je n'en peux plus** ich halte es nicht mehr aus **2** M Macht *f*; *capacité* Fähigkeit *f*
praire [prɛr] F Venusmuschel
prairie [prɛri] F Wiese
praline [pralin] F gebrannte Mandel **praliné** [praline] *chocolat* mit Nougatfüllung; *glace* mit Krokantsplittern
praticable [pratikabl] *route* befahrbar
pratique [pratik] **1** praktisch **2** F Praxis; *expérience a.* (praktische) Erfahrung; *d'un métier* Ausübung; *d'un sport* (Be)Treiben *n*; **~s** PL Praktiken
pratiquement [pratikmɑ̃] praktisch
pratiquer [pratike] ausüben, (be)treiben

pré [pre] M Wiese *f*
préavis [preavi] M **sans ~** fristlos
précaution [prekosjõ] F Vorsicht; **~s** PL Vorsichtsmaßnahmen
précédent [presedɑ̃] **1** vorhergehend, vorig **2** M Präzedenzfall
précéder [presede] **~ qc** e-r Sache (*dat*) vorangehen; **~ qn** vor j-m hergehen *od* -fahren
précieux [presjø] wertvoll
précipice [presipis] M Abgrund
précipitations [presipitasjõ] FPL Niederschlag *m*
précipiter [presipite] *faire tomber* (hinab)stürzen; *catapulter* schleudern; *départ, décision* überstürzen; **se ~** sich stürzen (**sur** auf *akk*)
précis [presi] präzis(e), genau; **à dix heures ~es** Punkt zehn (Uhr)
précisément [presizemɑ̃] genau **préciser** [presize] *point* präzisieren; *date, endroit* genau angeben; *souligner* klarstellen; **se ~** klarer werden
précision [presizjõ] F Genauigkeit; **~s** PL genauere Angaben (**sur** über *akk*)
précoce [prekɔs] *fruit* Früh...; *enfant* frühreif
préconçu [prekõsy] vorgefasst
préconiser [prekɔnize] empfehlen
prédécesseur [predesesœr] M Vorgänger
prédiction [prediksjõ] F Voraussage
prédire [predir] voraus-, vorhersagen
préfabriqué [prefabrike] **maison** *f* **~e** Fertighaus *n*
préface [prefas] F Vorwort *n*
préfecture [prefɛktyr] F Präfektur; **Préfecture (de police)** *Polizeipräsidium in Paris*
préférable [preferabl] besser (**à** als); **il est ~ de** (*+inf*) es ist besser zu
préféré [prefere] Lieblings...
préférence [preferɑ̃s] F Vorzug *m*; **de ~** lieber
préférer [prefere] vorziehen (**à** *dat*); **~ faire qc** etw lieber tun
préjugé [preʒyʒe] M Vorurteil *n*
prélavage [prelavaʒ] M Vorwäsche *f*
prélever [prel(ə)ve] entnehmen (**sur** *dat od* aus); *sur un compte* abbuchen (von)
prématuré [prematyre] verfrüht; **enfant** *m* **~** Frühgeburt *f*
premier [prəmje] erste(r, -s); **le ~, la première** der, die, das Erste; **en ~** zuerst
première [prəmjɛr] F Erstaufführung, Premiere
premièrement [prəmjɛrmɑ̃] erstens
prendre [prɑ̃dr] nehmen (*a. voiture, train*); *emmener* mit-

nehmen; *voler* (weg-, ab)nehmen; *pêcher* fangen; *arrêter* fassen; *surprendre* ertappen; *repas, médicament* einnehmen; *billet* kaufen; *café, verre* trinken; *argent à la banque* abheben; *temps* kosten; **~ froid** sich erkälten; **~ du poids** zunehmen; **~ son temps** sich Zeit nehmen; **~ à droite** rechts abbiegen; **(se) ~ pour** (sich) halten für; **s'y ~ bien** geschickt sein
prénom [prenõ] M Vorname
préoccuper [preɔkype] **~ qn** j-n stark beschäftigen; *santé* j-m Sorge(n) machen
préparatifs [preparatif] MPL Vorbereitungen *fpl*
préparation [preparasjõ] F Vorbereitung; GASTR Zubereitung **préparer** [prepare] vorbereiten; *repas* zubereiten
près [prɛ] nah(e); **tout ~** ganz in der Nähe; **à peu ~** ungefähr; **de ~** aus der Nähe; *fig* genau; **~ de** nah(e) bei, in der Nähe von; *presque* fast
presbyte [prɛsbit] weitsichtig
prescription [prɛskripsjõ] F MED Rezept *n*
prescrire [prɛskrir] vorschreiben; MED verschreiben
présence [prezɑ̃s] F Anwesenheit
présent [prezɑ̃] **1** anwesend; *actuel* gegenwärtig **2** M Gegenwart *f*; GRAM Präsens *n*; **à ~** jetzt
présentateur [prezɑ̃tatœr] M, **présentatrice** [prezɑ̃tatris] F TV *des programmes* Ansager(in) *m(f)*; *d'un show* Moderator(in) *m(f)*; *du journal* Nachrichtensprecher(in) *m(f)*
présenter [prezɑ̃te] vorzeigen; *appareil, collection* vorführen; *qn à qn* vorstellen; *show télévisé* moderieren; **se ~** sich vorstellen; *difficultés* auftauchen
préservatif [prezɛrvatif] M Kondom *n*, Präservativ
préserver [prezɛrve] bewahren, schützen (**de** vor)
président [prezidɑ̃] M Vorsitzende(r), Präsident
presque [prɛsk] fast
presqu'île [prɛskil] F Halbinsel
pressant [prɛsɑ̃] dringend
presse [prɛs] F Presse
pressé [prɛse] eilig; **il est ~** er hat es eilig
presse-ail [prɛsaj] M Knoblauchpresse *f* **presse-citron** [prɛssitrõ] M Zitronenpresse *f*
pressentiment [presɑ̃timɑ̃] M Vorgefühl *n*, Ahnung *f*
presser [prɛse] *bouton* drücken; *fruits* (aus)pressen; *être urgent* eilen; *temps* drängen; **se ~** sich beeilen
pressing [prɛsiŋ] M Reinigung *f*
pression [prɛsjõ] F Druck *m*; *bouton* Druckknopf *m*; **bière** *f* **~** Fassbier *n*; **~ artérielle** Blutdruck *m*; **~ des pneus** Reifen-

druck *m*
prestidigitateur [prɛstidiʒitatœr] M Zauberkünstler
prestige [prɛstiʒ] M Prestige *n*, Ansehen *n*
présumer [prezyme] vermuten
prêt[1] [prɛ] fertig; **~ à** bereit zu
prêt[2] [prɛ] M Darlehen *n*
prétendre [pretɑ̃dr] behaupten **prétendu** [pretɑ̃dy] angeblich, sogenannt **prétentieux** [pretɑ̃sjø] anmaßend, eingebildet
prêter [prɛte] leihen; **se ~ à** sich eignen zu, für
prétexte [pretɛkst] M Vorwand
prêtre [prɛtr] M Priester
preuve [prœv] F Beweis *m*; **faire ~ de courage** Mut beweisen
prévenant [prevnɑ̃] zuvorkommend
prévenir [prevnir] *informer* benachrichtigen (**de** von); *mettre en garde* warnen (**de** vor *dat*); *éviter* vorbeugen (**qc** *dat*)
préventif [prevɑ̃tif] vorbeugend
prévention [prevɑ̃sjɔ̃] F Verhütung; JUR Untersuchungshaft; *préjugé* Vorurteil *n*
prévisible [previzibl] vorhersehbar **prévision** [previzjɔ̃] F Vorhersage; **~s** *pl* **météorologiques** Wettervorhersage *f*
prévoir [prevwar] voraus-, vorhersehen; *programmer* vorsehen, planen **prévoyant** [prevwajɑ̃] vorausschauend
prier [prije] beten (**Dieu** zu Gott); *demander* bitten; **je vous en prie** bitte (sehr); *pas de quoi* gern geschehen!, keine Ursache!
prière [prijɛr] F Gebet *n*; *demande* Bitte;**~ du vendredi** Freitagsgebet *n*
primaire [primɛr] **école** *f* **~** Grundschule
prime [prim] F Prämie
primé [prime] preisgekrönt
primeurs [primœr] FPL Frühobst *n*, -gemüse *n*
primevère [primvɛr] F Primel
primitif [primitif] Ur…; *rudimentaire* primitiv
prince [prɛ̃s] M Prinz; *régnant* Fürst; *fig* **~ charmant** Märchenprinz **princesse** [prɛ̃sɛs] F Prinzessin; *régnante* Fürstin
principal [prɛ̃sipal] **1** *entrée, raison* Haupt… **2** M Hauptsache *f* **principalement** [prɛ̃sipalmɑ̃] hauptsächlich
principe [prɛ̃sip] M Prinzip *n*, Grundsatz; **en ~** im Prinzip; **par ~** aus Prinzip
printemps [prɛ̃tɑ̃] M Frühling; **au ~** im Frühling
priorité [prijɔrite] F Vorrang *m*; AUTO Vorfahrt
pris [pri] PPERF → prendre
prise [priz] F MIL Eroberung; *pêche, chasse* Fang *m*; *judo* Griff; *alpinisme* Halt; **~ (de courant)** Steckdose; **~ de sang**

Blutentnahme; *alcootest* Blutprobe
prison [prizõ] F Gefängnis *n*
prisonnier [prizɔnje] M, **prisonnière** [prizɔnjɛr] F Gefangene(r) *m/f(m)*
privé [prive] privat; *vie, club* Privat...; **vie** *f* **~e** *a.* Privatsphäre
priver [prive] **~ qn de qc** j-m etw entziehen; **se ~ de qc** auf etw *akk* verzichten
privilège [privilɛʒ] M Privileg *n*, Vorrecht *n*
prix [pri] M Preis
probable(ment) [prɔbablə(mã)] wahrscheinlich
problème [prɔblɛm] M Problem *n*
procédé [prɔsede] M Verfahren *n* **procéder** [prɔsede] verfahren **procédure** [prɔsedyr] F JUR (Gerichts)Verfahren *n*
procès [prɔsɛ] M Prozess
procession [prɔsesjõ] F Prozession
procès-verbal [prɔsɛvɛrbal] M ⟨*pl* procès-verbaux [prɔsɛvɛrbo]⟩ gebührenpflichtige Verwarnung *f*, *compte-rendu* Protokoll *n*
prochain [prɔʃɛ̃] nächste(r, -s), kommende(r, -s)
proche [prɔʃ] **1** nahe; **~ de** nah an *od* bei (*dat*) **2** MPL **ses ~s** s-e Angehörigen
procuration [prɔkyrasjõ] F Vollmacht
procurer [prokyre] (**se ~** sich) verschaffen
procureur [prɔkyrœr] M Staatsanwalt
prodigieux [prɔdiʒjø] außergewöhnlich
producteur [prɔdyktœr] M Erzeuger, Produzent (*a. Kino,* TV); *fabricant* Hersteller
production [prɔdyksjõ] F Produktion
produire [prɔdɥir] produzieren (*a. Film*); *acier, énergie* erzeugen; **se ~** sich ereignen
produit [prɔdɥi] M Produkt *n*; **~s** *pl* **naturels** Naturprodukte *npl*; **~ de nettoyage** Reinigungsmittel *n*, Reiniger *m*; **~s** *pl* **surgelés** Tiefkühlkost *f*
professeur [prɔfɛsœr] M Lehrer(in) *m(f)*; *d'université* Professor(in) *m(f)*
profession [prɔfɛsjõ] F Beruf *m*
professionnel [prɔfɛsjɔnɛl] **1** Berufs... **2** M Fachmann; SPORT Profi
profil [prɔfil] M Profil *n*
profit [prɔfi] M Nutzen; WIRTSCH Profit; **au ~ de** zugunsten (*gen*)
profiter [prɔfite] **~ de** profitieren von, ausnützen (*akk*); **~ à** von Nutzen sein (*dat*)
profiterole [prɔfitrɔl] F *Windbeutel mit Creme- oder Eisfüllung*
profond [prɔfõ] tief **profondeur** [prɔfõdœr] F Tiefe

programme [prɔgram] M Programm *n*
progrès [prɔgrɛ] M Fortschritt
progresser [prɔgrɛse] Fortschritte machen **progressivement** [prɔgrɛsivmɑ̃] stufenweise
proie [prwa] F Beute
projecteur [prɔʒɛktœr] M Scheinwerfer **projectile** [prɔʒɛktil] M Geschoss *n*
projet [prɔʒɛ] M Plan
projeter [prɔʒte] *film* vorführen; *catapulter* schleudern; **~ de** (+*inf*) planen zu
prolongation [prɔlɔ̃gasjõ] F *zeitliche* Verlängerung
prolonger [prɔlɔ̃ʒe] verlängern
promenade [prɔmnad] F Spaziergang *m*; **~ en bateau** Bootsfahrt
promener [prɔmene] **se ~** spazieren gehen; *en voiture* spazieren fahren; *umg fig* **envoyer ~ qn** *umg* j-n abwimmeln *od* zum Teufel jagen
promesse [prɔmɛs] F Versprechen *n* **promettre** [prɔmɛtr] versprechen
promotion [prɔmosjõ] F *avancement* Beförderung; HANDEL **en ~** im Sonderangebot
prononcer [prɔnõse] *mot* aussprechen; *discours* halten; *jugement* verkünden; **se ~** sich äußern (**sur** zu), sich aussprechen (**pour, contre** für, gegen); *mot* (aus)gesprochen werden
propager [prɔpaʒe] verbreiten; **se ~** *nouvelle* sich verbreiten; *épidémie* sich ausbreiten
propos [prɔpo] MPL Äußerungen *fpl*; **à ~** übrigens; **à ~ de** wegen (*gen*)
proposer [prɔpoze] vorschlagen; *aide, argent* anbieten
proposition [prɔpozisjõ] F Vorschlag *m*
propre[1] [prɔpr] sauber
propre[2] [prɔpr] eigen; **~ à** charakteristisch für; **nom** *m* **~** Eigenname
propret [prɔprɛ] *chose* schmuck; *personne* adrett
propreté [prɔprəte] F Sauberkeit
propriétaire [prɔprietɛr] M/F Eigentümer(in) *m(f)*, Besitzer(in) *m(f)*; *qui loue* Vermieter(in) *m(f)*, Hauswirt(in) *m(f)*
propriété [prɔpriete] F Eigentum *n*, Besitz *m*; *caractéristique* Eigenschaft
propulsion [prɔpylsjõ] F Antrieb *m*
prospectus [prɔspɛktys] M Prospekt
prospère [prɔspɛr] blühend
prospérité [prɔsperite] F Wohlstand *m*
prostituée [prɔstitye] F Prostituierte
protection [prɔtɛksjõ] F Schutz *m*
protéger [prɔteʒe] (**se ~** sich) schützen (**de** vor *dat*, **contre**

gegen)
protège-slip [prɔtɛʒslip] M Slipeinlage *f*
protestant [prɔtɛstɑ̃] **1** protestantisch, evangelisch **2** **protestant(e)** [prɔtɛstɑ̃(t)] M(F) Protestant(in)
protester [prɔtɛste] protestieren
prothèse [prɔtɛz] F Prothese
proue [pru] F SCHIFF Bug *m*
prouver [pruve] beweisen
provenance [prɔvnɑ̃s] F Herkunft; **en ~ de** … aus
provenir [prɔvnir] **~ de** (her)kommen aus, von
proverbe [prɔvɛrb] M Sprichwort *n*
province [prɔvɛ̃s] F Provinz; **en ~** außerhalb von Paris
provision [prɔvizjõ] F Vorrat *m* (**de** an *dat*); *d'un chèque* Deckung; **~s** PL (Lebensmittel-, Winter)Vorräte *mpl*; *courses* Einkäufe *mpl*
provisoire [prɔvizwar] vorläufig, provisorisch
provoquer [prɔvoke] *qn* provozieren; *qc* auslösen
proximité [prɔksimite] F Nähe; **à ~ (de)** in der Nähe (*gen*)
prudence [prydɑ̃s] F Vorsicht **prudent** [prydɑ̃] vorsichtig
prune [pryn] F Pflaume **pruneau** [pryno] M Backpflaume *f*
psychiatre [psikjatr] M/F Psychiater(in) *m(f)*
psychique [psiʃik] psychisch
psychologique [psikɔlɔʒik] psychologisch; *problèmes* psychisch **psychologue** [psikɔlɔg] M/F Psychologe *m*, -login *f*
pu [py] PPERF → pouvoir
pub [pyb] F Werbung
public [pyblik] **1** ⟨*f* publique⟩ öffentlich; **rendre ~** bekannt machen **2** M Publikum *n*
publication [pyblikasjõ] F Veröffentlichung
publicité [pyblisite] F Werbung
publier [pyblije] veröffentlichen
publique → public
puce [pys] F Floh *m*; IT Chip *m*
pudeur [pydœr] F Scham(-haftigkeit) **pudique** [pydik] schamhaft; *réservé* zurückhaltend
puer [pɥe] stinken (**qc** nach etw)
puéril [pɥeril] kindisch
puis [pɥi] dann
puisque [pɥisk(ə)] da (ja)
puissance [pɥisɑ̃s] F *pouvoir* Macht; *force* Stärke **puissant** [pɥisɑ̃] mächtig; *moteur, médicament* stark
puisse [pɥis] SUBJ → pouvoir
puits [pɥi] M Brunnen
pull [pyl] M *umg* Pulli
pull-over [pylɔvɛr] M Pullover
pulmonaire [pylmɔnɛr] Lungen…
pulpe [pylp] F Fruchtfleisch *n*
pulsation [pylsasjõ] F Herzschlag *m*, Puls(schlag) *m*

punaise [pynɛz] F ZOOL Wanze; *clou* Reißzwecke, -nagel *m*
punch[1] [pɔ̃ʃ] M Punsch
punch[2] [pœnʃ] M *umg* Schwung, Elan
punir [pynir] bestrafen
punition [pynisjõ] F Strafe; **en ~ de** zur Strafe für
punk[1] [pœ̃k] M *musique* Punk (-rock)
punk[2] [pœ̃k] M/F *personne* Punk *m*, Punker(in) *m(f)*
pur [pyr] rein; *vin* pur, unverdünnt; **~ sang** Vollblut...
purée [pyre] F Püree *n*, Brei *m*; **~ de pommes de terre** Kartoffelpüree *n*, -brei *m*
pureté [pyrte] F Reinheit
purger [pyrʒe] *radiateur* entlüften; *peine* ver-, abbüßen
purifier [pyrifje] reinigen
pur-sang [pyrsɑ̃] M Vollblut (-pferd) *n*
purulent [pyrylɑ̃] eit(e)rig
pus [py] M Eiter
putain [pytɛ̃] F *sl* Hure
putois [pytwa] M Iltis
puzzle [pœzəl] M Puzzle *n*
PV [peve] *umg* M *(procès-verbal)* Strafzettel
pyjama [piʒama] M Schlafanzug, Pyjama
pylône [pilon] M ELEK Mast; ARCH Pylon
pyramide [piramid] F Pyramide
Pyrénées [pirene] **les ~** FPL die Pyrenäen *pl*

Q

qu' [k] → que
quad [kwad] M AUTO Quad *n*
quadrangulaire [kwadrɑ̃gylɛr] viereckig
quadrillé [kadrije] kariert
quadruple [kwadrypl] vierfach
quai [ke] M *port* Kai; *gare* Bahnsteig
qualifié [kalifje] geeignet
qualifier [kalifje] bezeichnen; SPORT **se ~** sich qualifizieren
qualité [kalite] F (gute) Eigenschaft; *de produits* Qualität; **de ~** Qualitäts...
quand [kɑ̃] wann?; *lorsque* wenn (*+präs od fut*), als (*+passé*); *toutes les fois que* (jedesmal) wenn; **~ même** trotzdem; *tout de même* immerhin
quant à [kɑ̃ta] was ... betrifft
quantité [kɑ̃tite] F Menge
quarantaine[1] [karɑ̃tɛn] F *âge* Vierzig; **une ~ (de ...)** etwa verzig (...)
quarantaine[2] [karɑ̃tɛn] F MED Quarantäne
quarante [karɑ̃t] vierzig
quart [kar] M Viertel *n*; **~ d'heure** Viertelstunde *f*
quartier [kartje] M Viertel *n*
quatorze [katɔrz] vierzehn

quatre [katr] vier; **manger comme ~** für drei essen
Quatre-Cantons [katrəkɑ̃tɔ̃] **le lac des ~** der Vierwaldstätter See
quatre-vingt(s) [katrəvɛ̃] achtzig **quatre-vingt-dix** [katrəvɛ̃dis] neunzig
quatrième [katrijɛm] vierte(r, -s)
que [kə] ⟨*vor Vokal* qu'⟩ **(qu'est-ce) ~?** was?; PRON *relatif* den, die, das (*akk*); PL die; KONJ dass; **ne … ~** nur; *temporel* erst; **plus grand ~ moi** größer als ich; **qu'il pleuve ou non** ob es regnet oder nicht; **(qu'est-ce) ~ c'est beau!** wie schön!
quel [kɛl] welche(r, -s); **~ âge a-t-il?** wie alt ist er?; **~le chance!** was für ein Glück!; **~le que soit l'heure** egal, wie spät es ist
quelconque [kɛlkɔ̃k] irgendein(e)
quelque [kɛlk(ə)] irgendein; ungefähr; **~s** PL einige; **quarante ans et ~s** etwas über vierig Jahre; **~ chose** etwas; **~ part** irgendwo(hin)
quelquefois [kɛlkəfwa] manchmal
quelques-uns [kɛlkəzɛ̃, kɛlkəzœ̃] MPL einige
quelqu'un [kɛlkœ̃] jemand
quenelle [kənɛl] F Klößchen *n*
querelle [kərɛl] F Streit *m*
quereller [kərɛle] **se ~** (sich) streiten
qu'est-ce que? → que
question [kɛstjɔ̃] F Frage
questionnaire [kɛstjɔnɛr] M Fragebogen **questionner** [kɛstjɔne] be-, ausfragen
quête [kɛt] F Suche; *collecte* Geldsammlung
queue [kø] F Schwanz *m*; *de casserole* Stiel *m*; *de train* Ende *n*; **faire la ~** Schlange stehen, anstehen
qui [ki] **~ (est-ce ~)?** wer?; **~ (est-ce que)?** wen?; **à ~?** wem? (*od* an wen?, mit wem? *etc*); PRON *relatif* der, die, das, *pl* die; **à ~** dem (*od* an den, mit dem *etc*); **~ que ce soit** wer auch immer
quiche [kiʃ] F **~ lorraine** Speckkuchen *m*
quiconque [kikɔ̃k] jeder, der …; *n'importe qui* irgend jemand
quille [kij] F Kegel *m*; SCHIFF Kiel *m*
quincaillerie [kɛ̃kajri] F Eisenwarengeschäft *n*
quinine [kinin] F Chinin *n*
quintuple [kɛ̃typl] M **le ~** das Fünffache; *du prix* der fünffache Preis
quinzaine [kɛ̃zɛn] F *quinze jours* vierzehn Tage; **une ~ (de …)** etwa fünfzehn (…)
quinze [kɛ̃z] fünfzehn; **~ jours** vierzehn Tage
quinzième [kɛ̃zjɛm] fünfzehnte(r, -s)

quittance [kitɑ̃s] F Quittung
quitte [kit] quitt
quitter [kite] verlassen; *emploi* aufgeben; **se ~** sich trennen; **ne quittez pas!** bitte, bleiben Sie am Apparat!
quoi [kwa] **~?** was?; **à ~** woran, womit, wozu *etc*; **~ que ce soit** was auch immer; **à ~ bon?** wozu?; **~ qu'il en soit** wie dem auch sei
quoique [kwakə] obgleich, obwohl
quota [kɔta, kwɔta] M Quote *f*
quotidien [kɔtidjɛ̃] **1** täglich **2** M Tageszeitung *f*

R

rabais [rabɛ] M Rabatt
rabaisser [rabɛse] herabsetzen
rabattre [rabatr] *siège* herunterklappen; *col* umschlagen; *faire un rabais* nachlassen (**sur** von); **se ~** *voiture* rasch wieder einscheren
rabbin [rabɛ̃] M Rabbiner
rabot [rabo] M Hobel
rabougri [rabugri] verkümmert
raccommoder [rakɔmɔde] flicken
raccourci [rakursi] M Abkürzung *f* **raccourcir** [rakursir] *séjour* ab-, verkürzen; *robe* kürzer machen; *jours* kürzer werden
raccrocher [rakrɔʃe] wieder aufhängen; *wagon* wieder anhängen; TEL auflegen; **se ~ à** sich festhalten an (*dat*)
race [ras] F Rasse
racheter [raʃte] wiederkaufen; **~ qc à qn** etw von j-m abkaufen
racine [rasin] F Wurzel
racisme [rasism] M Rassismus
raciste [rasist] **1** rassistisch **2** M/F Rassist(in) *m(f)*
raconter [rakõte] erzählen
radar [radar] M Radar *m/n*; **contrôle** *m* **~** Radarkontrolle *f*
radeau [rado] M Floß
radiateur [radjatœr] M Heizkörper; AUTO Kühler; **~ électrique** Heizofen
radiations [radjasjõ] FPL PHYS Strahlen *mpl*
radieux [radjø] strahlend
radio [radjo] F Radio *n*; *station* Sender *m*; MED Röntgenaufnahme, -bild *n*; *liaison* **par ~** über Funk; **écouter la ~** Radio hören; **se faire faire une ~** sich röntgen lassen
radioactif [radjoaktif] radioaktiv
radiocassette [radjokasɛt] F Radiorekorder *m*
radiographie [radjografi] F Röntgenaufnahme, -bild *n*
radioprotection [radjoprotɛksjõ] F Strahlenschutz *m*

radio-réveil [radjorevɛj] M Radiowecker
radiotéléphone [radjotelefɔn] M Funktelefon *n* **radiotéléphonie** [radjotelefoni] F Sprechfunk *m*
radis [radi] M ~ **(rose)** Radieschen *n*
radoucir [radusir] *temps* **se** ~ milder werden
rafale [rafal] F Bö
raffiné [rafine] *pétrole* raffiniert; *sucre* weiß; *personne* feinsinnig; *goût* erlesen **raffinerie** [rafinri] F Raffinerie
rafraîchir [rafrɛʃir] *boisson* kühlen, kalt stellen; *peintures* auffrischen; **se** ~ *temps* kühler werden; *personne* sich erfrischen **rafraîchissement** [rafrɛʃismɑ̃] M Erfrischung *f*
rage [raʒ] F Wut; MED Tollwut; ~ **de dents** rasende Zahnschmerzen *mpl*
ragoût [ragu] M Ragout *n*
raï [raj] M MUS Rai
raide [rɛd] steif (*a. fig*); *pente* steil
raie [rɛ] F *rayure* Streifen *m*; *cheveux* Scheitel *m*; ZOOL Rochen *m*
raifort [rɛfɔr] M Meerrettich
rail [rɑj] M Schiene *f*
railler [raje] spotten (**qn** über j-n)
rainure [rɛnyr] F Rille
raisin [rɛzɛ̃] M (Wein)Traube(n) *f(pl)*; **~s** *pl* **secs** Rosinen *fpl*
raison [rɛzõ] F Vernunft; *cause* Grund *m*; *argument* Argument *n*; ~ **de vivre** Lebensinhalt *m*; **avec** ~ mit Recht; **avoir/donner** ~ recht haben/geben; **pour cette** ~ aus diesem Grund; **en** ~ **de** auf Grund (*gen*)
raisonnable [rɛzɔnabl] vernünftig; *prix* angemessen
raisonnement [rɛzɔnmɑ̃] M Überlegung *f*, Argumentation *f*
rajeunir [raʒœnir] jünger aussehen; *coiffure* jünger machen
rajouter [raʒute] hinzufügen; *sel* zugeben
ralenti [ralɑ̃ti] M AUTO Leerlauf; *film* Zeitlupe *f*; **au** ~ in Zeitlupe
ralentir [ralɑ̃tir] verlangsamen; AUTO langsamer fahren
râler [rale] *umg* meckern
rallonge [ralõʒ] F *d'une table* Ausziehplatte; ELEK Verlängerungsschnur **rallonger** [ralõʒe] verlängern; *vêtement* länger machen; *table* ausziehen; *jours* länger werden
ramadan [ramadɑ̃] M REL Ramadan
ramasser [ramase] aufheben; *champignons* sammeln; *cahiers* einsammeln
rame [ram] F Ruder *n*, *de métro* Zug *m*
rameau [ramo] M Zweig
ramener [ramne] zurückbringen; *qn chez lui* nach Hause bringen; *apporter* mitbringen
ramer [rame] rudern **rameur**

[ramœr] M Ruderer
ramollir [ramɔlir] weich machen; **se ~** weich werden
rampe [rɑ̃p] F (Treppen)Geländer *n*; *dans un parking* Auf- *od* Abfahrt
ramper [rɑ̃pe] kriechen (*a. fig* **devant qn** vor j-m)
rance [rɑ̃s] ranzig
rancœur [rɑ̃kœr] F Groll *m*
rançon [rɑ̃sõ] F Lösegeld *n*
rancune [rɑ̃kyn] F Groll *m*
rancunier [rɑ̃kynje] nachtragend
randonnée [rɑ̃dɔne] F *en montagne* Wanderung; *à vélo* (Fahr)Radtour
rang [rɑ̃] M *rangée* Reihe *f*; *place* Platz, Stelle *f*; **au troisième ~** in der dritten Reihe, *classement* auf Platz drei
rangée [rɑ̃ʒe] F Reihe
ranger [rɑ̃ʒe] *affaires, chambre* aufräumen; *papiers* ordnen; *voiture* (ein)parken
ranimer [ranime] wiederbeleben
rap [rap] M MUS Rap
rapace [rapas] M Greifvogel
râpe [rɑp] F Reibe **râper** [rɑpe] reiben
rapide [rapid] **1** schnell **2** M GEOGR Stromschnelle *f*; *train* (Fern)Schnellzug, D-Zug **rapidité** [rapidite] F Schnelligkeit
rappel [rapɛl] M MED Nachimpfung *f*; *théâtre* **~s** PL Vorhänge; *panneau* **~!** *Wiederholungsschild zur Geschwindigkeitsbeschränkung*
rappeler [raple] erinnern (**qc à qn** j-n an etw *akk*); TEL noch einmal anrufen, *en réponse* zurückrufen; **se ~** sich erinnern an (*akk*)
rapper [rape] MUS rappen
rappeur [rapœr] M, **rappeuse** [rapøz] F MUS Rapper(in) *m(f)*
rapport [rapɔr] M Bericht; *lien* Zusammenhang; **~s** PL Beziehungen *fpl*; *sexuels* (Geschlechts)Verkehr *m*; **par ~ à** gegenüber (*dat*)
rapporter [rapɔrte] zurückbringen; *ramener* mitbringen; *raconter* berichten; *bénéfice* einbringen (*v/i* einträglich sein); *école* petzen; **se ~ à** sich beziehen auf (*akk*)
rapprocher [raprɔʃe] heranrücken, *deux objets* zusammenrücken; *fig* einander näherbringen; **se ~** sich nähern; *fig* sich näherkommen
rapt [rapt] M Entführung *f*
raquette [rakɛt] F (Tischtennis-, Tennis)Schläger *m*; *pour la neige* Schneeschuh *m*
rare(ment) [rɑr(mɑ̃)] selten
ras [rɑ] *cheveux* kurz geschnitten; **à ~ bord** bis zum Rand; **à, au ~ de** dicht über (*dat od akk*)
raser [rɑze] rasieren; *bâtiment* abreißen; AUTO *piéton* dicht vorbeifahren an (*dat*); **se ~** sich rasieren

rasoir [razwar] M Rasierapparat; **~ électrique** elektrischer Rasierapparat
rassembler [rasɑ̃ble] (ver)sammeln; *informations* sammeln; **se ~** sich versammeln
rassis [rasi] alt(backen)
rassurer [rasyre] beruhigen
rat [ra] M Ratte *f*
ratatouille [ratatuj] F **~ (niçoise)** *provenzalischer Gemüseeintopf*
rate [rat] F Milz
râteau [rɑto] M Rechen, Harke *f*
rater [rate] *cible* verfehlen; *train, occasion* verpassen; *échouer* misslingen; **~ un examen** in e-r Prüfung durchfallen
ratés [rate] MPL AUTO Fehlzündung *f*
ration [rasjõ] F Ration
rationnel [rasjɔnɛl] rational; *pratique* rationell
raton [ratõ] M junge Ratte *f*; **~ laveur** Waschbär
RATP [ɛratepe] F (*Régie autonome des transports parisiens*) Pariser Verkehrsbetriebe
rattraper [ratrape] *voiture* einholen; *retard* aufholen; *heures, cours* nachholen; **se ~ à** sich festhalten an (*dat*); **se ~ sur** ausgleichen durch
rauque [rok] heiser, rau
ravager [ravaʒe] verwüsten, verheeren **ravages** [ravaʒ] MPL Verwüstungen *fpl*
rave¹ [rav] F BOT Rübe
rave² [rɛv] F *fête* Rave *m*, Raveparty **raveur** [rɛvœr] M, **raveuse** [rɛvøz] F Raver(in) *m(f)*
ravi [ravi] entzückt
ravin [ravɛ̃] M Schlucht *f*
ravissant [ravisɑ̃] entzückend
ravitaillement [ravitajmɑ̃] M Versorgung *f*; *umg provisions* Lebensmittel *npl*, Verpflegung *f* **ravitailler** [ravitaje] versorgen
rayé [rɛje] gestreift; *carrosserie* zerkratzt **rayer** [rɛje] *voiture* zerkratzen; *mot* (durch-, aus)streichen
rayon [rɛjõ] M Strahl; MATH Radius; *d'une roue* Speiche *f*; *d'un grand magasin* Abteilung *f*; *étagère* Regal *n*
rayonnage [rɛjɔnaʒ] M Regal *n*
rayonnant [rɛjɔnɑ̃] strahlend
rayonnement [rɛjɔnmɑ̃] M PHYS Strahlung *f*; *fig* Ausstrahlung *f* **rayonner** [rɛjɔne] (aus)strahlen
rayure [rɛjyr] F Streifen *m*; *égratignure* Kratzer *m*
RDA [ɛrdea] F (*République démocratique allemande*) *hist* **la ~** die DDR (*Deutsche Demokratische Republik*)
RDC M (*rez-de-chaussée*) EG *n* (*Erdgeschoss*)
réacteur [reaktœr] M Reaktor; FLUG Düsentriebwerk *n*; **~ nucléaire** Kernreaktor
réaction [reaksjõ] F Reaktion *f*; **avion** *m* **à ~** Düsenflugzeug

n
réagir [reaʒir] reagieren
réalisateur [realizatœr] M, **réalisatrice** [realizatris] F Regisseur(in) *m(f)*
réaliser [realize] realisieren, verwirklichen; *se rendre compte* begreifen
réalité [realite] F Wirklichkeit
réanimation [reanimasjõ] F Intensivstation
réarmement [rearməmɑ̃] M Aufrüstung *f*
rebelle [r(ə)bɛl] M/F Rebell(in) **rebeller** [r(ə)bɛle] **se ~** sich auflehnen (**contre** gegen)
rébellion [rebɛljõ] F Aufstand *m*
rebondir [r(ə)bõdir] zurück-, abprallen (**sur** von)
rebord [r(ə)bɔr] M Rand; **~ d'une fenêtre** Fensterbank *f*
rebut [r(ə)by] M Ausschuss, Abfall
récapituler [rekapityle] zusammenfassen
récemment [resamɑ̃] kürzlich, vor Kurzem, neulich
récent [resɑ̃] neu; *passé* jüngste(r, -s)
récépissé [resepise] M Empfangsschein
récepteur [resɛptœr] M *radio* Empfänger; TEL Hörer
réception [resɛpsjõ] F Empfang *m*
recette [r(ə)sɛt] F **~ (de cuisine)** (Koch)Rezept *n*; HANDEL **~(s)** *(Pl)* Einnahme(n); **livre** *m* **de ~s** Kochbuch *n*
receveur [rəsvœr] M **~ (de bus)** (Bus)Schaffner; MED Empfänger
recevoir [rəsvwar] *qc* erhalten; *personne(s)* empfangen; **être reçu (à un examen)** (e-e Prüfung) bestehen
rechange [r(ə)ʃɑ̃ʒ] M **de ~** Ersatz...
réchapper [reʃape] **en ~** überleben
recharger [r(ə)ʃarʒe] *batterie* aufladen; *fusil* wieder laden; *briquet* nachfüllen
réchaud [reʃo] M Kocher
réchauffement [reʃofmɑ̃] M Erwärmung *f*; **~ de la planète** Erderwärmung *f*
réchauffer [reʃofe] aufwärmen; **se ~** *personne* sich aufwärmen; *temps* wärmer werden
recherche [r(ə)ʃɛrʃ] F Suche (**de** nach); *scientifique* Forschung; **~s** PL Nachforschungen
rechercher [r(ə)ʃɛrʃe] suchen; *criminel* fahnden (**qn** nach j-m)
rechute [r(ə)ʃyt] F Rückfall *m* **rechuter** [r(ə)ʃyte] e-n Rückfall haben
récif [resif] M Riff *n*
récipient [resipjɑ̃] M Behälter
réciproque [resiprɔk] gegenseitig
récit [resi] M Erzählung *f*; **faire le ~ de** erzählen von
récital [resital] M Konzert *n*

réciter [resite] *leçon* aufsagen; *vers* vortragen
réclamation [reklamasjõ] F Reklamation **réclamer** [reklame] verlangen (**qc à qn** etw von j-m, **qn** nach j-m); *revendiquer* fordern; *nécessiter* erfordern
récolte [rekɔlt] F Ernte **récolter** [rekɔlte] ernten
recommandé [r(ə)kɔmɑ̃de] *lettre* eingeschrieben; **en ~** per Einschreiben
recommander [r(ə)kɔmɑ̃de] empfehlen
recommencer [r(ə)kɔmɑ̃se] wieder *od* von vorn(e) anfangen (**qc** etw, mit etw, **à** *+inf* zu)
récompense [rekõpɑ̃s] F Belohnung **récompenser** [rekõpɑ̃se] belohnen (**de** für)
réconcilier [rekõsilje] (**se ~** sich) versöhnen
reconduire [r(ə)kõdɥir] (zurück)bringen, (-)begleiten; **~ qn jusqu'à la porte** j-n zur Tür begleiten
réconforter [rekõfɔrte] trösten
reconnaissance [r(ə)kɔnɛsɑ̃s] F Anerkennung; *gratitude* Dankbarkeit **reconnaissant** [r(ə)kɔnɛsɑ̃] dankbar (**de** für)
reconnaître [r(ə)kɔnɛtr] (wieder)erkennen (**à** an *dat*); *faute* erkennen; *enfant, état* anerkennen
reconnu [r(ə)kɔny] anerkannt
reconstruire [r(ə)kõstrɥir] wieder aufbauen
record [r(ə)kɔr] M Rekord
recourbé [r(ə)kurbe] gebogen; *bec* krumm
récréation [rekreasjõ] F Erholung; *école* Pause
recruter [r(ə)kryte] rekrutieren; *personnel a.* einstellen
rectangle [rɛktɑ̃gl] M Rechteck *n*
rectangulaire [rɛktɑ̃gylɛr] rechteckig
rectifier [rɛktifje] berichtigen; *tracé de route* begradigen
reçu [r(ə)sy] **1** PPERF → recevoir **2** M Quittung *f*
recueil [r(ə)kœj] M Sammlung *f*
recueillement [r(ə)kœjmɑ̃] M innere Sammlung *f*, Andacht *f*
recueilli [r(ə)kœji] andächtig
recueillir [r(ə)kœjir] sammeln; *personne* (bei sich) aufnehmen; **se ~** sich innerlich sammeln
recul [r(ə)kyl] M *fig* Abstand
reculé [r(ə)kyle] abgelegen
reculer [r(ə)kyle] zurückschieben; *décision* auf-, hinausschieben; *personne, fig chômage* zurückgehen; *voiture* zurückfahren, rückwärtsfahren
reculons [r(ə)kylõ] **à ~** rückwärts
récupérer [rekypere] wiedererlangen; *rattraper* nachholen; *recycler* (wieder)verwerten; *sportif, malade* sich erholen
récurer [rekyre] scheuern

recyclable [r(ə)siklabl] wiederverwertbar, recyclingfähig **recyclage** [r(ə)siklaʒ] M Recycling *n*; *formation* Umschulung *f* **recycler** [r(ə)sikle] recyceln

rédacteur [redaktœr] M Redakteur **rédaction** [redaksjõ] F Verfassen *n*; *école* Aufsatz *m*; *d'un journal* Redaktion

redevance [rədvɑ̃s] F *radio*, TV Gebühr

rédiger [rediʒe] verfassen

redire [r(ə)dir] noch einmal sagen; **trouver à ~ à qc** etw an etw (*dat*) auszusetzen haben

redoubler [r(ə)duble] *école* ~ (**une classe**) e-e Klasse wiederholen

redoutable [r(ə)dutabl] furchterregend; *adversaire* (sehr) gefährlich **redouter** [r(ə)dute] fürchten

redresser [r(ə)drɛse] *chose penchée* gerade richten; *chose tordue* gerade biegen; *situation* wieder in Ordnung bringen; **se ~** sich (wieder) aufrichten

réduction [redyksjõ] F Reduzierung; *rabais* Ermäßigung *f*, Preisnachlass *m*; **~ du temps de travail** Arbeitszeitverkürzung

réduire [redɥir] reduzieren; *vitesse* drosseln; MED einrenken; GASTR (**faire**) **~** einkochen lassen

réduit [redɥi] M *prix, tarif* ermäßigt; *format* verkleinert

rééducation [reedykasjõ] F Heil-, Krankengymnastik; Rehabilitation

réel [reɛl] wirklich

réexpédier [reɛkspedje] zurücksenden; *faire suivre* nachsenden

refaire [r(ə)fɛr] noch einmal machen; *remettre en état* instand setzen; **~ la peinture** neu streichen

référer [refere] **se ~ à** sich beziehen auf (*akk*)

réfléchir [refleʃir] *refléter* widerspiegeln; *penser* nachdenken (**à, sur** über *akk*)

réflecteur [reflɛktœr] M Reflektor

reflet [r(ə)flɛ] M *image* Spiegelbild *n*; **~s** PL Glanz *m*

refléter [r(ə)flete] widerspiegeln

réflexe [reflɛks] M Reflex

réflexion [reflɛksjõ] F Überlegung; *remarque* Bemerkung

réforme [refɔrm] F Reform

réfrigérateur [refriʒeratœr] M Kühlschrank

refroidir [r(ə)frwadir] abkühlen; **se ~** kälter werden, sich abkühlen; **laisser ~** abkühlen lassen; **ça va ~** es wird kalt

refroidissement [r(ə)frwadismɑ̃] M Abkühlung *f*; MED Erkältung *f*; AUTO **eau** *f* **de ~** Kühlwasser *n*

refuge [r(ə)fyʒ] M *abri* Zuflucht(sort) *f(m)*; *en montagne* (Schutz)Hütte *f*

réfugié [refyʒje] M Flüchtling
réfugier [refyʒje] **se ~** (sich) flüchten
refus [r(ə)fy] M Ablehnung *f*
refuser [r(ə)fyze] ablehnen; **~ qc à qn** j-m etw verweigern; **~ de** (*+inf*) sich weigern zu
régaler [regale] **il se régale** es schmeckt ihm sehr gut
regard [r(ə)gar] M Blick
regarder [r(ə)garde] ansehen; *concerner* **~ qn** j-n (etwas) angehen
régates [regat] FPL Regatta *f*
reggae [rege] M Reggae
régime [reʒim] M Diät *f*; AUTO Drehzahl *f*
région [reʒjõ] F Gegend
réglage [reglaʒ] M Einstellung *f*
règle [rɛgl] F *instrument* Lineal *n*; *principe* Regel, Vorschrift; MED **~s** PL Periode *f*; **en ~** *papiers* in Ordnung
règlement [rɛgləmɑ̃] M *règles* Vorschrift(en) *f(pl)*; *d'une affaire* Regelung *f*; *d'une facture* Begleichung *f*
réglementaire [regləmɑ̃tɛr] vorschriftsmäßig
régler [regle] regeln; *facture* bezahlen; TECH einstellen
réglisse [reglis] F Lakritze
régner [reɲe] herrschen
regret [r(ə)grɛ] M Bedauern *n*, Reue *f* (**de** über *akk*); *nostalgie* Sehnsucht *f* (**de** nach)
regrettable [r(ə)grɛtabl] bedauerlich **regretter** [r(ə)grɛte] bedauern; *faute* bereuen; *personne, époque* nachtrauern (*dat*)
régulier [regylje] regelmäßig; *en règle* vorschriftsmäßig **régulièrement** [regyljɛrmɑ̃] regelmäßig
rein [rɛ̃] M Niere *f*; **~s** PL ANAT Kreuz *n*
reine [rɛn] F Königin
rejeter [rəʒte] zurückwerfen, *refuser* ablehnen
rejoindre [r(ə)ʒwɛ̃dr] *personne* (wieder)treffen; SPORT einholen; *endroit* wiedergelangen an (*akk*); **se ~** sich (wieder)treffen
réjouir [reʒwir] erfreuen; **se ~** sich freuen (**de** über *akk*, **que** *+subj* dass)
relâche [r(ə)lɑʃ] F **sans ~** ununterbrochen
relâcher [r(ə)laʃe] *détendre* lockern; *libérer* freilassen
relais [r(ə)lɛ] M SPORT Staffel (-lauf) *f(m)*; ELEK Relais *n*; **~ (routier)** Raststätte *f*; **prendre le ~ de qn** j-n ablösen
relatif [r(ə)latif] relativ; **~ à** bezüglich (*gen*)
relation [r(ə)lasjõ] F *lien* Beziehung; *ami(e)* Bekannte(r) *m/f(m)*; **~s** PL Beziehungen
relaxer [r(ə)lakse] **se ~** sich entspannen
relayer [r(ə)lɛje] (**se ~** sich) ablösen
relevé [rəlve] **1** GASTR pikant **2** M **~ de compte** Kontoaus-

zug; **~ d'identité bancaire** Bankverbindung *f*

relever [rəlve] *enfant* (wieder) aufheben; *adulte* aufhelfen (**qn** j-m); *chaise* wieder aufstellen; *siège* hochklappen; *col* hochschlagen; GASTR pikanter machen; *fautes* feststellen; **se ~** wieder aufstehen

relief [rəljɛf] M Relief *n*; *fig* **mettre en ~** hervorheben

relier [rəlje] verbinden; *livre* binden

religieuse [r(ə)liʒjøz] F Nonne; *gâteau* Windbeutel *m* (*mit Mokka- od Schokoladencreme*)

religieux [r(ə)liʒjø] **1** religiös; *fête, mariage* kirchlich **2** M Mönch **religion** [r(ə)liʒjõ] F Religion

reliure [rəljyr] F Einband *m*

remarquable [r(ə)markabl] bemerkenswert

remarque [r(ə)mark] F Bemerkung

remarquer [r(ə)marke] bemerken; **se faire ~** auffallen

rembourrer [rãbure] polstern

remboursement [rãbursəmã] M Rückzahlung *f*; *des frais* (Rück)Erstattung *f*; **contre ~** per Nachnahme

rembourser [rãburse] *emprunt* zurückzahlen; *frais* (zurück)erstatten

remède [r(ə)mɛd] M (Heil-, Gegen)Mittel *n*

remerciement [r(ə)mɛrsimã] M Dank

remercier [r(ə)mɛrsje] danken (**qn de** *od* **pour qc** j-m für etw)

remettre [r(ə)mɛtr] wieder hinstellen, -legen, -hängen; *veste* wieder anziehen; *départ* verschieben; **~ qc à qn** j-m etw aushändigen; **se ~ à faire qc** wieder etw tun; **se ~ de** sich erholen von

remise [r(ə)miz] F *réduction* Rabatt *m*; *débarras* Schuppen *m*; **~ en forme** Fitnesstraining *n*

remonte-pente [r(ə)mõtpãt] M Schlepplift

remonter [r(ə)mõte] wieder hinaufgehen, -steigen, -fahren; *prix, fièvre* wieder (an)steigen; *dans la voiture* wieder (ein)steigen; *objets* wieder hinauftragen; *réveil* aufziehen; **~ qn** j-n stärken; **~ à** zurückgehen auf (*akk*)

remords [r(ə)mɔr] M Gewissensbisse *pl*

remorque [r(ə)mɔrk] F Anhänger *m* **remorquer** [r(ə)mɔrke] AUTO abschleppen

remparts [rãpar] MPL Wall *m*; *d'une ville* Stadtmauer *f*

remplaçant [rãplasã] M Vertreter, Vertretung *f*

remplacement [rãplasmã] M Ersatz **remplacer** [rãplase] ersetzen; **~ qn** *provisoirement* j-n vertreten

remplir [rãplir] füllen (**de** mit); *chèque* ausfüllen; *conditions, devoir* erfüllen

remporter [rɑ̃pɔrte] wieder mitnehmen; *victoire, prix* erringen
remuer [rəmɥe] *lèvres* bewegen; *salade* umrühren; V/I sich bewegen; *enfant* lebhaft sein
rémunérer [remynere] bezahlen
renaissance [r(ə)nɛsɑ̃s] F Wiederaufleben *n*
renard [r(ə)nar] M Fuchs
rencontre [rɑ̃kõtr] F Begegnung (*a.* SPORT), Treffen *n*
rencontrer [rɑ̃cõtre] **~ qn** j-m begegnen; *faire la connaissance de* j-n kennenlernen; SPORT auf j-n treffen; **se ~** sich kennenlernen
rendement [rɑ̃dmɑ̃] M Ertrag; *efficacité* Leistung *f*
rendez-vous [rɑ̃devu] M Verabredung *f*; *amoureux* Rendezvous *n*; *lieu* Treffpunkt; *professionnel, chez le médecin* Termin; **donner ~ à qn** sich mit j-m verabreden; **prendre (un) ~** e-n Termin vereinbaren; **sur ~** nach Vereinbarung
rendre [rɑ̃dr] zurückgeben; *vomir* erbrechen; **~ fou** verrückt machen; **se ~** sich begeben (**chez qn** zu j-m); MIL sich ergeben
rênes [rɛn] FPL Zügel *mpl*
renfermer [rɑ̃fɛrme] enthalten
renforcer [rɑ̃fɔrse] verstärken
renier [r(ə)nje] verleugnen
renifler [r(ə)nifle] schnüffeln
renne [rɛn] M Rentier *n*
renommé [r(ə)nɔme] berühmt (**pour** für)
renoncer [r(ə)nõse] verzichten (**à** auf *akk*)
renouvelable [r(ə)nuvlabl] erneuerbar **renouveler** [r(ə)nuvle] erneuern
rénover [renɔve] renovieren; *fig* erneuern
renseignement [rɑ̃sɛɲmɑ̃] M Auskunft *f*; **donner des ~s sur** Auskunft erteilen über (*akk*); **prendre des ~s** Auskünfte einholen
renseigner [rɑ̃sɛɲe] Auskunft geben (**qn sur** j-m über *akk*); **se ~** sich erkundigen (**sur** über *akk*)
rente [rɑ̃t] F (Kapital)Rente
rentrée [rɑ̃tre] F Rückkehr; **~ des classes** Schulbeginn *m*
rentrer [rɑ̃tre] *entrer* hineingehen; *de voyage* zurückkehren; *du travail* nach Hause kommen; **~ dans un arbre** gegen e-n Baum fahren
renverser [rɑ̃vɛrse] umstoßen, umwerfen; **se ~** umfallen, umkippen
renvoyer [rɑ̃vwaje] *lettre* zurückschicken; *ballon* zurückwerfen; *personne* entlassen; *de l'école* verweisen
répandre [repɑ̃dr] *liquide* verschütten; *sable* streuen; *odeur, nouvelle* verbreiten; **se ~** *liquide* sich verteilen; *odeur, nouvelle* sich verbreiten

répandu [repɑ̃dy] verbreitet, üblich
réparation [reparasjɔ̃] F Reparatur **réparer** [repare] reparieren
repartir [r(ə)partir] wieder weggehen, abfahren; *retourner* zurückgehen, -fahren
répartir [repartir] ver-, aufteilen
repas [r(ə)pɑ] M Mahlzeit *f*
repasser [r(ə)pase] wieder vorbeigehen, -kommen; *linge* bügeln
repentir [r(ə)pɑ̃tir] **se ~ de qc** etw bereuen
répercussions [repɛrkysjɔ̃] FPL Auswirkungen
repérer [r(ə)pere] ausfindig machen; **se ~** sich zurechtfinden
répertoire [repɛrtwar] M Verzeichnis *n*; *agenda* Adressbuch *n*; *théâtre* Repertoire *n*
répéter [repete] wiederholen
répétition [repetisjɔ̃] F Wiederholung; *théâtre* Probe
replier [r(ə)plije] wieder zusammenfalten
répliquer [replike] erwidern
répondeur [repɔ̃dœr] M Anrufbeantworter
répondre [repɔ̃dr] antworten (**à qn** j-m; **à qc** auf etw *akk*); *freins* ansprechen; **~ à** entsprechen (*dat*)
réponse [repɔ̃s] F Antwort
reportage [r(ə)pɔrtaʒ] M Reportage *f*
reporter[1] [r(ə)pɔrte] ver-, aufschieben
reporter[2] [r(ə)pɔrtɛr] M Reporter *m*
repos [rəpo] M Ruhe *f*; **prendre du ~** ausspannen
reposer [r(ə)poze] zurücklegen, -stellen; **~ sur** beruhen auf (*dat*); **se ~** sich ausruhen
repose-tête [r(ə)poztɛt] M AUTO Kopfstütze *f*
repousser [r(ə)puse] *reporter* hinausschieben; *cheveux, gazon* wieder wachsen
reprendre [r(ə)prɑ̃dr] wieder nehmen; *à table* noch einmal nehmen; *travail* wieder aufnehmen; *corriger* (**se ~** sich) verbessern
représentant [r(ə)prezɑ̃tɑ̃] M Vertreter
représentation [r(ə)prezɑ̃tasjɔ̃] F Darstellung; *théâtre* Vorstellung; **~ du soir** Abendvorstellung
représenter [r(ə)prezɑ̃te] darstellen; *théâtre* aufführen; POL, HANDEL vertreten; **se ~ qc** sich etw vorstellen
répression [represjɔ̃] F Unterdrückung **réprimer** [reprime] unterdrücken
reprise [r(ə)priz] F *du travail* Wiederaufnahme; HANDEL Zurücknahme; SPORT Runde; **à plusieurs ~s** mehrmals
reproche [r(ə)prɔʃ] M Vorwurf
reprocher [r(ə)prɔʃe] vorwerfen

reproduction [r(ə)prɔdyksjõ] F BIOL Fortplanzung; *illustration* Abbildung
reproduire [r(ə)prɔdɥir] nachbilden, wiedergeben; **se ~** sich wiederholen, wieder vorkommen; BIOL sich fortpflanzen
reptile [rɛptil] M Reptil *n*
république [repyblik] F Republik
répugnant [repyɲɑ̃] widerlich, abstoßend
réputation [repytasjõ] F Ansehen *n*, Ruf *m*
requin [r(ə)kɛ̃] M Hai(fisch)
réquisition [rekizisjõ] F Beschlagnahme
RER [ɛrəɛr] M (*réseau express régional*) *Pariser* S-Bahn® *f*
réseau [rezo] M Netz *n* (*a.* INFORM); **~ routier** Straßennetz *n*; **~ social** soziales Netz *n*; **zone °hors ~** Funkloch *n*
réservation [rezɛrvasjõ] F Reservierung; **~ de chambres** Zimmerreservierung, Zimmervermittlung
réserve [rezɛrv] F Naturschutzgebiet *n*, Reservat *n*; *restriction* Vorbehalt *m*; *provisions* Reserve; *retenue* Zurückhaltung
réserver [rezɛrve] reservieren; *voyage* buchen; *garder* zurücklegen; **être réservé à qn** j-m vorbehalten sein
réservoir [rezɛrvwar] M Reservoir *n* (*a. fig*); *d'essence* Tank
résidence [rezidɑ̃s] F Wohnsitz *m* **résider** [rezide] wohnhaft sein
résidu [rezidy] M Rest, Rückstand
résigner [reziɲe] **se ~** resignieren; **se ~ à** sich abfinden mit
résine [rezin] F Harz *n*
résistance [rezistɑ̃s] F Widerstand *m*; *endurance* Widerstandskraft **résistant** [rezistɑ̃] widerstandsfähig
résister [reziste] **~ à** Widerstand leisten (*dat*); *supporter* aushalten (*akk*)
résolu [rezɔly] entschlossen
résolution [rezɔlysjõ] F Entschluss *m*
résonner [rezɔne] widerhallen
résoudre [rezudr] *problème* lösen; **~ de** (+*inf*) beschließen zu; **se ~ à** (+*inf*) sich entschließen zu
respect [rɛspɛ] M Respekt, Achtung *f*
respecter [rɛspɛkte] respektieren, achten; *priorité* beachten; *règlement* einhalten
respectif [rɛspɛktif] jeweilig
respiration [rɛspirasjõ] F Atmung, Atmen *n*; **~ artificielle** künstliche Beatmung
respirer [rɛspire] atmen
resplendissant [rɛsplɑ̃disɑ̃] glänzend
responsabilité [rɛspõsabilite] F Verantwortung **responsable** [rɛspõsabl] verantwortlich (**de** für)

resquiller [rɛskije] schwarzfahren
ressac [rəsak] M Brandung *f*
ressemblance [r(ə)sɑ̃blɑ̃s] F Ähnlichkeit **ressembler** [r(ə)sɑ̃ble] **~ à** ähneln, gleichen (*+dat*)
ressemeler [r(ə)səmle] besohlen
ressentir [r(ə)sɑ̃tir] empfinden
resserrer [r(ə)sɛrre] *nœud* fester ziehen; *vis* fester anziehen
ressort [r(ə)sɔr] M TECH Feder *f*
ressortir [r(ə)sɔrtir] wieder hinausgehen; *couleur* sich abheben (**sur** von); **faire ~** hervorheben; **il ressort de qc que ...** aus etw geht hervor, dass
ressortissant [r(ə)sɔrtisɑ̃] M Staatsangehörige(r)
ressources [r(ə)surs] FPL Mittel *npl*; **~ en énergie** Energiequellen *fpl*; **sans ~** mittellos
ressusciter [resysite] auferstehen
restaurant [rɛstɔrɑ̃] M Restaurant *n*
restauration [rɛstɔrasjõ] F *d'art* Restaurierung; *métier* Gaststättengewerbe *n*; **~ rapide** Fast Food *n*
restaurer [rɛstɔre] restaurieren; **se ~** sich (wieder) stärken
reste [rɛst] M Rest; **du ~** übrigens
rester [rɛste] bleiben; *subsister* übrig bleiben; **il reste du vin** es ist noch Wein übrig; **il ne reste plus de pain** es ist kein Brot mehr da
resto [rɛsto] M *umg* Restaurant *n*
restoroute® [rɛstorut] F Raststätte, Rasthaus *n*
restreindre [rɛstrɛ̃dr] be-, einschränken **restriction** [rɛstriksjõ] F Ein-, Beschränkung
résultat [rezylta] M Ergebnis *n* **résulter** [rezylte] sich ergeben, folgen (**de** aus)
résumé [rezyme] M Zusammenfassung *f* **résumer** [rezyme] zusammenfassen
rétablir [retablir] wiederherstellen; **se ~** (wieder) gesund werden **rétablissement** [retablismɑ̃] M Genesung *f*
retard [r(ə)tar] M Verspätung *f*; *paiement* Rückstand; **être en ~** sich verspäten, zu spät kommen; *train* Verspätung haben
retarder [r(ə)tarde] *personne* aufhalten; *montre* zurückstellen; *départ* hinausschieben; V/I *montre* nachgehen (**de** um)
retenir [rətnir] zurück-, aufhalten; *se souvenir* behalten; *chambre* reservieren; **se ~** sich beherrschen; **se ~ à** sich festhalten an (*dat*)
retentir [r(ə)tɑ̃tir] widerhallen
retenue [rətny] F Zurückhaltung; (Gehalts)Abzug *m*; *école* Nachsitzen *n*
rétine [retin] F Netzhaut
retiré [r(ə)tire] abgelegen, zu-

rückgezogen **retirer** [r(ə)tire] herausnehmen; *argent* abheben; **se ~** sich zurückziehen
retour [r(ə)tur] M Rückfahrt *f*, -reise *f*; **à mon ~** bei m-r Rückkehr; **être de ~** zurück sein; **par ~ du courrier** postwendend
retourner [r(ə)turne] zurückkehren, -gehen, -fahren; *de nouveau* wieder gehen, fahren; *matelas* umdrehen; *lettre* zurücksenden; **se ~** *personne* sich umdrehen; AUTO sich überschlagen
retrait [r(ə)trɛ] M *du permis de conduire* Entzug; *d'argent* Abheben *n*
retraite [r(ə)trɛt] F Ruhestand *m*; *pension* (Alters)Rente
retraité [r(ə)trɛte] pensioniert
rétrécir [retresir] *au lavage* einlaufen; **se ~** enger werden; *fig* sich verkleinern
rétrograder [retrɔgrade] AUTO zurückschalten
rétrospective [retrɔspɛktiv] F Retrospektive **rétrospectivement** [retrɔspɛktivmɑ̃] rückblickend
retrouver [rətruve] wiederfinden
rétroviseur [rətrɔvizœr] M **~ (intérieur)** Rückspiegel; **~ extérieur** Außenspiegel
réunification [reynifikasjõ] F Wiedervereinigung
réunion [reynjõ] F Versammlung
réunir [reynir] *choses séparées* (miteinander) verbinden; *documents* zusammenstellen; *preuves* zusammentragen; *conditions* erfüllen; *fonds* auf-, zusammenbringen; **se ~** sich versammeln
réussir [reysir] *personne* Erfolg haben; *projet* gelingen; **je réussis à** es gelingt mir zu; **~ à un examen** e-e Prüfung bestehen
réussite [reysit] F Erfolg *m*
revanche [r(ə)vɑ̃ʃ] F Rache; SPORT Revanche; **prendre sa ~** Rache nehmen (**sur qn** an j-m); SPORT sich revanchieren; **en ~** dafür
rêve [rɛv] M Traum
réveil [revɛj] M Wecker
réveiller [reveje] wecken; **se ~** aufwachen
révélation [revelasjõ] F Aufdeckung; **~s** PL Enthüllungen
révéler [revele] aufdecken; **se ~ exact** sich als richtig erweisen
revenant [rəvnɑ̃] M Gespenst *n*
revendication [r(ə)vɑ̃dikasjõ] F Forderung **revendiquer** [r(ə)vɑ̃dike] fordern
revendre [r(ə)vɑ̃dr] weiterverkaufen
revenir [rəvnir] wiederkommen; *rentrer* zurückkommen; *mot, nom* wieder einfallen; HANDEL sich belaufen (à auf); **~ sur** *décision* rückgängig machen; *sa parole* zurücknehmen,

GASTR **faire ~** *viande* anbraten; *oignons* in Fett dünsten; **cela revient au même** das kommf auf das Gleiche hinaus
revenu [rəvny] M Einkommen *n*
rêver [rɛve] träumen (**de** von)
réverbère [revɛrbɛr] M Straßenlaterne *f*
rêverie [rɛvri] F Träumerei
revers [r(ə)vɛr] M Rückseite *f*; *d'un pantalon, d'une manche* Auf-, Umschlag; *tennis* Rückhand *f*
revêtement [r(ə)vɛt(ə)mɑ̃] M TECH Aus-, Verkleidung *f*; *d'une route* Straßendecke *f*
revient [rəvjɛ̃] **prix** *m* **de ~** Selbstkostenpreis
réviser [revize] *école* wiederholen; **faire ~ sa voiture** s-n Wagen zur Inspektion bringen
revoir [r(ə)vwar] wiedersehen; *film* sich wieder ansehen; **se ~** sich wiedersehen; **au ~!** auf Wiedersehen!
révolte [revɔlt] F Aufstand *m*
révolter [revɔlte] empören; **se ~** sich auflehnen (**contre** gegen); *s'indigner* sich empören (**contre** über *akk*)
révolution [revɔlysjõ] F Revolution
revolver [r(ə)vɔlvɛr] M Revolver
revue [r(ə)vy] F Zeitschrift; *théâtre* Revue; MIL Parade
rez-de-chaussée [redʃose] M Erdgeschoss *n*
RFA [ɛrɛfa] F (*République fédérale d'Allemagne*) BRD (*Bundesrepublik Deutschland*)
Rhin [rɛ̃] **le ~** der Rhein
Rhône [ron] **le ~** die Rhone
rhubarbe [rybarb] F Rhabarber *m*
rhum [rɔm] M Rum
rhumatisme [rymatism] M Rheuma *n*; **avoir des ~s** Rheuma haben
rhume [rym] M Schnupfen; *refroidissement* Erkältung *f*; **~ des foins** Heuschnupfen; **avoir un ~** e-n Schnupfen haben; **attraper un ~** sich erkälten
ri [ri] PPERF → **rire**
RIB [ɛribe] M (relevé d'identité bancaire) → **relevé**
ricaner [rikane] höhnisch lachen; *bêtement* kichern
riche [riʃ] reich **richesse** [riʃɛs] F Reichtum *m*
ricin [risɛ̃] M Rizinus
ride [rid] F Falte
rideau [rido] M Vorhang, Gardine *f*; **~ de douche** Duschvorhang
ridicule [ridikyl] lächerlich **ridiculiser** [ridikylize] lächerlich machen
rien [rjɛ̃] (**ne ...**) **~** nichts; **~ du tout** überhaupt nichts; **pour ~** umsonst; **de ~!** keine Ursache!; **sans ~ dire** ohne etwas zu sagen
rigide [riʒid] starr, steif; *personne* streng
rigole [rigɔl] F Rinne

rigoler [rigɔle] Spaß machen; *rire* lachen; **pour ~** zum Spaß
rigolo [rigɔlo] *umg* lustig; *étrange* komisch
rigoureux [riguʀø] streng
rigueur [rigœʀ] F Strenge; **à la ~** notfalls, zur Not
rillettes [rijɛt] FPL *im eigenen Fett konserviertes Schweinefleisch*
rimer [ʀime] (sich) reimen
rincer [ʀɛ̃se] *linge* spülen; *cheveux, verre* ausspülen
riposter [ripɔste] schlagfertig antworten
rire [ʀiʀ] 1 lachen (**de** über *akk*); **pour ~** zum Spaß 2 M Lachen *n*
ris [ʀi] M **~ de veau** Kalbsbries *n* **risque** [ʀisk] M Risiko *n* **risqué** [ʀiske] riskant **risquer** [ʀiske] riskieren; **~ de** (*+inf*) Gefahr laufen zu, *chose* drohen zu
rissoler [ʀisɔle] GASTR goldbraun braten
rivage [ʀivaʒ] M Ufer *n*
rival [ʀival] M ⟨*pl* rivaux [ʀivo]⟩ Rivale **rivale** [ʀival] F Rivalin
rive [ʀiv] F Ufer *n*
riverain [ʀivʀɛ̃] M Anlieger
rivière [ʀivjɛʀ] F Fluss *m*
riz [ʀi] M Reis
RN (route nationale)*correspond à* B (*Bundesstraße*)
RNIS [ɛʀɛniɛs] M (réseau numérique à intégration de services) ISDN *n* (*Integrated Services Digital Network*); **connexion** *f* ~ ISDN-Anschluss *m*
robe [ʀɔb] F Kleid *n*; **~ d'été** Sommerkleid *n*; **~ de soirée** Abendkleid *n*; **~ de chambre** Morgenrock *m*
robinet [ʀɔbinɛ] M Hahn
robot [ʀɔbo] M Roboter
robuste [ʀɔbyst] robust
roche [ʀɔʃ] F Fels *m* **rocher** [ʀɔʃe] M Felsen
rodage [ʀɔdaʒ] M Einfahren *n*
roder [ʀɔde] *voiture* einfahren
rôder [ʀode] herum-, umherstreifen
rognon [ʀɔɲõ] M GASTR Niere *f*
roi [ʀwa] M König; **les Rois mages** die Heiligen Drei Könige
rôle [ʀol] M Rolle *f* (*a. théâtre*); **à tour de ~** abwechselnd
roller[1] [ʀɔlœʀ] M *dispositif* Inlineskate *n*; **faire du ~** inlineskaten
roller[2] [ʀɔlœʀ] M, **rolleuse** [ʀɔløz] F Inlineskater(in) *m(f)*
romain [ʀɔmɛ̃] 1 römisch 2 **Romain** M Römer
roman [ʀɔmɑ̃] 1 romanisch 2 M Roman
romancier [ʀɔmɑ̃sje] M, **romancière** [ʀɔmɑ̃sjɛʀ] F Romanschriftsteller(in) *m(f)*
romantique [ʀɔmɑ̃tik] 1 romantisch 2 M Romantiker
romarin [ʀɔmaʀɛ̃] M Rosmarin *n*
Rome [ʀɔm] F Rom *n*
rompre [ʀõpʀ] brechen; *relations* abbrechen; **se ~** *ficelle*

reißen; **~ avec qn** mit j-m brechen
romsteck [rɔmstɛk] M Rumpsteak *n*
rond [rõ] **1** rund; *personne* rund(lich) **2** M Kreis; **en ~** im Kreis
ronde [rõd] F Runde
rond-point [rõpwɛ̃] M Kreisverkehr, runder Platz
ronfler [rõfle] schnarchen
ronger [rõʒe] nagen; **se ~ les ongles** an den Nägeln kauen
ronronner [rõrɔne] schnurren
roquette [rɔkɛt] F Rakete; GASTR Rucola *m*
rosbif [rɔsbif] M Roastbeef *n*
rose [roz] **1** rosa **2** F Rose
rosé [roze] **1** zartrosa **2** M Rosé(wein)
roseau [rozo] M Schilf *n*
rosée [roze] F Tau *m*
rosier [rozje] M Rosenstrauch
rossignol [rɔsiɲɔl] M Nachtigall *f*
roter [rɔte] rülpsen
rôti [roti] **1** gebraten, Brat... **2** M Braten
rôtir [rotir] braten
rôtisserie [rotisri] F Grillrestaurant *n* **rôtissoire** [rotiswar] F Grill *m*
rotule [rɔtyl] F Kniescheibe
roue [ru] F Rad *n*; **~ avant** Vorderrad *n*; **~ arrière** Hinterrad *n*; **~ de secours** Reserverad *n*
rouge [ruʒ] **1** rot **2** M Rot *n*; *vin* Rotwein; **~ à lèvres** Lippenstift; **être/passer au ~** *feu* auf Rot sein/schalten
rougeâtre [ruʒɑtr] rötlich
rouge-gorge [ruʒgɔrʒ] M Rotkehlchen *n*
rougeole [ruʒɔl] F Masern *pl*
rougeurs [ruʒœr] FPL rote Flecken *mpl* **rougir** [ruʒir] rot werden
rouille [ruj] F Rost *m*; GASTR *mit Peperoni gewürzte Knoblauchsoße*
rouillé [ruje] rostig **rouiller** [ruje] rosten
rouleau [rulo] M (Klopapier-, Tapeten)Rolle *f*; *grosse vague* Brandungswelle *f*; **~ à pâtisserie** Nudelholz *n*
roulement [rulmɑ̃] M **~ à billes** Kugellager *n*
rouler [rule] rollen; *voiture* fahren
roulette [rulɛt] F *meubles* Rolle; *jeu* Roulett(e) *n*
roulotte [rulɔt] F Wohnwagen *m*
roumain [rumɛ̃] **1** rumänisch **2** **Roumain** M Rumäne
Roumanie [rumani] **la ~** Rumänien *n*
rouspéter [ruspete] *umg* meckern
rousse → roux
roussi [rusi] M Brandgeruch; **sentir le ~** versengt, angesengt riechen
route [rut] F (Auto-, Land)Straße; *itinéraire* Weg *m*, Strecke; **~ de Paris** Straße nach Paris; **~ à grande circulation** Hauptver-

kehrsstraße; *panneau* ~ **prioritaire** Vorfahrtsstraße; **en** ~ unterwegs; **quitter la** ~ von der Fahrbahn abkommen; **six heures de** ~ sechs Stunden Fahrzeit; **bonne** ~! gute Fahrt!
routier [rutje] **1** Straßen..., Verkehrs... **2** M Fernfahrer
routine [rutin] F Routine
roux [ru] ⟨f rousse [rus]⟩ rothaarig; *cheveux* rot
royal [rwajal] königlich (*a. fig*), Königs...
royaume [rwajom] M Königreich *n*
ruban [rybã] M Band *n*; ~ **adhésif** Klebeband *n*
rubéole [rybeɔl] F Röteln *pl*
rubis [rybi] M Rubin
rubrique [rybrik] F Rubrik
ruche [ryʃ] F Bienenstock *m*
rude [ryd] *climat* rau; *travail* hart; *hiver* streng
rue [ry] F Straße; **dans la** ~ auf der Straße; **en pleine** ~ auf offener Straße
ruée [rɥe] Ansturm *m*
ruelle [rɥɛl] F Gasse
ruer [rɥe] *cheval* ausschlagen; **se** ~ **sur** sich stürzen auf (*akk*)
rugir [ryʒir] brüllen
ruine [rɥin] F Verfall *m*; **en** ~ verfallen; **~s** PL Ruinen
ruiné [rɥine] ruiniert **ruiner** [rɥine] ruinieren; *fig* zunichtemachen
ruisseau [rɥiso] M Bach; *caniveau* Gosse *f* (*a. fig*)
ruisseler [rɥisle] rinnen; ~ **de** triefen von
rumeur [rymœr] F (dumpfer) Lärm *m*; *on-dit* Gerücht *n*
rupture [ryptyr] F Bruch *m* (*a. entre personnes*); MED Riss *m*; *de négociations* Abbruch *m*
rural [ryral] ländlich
ruse [ryz] F List
rusé [ryze] listig
russe [rys] **1** russisch **2 Russe** M Russe
Russie [rysi] **la** ~ Russland *n*
rustique [rystik] rustikal
rythme [ritm] M Rhythmus

S

s' [s] → **se**; *vor il, ils* → **si**[1]
SA [ɛsa] F (*société anonyme*) AG (*Aktiengesellschaft*)
sa [sa] → **son**[1]
sabbat [saba] M Sabbat
sable [sɑbl] M Sand
sablé [sɑble] M Sandplätzchen *n* **sablier** [sablije] M Sanduhr *f*; Eieruhr *f*
sablonneux [sɑblɔnø] sandig
sabot [sabo] M Holzschuh; ZOOL Huf; AUTO ~ **de frein** Bremsklotz; ~ **de Denver** [dɑ̃vɛr] Parkkralle *f*
sabre [sɑbr] M Säbel
sac [sak] M *pours ses affaires* Tasche *f*; *pour le transport* Sack; *pour l'emballage* Tüte *f*; ~ **iso-**

therme Kühltasche *f*; **~ poubelle** Müllbeutel; **~ à dos** Rucksack; **~ (à main)** Handtasche *f*; **~ de couchage** Schlafsack *m*; **~ de plage** Badetasche *f*; **~ de voyage** Reisetasche *f*; **~ en plastique** Plastiktüte *f*
saccager [sakaʒe] *ville* plündern; *maison* auf den Kopf stellen
sache [saʃ] SUBJ → savoir
sachet [saʃɛ] M **~ de thé** Teebeutel
sacoche [sakɔʃ] F Umhängetasche; *vélo, moto* Packtasche
sacré [sakre] heilig
sacrifice [sakrifis] M Opfer *n*
sacrifier [sakrifje] opfern
safari [safari] M Safari *f*
sage [saʒ] weise; *enfant* artig
sage-femme [saʒfam] F Hebamme
saignant [sɛɲɑ̃] blutend; *steak* englisch
saigner [sɛɲe] bluten; **~ du nez** Nasenbluten haben
sain [sɛ̃] gesund; **~ et sauf** wohlbehalten
saindoux [sɛ̃du] M Schweineschmalz *n*
saint [sɛ̃] **1** heilig **2** **saint(e)** [sɛ̃(t)] M(F) Heilige(r) *m/f(m)*
saint-bernard [sɛ̃bɛrnar] M Bernhardiner **saint-pierre** [sɛ̃bpjɛr] M GASTR Petersfisch
saisir [sɛzir] ergreifen (*a. occasion*); *ballon* (auf)fangen; *comprendre* begreifen; *viande* anbraten; JUR pfänden; IT erfassen; **se ~ de** ergreifen (*akk*)
saison [sɛzõ] F Jahreszeit; *période* Zeit; *touristique* Saison; *théâtrale* Spielzeit; **°haute ~** Hochsaison; **basse ~** Vor- *od* Nachsaison; **en pleine ~** in der Hochsaison
saisonnier [sɛzɔnje] saisonbedingt
sait [sɛ] PRÄS → savoir
salade [salad] F Salat *m*; **~ verte** grüner Salat *m*; **~ de fruits** Obstsalat *m*; **~ niçoise** Nizza-Salat *m*
saladier [saladje] M Salatschüssel *f*
salaire [salɛr] M *ouvrier* (Arbeits)Lohn; *employé* Gehalt *n*
salami [salami] M Salami *f*
salarié(e) [salarje] M(F) Arbeitnehmer(in)
salaud [salo] *sl* M gemeiner Kerl, Mistkerl
sale [sal] schmutzig, dreckig; *umg devant nom* übel; **~ type** M widerlicher Kerl; **~ temps** M Sauwetter *n*
salé [sale] **1** gesalzen; *au goût* salzig; *umg addition a.* gepfeffert **2** M **petit ~** *gepökeltes Schweinefleisch*
saler [sale] salzen
saleté [salte] F Schmutzigkeit; *crasse* Schmutz *m*, Dreck *m*
salière [saljɛr] F Salztreuer *m*
salir [salir] (**se ~** sich) schmutzig machen
salive [saliv] F Speichel *m*
salle [sal] F Saal *m*; *moins*

grand Raum *m*; *pièce* Zimmer *n*; **~ d'attente** *gare* Wartesaal *m*; *d'un médecin* Wartezimmer *n*; **~ à manger** Esszimmer *n*; *hôtel* Speisesaal *m*; **~ de séjour** Wohnzimmer *n*; **~ de bains** Bad(ezimmer) *n*

salon [salõ] M Wohnzimmer *n*; **Salon** *foire* Messe *f*, Ausstellung *f*; **~ de coiffure** Friseursalon; IT **~ de conversation** Chatroom; **~ de thé** Café *n*

salopette [salɔpɛt] F Latzhose

salsa [salsa] F MUS Salsa *m*

saluer [salɥe] grüßen

salut [saly] M Gruß; **~!** grüß dich!; *au revoir* tschüs!

salutation [salytasjõ] F Begrüßung; **~s** PL *lettre* viele Grüße

samedi [samdi] M Samstag; **le ~** samstags

SAMU [samy] M (*service d'aide médicale d'urgence*) Notarzt, Rettungsdienst

sandale [sãdal] F Sandale

sandwich [sãdwitʃ] M Sandwich *n*

sang [sã] M Blut *n*; **être en ~** blutüberströmt sein; *umg* **se faire du mauvais ~** sich Sorgen machen

sang-froid [sãfrwa] M *calme* Beherrschung *f*; *froideur* Kaltblütigkeit *f*; **de ~** kaltblütig

sanglant [sãglã] blutig

sangle [sãgl] F Gurt *m*

sanglier [sãglije] M Wildschwein *n*

sangloter [sãglɔte] schluchzen

sans [sã] ohne

sans-abri [sãsabri] M/F Obdachlose(r) *m/f(m)*

sans-gêne [sãʒɛn] 1 dreist 2 M Dreistigkeit *f*

santé [sãte] F Gesundheit; **être en bonne ~** gesund sein; **à votre ~!** auf Ihr Wohl!, zum Wohl!

sapin [sapɛ̃] M Tanne *f*

Sardaigne [sardɛɲ] **la ~** Sardinien *n*

sardine [sardin] F Sardine; **~ à l'huile** Ölsardine

SARL [ɛsaɛrɛl] F (*société à responsabilité limitée*) GmbH (*Gesellschaft mit beschränkter Haftung*)

sarrasin [sarazɛ̃] M Buchweizen

Sarre [sar] **la ~** Saarland *n*

Sarrebruck [sarbryk] Saarbrücken

satellite [satelit] M Satellit; **(télévision** *f* **par) ~** Satellitenfernsehen *n*

satisfaction [satisfaksjõ] F Zufriedenheit; *d'un besoin* Befriedigung

satisfaire [satisfɛr] *personne* zufriedenstellen; *besoin* befriedigen

satisfaisant [satisfəzã] befriedigend, zufriedenstellend

satisfait [satisfɛ] zufrieden (**de** mit)

sauce [sos] F Soße; **~ blanche**

weiße, helle Soße; ~ **tomate** Tomatensoße; ~ **de soja** Sojasoße
saucer [sose] (mit Brot) austunken, -wischen
saucisse [sosis] F Würstchen *n*; ~ **grillée** Bratwurst
saucisson [sosisõ] M Wurst *f*; ~ **sec** Dauerwurst *f*; ~ **à l'ail** Knoblauchwurst *f*
sauf[1] [sof] ⟨*f* sauve [sov]⟩ **sain et** ~ wohlbehalten
sauf[2] [sof] außer (*dat*), bis auf (*akk*); ~ **que** außer dass; ~ **si** außer (wenn)
sauge [soʒ] F Salbei *m*
saule [sol] M Weide *f*; ~ **pleureur** Trauerweide *f*
saumon [somõ] M Lachs; ~ **fumé** Räucherlachs
sauna [sona] F Sauna
saupoudrer [sopudre] bestreuen
saurai [sore] *fut* → savoir
saut [so] M Sprung; ~ **en °hauteur** Hochsprung; ~ **en longueur** Weitsprung; ~ **à l'élastique** Bungeejumping *n*; ~ **à la perche** Stabhochspringen *n*; ~ **périlleux** Salto
sauter [sote] springen; *bâtiment* in die Luft fliegen; ELEK *plombs* durchbrennen; *obstacle* überspringen; *ligne, repas* auslassen; **faire** ~ *pont* sprengen; *pommes de terre* braten
sauterelle [sotrɛl] F Heuschrecke
sauvage [sovaʒ] wild; *farouche* menschenscheu
sauve → sauf[1]
sauvegarder [sovgarde] schützen; IT sichern
sauver [sove] retten; *accidentés* bergen; **se** ~ *s'enfuir* davonlaufen; *umg s'en aller* (weg)gehen
sauvetage [sovtaʒ] M Rettung *f* **sauveteur** [sovtœr] M Retter **sauveur** [sovœr] M Retter; REL **Sauveur** Erlöser
savant [savɑ̃] **1** gelehrt **2** M Gelehrte(r)
savate [savat] F alter Schuh *m od* Pantoffel *m*, *umg* Latschen *m*
saveur [savœr] F Geschmack *m*
Savoie [savwa] **la** ~ Savoyen *n*
savoir [savwar] **1** wissen; *langue* können; ~ **nager** schwimmen können; **faire** ~ mitteilen **2** M Wissen *n*
savoir-faire [savwarfɛr] M Können *n*, Know-how *n* **savoir-vivre** [savwarvivr] M (feine) Manieren *fpl*, Lebensart *f*
savon [savõ] M Seife *f*
savonner [savɔne] (**se** ~ sich) einseifen
savourer [savure] genießen
savoureux [savurø] köstlich
scandale [skɑ̃dal] M Skandal; **faire** ~ Aufsehen erregen
scandaleux [skɑ̃dalø] skandalös, empörend **scandaliser** [skɑ̃dalize] empören, entrüs-

ten
scanner¹ [skanɛr] M TECH Scanner; **~ corporel** Körperscanner
scanner² [skane] (ein)scannen
scanographie [skanɔgrafi] F MED Computertomografie
scaphandre [skafɑ̃dr] M Taucheranzug **scaphandrier** [skafɑ̃drije] M Taucher
scarlatine [skarlatin] F Scharlach *m*
scarole [skarɔl] F Winterendivie
sceau [so] M Siegel *n*
scénario [senarjo] M Drehbuch *n*
scène [sɛn] F Szene; *plateau* Bühne; **mettre en ~** inszenieren; *cinéma* Regie führen
sceptique [sɛptik] skeptisch
schéma [ʃema] M Schema *n* **schématique** [ʃematik] schematisch
sciatique [sjatik] F Ischias *m*
scie [si] F Säge
science [sjɑ̃s] F Wissenschaft; **~s** PL Naturwissenschaften; *école* **~s** *pl* **naturelles** Biologie *f*
scientifique [sjɑ̃tifik] **1** wissenschaftlich **2** M/F (*non littéraire* Natur)Wissenschaftler(in) *m(f)*
scier [sje] sägen
scintiller [sɛ̃tije] funkeln, glitzern
scolaire [skɔlɛr] Schul... **scolarité** [skɔlarite] F Schulzeit
scooter [skutœr] M (Motor)-Roller
score [skɔr] M SPORT (Spiel)-Stand; **~ final** Endstand
scorpion [skɔrpjõ] M Skorpion
scotch¹ [skotʃ] M *whisky* Scotch
scotch®² [skotʃ] M Tesafilm®
scout [skut] M Pfadfinder
scrupule [skrypyl] M Skrupel; **~s** PL *a.* Bedenken *npl*; **sans ~(s)** skrupellos
scrupuleux [skrypylø] gewissenhaft
scrutin [skrytɛ̃] M POL Wahl *f*
sculpter [skylte] *bois* schnitzen; *pierre, marbre* meißeln
sculpteur [skyltœr] M Bildhauer **sculpture** [skyltyr] F *art* Bildhauerei; *œuvre* Skulptur
SDF [ɛrdea] M/F (*sans domicile fixe*) Obdachlose(r) *m/f(m)*
se [sə] ⟨*vor Vokal* s'⟩ sich
séance [seɑ̃s] F Sitzung; *cinéma* Vorstellung; MED Behandlung
seau [so] M Eimer
sec [sɛk] ⟨*f* sèche [sɛʃ]⟩ trocken; *feuille* dürr; *vin a.* herb; *réponse* schroff; **à ~** *rivière* ausgetrocknet; *umg fig* blank; **au ~** im Trockenen *od* ins Trockene
sécateur [sekatœr] M Gartenschere *f*
sèche → sec
sèche-cheveux [sɛʃʃəvø] M Föhn, Haartrockner; **sécher**

au ~ föhnen
sèche-linge [sɛʃlɛ̃ʒ] M Wäschetrockner
sécher [seʃe] trocknen (*a. v/i*); **se ~** sich (ab)trocknen; *umg école* **~ un cours** e-e Stunde schwänzen
sécheresse [seʃrɛs] F Trockenheit, Dürre
second [s(ə)gõ] zweite(r, -s)
secondaire [s(ə)gõdɛr] Neben..., nebensächlich; **enseignement** *m* **~** Sekundarstufe *f*
seconde [s(ə)gõd] F Sekunde; *train* zweite Klasse; AUTO zweiter Gang *m*
secouer [s(ə)kwe] schütteln
secourir [s(ə)kurir] beistehen (**qn** j-m)
secours [s(ə)kur] M Hilfe *f*; **au ~!** Hilfe!; **premiers ~** PL Erste Hilfe *f*; **~ en montagne** Bergwacht *f*
secousse [s(ə)kus] F Stoß *m*
secret [səkrɛ] 1 geheim 2 M Geheimnis *n*; **en ~** heimlich
secrétaire [s(ə)kretɛr] M/F Sekretär(in) *m(f)*; **~ f de direction** Chefsekretärin
sécrétion [sekresjõ] F MED Sekret *n*
secte [sɛkt] F Sekte
secteur [sɛktœr] M Sektor; ELEK (Strom)Netz *n*
sécurité [sekyrite] F Sicherheit; **Sécurité sociale** *französische Sozialversicherung*
sédatif [sedatif] M Beruhigungsmittel *n*
séduire [sedɥir] verführen; *fig* verlocken **séduisant** [sedɥizã] verführerisch; *idée* verlockend
seiche [sɛʃ] F Tintenfisch *m*
seigle [sɛglə] M Roggen
seigneur [sɛɲœr] M Herr; REL **le Seigneur** der Herr
sein [sɛ̃] M Brust *f*; **~s** PL Busen *m*; **au ~ de** innerhalb (*gen*)
Seine [sɛn] **la ~** die Seine
séisme [seism] M Erdbeben *n*
seize [sɛz] sechzehn **seizième** [sɛzjɛm] sechzehnte(r, -s)
séjour [seʒur] M Aufenthalt
séjourner [seʒurne] sich aufhalten
sel [sɛl] M Salz *n*; **mettre du ~** salzen (**dans qc** etw *akk*)
sélection [selɛksjõ] F Auswahl
sélectionner [selɛksjɔne] auswählen
self-service [sɛlfsɛrvis] M Selbstbedienungsladen *m*, -restaurant *n*
selle [sɛl] F Sattel *m*; GASTR Rücken *m*; MED **~s** PL Stuhlgang *m*
selon [s(ə)lõ] gemäß (*dat*), nach (*dat*); **~ la taille** je nach Größe; **~ que** je nachdem, ob; **~ moi** meiner Meinung nach
semaine [s(ə)mɛn] F Woche; **en ~** unter der Woche
semblable [sãblabl] ähnlich (**à** *dat*)
semblant [sãblã] M (An-)Schein; **faire ~ de** (*+inf*) so

tun, als ob; **il fait ~** er tut nur so

sembler [sɑ̃ble] scheinen; **il semble fatigué** er scheint müde zu sein; **il semble que** es scheint, dass; **il me semble que** mir scheint(, dass)

semelle [s(ə)mɛl] F Sohle

semestre [s(ə)mɛstr] M Halbjahr *n*

semi-remorque [səmir(ə)mɔrk] F Sattelschlepper *m*

semoule [s(ə)mul] F Grieß *m*

sens [sɑ̃s] M **1** Sinn; *direction* Richtung *f*; **~ de l'orientation** Orientierungssinn; **~ de l'humour** Sinn für Humor; **le bon ~** der gesunde Menschenverstand **2** AUTO **~ unique** Einbahnstraße *f*; **~ giratoire** Kreisverkehr; *panneau* **~ interdit** Einfahrt verboten!

sensation [sɑ̃sasjõ] F Empfindung; *impression* Gefühl *n*; **faire ~** Aufsehen erregen

sensationnel [sɑ̃sasjɔnɛl] *umg* toll

sensible [sɑ̃sibl] empfindlich; *impressionnable* empfindsam; *baisse* fühlbar

sensuel [sɑ̃sɥɛl] sinnlich

sentence [sɑ̃tɑ̃s] F Urteil *n*

sentier [sɑ̃tje] M Pfad; Fußweg, Wanderweg

sentiment [sɑ̃timɑ̃] M Gefühl *n*

sentimental [sɑ̃timɑ̃tal] Gefühls…; *personne* gefühlsbetont; *pej* sentimental

sentir [sɑ̃tir] riechen (**qc** nach etw); *ressentir* fühlen; *physiquement* spüren; **~ bon/mauvais** gut/schlecht riechen; **(ne pas) se ~ bien** sich (nicht) gut fühlen

séparation [separasjõ] F Trennung

séparé(ment) [separe(mɑ̃)] getrennt

séparer [separe] trennen; *deux personnes* auseinanderbringen; **se ~** sich trennen; **(se) ~ en** (sich) teilen in (*akk*)

sept [sɛt] sieben

septante [sɛptɑ̃t] *Belgique, Suisse* siebzig

septembre [sɛptɑ̃br] M September

septicémie [sɛptisemi] F Blutvergiftung

septième [sɛtjɛm] **1** siebte(r, -s) **2** M MATH Siebtel *n*

séquelles [sekɛl] FPL Nachwirkungen

serai [səre] *fut* → **être**

serein [sərɛ̃] gelassen

série [seri] F Reihe, Serie (*a.* TV)

sérieusement [serjøzmɑ̃] ernsthaft, im Ernst

sérieux [serjø] ernst; *consciencieux* zuverlässig; *élève* fleißig; *travail* sorgfältig; **prendre au ~** ernst nehmen

seringue [sərɛ̃g] F Spritze; **~ jetable** Einwegspritze

serment [sɛrmɑ̃] M Schwur, Eid

sermon [sɛrmõ] M Predigt *f*
séronégatif [seronegatif] HIV-negativ **séropositif** [seropozitif] HIV-positiv
serpent [sɛrpɑ̃] M Schlange *f*
serpillière [sɛrpijɛr] F Scheuerlappen *m*
serre [sɛr] F Gewächshaus *n*; ZOOL Klaue
serré [sɛre] *vêtement* eng; *personnes* dicht gedrängt
serrer [sɛre] (zusammen)drücken, (-)pressen; *nœud* fest-, zuziehen; *vis* anziehen; **se ~** zusammenrücken; **~ la main à qn** j-m die Hand geben; **~ qn** *vêtement* j-m zu eng sein; AUTO **~ à droite** sich rechts einordnen
serrure [sɛryr] F Schloss *n*
serrurier [sɛrje] M Schlosser
sérum [serɔm] M Serum *n*
serveur [sɛrvœr] M Kellner; IT Server **serveuse** [sɛrvøz] F Kellnerin
service [sɛrvis] M Dienst; *faveur* Gefallen; *au café, au restaurant* Bedienung *f*, Service; *département* Abteilung *f*; *hôpital a.* Station *f*; *vaisselle* Service *n*; *tennis* Aufschlag; **~ après-vente** Kundendienst; **~ (militaire)** Wehrdienst; **~ de sécurité** (privater) Sicherheitsdienst; **°hors ~** außer Betrieb; **être de ~** Dienst haben; **rendre (un) ~ à qn** j-m e-n Dienst erweisen; **~ compris** einschließlich Bedienung
serviette [sɛrvjɛt] F *de table* Serviette; *de toilette* Handtuch *n*; *porte-documents* Aktentasche; **~ hygiénique** (Damen-)Binde *f*; **~ en papier** Papierserviette
servir [sɛrvir] *mets* servieren, auftragen; *à boire* einschenken; *client* bedienen; **~ à qn** j-m nützen; **~ à qc** zu etw dienen; **~ de** dienen als; **se ~** sich bedienen; **se ~ de** benutzen (*akk*)
servofrein [sɛrvofrɛ̃] M Bremskraftverstärker
ses [se] PL seine; *à elle* ihre
set [sɛt] M *tennis* Satz
seuil [sœj] M Schwelle *f*
seul [sœl] allein; *unique* einzig; *seulement* allein, nur; **le ~, la ~e** der, die, das einzige
seulement [sœlmɑ̃] nur; *temps* erst; **hier ~** erst gestern
sévère [sevɛr] streng
sexe [sɛks] M Geschlecht *n*; *sexualité* Sex; ANAT Geschlechtsteile *pl*
sexuel [sɛksɥɛl] sexuell
shampooing [ʃɑ̃pwɛ̃] M Shampoo *n*; *lavage* Haarwäsche *f*
sherry [ʃɛri] M Sherry
shopping [ʃɔpiŋ] M Einkaufsbummel *m*, Shopping *n*
short [ʃɔrt] M Shorts *pl*
si[1] [si] KONJ ‹*vor il, ils* s'› wenn; **même ~** selbst wenn, wenn auch; **comme ~** als ob; **je me demande ~ ...** ich frage mich, ob ...

si² [si] *tellement, aussi* so
si³ [si] *après négation* doch
sida [sida] M Aids *n*
sidéen [sideɛ̃] 1 aidskrank 2 **sidéen(ne** [sideɛn]) (*m*)F Aidskranke(r) *m*/*f*(*m*)
siècle [sjɛkl] M Jahrhundert *n*
siège [sjɛʒ] M Sitz; *chaise* Stuhl; *fauteuil* Sessel
sien [sjɛ̃] ⟨*f* sienne [sjɛn]⟩ **le ~, la ~ne** seine(r, -s), *à elle* ihre(r, -s)
sieste [sjɛst] F Mittagsschläfchen *n*
siffler [sifle] *chanson* pfeifen; *chanteurs* auspfeifen
sifflet [siflɛ] M Pfeife *f*; **coup** *m* **de ~** Pfiff; **~s** PL Pfiffe
signal [siɲal] M ⟨*pl* signaux [siɲo]⟩ Signal *n*; *train* **~ d'alarme** Notbremse *f*
signalement [siɲalmɑ̃] M Personenbeschreibung *f*
signaler [siɲale] anzeigen; *à la police a.* melden; **~ qc à qn** j-n auf etw (*akk*) hinweisen
signalisation [siɲalizasjõ] F *routière* Be-, Ausschilderung
signature [siɲatyr] F Unterschrift
signe [siɲ] M Zeichen *n*; **faire ~ à qn** j-m winken
signer [siɲe] unterschreiben, unterzeichnen
significatif [siɲifikatif] bezeichnend (**de** für)
signification [siɲifikasjõ] F Bedeutung **signifier** [siɲifje] bedeuten
silence [silɑ̃s] M *de qn* Schweigen *n*; *d'un endroit* Stille *f* **silencieux** [silɑ̃sjø] still; *de nature* schweigsam
silhouette [silwɛt] F Umrisse *mpl*; *d'une femme* Figur
SIM TEL **carte** *f* **~** SIM-Karte
similaire [similɛr] ähnlich
similicuir [similikɥir] M Kunstleder *n* **similitude** [similityd] F Ähnlichkeit
simple [sɛ̃pl] 1 einfach; schlicht 2 M *tennis* Einzel *n*
simplement [sɛ̃pl(ə)mɑ̃] einfach
simplifier [sɛ̃plifje] vereinfachen
simulateur [simylatœr] M Simulator **simuler** [simyle] vortäuschen
simultané(ment) [simyltane(mɑ̃)] gleichzeitig
sincère [sɛ̃sɛr] aufrichtig **sincérité** [sɛ̃serite] F Aufrichtigkeit
singe [sɛ̃ʒ] M Affe
singulier [sɛ̃gylje] 1 eigenartig, merkwürdig 2 M GRAM Singular, Einzahl *f*
sinistre [sinistr] 1 unheimlich 2 M (Brand)Katastrophe *f*; *assurances* Schaden(sfall)
sinon [sinõ] *autrement* sonst; *sauf* außer; *si ce n'est* wenn nicht
sinueux [sinɥø] gewunden (*a. fig*); *route* kurvenreich
sirop [siro] M Sirup
site [sit] M Lage *f*; *paysage*

Landschaft *f*; IT **~ (Web)** Website *f*

situation [sitɥasjõ] F Lage; *poste* (hohe) Stellung, Position

situé [sitɥe] gelegen; **être ~** liegen

six [sis, si] sechs

sixième [sizjɛm] **1** sechste(r, -s) **2** M MATH Sechstel *n*

skateboard [skɛtbɔrd] M Skateboard *n*

ski [ski] M Ski; *sport* Skifahren *n*, Skisport; **~ de fond** Langlauf; **~ de randonnée** Skiwandern *n*; **~ nautique** Wasserski; **faire du ~** Ski laufen, fahren

skier [skje] Ski laufen, fahren

skieur [skjœr] M, **skieuse** [skjøz] F Skiläufer(in) *m(f)*, -fahrer(in) *m(f)*

skin [skin] M/F *umg* Skin *m*

skinhead [skinɛd] M/F Skinhead *m*

slalom [slalɔm] M Slalom

slip [slip] M Slip; **~ de bain** Badehose *f*

slovaque [slɔvak] **1** slowakisch **2** **Slovaque** M Slowake

Slovaquie [slɔvaki] **la ~** Slowakei

smartphone [smartfɔn] M Smartphone *n*

SMIC [smik] M (salaire minimum interprofessionnel de croissance) garantierter Mindestlohn

SMS [ɛsɛmɛs] M (short message service)*service* SMS *n*; *message* SMS *f*

snack(-bar) [snak(bar)] M Snackbar *f*

SNCF [ɛsɛnseɛf] F (Societé nationale des chemins de fer français) französische Staatsbahn

sobre [sɔbr] mäßig, enthaltsam; *style* nüchtern

sociable [sɔsjabl] gesellig

social [sɔsjal] sozial, Sozial...; *de la société a.* Gesellschafts..., gesellschaftlich

société [sɔsjete] F Gesellschaft; **~ anonyme** Aktiengesellschaft; **en ~** in Gesellschaft

socle [sɔkl] M Sockel

socquette [sɔkɛt] F Söckchen *n*; *pour homme* Socke

sœur [sœr] F Schwester

soi [swa] sich; **chez ~** zu Hause

soi-disant [swadizɑ̃] angeblich

soie [swa] F Seide

soif [swaf] F Durst *m*; **avoir ~** Durst haben

soigner [swaɲe] pflegen; MED behandeln; **se ~** *malade* etwas dagegen tun

soigneux [swaɲø] sorgfältig

soin [swɛ̃] M Sorgfalt *f*; **~s** PL Pflege *f*, MED Behandlung *f*; **premiers ~s** Erste Hilfe *f*; **prendre ~ de** sich kümmern um; *santé, affaires* achten auf (*akk*)

soir [swar] M Abend; **ce ~** heute Abend; **le ~** abends

soirée [sware] F Abend *m*; *réception* Gesellschaft

soit[1] [swa] SUBJ → être
soit[2] [swa] **~ … ~ …** entweder … oder …
soixantaine [swasɑ̃tɛn] F *âge* Sechzig; **une ~ (de …)** etwa sechzig (…)
soixante [swasɑ̃t] sechzig; **~ et onze** einundsiebzig
soixante-dix [swasɑ̃tdis] siebzig
soja [sɔʒa] M Soja(bohne) *f*
sol [sɔl] M Boden
solaire [sɔlɛr] Sonnen…
solarium [sɔlarjɔm] M Solarium *n*
soldat [sɔlda] M Soldat
solde [sɔld] M *d'un compte* Saldo; *reste à payer* Restbetrag; **~s** PL (Sommer- *od* Winter)Schlussverkauf; Ausverkauf; **acheter en ~** im Schlussverkauf kaufen
soldé [sɔlde] HANDEL herabgesetzt
sole [sɔl] F Seezunge
soleil [sɔlɛj] M Sonne *f*; **au ~** in der Sonne; **en plein ~** in der prallen Sonne; **il fait du ~** die Sonne scheint
solennel [sɔlanɛl] feierlich
solidaire [sɔlidɛr] solidarisch
solide [sɔlid] fest, solide (*a. Kenntnisse*); *personne* robust
soliste [sɔlist] M/F Solist(in) *m(f)*
solitaire [sɔlitɛr] **1** einsam **2** M/F Einzelgänger(in) *m(f)* **solitude** [sɔlityd] F Einsamkeit
soluble [sɔlybl] löslich
solution [sɔlysjõ] F Lösung
sombre [sõbr] dunkel; *a. fig* düster
sommaire [sɔmɛr] **1** *exposé* kurz (gefasst); *examen* kurz; *connaissances* dürftig **2** M kurze Inhaltsangabe *f*
somme[1] [sɔm] F Summe
somme[2] [sɔm] M *umg* Schläfchen *n*, Nickerchen *n*
sommeil [sɔmɛj] M Schlaf; **avoir ~** müde sein
sommelier [sɔməlje] M Kellermeister; *au restaurant* Weinkellner
sommes [sɔm] PRÄS → être
sommet [sɔmɛ] M Gipfel; *d'un arbre* Wipfel
sommier [sɔmje] M Sprungfederrahmen
somnambule [sɔmnɑ̃byl] **1** mondsüchtig **2** M/F Mondsüchtige(r) *m/f(m)*
somnifère [sɔmnifɛr] M Schlafmittel *n*
somptueux [sõptɥø] prächtig, pracht-, prunkvoll
son[1] [sõ] M ⟨*f* sa [sa], *pl* ses [se]⟩ sein(e); *à elle* ihr(e)
son[2] [sõ] M Ton; *d'un instrument, de la voix* Klang
sondage [sõdaʒ] M **~ (d'opinions)** Meinungsumfrage *f*
sonde [sõd] F Sonde (*a.* MED)
songer [sõʒe] **~ à** (*+inf*) daran denken zu
sonner [sɔne] *cloches* läuten; *réveil, sonnette, téléphone* klingeln; *horloge* schlagen
sonnerie [sɔnri] F Läuten *n*;

Klingeln *n*; TEL Klingelton *m*
sonnette [sɔnɛt] F Klingel
sono [sɔno] F *umg* Verstärker-, Lautsprecheranlage
sonore [sɔnɔr] tönend, klangvoll **sonorité** [sɔnɔrite] F Klang *m*
sont [sõ] *prés* von **être**
sophistiqué [sɔfistike] *maniéré* gekünstelt; *perfectionné* hoch entwickelt
sorbet [sɔrbɛ] M Fruchteis *n*, Sorbet(t) *m/n*
sorcière [sɔrsjɛr] F Hexe
sordide [sɔrdid] schmutzig (*a. fig*); *crime* gemein
sort [sɔr] M Schicksal *n*; **tirer au ~** auslosen
sorte [sɔrt] F Art; *espèce* Sorte; **toutes ~s de** allerlei; **une ~ de** e-e Art (von); **de ~ que** sodass
sortie [sɔrti] F Ausgang *m*; *pour voitures* Ausfahrt; *action* Hinausgehen *n*; *balade* Ausflug *m*; *d'un film* Uraufführung; **~ de voitures** *pancarte* Ausfahrt (*a.* Einfahrt) frei halten; **~ de secours** Notausgang *m*
sortir [sɔrtir] hinausgehen, herauskommen; (*en*) *voiture* hinaus- *od* herausfahren; *film* herauskommen; *qc de qc* herausholen, -nehmen, -ziehen; *chien* ausführen; *voiture* herausfahren; *chaise de jardin* hinausstellen; **~ avec qn** mit j-m ausgehen; **s'en ~** damit fertig werden; *s'en tirer* davonkommen
sot [so] töricht, dumm
sottise [sɔtiz] F Dummheit
souche [suʃ] F Baumstumpf *m*
souci [susi] M Sorge *f*
soucier [susje] **se ~** sich kümmern (**de** um)
soucieux [susjø] besorgt; **~ de** bedacht auf (*akk*)
soucoupe [sukup] F Untertasse
soudain [sudɛ̃] plötzlich
souder [sude] schweißen; *avec du métal* löten
souffle [sufl] M Atem; **être à bout de ~** außer Atem sein; *fig* **second ~** neuer Anlauf
soufflé [sufle] M Auflauf, Soufflee *n*
souffler [sufle] blasen; *bougie* ausblasen; *reprendre haleine* Atem, Luft holen; *école* vorsagen
soufflet [suflɛ] M Blasebalg
souffrance [sufrɑ̃s] F Schmerz *m* **souffrant** [sufrɑ̃] (leicht) erkrankt **souffrir** [sufrir] leiden (**de** unter *dat*; MED an *dat*)
soufre [sufr] M Schwefel
souhait [swɛ] M Wunsch; *umg* **à vos ~s!** Gesundheit!
souhaitable [swɛtabl] wünschenswert **souhaiter** [swɛte] wünschen
souk [suk] M Basar, S(o)uk
soûl [su] *umg* betrunken
soulagement [sulaʒmɑ̃] M Erleichterung *f*
soulager [sulaʒe] *douleur, migraine* lindern; *malade* Erleich-

terung bringen (*dat*); **être soulagé** erleichtert sein
soûler [sule] **~ qn** j-n betrunken machen
soulever [sulve] hochheben; *problème* aufwerfen; **se ~** *peuple* sich erheben
soulier [sulje] M Schuh
souligner [suliɲe] unterstreichen (*a. fig*)
soumettre [sumɛtr] *pays* unterwerfen; *présenter* vorlegen
soupape [supap] F Ventil *n*
soupçon [supsõ] M Verdacht
soupçonner [supsɔne] verdächtigen **soupçonneux** [supsɔnø] argwöhnisch
soupe [sup] F Suppe; **~ à l'oignon** Zwiebelsuppe; **~ de poisson** Fischsuppe; **~ au pistou** *provenzalische Gemüsesuppe mit Basilikum*
souper [supe] (nach der Abendveranstaltung) essen
soupière [supjɛr] F Suppenschüssel, Terrine
soupirer [supire] seufzen
souple [supl] biegsam, geschmeidig
source [surs] F Quelle
sourcil [sursij] M Augenbraue *f*
sourd [sur] taub (**de** auf *dat*); *qui entend mal* schwerhörig; *bruit* dumpf
sourd-muet [surmɥɛ] taubstumm
sourire [surir] **1** lächeln **2** M Lächeln *n*
souris [suri] F Maus (*a.* IT)
sournois [surnwa] hinterhältig
sous [su] unter (*dat od akk*); **~ peu** in Kürze
sous-alimenté [suzalimɑ̃te] unterernährt
sous-développé [sudevlɔpe] unterentwickelt
sous-entendu [suzɑ̃tɑ̃dy] M Andeutung *f*
sous-estimer [suzɛstime] unterschätzen
sous-exposé [suzɛkspoze] *photo* unterbelichtet
sous-locataire [sulɔkatɛr] M/F Untermieter(in) *m(f)*
sous-marin [sumarɛ̃] M U-Boot *n* **sous-sol** [susɔl] M Untergeschoss *n*
soustraction [sustraksjõ] F Subtraktion **soustraire** [sustrɛr] abziehen (**de** von)
sous-vêtements [suvɛtmɑ̃] MPL Unterwäsche *f*
souteneur [sutnœr] M Zuhälter
soutenir [sutnir] *piliers* stützen; *projet* unterstützen; *prétendre* behaupten
souterrain [sutɛrɛ̃] **1** unterirdisch **2** M Unterführung *f*
soutien [sutjɛ̃] M *aide* Unterstützung *f* **soutien-gorge** [sutjɛ̃gɔrʒ] M Büstenhalter, BH
souvenir [suvnir] **1** **se ~** sich erinnern (**de** an *akk*) **2** M Erinnerung *f*; *objet* Andenken *n*; *tourisme* Souvenir *n*, Reiseandenken *n*; **en ~ de** zur Erinne-

rung an (*akk*)
souvent [suvɑ̃] oft
soyez [swaje] SUBJ → être
spa [spa] M Wellnesscenter *n*; *bain à remous* Whirlpool
spacieux [spasjø] geräumig
spaghetti [spageti] MPL Spaghetti *pl*
spam [spam] M Spam
sparadrap [sparadra] M Heftpflaster *n*
spasme [spasm] M Krampf
spatial [spasjal] Raum…
spécial [spesjal] ⟨*mpl* spéciaux [spesjo]⟩ besondere(r, -s), speziell; *exceptionnel* Sonder…; *spécialisé* Fach…; *umg inhabituel* eigenartig **spécialement** [spesjalmɑ̃] speziell
spécialiste [spesjalist] M Spezialist, Fachmann; MED Facharzt **spécialité** [spesjalite] F Fach(gebiet) *n*; GASTR Spezialität
spectacle [spɛktakl] M Anblick, Schauspiel *n*; *représentation* Vorstellung *f*; ~ **laser** Lasershow *f*
spectateur [spɛktatœr] M Zuschauer
sphère [sfɛr] F Kugel
spirituel [spiritɥɛl] geistig; *drôle* geistreich
spiritueux [spiritɥø] MPL Spirituosen *pl*
splendeur [splɑ̃dœr] F Glanz *m*, Pracht **splendide** [splɑ̃did] prächtig
spontané [spõtane] spontan; *personne* natürlich
sport [spɔr] M Sport; **~s** *pl* **d'hiver** Wintersport *m*; **faire du ~** Sport treiben
sportif [spɔrtif] **1** sportlich, Sport… **2** M, **sportive** [spɔrtiv] F Sportler(in) *m(f)*
spray [sprɛ] M ~ **nasal** Nasenspray *n*
squash [skwaʃ] M Squash *n*
squelette [skəlɛt] M Skelett *n*
stable [stabl] stabil; *échelle* standfest; *emploi* fest, sicher; *personne* ausgeglichen
stade [stad] M Stadium *n*; SPORT Stadion *n*
stage [staʒ] M Praktikum *n*
stagiaire [staʒjɛr] M/F Praktikant(in)
stand [stɑ̃d] M HANDEL Stand
standard [stɑ̃dar] **1** Standard… **2** M TEL Zentrale *f*
standardiste [stɑ̃dardist] F Telefonistin
star [star] M Filmstar *m*
starter [startɛr] M AUTO Choke
station [stasjõ] F Station, Haltestelle; *de métro a.* Bahnhof *m*; *de radio* Sender *m*; ~ **de taxis** Taxistand *m*; ~ **balnéaire** Seebad *n*; ~ **de sports d'hiver** Wintersportort *m*
stationnaire [stasjɔnɛr] gleichbleibend, unverändert
stationnement [stasjɔnmɑ̃] M Parken *n*; ~ **interdit** Parkverbot *n*
stationner [stasjɔne] parken

station-service [stasjõsɛrvis] F Tankstelle
statistique [statistik] **1** statistisch **2** **~s** *fpl* Statistik(en) *f(pl)*
statue [staty] F Statue
statut [staty] M Status; **~s** PL Satzung *f*, Statuten *npl*
steak [stɛk] M Steak *n*; **~ au poivre** Pfeffersteak *n*; **~ tartare** Tatar *n*; **~ °haché** Hacksteak *n*
sténodactylo [stenodaktilo] F Stenotypistin
stéréo [stereo] **1** Stereo... **2** F Stereo *n*; **en ~** in Stereo
stériliser [sterilize] sterilisieren
steward [stjuward, stiward] M Steward
stimulateur [stimylatœr] M **~ cardiaque** Herzschrittmacher
stimuler [stimyle] *personne* anspornen; *appétit* anregen
stock [stɔk] M *d'un magasin* Warenbestand; *réserve* Vorrat (**de** an); **en ~** vorrätig
stocker [stɔke] lagern; speichern (*a.* IT)
stop [stɔp] **1** stopp! **2** M *panneau* Stoppschild *n*; *feu arrière* Bremslicht *n*; *umg* **faire du ~** per Anhalter fahren
stopper [stɔpe] V/T & V/I anhalten, stoppen
strapontin [strapõtɛ̃] M Klappsitz
Strasbourg [strazbur] Straßburg
strict [strikt] streng; **le ~ nécessaire** das (Aller)Nötigste
studio [stydjo] M TV, *radio* Studio *n*; *de cinéma* Atelier *n*; *logement* Einzimmerwohnung *f*
stupéfait [stypefɛ] verblüfft
stupéfiant [stypefjɑ̃] **1** verblüffend **2** M Rauschgift *n*
stupide [stypid] dumm **stupidité** [stypidite] F Dummheit
style [stil] M Stil
stylo [stilo] M **~ (à plume)** Füller **~ (à encre)** Tintenroller; **~ à bille** Kugelschreiber
stylo-feutre [stiloføtr] M Filzschreiber
su [sy] PPERF → savoir
subir [sybir] erleiden; **~ un examen** sich e-m Examen unterziehen
subit [sybi] plötzlich
subjonctif [sybʒõktif] M Konjunktiv
sublime [syblim] großartig
substance [sypstɑ̃s] F Substanz, Stoff *m*
substantif [sypstɑ̃tif] M Substantiv *n*, Hauptwort *n*
substituer [sypstitɥe] ersetzen (**A à B** B durch A)
subtil [syptil] scharfsinnig; *nuance* fein
succès [syksɛ] M Erfolg; **avec ~** erfolgreich
successeur [syksɛsœr] M Nachfolger
successif [syksɛsif] aufeinanderfolgend **succession** [syksɛsjõ] F (Aufeinander)Folge
successivement [syksɛsiv-

mɑ̃] nacheinander
succulent [sykylɑ̃] köstlich
succursale [sykyrsal] F Filiale; *d'une banque* Zweigstelle
sucer [syse] lutschen **sucette** [sysɛt] F Lutscher *m*; *tétine* Schnuller *m*
sucre [sykr] M Zucker; **~ en morceaux** Würfelzucker
sucré [sykre] süß **sucrer** [sykre] zuckern **sucreries** [sykrəri] FPL Süßigkeiten **sucrier** [sykrije] M Zuckerdose *f*
sud [syd] M Süden; **au ~ de** südlich von
sud-est [sydɛst] M Südosten **sud-ouest** [sydwɛst] M Südwesten
Suède [sɥɛd] **la ~** Schweden *n*
suédois [sɥedwa] **1** schwedisch **2** **Suédois** M Schwede
suer [sɥe] schwitzen
sueur [sɥœr] F Schweiß *m*
suffire [syfir] genügen, reichen; **ne pas ~** nicht ausreichen
suffisamment [syfizamɑ̃], **suffisant** [syfizɑ̃] ausreichend
suffoquer [syfɔke] ersticken
suggérer [sygʒere] vorschlagen; *faire penser à* denken lassen an (*akk*)
suggestion [sygʒɛstjõ] F Vorschlag *m*
suicide [sɥisid] M Selbstmord **suicider** [sɥiside] **se ~** Selbstmord begehen
suie [sɥi] F Ruß *m*
suis [sɥi] PRÄS → être
Suisse [sɥis] **la ~** die Schweiz
suisse [sɥis] **1** schweizerisch, Schweizer **2** **Suisse** M/F Schweizer(in) *m(f)*
suite [sɥit] F Folge; *série* Reihe; **~s** PL *conséquences* Folgen; **de ~** hintereinander; **à la ~ de, par ~ de** infolge (*gen*); **par la ~** später; **tout de ~** sofort; **et ainsi de ~** und so weiter
suivant [sɥivɑ̃] nächste(r, -s), folgende(r, -s); **au ~!** der Nächste, bitte!; **~ que** je nachdem, ob
suivi [sɥivi] M MED (weitere) Betreuung *f*
suivre [sɥivr] folgen (**qn** j-m); *cours* besuchen; **faire ~** *lettre* nachsenden; **à ~** Fortsetzung folgt
sujet [syʒɛ] M Thema *n*; *motif* Anlass (**de** zu); GRAM Subjekt *n*; **au ~ de** wegen (*gen*)
super [sypɛr] **1** *umg* super **2** M Super(benzin) *n*
superbe [sypɛrb] prächtig
superficie [sypɛrfisi] F Fläche **superficiel** [sypɛrfisjɛl] oberflächlich
superflu [sypɛrfly] **1** überflüssig **2** M Überfluss
supérieur [syperjœr] **1** obere(r, -s), Ober...; **~ à** höher als; *fig* überlegen (*dat*) **2** **~(e)** *m(f)* Vorgesetzte(r) *m/f(m)*
supermarché [sypermarʃe] M Supermarkt
superposer [syperpoze] über-

einanderlegen
superstitieux [sypɛrstisjø] abergläubisch
supplément [syplemɑ̃] M Zusatz; *train* Zuschlag; *restaurant, hôtel* **avec ~** gegen Aufpreis; **être en ~** *boissons* extra gehen
supplémentaire [syplemɑ̃tɛr] zusätzlich
supplice [syplis] M Folter *f*; *souffrance* Qual *f*
supplier [syplije] anflehen
support [sypɔr] M Stütze *f*
supportable [sypɔrtabl] erträglich
supporter¹ [sypɔrte] ertragen; *chaleur* vertragen; TECH tragen; **ne pas ~ qn** j-n nicht ausstehen können
supporter² [sypɔrtɛr] M SPORT Fan
supposer [sypoze] annehmen, vermuten; *impliquer* voraussetzen
suppositoire [sypozitwar] M MED Zäpfchen *n*
supprimer [syprime] *mur* wegnehmen; *passage* streichen; *emplois* abbauen; *douleur* stillen; *permis de conduire* entziehen; *personne* beseitigen; *abolir* aufheben
suppurer [sypyre] eitern
suprême [syprɛm] höchste(r, -s), oberste(r, -s)
sur [syr] auf (*dat od akk*); *au dessus de* über (*dat od akk*); *vers* auf (*akk*) zu, nach; *au sujet de* über (*akk*); **une fenêtre ~ la rue** ein Fenster zur Straße; **avoir de l'argent ~ soi** Geld bei sich haben; **trois mètres ~ cinq** drei mal fünf Meter
sûr [syr] sicher; *sérieux* zuverlässig; **bien ~!** natürlich!
surcharger [syrʃarʒe] überladen, überlasten
surchauffer [syrʃofe] *pièce* überheizen; TECH überhitzen
surélever [syrelve] erhöhen
sûrement [syrmɑ̃] sicher(lich)
surestimer [syrɛstime] überschätzen
sûreté [syrte] F Sicherheit
surexposé [syrɛkspoze] *photo* überbelichtet
surf [sœrf] M Wellenreiten *n*, Surfen *n*; *planche* Surfbrett *n*; **~ (des neiges)** Snowboard(en) *n*
surface [syrfas] F *de l'eau* Oberfläche; MATH Fläche
surfer [sœrfe] SPORT surfen; IT **~ sur Internet** im Internet surfen
surgelé [syrʒəle] **1** tiefgekühlt **2** **surgelés** MPL Tiefkühlkost *f*
surgir [syrʒir] auftauchen
sur-le-champ [syrləʃɑ̃] auf der Stelle, sofort
surmené [syrməne] überarbeitet
surmonter [syrmɔ̃te] überwinden, bezwingen
surnom [syrnɔ̃] M Spitzname
surpasser [syrpase] übertreffen

surprenant [syrprənɑ̃] erstaunlich
surprendre [syrprɑ̃dr] überraschen
surpris [syrpri] überrascht; **être ~ que** (+*subj*) sich wundern, dass
surprise [syrpriz] F Überraschung
sursis [syrsi] M Bewährungsfrist *f*
surtaxe [syrtaks] F Zuschlag *m*; *d'une lettre* Nachgebühr
surtout [syrtu] besonders, vor allen Dingen
surveillance [syrvɛjɑ̃s] F Aufsicht, Überwachung **surveillant** [syrvɛjɑ̃] M Aufseher
surveiller [syrvɛje] überwachen, beaufsichtigen
survêtement [syrvɛtmɑ̃] M Trainingsanzug
survivant [syrvivɑ̃] M Überlebende(r)
survivre [syrvivr] **~ à** überleben (*akk*)
survoler [syrvɔle] überfliegen
sus [sys] **être en ~** extra gehen
susceptible [sysɛptibl] *personne* empfindlich; **être ~ de** (+*inf*) fähig sein zu (+*inf*)
susciter [sysite] hervorrufen
suspect [syspɛ(kt)] verdächtig (**de** *gen*) **suspecter** [syspɛkte] verdächtigen
suspendre [syspɑ̃dr] aufhängen; *séance* unterbrechen; *paiements* einstellen; **se ~ à** sich hängen an (*akk*)
suspense [syspɛns] M Spannung *f*
suspension [syspɑ̃sjɔ̃] F AUTO Aufhängung, Federung
svelte [svɛlt] schlank
S.V.P. (*s'il vous plaît*) bitte
sweat-shirt [switʃœrt] M Sweatshirt *n*
sympa(thique) [sɛ̃pa(tik)] sympathisch; *soirée* nett
symphonie [sɛ̃fɔni] F Sinfonie
symptôme [sɛ̃ptom] M Symptom *n*
synagogue [sinagɔg] F Synagoge
syndic [sɛ̃dik] M Verwalter
syndical [sɛ̃dikal] gewerkschaftlich, Gewerkschafts…
syndicat [sɛ̃dika] M Gewerkschaft *f*; **~ d'initiative** Fremdenverkehrsamt *n*, -büro *n*
syndrôme [sɛ̃drɔm] M Syndrom *n*
synthétique [sɛ̃tetik] synthetisch; *fibres a.* Kunst…
système [sistɛm] M System *n*; **~ immunitaire** Immunsystem *n*; IT **~ d'exploitation** Betriebssystem *n*

T

t' [t] → te
ta [ta] → ton[1]
tabac [taba] M Tabak; (**bureau**

m **de)** ~ Tabakladen
table [tabl] F Tisch *m*; ~ **de nuit** Nachttisch *m*; ~ **de ping-pong** Tischtennisplatte; ~ **des matières** Inhaltsverzeichnis *n*; **mettre la** ~ den Tisch decken; **à** ~! (das) Essen ist fertig!
tableau [tablo] M Gemälde *n*, Bild *n*, Tafel *f*; *schéma* Tabelle *f*; *école* ~ **(noir)** (Wand)Tafel *f*; ~ **d'affichage** Anzeigetafel *f*, Schwarzes Brett *n*; ~ **de bord** Armaturenbrett *n*; ~ **de composition des trains** Wagenstandanzeiger
tablette [tablɛt] F **1** (Ablage)-Platte; ~ **de chocolat** Tafel Schokolade **2** INFORM Tablet PC *m*
tablier [tablije] M Schürze *f*
tabou [tabu] **1** tabu **2** M Tabu *n*
taboulé [tabule] M *Gericht aus Kuskus, Petersilie, Pfefferminze, Zwiebeln und Tomaten*
tabouret [taburɛ] M Hocker
tache [taʃ] F Fleck *m*; ~**s** *pl* **de rousseur** Sommersprossen
tâche [tɑʃ] F Aufgabe
tacher [taʃe] fleckig machen
tâcher [tɑʃe] ~ **de** (+*inf*) sich bemühen zu, versuchen zu
tact [takt] M Takt(gefühl) *m(n)*
tactile [taktil] Tast...; **écran** *m* ~ Berührungsbildschirm, Touchscreen
taie [tɛ] F Kopfkissenbezug *m*
taille [taj, tɑj] F Größe; ANAT Taille
taille-crayon(s) [tɑjkrɛjõ] M Bleistiftspitzer
tailler [tɑje] *vêtement* zuschneiden; *haie* beschneiden; *crayon* spitzen; ~ **grand** groß ausfallen
tailleur [tajœr] M Schneider; *vêtement* Kostüm *n* **tailleur-pantalon** [tajœrpɑ̃talõ] M Hosenanzug
taire [tɛr] **se** ~ schweigen; **tais-toi!** sei still!
talon [talõ] M Ferse *f*; *de la chaussure* Absatz; *d'un chèque* Stammabschnitt
talus [taly] M Böschung *f*
tambour [tɑ̃bur] M Trommel *f*
tambourin [tɑ̃burɛ̃] M Tamburin *n*
tamis [tami] M Sieb *n*
tamiser [tamize] sieben; *lumière* dämpfen
tampon [tɑ̃põ] M (Watte)-Bausch; *cachet* Stempel; ~ **hygiénique** Tampon
tamponner [tɑ̃pɔne] *plaie* abtupfen; *timbre* (ab)stempeln; *voiture* auffahren auf (*akk*); **se** ~ zusammenstoßen
tandis que [tɑ̃dik(ə)] während
tanga [tɑ̃ga] M Tanga
tango [tɑ̃go] M Tango
tant [tɑ̃] so viel; *aimer* so sehr; ~ **de fois** so oft; ~ **que** solange; **en** ~ **que** als; ~ **mieux** umso besser; ~ **pis** schade
tante [tɑ̃t] F Tante
taon [tɑ̃] M ZOOL Bremse *f*

tapage [tapaʒ] M Lärm
tape [tap] F Klaps *m*
tapenade [tapənad] F Olivenpaste (*aus der Provence*)
taper [tape] schlagen; *sur l'épaule de qn* klopfen; *à la machine* tippen; IT eingeben
tapis [tapi] M Teppich; SPORT Matte *f*; **~ roulant** Förderband *n*; *pour piétons* Roll-, Fahrsteig; IT **~ de souris** Mauspad *n*
tapisser [tapise] tapezieren
tapisserie [tapisri] F Wandteppich *m*
taquiner [takine] necken
tard [tar] spät; **au plus ~** spätestens
tarder [tarde] auf sich warten lassen; zögern; **ne pas ~ à faire qc** bald etw tun
tarif [tarif] M Tarif; *d'un hôtel* Preisliste *f*; *transports* **~ réduit** ermäßigter Preis; **plein ~** normaler Preis
tarir [tarir] versiegen
tarte [tart] F Obstkuchen *m*, -torte; **~ au citron** Zitronentorte; **~ à l'oignon** Zwiebelkuchen *m*; **~ Tatin** *gestürzter Apfelkuchen mit Karamel*
tartelette [tartəlɛt] F Törtchen *n*
tartine [tartin] F Butter- *od* Marmeladenbrot *n*
tartre [tartr] M Kesselstein; *des dents* Zahnstein
tas [tɑ] M Haufen; *umg* **un ~ de** (...) e-e Menge (...), ein Haufen (...)
tasse [tɑs] F Tasse
tâter [tɑte] befühlen, betasten; *pouls* fühlen
tatouage [tatuaʒ] M Tätowierung *f*, Tattoo *n*
taupe [top] F Maulwurf *m*
taureau [toro] M Stier, Bulle; **course** *f* **de ~x** Stierkampf *m*
taux [to] M *montant fixé* Satz; *pourcentage* Rate *f*, Quote *f*; **~ d'alcoolémie** Alkoholspiegel; **~ de change** Wechselkurs; **~ d'inflation** Inflationsrate *f*
taxe [taks] F *redevance* Gebühr; *impôt* Steuer; **~ de séjour** Kurtaxe; **toutes ~s comprises** einschließlich Mehrwertsteuer; **°hors ~s** ohne Mehrwertsteuer
taxi [taksi] M Taxi *n*
tchèque [tʃɛk] tschechisch; **la République ~** die Tschechische Republik, Tschechien *n*
Tchèque [tʃɛk] M Tscheche
te [t(ə)] ⟨*vor Vokal* t'⟩ dich; dir
technicien [tɛknisjɛ̃] M Techniker
technique [tɛknik] **1** technisch **2** F Technik
techno [tɛkno] F MUS Techno *m*
teindre [tɛ̃dr] färben
teint [tɛ̃] M Teint, Gesichtsfarbe *f*; **fond** *m* **de ~** Make-up *n*
teinte [tɛ̃t] F Farbton *m*
teinté [tɛ̃te] getönt
teinturerie [tɛ̃tyrri] F (chemische) Reinigung
tel [tɛl] ⟨*f* telle⟩ solche(r, -s); **~ que** wie

télé [tele] F *umg* Fernsehen *n*; *téléviseur* Fernseher *m*
télécarte [telekart] F Telefonkarte
télécharger [teleʃarʒe] IT herunterladen
télécommande [telekɔmɑ̃d] F Fernbedienung
télécommunications [telekɔmynikasjõ] FPL Fernmeldewesen *n*
télécopie [telekɔpi] F (Tele)Fax *n*
téléfilm [telefilm] M Fernsehfilm
télégramme [telegram] M Telegramm *n*
téléguidé [telegide] ferngelenkt
téléobjectif [teleɔbʒɛktif] M Teleobjektiv *n*
télépéage [telepeaʒ] M *vollautomatisches Mautsystem an Autobahnen*
téléphérique [teleferik] M (Draht)Seilbahn *f*
téléphone [telefɔn] M Telefon *n*; **par ~** telefonisch; **au ~** am Telefon; **~ sans fil** schnurloses Telefon *n*; **~ mobile** *ou* **portable** Mobiltelefon *n*, Handy *n*; **~ à carte** Kartentelefon *n*
téléphoner [telefɔne] telefonieren (**à qn** mit j-m), anrufen (**à qn** j-n)
téléphonique [telefɔnik] telefonisch, Telefon...
télescope [telɛskɔp] M Teleskop *n*, Fernrohr *n*
télescoper [telɛskɔpe] zusammenstoßen mit; **se ~** zusammenstoßen
télésiège [telesjɛʒ] M Sessellift
téléski [teleski] M Skilift
téléspectateur [telespɛktatœr] M, **téléspectatrice** [telespɛktatris] F Fernsehzuschauer(in) *m(f)*
télétexte [teletɛkst] M Videotext
télévisé [televize] Fernseh...
téléviseur [televizœr] M Fernseher
télévision [televisjõ] F Fernsehen *n*; *téléviseur* Fernseher *m*; **regarder la ~** fernsehen
télex [telɛks] M Fernschreiben *n*, Telex *n*
telle → tel
tellement [tɛlmɑ̃] dermaßen, so
témoigner [temwaɲe] (als Zeuge) aussagen; **~ de** bezeugen (*akk*); *chose* zeugen von
témoin [temwɛ̃] M Zeuge
tempe [tɑ̃p] F Schläfe
température [tɑ̃peratyr] F Temperatur (*a.* MED)
tempête [tɑ̃pɛt] F Sturm *m*
temple [tɑ̃pl] M Tempel; (protestantische) Kirche *f*
temporaire [tɑ̃pɔrɛr] zeitweilig, vorübergehend
temps[1] [tɑ̃] M Zeit *f*; **~ libre** Freizeit *f*; **à ~** rechtzeitig; **en même ~** gleichzeitig; **de ~ en ~** von Zeit zu Zeit; **(ne pas) avoir le ~** (keine) Zeit haben; **travailler à ~ partiel** Teilzeit arbeiten
temps[2] [tɑ̃] M *météo* Wetter *n*; **quel ~ fait-il?** wie ist das Wetter?
tenace [tənas] hartnäckig

tenailles [tənaj] FPL Zange *f*
tendance [tɑ̃dɑ̃s] F Tendenz
tendinite [tɑ̃dinit] F Sehnenscheidenentzündung
tendon [tɑ̃dɔ̃] M Sehne *f*
tendre¹ [tɑ̃dr] spannen; *piège* stellen; *bras* ausstrecken; *main* reichen (*a. fig*)
tendre² [tɑ̃dr] zärtlich, liebevoll; *viande* zart
tendresse [tɑ̃drɛs] F Zärtlichkeit
tenir [tənir] (fest)halten; *promesse* halten; *restaurant* führen; *place* einnehmen; **~ à** halten an (*dat*); *fig* hängen an (*dat*); *être dû à* liegen an (*dat*); **~ au frais** kühl aufbewahren; **se ~** sich (fest)halten (**à** an *dat*); **se ~ mal** sich schlecht benehmen; **tiens!** *prends* da (nimm)!
tennis [tenis] M Tennis *n*; **~ de table** Tischtennis *n*; **~** PL Turnschuhe
tension [tɑ̃sjɔ̃] F Spannung; MED Blutdruck *m*
tentant [tɑ̃tɑ̃] verlockend
tentation [tɑ̃tasjɔ̃] F Versuchung
tentative [tɑ̃tativ] F Versuch *m*
tente [tɑ̃t] F Zelt *n*
tenter [tɑ̃te] versuchen (**de** zu); *attirer* locken, reizen
tenue [təny] F *vêtements* Kleidung; *savoir-vivre* Anstand *m*; **~ de soirée** Abendkleidung; AUTO **~ de route** Straßenlage
TER® [teøɛr] M (*train express régional*) Regionalzug
terme [tɛrm] M Frist *f*; *expression* Ausdruck; **à court, long ~** kurz-, langfristig
terminaison [tɛrminɛzɔ̃] F GRAM Endung
terminal [tɛrminal] M Terminal *n*; *en ville* Endstation *f* der Flughafenlinie in der Stadt
terminale [tɛrminal] F Abiturklasse
terminer [tɛrmine] beenden; **se ~** enden (**par** mit), zu Ende gehen; **être terminé, avoir terminé** fertig sein
terminus [tɛrminys] M Endstation *f*
terne [tɛrn] glanzlos, matt
terrain [tɛrɛ̃] M Gelände *n*; *parcelle* Grundstück *n*; *sol* Boden; **~ de camping** Campingplatz; **~ de football** Fußballplatz
terrasse [tɛras] F Terrasse
terre [tɛr] F Erde; Land *n* **terre ferme** Festland *n*
terrible [tɛribl] furchtbar, schrecklich; *umg* toll; *appétit* gewaltig; **pas ~** nicht besonders
terrine [tɛrin] F Tonschüssel *m* mit Deckel; *pâté* Pastete
territoire [tɛritwar] M Gebiet *n*
test [tɛst] M Test; **~ de dépistage du sida** Aidstest;**~ génétique/de résistance** Gen-/Stresstest;**~ de grossesse**

Schwangerschaftstest
testicule [tɛstikyl] M Hoden
tétanos [tetanos] M Wundstarrkrampf, Tetanus
tête [tɛt] F Kopf *m; visage* Gesicht *n;* **en ~** an der Spitze; **en ~ à ~** unter vier Augen
tétée [tete] F **donner la ~ à** stillen
téter [tete] saugen
tétine [tetin] F *du biberon* Sauger *m; jouet* Schnuller *m*
têtu [tɛty] starrköpfig
texte [tɛkst] M Text
textile [tɛkstil] M Textil…; **~s** MPL Textilien *pl*
texto® [tɛksto] M TEL SMS (-Nachricht) *f*
TF1 [teɛfɛ̃] (*Télévision française un*) Französisches Fernsehen, 1. Programm
TGV [teʒeve] M (*train à grande vitesse*) *correspond à* ICE
thé [te] M Tee; **~ glacé** Eistee; **~ au citron, au lait** Tee mit Zitrone, mit Milch
théâtre [teɑtr] M Theater *n; fig* Schauplatz
théière [tejɛr] F Teekanne
thème [tɛm] M Thema *n*
théorie [teɔri] F Theorie **théorique** [teɔrik] theoretisch
thermal [tɛrmal] Thermal…; **cure** *f* **~e** Bade- *od* Trinkkur
thermomètre [tɛrmɔmɛtr] M Thermometer *n;* **~ médical** Fieberthermometer *n*
thermos® [tɛrmos] F (**bouteille** F) **~** Thermosflasche®
thon [tõ] M Tunfisch
thorax [tɔraks] M Brustkorb
thrombose [trɔmboz] F Thrombose
thym [tɛ̃] M Thymian
tibia [tibja] M Schienbein *n*
ticket [tikɛ] M Fahrschein; *d'entrée* Eintrittskarte *f;* **~ restaurant** Essensmarke *f;* **~ de caisse** Kassenzettel *f;* **~ de stationnement** Parkschein
tiède [tjɛd] lau(warm)
tien [tjɛ̃] ⟨*f* tienne [tjɛn]⟩ **le ~, la ~ne** deine(r, -s); **les ~s, les ~nes** deine
tient [tjɛ̃] PRÄS → tenir
tiercé [tjɛrse] M Dreierwette *f*
tiers [tjɛr] M Drittel *n*
tiers-monde [tjɛrmõd] M Dritte Welt *f*
tige [tiʒ] F BOT Stängel *m*, Stiel *m; barre* Stange
tigre [tigr] M Tiger
tilleul [tijœl] M Linde *f; tisane* Lindenblütentee
timbre [tɛ̃br] M Briefmarke *f;* **~ de collection** Sondermarke *f*
timbré [tɛ̃bre] frankiert
timide [timid] schüchtern **timidité** [timidite] F Schüchternheit
tique [tik] F ZOOL Zecke
tir [tir] M Schuss; SPORT Schießen *n*
tirage [tiraʒ] M *loterie* Ziehung *f;* FOTO Abziehen *n;* **~ au sort** Auslosung *f*
tire-bouchon [tirbuʃõ] M

Korkenzieher

tirer [tire] ziehen; *rideau* zu- *od* aufziehen; *coup de feu* abgeben; *lièvre* schießen; *chèque* ausstellen; **~ les cartes** die Karten legen; **~ sur qn** auf j-n schießen; **s'en ~** davonkommen; *umg* **se ~** abhauen

tiroir [tirwar] M Schublade *f*

tisane [tizan] F Kräutertee *m*

tisser [tise] weben

tissu [tisy] M Stoff

titre [titrə] M Titel; *d'un article* Überschrift *f*

titulaire [titylɛr] M/F *d'un document* Inhaber(in) *m(f)*

toast [tost] M Trinkspruch; *pain grillé* Toast; **porter un ~ à qn** auf j-n trinken

toboggan [tɔbɔgɑ̃] M Rutschbahn *f*

tofu [tɔfu] M Tofu

toi [twa] *après* PRÄP dich (*akk*), dir (*dat*); *sujet* du

toile [twal] F *tissu* Leinen *n*; *peinture* Gemälde *n*; **~ d'araignée** Spinnwebe, Spinnennetz *n*

Toile [twal] IT **la ~** das Web

toilette [twalɛt] F Waschen *n*; *vêtements* Kleidung; **~s** PL Toilette *f*, WC *n*; **faire sa ~** sich waschen

toit [twa] M Dach *n*; **~ ouvrant** Schiebedach *n*

tôle [tol] F Blech *n*; **~ ondulée** Wellblech *n*; **~s** *pl* **froissées** Blechschaden *m*

tolérant [tɔlerɑ̃] tolerant **tolérer** [tɔlere] dulden; *médicament* vertragen

tomate [tɔmat] F Tomate; **~ cerise/en grappe** Kirsch-/Strauchtomate; **salade** *f* **de ~s** Tomatensalat *m*

tombe [tõb] F Grab *n* **tombeau** [tõbo] M Grabmal *n*

tombée [tõbe] F **à la ~ de la nuit** bei Einbruch der Dunkelheit

tomber [tõbe] fallen; *glisser, trébucher* stürzen, hinfallen; *vent* sich legen; *anniversaire* **~ un dimanche** auf e-n Sonntag fallen; **~ malade** krank werden; **~ amoureux** sich verlieben (**de** in *akk*); AUTO **~ en panne** e-e Panne haben; **faire ~** umwerfen; **laisser ~** fallen lassen; **ça tombe bien** das trifft sich gut

tome [tɔm] M Band

tomme [tɔm] F **~ (de Savoie)** *Hartkäse aus Savoyen*

ton¹ [tõ] M <*f* ta [ta], *pl* tes [te]> dein(e)

ton² [tõ] M Ton; *fig* **donner le ~** den Ton angeben

tonalité [tɔnalite] F TEL Wählton *m*, Freizeichen *n*

tondeuse [tõdøz] F **~ à gazon** Rasenmäher *m*

tondre [tõdr] scheren; *gazon* mähen

tongs [tõg] FPL Zehensandalen

tonique [tɔnik] M Stärkungsmittel *n*

tonne [tɔn] F Tonne

tonneau [tɔno] M ⟨*pl* tonneaux⟩ Fass *n*; AUTO **faire un ~** sich überschlagen
tonnerre [tɔnɛr] M Donner
torche [tɔrʃ] F Fackel; **~ électrique** Stablampe
torchon [tɔrʃõ] M Geschirrtuch *n*
tordre [tɔrdr] *linge* auswringen; *bras* verdrehen; **se ~ de rire** sich schieflachen; **se ~ de douleur** sich krümmen vor Schmerzen; **se ~ le pied** mit dem Fuß umknicken
torréfier [tɔrefje] *café* rösten
torrent [tɔrã] M Wild-, Sturzbach; *fig* Flut *f*, Strom; **il pleut à ~s** es gießt in Strömen
torride [tɔrid] heiß (*a. fig*); *chaleur* glühend
torse [tɔrs] M Oberkörper
tort [tɔr] M Unrecht *n*; *erreur* Fehler; *dommage* Schaden; **avoir ~** unrecht haben; **à ~** zu Unrecht; **être dans son** *od* **en ~** *conducteur* schuld sein
torticolis [tɔrtikɔli] M steifer Hals
tortue [tɔrty] F Schildkröte
torturer [tɔrtyre] foltern; *fig* quälen
tôt [to] früh; **au plus ~** frühestens; **le plus ~ possible** so bald wie möglich; **~ ou tard** früher oder später
total [tɔtal] **1** völlig; *confiance* voll; *prix* Gesamt… **2** M *addition* (Gesamt)Summe
toubib [tubib] M *umg* Arzt, Doktor
touchant [tuʃã] rührend
touche [tuʃ] F Taste; **~ échappe/entrée** Escape-/Entertaste; **~ de fonction** Funktionstaste; **~ retour** Returntaste; SPORT **(ligne** *f* **de) ~** Seitenlinie
toucher [tuʃe] **1** berühren; *émouvoir* rühren; *atteindre* treffen; *joindre* erreichen; *argent* bekommen; *chèque* einlösen; **~ à** berühren (*akk*) **2** M Tastsinn
touffe [tuf] F Büschel *n*
toujours [tuʒur] immer, *encore* immer noch; **depuis ~** schon immer; **~ est-il que** jedenfalls
toupie [tupi] F Kreisel *m*
tour[1] [tur] F Turm *m*; *building* Hochhaus *n*
tour[2] [tur] M *d'une roue, d'un moteur* Umdrehung *f*; *promenade* Rundgang, -fahrt *f*; *excursion* (Rad-, Auto)Tour *f*; *voyage* Reise *f*; *farce* Streich; SPORT Runde *f*; **faire le ~ de qc** um etw herumgehen; **c'est mon ~** ich bin dran
tourbillon [turbijõ] M Wirbelwind
tourisme [turism] M Fremdenverkehr, Tourismus; **~ vert** Ferien *pl* auf dem Bauernhof; **office** *m* **du ~** Fremdenverkehrsamt *n*, -büro *n*
touriste [turist] M/F Tourist(in) *m(f)*
touristique [turistik] Frem-

denverkehrs..., Tourismus...; **menu** *m* ~ *preiswertes Menü für Touristen*

tourmenter [turmɑ̃te] quälen; **se ~** sich Sorgen machen

tournant [turnɑ̃] M Kurve *f*

tourne-disque [turnədisk] M Plattenspieler

tournedos [turnədo] M (Rinder)Filetschnitte *f*, Tournedos *n*

tournée [turne] F *théâtrale* Tournee; *umg au café* Runde; **en ~** auf Tournee

tourner [turne] (auf-, zu)drehen; *page* umblättern; *salade* umrühren; *film* drehen; *tête* wenden; V/I sich drehen; *au carrefour* abbiegen; *moteur* laufen; *lait* sauer werden; **se ~** sich umwenden; **se ~ vers** sich zuwenden (*dat*)

tournesol [turnəsɔl] M Sonnenblume *f*

tournevis [turnəvis] M Schraubenzieher

tournoi [turnwa] M Turnier *n*

tournure [turnyr] F Wendung

tourte [turt] F (Fleisch- *od* Fisch)Pastete; (Porree-, Spinat-, Birnen)Torte

Toussaint [tusɛ̃] F Allerheiligen *n*

tousser [tuse] husten

tout [tu, tut] ‹*f* toute [tut]; *mpl* tous [tu, tus], *fpl* toutes [tut]› **~(e)** jede(r, -s) *avec article* ganze(r, -s); *employé seul* ~ alles; PL **tous, toutes** alle; **~e la ville** die ganze Stadt; **~ le monde** alle; **tous les (deux) jours** jeden (zweiten) Tag; **~ ou rien** alles oder nichts; **en ~** insgesamt; **~ propre** ganz sauber; **tout neuf** ganz neu; **~ à fait** ganz (und gar)

toutefois [tutfwa] jedoch

tout-puissant [tupɥisɑ̃] allmächtig

toux [tu] F Husten *m*

toxicomane [tɔksikɔman] (rauschgift)süchtig, drogenabhängig

toxique [tɔksik] **1** giftig **2** M Gift *n*

tracasser [trakase] bekümmern; **se ~** beunruhigt sein

trace [tras] F Spur

tracé [trase] M Verlauf

tracer [trase] *ligne* ziehen; *plan* (auf)zeichnen

trachée [traʃe] F Luftröhre

tract [trakt] M Flugblatt *n*

tracteur [traktœr] M Traktor

traction [traksjõ] F **~ avant** Vorderradantrieb *m*

tradition [tradisjõ] F Tradition; *coutume* Brauch *m*

traditionnel [tradisjɔnɛl] traditionell

traducteur [tradyktœr] M, **traductrice** [tradyktris] F Übersetzer(in) *m(f)*

traduction [tradyksjõ] F Übersetzung

traduire [tradɥir] übersetzen; *exprimer* ausdrücken; **se ~** sich äußern

trafic[1] [trafik] M Verkehr; **~ routier** Straßenverkehr; **~ aérien** Flugverkehr
trafic[2] [trafik] M *pej* Schleich-, Schwarzhandel; **~ de drogue** Rauschgifthandel; **faire le ~ de** schieben mit
trafiquant [trafikã] M Schwarzhändler; **~ de drogue** Rauschgifthändler, Dealer
tragédie [traʒedi] F Tragödie (*a. fig*) **tragique** [traʒik] tragisch
trahir [trair] verraten
trahison [traizõ] F Verrat *m*
train[1] [trɛ̃] M Zug; **~ de marchandises** Güterzug; **~ de voyageurs** Personenzug; **~ auto-couchettes** Autoreisezug
train[2] [trɛ̃] M FLUG **~ d'atterrissage** Fahrgestell *n*
train[3] [trɛ̃] **être en ~ de travailler** gerade arbeiten
traîneau [trɛno] M Schlitten
traîner [trɛne] schleppen, schleifen; V/I *vêtements* herumliegen; *discussion* sich in die Länge ziehen; *traînasser* trödeln; *dans les rues, les cafés* sich herumtreiben
traire [trɛr] melken
trait [trɛ] M Strich; **~s** PL Gesichtszüge; **d'un ~** in e-m Zug(e)
traite [trɛt] F *crédit* Rate; **d'une (seule) ~** in e-m Zug(e)
traité [trɛte] M POL Vertrag
traitement [trɛtmã] M Behandlung *f* (*a.* MED); **mauvais ~s** PL Misshandlung(en); IT **~ de l'information** Datenverarbeitung *f*; **~ de texte** Textverarbeitung *f*
traiter [trɛte] behandeln (*a.* MED); **~ qn de menteur** j-n e-n Lügner nennen; **~ de qc** von etw handeln
traiteur [trɛtœr] M Partyservice
traître [trɛtr] M Verräter
trajet [traʒɛ] M Strecke *f*
tramway [tramwɛ] M Straßenbahn *f*
tranchant [trãʃã] scharf
tranche [trãʃ] F Scheibe, Schnitte; **~ napolitaine** Fürst-Pückler-Eis *n*
trancher [trãʃe] (durch)schneiden; *fig* sich entscheiden
tranquille [trãkil] ruhig; *rassuré* unbesorgt; **laisse-moi ~!** lass mich in Ruhe!
tranquillisant [trãkilizã] M Beruhigungsmittel *n* **tranquillité** [trãkilite] F Ruhe
transat [trãsat] M Liegestuhl
transférer [trãsfere] *détenu* überstellen; *bureaux* verlegen
transformation [trãsfɔrmasjõ] F (Ver)Änderung; *métamorphose* Um-, Verwandlung; **~s** PL *travaux* Umbau *m*
transformer [trãsfɔrme] verändern; um-, verwandeln (**en** in *akk*); *maison* umbauen; **se ~** sich (ver)ändern; sich verwandeln (**en** in *akk*)

transfusion [trɑ̃sfyzjõ] F **~ (sanguine)** Bluttransfusion

transgénique [tʀɑ̃sʒenik] gentechnisch verändert, Gen...; **maïs** *m* **~** Genmais

transit [trɑ̃zit] M Transit; **en ~** Transit...

transitoire [trɑ̃zitwar] Übergangs..., vorläufig

transmettre [trɑ̃smɛtr] weitergeben; *message* übermitteln; *maladie* übertragen (**à qn** auf j-n)

transmission [trɑ̃smisjõ] F Übertragung

transparence [trɑ̃sparɑ̃s] F Durchsichtigkeit, Transparenz

transparent [trɑ̃sparɑ̃] durchsichtig

transpercer [trɑ̃spɛrse] durchbohren

transpiration [trɑ̃spirasjõ] F Schwitzen *n*; *sueur* Schweiß *m*

transpirer [trɑ̃spire] schwitzen

transplantation [trɑ̃splɑ̃tasjõ] F Verpflanzung, Transplantation **transplanter** [trɑ̃splɑ̃te] verpflanzen, transplantieren

transport [trɑ̃spɔr] M Transport, Beförderung *f*; **~s** *pl* **en commun** öffentliche Verkehrsmittel *npl*

transportable [trɑ̃spɔrtabl] transportabel; *malade* transportfähig **transporter** [trɑ̃spɔrte] transportieren, befördern

transvaser [trɑ̃svaze] umfüllen, umgießen

transversal [trɑ̃svɛrsal] Quer...

travail [travaj] M ⟨*pl* travaux [travo]⟩ Arbeit *f*; **travaux** PL Bauarbeiten *fpl*; *panneau* Baustelle

travailler [travaje] arbeiten (*a. bois*); *matériau* bearbeiten

travailleur [travajœr] M, **travailleuse** [travajøz] F Arbeiter(in) *m(f)*

traveller's chèque [travlœr(s)ʃɛk] M Reise-, Travellerscheck

travers [travɛr] M **à ~** durch; **de ~** schief, quer, verkehrt; **en ~ de** quer über (*dat*)

traversée [travɛrse] F (Durch)-Fahrt (**de** durch); *en bateau a.* (Über)Fahrt (**de** über *akk*)

traverser [travɛrse] über-, durchqueren; *à pied a.* gehen über (*akk*) *od* durch, *en voiture a.* fahren über (*akk*) *od* durch; *transpercer* durchdringen **traversin** [travɛrsɛ̃] M Nackenrolle *f*

trébucher [trebyʃe] stolpern

trèfle [trɛfl] M Klee; *cartes* Kreuz *n*

treize [trɛz] dreizehn **treizième** [trɛzjɛm] dreizehnte(r, -s)

trekking [trɛkiŋ] M Trekking *n*; **chaussures** *fpl* **de ~** Trekkingschuhe

tremblement [trɑ̃bləmɑ̃] M Zittern *n*; **~ de terre** Erdbeben

n
trembler [trɑ̃ble] zittern (**de froid** vor Kälte); *terre, vitres* beben
trempé [trɑ̃pe] durchnässt
tremper [trɑ̃pe] *vêtement* durchnässen; ~ **dans** eintauchen, -tunken in (*akk*)
tremplin [trɑ̃plɛ̃] M Sprungbrett *n ski* Sprungschanze *f*
trentaine [trɑ̃tɛn] F *âge* Dreißig; **une** ~ (**de** ...) etwa dreißig (...)
trente [trɑ̃t] dreißig
trépied [trepje] M Dreifuß; FOTO Stativ *n*
très [trɛ] sehr
trésor [trezɔr] M Schatz
tresse [trɛs] F Zopf *m*
tresser [trɛse] flechten
tréteau [treto] M Bock
Trèves [trɛv] Trier
tri [tri] M Sortieren *n*; **faire un** ~ auswählen
triangle [triɑ̃gl] M Dreieck *n*; ~ **de présignalisation** Warndreieck *n*
triangulaire [triɑ̃gylɛr] dreieckig
tribord [tribɔr] M Steuerbord *n*; **à** ~ steuerbord(s)
tribu [triby] F (Volks)Stamm *m*
tribunal [tribynal] M Gericht *n*
tricher [triʃe] *umg* mogeln
tricolore [trikɔlɔr] dreifarbig; **drapeau** *m* ~ Trikolore *f*
tricot [triko] M *action* Stricken *n*; *chandail* Strickjacke *f*; *pull* Pullover
tricoter [trikɔte] stricken
trier [trije] *courrier* sortieren; *lentilles* auslesen
trilingue [trilɛ̃g] dreisprachig
trimestre [trimɛstr] M Vierteljahr *n*, Quartal *n*
trinquer [trɛ̃ke] (mit den Gläsern) anstoßen (**à** auf *akk*)
triomphe [triɔ̃f] M Triumph
triompher [triɔ̃fe] triumphieren, siegen (**de** über *akk*)
tripes [trip] FPL GASTR Kaldaunen, Kutteln; ~ **à la mode de Caen** *Kaldaunen in Cidre und Calvados*
triple [tripl] dreifach **tripler** [triple] verdreifachen
triste [trist] traurig; *temps, paysage* trist **tristesse** [tristɛs] F Traurigkeit
troc [trɔk] M Tausch(handel)
trois [trwɑ] drei; ~ **quarts** drei viertel
troisième [trwɑzjɛm] dritte(r, -s); ~ **âge** M Senioren *pl*
trombe [trɔ̃b] F Windhose; ~ **d'eau** Wolkenbruch *m*
trombone [trɔ̃bɔn] M MUS Posaune *f*; *de bureau* Büroklammer *f*
trompe [trɔ̃p] F MUS Horn *n*; ZOOL Rüssel *m*
tromper [trɔ̃pe] täuschen; betrügen (*a. en amour*); **se** ~ sich irren; **se** ~ **de chemin** sich verlaufen, *en voiture* sich verfahren
trompette [trɔ̃pɛt] F Trompe-

te
trompeur [trõpœr] trügerisch
tronc [trõ] M ~ **(d'arbre)** (Baum)Stamm
tronçon [trõsõ] M (Autobahn)Abschnitt
tronçonneuse [trõsɔnøz] F Kettensäge
trop [tro] zu viel; *aimer* zu sehr; *avec* ADJ *et* ADV zu; ~ **de** zu viel; **de, en** ~ zu viel; ~ **peu** zu wenig
tropical [trɔpikal] tropisch
tropiques [trɔpik] PL Tropen; **sous les** ~ in den Tropen
trot [tro] M Trab **trotter** [trɔte] traben
trottinette [trɔtinɛt] F Roller *m*
trottoir [trɔtwar] M Bürgersteig
trou [tru] M Loch *n*
trouble [trubl] 1 *liquide* trüb; *image* verschwommen; *affaire* dunkel 2 M Verwirrung *f*; **~s** *pl* **respiratoires** Atembeschwerden *fpl*; **~s** *pl* **digestifs** Verdauungsstörungen *fpl*; **~s** *pl* **de la circulation** Durchblutungsstörungen *fpl*; **~s** *pl* **de la vue** Sehstörungen *fpl*
troubler [truble] stören; *personne* verwirren (*a. physiquement*); **se** ~ unsicher werden
trouer [true] durchlöchern
troupe [trup] F *de théâtre* Theatertruppe; *bande* Gruppe, Schar; MIL Truppe
troupeau [trupo] M Herde *f*
trousse [trus] F Etui *n*; *école* Federmäppchen *n*; ~ **de toilette** Kulturbeutel *m*
trousseau [truso] M ~ **de clés** Schlüsselbund *n*
trouver [truve] finden; **se** ~ sich befinden
truc [tryk] M *umg* Trick; *chose* Sache *f*, Ding(sda) *n*
truelle [tryɛl] F (Maurer)Kelle
truffe [tryf] F Trüffel
truite [trɥit] F Forelle
truquage [trykaʒ] M Trickaufnahme *f*
trust [trœst] M Trust, Konzern
tsigane [tsigan] M/F *neg!* Zigeuner(in) *m(f)*
tsunami [tsynami] M Tsunami
TTC (*toutes taxes comprises*) einschl. MwSt. (*einschließlich Mehrwertsteuer*)
tu[1] [ty] du
tu[2] [ty] PPERF → taire
tuba [tyba] M SPORT Schnorchel
tube [tyb] M Rohr *n*; *bes* ELEK Röhre *f*; *de dentifrice* Tube *f*; *d'aspirine* Röhrchen *n*
tuer [tɥe] töten; **se** ~ *mourir* umkommen; *en voiture* tödlich verunglücken
tuerie [tyri] F Blutbad *n*
tuile [tɥil] F (Dach)Ziegel *m*
tulipe [tylip] F Tulpe
tumeur [tymœr] F Geschwulst
Tunisie [tynizi] **la** ~ Tunesien *n*
tunisien [tynizjɛ̃] 1 tunesisch 2 **Tunisien** M Tunesier

tunnel [tynɛl] M Tunnel
turban [tyrbɑ̃] M Turban
turbot [tyrbo] M Steinbutt
turbulent [tyrbylɑ̃] wild
turc, turque [tyrk] **1** türkisch **2** **Turc, Turque** M,F Türke
Turquie [tyrki] **la ~** die Türkei
tutoyer [tytwaje] duzen
tuyau [tɥijo] M Rohr *n*, Röhre *f*; *umg* Tip; **~ d'arrosage** Gartenschlauch; **~ d'échappement** Auspuffrohr *n*
TVA [tevea] F (*taxe à la valeur ajoutée*) Mehrwertsteuer
tympan [tɛ̃pɑ̃] M ANAT Trommelfell *n*
type [tip] M Typ; *modèle* Modell *n*; *umg gars* Kerl, Typ
typhoïde [tifɔid] F Typhus *m*
typique [tipik] typisch (**de** für)

U

ulcère [ylsɛr] M Geschwür *n*; **~ de l'estomac** Magengeschwür *n*
ultérieur [ylterjœr] spätere(r, -s)
ultra... [yltra] extrem, hoch...; POL, PHYS ultra... **ultrason** [yltrasõ] M Ultraschall
un [ɛ̃, œ̃] M, **une** [yn] F ein *m*, eine *f*, ein *n*; *employé seul* einer, eine, ein(e)s; *chiffre* **un** eins; **le un** die Eins; **un par un** einer nach dem anderen; **l'un(e)** der (die, das) eine; **l'un(e) l'autre** sich gegenseitig, einander; **l'un(e) et l'autre** beide
unanime [ynanim] einstimmig
uni [yni] *tissus* einfarbig; *surface, papier* glatt
unifier [ynifje] *pays* einigen; *tarifs* vereinheitlichen
uniforme [ynifɔrm] M Uniform *f*
union [ynjõ] F Union, Vereinigung; **Union européenne** Europäische Union
unique [ynik] *seul* einzig; *extraordinaire* einmalig **uniquement** [ynikmɑ̃] nur
unir [ynir] verein(ig)en; *relier* verbinden; *couple* trauen; **s'~** sich vereinigen
unité [ynite] F Einheit
univers [ynivɛr] M Weltall *n*; *fig* Welt *f*
université [ynivɛrsite] F Universität
urbain [yrbɛ̃] städtisch, Stadt...
urgence [yrʒɑ̃s] F Dringlichkeit; MED Notfall *m*; (**service** *m* **des**) **~s** PL Notaufnahme *f*; **d'~** dringend
urgent [yrʒɑ̃] dringlich
urine [yrin] F Harn *m*
urologue [yrɔlɔg] M Urologe
usage [yzaʒ] M Gebrauch; *coutume* Brauch; °**hors d'~** außer Gebrauch
usagé [yzaʒe] gebraucht

usager [yzaʒe] M Benutzer; ~ **de la route** Verkehrsteilnehmer
USB [yɛsbe] M IT (*universal serial bus*) USB; **câble** *m* ~ USB-Kabel *n*; **clé** *f* ~, **stick** *f* ~ USB-Stick; **port** *m* ~ USB-Anschluss
user [yze] abnutzen; *consommer* verbrauchen; **s'~** sich abnutzen
usine [yzin] F Fabrik
ustensile [ystɑ̃sil] M (Küchen-, Garten)Gerät *n*
usuel [yzɥɛl] gebräuchlich
utile [ytil] nützlich
utilisateur [ytilizatœr] M Benutzer **utiliser** [ytilize] benutzen, verwenden **utilité** [ytilite] F Nützlichkeit
utopique [ytɔpik] utopisch
UV [yve] MPL (*ultra-violets*) UV-Strahlen
uval [yval] Trauben...

V

va [va] PRÄS → aller
vacances [vakɑ̃s] FPL Ferien *pl*, Urlaub *m*; **grandes ~** große Ferien; **~ scolaires** Schulferien; **~ de dernière minute** Last-Minute-Urlaub *m*; **~ de neige** Winter-, Skiurlaub *m*; **être en ~** in *od* im Urlaub sein, Ferien haben; **partir en ~** in Urlaub fahren
vacarme [vakarm] M Heidenlärm, Krach
vaccin [vaksɛ̃] M Impfstoff
vaccination [vaksinasjõ] F Impfung **vacciner** [vaksine] impfen
vache [vaʃ] F Kuh; **maladie** *f* **de la ~ folle** Rinderwahn(sinn) *m*
vachement [vaʃmɑ̃] *umg* unheimlich, wahnsinnig
vacherin [vaʃrɛ̃] M *Baisertorte mit Eis und Sahne*
va-et-vient [vaevjɛ̃] M Kommen und Gehen *n*
vagin [vaʒɛ̃] M ANAT Scheide *f*, Vagina *f*
vague [vag] **1** vage; *formes* verschwommen **2** F Welle
vain [vɛ̃] **en ~** vergebens
vaincre [vɛ̃kr] siegen (**qn** über j-n), besiegen (j-n); *peur* überwinden
vainqueur [vɛ̃kœr] M Sieger
vais [vɛ] PRÄS → aller
vaisseau [vɛso] M **~ (sanguin)** Blutgefäß *n*; **~ spatial** Raumschiff *n*
vaisselle [vɛsɛl] F Geschirr *n*; **produit** *m* **~** Geschirrspülmittel *n*; **faire la ~** (das) Geschirr spülen, abwaschen
valable [valabl] *passeport* gültig; *argument* annehmbar
valet [valɛ] M Diener; *cartes* Bube
valeur [valœr] F Wert *m*; **objet**

m **de ~** Wertgegenstand; **d'une ~ de** im Wert von
valider [valide] *billet* entwerten **validité** [validite] F Gültigkeit
valise [valiz] F Koffer *m*; **faire sa ~** (den Koffer) packen
vallée [vale] F Tal *n*
valoir [valwar] wert sein; *coûter* kosten; **~ cher** teuer sein; **ne rien ~** nichts taugen; **ça vaut mieux** das ist (auch) besser; **il vaut mieux que** (+*subj*) es ist besser, wenn; **ça vaut la peine** es lohnt sich
valonné [valɔne] hügelig
valse [vals] F Walzer *m*
valve [valv] F Ventil *n*
vanille [vanij] F Vanille
vaniteux [vanitø] eitel, eingebildet
vanter [vɑ̃te] **se ~** prahlen, angeben (**de** mit)
vapeur [vapœr] F Dampf *m* **vaporisateur** [vapɔrizatœr] M Zerstäuber
varappe [varap] F (Felsen)-Klettern *n*
variable [varjabl] unterschiedlich, variabel; *temps* veränderlich **variateur** M **~ (de lumière)** Dimmer
varice [varis] F Krampfader; **bas** *m* **à ~s** Stützstrumpf
varicelle [varisɛl] F Windpocken *pl*
varié [varje] *programme* abwechslungsreich; *choix* reich
varier [varje] abwechslungsreich gestalten; V/I sich ändern; *prix* schwanken
variété [varjete] F *diversité* Vielfalt; *de fruits* Sorte; TV **(émission** *f* **de) ~s** PL Unterhaltungssendung *f*
variole [varjɔl] F Pocken *pl*
vas [va] PRÄS → aller
vase¹ [vɑz] M Vase *f*
vase² [vɑz] F Schlamm *m*; *dans la mer* Schlick *m*
vaste [vast] weit; *pièce* geräumig
vaut [vo] PRÄS → valoir
vautour [votur] M Geier
veau [vo] M Kalb *n*; *viande* Kalbfleisch *n*
vécu [veky] PPERF → vivre
vedette [vədɛt] F *cinéma*, SPORT Star *m*; MIL Schnellboot *n*
végétal [veʒetal] Pflanzen...
végétalien [veʒetaljɛ̃] **1** vegan **2** **végétalien(ne** [veʒetaljɛn]) M(F) Veganer(in)
végétarien [veʒetarjɛ̃] **1** vegetarisch **2** **végétarien(ne** [veʒetarjɛn]) M(F) Vegetarier(in)
végétation [veʒetasjõ] F Vegetation; MED **~s** PL (Rachenmandel- *od* Nasen)Polypen *npl*
véhicule [veikyl] M Fahrzeug *n*
veille [vɛj] F Vortag *m*; **la ~** am Tag zuvor, **la ~ de** am Tag vor (*dat*)
veillée [vɛje] F abendliches Beisammensein
veiller [vɛje] **~ tard** lang(e)

aufbleiben; **~ sur** aufpassen auf (*akk*); **~ à** achten auf (*akk*)
veilleur [vɛjœr] M **~ de nuit** Nachtwächter
veilleuse [vɛjøz] F Nachtlicht *n*; AUTO Standlicht *n*
veine [vɛn] F Ader, Vene; *umg* **avoir de la ~** Schwein haben
vélib [velib] **service** *m* **~** *Paris städtisches Fahrradverleihsystem*
véliplanchiste [veliplɑ̃ʃist] M/F (Wind)Surfer(in) *m(f)*
vélo [velo] *umg* M (Fahr)Rad *n*; **~ de tourisme** Tourenrad *n*; **~ tout chemin** Trekkingrad *n* **vélodrome** [velodrɔm] M Radrennbahn *f* **vélomoteur** [velomɔtœr] M Moped *n*
velours [vəlur] M Samt
velouté [vəlute] M **~ d'asperges** Spargelcremesuppe *f*
vendanges [vɑ̃dɑ̃ʒ] FPL (Zeit *f* der) Weinlese *f*
vendeur [vɑ̃dœr] M, **vendeuse** [vɑ̃døz] F Verkäufer(in) *m(f)*
vendre [vɑ̃dr] verkaufen; **à ~** zu verkaufen
vendredi [vɑ̃drədi] M Freitag; **le ~** freitags; **~ saint** Karfreitag
vénéneux [venenø] giftig
vénérer [venere] verehren
vénérien [venerjɛ̃] Geschlechts...
vengeance [vɑ̃ʒɑ̃s] F Rache **venger** [vɑ̃ʒe] rächen; **se ~** sich rächen (**de qn** an j-m; **de qc** für etw)
venimeux [vənimø] *animal* giftig (*a. fig*), Gift...
venin [vənɛ̃] M Gift *n* (*a. fig*)
venir [v(ə)nir] kommen (**en voiture, par le train** mit dem Wagen, Zug); **~ de** kommen aus; *tenir à* (her)kommen von; **~ de faire qc** gerade, (so)eben etw getan haben; **~ voir qn** j-n besuchen; **faire ~** *médecin* kommen lassen; **où veux-tu en ~?** worauf willst du hinaus?
vent [vɑ̃] M Wind; **~ contraire** Gegenwind; **il fait du ~** es ist windig
vente [vɑ̃t] F Verkauf *m*; **~ par correspondance** Versandhandel *m*; **~ aux enchères** Versteigerung *f*, Auktion *f*; **en ~** erhältlich (**chez** bei)
ventilateur [vɑ̃tilatœr] M Ventilator
ventre [vɑ̃tr] M Bauch; **bas ~** Unterleib
ver [vɛr] M Wurm; **~ de terre** Regenwurm
verbal [vɛrbal] mündlich
verbe [vɛrb] M Verb *n*
verdict [vɛrdikt] M Urteilsspruch
verdure [vɛrdyr] F Grün *n*
véreux [verø] wurmstichig
verger [vɛrʒe] M Obstgarten
verglacé [vɛrglase] vereist
verglas [vɛrgla, vɛrglɑ] M Glatteis *n*
vérification [verifikasjõ] F Überprüfung
vérifier [verifje] nach-, über-

prüfen; **se ~** sich bestätigen
véritable [veritabl] echt
vérité [verite] F Wahrheit
vermicelle [vɛrmisɛl] M Fadennudeln *fpl*
vermine [vɛrmin] F Ungeziefer *n*
vernis [vɛrni] M Lack; **~ à ongles** Nagellack
verrai [vere] *fut* → voir
verre [vɛr] M Glas *n*; **~ usagé** Altglas *n*; **~ à vin** Weinglas *n*; **un ~ de vin** ein Glas Wein; **~s** *pl* **de contact** Kontaktlinsen *fpl*
verrière [vɛrjɛr] F Glasdach *n*
verrou [vɛru] M Riegel
verrouiller [vɛruje] verriegeln
verrue [vɛry] F Warze
vers[1] [vɛr] gegen, nach; **~ l'est** nach Osten (hin); **~ midi** gegen Mittag
vers[2] [vɛr] M Vers
versant [vɛrsɑ̃] M (Ab)Hang
verse [vɛrs] F **il pleut à ~** es gießt in Strömen
versement [vɛrsəmɑ̃] M (Ein)-Zahlung *f*
verser [vɛrse] (hinein)gießen; *vin* einschenken; *somme sur un compte* einzahlen
verso [vɛrso] M Rückseite *f*; **au ~** umseitig
vert [vɛr] **1** grün **2** M Grün *n*; **passer au ~** *feu* auf Grün schalten
vertèbre [vɛrtɛbr] F Wirbel *m*
vertical [vɛrtikal] senkrecht
vertige [vɛrtiʒ] M Schwindel; **j'ai un ~, des ~s** mir ist schwindlig; **j'ai le ~** ich bin nicht schwindelfrei
vertu [vɛrty] F Tugend
verveine [vɛrvɛn] F Eisenkraut *n*
vésicule [vezikyl] F **~ biliaire** Gallenblase
vessie [vɛsi] F (Harn)Blase
veste [vɛst] F Jacke; *d'un costume* Jackett *n*
vestiaire [vɛstjɛr] M Garderobe *f*
vestibule [vɛstibyl] M Diele *f*, Flur
vestiges [vɛstiʒ] MPL Überreste; *fig* Spuren *fpl*
veston [vɛstõ] M Jackett *n*
vêtements [vɛtmɑ̃] MPL Kleidung *f*
vétérinaire [veterinɛr] M Tierarzt
veuf [vœf] **1** ⟨*f* veuve [vœv]⟩ verwitwet **2** M Witwer
veuille [vœj] SUBJ → **vouloir**
veuillez [vœje] IMPÉRATIF → vouloir
veut [vø] PRÄS → **vouloir**
veuve [vœv] **1** → **veuf** **2** F Witwe
vexant [vɛksɑ̃] kränkend
vexer [vɛkse] kränken, beleidigen; **se ~** gekränkt, beleidigt sein
viaduc [vjadyk] M Viadukt
viande [vjɑ̃d] F Fleisch *n*; **~ froide** kalter Braten *m*; **~ °hâchée** Hackfleisch *n*
vibrer [vibre] vibrieren,

schwingen
vice [vis] M Laster *n*
vice versa [vis(ə)vɛrsa] umgekehrt
vicié [visje] *air* verbraucht
vicieux [visjø] *personne* pervers; *regard* lüstern
victime [viktim] F Opfer *n*
victoire [viktwar] F Sieg *m*
victorieux [viktɔrjø] siegreich
vidange [vidɑ̃ʒ] M Ölwechsel
vide [vid] 1 leer 2 M Leere *f* (*a. fig*); *abîme* Tiefe *f*; PHYS Vakuum *n*
vidéo [video] 1 F Video *n* 2 Video...; **caméra** *f* ~ Videokamera; **cassette** *f* ~ Videokassette; **enregistrement** *m* ~ Videoaufzeichnung *f*
vidéocassette [videokasɛt] F Videokassette **vidéoclub** [videoklœb] M Videothek *f* **vidéophone** [videofɔn] M Bildtelefon *n*
vide-ordures [vidɔrdyr] M Müllschlucker
vidéosurveillance [videosyrvɛjɑ̃s] F Videoüberwachung
vidéothèque [videotɛk] F Videothek
vider [vide] (aus)leeren, leer machen; *boire* austrinken; *poisson* ausnehmen
vie [vi] F Leben *n*; **être en** ~ am Leben sein; **gagner sa** ~ s-n Lebensunterhalt verdienen
vieil → vieux
vieillard [vjɛjar] M Greis
vieille [vjɛj] 1 → vieux 2 F Alte
vieillesse [vjɛjɛs] F (hohes) Alter *n*
vieillir [vjɛjir] altern
vient [vjɛ̃] PRÄS → venir
vierge [vjɛrʒ] 1 jungfräulich; *feuille* unbeschrieben; *huile* naturrein; **DVD** *m* ~ DVD-Rohling; **forêt** *f* ~ Urwald *m*; **laine** *f* ~ Schurwolle 2 F Jungfrau; **la (Sainte) Vierge** die Heilige Jungfrau, die Jungfrau Maria
vieux [vjø] 1 <*vor Vokal* vieil, *f* vieille [vjɛj]> alt 2 M Alte(r)
vif [vif] lebhaft; *couleur* kräftig; *allure* schnell
vigilant [viʒilɑ̃] wachsam
vigne [viɲ] F *plante* Rebstock *m*; *vignoble* Weinberg *m* **vigneron** [viɲərɔ̃] M Winzer
vignette [viɲɛt] F Aufkleber *m*, Gebührenmarke; AUTO Plakette
vignoble [viɲɔbl] M Weinberg
vigueur [vigœr] F Kraft; **être en** ~ gültig sein; **entrer en** ~ in Kraft treten
vilain [vilɛ̃] hässlich; *méchant* böse; *temps* schlecht
villa [vila] F Villa
village [vilaʒ] M Dorf *n*
ville [vil] F Stadt; **en** ~ in der *od* in die Stadt
vin [vɛ̃] M Wein; ~ **rouge** Rotwein; ~ **de pays** Landwein; ~ **de table** Tafelwein; ~ **en pichet** offener Wein; ~ **mousseux** Sekt

vinaigre [vinɛgr] M Essig **vinaigrette** [vinɛgrɛt] F Salatsoße
vingt [vɛ̃] zwanzig **vingtaine** [vɛ̃tɛn] F **une ~ (de ...)** etwa zwanzig (...) **vingtième** [vɛ̃tjɛm] zwanzigste(r, -s)
vinicole [vinikɔl] Wein..., Weinbau...
viol [vjɔl] M Vergewaltigung *f*
violation [vjɔlasjõ] F *d'une personne* Vergewaltigung; *d'une loi* Verletzung; **~ de domicile** Hausfriedensbruch *m*
violence [vjɔlɑ̃s] F Gewalt; *d'une tempête* Heftigkeit **violent** [vjɔlɑ̃] *personne* gewalttätig; *vent, douleur* heftig
violer [vjɔle] *personne* vergewaltigen; *loi, secret* verletzen
violet [vjɔlɛ] violett **violette** [vjɔlɛt] F Veilchen *n*
violon [vjɔlõ] M Geige *f* **violoncelle** [vjɔlõsɛl] M Cello *n*
VIP M/F Prominente(r) *f(m)*
vipère [vipɛr] F Viper
virage [viraʒ] M Kurve *f*
virement [virmɑ̃] M FIN Überweisung *f*
virer [vire] *somme* überweisen; *umg* **~ qn** j-n rauswerfen
virgule [virgyl] F Komma *n*
viril [viril] männlich
virtuel [virtɥɛl] virtuell
virus [virys] M Virus *n*
vis [vis] F Schraube
visa [viza] M Visum *n*
visage [vizaʒ] M Gesicht *n*
vis-à-vis [vizavi] **~ de** gegenüber (*dat*)
viser [vize] zielen auf (*akk*); *s'adresser à* betreffen (*akk*); *accusations* sich richten gegen
viseur [vizœr] M Visier *n*; FOTO Sucher
visibilité [vizibilite] F Sicht **visible** [vizibl] sichtbar; *manifeste* erkennbar, sichtlich
visière [vizjɛr] F (Mützen)-Schirm *m*
vision [vizjõ] F *vue* Sehen *n*; *hallucination* Vision
visite [vizit] F Besuch *m*; *d'une ville* Besichtigung; **~ guidée** Führung; **rendre (une) ~ à qn** j-n besuchen
visiter [vizite] *musée* besichtigen; *malade* besuchen
visiteur [vizitœr] M Besucher
vison [vizõ] M Nerz
visqueux [viskø] zähflüssig; *pej* schmierig
visser [vise] *fixer* an-, festschrauben; *serrer* zu-, verschrauben
vitamine [vitamin] F Vitamin *n*
vite [vit] schnell
vitesse [vitɛs] F Geschwindigkeit, Tempo *n*; AUTO Gang *m*; **~ maximale** Höchstgeschwindigkeit
viticole [vitikɔl] Wein..., Weinbau... **viticulture** [vitikyltyr] F Weinbau *m*
vitrail [vitraj] M ⟨*pl* vitraux [vitro]⟩ Kirchenfenster *n*
vitre [vitr] F Fensterscheibe

vitré [vitre] **porte** *f* **~e** Glastür
vitrine [vitrin] F Schaufenster *n*; *meuble* Vitrine
vivant [vivɑ̃] lebend; lebendig (*a. fig*); *enfant* lebhaft
vivre [vivr] leben; V/T erleben; **vive ...!** es lebe ...! **vivres** [vivr] MPL Lebensmittel *npl*
v.o. (*version originale*) OF *f* (*Originalfassung*)
vocabulaire [vɔkabylɛr] M Wortschatz
vocation [vɔkasjõ] F Berufung, Neigung
vodka [vɔdka] M Wodka
vœu [vø] M Wunsch; **tous mes ~x!** alles Gute!
voici [vwasi] hier ist *od* sind
voie [vwa] F Weg *m* (*a. fig*), Straße; *file* Fahrspur; **~ (ferrée)** Gleis *n*; **~ express** Schnellstraße; **à trois ~s** dreispurig
voilà [vwala] da ist *od* sind; **le ~** da ist er
voile[1] [vwal] M Schleier
voile[2] [vwal] F Segel *n*; **faire de la ~** segeln
voilier [vwalje] M Segelboot *n*; *grand* Segelschiff *n*
voir [vwar] sehen; *film* sich ansehen; *comprendre* einsehen; **se ~** sich sehen; **cela se voit** das sieht, merkt man; **faire ~** zeigen; **aller** (*od* **venir**) **~** besuchen
voisin [vwazɛ̃] **1** *maison* Nachbar...; *pièce* Neben... **2** M, **voisine** [vwazin] F Nachbar(in) *m(f)*
voiture [vwatyr] F Wagen *m*, Auto *n*; **~ ancienne** Oldtimer *m*; **~ piégée** Autobombe; **~ de tourisme** Personenwagen, Pkw; **~ tout terrain** Geländewagen; **en ~** mit dem Auto
voiture-couchettes [vwatyrkuʃɛt] F Liegewagen *m* **voiture-lit** [vwatyrli] F Schlafwagen *m* **voiture-restaurant** [vwatyrrɛstɔrɑ̃] F Speisewagen *m*
voix [vwa] F Stimme (*a.* POL); **à ~ basse** leise; **à °haute ~** laut
vol[1] [vɔl] M JUR Diebstahl
vol[2] [vɔl] M Flug; **~ aller** Hinflug; **~ charter** Charterflug; **~ direct** Direktflug; **~ intérieur** Inlandsflug; **~ international** Auslandsflug; **~ régulier** Linienflug; **~ retour** Rückflug; **~ de correspondance** Anschlussflug; **~ de dernière minute** Last-Minute-Flug; **~ de nuit** Nachtflug; **à ~ d'oiseau** (in der) Luftlinie
volaille [vɔlaj] F Geflügel *n*
volant [vɔlɑ̃] M AUTO Lenkrad *n*; SPORT Federball
vol-au-vent [vɔlovɑ̃] M Blätterteigpastete *f*
volcan [vɔlkɑ̃] M Vulkan
voler[1] [vɔle] stehlen; **~ qn** j-n bestehlen
voler[2] [vɔle] *oiseau* fliegen
volet [vɔlɛ] M Fensterladen
voleur [vɔlœr] M, **voleuse** [vɔløz] F Dieb(in) *m(f)*; **~ à la tire** Taschendieb(in) *m(f)*

volley-ball [vɔlɛbol] M Volleyball
volontaire [vɔlõtɛr] **1** freiwillig **2** M/F Freiwillige(r) *m/f(m)*
volonté [vɔlõte] F Wille *m*; **bonne ~** guter Wille *m*; **à ~** nach Belieben
volontiers [vɔlõtje] gern
volt [vɔlt] M Volt *n*
volume [vɔlym] M Volumen *n*; *tome* Band; *du son* Lautstärke *f*
vomir [vɔmir] sich übergeben
vomissements [vɔmismã] MPL Erbrechen *n*
vont [võ] PRÄS → aller
vorace [vɔras] gefräßig
vos [vo] → votre
Vosges [voʒ] FPL Vogesen
vote [vɔt] M Votum *n*, Stimme *f*; Abstimmung *f* **voter** [vɔte] abstimmen
votre [vɔtr] ⟨*pl* vos [vo]⟩ euer (eure); Ihr(e)
vôtre [votr] **le ~, la ~** eure(r, -s); Ihre(r, -s); **les ~s** PL eure; Ihre
voucher [vuʃœr] M *tourisme* Voucher *n/m*
vouloir [vulwar] wollen; **je voudrais** ich möchte gern; **~ dire** bedeuten; **en ~ à qn** auf j-n böse sein
vous [vu] ihr, euch; *forme de politesse* Sie, Ihnen
voûte [vut] F Gewölbe *n*, Wölbung
vouvoiement [vuvwamã] M Siezen *n* **vouvoyer** [vuvwaje] siezen
voyage [vwajaʒ] M Reise *f*; **~ organisé** Pauschal-, Gruppenreise *f*; **~ à l'étranger** Auslandsreise *f*; **~ d'études** Studienreise *f*; **~ en bateau** Schiffsreise *f*; **~ en train** Bahnfahrt *f*; **~ en voiture** Autofahrt *f*; **bon ~!** gute Reise!; **en ~** auf Reisen; **partir en ~** verreisen; **2 jours de ~** 2 Tage Fahrt
voyager [vwajaʒe] reisen
voyageur [vwajaʒœr] M, **voyageuse** [vwajaʒøz] F Reisende(r) *m/f(m)*
voyant [vwajã] auffällig
voyante [vwajãt] F Hellseherin
voyelle [vwajɛl] F Vokal *m*
voyou [vwaju] M jugendlicher Rowdy; *truand* Ganove
vrac [vrak] **en ~** *non emballé* lose; *en désordre* durcheinander
vrai [vrɛ] wahr; **à ~ dire** offen gesagt
vraiment [vrɛmã] wirklich
vraisemblable(ment) [vrɛsãblablə(mã)] wahrscheinlich
VTC [vetese] M (*vélo tout chemin*) Trekkingrad *n*
VTT [vetete] M (*vélo tout terrain*) Mountainbike *n*
vu¹ [vy] PPERF → voir
vu² [vy] in Anbetracht (*gen*)
vue [vy] F *sens* Sehen *n*; *panorama* Aussicht, (Aus)Blick *m* (**sur** auf *akk*); *photo, dessin* Ansicht; **de ~** vom Sehen; **en ~** in Sicht; **en ~ de** (*+inf*) um zu;

à première ~ auf den ersten Blick
vulgaire [vylgɛr] gewöhnlich; *grossier* vulgär, ordinär; **langue** *f* ~ Volkssprache

W

wagon [vagõ] M Wagen
wagon-bar [vagõbar] M Büffetwagen **wagon-couchettes** [vagõkuʃɛt] M Liegewagen **wagon-lit** [vagõli] M Schlafwagen **wagon-restaurant** [vagõrɛstorã] M Speisewagen
waters [water] MPL Toilette *f*
watt [wat] M Watt *n*
W.-C. [(dubla)vese] MPL WC *n*
Web [wɛb] M (*World Wide Web*) IT Web *n*; **page** *m* ~ Webseite *f*
webcam® [wɛbkam] F IT Webcam **webmaster** [wɛbmastœr] M M IT Webmaster
week-end [wikɛnd] M Wochenende *n*
western [wɛstɛrn] M Western, Wildwestfilm
whisky [wiski] M Whisky
Wi-Fi® [wifi] M (*wireless fidelity*) IT WLAN *n*

X

xénophobe [gzenɔfɔb] ausländerfeindlich **xénophobie** [gzenɔfɔbi] F Ausländerfeindlichkeit
xérès [kserɛs, gzerɛs] M Sherry

Y

y [i] **1** *à cet endroit* da, dort; da-, dorthin; **j'~ étais aussi** ich war auch dort; **tu ~ vas?** gehst du dahin?; **on ~ va!** gehen wir!; **ça ~ est!** es ist so weit **2** *à cela* daran, darauf; **j'~ penserai** ich werde daran denken; **j'~ renonce** ich verzichte darauf
yacht [jɔt] M Jacht *f* **yachting** [jɔtiŋ] M Segelsport
yaourt [jaur(t)] M Joghurt *m/n*
yeux [jø] MPL → œil

Z

zapper [zape] TV zappen
zèbre [zɛbr] M Zebra *n*
zèle [zɛl] M Eifer; **faire du ~** übereifrig sein
zéro [zero] M Null *f*; *umg* **c'est ~** das taugt nichts
zeste [zɛst] M **~ de citron** (Stück *n*) Zitronenschale *f*
zézayer [zezeje] lispeln
zigzag [zigzag] M **en ~** im Zickzack
zinc [zɛ̃g] M Zink *n*; *umg comptoir* Theke *f*
zone [zon] F Zone; Gebiet *n*; **~ bleue** Kurzparkzone; **~ interdite** Sperrgebiet *n*; **~ piétonnière** Fußgängerzone; **~ résidentielle** Wohngebiet *n*; **~ de °haute pression** Hochdruckgebiet *n*
zoo [zo] M Zoo
zoom [zum] M Zoom *n*
zut! [zyt] verflixt!, verdammt!

Reisetipps von A bis Z

A

Anrede

Einige Regeln zur Unterscheidung von **tu** (du) und **vous** (Sie) im Französischen: Auch junge Leute untereinander siezen sich zunächst, daher lieber warten, bis das Du angeboten wird. Das alleinige Siezen gilt als unhöflich, daher hängt man bei Kurzsätzen **Madame/Monsieur** an: **Bonjour, Madame! Oui/Non, Madame! Au revoir, Monsieur!** Die Nennung des akademischen Titels ist unüblich, außer bei Ärzten (**docteur**) sowie bei Rechtsanwälten und Notaren (**maître**).

Apéro

On prend un apéro? Trinken wir einen Aperitif? **apéro** ist die Kurzform von **apéritif**, mit dem meist ein gutes Menü beginnt. Er soll den Appetit anregen. Oft wird er auch als Begrüßungsdrink gereicht. Ein **apéro** kann ein Sherry, Martini, Portwein oder Campari sein. Typisch französische Aperitife sind **pastis** (Anisschnaps, meist mit Wasser verdünnt) oder **kir**. Hier wird **crème de cassis** (Schwarzer Johannisbeerlikör) mit trockenem Weißwein aufgegossen oder mit Champagner, dann ist es ein **kir royal**.

Austern

Austern (**huîtres**) gelten als Delikatesse und werden oft als Vorspeise gegessen. Man serviert sie z. B. roh, beträufelt sie dann mit Zitronensaft und schlürft sie aus. Roh verzehrte Austern müssen noch leben. Dies erkennt man bei geöffneten Austern daran, dass sich der Rand bei Berührung zusammenzieht. Zentren der französischen Austernzucht sind die Bretagne, das Bassin d'Arcachon und Bouzigues am Mittelmeer.

Autobahn

Die französischen Autobahnen (**autoroutes**) tragen die Abkürzung **A** und eine Nummer für die Region, die sie durchqueren. Autobahnen, die beispielsweise durch die Urlaubsregion Provence-Alpes-Côtes d'Azur gehen, haben die Kennzeichnung **A 50 – A 59**. Daneben führen viele so klangvolle Namen wie **Autoroute du soleil**, Sonnenautobahn (A 6 und A 7) oder **Autoroute des deux mers**, Autobahn zwischen den Meeren (A 61, 62).
Die meisten französischen Autobahnen sind gebührenpflichtig. Die Autobahngebühr können Sie bar oder per Kreditkarte bezahlen.

Autofahren

In Frankreich ist der EU-Führerschein keine Pflicht, der deutsche rosafarbene oder graue Führerschein wird akzeptiert. Es besteht Gurtpflicht; Kinder unter 10 Jahren dürfen nicht auf dem Vordersitz Platz nehmen, Kleinkinder müssen in einem Kindersitz transportiert werden. Die Promillegrenze liegt bei 0,5 ‰. Bei Regen und Schneefall sowie in Tunnels ist Abblendlicht vorgeschrieben, tagsüber wird es empfohlen.

Autovermietung

Internationale Autovermietungen findet man in größeren Städten in Bahnhöfen und Flughäfen. Voraussetzung für das Mieten eines Fahrzeuges ist ein Mindestalter von 23 Jahren und der einjährige Besitz des Führerscheins. Wenn man keine in Frankreich akzeptierte Kreditkarte hat, muss eine Kaution von mehreren Hundert Euro hinterlegt werden.

B

Baguette

Das Stangenweißbrot ist das „tägliche Brot" Frankreichs und gehört zu fast jeder Mahlzeit dazu. Es wird mehrmals am Tag frisch gebacken. Da es schnell austrocknet, wird es erst kurz vor dem Servieren angeschnitten. Man reicht es zu Salat, Käse und Suppen oder es wird als Sandwich gegessen. Ein **baguette** wiegt ca. 250 g und ist 65 cm lang. Kleinere Varianten sind **flûte** („Flöte") und **ficelle** („Bindfaden").

Bank

Französische Banken sind i. d. R. montags bis freitags von 9 bis 12 und von 14 bis 16 Uhr geöffnet. Banken, die auch am Samstag (meist bis 12 Uhr) Publikumsverkehr haben, sind dafür montags geschlossen. Mit EC- und Kreditkarten kann man am Geldautomaten (**distributeur de billets**) den jeweiligen Höchstbetrag in bar ziehen.

Bedienung

Im Restaurant gibt es mehrere Möglichkeiten, die Bedienung an den Tisch zu rufen: Mit einem neutralen **S'il vous plaît!**, mit **Madame!** oder **Mademoiselle!** für eine Kellnerin und mit **Monsieur!** oder **Garçon!** für einen Kellner. Auf die Frage **Vous avez choisi?** (Haben Sie gewählt?) können Sie mit **On prend** ... (Wir nehmen ...) oder **Je voudrais** ... (Ich möchte ...) das Essen bestellen.

Begrüßung

Die üblichen Begrüßungsformeln lauten **Bonjour, comment allez-vous?** (Guten Tag, wie geht es Ihnen?) oder, wenn man sich gut kennt, **Salut, ça va?** (Hallo, wie geht's?). Frauen begrüßen sich mit Küsschen,

Männer hingegen geben sich meist die Hand. Einer Frau die Hand zu geben wirkt distanziert.

Bise

In Frankreich gibt man sich zur Begrüßung und zur Verabschiedung oft zwei oder mehr Küsschen auf die Wange. Man nennt das **faire la bise**. Besonders Verwandte und gute Freunde geben sich Küsschen, häufig aber auch junge Leute, die sich gerade kennenlernen. Küsschen zur Begrüßung sind ganz normal und bedeuten nicht immer eine besondere Zuneigung. Als Nicht-Insider sollte man aber nicht selbst die Initiative zu **bises** ergreifen, sondern warten, was das Gegenüber anbietet.

Bus

Die städtischen Busverbindungen sind sehr gut. Busse fahren in der Regel von 5.30 bis 20.30 Uhr und werden in größeren Städten von den Nachtbussen (in Paris: **Noctilien**) abgelöst. Einzelfahrscheine können im Bus gekauft werden, Wochen- und Monatskarten sowie spezielle Touristentickets an Schaltern und Fahrkartenautomaten der Metrostationen und Busendhaltestellen. Dort stehen auch Netzpläne zur Verfügung.

C

Café

Bestellt man in Frankreich **un café**, bekommt man eine kleine Tasse starken Kaffees ohne Milch, ähnlich dem italienischen Espresso. Wer einen Kaffee mit Milch möchte, bestellt **un café crème** (kurz **un crème**), in einer größeren Tasse **un grand crème**. Der **café au lait** ist ein Milchkaffee in einer großen Tasse oder einer Trinkschale. Wenn es ausdrücklich ein italienischer Espresso sein soll, bestellt man **un café**

express oder **un expresso** (**italien**). Koffeinfreier Kaffee heißt **déca** (**café décaféiné**).

E

Eiffel: la tour Eiffel

Dieses bekannteste Wahrzeichen von Paris wurde von 1887 bis 1889 nach den Plänen des Ingenieurs Gustave Eiffel für die Weltausstellung 1889 gebaut. **La tour Eiffel** ist 320 m hoch und besteht ganz aus Metallstreben. Nach einer Fahrt mit dem Aufzug oder nach 1652 Stufen kann man die einzigartige Aussicht über Paris genießen. Der Aufstieg ist täglich von morgens bis spätabends möglich, die genauen Öffnungszeiten können sich jedoch je nach Wetterlage ändern.

Escargot

In manchen Regionen Frankreichs gelten Weinbergschnecken (**escargots**) als besondere Delikatesse. Die bekannteste Zubereitungsart ist **à la bourguignonne**: Hier werden die Schnecken zunächst gegart, die Häuschen mit einer Mischung aus Butter, Knoblauch und Petersilie geschlossen und anschließend im Ofen gebraten.

Essen

Die französischen Essgewohnheiten unterscheiden sich in vielerlei Hinsicht von den unsrigen. Das Frühstück (**le petit-déjeuner**) fällt mit einem großen Milchkaffee und einem Croissant eher karg aus. Für das Mittagessen (**le déjeuner**) und das Abendessen (**le dîner**) sollte man dagegen Zeit mitbringen. Im Restaurant dauern 3-Gänge-Menüs leicht zwei Stunden. Serviert wird mittags ab 12:30 Uhr, abends nicht vor 19:30

Uhr. Es ist üblich, dass der Ober den Gast an seinen Tisch führt. Mit **Bon appétit** ! wünscht man sich einen guten Appetit.

F

Fahrrad

Radfahren ist in Frankreich eher eine Sportart, weniger eine Fortbewegungsart. In den meisten Großstädten gibt es kaum Radwege, und man wird auf der normalen Fahrspur als Verkehrsteilnehmer nicht ernst genommen. Auf dem Land dagegen sind die Bedingungen für Radfahrer ideal. Dort kann man auf kleinen Nebenstraßen in Ruhe die abwechslungsreiche Landschaft Frankreichs entdecken.

Feiertage

An lokalen Festtagen sowie an den nationalen Feiertagen (s. a. Anhang) sind Banken, Büros, Geschäfte und viele Museen und Sehenswürdigkeiten geschlossen.

Ferien

Die Franzosen haben in der Regel fünf Wochen Urlaub im Jahr. Die Sommerwochen verbringen sie gerne im eigenen Land. Da auch die Schüler im Juli und August Sommerferien haben, kommt es in diesen Hauptreisemonaten zu endlosen Staus Richtung Mittelmeer und Atlantik. Dann ist jedes Zimmer und jeder Stellplatz auf den Campingplätzen belegt. Auch die Maßnahme der Regierung, das Land ähnlich wie in Deutschland in Zonen einzuteilen, um die Urlaubszeiten zu entzerren, hat da nicht geholfen.

G

Galette

Diese bretonische Spezialität ist die herzhafte Variante der in Deutschland bekannteren Crêpes. Der Teig wird u. a. aus Buchweizenmehl, Salz und Wasser gemacht und in einer Crêpe-Pfanne ausgebacken. Im Unterschied zum deutschen Pfannkuchen sind **galettes** sehr dünn. Sie werden mit herzhaften Zutaten belegt und als Hauptgericht gegessen. Dazu trinkt man trockenen Cidre.

Geld

Die meisten Tankstellen, Hotels und Restaurants akzeptieren Kreditkarten – jedoch nicht alle, daher besser vorher fragen! Da Geldabhebungen am Bankschalter umständlich sind, ist es sinnvoller, mit EC- oder Kreditkarte am Bankautomaten Geld zu ziehen. Reiseschecks werden überall angenommen, beim Einlösen ist eine Gebühr von einem Prozent zu zahlen.

Gendarmerie

Die **gendarmerie nationale** ist eine französische Polizeieinheit, die als Ordnungshüterin polizeiliche Aufgaben wahrnimmt. Sie wird vor allem auf dem Land, auf den Straßen und auf den Flughäfen eingesetzt.

Geschwindigkeitsbegrenzungen

Die Höchstgeschwindigkeiten liegen in geschlossenen Ortschaften bei 50 km/h, außerhalb von Ortschaften bei 90 km/h (bei Nässe 80 km/h). Auf Schnellstraßen mit je zwei Fahrspuren pro Richtung darf höchstens 110 km/h (bei Nässe 90 km/h), auf Autobahnen 130 km/h (bei Nässe 110 km/h) gefahren werden. Wer zu schnell fährt, muss mit satten Geldstrafen rechnen.

Gesundheit

Aufgrund des Versicherungsabkommens mit Frankreich ist man über seine Krankenkasse in Frankreich versichert. Vor Reiseantritt sollte man sich von der eigenen Krankenkasse die Europäische Krankenversicherungskarte aushändigen lassen, die in Frankreich beim Arzt (**médecin**) oder im Krankenhaus (**hôpital**) als Anspruchsnachweis vorgelegt wird. Den Arzt bezahlt man zunächst selbst und erhält einen französischen Krankenschein (**feuille de soins**), den man der deutschen Krankenkasse zusammen mit den Quittungen der Apotheke (**pharmacie**) zur Erstattung vorlegt. Da nur ein Teil dieser Kosten übernommen wird, empfiehlt sich eine Auslandsreisekrankenversicherung.

H

Handy

Auf der Straße, in Geschäften und in Cafés ist es ganz normal, Menschen mit einem Handy (**portable**) telefonieren zu sehen. Wer im Restaurant ist, sollte jedoch sein Handy lautlos stellen, denn Geklingel und laute Gespräche sind dort nicht gerne gesehen. Im Flugzeug muss man das Handy ausschalten. Beim Fahren ist das Telefonieren mit Handy ohne Freisprechanlage verboten und wird mit hohen Bußgeldern bestraft!

I

Internetcafés

Französische Internetcafés (**cybercafés**) sind vor allem in den Stadtzentren sehr verbreitet und oftmals rund um die Uhr geöffnet. Dort kann man nicht nur surfen, chatten und mailen, sondern auch kopieren, faxen, scannen und CDs brennen.

J

Jugendherberge

Für die Übernachtung in Frankreichs Jugendherbergen (**auberges de jeunesse**) ist der deutsche Jugendherbergsausweis notwendig, den man beim Deutschen Jugendherbergswerk (DJH) erwerben kann. Alternativ dazu kann man in der französischen Jugendherberge eine Gastkarte (**Hostelling International Card**) mit den dazugehörigen **welcome stamps** pro Übernachtung kaufen. In den Sommermonaten sollte man rechtzeitig reservieren.

K

Kirchen

Viele französische Kirchen kann man besichtigen, wenn kein Gottesdienst stattfindet. Bei den meisten ist der Eintritt frei, für die Besichtigung von Klöstern muss man allerdings zahlen. Am Eingang informiert eine Tafel den Besucher über eventuelle Kleidervorschriften: So sollte man die Besichtigung einer Kirche nicht in Strandkleidung planen. Das Fotografieren ist entweder verboten oder nur ohne Blitzlicht erlaubt.

Kleidergrößen

Die französischen Kleidergrößen unterscheiden sich von den deutschen um ein bis zwei Nummern: So entspricht z. B. der deutschen Damengröße 38 die Größe 40 in Frankreich.

L

Ladenöffnungszeiten

Französische Ladenöffnungszeiten sind nicht gesetzlich festgelegt, sodass Geschäfte prinzipiell rund um die Uhr öffnen können. Dennoch gibt es einige Faustregeln: An Werktagen haben die Läden normalerweise von 9 bis 19:30 Uhr, größere Geschäfte und Einkaufszentren bis 20 oder 21 Uhr geöffnet. Dafür machen viele Geschäfte eine Mittagspause von ein bis zwei Stunden. An Sonn- und Feiertagen sind Kaufhäuser und Supermärkte meist durchgehend von 10 bis 17 Uhr, kleinere Geschäfte oft bis 23 Uhr geöffnet. Montags oder montagvormittags sind dafür viele Läden geschlossen.

M

Métro

In Großstädten ist die U-Bahn (**le métro**) das schnellste Transportmittel. Die Pariser **métro** beispielsweise ist mit ihren 360 Stationen auf 200 km Streckennetz sehr gut ausgebaut. Die nächste Station ist meist nur wenige Gehminuten entfernt. Die Bahnen fahren zwischen 9 und 17 Uhr in einem Takt von 3 bis 6 Minuten und zu den Stoßzeiten sogar alle 1,5 bis 3 Minuten. Dann sind die **métros** jedoch sehr voll und man sollte sich vor Taschendieben in Acht nehmen. Die Einzelfahrscheine, besser noch die billigeren **carnets** (10er-Fahrschein), kann man u. a. an den Metro-Eingängen kaufen.

Müll

Auch in Frankreich wird der Müll getrennt: Blechdosen, Plastikflaschen und Papier werden im gelben Sack vors Haus gestellt oder zum gelben

Container der Gemeinde gebracht. Auch Altglas sammelt man in dafür vorgesehenen Containern. Der Restmüll (Küchenabfälle etc.) wird extra gesammelt. Je nach Gemeinde wird der Müll wöchentlich, in den Städten z. T. auch täglich abgeholt.

Museen

Wer ein Museum besichtigen möchte, kauft an der **billetterie** (Ticketverkauf) ein **billet d'entrée** (Eintrittskarte). Die Eintrittspreise sind meist nach dem Alter gestaffelt: In vielen Museen zahlen Kinder bis 13, manchmal bis 18 Jahren, keinen Eintritt (**tarif enfant**). Junge Leute zwischen 18 und 25 Jahren erhalten nach Vorlage des Personalausweises eine Ermäßigung (**tarif réduit**), Erwachsene zahlen den vollen Preis (**adulte** oder **plein tarif**).

N

Notrufnummern

Die folgenden Notrufnummern gelten in ganz Frankreich und sind gebührenfrei. Sie können von allen Telefonzellen aus ohne Telefonkarte gewählt werden: der Notarzt (**le SAMU**) mit der 15, die Polizei (**la police**) mit der 17 und die Feuerwehr (**les pompiers**) mit der 18.

O

Ostern

Den Osterhasen oder Ostereiersuchen kennen französische Kinder in der Regel nicht. Die süßen Ostereier werden von den Glocken gebracht, die, so erzählt man sich, am Gründonnerstag nach Rom geflogen seien und auf ihrer Rückreise die Ostereier fallen lassen würden. Am Ostersonntag (**le dimanche de Pâques**) läuten die Glocken wieder. Dann wünscht man sich mit **Joyeuses Pâques!** ein frohes Osterfest. Traditionell wird Lammbraten mit grünen Bohnen gegessen.

P

Parken

Da Falschparken in Frankreich ein teures Vergnügen ist, sollte man auf folgende Markierungen achten: An Bordsteinen mit gelb durchgezogener Linie gilt absolutes Halteverbot, eine gelb gestrichelte Linie bedeutet Parkverbot. Bei einer blauen Linie ist Parken nur mit Parkscheibe oder Sonderausweis erlaubt. Achten Sie auch auf andere Autos: In manchen Straßen wird an geraden Tagen auf der einen, an ungeraden Tagen auf der anderen Straßenseite geparkt.

Péage

Auf vielen Autobahnen werden **Mautgebühren** (**péage**) erhoben, die sich nach der Entfernung und der Art des Fahrzeugs sowie den Unterhaltskosten der Autobahn richten. Einige Autobahnen sind mautfrei. Der Tarif für den Streckenabschnitt ist auf den Tickets verzeichnet, die man an der **Mautstelle** (ebenfalls **péage**) zieht. Die Maut wird dann meist beim Verlassen der Autobahn gezahlt. Dafür stehen Personal, Automaten oder – für Vielfahrer – die Abonnementlösung **télépéage** zur Verfügung.

Pétanque

Vor allem in Südfrankreich trifft man sich auf öffentlichen Plätzen oder speziellen Bouleplätzen, um **pétanque** zu spielen. **Boules** und **pétanque** bezeichnen zwei Varianten desselben Spiels. **Pétanque** spielt man aus einem in den Boden gezogenen Kreis ohne Anlauf und mit geschlossenen Füßen aus dem Stand oder der Hocke. Zwei Mannschaften aus bis zu drei Spielern versuchen dabei, ihre Metallkugeln möglichst nah an eine 6 bis 10 Meter entfernt liegende kleine Holzkugel, **le cochonnet** („Schweinchen"), zu platzieren.

Polizei

Es genügt, im Urlaub den gültigen Personalausweis dabeizuhaben. Der deutsche Führerschein wird akzeptiert, außerdem muss man den Fahrzeugschein mit sich führen. Als Vorsichtsmaßnahme empfiehlt es sich, Ausweispapiere und Führerschein zu kopieren. Wer den Diebstahl oder Verlust seiner Wertsachen anzeigen möchte, wendet sich an die **police nationale** (allgemeine französische Polizei) im nächstgelegenen **commissariat de police**.

Post

Briefmarken (**timbres**) und Telefonkarten (**télécartes**) sind auf der Post (**La Poste**) und in Tabakläden (**bureaux de tabac**) erhältlich. Wer einen Brief (**lettre**) oder eine Postkarte (**carte postale**) in die Heimat schicken will, sollte bei den hellgelben Briefkästen auf die richtige Vorsortierung achten: Die Briefkästen haben oft mehrere Schlitze: für die Stadt, die Region und entferntere Ziele (**Autres destinations**).

R

Rauchen

In Frankreich ist das Rauchen in allen öffentlichen Gebäuden, in Bahnhöfen, Flughäfen und in öffentlichen Verkehrsmitteln untersagt. In

Cafés und Restaurants gilt ein beschränktes Rauchverbot: Das Rauchen ist nur in den Raucherbereichen gestattet. Zigaretten kann man – meist auch zu später Stunde – im **bureau de tabac** (Tabakladen) kaufen.

Rechnung

Wenn Sie im Restaurant zahlen möchten, rufen Sie die Bedienung (z. B. mit **Madame!** beziehungsweise **Monsieur!**) und bitten: **L'addition, s'il vous plaît!** (Die Rechnung bitte!) Meist „serviert" man Ihnen die Rechnung diskret auf einem Tellerchen. Isst man mit mehreren zusammen im Restaurant, übernimmt normalerweise einer aus der Runde den Gesamtbetrag. Später teilt man dann untereinander auf, getrenntes Zahlen ist in Frankreich nämlich nicht üblich. In Bars und Cafés bekommen Sie den Kassenbon oft direkt mit der Bestellung und bezahlen sofort.

S

Schuhgrößen

Beim Kauf von Schuhen in Frankreich sollte man darauf achten, dass es zu leichten Abweichungen hinsichtlich der Schuhgröße kommen kann. Generell sind deutsche und französische Schuhgrößen jedoch vergleichbar. Übergrößen sind in Frankreich sehr schwer zu erhalten. Dafür gibt es eine große Auswahl an Schuhen kleinerer Nummern.

Silvester

Der Silvesterabend (**le réveillon de la Saint-Sylvestre**) ist im Allgemeinen weniger bunt und laut als in Deutschland, da das Feuerwerk nicht zu den französischen Traditionen gehört. Meist wird im Freundeskreis mit Champagner und Leberpastete (**pâté de foie gras**) gefeiert. Um Mitternacht wünscht man sich mit **Bonne Année!** ein gutes neues Jahr.

Son et lumière

Das Schauspiel **son et lumière** ist bei Franzosen und Frankreichurlaubern gleichermaßen beliebt. Es handelt sich dabei um eine Licht- und Tonshow rund um ein historisches Gebäude. Die Show findet nach Einbruch der Dunkelheit statt und lässt die Vergangenheit wieder lebendig werden, indem historische Ereignisse erzählt oder durch Schauspieler in entsprechenden Kostümen nachgestellt werden, oft mit musikalischer Untermalung.

Souvenirs

In Frankreich lässt sich für jeden Geschmack ein Souvenir finden. Typisch sind natürlich die Weine in der Region Bordeaux und in Burgund, der Cognac im Poitou-Charentes und der Champagner in der gleichnamigen Region. Man kauft sie am besten bei den Herstellern selbst und verbindet den Kauf mit einer Weinprobe (**dégustation**). Die Provence ist berühmt für ihr Olivenöl, den Trüffel und die farbenfrohen Stoffe, die man auch auf den Märkten kaufen kann. Aus der Auvergne kommt das wertvolle Taschenmesser Laguiole, das man immer einem Freund schenkt und niemals sich selbst kauft.

Straßen

Autobahnen haben mehrere Fahrspuren in beide Richtungen und sind mit einem **A** (für **autoroute**) gekennzeichnet. Sehr gut ausgebaut sind die mit einem **N** (für **route nationale**) markierten Nationalstraßen. Sie entsprechen den deutschen Bundesstraßen. Dreispurige Nationalstraßen sind gewöhnungsbedürftig: Die mittlere Spur ist nämlich die Überholspur – auch für den Gegenverkehr! Straßen mit **D**-Nummerierung bezeichnen Landstraßen (**routes départementales**). Sie sind schmäler und manchmal etwas holprig.

T

Tanken

Wer tanken muss, fragt nach einer **station de service** (Tankstelle). Billiger als die Tankstellen an den Autobahnen sind diejenigen bei großen Supermärkten. Die Bezeichnungen für Kraftstoffe sind folgende: **Sans plomb 95** (Normal bleifrei), **Sans plomb 98** (Super bleifrei) und **Gasoil** (Diesel).

Taxi

Taxis haben keine einheitliche Farbe. Sie sind erkennbar an ihrem Taxischild auf dem Dach, das leuchtet, wenn das Taxi besetzt ist. In den Städten geht man am besten zu einem der Taxistände oder winkt eines an einer verkehrsreicheren Straße heran. Die Taxipreise sind eher niedriger als in Deutschland. Nachtfahrten haben einen höheren Tarif, in großen Städten ändert sich der Fahrpreis je nach Tarifzone. Tipp: Es ist unüblich, sich auf den Beifahrersitz zu setzen.

Telefonieren

Am Telefon meldet man sich nur mit **Allô?**. Es ist Aufgabe des Anrufers zu sagen, wer er ist und was er möchte: **Allô? C'est Marie à l'appareil. Je voudrais parler à Janine, s'il vous plaît!** In Frankreich gibt es keine Vorwahlen. Eine Telefonnummer hat immer 10 Ziffern, von denen sich die ersten beiden auf die Region beziehen. Handynummern beginnen immer mit 06, die Nummer 0800 ist kostenfrei. Wenn Sie jemandem Ihre Telefonnummer geben, nennen Sie die Ziffern immer paarweise.

TGV

Der **TGV** (**le train à grande vitesse**) ist der französische Hochgeschwindigkeitszug. Er verbindet Paris mit den anderen französischen Großstädten wie Lyon oder Bordeaux. Da er auch im Regelbetrieb über 320 km/h fährt, wird die Reisezeit um mehrere Stunden verkürzt. Der **TGV** ist zuschlags- und reservierungspflichtig.

Toilette

Mit **où sont les toilettes?** oder **où sont les W.-C.?** fragen Sie nach den Toiletten. An den Tankstellen gehört die kostenlose Benutzung der Toiletten zum Service. Auch alle Restaurants und Cafés haben für die Gäste Toiletten. In den Städten findet man öffentliche Toiletten (**toilettes publiques/W.-C. publics**), die jedoch nicht immer regelmäßig gewartet werden. Sollte es Toilettenpersonal geben, ist es üblich, etwas Trinkgeld auf dem bereitgestellten Tellerchen liegen zu lassen.

Touristeninformation

Jede Stadt und fast jeder kleine Ort hat sein eigenes **office du tourisme** oder **syndicat d'initiative**. Sie befinden sich meist im Zentrum des Ortes und sind mit einem großen **i** gekennzeichnet. Sie bieten Prospekte mit Informationen zum Ort und zur Region, Unterkunftsverzeichnisse, Informationen zu kulturellen Angeboten wie zum Beispiel Konzerte und Festivals sowie Führungen (**visites guidées**) und Ausflüge in die Umgebung. Sie helfen auch bei Hotelreservierungen.

Trinkgeld

Trotz des Vermerks **service compris** (einschließlich Bedienung) ist in Restaurants und Cafés ein Trinkgeld (**pourboire**) üblich. Anders als in Deutschland wird nicht die Rechnungssumme aufgerundet, sondern man zahlt zunächst die exakte Summe und lässt das Trinkgeld dann einfach auf dem Tisch liegen. Je nach Zufriedenheit gibt man ca. 10 % bis 15 %. Im Hotel ist Trinkgeld keine Pflicht, kann aber eventuell auf den Nachttisch gelegt werden. Ein Taxifahrer bekommt ca. 10 %.

U

Übernachtung

Wer zu zweit in einem französischen Hotel übernachten möchte, bekommt oft ein Zimmer mit einem rund 140 cm breiten französischen Bett (**une chambre avec un grand lit**) angeboten. Wenn Sie lieber in getrennten Betten schlafen wollen, dann fragen Sie nach einem **chambre à deux lits**. Diese Zweibettzimmer sind jedoch seltener und oft teurer. Dies gilt übrigens auch für Einzelzimmer (**chambre individuelle**). Die französische Variante des Bed and Breakfast ist **la chambre d'hôte**: Hier bieten Privatfamilien ihren Gästen ein Zimmer mit Frühstück an.

Unfall

Wenn man mit dem Auto nach Frankreich fährt, sollte man die Internationale Grüne Versicherungskarte und den Europäischen Unfallbericht (**Constat amiable**, erhältlich bei der Versicherung) dabeihaben. Die Unfallaufnahme wird damit wesentlich erleichtert. Ist ein Blechschaden entstanden, füllen Sie den Unfallbericht mit Ihrem Unfallgegner aus und schicken ihn an die Versicherung. Die Polizei wird nur bei Verkehrsbehinderung oder Personenschaden gerufen (Notrufnummer 17).

V

Verkehr

Verkehrsverstöße werden in Frankreich strenger als in Deutschland bestraft. An fast allen Autobahnen wird geblitzt. Fahren Sie also nie schneller als erlaubt! Verkehrstechnische Besonderheiten sind die zahlreichen Kreisverkehre (**ronds-points**) und die mit **BIS** (Abkürzung für **Bison futé** „schlauer Büffel") gekennzeichneten Straßen. **BIS** verweist im Urlaubsverkehr auf Alternativrouten zur Umgehung von stauträchtigen Strecken.

Verpflegung

Das Frühstück ist nur selten im Hotelzimmerpreis inbegriffen, daher fragt man besser vorher, ob das Zimmer **avec** oder **sans petit-déjeuner** ist. Günstiger ist es sicherlich, seinen Kaffee mit Croissant im nächsten Café zu bestellen. Manche Hotels vermieten ihre Zimmer auch mit Halbpension (**demi-pension**) oder Vollpension (**pension complète**).

Vorfahrt

Generell gilt die „Rechts vor Links"-Regelung. Achten Sie aber immer auf die Beschilderung. Im Kreisverkehr signalisiert das Schild **Vous n'avez pas la priorité**, dass die Fahrzeuge im Kreisverkehr Vorfahrt haben. Vorfahrtsstraßen enden am Ortseingang. Im Ort sollte man vorsichtig sein, da auch kleine Sträßchen vorfahrtsberechtigt sein können.

W

Wasser

Die Trinkwasserqualität in Frankreich ist im Allgemeinen gut, kann aber von Region zu Region variieren. Franzosen trinken häufig Leitungswasser (**eau du robinet**), das im Restaurant in einer Karaffe (**carafe d'eau**) gekühlt auf den Tisch gestellt wird. Das gehört zum Service dazu. Leider schmeckt es häufig nach Chlor. Wer lieber Mineralwasser trinkt, bestellt es mit (**eau minérale gazeuse**) oder ohne Kohlensäure (**eau non gazeuse**). An öffentlichen Brunnen verweisen Schilder auf die Trinkbarkeit des Wassers: **eau potable** (Trinkwasser) oder **eau non potable** (kein Trinkwasser).

Weihnachten

Joyeux Noël – frohe Weihnachten! Während in Deutschland das Weihnachtsfest eher besinnlich verläuft, ist es in Frankreich ein lautes, fröhliches Familienfest. Tannenbäume sind vornehmlich in Nordfrankreich und im Elsass Tradition. Das Festessen am Heiligabend (**le réveillon**) besteht aus mehreren Gängen und wird mit dem **bûche de Noël**, einer Biskuitrolle mit Cremefüllung, die wie ein Holzscheit aussieht, abgeschlossen. Um Mitternacht geht man gemeinsam in die Mitternachtsmesse (**la messe de minuit**). In der Nacht auf den 25. Dezember bringt dann nicht das Christkind, sondern der Weihnachtsmann **Père Noël** die Geschenke. Einen zweiten Weihnachtstag gibt es in Frankreich nicht. Am 26. Dezember wird wieder gearbeitet. Ausnahme: Die Departements Moselle, Bas-Rhin und Haut-Rhin.

Z

Züge

Aufgrund der Zentralisierung ist das französische Eisenbahnnetz von Paris her organisiert, d. h. viele Verbindungen enden beziehungsweise beginnen an einem der Kopfbahnhöfe in Paris. Die Eisenbahngesellschaft heißt **SNCF** (**Société nationale des chemins de fer français**). Die regionalen Züge heißen **TER** (**train express régional**), Fernzüge nennt man **trains de grande ligne**. Der Hochgeschwindigkeitszug ist der **TGV**. Die Fahrkarten müssen vor dem Einsteigen an speziellen Automaten entwertet werden.

Deutsch – Französisch

A

Aachen Aix-la-Chapelle
Aal M anguille *f*
Aas N charogne *f* **Aasgeier** M vautour
ab (*dat*) à partir de; *weg* parti; **~ morgen** à partir de demain; **~ Düsseldorf fliegen** prendre l'avion à Düsseldorf; *Fahrplan* **Berlin ~ 9.15** départ de Berlin à 9 h 15; **~ und zu** de temps en temps
AB M (*Anrufbeantworter*) TEL répondeur
abändern modifier
Abbau M *e-s Zelts etc* démontage; *Bergbau* extraction *f*; *Verminderung* réduction *f* **abbauen** démonter; *Erz etc* extraire; *verringern* réduire
abbeißen arracher (en mordant) **abbestellen** *Hotelzimmer* annuler la réservation de; *Zeitung* résilier l'abonnement à
abbiegen tourner (**nach rechts** à droite)
Abbildung F illustration
abbinden MED ligaturer
abblenden AUTO se mettre en code **Abblendlicht** N feux *mpl* de croisement, codes *mpl*
abbrechen casser; *Haus* démolir; *Zelt* démonter; *unterbrechen* interrompre; *Beziehungen* rompre; V/I se casser **abbremsen** freiner, ralentir **abbrennen** brûler; *Feuerwerk* tirer
abbringen j-n von etw ~ détourner, dissuader qn de qc
abbröckeln s'effriter
Abbruch M démolition *f*; *von Verhandlungen* rupture *f*
abbürsten brosser
abdecken découvrir; *Tisch* débarrasser; *zudecken* recouvrir
abdichten calfeutrer **abdrehen** SCHIFF, FLUG changer de cap; *umg Wasser, Licht* fermer
Abdruck M tirage; *Fingerabdruck* empreinte *f*
Abend M soir; *Abendstunden* soirée *f*; **am ~** le soir; **heute ~** ce soir; **im Laufe des ~s** dans la soirée; **guten ~!** bonsoir!; **schönen ~!** bonne soirée!; **zu ~ essen** dîner
Abendanzug M tenue *f* de soirée **Abendbrot** N repas *m* du soir **Abenddämme-**

rung F crépuscule *m* **Abendessen** N dîner *m* **Abendkleid** N robe *f* du soir, de soirée **Abendland** N Occident *m*
abends le soir
Abendvorstellung F soirée
Abenteuer N aventure *f* **abenteuerlich** aventureux **Abenteurer(in)** M(F) aventurier *m*, aventurière *f*
aber mais
Aberglaube M superstition *f* **abergläubisch** superstitieux
Abf. (*Abfahrt*) départ *m*
abfahren partir (**nach** pour, à; **von** de); *Müll* enlever; *Reifen* user
Abfahrt F départ *m*
Abfahrtslauf M SPORT descente *f* **Abfahrtstag** M jour du départ **Abfahrtszeit** F heure du départ
Abfall M déchets *mpl*; *Müll* ordures *fpl* **Abfalleimer** M poubelle *f*
abfallen *Blätter* tomber; *Gelände* aller en pente
abfärben déteindre (**auf** *akk* sur) **abfassen** rédiger
abfertigen contrôler (*a. Reisende*); *Gepäck* enregistrer **Abfertigung** F contrôle *m*; *des Gepäcks* enregistrement *m*
abfinden j-n ~ indemniser qn; **sich mit etw ~** accepter qc
Abfindung F indemnisation; *Betrag* indemnité
abfliegen partir, s'envoler (**nach** pour) **abfließen** s'écouler
Abflug M départ **Abflugtag** M → Abfahrtstag **Abflugzeit** F → Abfahrtszeit
Abfluss M écoulement **Abflussrohr** N tuyau *m* d'écoulement
Abfuhr F *von Müll* enlèvement *m*
Abführmittel N laxatif *m*
Abgabe F remise; *Verkauf* vente; *Steuer* taxe **Abgang** M départ **Abgase** NPL gaz *mpl* d'échappement **Abgasuntersuchung** F AUTO contrôle *m* antipollution
abgeben remettre, donner; *zur Aufbewahrung* déposer; *verkaufen* vendre; **sich ~ mit** s'occuper de
abgebrannt *umg fig* fauché
abgedroschen rebattu
abgehen partir, s'en aller; *Knopf* se défaire
abgelaufen *Pass* périmé **abgelegen** isolé **abgemacht!** entendu!, d'accord! **abgenutzt** usé
Abgeordnete(r) M/F(M) député(e) *m(f)*
abgeschlossen fermé à clé; *beendet* terminé
abgesehen ~ von à part, abstraction faite de; **davon ~** (mis) à part cela
abgespannt très fatigué
abgestanden éventé
abgewöhnen déshabituer

(**j-m etw** qn de qc); **sich das Rauchen ~** s'arrêter de fumer
abgrenzen délimiter
Abgrund M précipice; *fig* abîme
abhaken *auf e-r Liste* cocher
abhalten *Sitzung* tenir; *Gottesdienst* célébrer; **j-n von etw ~** empêcher qn de faire qc
abhandenkommen disparaître, s'égarer
Abhang M pente *f*; *Bergabhang* versant
abhängen dépendre (**von** de); *Wagen* décrocher
abhängig dépendant (**von** de); **~ sein von** dépendre de
Abhängigkeit F dépendance
abhärten endurcir, aguerrir
abhauen *umg* foutre le camp
abheben *Geld* retirer; TEL décrocher; *Karten* couper; FLUG décoller; **sich ~ von** se détacher de
abheilen guérir
abhetzen sich ~ se presser
Abhilfe F **~ schaffen** y porter remède
abholen aller *od* venir chercher; **~ lassen** envoyer chercher
abholzen déboiser
abhorchen MED ausculter
abhören *Schüler* faire réciter (**j-n** *od* **j-m etw** qc à qn); TEL mettre sur écoute **Abhörgerät** N micro *m*
Abi(tur) N bac(calauréat) *m*
Abiturient M bachelier **Abiturientin** F bachelière
abkaufen acheter (**j-m etw** qc à qn) **abklingen** *Schmerz* diminuer **abkochen** faire bouillir
abkommen *v. Weg*: s'écarter (de); *v. Thema*: s'éloigner (de); **von der Fahrbahn ~** entrer dans le décor
Abkommen N accord *m*
abkömmlich disponible
abkratzen gratter
abkühlen sich ~ se rafraîchir
Abkühlung F rafraîchissement *m*
abkürzen *Weg* raccourcir; *Wort, Besuch* abréger **Abkürzung** F abréviation; *Weg* raccourci *m*
abladen décharger
ablassen *Wasser* vider; *Luft* enlever; **~ von** renoncer à; **etw vom Preis ~** rabattre qc sur le prix
Ablauf M déroulement; *e-r Frist* expiration *f*; **nach ~ von** au bout de
ablaufen se dérouler; *abfließen* s'écouler; *Frist, Pass* expirer
Ableben N décès *m*
ablecken lécher
ablegen déposer; *Mantel* retirer; *Prüfung* passer; *Akten* classer; *Eid* prêter; *Gewohnheit* se défaire de **Ableger** M BOT marcotte *f*
ablehnen refuser; *Vorschlag* rejeter; *Verantwortung* décliner

Ablehnung F refus *m*
ablenken détourner (**von** de); *zerstreuen* distraire **Ablenkung** F distraction
ablesen lire; *Zähler* relever
abliefern livrer; *abgeben* remettre **Ablieferung** F livraison; remise
ablösen *etw* décoller; *j-n* relayer; **sich ~** se relayer
Ablösung F relève
abmachen défaire; *vereinbaren* convenir (**etw** de qc) **Abmachung** F accord *m*
Abmagerungskur F cure d'amaigrissement
Abmarsch M départ **abmarschbereit** prêt à partir
abmelden sich ~ *von e-m Kurs etc* retirer son inscription; *polizeilich* faire une déclaration de changement de résidence
abmessen mesurer
abmontieren démonter
abmühen sich ~ se donner du mal
Abnahme F *Rückgang* diminution; *Kauf* achat *m*
abnehmen *Hut* enlever; TEL *Hörer* décrocher; *Führerschein* retirer; *abkaufen* acheter; V/I *geringer werden* diminuer; *Mond* décroître; *an Gewicht* maigrir
Abnehmer M acheteur
Abneigung F aversion (**gegen** pour)
abnutzen user
Abonnement N abonnement *m* **Abonnent** M abonné
abonnieren s'abonner à
Abordnung F délégation
abpacken empaqueter **abpassen** *Gelegenheit* guetter
abpflücken cueillir **abprallen** rebondir; *Geschoss* ricocher **abrasieren** raser **abraten** déconseiller (**j-m von etw** qc à qn) **abräumen** *Tisch* débarrasser
abrechnen faire les comptes; *abziehen* déduire **Abrechnung** F règlement *m* de comptes (*a. fig*)
abreiben frotter
Abreise F départ *m*
abreisen partir (**nach** pour, à); *zurückreisen* rentrer **Abreisetag** M jour du départ
abreißen arracher; *Haus* démolir; *Knopf* se détacher; *aufhören* cesser
Abriss M *Abbruch* démolition *f*; *Skizze* précis
abrunden arrondir
abrupt brusque (*a. fig*)
abrüsten désarmer **Abrüstung** F désarmement *m*
abrutschen glisser
ABS N (*Antiblockiersystem*) AUTO ABS *m*
Abs. (*Absender*) exp. (*expéditeur*)
Absage F refus *m*; *auf e-e Bewerbung* réponse négative
absagen se décommander; *etw* annuler; **j-m ~** annuler un rendez-vous avec qn
absägen scier

Absatz M *Schuhabsatz* talon; *Text* alinéa; HANDEL vente *f*
Absatzmarkt M débouché
abschaffen abolir, supprimer
Abschaffung F abolition, suppression
abschälen peler
abschalten *Strom* couper; *Gerät* éteindre; *sich entspannen* se relaxer
abschätzen estimer, évaluer
abschätzig méprisant
Abschaum M *fig* rebut
Abscheu M horreur *f* (**vor** *dat* de), répulsion *f* (pour)
abscheulich horrible
abschicken envoyer
abschieben *ins Ausland* expulser
Abschied M adieux *mpl*; **~ nehmen** prendre congé (**von** de); *endgültig* faire ses adieux (à)
Abschiedsgeschenk N cadeau *m* d'adieux
abschießen *Flugzeug, Wild* abattre; *Rakete* lancer
abschirmen protéger (**gegen** contre)
abschlagen *Ast* couper; *Bitte* refuser **abschlägig** négatif
Abschlagszahlung F avance, acompte *m*
Abschleppdienst M entreprise *f* de dépannage **abschleppen** remorquer, dépanner **Abschleppseil** N câble *m* de remorquage **Abschleppwagen** M dépanneuse *f*
abschließen fermer à clé; *beenden* terminer; *Vertrag* conclure; *Versicherung* contracter
abschließend pour conclure
Abschluss M *Ende* fin *f*; *e-s Vertrages* conclusion *f*; **zum ~** pour terminer
Abschlussprüfung F examen *m* de fin d'études
abschmecken goûter (pour assaisonner)
abschmieren AUTO graisser
abschminken sich ~ se démaquiller
abschneiden couper; *fig* **gut ~** s'en tirer bien
Abschnitt M *Textabschnitt* passage, paragraphe; *zeitlich* période *f*; *Streckenabschnitt* tronçon; *Kontrollabschnitt* talon
abschrauben dévisser **abschrecken** décourager; GASTR passer à l'eau froide
abschreiben copier (**von** sur)
Abschrift F copie
Abschuss M *Rakete* lancement
abschüssig escarpé
Abschussrampe F rampe de lancement
abschütteln secouer (*a. fig*)
abschwächen atténuer **abschwellen** MED désenfler
absehbar in ~er Zeit dans un proche avenir
absehen *Folgen* prévoir; **~ von** faire abstraction de; *verzichten auf* renoncer à
abseilen sich ~ descendre en

rappel
abseits à l'écart
Abseits N SPORT °hors-jeu *m*
absenden envoyer **Absender(in)** M(F) expéditeur *m*, expéditrice *f*
absetzen déposer (*a. Fahrgast*); *Brille* enlever; *v. Amt*: destituer; *v. Spielplan*: retirer (de l'affiche); *Ware* vendre
Absicht F intention; **mit ~** →
absichtlich ADV intentionnellement, exprès; ADJ intentionnel
absolut absolu
absondern séparer, isoler; MED sécréter; **sich ~** s'isoler (**von** de)
absperren *Straße* barrer; *Tür* fermer à clé **Absperrung** F barrage *m*
abspielen *Platte, Band* passer; **sich ~** se dérouler
Absprache F accord *m*
abspringen sauter **Absprung** M saut **abspülen** rincer
abstammen descendre (**von** de) **Abstammung** F origine
Abstand M distance *f*, intervalle (*a. zeitlich*); **~ halten** garder ses distances; **in regelmäßigen Abständen** à intervalles réguliers; **mit ~** de loin
abstauben épousseter
abstechen contraster (**gegen, von** avec)
Abstecher M crochet
absteigen descendre
abstellen *Koffer etc* poser; *alte Möbel* déposer; *Auto* garer; *Maschine* arrêter; *Gas, Wasser, Strom* couper; *Radio, Heizung* fermer
Abstellgleis N voie *f* de garage **Abstellraum** M débarras
abstempeln timbrer; *entwerten* oblitérer
Abstieg M descente *f*; *Niedergang* déclin
abstimmen voter (**über** *akk* qc); **aufeinander ~** harmoniser; *Mode* assortir
Abstimmung F vote *m*
abstoßen pousser; *anwidern* dégoûter
abstoßend répugnant
abstrakt abstrait
abstreiten contester **Abstrich** M MED prélèvement, frottis **Absturz** M chute *f* **abstürzen** faire une chute; FLUG s'écraser **absuchen** fouiller
absurd absurde
Abszess M abcès
Abt M abbé
abtasten palper **abtauen** *Kühlschrank* dégivrer
Abtei F abbaye
Abteil N *Bahn*: compartiment *m*
Abteilung F *e-r Firma*: département *m*; *e-s Kaufhauses*: rayon *m* **Abteilungsleiter(in)** M(F) *e-r Firma*: chef *m* de service; *im Kaufhaus*: chef *m* de rayon
abtippen *umg* taper (à la ma-

chine) **abtransportieren** *Verletzte* évacuer
abtreiben SCHIFF dériver; MED se faire avorter **Abtreibung** F MED avortement *m*
abtrennen détacher; (*absondern*) séparer
abtreten céder (**j-m etw** qc à qn); *sich* (*zurückziehen*) se retirer; (**sich**) **die Füße ~** s'essuyer les pieds
Abtreter M paillasson **Abtretung** F cession
abtrocknen essuyer; *trocken werden* sécher **abwägen** peser **abwarten** attendre
abwärts vers le bas **abwärtsfahren**, **abwärtsführen** descendre
Abwasch M vaisselle *f* **abwaschbar** lavable **abwaschen** laver; *Geschirr* faire la vaisselle
Abwässer NPL eaux *fpl* usées
abwechseln alterner (**mit** avec); **sich ~** *Personen* se relayer
abwechselnd alternativement, tour à tour; *Personen* à tour de rôle
Abwechslung F changement *m*; *Zerstreuung* distraction; **zur ~** pour changer
abwechslungsreich varié; *Leben* mouvementé
abwegig aberrant
Abwehr F défense **abwehren** *Angriff* repousser; *Stoß* parer
abweichen *v. Kurs, Thema*: s'écarter (**von** de); *sich unterscheiden* différer (**von** de); **voneinander ~** diverger
abweichend divergent
Abweichung F *Unterschied* différence
abweisen *Bitte* rejeter; *j-n* renvoyer; éconduire
abwenden *Kopf, Blick* détourner; *Gefahr* écarter; **sich ~ von** se détourner de
abwerfen jeter, lancer; *Gewinn* rapporter
abwerten *Währung* dévaluer; *gering schätzen* déprécier **Abwertung** F dévaluation
abwesend absent (*a. fig*) **Abwesenheit** F absence
abwickeln dérouler; *fig erledigen* régler; *Betrieb* liquider **abwiegen** peser **abwischen** essuyer **abwürgen** *Motor* caler **abzahlen** payer à tempérament **abzählen** compter
Abzahlung F **auf ~** à tempérament, à crédit
Abzeichen N insigne *m*
abzeichnen copier; *Schriftstück* parapher; **sich ~** *fig* se dessiner
abziehen *Schlüssel* retirer; *Bett* défaire; HANDEL déduire (**von** de); MATH soustraire; VI *Rauch* s'échapper; *umg weggehen* ficher le camp
abzocken *umg* plumer
Abzug M FOTO épreuve *f*; HANDEL déduction *f*

abzüglich moins, déduction faite de
abzweigen *Straße* bifurquer; *Geld* prélever **Abzweigung** F bifurcation, embranchement *m*
ach ~! ah!; °hélas!; **~ so!** ah bon!
Achse F axe *m*; AUTO essieu *m*
Achsel F aisselle; **mit den ~n zucken** °hausser les épaules
Achselhöhle F creux *m* de l'aisselle
Achsenbruch M rupture *f* d'essieu
acht °huit; **in ~ Tagen** dans une semaine
Acht F **außer ~ lassen** négliger; **sich in ~ nehmen** prendre garde (**vor** *dat* à)
achte(r, -s) °huitième
Achtel N °huitième *m*
achten *hochachten* estimer, respecter; **~ auf** (*akk*) faire attention à; **darauf ~, dass ...** faire attention à ce que (*+subj*)
Achterbahn F grand °huit *m*
Achterdeck N pont *m* arrière
achtgeben faire attention (**auf** *akk* à)
achthundert °huit cents
achtlos négligent
achtmal °huit fois
Achtung F *Hochachtung* estime; *Respekt* respect *m*; **~!** attention!
achtzehn dix-huit **achtzig** quatre-vingts
ächzen gémir
Acker M champ **Ackerbau** M agriculture *f* **Ackerboden** M terre *f* arable
ackern bûcher
ADAC M (*Allgemeiner Deutscher Automobil-Club*) Automobile-Club allemand
Adapter M adaptateur
addieren additionner
ade! *umg* salut!
Adel M noblesse *f*
ad(e)lig noble
Ader F veine; *Schlagader* artère; *fig* don *m* (**für** pour), sens *m* (de)
Adjektiv N adjectif *m*
Adler M aigle
Admiral M amiral
adoptieren adopter **Adoption** F adoption
Adoptiveltern PL parents *mpl* adoptifs **Adoptivkind** N enfant *m* adoptif
Adressat M destinataire
Adressbuch N carnet *m* d'adresses
Adresse F adresse **adressieren** écrire l'adresse sur; *richten* adresser (**an** *akk* à)
Advent M avent
Adverb N adverbe *m*
Aerobic N aérobic *f*
Affäre F affaire; *Liebesbeziehung* aventure
Affe M singe
affektiert maniéré
Afrika N l'Afrique *f* **Afrikaner(in)** M(F) Africain(e) **afri-**

kanisch africain
After M anus
Aftershave N après-rasage *m*, after-shave *m*
AG[1] F (*Aktiengesellschaft*) SA (*société anonyme*)
AG[2] F → Arbeitsgruppe
Agave F agave *m*
Agent M agent **Agentur** F agence; **~ für Arbeit** agence pour l'emploi
Aggression F agression **aggressiv** agressif
Ägypten N l'Égypte *f* **Ägypter(in)** M(F) Égyptien(ne) [eʒipsjɛ̃, eʒipsjɛn] **ägyptisch** égyptien
ähneln ressembler (**j-m** à qn)
ahnen *vermuten* se douter de; *Unglück* pressentir
Ahnen MPL aïeux, ancêtres
ähnlich semblable; **j-m ~ sehen** *od* **sein** ressembler à qn
Ähnlichkeit F ressemblance
Ahnung F (*Vorgefühl*) pressentiment *m*; (*Vorstellung*) idée; **keine ~!** aucune idée!
Ahorn M érable
Ähre F épi *m*
Aids N sida *m* **aidskrank** sidéen **Aidstest** M test de dépistage du sida
Airbag M AUTO airbag
Airline F compagnie aérienne
Akademie F académie **Akademiker(in)** M(F) diplômé(e) de l'Université
Akazie F acacia *m*
akklimatisieren sich ~ s'acclimater
Akkord M MUS accord; **im ~ arbeiten** travailler aux pièces
Akkordeon N accordéon *m*
Akku M accus *mpl* **Akkumulator** M accumulateur
Akkusativ M accusatif
Akne F acné
Akrobat(in) M(F) acrobate
Akt M acte (*a. Theater*); MAL nu
Akte F dossier *m*; JUR pièces *fpl*
Aktenkoffer M attaché-case [ataʃekɛz] **Aktentasche** F serviette **Aktenzeichen** N référence *f*
Aktie F action
Aktiengesellschaft F société anonyme (*od* par actions)
Aktion F action
Aktionär M actionnaire
aktiv actif **aktivieren** activer **Aktivität** F activité
aktualisieren actualiser, mettre à jour
aktuell actuel; *modisch* à la mode
akupunktieren traiter par l'acupuncture **Akupunktur** F acupuncture
Akustik F acoustique **akustisch** acoustique
akut MED aigu; *Frage* brûlant; *Gefahr* imminent
Akzent M accent
akzeptieren accepter
Alarm M alerte *f*, alarme *f* **Alarmanlage** F alarme automatique

alarmieren alerter; *beunruhigen* alarmer
Albaner(in) M(F) Albanais(e) **Albanien** N l'Albanie *f* **albanisch** albanais
albern niais, stupide **Albernheit** F niaiseries *fpl*
Albtraum M cauchemar
Album N album *m*
al dente al dente [aldɛnte]
Alge F algue
Algerien N l'Algérie *f* **Algerier(in)** M(F) Algérien(ne) **algerisch** algérien
Alibi N alibi *m*
Alimente PL pension *f* alimentaire
Alkohol M alcool **alkoholfrei** sans alcool; *Getränk a.* non alcoolisé **Alkoholiker(in)** M(F) alcoolique **alkoholisch** alcoolisé
All N univers *m*
alle tous [tu] les, toutes les; *allein stehend* tous [tus], toutes; *umg* ... **ist ~** il n'y a plus de ...
Allee F allée; *Straße* avenue
allein seul; **von ~** tout seul; **~ stehend** *Haus* isolé
alleinstehend *Haus* isolé; *Person* seul
allenfalls tout au plus
allerdings à vrai dire
Allergie F allergie **allergisch** allergique (**gegen** à)
allerhand *umg* pas mal de, toutes sortes de; **das ist doch ~!** c'est un peu fort!
Allerheiligen N la Toussaint
allerletzte(r) tout dernier; **zu allerletzt** en tout dernier lieu
Allerseelen N le jour, la fête des Morts
alles tout; **~ Gute!** bonne chance; *zum Geburtstag* bon anniversaire!
allgemein général; **im Allgemeinen** en général; **~ verständlich** à la portée de tous
Allgemeinbefinden N état *m* général **Allgemeinbildung** F culture générale **Allgemeinheit** F public *m*
Alligator M alligator
allmächtig tout-puissant
allmählich ADV peu à peu
Alltag M vie *f* quotidienne **alltäglich** *täglich* quotidien; *gewöhnlich* banal
allzu ~ (viel) trop
Alm F alpage *m*
Almosen N aumône *f*
Alpen PL **die ~** les Alpes *fpl*
Alphabet N alphabet *m* **alphabetisch** alphabétique
Alptraum M cauchemar
als *zeitlich* quand, lorsque; *nach Komparativ* que; *in der Eigenschaft* comme; **~ ob** comme si
also *folglich* donc; *das heißt* c'est-à-dire; **~ gut!, ~ schön!** bon, d'accord!
alt vieux; *Person a.* âgé; *früher* ancien; **wie ~ bist du?** quel âge as-tu?; **ich bin 15 Jahre ~** j'ai 15 ans
Altar M autel
Altenheim N maison *f* de re-

traite
Alter N âge *m*; *hohes Alter* vieillesse *f*; **im ~ von** à l'âge de
älter plus âgé; *Geschwister* aîné; **~er Herr** monsieur d'un certain âge
Alternative F alternative
Alterserscheinung F signe *m* de vieillesse **Altersgenosse** M personne *f* du même âge **Altersgrenze** F limite *f* d'âge **Altersheim** N maison *f* de retraite
Altertum N Antiquité *f* **altertümlich** antique
Altglas N verre *m* usagé **Altglascontainer** M conteneur à verre
altklug précoce (et arrogant)
altmodisch démodé **Altpapier** N vieux papiers *mpl* **Altstadt** F vieille ville
Alufolie F papier *m* alu **Aluminium** N aluminium *m*
Alzheimerkrankheit F maladie d'Alzheimer
am ~ 13. April le 13 avril; **~ Sonntag** le dimanche; **~ Abend** le soir; **~ besten** le mieux
Amalgam N amalgame *m*
Amaryllis F amaryllis
Amateur M amateur **Amateurfotograf** M photographe amateur
Amboss M enclume *f*
ambulant MED qui ne nécessite pas d'hospitalisation **Ambulanz** F *einer Klinik*: consultations *f/pl* externes; (*Krankenwagen*) ambulance
Ameise F fourmi **Ameisenhaufen** M fourmilière *f*
Amerika N l'Amérique *f* **Amerikaner(in)** M(F) Américain(e) **amerikanisch** américain
Amnestie F amnistie
Amok M **~ laufen** avoir un accès de folie meurtrière
Ampel F feu *m*
Ampere N ampère *m*
Ampulle F ampoule
amputieren amputer
Amsel F merle *m*
Amt N *Dienststelle* service *m*, office *m*; *Tätigkeit* charge *m*, fonction *f* **amtlich** officiel
Amtsantritt M entrée *f* en fonction
Amulett N amulette *f*
amüsant amusant **amüsieren (sich) ~** (s')amuser
an à; GEOGR sur; **von heute ~** à partir d'aujourd'hui; *Fahrplan* **Paris ~ 9.10** arrivée à Paris à 9 h 10; **~ Ostern** à Pâques; **~ sein** *Licht* être allumé; *Radio* marcher; → am
Analphabet(in) M(F) illettré(e)
Analyse F analyse **analysieren** analyser
Ananas F ananas *m*
Anarchie F anarchie
anbahnen sich ~ se préparer
Anbau M AGR culture *f*; ARCH annexe *f* **anbauen** cultiver;

ARCH rajouter (**an** *akk* à) **Anbauküche** F cuisine intégrée
anbehalten garder
anbei ci-joint
anbelangen was ... anbelangt en ce qui concerne ...
anbeten adorer
Anbetracht M **in ~ der Lage** vu *od* étant donné la situation
anbieten offrir
anbinden attacher (**an** *akk od dat* à)
Anblick M vue *f*
anbrechen *Flasche etc* entamer **anbrennen** *Essen* brûler; *Milch* attacher **anbringen** *festmachen* fixer (**an** *dat* à)
andächtig recueilli
andauern durer; *Verhandlungen* se prolonger
andauernd continuel; *Frost* persistant; ADV sans arrêt
Andenken N souvenir *m*; mémoire *f*; **zum ~ an** (*akk*) en souvenir de
andere(r, -s) autre; **~ (Leute)** d'autres; **ein ~s Mal** une autre fois; **unter ~m** entre autres; **etwas ~s** autre chose
andererseits d'autre part
ändern (sich) ~ changer
andernfalls sinon, autrement
anders autrement; **jemand/niemand ~** quelqu'un/personne d'autre; **ganz ~ sein** être complètement différent
anderswo ailleurs, autre part
anderthalb un et demi; **~ Stunden** une heure et demie
Änderung F changement *m*, modification
andeuten indiquer (vaguement) **Andeutung** F (vague) indication
Andorra N l'Andorre *f*
Andrang M affluence *f*
andrehen *Radio* allumer; *Wasser* ouvrir
aneignen sich etw ~ s'approprier qc; *Kenntnisse* assimiler qc
aneinander l'un contre l'autre; *denken* l'un à l'autre **aneinanderfügen** joindre
Anekdote F anecdote
anekeln dégoûter
anerkennen reconnaître; *Regel, Abmachung* respecter **Anerkennung** F reconnaissance
anfahren *Fahrzeug* démarrer; *j-n* renverser
Anfall M MED attaque *f*, crise *f*
anfällig de santé délicate; sujet (**für** à)
Anfang M commencement, début; **am ~, zu ~** au début; **~ Mai** début mai; **von ~ an** dès le début
anfangen commencer (**zu** à, **mit** par); **~ zu** *a.* se mettre à
Anfänger(in) M(F) débutant(e)
Anfängerkurs M cours pour débutants
anfangs au début
anfassen toucher; **mit ~** donner un coup de main
anfertigen faire, fabriquer; *Kleidung* confectionner **an-**

feuchten humecter **anfliegen** FLUG s'approcher de; *Zwischenlandung:* faire escale à; *Fluglinie* desservir
anfordern demander; *Ware* commander **Anforderung** F exigence
Anfrage F demande
anfragen demander (**bei** à)
anfreunden sich ~ se lier d'amitié (**mit j-m** avec qn)
anführen *Festzug* être en tête de; *Grund* donner; *Text* citer; *umg* (*täuschen*) avoir **Anführer** M chef; *pej* meneur **Anführungszeichen** NPL guillemets *mpl*
Angabe F indication; TECH donnée; *umg* (*Prahlerei*) frime; **nähere ~n** PL précisions *fpl*
angeben donner, indiquer; *umg prahlen* crâner; **genau(er)** ~ préciser
Angeber(in) M(F) crâneur *m*, crâneuse *f* **angeblich** soi-disant
angeboren inné; *Krankheit* congénital
Angebot N offre *f*
angebracht opportun, indiqué **angeheiratet** par alliance **angeheitert** gai
angehen *j-n* concerner; *Licht* s'allumer; **das geht dich nichts an** cela ne te regarde pas
Angehörige(r) M/F(M) (proche) parent(e); **meine ~n** PL les miens, ma famille
Angeklagte(r) M/F(M) accusé(e)
Angel F canne à pêche; *Türangel* gond *m*
Angelegenheit F affaire
angelehnt *Tür* entrouvert
Angelhaken M hameçon
angeln pêcher à la ligne **Angelrute** F canne à pêche **Angelschein** M permis de pêche **Angelschnur** F ligne
Angelsport M pêche *f* à la ligne
angemessen approprié; *Strafe* justifié; *Preis* raisonnable
angenehm agréable; **~e Reise!** bon voyage!
Angestellte(r) M/F(M) employé(e); **leitender ~r** cadre *m* (supérieur)
angetrunken éméché
angewiesen ~ sein auf (*akk*) dépendre de
angewöhnen sich etw ~ prendre l'habitude de faire qc; **sich das Trinken ~** se mettre à boire
Angewohnheit F habitude
Angina F angine
Angler(in) M(F) pêcheur *m*, pêcheuse *f*
angreifen attaquer (*a. fig*)
Angreifer(in) M(F) agresseur *m*; SPORT attaquant(e)
angrenzend contigu (**an** *akk* à); *Zimmer* voisin
Angriff M attaque *f*
angriffslustig agressif
Angst F peur (**vor** *dat* de, **um**

pour); ~ **haben** avoir peur
ängstigen faire peur (**j-n** à qn)
ängstlich peureux, craintif; *besorgt* anxieux
anhaben *Kleidung* porter
anhalten *j-n, etw* arrêter; *Atem* retenir; *stehen bleiben* s'arrêter; *andauern* durer **anhaltend** *Regen etc* persistant; ADV sans arrêt
Anhalter(in) M(F) auto-stoppeur *m*, auto-stoppeuse *f*; **per ~ fahren** faire de l'auto-stop *od umg* du stop
Anhaltspunkt M point de repère
anhand (*gen*) à l'aide de
anhängen accrocher
Anhänger M *e-r Partei*: partisan; SPORT supporter [sypɔrtɛr]; *am Wagen*: remorque *f*; *Schmuck*: pendentif; *am Koffer*: étiquette *f* **Anhängerin** F *e-r Partei*: partisane; SPORT supporter [sypɔrtɛr] *m*
anhänglich affectueux
anhäufen amasser, accumuler
Anhieb auf ~ du premier coup
Anhöhe F °hauteur, colline
anhören écouter; **mit ~** entendre; **sich etw ~** écouter qc
Animateur(in) M(F) animateur *m*, animatrice *f*
Anis M anis **Anislikör** M anisette *f*
Ank. (*Ankunft*) arrivée *f*
Ankauf M achat
Anker M ancre *f*; **vor ~ gehen** jeter l'ancre
ankern mouiller
Anklage F accusation **anklagen** accuser (**wegen** de)
Anklang M **~ finden** être bien accueilli (**bei** par), avoir du succès (auprès de)
ankleben coller (**an** *akk* à, sur)
anklicken IT cliquer sur **anklopfen** frapper (à la porte)
anknipsen *umg Licht* allumer
ankommen arriver (**pünktlich** à l'heure); *Anklang finden* avoir du succès (**bei** auprès de); **es kommt auf das Wetter an** cela dépend(ra) du temps
ankreuzen marquer d'une croix **ankündigen** annoncer
Ankunft F arrivée
Ankunftstag M jour d'arrivée **Ankunftszeit** F heure d'arrivée
Anlage F TECH installation; *Bau* construction; *Grünanlage* jardin *m* (public); *zu e-m Brief* pièce jointe; *Geld* placement *m*; *Veranlagung* disposition (**zu** à)
Anlass M (*Gelegenheit*) occasion *f*; (*Grund*) raison *f*, motif; **~ geben zu** donner lieu à
anlassen *Motor* faire démarrer; *Licht* laisser allumé; *Mantel* garder **Anlasser** M démarreur
anlässlich à l'occasion de
Anlauf M élan **anlaufen** *Hafen* faire escale à
anlegen mettre (**an** contre); *Garten, Straße* aménager;

Sammlung constituer; *Geld* placer; *Verband* appliquer; *Schiff* accoster (**am Kai** le quai)
Anlegeplatz M, **Anlegestelle** F embarcadère *m*, débarcadère *m*
anlehnen (sich) ~ (s')appuyer (**an** *akk* contre, à); *Tür* laisser entrouvert
Anleihe F emprunt *m*
Anleitung F instructions *fpl*
anlernen former
anliegend ci-joint
Anlieger M riverain
anlocken attirer **anlügen** mentir à
anmachen (*befestigen*) attacher (**an** à); *Licht, Heizung etc* allumer; *Salat* assaisonner; *umg* (*flirten mit*) draguer
anmalen peindre
anmaßend prétentieux
Anmeldeformular N formulaire *m* de demande d'inscription **Anmeldefrist** F délai *m* d'inscription
anmelden *Besuch* annoncer; *beim Zoll*: déclarer; **sich ~** *zur Teilnahme*: s'inscrire; *beim Arzt*: prendre rendez-vous
Anmeldeschluss M (date *f* de) clôture *f* des inscriptions
Anmeldung F *zur Teilnahme*: inscription; *behördliche*: déclaration; **nur nach vorheriger ~** sur rendez-vous
anmerken sich nichts ~ lassen ne rien laisser paraître
Anmerkung F remarque
anmutig gracieux
annageln clouer (**an** *akk* à)
annähen (re)coudre (**an** *akk* à)
annähernd ADV approximativement
Annahme F acceptation; *Vermutung* supposition **Annahmestelle** F réception
annehmbar acceptable, passable **annehmen** accepter; *vermuten* supposer
Annonce F annonce
annullieren annuler
anonym anonyme
Anorak M anorak
anordnen ordonner **Anordnung** F ordre *m*
anpacken *Problem* s'attaquer à
anpassen (sich) j-m/e-r Sache ~ (s')adapter à qn/qc
anpassungsfähig souple
anpflanzen planter
anpreisen vanter
Anprobe F essayage *m* **anprobieren** essayer
anrechnen (*abziehen*) compter (**auf** *akk* dans), déduire (de); (*berechnen*) compter (**j-m** à qn)
Anrecht N droit *m* (**auf** *akk* à)
anreden adresser la parole à; **mit Du ~** tutoyer
anregen exciter; *Appetit*, MED stimuler; (*vorschlagen*) suggérer **anregend** stimulant; *Buch* intéressant
Anreise F voyage *m*; (*Hinreise*)

aller *m*; (*Ankunft*) arrivée **Anreisetag** M jour d'arrivée
Anreiz M stimulant
anrichten *Speisen* préparer, servir; *Unheil* causer
Anruf M appel, coup de téléphone **Anrufbeantworter** M répondeur **anrufen** appeler (**j-n** qn); téléphoner (à qn)
anrühren toucher; GASTR, *Farbe* délayer
Ansage F annonce **ansagen** annoncer **Ansager(in)** M(F) présentateur *m*, présentatrice *f*
ansammeln amasser, accumuler
anschaffen faire l'acquisition de, acheter **Anschaffung** F acquisition, achat *m*
anschalten allumer
anschauen regarder **anschaulich** clair, concret
Anschein M apparence *f* **anscheinend** ADV apparemment
anschieben *Auto* pousser
Anschlag M POL attentat; *Plakat* affiche *f*
anschließen ELEK brancher (**an** *dat od akk* sur); *Schlauch* raccorder (à); **sich ~** *Person* se joindre (**j-m** à qn)
anschließend ensuite, après
Anschluss M *Verkehrsanschluss* correspondance *f* (**nach** pour); ELEK branchement; TECH, TEL raccordement; TEL *Verbindung* communication *f*; **~ finden** se faire des relations; **im ~ an** (*akk*) juste après
Anschlussflug M, **Anschlusszug** M correspondance *f*
anschnallen sich ~ attacher sa ceinture **anschneiden** entamer (*a. fig*)
Anschovis F anchois *m*
anschrauben visser
anschreien crier (**j-n** après qn)
Anschrift F adresse
anschweißen souder
anschwellen MED enfler
ansehen regarder; **sich etw ~** voir qc; **j-n ~ als** considérer qn comme
ansehnlich considérable
anseilen sich ~ s'encorder
ansetzen ajuster (**an** *akk* à); rapporter (à); *Termin* fixer; **Fett ~** engraisser
Ansicht F *Bild* vue; *Meinung* avis *m*; **meiner ~ nach** à mon avis
Ansichtskarte F carte postale (illustrée) **Ansichtssache** F affaire d'opinion
Anspannung F tension
Anspielung F allusion (**auf** *akk* à)
anspitzen *Bleistift* tailler
Ansporn M stimulant **anspornen** stimuler
Ansprache F allocution
ansprechen *j-n, Problem etc* aborder; *gefallen* plaire (**j-n** à qn); *Bremsen* répondre

ansprechend agréable, plaisant
Ansprechpartner(in) M(F) interlocuteur *m*, interlocutrice *f*
anspringen *Motor* démarrer
Anspruch M *Forderung* exigence *f*; *Recht* droit (**auf** *akk* à); **in ~ nehmen** *Versicherung etc* avoir recours à; *Zeit* prendre; *j-n* accaparer
anspruchslos peu exigeant **anspruchsvoll** exigeant
Anstalt F *allg* établissement *m*; (*Klinik*) hôpital *m* psychiatrique
Anstand M convenances *fpl*, bonnes manières *fpl*
anständig honnête, convenable
anstandslos sans problème
anstarren fixer
anstatt ~ zu au lieu de
anstecken (*befestigen*) attacher; *Ring* mettre; *Zigarette* allumer; MED contaminer **ansteckend** contagieux **Ansteckung** F contagion
anstehen faire la queue
ansteigen monter
anstelle (*gen*) à la place de
anstellen *Arbeitskräfte* engager, embaucher; *Gerät* mettre en marche; *Radio*, TV allumer; *Gas, Wasser* ouvrir; **sich ~** prendre la file, faire la queue
Anstellung F emploi *m*
Anstieg M montée *f*
anstiften inciter (**zu** à)
Anstoß M impulsion *f*; SPORT coup d'envoi; **~ erregen** choquer (**bei j-m** qn); **~ nehmen an** (*dat*) être choqué par
anstoßen °heurter (**an etw** *akk* qc); *mit Gläsern* trinquer (**auf** *akk* à)
anstößig choquant
anstrahlen *Gebäude* illuminer
anstreben aspirer à
anstreichen peindre
anstrengen fatiguer; **sich ~** se donner du mal **anstrengend** fatigant **Anstrengung** F effort *m*; *Strapaze* fatigue
Anstrich M (couche *f* de) peinture *f*
Ansturm M ruée *f* (**auf** *akk* vers)
Anteil M part *f*; **~ nehmen an** (*dat*) prendre part à **Anteilnahme** F intérêt *m*; *Beileid* sympathie
Antenne F antenne
Antibabypille F pilule contraceptive **Antibiotikum** N antibiotique *m* **Antiblockiersystem** N AUTO système antiblocage des roues
antik antique **Antike** F antiquité
Antikörper M anticorps
Antillen PL **die ~** les Antilles *fpl*
Antilope F antilope
Antiquariat N librairie *f* d'occasion **antiquarisch** d'occasion
Antiquitäten FPL objets *mpl*

anciens **Antiquitätenhändler(in)** M(F) antiquaire
antisemitisch antisémite
antörnen *umg* **j-n ~** *Droge* faire flipper qn; *Musik, Person* exciter qn
Antrag M demande *f*; *Formular* formulaire; **e-n ~ stellen** faire une demande
antreffen trouver
antreiben pousser, inciter (**zu** à); TECH entraîner; *Motor* propulser
antreten *Arbeit, Studium* commencer; **e-e Reise ~** partir en voyage
Antrieb M TECH entraînement; FLUG, SCHIFF propulsion *f*; **aus eigenem ~** de sa propre initiative
Antriebsrad N roue *f* motrice
Antwerpen Anvers
Antwort F réponse (**auf** *akk* à) **antworten** répondre (**j-m** à qn)
anvertrauen confier
anwachsen *Pflanze* prendre racine; *fig* s'accroître
Anwalt M, **Anwältin** F avocat(e) *m(f)*
anwärmen (faire) chauffer légèrement
anweisen *anleiten* instruire; *anordnen* donner des instructions (**j-n** à qn); *zuweisen* attribuer; *Geld* virer **Anweisung** F instruction; *Überweisung* virement *m*
anwenden employer, utiliser; *Regel etc* appliquer (**auf** *akk* à) **Anwendung** F emploi *m*, utilisation; MED, IT application
anwerben engager, recruter
anwesend présent; **die Anwesenden** les personnes présentes
Anwesenheit F présence
anwidern **j-n ~** dégoûter qn
Anzahl F nombre *m* **anzahlen** verser un acompte **Anzahlung** F acompte *m*, arrhes *fpl*
Anzeichen N indice *m*, signe *m*
Anzeige F annonce; *Familienanzeige* faire-part *m*; JUR plainte; *anonyme* dénonciation; IT affichage *m*; **~ erstatten** porter plainte (**gegen** contre)
anzeigen indiquer; *Geburt etc* faire part de; *bei der Polizei*: signaler; (*denunzieren*) dénoncer
anziehen *Kleidung* mettre; *Bremse, Schraube* serrer; (*anlocken*) attirer; **sich ~** s'habiller
anziehend attirant **Anziehungskraft** F force d'attraction
Anzug M costume
anzünden allumer
Apartment N studio *m*
Apartmenthaus N immeuble *m* de studios
apathisch apathique
Aperitif M apéritif
Apfel M pomme *f* **Apfelbaum** M pommier **Apfelkuchen** M tarte *f* aux pommes

Apfelmus N compote *f* de pommes **Apfelsaft** M jus de pomme
Apfelsine F orange
Apfelstrudel M strudel [ʃtrudœl] (aux pommes) **Apfeltasche** F chausson *m* aux pommes **Apfelwein** M cidre
Apostel M apôtre
Apostroph M apostrophe *f*
Apotheke F pharmacie **Apotheker(in)** M(F) pharmacien *m*, pharmacienne *f*
App F TEL application *f*, appli *f*
Apparat M appareil; *Radio* poste; TEL **am ~!** c'est moi!; TEL **wer ist am ~?** c'est qui à l'appareil?; **bitte bleiben Sie am ~!** ne quittez pas!
Appartement N → Apartment
appellieren faire appel (**an** *akk* à)
Appetit M appétit; **guten ~!** bon appétit **appetitlich** appétissant **Appetitlosigkeit** F manque *m* d'appétit
Applaus M applaudissements *mpl*
Après-Ski N sortie *f*, soirée *f* sympa au ski
Aprikose F abricot *m*
April M avril **Aprilscherz** M poisson d'avril
Aquarell N aquarelle [-kw-] *f*
Aquarium N aquarium [-kw-] *m*
Äquator M équateur [-kw-]
Araber(in) M(F) Arabe **Arabien** N l'Arabie *f* **arabisch** arabe
Arbeit F travail *m* **arbeiten** travailler **Arbeiter(in)** M(F) ouvrier *m*, ouvrière *f* **Arbeitgeber(in)** M(F) employeur *m*, employeuse *f* **Arbeitnehmer(in)** M(F) salarié(e) **arbeitsam** travailleur
Arbeitsamt N, **Arbeitsagentur** F agence *f* pour l'emploi **Arbeitsgruppe** F groupe de travail **Arbeitskräfte** PL main-d'œuvre *f* **Arbeitslohn** M salaire **arbeitslos** au chômage **Arbeitslose(r)** M/F(M) chômeur *m*, chômeuse *f* **Arbeitslosengeld** N allocation *f* (de) chômage **Arbeitslosigkeit** F chômage *m* **Arbeitsplatz** M *Stelle* emploi; *Ort* lieu de travail **arbeitsunfähig** invalide
Arbeitsunfall M accident du travail **Arbeitszeit** F heures *fpl* de travail **Arbeitszimmer** N bureau *m*
Archäologie F archéologie [-k-]
Architekt(in) M(F) architecte
Architektur F architecture
Archiv N archives *fpl*
ARD F (*Arbeitsgemeinschaft der Rundfunkanstalten Deutschlands*) première chaîne de la télévision publique allemande
Arena F arène
Argentinien N l'Argentine *f*
Ärger M *Unmut* colère *f*; *Unan-*

nehmlichkeiten ennuis *mpl* **ärgerlich** *verärgert* en colère; *unangenehm* ennuyeux
ärgern énerver; *necken* embêter; **sich ~** s'énerver (**über etw** *akk* à cause de qc, **über j-n** contre qn)
Argument N argument
Arie F air *m* (d'opéra)
Aristokratie F aristocratie [aristɔkrasi] **aristokratisch** aristocratique
arm pauvre
Arm M bras
Armaturenbrett N tableau *m* de bord
Armband N bracelet *m* **Armbanduhr** F montre-bracelet
Armee F armée
Ärmel M manche *f* **Ärmelkanal der ~** la Manche
ärmellos sans manches
ärmlich pauvre, misérable
armselig misérable; *pej* minable
Armut F pauvreté
Aroma N arôme *m*
arrogant arrogant
Arsch M *sl* cul [ky]
Art F *Sorte* genre *m*, espèce (*a.* BIOL); *Weise* manière, façon; **e-e ~ ...** un genre *od* une espèce de; **aller ~** de toutes sortes; **auf diese ~** de cette manière *od* façon
Arterie F artère **Arterienverkalkung** F artériosclérose
Arthrose F arthrose
artig sage
Artikel M article
Artillerie F artillerie
Artischocke F artichaut *m*
Artist(in) M(F) artiste de cirque *od* de music-hall
Arznei F, **Arzneimittel** N médicament *m*
Arzt M médecin **Arzthelferin** F secrétaire médicale
Ärztin F (femme *f*) médecin *m*
ärztlich médical
Asbest M amiante
Asche F cendre **Aschenbecher** M cendrier **Aschermittwoch** M mercredi des Cendres
Asiat M Asiatique **asiatisch** asiatique
Asien N l'Asie *f*
Aspekt M aspect
Asphalt M asphalte
Aspirin® N aspirine® *f*
Ass N as [as] *m* (*a. fig*)
Assistent(in) M(F) assistant(e)
Ast M branche *f*
ästhetisch esthétique
Asthma N asthme [asm] *m*
Astrologie F astrologie **Astronaut** N astronaute **Astronomie** F astronomie
Asyl N asile *m* **Asylbewerber(in)** M(F) demandeur *m*, demandeuse *f* d'asile
Atelier N atelier *m*
Atem M respiration *f*; **schlechter ~** mauvaise haleine *f*; **außer ~ kommen** s'essouffler; **~ holen** respirer

Atembeschwerden FPL troubles *mpl* respiratoires **atemlos** °hors d'haleine, essoufflé **Atemnot** F difficulté à respirer
Atheist(in) M(F) athée
Äther M éther [etɛr]
Äthiopien N l'Éthiopie *f*
Athlet(in) M(F) athlète
atlantisch atlantique; **der Atlantische Ozean** l'océan *m* Atlantique
Atlas M atlas [atlas]
atmen respirer
Atmosphäre F atmosphère
Atmung F respiration
Atom N atome *m* **atomar** atomique **Atombombe** F bombe atomique **Atomenergie** F énergie atomique **Atomkraftwerk** N centrale *f* nucléaire **Atommüll** M déchets *mpl* radioactifs **Atomwaffen** FPL armes atomiques
Attachment N IT fichier *m* joint
Attentat N attentat *m* **Attentäter(in)** M(F) auteur d'un attentat
Attest N certificat *m* médical
Attraktion F attraction **attraktiv** séduisant
au! aïe!
Aubergine F aubergine
auch aussi; **~ nicht** non plus; **ich ~** moi aussi; **ich ~ nicht** moi non plus; **wenn ~** même si; **wer/wo ~ immer** qui/où que ce soit
Audioguide M audioguide
auf sur; à, en; **~ dem Land** à la campagne; **~ der Post®** à la poste; **~ der Reise** pendant le voyage; **~ der Straße** dans la rue; **~ Korsika** en Corse; **~ Deutsch** en allemand; **~ einmal** tout d'un coup; **~ sein** *Geschäft* être ouvert; *Person* être debout
aufatmen respirer
Aufbau M construction *f*; *e-s Gerüsts*: montage; (*Gliederung*) structure *f* **aufbauen** construire; (*aufstellen*) monter
aufbekommen arriver à ouvrir
aufbewahren garder, conserver **Aufbewahrung** F conservation; *für Gepäck* consigne
aufblasen gonfler **aufbleiben** *Kinder* rester debout; *Fenster* rester ouvert **aufblenden** AUTO mettre les phares
aufblühen s'épanouir **aufbrauchen** épuiser (*a. fig*)
aufbrechen *Tür* forcer, fracturer; (*sich öffnen*) s'ouvrir; (*fortgehen*) se mettre en route
Aufbruch M départ
aufbrühen *Tee* faire **aufbügeln** repasser
aufbürden j-m etw ~ mettre qc sur les bras de qn
aufdecken découvrir (*a. fig*)
aufdrängen sich ~ s'imposer (**j-m** à qn)
aufdrehen ouvrir; *Radio* mettre plus fort **aufdringlich**

envahissant; *anhänglich* collant **Aufdruck** M texte imprimé **aufeinander** l'un sur (*od* après) l'autre **aufeinanderfolgen** se succéder **aufeinanderfolgend** consécutif **aufeinanderprallen**, **aufeinanderstoßen** se °heurter
Aufenthalt M séjour; *während der Fahrt* arrêt
Aufenthaltserlaubnis F, **Aufenthaltsgenehmigung** F permis *m* de séjour **Aufenthaltsort** M lieu de séjour **Aufenthaltsraum** M lieu de réunion *od* de distraction
Auferstehung F résurrection
aufessen manger tout
auffahren °heurter, télescoper (**auf etw** *akk* qc); *aufschrecken* sursauter
Auffahrt F rampe (d'accès); *zur Autobahn* bretelle d'accès **Auffahrunfall** M télescopage
auffallen frapper (**j-m** qn); *Person* se faire remarquer; **nicht ~** passer inaperçu
auffallend, **auffällig** frappant; *Kleider* voyant
auffangen rattraper; *Wasser* recueillir; *Notruf etc* capter
auffassen saisir, comprendre **Auffassung** F opinion **Auffassungsgabe** F compréhension
auffinden retrouver
auffordern inviter (**zu** à) **Aufforderung** F invitation
auffrischen rafraîchir; *Wind* fraîchir
aufführen *Theater* représenter; **sich ~** se conduire **Aufführung** F représentation
auffüllen remplir
Aufgabe F tâche; *Pflicht u. Hausaufgabe* devoir *m*; MATH problème *m*; *Verzicht* abandon *m*
Aufgang M *der Sonne etc*: lever; *Hausaufgang* escalier
aufgeben *Postsendung* expédier; *Gepäck* faire enregistrer; *Annonce, Bestellung* passer; *Hausaufgabe* donner; *verzichten* abandonner; **das Rauchen ~** arrêter de fumer
aufgebracht en colère
aufgehen *Sonne, Mond* se lever; (*sich öffnen*) s'ouvrir; *Naht* se découdre; *Geklebtes* se décoller
aufgelegt gut/schlecht ~ de bonne/mauvaise humeur; **zu etw ~ sein** être d'humeur à faire qc
aufgeregt énervé **aufgeschlossen** ouvert **aufgeweckt** éveillé
aufgießen *Tee, Kaffee* faire
aufgrund (*gen*) *od* **~ von** en raison de
Aufguss M infusion *f*
aufhaben *Hut* avoir (sur la tête); *Geschäft* être ouvert
aufhalten *hemmen* enrayer; *j-n* retarder; *Tür* tenir ouvert;

sich ~ séjourner
aufhängen suspendre, accrocher; *Wäsche* étendre **Aufhänger** M attache *f*
aufheben *v. Boden*: ramasser; *Person* relever; (*aufbewahren*) garder; (*abschaffen*) abolir; *Verbot* lever, annuler
aufheitern j-n ~ égayer, dérider qn; **sich ~** s'éclaircir
Aufheiterung F éclaircie
aufhören arrêter (**zu** de); *Sturm, Weg* s'arrêter; **mit etw ~** arrêter (de faire) qc
aufklären élucider; **j-n ~** renseigner qn (**über** *akk* sur); *sexuell* faire l'éducation sexuelle de qn **Aufklärung** F éclaircissements *mpl*
Aufkleber M autocollant
aufknöpfen déboutonner
aufkommen subvenir (**für** à); *Verdacht* naître; *Wind* se lever
aufladen charger; *Batterie* recharger
Auflage F *Buchauflage* édition; *Bedingung* condition
auflassen laisser ouvert; *Hut* garder
Auflauf M GASTR soufflé; *Menschenauflauf* attroupement
aufleben renaître **auflegen** mettre, poser (**auf** *akk* sur); TEL raccrocher
auflehnen sich ~ s'insurger (**gegen** contre); *gegen die Eltern* se rebeller (contre)
auflösen *in Flüssigkeit* dissoudre (*a. fig Verein etc*); *Geschäft* liquider; *Rätsel* résoudre; **sich ~** se dissoudre; *Nebel* se dissiper
Auflösung F dissolution
aufmachen ouvrir; *Knoten* défaire **Aufmachung** F présentation
aufmerksam attentif; *zuvorkommend* attentionné; **j-n auf etw ~ machen** attirer l'attention de qn sur qc
Aufmerksamkeit F attention
aufmuntern encourager
Aufnahme F *Empfang* accueil; FOTO photo, prise de vue; *Tonaufnahme* enregistrement *m*; **e-e ~ machen** prendre une photo
Aufnahmeprüfung F examen *m* d'entrée
aufnehmen *Gast* accueillir; *zulassen* admettre (**in** *akk* à, dans); *Arbeit* commencer; FOTO prendre en photo; *auf Band* enregistrer; **Kontakt ~** prendre contact
aufpassen faire attention (**auf** *akk* à); *auf Kinder* garder
Aufprall M choc **aufprallen** °heurter (**auf etw** qc)
Aufpreis M supplément
aufpumpen gonfler
aufräumen ranger
aufrecht droit (*a. fig*) **aufrechterhalten** maintenir
aufregen énerver; **sich ~** s'énerver (**über etw** *akk* à cause de qc, **über j-n** contre qn)

aufregend excitant **Aufregung** F énervement *m*, émotion
aufreiben *Haut* écorcher
aufreibend exténuant
aufreißen ouvrir brusquement; *zerreißen* déchirer
aufreizen exciter
aufreizend provocant
aufrichtig franc, sincère **Aufrichtigkeit** F sincérité
aufrücken avancer
Aufruf M appel (**an** *akk* à) **aufrufen** appeler
Aufruhr M émeute *f*, révolte *f*
aufrunden arrondir **Aufrüstung** F (ré)armement *m*
aufsässig rebelle **Aufsatz** M *Schule* rédaction *f*; *in e-r Zeitschrift* article **aufschieben** remettre
Aufschlag M *Aufprall* choc; *an Kleidung* revers; *Preisaufschlag* augmentation *f*; *Tennis* service
aufschlagen *Buch* ouvrir; *Zelt* monter; *aufprallen* °heurter (**auf etw** *akk* qc)
aufschließen ouvrir
aufschlussreich instructif
aufschneiden couper; *Fleisch* découper; *prahlen* se vanter
Aufschnitt M charcuterie *f* (en tranches)
aufschreiben noter
Aufschrift F inscription
Aufschub M délai
aufschürfen érafler
Aufschwung M essor
Aufsehen N **~ erregen** faire du bruit
Aufseher(in) M(F) gardien(ne), surveillant(e)
aufsetzen *Hut, Brille* mettre; *Brief* rédiger; FLUG se poser
Aufsicht F surveillance; *Person* surveillant *m*
aufspringen se lever d'un bond; *Tür* s'ouvrir (brusquement); *Haut* (se) gercer; **auf e-n Zug ~** prendre un train en marche
Aufstand M soulèvement, insurrection *f* **Aufständische(r)** M/F(M) insurgé(e) *m(f)*
aufstapeln empiler
aufstecken *Haar* relever; *umg aufgeben* abandonner
aufstehen se lever; *Tür* être ouvert
aufsteigen monter (**auf** *akk* sur); *beruflich* monter en grade
aufstellen *hinstellen* mettre, poser; *aufrichten* dresser; *aufbauen* monter; *Programm, Rekord* établir; *Mannschaft* former
Aufstellung F *Liste* relevé *m*
Aufstieg M montée *f*, ascension *f*; *im Beruf* avancement
aufsuchen aller voir
Auftakt M début (**zu** de)
auftanken faire le plein **auftauchen** faire surface; *fig* apparaître, surgir **auftauen** dégeler; *Tiefgekühltes* décongeler
aufteilen partager (**in** *akk* en); répartir (**unter** *dat* entre)
Auftrag M mission; HANDEL commande *f*; **im ~ von** au

nom de, pour; **j-m den ~ geben zu** charger qn de
auftragen *Farbe, Salbe* mettre, appliquer (**auf** *akk* sur); *Speisen* servir
auftreiben *umg Geld etc* trouver **auftrennen** découdre
auftreten *Theater* entrer en scène; *Schwierigkeiten* apparaître; **entschlossen ~** se montrer ferme
Auftritt M scène *f* (*a. fig*); *Schauspieler* entrée *f* en scène
aufwachen se réveiller
aufwachsen grandir
Aufwand M dépense *f* (**an** *dat* de); *an Geld* dépenses *fpl*, moyens *mpl*; *Luxus* luxe
aufwärmen réchauffer
aufwärts vers le °haut
aufwecken réveiller **aufweichen** ramollir; *Weg* détremper
aufweisen présenter
aufwenden *Geld, Zeit* dépenser, investir **aufwendig** coûteux **Aufwendungen** FPL dépenses
aufwerten réévaluer; *fig* valoriser **Aufwertung** F réévaluation
aufwickeln enrouler **aufwirbeln** soulever (des tourbillons de) **aufwischen** essuyer
aufzählen énumérer
aufzeichnen dessiner; *schriftlich* noter; *auf Band* enregistrer **Aufzeichnung** F note; *auf Band* enregistrement *m*; TV émission en différé
aufziehen *Vorhang* ouvrir; *Uhr* remonter; *Kind* élever; *umg necken* charrier **Aufzug** M ascenseur; *Theater* acte; *Kleidung pej* accoutrement
aufzwingen j-m etw ~ imposer qc à qn
Augapfel M globe oculaire
Auge N œil *m* ⟨*pl* yeux⟩; **ins ~ fassen** envisager; **ins ~ fallen** sauter aux yeux; *fig* **ein ~ zudrücken** fermer les yeux (sur qc)
Augenarzt M oculiste
Augenblick M instant, moment **augenblicklich** *gegenwärtig* actuel; *sofortig* instantané; *vorübergehend* momentané; ADV *sofort* immédiatement
Augenbraue F sourcil [sursi] *m* **Augenfarbe** F couleur des yeux **Augenlid** N paupière *f* **Augenringe** MPL cernes
Augentropfen MPL collyre *m* **Augenzeuge** M témoin oculaire
August M août [u(t)]
Auktion F vente aux enchères
Aula F salle des fêtes
Au-pair-Mädchen N jeune fille *f* au pair
aus (*dat*) de; **~ München** de Munich; **~ Liebe** par amour; **~ Gold** en or; **von hier ~** d'ici; **~ sein** *Veranstaltung* être fini; *Licht, Heizung* être éteint
ausarbeiten élaborer **ausarten** dégénérer (**in** *akk* en)
ausatmen expirer **ausbau-**

en *vergrößern* agrandir; *umbauen* aménager; *Motor* démonter **ausbessern** réparer; *Wäsche* raccommoder **ausbeulen** débosseler; *Kotflügel* redresser
Ausbeute F profit *m* **ausbeuten** exploiter **Ausbeutung** F exploitation
ausbilden former **Ausbildung** F formation
Ausblick M vue *f*
ausbrechen *Feuer, Krankheit* se déclarer; *Krieg* éclater; *entfliehen* s'évader; **in Tränen ~** fondre en larmes
ausbreiten *entfalten* étaler; *ausstrecken* étendre; **sich ~** s'étendre; *Gerücht, Mode* se répandre, se propager
Ausbruch M *Flucht* évasion *f*; *Vulkanausbruch* éruption *f*; *Kriegsausbruch* début; **zum ~ kommen** éclater; *Krankheit* se déclarer
Ausdauer F persévérance; SPORT endurance **ausdauernd** persévérant; SPORT endurant
ausdehnen (sich) ~ (s')étendre; *zeitlich*: (se) prolonger; PHYS (se) dilater **Ausdehnung** F extension; prolongation; PHYS dilatation; (*Größe*) étendue
ausdenken sich etw ~ imaginer qc
Ausdruck[1] M expression *f*; **zum ~ bringen** exprimer
Ausdruck[2] M IT listage **ausdrucken** imprimer, lister
ausdrücken exprimer; *Zitrone Schwamm* presser; *Zigarette* écraser; **sich ~** s'exprimer
ausdrücklich exprès; ADV expressément
ausdruckslos inexpressif
ausdrucksvoll expressif
Ausdrucksweise F façon de s'exprimer
auseinander séparés l'un de l'autre; **2 Jahre ~ sein** *Brüder* avoir 2 ans de différence
auseinandergehen *Personen* se séparer; *Menschenmenge* se disperser; *Geleimtes* se décoller; *Meinungen* diverger **auseinanderhalten** distinguer
auseinandernehmen démonter
Auseinandersetzung F explication, querelle
Ausfahrt F sortie
ausfallen *Haare etc* tomber; *Veranstaltung* être annulé; TECH tomber en panne; **gut/schlecht ~** être bon/mauvais
Ausfallstraße F route de sortie
ausfegen balayer
ausfindig ~ machen (finir par) trouver
Ausflug M excursion *f*
ausfragen j-n ~ interroger qn
Ausfuhr F exportation
ausführen *j-n* emmener (**zum Tanz** danser); *Hund* sortir; *durchführen* effectuer, exécu-

ter; *Plan* réaliser; HANDEL exporter
ausführlich détaillé; ADV en détail **Ausführung** F exécution, réalisation; *Modell* version
ausfüllen remplir
Ausgabe F *Geldausgabe* dépense; *Buchausgabe* édition; *Verteilung* distribution
Ausgang M sortie *f*; *a. fig* issue *f*; *fig* dénouement **Ausgangspunkt** M point de départ
ausgeben *Geld* dépenser; *verteilen* distribuer; *Fahrkarten* délivrer; **sich ~ für, als** (*akk*) se faire passer pour
ausgebucht complet
ausgedehnt *Spaziergang* long; *Land* vaste **ausgefallen** original; *Idee* saugrenu **ausgeglichen** équilibré
ausgehen sortir; *Licht, Feuer* s'éteindre; *Haare* tomber; *enden* se terminer; **mir sind die Zigaretten ausgegangen** je n'ai plus de cigarettes; **davon ~, dass** partir du principe que
ausgehungert affamé **ausgenommen** excepté **ausgerechnet** justement **ausgeschlossen** exclu **ausgeschnitten** *Kleid* décolleté
ausgesprochen prononcé; ADV vraiment **ausgewogen** équilibré **ausgezeichnet** excellent
ausgiebig abondant; *Mahlzeit* copieux
ausgießen vider
Ausgleich M compensation *f*; SPORT égalisation *f*; **zum ~** en compensation
ausgleichen compenser; SPORT égaliser
ausgleiten glisser
ausgraben déterrer **Ausgrabungen** FPL fouilles
Ausguss M évier
aushalten supporter **aushändigen** remettre
Aushang M affiche *f*
aushelfen dépanner (**j-m** qn)
Aushilfe F *Person* auxiliaire *m/f*
Aushilfspersonal N personnel *m* intérimaire
aushöhlen creuser
auskehren balayer
auskennen sich ~ s'y connaître (**in** *dat* en)
ausknipsen *umg Licht* fermer
auskochen faire bouillir
auskommen s'en sortir, y arriver (**mit etw** avec qc); s'entendre (**mit j-m** avec qn); **ohne j-n/etw nicht ~** ne pouvoir se passer de qn/qc
Auskommen N **sein ~ haben** avoir de quoi vivre
Auskunft F renseignement *m*; TEL, *Zugauskunft* renseignements *mpl*; **~ geben** renseigner (**j-m über etw** *akk* qn sur qc)
Auskunftsschalter M *Bahn* guichet informations
auskuppeln AUTO débrayer

auskurieren guérir complètement *od* tout à fait **auslachen** rire de **ausladen** décharger; *umg Gäste* décommander
Auslagen FPL dépenses
Ausland N étranger *m*; **im** *od* **ins ~** à l'étranger
Ausländer M étranger **Ausländerfeindlichkeit** F xénophobie **Ausländerin** F étrangère
ausländisch étranger
Auslandsaufenthalt M séjour à l'étranger **Auslandsbrief** M lettre *f* pour l'étranger **Auslandsgespräch** N TEL communication *f* internationale **Auslandspostanweisung** F mandat *m* international **Auslandsreise** F voyage *m* à l'étranger **Auslandsschutzbrief** M contrat d'assistance automobile à l'étranger
auslassen oublier; *Wort etc* sauter; *Wut* passer (**an j-m** sur qn) **auslaufen** s'écouler; *Schiff* appareiller **ausleeren** vider **auslegen** *Geld* avancer; *deuten* interpréter
ausleihen prêter (**j-m** à qn); **sich etw ~** emprunter qc (**von j-m** à qn)
Auslese F sélection; *Wein* vin *m* de grand cru
ausliefern livrer; POL extrader **Auslieferung** F livraison; POL extradition
ausloggen IT (**sich**) ~ se déconnecter
auslöschen éteindre **auslosen** tirer au sort **auslösen** déclencher **Auslöser** M FOTO déclencheur **auslüften** aérer
ausmachen *Licht, Radio etc* fermer, éteindre; *Termin* fixer; **macht es Ihnen etwas aus, wenn ...?** ça vous dérange si...?
Ausmaß N ampleur *f*; *Größe* dimensions *fpl*
ausmessen mesurer
Ausnahme F exception; **mit ~ von** à l'exception de
Ausnahmezustand M état d'urgence
ausnahmslos sans exception
ausnahmsweise exceptionnellement
ausnehmen *Fisch* vider; *fig umg j-n* plumer **ausnutzen** profiter de **auspacken** *Koffer* défaire **ausplündern** *Person* dévaliser **auspressen** presser
ausprobieren essayer
Auspuff M échappement **Auspuffgase** NPL gaz *mpl* d'échappement **Auspuffrohr** N tuyau *m* d'échappement **Auspufftopf** M pot d'échappement
auspumpen pomper; **den Magen ~** faire un lavage d'estomac
ausradieren gommer **ausrangieren** mettre au rancart **ausrasieren** raser **ausrau-**

ben dévaliser **ausräumen** vider **ausrechnen** calculer
Ausrede F excuse
ausreden j-m etw ~ dissuader qn de qc
ausreichen suffire
ausreichend suffisant
Ausreise F sortie
ausreisen (aus e-m Land) ~ quitter un pays
ausreißen arracher; *umg weglaufen* se sauver **ausrenken** démettre **ausrichten** *Gruß* transmettre; *erreichen* obtenir **ausrotten** exterminer
Ausruf M exclamation *f*, cri **ausrufen** s'écrier; *Stationen* annoncer; *verkünden* proclamer **Ausrufezeichen** N point *m* d'exclamation
ausruhen (sich) ~ se reposer
ausrüsten équiper (**mit** de) **Ausrüstung** F équipement *m*
ausrutschen glisser
Aussage F déclaration; JUR déposition **aussagen** déclarer; JUR déposer
aussaugen sucer **ausschalten** *Licht, Radio*, TV éteindre, fermer; *Maschine* arrêter; *Gegner* écarter
Ausschank M débit
ausscheiden éliminer; *aus e-r Firma*: quitter (qc); SPORT être éliminé; *Bewerber* ne pas être retenu; *Möglichkeit* être exclu **Ausscheidung** F élimination; MED sécrétion **Ausscheidungsspiel** N match *m* éliminatoire
ausscheren AUTO déboîter
ausschiffen (sich) ~ débarquer **ausschimpfen** gronder
ausschlafen dormir assez; **s-n Rausch ~** dormir tout son soûl
Ausschlag M MED éruption *f*; **den ~ geben** être décisif (**für** dans)
ausschlagen *Zahn* casser; *Auge* crever; *Angebot* refuser; *Pferd* ruer; BOT bourgeonner **ausschlaggebend** décisif
ausschließen exclure (**aus, von** de) **ausschließlich** exclusif; ADV exclusivement
Ausschluss M exclusion *f*
ausschmücken décorer; *fig* enjoliver **ausschneiden** découper (**aus** dans)
Ausschnitt M *Zeitungsausschnitt* coupure *f*; *Buchausschnitt* extrait; *Bildausschnitt* détail; *Kleiderausschnitt* décolleté
ausschreiben *Wort* écrire en toutes lettres; *Stelle* mettre au concours; *Rechnung* établir; *Scheck* remplir
Ausschuss M comité, commission *f*; *Ware* rebuts *mpl*
ausschütten *Wasser* verser; *Glas* vider; *Gewinn* distribuer
ausschweifend dissolu **Ausschweifung** F débauche
aussehen avoir l'air; **gut ~** *Person* être beau; *gesundheitlich* avoir bonne mine; *Sache*

faire bien; **wie j-d/etw ~** ressembler à qn/qc; **es sieht nach Regen aus** le temps est à la pluie
außen à l'extérieur; **nach/von ~** vers/de l'extérieur
Außenbordmotor M moteur 'hors-bord **Außenhandel** M commerce extérieur **Außenministerium** N ministère *m* des affaires étrangères **Außenseite** F extérieur *m* **Außenseiter(in)** M(F) marginal(e); SPORT outsider *m* **Außenspiegel** M rétroviseur extérieur **Außenstürmer** M SPORT ailier
außer (*dat*) *außerhalb* °hors de; *ausgenommen* sauf, excepté; *neben* outre, en plus de; **~ wenn** sauf si; à moins que … ne (*+subj*); **~ dass** sauf que; **~ Betrieb** °hors service
außerdem en outre, de plus
äußere(r, -s) extérieur
Äußere(s) N extérieur *m*
außergewöhnlich extraordinaire
außerhalb (*gen*) °hors de, en dehors de; **~ wohnen** habiter en dehors de la ville
äußerlich extérieur; *fig* superficiel; MED **zur ~en Anwendung** à usage externe
äußern dire, exprimer; **sich ~** se prononcer (**zu** *akk* sur); donner son avis (**über** *akk* sur); *sich zeigen* se manifester
außerordentlich extraordinaire
äußerst extrêmement
außerstande ~ sein être incapable (**etw zu tun** de faire qc)
äußerste(r, -s) extrême; *Preis, Termin* dernier
Äußerung F propos *mpl*
aussetzen *Kind* abandonner; *Belohnung* offrir; *e-r Gefahr, der Sonne* exposer (à); *Motor* s'arrêter; **etw auszusetzen haben an** (*dat*) trouver à redire à
Aussicht F vue; *fig* perspective, chance
aussichtslos sans espoir; *Vorhaben* voué à l'échec **Aussichtsturm** M belvédère
Aussiedler(in) M(F) rapatrié(e)
aussortieren trier
ausspannen *Pferd* dételer; *ausruhen* se reposer **ausspielen** *Karte* jouer
Aussprache F prononciation; *Gespräch* discussion
aussprechen *Wort* prononcer; *äußern* exprimer; **sich ~** s'expliquer (**mit j-m** avec qn); se prononcer (**für, gegen** pour, contre)
Ausspruch M parole *f*, sentence *f*
ausspucken cracher
ausspülen rincer
ausstatten équiper (**mit** de)
Ausstattung F équipement *m*
ausstehen nicht ~ können ne pas pouvoir supporter

aussteigen descendre (**aus** de)
Aussteiger(in) M(F) *umg* marginal(e)
ausstellen *Waren* exposer; *Pass, Urkunde* délivrer; *Rechnung* établir; *Scheck* faire **Ausstellung** F exposition; *e-s Passes* délivrance **Ausstellungsgelände** N parc *m* d'exposition
aussterben disparaître **Aussteuer** F trousseau *m* **Ausstieg** M sortie *f* **ausstoßen** expulser; *Schrei* pousser
ausstrahlen *Wärme* répandre; *Radio*, TV diffuser
ausstrecken *Hand* tendre; *Arme, Beine* étendre
ausstreichen rayer **ausströmen** *Wärme, Geruch* se dégager (**aus** de); *Gas, Dampf* s'échapper (de)
aussuchen choisir
Austausch M échange **austauschen** échanger
austeilen distribuer
Auster F huître **Austernpilz** M pleurote
austragen *Briefe* distribuer; *Wettkampf* disputer
Australien N l'Australie *f* **Australier(in)** M(F) Australien *m*, Australienne *f* **australisch** australien
austreten *aus e-r Partei etc* quitter (qc); *umg zur Toilette* aller au petit coin **austrinken** finir; vider **Austritt** M départ (**aus** de), démission (de) **ausüben** exercer; SPORT pratiquer
Ausverkauf M soldes *fpl*
ausverkauft *Ware* épuisé; *Theater* complet
Auswahl F choix *m*; SPORT sélection **auswählen** choisir (**aus** parmi)
Auswanderer M émigrant **Auswanderin** F émigrante
auswandern émigrer **Auswanderung** F émigration
auswärts à l'extérieur; **von ~** d'ailleurs; **~ essen** déjeuner *od* dîner en ville, aller au restaurant
auswaschen laver **auswechseln** remplacer (**gegen** par)
Ausweg M issue *f* **ausweglos** sans issue
ausweichen éviter (**j-m, e-r Sache** qn, qc); *e-r Frage* éluder (qc)
ausweichend *Antwort* évasif
Ausweis M carte *f*; *Personalausweis* carte *f* d'identité **ausweisen** expulser; **sich ~** montrer ses papiers **Ausweispapiere** NPL papiers *mpl* d'identité **Ausweisung** F expulsion
ausweiten élargir; *fig* agrandir
auswendig par cœur **auswerten** utiliser, exploiter
auswiegen peser (exactement)
auswirken sich ~ se répercuter (**auf** *akk* sur)

auswuchten AUTO équilibrer **auszahlen** payer, verser; **sich ~** être payant **Auszahlung** F paiement *m*, versement *m*
auszeichnen *ehren* distinguer; *mit Orden* décorer (de); *Ware* étiqueter; **sich ~** se distinguer (**durch** par) **Auszeichnung** F distinction; *Orden* décoration
ausziehen *Kleidung* enlever; *Tisch* mettre les rallonges à; *aus e-r Wohnung* déménager; **sich ~** se déshabiller **Ausziehtisch** M table *f* à rallonges
Auszubildende(r) M/F(M) apprenti(e) *m(f)*
Auszug M *aus e-m Buch* extrait; *aus e-r Wohnung* déménagement
authentisch authentique
Auto N voiture *f*; **~ fahren** *Fahrer* conduire; **mit dem ~ nach Paris fahren** aller en voiture à Paris
Autobahn F autoroute **Autobahnauffahrt** F bretelle d'accès **Autobahnausfahrt** F sortie d'autoroute **Autobahndreieck** N échangeur *m* **Autobahngebühr** F péage *m* **Autobahnkreuz** N échangeur *m* **Autobahnraststätte** F restoroute **Autobahnzubringer** M bretelle *f* (*od* voie *f*) d'accès à l'autoroute
Autobiografie F autobiographie **Autobombe** F voiture piégée
Autobus M autobus; *Reisebus* autocar; → Bus...
Autodach N toit *m* de la voiture **Autofähre** F car-ferry *m* **Autofahrer(in)** M(F) automobiliste **Autofahrt** F voyage *m* en voiture
Autogramm N autographe *m*
Autokarte F carte routière **Autokino** N drive-in *m* **Autokolonne** F file de voitures
Automat M distributeur (automatique)
Automatikgetriebe N boîte *f* (de vitesses) automatique **Automatikgurt** M ceinture *f* de sécurité à enrouleur
automatisch automatique
Automechaniker M mécanicien **Automobilklub** M club automobile
autonom autonome **Autonomie** F autonomie
Autonummer F numéro *m* d'immatriculation
Autor M auteur
Autoradio N autoradio *f od m*
Autoreifen M pneu de voiture **Autoreisezug** M train auto-couchettes **Autorennen** N course *f* automobile
Autoreparaturwerkstatt F garage *m*
Autorin F auteur *m*
autoritär autoritaire **Autorität** F autorité
Autoschlüssel M clé *f* de voi-

ture **Autoskooter** M auto *f* tamponneuse **Autotelefon** N (radio)téléphone *m* de voiture **Autounfall** M accident de voiture **Autoverkehr** M circulation *f* (automobile) **Autovermietung** F location de voitures **Autowaschanlage** F lavage *m* automatique de voitures **Autowerkstatt** F garage *m* **Autozubehör** N accessoires *mpl* d'automobile

Avocado F avocat *m*

Axt F °hache

Azalee F azalée

Azubi M/F(M) apprenti(e) *m(f)*

B

Baby N bébé *m* **Babyfon®** N écoute-bébé *m*, babyphone® *m* **Babynahrung** F aliments *mpl* pour bébés **Babypause** F *umg* congé *m* maternité **Babysitter(in)** M(F) baby-sitter *m/f* **Babytragetasche** F porte-bébé *m* **Babywäsche** F layette

Bach M ruisseau

Bachelor M UNIV ≈ licence *f*, bac+3 *m*

Backblech N plaque *f* à pâtisserie

Backbord N bâbord *m*

Backe F joue

backen *Kuchen, Brot* faire (cuire); *Fisch* (faire) frire

Backenknochen M pommette *f* **Backenzahn** M molaire *f*

Bäcker M boulanger **Bäckerei** F boulangerie **Bäckerin** F boulangère

Backform F moule *m* à gâteaux **Backobst** N fruits *mpl* secs **Backofen** M four **Backpflaume** F pruneau *m* **Backpulver** N levure *f* chimique

Backstein M brique *f*

Bad N bain *m*; *Badezimmer* salle *f* de bains; *Kurort* station *f* thermale; *Schwimmbad* piscine *f*

Badeanzug M maillot de bain **Badehose** F slip *m* de bain **Badekappe** F bonnet *m* de bain **Badelatschen** MPL *umg* sandales *fpl* de plage **Bademantel** M peignoir **Bademeister** M maître nageur

baden se baigner; *in der Wanne* prendre un bain; *j-n* baigner; **Baden verboten!** baignade interdite!

Baden-Württemberg N le Bade-Wurtemberg

Badeort M station *f* balnéaire **Badeschuhe** MPL, *umg* **Badeschlappen** MPL sandales *fpl* de plage, chaussures *fpl* de bain **Badesee** M lac (*où la baignade est autorisée*) **Badestrand** M plage *f* **Badetasche** F sac *m* de plage **Bade-**

tuch N serviette *f* de bain **Badewanne** F baignoire **Badezeug** N affaires *fpl* de bain **Badezimmer** N salle *f* de bains
Badminton N badminton *m* [badmintɔn]
Badreiniger M produit *m* de nettoyage pour salle de bains
Bagatelle F bagatelle
Bagger M pelle *f* mécanique
Bahn F *Eisenbahn* chemin *m* de fer; *Weg* voie; *Rennbahn, Startbahn* piste; **mit der ~ fahren** aller en train; **zur ~ bringen** emmener à la gare
Bahnbeamte(r) M employé des chemins de fer
bahnen sich e-n Weg ~ se frayer un chemin
Bahnfahrt F voyage *m* en train
Bahnhof M gare *f*; **auf dem ~** à la gare
Bahnhofshalle F °hall *m* (d'une gare) **Bahnhofsvorsteher** M chef de gare
Bahnlinie F ligne de chemin de fer **Bahnsteig** M quai
Bahnübergang M passage à niveau
Bahre F civière, brancard *m*
Baiser N meringue *f*
Bakterie F bactérie
Balance F équilibre *m*
bald bientôt; **~ darauf** peu après; **so ~ wie möglich** le plus tôt possible; **bis ~!** à bientôt!
baldig prochain
Baldrian M valériane *f*
Balken M poutre *f*
Balkon M balcon
Ball M balle *f*; *größerer* ballon; *Tanzfest* bal
Ballast M lest [lɛst] **Ballaststoffe** MPL fibres *fpl*
Ballett N ballet *m*
Ballon M ballon
Ballungsraum M agglomération *f*
Balsam M baume
Bambus M bambou
banal banal
Banane F banane
Band[1] M volume, tome
Band[2] N ruban *m*; *fig* lien *m*; **auf ~ aufnehmen** enregistrer
Band[3] F MUS groupe *m*
Bandage F bandage *m* **bandagieren** bander
Bande F bande; *Verbrecherbande* gang [gɑ̃g] *m*
Bänderriss M déchirure *f* des ligaments **Bänderzerrung** F foulure
Bandit M bandit
Bandmaß N mètre *m* à ruban
Bandnudeln FPL nouilles (plates) **Bandscheibe** F disque *m* intervertébral **Bandscheibenvorfall** M °hernie *f* discale **Bandwurm** M ver solitaire
Bank F banc *m*; *gepolstert* banquette; HANDEL banque **Bankangestellte(r)** M/F(M) employé(e) *m(f)* de banque **Bank-**

automat M distributeur (automatique) de billets
Bankier M banquier **Bankkonto** N compte *m* en banque **Bankleitzahl** F code *m* banque **Banknote** F billet *m* de banque
bankrott en faillite
bar (in) ~ *nicht auf Kredit* comptant; *nicht mit Scheck* en espèces, en liquide
Bar F bar *m*; *Nachtbar* boîte de nuit
Bär M ours [urs]
Baracke F baraque
Barbar M barbare **barbarisch** barbare
barfuß pieds nus
Bargeld N (argent *m*) liquide *m*, espèces *fpl* **bargeldlos** par chèque, par virement
Barhocker M tabouret de bar
Bariton M baryton
Barkeeper M barman [barman]
Bärlauch M BOT ail [aj] des ours
barmherzig charitable
barock baroque
Barometer N baromètre *m*
Barren M SPORT barres *fpl* parallèles; *Goldbarren* lingot
Barriere F barrière **barrierefrei** accessible aux °handicapés
Barrikade F barricade
barsch brusque
Barsch M perche *f*
Barscheck M chèque non barré *od* payable au porteur
Bart M barbe *f*
Barzahlung F paiement *m* comptant; *nicht mit Scheck* en espèces, en liquide
Basar M bazar, souk
Basel Bâle
basieren ~ **auf** (*dat*) reposer sur
Basilika F basilique
Basilikum N basilic *m*
Basis F base
Baskenmütze F béret *m* basque
Basketball M basket(-ball) [basket(bol)]
Bass M basse *f*
Bast M raphia
basteln bricoler **Bastler(in)** M(F) bricoleur *m*, bricoleuse *f*
Batik M *od* F batik *m*
Batterie F pile; AUTO batterie
Bau M construction *f*; *Gebäude* bâtiment; *Tierbau* terrier **Bauarbeiten** FPL travaux *mpl*
Bauarbeiter M ouvrier du bâtiment
Bauch M ventre **Bauchfell** N péritoine *m* **Bauchfellentzündung** F péritonite
bauchfrei ADJ MODE **~es T-Shirt** tee-shirt *m* court
Bauchschmerzen MPL ~ **haben** avoir mal au ventre
Bauchspeicheldrüse F pancréas [pãkreas] *m* **Bauchtanz** M danse *f* du ventre
Baudenkmal N monument *m*
bauen construire, bâtir

Bauer[1] M paysan, fermier; *Schach* pion
Bauer[2] N cage *f*
Bäuerin F paysanne, fermière
bäuerlich paysan
Bauernhaus N, **Bauernhof** M ferme *f* **Bauernmöbel** PL meubles *mpl* rustiques
baufällig délabré **Baufirma** F entreprise de bâtiment **Baugerüst** N échafaudage *m* **Baujahr** N année *f* de la construction **Baukasten** M jeu de construction **Baukunst** F architecture **Bauleiter(in)** M(F) chef *m* de chantier
Baum M arbre
Baumarkt N magasin *m* de bricolage **Baumaterial** N matériaux *mpl* de construction **Baumeister** M architecte
Baumschule F pépinière **Baumstamm** M tronc d'arbre **Baumstumpf** M souche *f*
Baumwolle F coton *m* **Baumwollhemd** N chemise *f* de *od* en coton
Bauplatz M terrain à bâtir
Bausparen N épargne-logement *m* **Baustelle** F chantier *m* **Baustil** M style architectural **Bauunternehmer** M entrepreneur (de bâtiment) **Bauwerk** N édifice *m*, ouvrage *m* d'art
Bayer(in) M(F) Bavarois(e) **bayerisch** bavarois **Bayern** N la Bavière
Bazillus M bacille [basil]
beabsichtigen avoir l'intention (**etw zu tun** de faire qc)
beachten faire attention à; *Vorschrift* observer; *Vorfahrt* respecter **beachtlich** considérable
Beachvolleyball M volleyball de plage, beach volley [bitʃvɔlɛ]
Beamte(r) M, **Beamtin** F fonctionnaire
beängstigend inquiétant
beanspruchen *Recht* revendiquer; *Platz, Zeit* prendre; *Nerven* fatiguer; TECH solliciter
beanstanden trouver à redire à; *Ware* faire une réclamation pour **Beanstandung** F réclamation
beantragen demander
beantworten répondre à **Beantwortung** F réponse (à)
bearbeiten *Material* travailler; *für den Film* adapter; *Antrag, Fall* étudier
beaufsichtigen surveiller **Beaufsichtigung** F surveillance
beauftragen charger (**mit** de)
bebauen *Gelände* bâtir; AGR cultiver
beben trembler
Becher M gobelet
Becken N bassin *m* (*a.* ANAT); MUS cymbale *f*
bedanken **sich bei j-m ~** remercier qn (**für etw** de *od* pour qc)

Bedarf M besoin(s) *m(pl)* (**an** *dat* en); **bei ~** en cas de besoin; **nach ~** selon les besoins
Bedarfshaltestelle F arrêt *m* facultatif
bedauerlich regrettable
bedauern regretter (**dass** que ... ne *+subj*); *j-n* plaindre
Bedauern N regret *m*
bedecken (re)couvrir (**mit** de)
bedeckt *Himmel* couvert
bedenken considérer, penser à **Bedenken** NPL doutes *mpl*, scrupules *mpl* **bedenklich** douteux; *bedrohlich* inquiétant
bedeuten signifier, vouloir dire **bedeutend** important **Bedeutung** F *Sinn* signification; *Wichtigkeit* importance **bedeutungslos** sans importance
bedienen servir; *Maschine* faire marcher; **sich ~** se servir; **werden Sie schon bedient?** on s'occupe de vous?
Bedienung F service *m*; *Kellnerin* serveuse; **einschließlich ~** service compris
Bedienungsanleitung F mode *m* d'emploi
Bedingung F condition; **unter der ~, dass** à la condition que (*+subj*)
bedingungslos sans condition(s)
bedrohen menacer (**mit** de) **bedrohlich** menaçant
Bedürfnis N besoin *m* (**nach** de) **bedürftig** nécessiteux
Beefsteak N bifteck *m*
beeilen sich ~ se dépêcher
beeindrucken impressionner
beeinflussen influencer **beeinträchtigen** porter atteinte à; *Gesundheit* nuire à
beenden finir, terminer
beerben j-n ~ hériter de qn
beerdigen enterrer **Beerdigung** F enterrement *m* **Beerdigungsinstitut** N pompes *fpl* funèbres
Beere F baie
Beet N *Blumenbeet* parterre *m*; *Gemüsebeet* carré *m*, planche *f*
befahrbar praticable
befahren *Straße* emprunter; ADJ **stark ~** très fréquenté
befassen sich ~ mit s'occuper de
Befehl M ordre; commandement **befehlen** ordonner (**zu** de), donner l'ordre (de)
befestigen attacher, fixer (**an** *dat* à); MIL fortifier; *Straße, Ufer* stabiliser
befinden sich ~ se trouver
Befinden N état *m* de santé
befolgen suivre
befördern transporter; *im Rang* promouvoir (**zum Direktor** directeur) **Beförderung** F transport *m*; promotion
befragen interroger
befreien libérer; *freistellen* dispenser (**von** de) **Befreiung** F libération
befreundet ami (**mit** de); **ich bin mit ihm ~** nous sommes

amis
befriedigen satisfaire **befriedigend** satisfaisant **Befriedigung** F satisfaction
befristet temporaire; limité (**auf** *akk* à)
befugt autorisé (**zu etw** à)
Befund M MED résultat; **ohne ~** résultat négatif
befürchten craindre, redouter (**dass** que … ne *+subj*) **Befürchtung** F crainte
befürworten préconiser
begabt doué (**für** pour) **Begabung** F don *m*
Begebenheit F événement *m*
begegnen rencontrer (**j-m** qn) **Begegnung** F rencontre
begehen *Verbrechen, Irrtum* commettre; *Fest* célébrer
begehrt demandé, recherché
begeistern (**sich**) **~** (s')enthousiasmer, (se) passionner (**für** pour) **Begeisterung** F enthousiasme *m*
begierig avide (**auf** *akk*, **nach** de)
Beginn M commencement; début; **zu ~** au début **beginnen** commencer (**zu** à, **mit** par)
beglaubigen certifier (conforme)
begleichen *Rechnung* régler
begleiten accompagner (*a.* MUS) **Begleiter(in)** M(F) compagnon *m*, compagne *f* **Begleitung** F accompagnement *m*; **in ~** (*gen*) en compagnie de
beglückwünschen féliciter (**zu** pour *od* de)
begnadigen gracier **Begnadigung** F grâce *f*
begnügen sich ~ mit se contenter de
Begonie F bégonia *m*
begonnen → beginnen
begraben enterrer **Begräbnis** N enterrement *m*
begreifen comprendre
begreiflich compréhensible; **j-m etw ~ machen** faire comprendre qc à qn
begrenzen limiter
Begriff M notion *f*; **im ~ sein etw zu tun** être sur le point de faire qc
begründen justifier, motiver (**mit** par) **begründet** fondé **Begründung** F raison, motif *m*
begrüßen saluer **Begrüßung** F *Empfang* accueil *m*
begünstigen favoriser, avantager
begutachten donner son avis sur; *fachlich* expertiser
behaart poilu
behagen j-m ~ plaire à qn
behalten garder; *im Gedächtnis* retenir
Behälter M récipient
behandeln traiter; MED *a.* soigner **Behandlung** F traitement *m*; MED *a.* soins *mpl*
beharrlich persévérant
behaupten affirmer, prétendre; **sich ~** s'affirmer **Be-**

hauptung F affirmation
beheben *Schaden* réparer
behelfen sich ~ mit se débrouiller avec
behelfsmäßig provisoire
behelligen importuner
beherrschen dominer; *Markt* être leader sur; *Lage* contrôler; *Sprache* maîtriser; **sich ~** se retenir
Beherrschung F **die ~ verlieren** ne plus pouvoir se contrôler
beherzigen suivre
behilflich j-m ~ sein aider qn (**bei etw** à faire qc)
behindern gêner
behindert ADJ °handicapé **Behinderte(r)** M/F(M) °handicapé(e) *m(f)* **behindertengerecht** (aménagé) pour les °handicapés
Behörde F autorité(s) *f(pl)*, administration
bei (*dat*) près de; **~ j-m** chez qn; **~ der Ankunft** à l'arrivée; **~ schlechtem Wetter** par mauvais temps; **beim Essen** en mangeant; **etw ~ sich haben** avoir qc sur soi
beibringen j-m etw ~ apprendre, enseigner qc à qn
Beichte F confession **beichten** se confesser **Beichtstuhl** M confessionnal
beide les deux; **alle ~** tous les deux; **eins von ~n** l'un des deux
beieinander ensemble
Beifahrer(in) M(F) *Pkw* passager *m*, passagère *f* avant; *Lkw* aide-conducteur *m*; *Rallye* coéquipier *m*, coéquipière *f* **Beifahrersitz** M place *f* du passager avant
Beifall M applaudissements *mpl*; **~ klatschen** applaudir (**j-m** qn)
beifügen joindre
beige beige
Beigeschmack M arrière-goût; *fig* connotation *f* **Beihilfe** F *Geldbeihilfe* allocation; JUR complicité
Beil N °hache *f*
Beilage F *zur Zeitung* supplément *m*; GASTR garniture, accompagnement *m*; **mit ~n** garni
beiläufig en passant
beilegen *e-m Brief* joindre (à); *Streit* régler
Beileid N condoléances *fpl*; **j-m sein ~ aussprechen** faire ses condoléances à qn; **(mein) herzliches ~** mes sincères condoléances
beiliegend ci-joint
Bein N jambe *f*; *von Tieren* patte *f*; *Tischbein* pied *m*
beinah(e) presque; **ich wäre ~(e) gefallen** j'ai failli tomber
Beiname M surnom
Beipackzettel M notice *f*
beirren déconcerter
beisammen ensemble
Beisammensein N **gemütliches ~** réunion *f* amicale

Beisein N **im ~ von** en présence de
beiseitelegen mettre de côté (*a. Geld*) **beiseiteschaffen** faire disparaître **beiseiteschieben** *Bedenken* écarter
Beisetzung F enterrement *m*, obsèques *fpl*
Beispiel N exemple *m*; **zum ~** par exemple
beispielhaft exemplaire **beispiellos** sans précédent **beispielsweise** par exemple
beißen mordre **Beißzange** F tenailles *fpl*
Beistand M assistance *f*, aide *f* **beistehen** assister (**j-m** qn), aider (qn)
Beitrag M contribution *f*; *Mitgliedsbeitrag* cotisation *f* **beitragen** contribuer (**zu** à)
beitreten (*dat*) adhérer (à), entrer (dans)
Beiwagen M side-car
beizeiten à temps
bejahen répondre affirmativement à
bekämpfen combattre, lutter contre **Bekämpfung** F lutte
bekannt connu (**für** pour); **~ geben** annoncer; **j-n mit j-m ~ machen** présenter qn à qn; **mit j-m ~ sein** connaître qn; **mir ist ~, dass ...** je sais que ...
Bekannte(r) M/F(M) connaissance *f* **bekanntlich** comme on sait **Bekanntmachung** F annonce; *Anschlag* avis *m*
Bekanntschaft F connaissance
beklagen déplorer; **sich ~ über** (*akk*) se plaindre de
beklagenswert déplorable
Bekleidung F vêtements *mpl*
bekommen recevoir; *oft* avoir; *erlangen* obtenir; *Krankheit* attraper; *Kind* avoir; **Hunger ~** commencer à avoir faim; **j-m (gut) ~** réussir à qn; **was ~ Sie?** *an Geld* combien je vous dois?; *im Geschäft* vous désirez?
bekömmlich digeste
bekräftigen confirmer
bekreuzigen sich ~ se signer
bekümmert soucieux
belächeln sourire de
beladen charger (**mit** de)
Belag M couche *f*; revêtement; *Brotbelag* garniture *f*
belagern assiéger **Belagerung** F siège *m*
belanglos insignifiant, sans importance
belasten charger (**mit** de); *Umwelt* polluer; *Konto* débiter (**mit** de); *j-n* préoccuper; JUR accabler
belästigen importuner **Belästigung** F dérangement *m*, °harcèlement *m*
Belastung F charge
belaufen sich ~ auf s'élever à, se monter à
belebt *Straße* animé
Beleg M pièce *f* justificative, preuve *f*; *Zahlungsbeleg* reçu

belegen *Platz* occuper; *Kurs* s'inscrire à; *beweisen* justifier de, prouver; *Brot* garnir (**mit** de) **Belegschaft** F personnel *m*

belegt *Hotel* complet; *Zunge* chargé; **~es Brötchen** sandwich *m*

belehren informer (**über** *akk* de) **Belehrung** F instruction

beleidigen offenser, vexer; *beschimpfen* insulter, injurier

beleidigt offensé, vexé **Beleidigung** F offense; *Beschimpfung* insulte, injure

beleuchten éclairer; *festlich* illuminer **Beleuchtung** F éclairage *m*; *festliche* illumination

Belgien N la Belgique **Belgier(in)** M(F) Belge **belgisch** belge

belichten FOTO exposer **Belichtung** F pose, exposition

Belichtungsmesser M posemètre **Belichtungszeit** F temps *m* de pose

Belieben N **nach ~** à volonté

beliebig quelconque, n'importe quel; **~ lange** aussi longtemps que l'on veut

beliebt aimé (**bei** de *od* par); *Schauspieler* populaire (auprès de) **Beliebtheit** F popularité

bellen aboyer

belohnen récompenser (**für** de *od* pour) **Belohnung** F récompense

Belüftung F ventilation

belügen mentir à

bemalen peindre

bemängeln critiquer, trouver à redire à

bemerkbar sich ~ machen se faire remarquer; *Sache* se faire sentir

bemerken remarquer, noter

bemerkenswert remarquable **Bemerkung** F remarque

bemitleiden prendre en pitié

bemühen sich ~ s'efforcer (**zu** de), se donner du mal *od* de la peine; **sich um j-n ~** prendre soin de qn; **~ Sie sich nicht!** ne vous dérangez pas!

Bemühung F effort *m*, peine

benachbart voisin

benachrichtigen j-n (**von etw**) **~** prévenir qn (de qc)

benachteiligen *j-n* désavantager **Benachteiligung** F désavantage *m*

benehmen sich ~ se comporter, se conduire; **Benehmen** N comportement *m*

beneiden j-n um etw ~ envier qc à qn **beneidenswert** enviable

Bengel M *umg* gamin, gosse

benommen étourdi, hébété

benötigen avoir besoin de

benutzen utiliser; *Verkehrsmittel* prendre; *Weg* emprunter **Benutzer(in)** M(F) utilisateur *m*, utilisatrice *f*; *e-s Verkehrsmittels* usager *m* **benutzerfreundlich** ADJ pratique **Benutzerkonto** N compte *m* utilisateur **Benutzername** M nom d'utilisateur **Benutzeroberfläche** F IT interface utilisateur **Benutzung** F utilisation **Benutzungsgebühr** F droits *mpl* d'utilisation; *e-r Straße* péage *m*

Benzin N essence *f* **Benzinkanister** M bidon d'essence, jerrycan **Benzinpumpe** F pompe à essence **Benzintank** M réservoir d'essence **Benzinuhr** F jauge d'essence **Benzinverbrauch** M consommation *f* d'essence

Beo M mainate

beobachten observer **Beobachter(in)** M(F) observateur *m*, observatrice *f* **Beobachtung** F observation

bequem confortable; *Ausrede, Lösung* facile; **es sich ~ machen** se mettre à son aise

Bequemlichkeit F confort *m*; *Trägheit* paresse

beraten j-n ~ conseiller qn; **(über) etw** *(akk)* **~** discuter de qc; **(sich) ~** se consulter, délibérer **(über** *akk* sur)

Berater(in) M(F) conseiller *m*, conseillère *f* **Beratung** F *durch j-n* consultation; *Besprechung* discussion

berauben dépouiller

berechnen calculer; **j-m etw ~** compter, facturer qc à qn

berechnend *pej* calculateur

Berechnung F calcul *m* (*a. fig*)

berechtigen ~ zu autoriser à, donner le droit de

berechtigt autorisé; *begründet* fondé

Bereich M domaine

bereichern sich ~ s'enrichir

Bereifung F pneus *mpl*

bereisen parcourir

bereit prêt **(zu** à); **sich ~ erklären zu** être prêt *od* disposé à

bereiten *Sorge, Freude* causer; GASTR préparer **bereithalten** tenir prêt

bereits déjà

Bereitschaftsdienst M permanence *f*; MED (service de) garde *f* **bereitstellen** préparer; mettre à la disposition **(für j-n** de qn) **bereitwillig** empressé; ADV volontiers

bereuen se repentir de; *bedauern* regretter

Berg M montagne *f*

bergab ~ fahren, ~ führen descendre

Bergarbeiter M mineur

bergauf ~ fahren, führen monter

Bergbahn F *Zahnradbahn* train *m* à crémaillère; *Seilbahn* téléphérique *m* **Bergbau** M industrie *f* minière

bergen sauver; *aus dem Wasser* repêcher; *Tote* dégager

Bergführer(in) M(F) guide *m* de montagne **Berghütte** F refuge *m* **bergig** montagneux

Bergkette F chaîne de montagnes **Bergmann** M mineur

Bergrutsch M éboulement **Bergsee** M lac de montagne **Bergsteigen** N alpinisme *m* **Bergsteiger(in)** M(F) alpiniste **Bergtour** F course en montagne

Bergung F sauvetage *m*; dégagement *m*

Bergwacht F secours *m* en montagne **Bergwerk** N mine *f*

Bericht M rapport, compte rendu; *Erzählung* récit; *Pressebericht* reportage

berichten rapporter (**j-m etw** qc à qn); rendre compte (**über** *akk* de), raconter (**von etw** qc)

Berichterstatter(in) M(F) reporter [rəpɔrtɛr] *m*

berichtigen corriger; *richtigstellen* rectifier

Bermudashorts PL bermuda(s) *m(pl)*

Bernhardiner M saint-bernard

Bernstein M ambre (jaune)

berüchtigt de mauvaise réputation

berücksichtigen tenir compte de; prendre en considération

Beruf M profession *f*, métier; **von ~** de métier; **was sind Sie von ~?** quelle est votre profession?

berufen sich ~ auf (*akk*) se référer à

beruflich professionnel

Berufsausbildung F formation professionnelle **Berufsberatung** F orientation professionnelle **Berufserfahrung** F expérience professionnelle **Berufssportler(in)** M(F) professionnel(le) **berufstätig** actif, qui travaille; **~ sein** travailler **Berufsverkehr** M heures *fpl* de pointe

Berufung F *innere* vocation; JUR appel *m*; **~ einlegen** faire appel (**gegen ein Urteil** d'un jugement)

beruhen ~ auf (*dat*) reposer sur

beruhigen (sich) ~ (se) calmer

beruhigt rassuré

Beruhigungsmittel N calmant *m*, tranquillisant *m*

berühmt célèbre (**für** pour, par) **Berühmtheit** F célébrité

berühren toucher (*a. fig*) **Berührung** F contact *m* **Berührungsbildschirm** M écran tactile

besänftigen calmer, apaiser

Besatzung F FLUG, SCHIFF équipage *m*; MIL (troupes *fpl* d')occupation

besaufen *umg* **sich ~** se soûler

beschädigen endommager **Beschädigung** F endommagement *m*

beschaffen procurer

beschäftigen occuper; *Arbeitskräfte* employer; *Probleme: j-n* préoccuper; **sich ~ mit**

s'occuper de
Beschäftigung F occupation; *berufliche* emploi *m*
beschämen faire °honte à; **beschämend** °honteux
Bescheid M réponse *f*; **~ wissen** être au courant (**über** *akk* de); **j-m ~ geben** *od* **sagen** prévenir qn (**über** *akk* de)
bescheiden modeste **Bescheidenheit** F modestie
bescheinigen certifier, attester **Bescheinigung** F certificat *m*, attestation
Bescherung F distribution des cadeaux (de Noël)
beschimpfen insulter, injurier
Beschlag in ~ nehmen accaparer
beschlagen ADJ *Scheibe* couvert de buée
Beschlagnahme F saisie **beschlagnahmen** saisir, confisquer
beschleunigen accélérer **Beschleunigung** F accélération
beschließen décider (**zu** de); *beenden* terminer
Beschluss M décision *f*
beschmieren barbouiller
beschmutzen salir
beschränken limiter; **sich ~ auf** (*akk*) se limiter à
beschrankt *Bahnübergang* gardé
beschränkt limité; *geistig* borné **Beschränkung** F limitation
beschreiben décrire **Beschreibung** F description
beschriften mettre une inscription sur
beschuldigen accuser; JUR inculper (**j-n e-r Sache** *gen* qn de qc)
Beschuldigte(r) M/F(M) inculpé(e) *m(f)* **Beschuldigung** F accusation
beschützen protéger (**vor** *dat* de *od* contre) **Beschützer(in)** M(F) protecteur *m*, protectrice *f*
Beschwerde F réclamation, plainte; **~n** PL MED troubles *mpl*
beschweren sich ~ se plaindre (**bei j-m** à qn, **über** *akk* de)
beschwerlich pénible, fatigant
beschwichtigen apaiser, calmer **beschwipst** *umg* éméché
beseitigen supprimer, éliminer; *Abfall, Fleck* enlever; *Spuren* faire disparaître
Besen M balai
besetzen occuper
besetzt *Platz, WC*, TEL occupé; *Bus, Zug* complet
Besetztzeichen N TEL tonalité *f* «occupé»
Besetzung F occupation
besichtigen visiter **Besichtigung** F visite
besiedelt dicht ~ très peuplé
besiegen vaincre
besinnlich méditatif

Besinnung F **die ~ verlieren** perdre connaissance; **zur ~ kommen** reprendre ses esprits (*a. fig*)
besinnungslos évanoui
Besitz M possession *f*; *Eigentum* propriété *f* **besitzen** posséder **Besitzer(in)** M(F) JUR possesseur *m*; *Eigentümer(in)* propriétaire
besohlen ressemeler
besondere(r, -s) particulier, spécial; **~ Kennzeichen** signes *mpl* particuliers; **nichts Besonderes** rien de spécial *od* d'exceptionnel
Besonderheit F particularité
besonders particulièrement, spécialement; *vor allem* surtout; *sehr* très
besorgen procurer
Besorgnis F inquiétude, souci *m* **besorgniserregend** inquiétant
besorgt inquiet
Besorgung F **~en machen** faire des courses
besprechen discuter (**etw** de qc) **Besprechung** F discussion; *Sitzung* réunion; (*Buchbesprechung*) critique
besser meilleur; ADV mieux; **~ werden** s'améliorer; **etwas Besseres** quelque chose de mieux; **es geht ihm ~** il va mieux; **immer ~** de mieux en mieux; **umso ~** tant mieux
bessern sich ~ s'améliorer
Besserung F amélioration; **gute ~!** bon rétablissement!
Bestand M existence *f*, durée *f*; *Vorrat* stock
beständig continuel; constant; stable (*a. Wetter*)
Bestandteil M partie *f* intégrante; composante *f*, élément
bestätigen (sich) ~ (se) confirmer; **den Empfang ~** accuser réception
Bestätigung F confirmation
Bestattung F inhumation
Bestattungsinstitut N pompes *fpl* funèbres
beste(r, -s) meilleur(e); **am ~n** le mieux; **sein Bestes tun** faire de son mieux
bestechen corrompre **bestechlich** corruptible **Bestechung** F corruption
Besteck N couvert *m*
bestehen exister; *Prüfung* réussir; **~ auf** (*dat*) insister sur; **~ aus** se composer de
bestehlen voler
besteigen monter sur, à; *Berg a.* faire l'ascension de **Besteigung** F ascension
bestellen *Waren, im Restaurant* commander; *Zimmer, Tisch* retenir, réserver; *Grüße* transmettre; *j-n* faire venir **Bestellnummer** F numéro *m* de commande **Bestellung** F commande
bestenfalls au mieux
bestens pour le mieux
Bestie F bête féroce
bestimmen *festlegen* fixer;

entscheiden décider; *vorsehen* destiner (**für** à); *ernennen* désigner (**zu** comme)
bestimmt (*feststehend*) déterminé; *Stunde* fixé; (*gewiss*) certain; ADV certainement
Bestimmung F (*Vorschrift*) disposition, règlement *m*; (*Zweck, Ziel*) destination **Bestimmungsort** M destination *f*
Bestleistung F SPORT record *m*
bestrafen punir **Bestrafung** F punition
bestrahlen MED traiter par les rayons **Bestrahlung** F MED (séance *f* de) rayons *mpl*
bestreichen enduire (**mit** de)
bestreiten contester; *Kosten* supporter **bestreuen** parsemer (**mit** de)
Bestseller M best-seller
bestürzt consterné (**über** *akk* par) **Bestürzung** F consternation
Besuch M visite *f*; **~ haben** avoir de la visite; **bei j-m zu ~ sein** être en visite chez qn
besuchen aller voir; *herkommen* venir voir; *förmlich* rendre visite à; *Museum, Stadt* visiter, *Schule* fréquenter **Besucher(in)** M(F) visiteur *m*, visiteuse *f* **Besuchszeit** F heures *fpl* de visite
betätigen actionner; **sich politisch/sportlich ~** faire de la politique/du sport
Betätigung F activité
betäuben MED anesthésier; *örtlich* insensibiliser **Betäubung** F MED anesthésie (**örtliche** locale) **Betäubungsmittel** N anesthésique *m*
Bete F **Rote ~** betterave rouge
beteiligen sich ~ an (*dat*) participer, prendre part à; **beteiligt sein** être impliqué (**an e-m Unfall** dans un accident)
Beteiligung F participation
beten prier
beteuern protester de
Beton M béton
betonen accentuer (*a. fig*) **Betonung** F accentuation
Betracht M **in ~ kommen** entrer en ligne de compte; **in ~ ziehen** prendre en considération, tenir compte de
betrachten regarder; *Gemälde etc* contempler; **~ als** considérer comme
beträchtlich considérable
Betrag M montant, somme *f*
betragen *Summe* se monter à, s'élever à; *Entfernung* être de; **sich ~** se conduire
Betragen N conduite *f*
betreffen concerner; **was ... betrifft** en ce qui concerne; **betrifft** *im Briefkopf* objet
betreffend concerné, en question
betreten *Raum* entrer dans; *Rasen* marcher sur
betreuen s'occuper de; prendre soin de **Betreuer(in)** M(F)

e-r Reisegruppe: responsable; *e-r Jugendgruppe*: moniteur *m*, monitrice *f*; SPORT soigneur *m*
Betrieb M (*Unternehmen*) entreprise *f*; *e-r Maschine*: marche *f*, fonctionnement; (*lebhaftes Treiben*) animation *f*; **in ~ sein** être en marche, fonctionner; **außer ~** °hors service; **in ~ setzen** mettre en marche; *umg* **viel ~** beaucoup de monde
Betriebsferien PL congés *mpl* annuels **Betriebsleitung** F direction **Betriebsrat** M comité d'entreprise **Betriebsunfall** M accident *m* du travail **Betriebswirtschaft** F gestion (des entreprises)
betrinken sich ~ se soûler
betroffen touché; *erschüttert* bouleversé; **sich ~ fühlen** se sentir concerné
betrogen → betrügen
betrübt affligé, attristé
Betrug M fraude *f*
betrügen tromper (*a. in der Liebe*); JUR escroquer (**j-n um etw** qc à qn); WIRTSCH frauder; *beim Spiel* tricher **Betrüger(in)** M(F) JUR escroc [ɛskro] *m*; WIRTSCH fraudeur *m*, fraudeuse *f* **betrügerisch** frauduleux; *Person* malhonnête
betrunken soûl, ivre
Bett N lit *m*; **ins** *od* **zu ~ gehen** (aller) se coucher; **ins ~ bringen** coucher
Bettbezug M °housse *f* de couette **Bettcouch** F canapé-lit *m* **Bettdecke** F couverture; *Tagesdecke*: couvre-lit *m*
betteln mendier (**um etw** qc)
Bettlaken N drap *m* (de lit)
Bettler(in) M(F) mendiant(e)
Bettruhe F **~ verordnen** ordonner un repos complet
Betttuch N drap *m* (de lit)
Bettvorleger M descente *f* de lit **Bettwäsche** F draps *mpl*
Beule F bosse
beunruhigen (sich) ~ (s')inquiéter
beurteilen juger, porter un jugement sur **Beurteilung** F jugement *m*; (*Gutachten*) évaluation
Beute F proie; *Diebesbeute* butin *m*
Beutel M sac
Bevölkerung F population
bevollmächtigen donner mandat *od* procuration à **Bevollmächtigte(r)** M/F(M) mandataire *m/f*
bevor avant que (*+subj*), avant de (*+inf*)
bevorstehen se préparer; **unmittelbar ~** être imminent; **etw steht j-m bevor** qc attend qn
bevorzugen préférer; *j-n* favoriser
bewachen *etw* garder; *j-n* surveiller **Bewacher(in)** M(F) gardien *m*, gardienne *f* **Bewachung** F garde; surveillance

bewaffnen armer (**mit** de) **Bewaffnung** F armement *m*
bewahren garder; *j-n* préserver (**vor** *dat* de)
bewähren sich ~ faire ses preuves
bewährt éprouvé; *Person* expérimenté **Bewährungsfrist** F JUR sursis *m*
bewaldet boisé
bewältigen venir à bout de
bewandert ~ sein in (*dat*) s'y connaître en
bewässern irriguer
bewegen bouger; **j-n ~** *rühren* toucher qn; **j-n zu etw ~** décider qn à faire qc; **sich ~** bouger
beweglich mobile; *geistig* vif
bewegt *Leben* mouvementé; *See* agité; *fig* ému
Bewegung F mouvement *m*; *körperliche* exercice *m*; *Rührung* émotion
Bewegungsfreiheit F liberté d'action **bewegungslos** immobile
Beweis M preuve *f* (**für etw** de qc) **beweisen** prouver; *Mut etc* faire preuve de **Beweisstück** N pièce *f* à conviction
bewerben sich ~ um poser sa candidature à
Bewerber(in) M(F) candidat(e) **Bewerbung** F candidature
Bewerbungsgespräch N entretien *m* d'embauche **Bewerbungsschreiben** N lettre *f* de candidature
bewerkstelligen effectuer; *zustande bringen* accomplir
bewerten évaluer; SPORT, *Schule* noter **Bewertung** F évaluation; SPORT, *Schule* note
bewilligen accorder
bewirken causer, amener; *erreichen* obtenir
bewirten régaler **bewirtschaften** exploiter, administrer **Bewirtung** F accueil *m*, service *m*
bewohnen habiter; *Wohnung a.* occuper **Bewohner(in)** M(F) habitant(e); *e-s Hauses etc* occupant(e)
bewölken sich ~ se couvrir (de nuages) **bewölkt** nuageux **Bewölkung** F nuages *mpl*
bewundern admirer
bewundernswert admirable **Bewunderung** F admiration
bewusst conscient; *absichtlich* délibéré; ADV (*wissentlich*) sciemment; **sich e-r Sache ~ sein** être conscient de qc
bewusstlos sans connaissance **Bewusstlosigkeit** F évanouissement *m*
Bewusstsein N conscience *f*; MED **das ~ /wiedererlangen** perdre/reprendre connaissance
bezahlen payer
bezahlt payé; **sich ~ machen** être payant
Bezahlung F paiement *m*
bezaubernd charmant, ravissant

bezeichnen marquer; *benennen* désigner; *einschätzen* qualifier (**als** de) **bezeichnend** caractéristique (**für** de) **Bezeichnung** F désignation; *Name* nom *m*
bezeugen témoigner de
bezichtigen accuser
beziehen *Haus* emménager dans; *Zeitung* être abonné à; *Waren* acheter (**von j-m** chez qn); *Gehalt* toucher; **das Bett frisch ~** changer les draps; **sich ~** *Himmel* se couvrir; **sich ~ auf** (*akk*) concerner; *sich berufen auf* se référer à
Beziehung F relation, rapport *m*; **in dieser ~** à cet égard; **~en haben** avoir des relations
beziehungsweise respectivement; *genauer gesagt* ou plutôt
Bezirk M district; *Wahlbezirk* circonscription *f*
Bezug M *Überzug* °housse *f*; enveloppe *f*; *Kissenbezug* taie *f* d'oreiller; *e-r Zeitung* abonnement; **~ nehmen auf** (*akk*) se référer à; **in ~ auf** (*akk*) en ce qui concerne
bezüglich (*gen*) au sujet de, en ce qui concerne
bezwecken avoir pour but
bezweifeln douter de
BH M (*Büstenhalter*) soutien-gorge
Bhf. (*Bahnhof*) gare
bibbern *umg* trembler
Bibel F Bible
Biber M castor
Bibliothek F bibliothèque **Bibliothekar(in)** M(F) bibliothécaire
Bidet N bidet *m*
biegen (**sich**) **~** (se) courber; **um die Ecke ~** tourner au coin de la rue
biegsam flexible, souple
Biene F abeille **Bienenstich** M piqûre *f* d'abeille **Bienenstock** M ruche *f*
Bier N bière *f*; **~ vom Fass** bière (à la) pression; **dunkles/helles ~** bière brune/blonde
Bierkrug M chope *f*
bieten offrir; **sich ~** se présenter; **sich etw nicht ~ lassen** ne pas se laisser marcher sur les pieds
Bike N *Rad* vélo *m*; *Mountainbike* VTT *m*; *umg Motorrad umg* moto *f*
Bikini M bikini
Bilanz F bilan *m*
Bild N image *f*; *Gemälde* tableau *m*; FOTO photo *f*; **sich ein ~ machen von** se faire une idée de
bilden former; *ausmachen* constituer; **sich ~** se former; *geistig* se cultiver, s'instruire
Bilderbuch N livre *m* d'images
Bildhauer(in) M(F) sculpteur [-lt-] *m* **bildlich** figuratif; *übertragen* figuré **Bildplatte** F vidéodisque *m* **Bildröhre** F TV tube *m* cathodique

Bildschirm M écran **Bildschirmschoner** M économiseur d'écran **Bildschirmtext** M vidéotex, *etwa* minitel
Bildtelefon N visiophone *m*, vidéophone
Bildung F formation; *geistige* culture; *Schulbildung* éducation
Billard N billard *m*
billig bon marché, pas cher; **~er** meilleur marché
billigen approuver **Billigflug** M vol à bas prix **Billigung** F approbation
bin → sein
Binde F bande; *Verband* bandage *m*; *Damenbinde* serviette hygiénique
Bindegewebe N tissu *m* conjonctif **Bindehaut** F conjonctive **Bindehautentzündung** F conjonctivite
binden lier, attacher (**an** *akk* à); *Krawatte* nouer; *Buch* relier
Bindestrich M trait d'union
Bindfaden M ficelle *f* **Bindung** F *innere* lien(s) *m(pl)*; *vertragliche* engagement *m*; *Skibindung* fixation
binnen (*dat*) en, dans un délai de; **~ Kurzem** sous peu
Binnenhafen M port fluvial **Binnenhandel** M commerce intérieur **Binnenmarkt** M marché unique
Bioethik F bioéthique **Biogemüse** N légumes *mpl* biologiques **Biografie** F biographie
Biokost F alimentation biologique **Biokraftstoff** M biocarburant **Bioladen** M magasin de produits naturels **Biologe** M biologiste **Biologie** F biologie **Biologin** F biologiste
biologisch biologique; **~ abbaubar** biodégradable
Biomüll M déchets *mpl* organiques **Bioprodukt** N produit *m* organique **Biosprit** *umg* M biocarburant **Biotonne** F poubelle pour déchets organiques **Biotop** N/M biotope *m*
Birke F bouleau *m*
Birnbaum M poirier
Birne F poire; ELEK ampoule
bis PRÄP jusqu'à; KONJ jusqu'à ce que (*+subj*); **~ gleich!** à tout à l'heure!; **~ morgen!** à demain!; **2 ~ 3 Tage** 2 ou 3 jours; **von ... ~ ...** de ... à ...; **~ hierher** jusqu'ici; **~ dahin** jusque-là; *zeitlich a.* d'ici là; **~ jetzt** jusqu'à présent; **~ auf** (*akk*) sauf, à part
Bisamratte F rat *m* musqué
Bischof M évêque
bisexuell bisexuel
bisher jusqu'à présent
Biskuit N biscuit *m* de Savoie
biss → beißen
Biss M morsure *f*
bisschen ein ~ un peu (de)
Bissen M bouchée *f*
bissig méchant; *fig* °hargneux
Bisswunde F morsure

bist → sein
bitte s'il te *od* vous plaît; *auf Dank* je t'en *od* vous en prie, (il n'y a) pas de quoi!; *auf Entschuldigung* il n'y a pas de mal; **(wie) ~?** pardon?
Bitte F demande; **ich habe e-e ~ an Sie** j'ai un service à vous demander
bitten j-n um etw ~ demander qc à qn
bitter amer (*a. fig*); *Kälte* rigoureux; *Armut* extrême
Bizeps M biceps
Blähungen FPL gaz *mpl*
Blamage F °honte **blamieren (sich) ~** (se) ridiculiser
blanchieren blanchir
blank brillant; *Draht* dénudé; (*ohne Geld*) à sec, sans le sou
Blankoscheck M chèque en blanc
Bläschen N MED vésicule *f*
Blase F *Luftblase* bulle; *Brandblase* cloque; *durch Reibung* ampoule; *Harnblase* vessie
Blasebalg M soufflet
blasen souffler; MUS jouer de
Blasenentzündung F cystite
Blasinstrument N instrument *m* à vent **Blaskapelle** F fanfare
blass pâle
Blatt N feuille *f* (*a. Zeitung*)
blättern feuilleter (**in etw** *dat* qc) **Blätterteig** M pâte *f* feuilletée
Blattlaus F puceron *m*
blau bleu; *umg fig* noir, rond; **~es Auge** œil *m* au beurre noir; **~er Fleck** bleu *m*
Blaubeere F myrtille **Blauhelm** M (*UNO-Soldat*) casque bleu **Blaukraut** N chou *m* rouge
bläulich bleuâtre, bleuté
Blaulicht N gyrophare *m*
blaumachen *umg* ne pas aller bosser
Blazer M blazer
Blech N tôle *f* **Blechdose** F boîte en fer-blanc **Blechschaden** M AUTO tôles *fpl* froissées
Blei N plomb *m*
bleiben rester; **es bleibt dabei!** c'est entendu!; **~ lassen** laisser tomber
bleich blême, pâle
bleifrei *Benzin* sans plomb
Bleistift M crayon **Bleistiftspitzer** M taille-crayon
Blende F FOTO diaphragme *m*
blenden éblouir (*a. fig*)
blendend *fig* fantastique
Blick M regard; *flüchtiger* coup d'œil; **auf den ersten ~** à première vue
blicken regarder (**auf etw** *akk* qc); **sich ~ lassen** donner signe de vie
blind aveugle; **~er Alarm** fausse alerte *f*; **~er Passagier** passager *m* clandestin
Blinddarm M appendice [-ɛ̃-] **Blinddarmentzündung** F appendicite
Blinde(r) M/F(M) aveugle *m/f*

Blindenhund M chien d'aveugle **Blindenschrift** F écriture Braille **Blindenstock** M canne f blanche
Blindheit F cécité **blindlings** aveuglément
blinken clignoter; AUTO mettre son clignotant **Blinker** M, **Blinklicht** N AUTO clignotant *m*
blinzeln cligner des yeux
Blitz M éclair; *Blitzschlag* foudre *f*; FOTO flash **Blitzableiter** M paratonnerre
blitzen étinceler; **es blitzt** il y a des éclairs
Blitzlicht N FOTO flash *m*
Blitzschlag M foudre *f*
Block M bloc; *Häuserblock* pâté de maisons **Blockflöte** F flûte à bec **Blockhaus** N cabane *f* en rondins **blockieren** bloquer; *Räder* se bloquer
blöd(e) bête, idiot **Blödsinn** M bêtises *fpl*, idioties [idjosi] *fpl*
Blog N/M INTERNET blog *m*
blöken bêler
blond blond **blondieren** décolorer **Blondine** F blonde
bloß *nur* seulement; *unbedeckt* nu; **mit ~em Auge** à l'œil nu
bloßstellen compromettre
Blouson N *od* M blouson *m*
Bluejeans PL blue-jean *m*
blühen être en fleur(s), fleurir (*a. fig*) **blühend** en fleur(s); *fig* florissant
Blume F fleur; *v. Wein*: bouquet *m*
Blumenbeet N parterre *m* de fleurs **Blumengeschäft** N, **Blumenhändler(in)** M(F) fleuriste **Blumenkohl** M chou-fleur **Blumenstrauß** M bouquet de fleurs **Blumentopf** M pot de fleurs **Blumenvase** F vase *m*
Bluse F corsage *m*, chemisier *m*
Blut N sang *m* **Blutabnahme** F prise de sang **Blutalkohol** M alcoolémie *f* **blutarm** anémique **Blutarmut** F anémie **Blutbild** N analyse *f* de sang **Blutdruck** M tension *f* (artérielle) **Blutdruckmessgerät** N tensiomètre *m*
Blüte F fleur; *Blütezeit* floraison; *fig* apogée *m*
Blutegel M sangsue *f*
bluten saigner **Bluter** M hémophile
Bluterguss M hématome
Blutfleck M tache *f* de sang **Blutgefäß** N vaisseau *m* sanguin **Blutgruppe** F groupe *m* sanguin **Bluthochdruck** M hypertension *f* **blutig** plein de sang; *grausam* sanglant; GASTR saignant **Blutkonserve** F (flacon *m* de) sang *m* conservé **Blutorange** F (orange) sanguine **Blutprobe** F prise de sang **Blutspender(in)** M(F) donneur *m*, donneuse *f* de sang
blutstillend ~es Mittel hé-

mostatique *m*
Bluttransfusion F transfusion sanguine **Blutung** F hémorragie **Blutvergiftung** F septicémie **Blutverlust** M perte *f* de sang **Blutwurst** F boudin *m* **Blutzucker** M MED glycémie *f* **Blutzuckermessgerät** N lecteur *m* de glycémie
BLZ (*Bankleitzahl*) code *m* banque
Bö F rafale
Boa F boa *m*
Bob M bob(sleigh) **Bobbahn** F piste de bob(sleigh)
Bock M *Ziegenbock* bouc; *Gestell* tréteau; *umg* **~ haben** avoir très envie (**auf** *akk* de); *umg* **keinen ~ haben** ne pas avoir envie (**auf** *akk* de)
bockig têtu **Bockwurst** F saucisse de Francfort
Boden M sol; *Erde* terre *f*; *Fußboden* plancher; *Dachboden* grenier; *Gefäßboden* fond; **zu** *od* **auf den ~ fallen** tomber par terre
Bodenpersonal N personnel *m* au sol **Bodenschätze** MPL richesses *fpl* naturelles
Bodensee M lac de Constance
Body M body **Bodybuilding** N culturisme *m*
Bogen M *Krümmung* courbe *f*; ARCH, *Waffe* arc; *Brückenbogen* arche *f*; MUS archet; *Papier* feuille *f* **Bogengang** M arcade *f* **Bogenschießen** N tir *m* à l'arc
Bohle F madrier *m*
Bohne F °haricot *m*; *Kaffeebohne* grain *m*; **grüne ~n** °haricots verts
Bohnenkaffee M (vrai) café
bohnern cirer **Bohnerwachs** N encaustique *f*
bohren percer, creuser; *nach Erdöl* forer **Bohrer** M TECH mèche *f*, foret; *Zahnbohrer* fraise *f* **Bohrmaschine** F perceuse **Bohrturm** M tour *f* de forage
Boiler M chauffe-eau (à accumulation)
Boje F bouée, balise
Bolzen M boulon
bombardieren bombarder
Bombe F bombe **Bombenanschlag** M attentat à la bombe (**auf** *akk* contre)
Bon M bon; *Kassenzettel* ticket de caisse
Bonbon M *od* N bonbon *m*
Boot N bateau *m*; *Kahn* barque *f*; *Motorboot* canot *m*
Bootsfahrt F promenade en bateau **Bootsverleih** M location *f* de barques
Bord M **an ~** à bord; **an ~ gehen** embarquer; **von ~ gehen** débarquer; **über ~ werfen** jeter par-dessus bord (*a. fig*)
Bordell N maison *f* de tolérance
Bordfest N fête *f* à bord **Bordkarte** F carte d'accès à bord **Bordstein** M bordure *f*

du trottoir
borgen j-m etw ~ prêter qc à qn; **(sich) etw von j-m ~** emprunter qc à qn
Borke F écorce
Börse F WIRTSCH Bourse; *Geldbeutel* bourse
Borste F soie
bösartig méchant; MED malin ⟨*f* maligne⟩
Böschung F talus [taly] *m*; *Uferböschung* berge
böse mauvais, méchant; *verärgert* fâché (**auf** *akk* contre); **auf j-n ~ sein** en vouloir à qn
boshaft méchant **Bosheit** F méchanceté
Bosnien N la Bosnie **Bosnier(in)** M(F) Bosniaque **bosnisch** bosnien
böswillig malveillant
Botanik F botanique **botanisch ~er Garten** jardin botanique
Bote M messager; *Laufbursche* garçon de courses
Botschaft F message *m*; POL ambassade **Botschafter(in)** M(F) ambassadeur *m*, ambassadrice *f*
Bottich M cuve *f*
Boulevardpresse F *pej* presse à sensation
Boutique F boutique de mode
Bowle F *etwa* punch *m* [põʃ]
Box F box *m*
boxen boxer **Boxen** N boxe *f*
Boxer M boxeur; *Hund* boxer
Boxershorts PL boxer *m*
Boxkampf M match de boxe
Boykott M boycottage **boykottieren** boycotter
Brachland N terre *f* en friche
brachte → bringen
Branche F branche **Branchenverzeichnis** N TEL pages *fpl* jaunes
Brand M incendie, feu; MED gangrène *f*; **in ~ geraten** prendre feu
Brandblase F cloque
Brandenburg N le Brandebourg
Brandgeruch M odeur *f* de brûlé **Brandsalbe** F pommade contre les brûlures **Brandstiftung** F incendie *m* criminel
Brandung F ressac *m*
Brandwunde F brûlure
Branntwein M eau-de-vie *f*
Brasilien N le Brésil
braten faire rôtir, faire cuire; *auf dem Rost* faire griller; *Kartoffeln* faire sauter **Braten** M rôti **Bratfisch** M poisson frit
Brathähnchen N poulet *m* rôti **Bratkartoffeln** FPL pommes de terre sautées **Bratpfanne** F poêle [pwal] **Bratrost** M gril [gril], barbecue [barbəkju]
Bratsche F alto *m*
Bratspieß M broche *f* **Bratwurst** F saucisse grillée
Brauch M usage, coutume *f*
brauchbar utilisable **brau-**

chen avoir besoin de; *Zeit* mettre **Brauchtum** N coutumes *fpl*
Braue F sourcil *m*
Brauerei F brasserie
braun marron; *Haar* brun; *von der Sonne* bronzé; **~e Butter** beurre *m* noir; **~ werden** bronzer
bräunen *Haut* bronzer; **sich ~ lassen** se bronzer
Braunkohle F lignite *m*
Braunschweig Brunswick
Brause F *Dusche* douche; *Getränk* limonade gazeuse
Braut F fiancée; *am Hochzeitstag* mariée
Bräutigam M fiancé; *am Hochzeitstag* marié
Brautpaar N mariés *mpl*
brav *Kind*, *a. fig* sage
BRD F (*Bundesrepublik Deutschland*) RFA (*République fédérale d'Allemagne*)
Brechdurchfall M gastro-entérite *f*
brechen casser (*von selber* se casser); rompre (*a. Vertrag, Schweigen*); *Rekord* battre; MED vomir; *fig* **mit j-m ~** rompre avec qn; **sich den Arm ~** se casser le bras
Brechmittel N vomitif *m* **Brechreiz** M envie *f* de vomir, nausée *f*
Brei M bouillie *f*; *Kartoffelbrei etc* purée *f*
breit large
Breite F largeur; GEOGR latitude **Breitengrad** M degré de latitude
Bremen Brême
Bremsbelag M garniture *f* de frein
Bremse F frein *m*; ZOOL taon [tɑ̃] *m* **bremsen** freiner
Bremsflüssigkeit F liquide *m* de frein **Bremskraftverstärker** M servofrein **Bremslicht** N (feu *m*) stop *m* **Bremspedal** N pédale *f* de frein **Bremsspur** F trace de freinage **Bremsweg** M distance *f* de freinage
brennbar combustible; **leicht ~** inflammable
brennen brûler; *Sonne* taper; *Lampe* être allumé; **es brennt!** au feu!
Brennholz N bois *m* de chauffage **Brennnessel** F ortie **Brennspiritus** M alcool à brûler **Brennstoff** M combustible
Brett N planche *f*; **Schwarzes ~** tableau *m* d'affichage
Brief M lettre *f* **Briefbombe** F lettre piégée **Brieffreund(in)** M (F) correspondant(e) **Briefkasten** M boîte *f* aux lettres **brieflich** par lettre(s) **Briefmarke** F timbre *m* **Briefmarkensammler(in)** M(F) philatéliste **Briefpapier** N papier *m* à lettres **Brieftasche** F portefeuille *m* **Briefträger(in)** M(F) facteur *m*, factrice *f* **Briefumschlag** M en-

veloppe *f* **Briefwahl** F vote *m* par correspondance **Briefwechsel** M correspondance *f*
Brikett N briquette *f*
brillant brillant
Brillant M brillant
Brille F lunettes *fpl*
Brillengestell N monture *f*
bringen apporter, amener; *hinbringen* porter; *begleiten* emmener, accompagner (**zum Bahnhof** à la gare); *nach Hause* ramener; *Kino*, TV passer; **j-n dazu ~, etw zu tun** amener qn à faire qc; **in Ordnung ~** arranger
Brise F brise
britisch britannique
bröckeln s'effriter
Brocken M morceau; *fig* **ein paar ~ Englisch** quelques bribes *fpl* d'anglais
Brokkoli PL brocoli *m*
Brombeere F mûre
Bronchitis F bronchite
Bronze F bronze *m*
Brosche F broche
Broschüre F brochure
Brot N pain *m*; **e-e Scheibe ~** une tranche de pain; *bestrichen* une tartine
Brötchen N petit pain *m*; **belegtes ~** sandwich *m*
Brotkorb M corbeille *f* à pain **Brotrinde** F croûte **Brotröster** M grille-pain
Browser M IT navigateur
Bruch M rupture *f* (*a. fig*); *Bruchstelle* cassure *f*; *Knochenbruch* fracture *f*; *Eingeweidebruch* °hernie *f*; MATH fraction *f*
brüchig cassant, fragile
Bruchrechnung F calcul *m* des fractions **Bruchstück** N fragment *m*
Brücke F pont *m*; SCHIFF passerelle; *Teppich* carpette; *Zahnbrücke* bridge *m*
Bruder M frère
brüderlich fraternel **Brüderlichkeit** F fraternité
Brühe F bouillon *m*; *umg pej* eau de vaisselle **Brühwürfel** M cube de consommé
brüllen *Mensch* °hurler
brummen *Mensch* grogner **Brummer** M *umg* ZOOL grosse mouche *f* **brummig** grognon
Brunch M brunch [brœnʃ]
brünett brun
Brunnen M puits
Brüssel Bruxelles
Brust F poitrine; **die rechte/linke ~** le sein droit/gauche
Brustbeutel M pochette *f* portée autour du cou
brüsten sich ~ mit se vanter de
Brustkorb M thorax **Brustkrebs** M cancer du sein
Brustschwimmen N brasse *f* **Brustumfang** M tour de poitrine
Brüstung F parapet *m*
Brustwarze F mamelon *m*
Brut F couvée; *pej* sale graine

brutal brutal **Brutalität** F brutalité
brüten couver
Brutkasten M couveuse *f*
brutto brut **Bruttogehalt** N salaire *m* brut **Bruttogewicht** N poids *m* brut **Bruttosozialprodukt** N produit *m* national brut
BSE F (*bovine spongiforme Enzephalopathie*) ESB (*encéphalopathie spongiforme bovine*)
Btx-Gerät N *etwa* minitel *m*
Bub M garçon
Bube M *Kartenspiel* valet
Buch N livre *m* **Buchdruckerei** F imprimerie
Buche F °hêtre *m*
buchen *Flug etc* réserver
Bücherei F bibliothèque **Bücherregal** N étagère *f* **Bücherschrank** M bibliothèque *f*
Buchfink M pinson
Buchhalter(in) M(F) comptable **Buchhaltung** F comptabilité
Buchhändler(in) M(F) libraire **Buchhandlung** F librairie **Buchmacher** M bookmaker
Büchse F boîte; *Gewehr* carabine
Büchsenfleisch N viande *f* en conserve **Büchsenmilch** F lait *m* condensé **Büchsenöffner** M ouvre-boîtes
Buchstabe M lettre *f*, caractère **buchstabieren** épeler
Bucht F baie; *kleine* crique
Buchung F réservation
Buckel M bosse *f*
bücken sich ~ se baisser
Bückling M °hareng saur
Bude F baraque; *Verkaufsbude* kiosque *m*; *umg Zimmer* piaule
Büfett N buffet *m*; *Theke* comptoir *m*; **kaltes ~** buffet *m* froid
Büffel M buffle
Bug M proue *f*; FLUG nez
Bügel M *Kleiderbügel* cintre; *Brillenbügel* branche *f* **Bügelbrett** N planche *f* à repasser **Bügeleisen** N fer *m* à repasser **Bügelfalte** F pli *m* **bügelfrei** qui ne se repasse pas, infroissable
bügeln repasser
Bühne F scène
Bühnenbild N décors *mpl*
Bulgare M Bulgare **Bulgarien** N la Bulgarie **bulgarisch** bulgare
Bulimie F boulimie
Bullauge N °hublot *m*
Bulle M taureau; *pej Polizist* flic
Bummel M *umg* balade *f*
bummeln *umg umherschlendern* se balader; *trödeln* traîner **Bummelstreik** M grève *f* du zèle **Bummelzug** M *umg* tortillard
bumsen *sl* baiser
Bund[1] N botte *f* (**Radieschen** de radis)
Bund[2] M union *f*, alliance *f*; *Hosenbund* ceinture *f*; *umg* **beim ~ sein** faire son service

(militaire)
Bündel N paquet *m*
Bundes... fédéral **Bundesagentur** F *BRD* **~ für Arbeit** Office fédéral du travail; *Frankreich* ≈ Pôle emploi **Bundeskanzler(in)** M(F) chancelier fédéral **Bundesland** N land *m*
Bundesrepublik F République fédérale **Bundesstraße** F route nationale **Bundestag** M Parlement fédéral **Bundeswehr** F armée de la République fédérale
Bündnis N alliance *f*, pacte *m*
Bungalow M bungalow [bɛ̃galo]
Bungeejumping N saut *m* à l'élastique
Bunker M abri antiaérien
bunt multicolore; *abwechslungsreich* varié **Buntstift** M crayon de couleur **Buntwäsche** F linge *m* de couleur
Burg F château *m* fort
Bürge M garant **bürgen** se porter garant (**für** *akk* de)
Bürger(in) M(F) bourgeois(e); *Staatsbürger* citoyen(ne) **Bürgerinitiative** F comité *m* de défense **Bürgerkrieg** M guerre *f* civile **bürgerlich** civil, civique; *Milieu* bourgeois **Bürgermeister(in)** M(F) maire(sse) **Bürgersteig** M trottoir
Bürgschaft F caution
Burgund N la Bourgogne
Burgunder(wein) M bourgogne
Büro N bureau *m* **Büroangestellte(r)** M/F(M) employé(e) *m(f)* de bureau **Büroklammer** F trombone *m* **Bürokratie** F bureaucratie [byrokrasi]
bürokratisch bureaucratique
Bursche M garçon, *umg.* gars [ga]; *pej* type
burschikos désinvolte, sans gêne
Bürste F brosse **bürsten** brosser
Bus M bus; *Reisebus* car **Busbahnhof** M gare *f* routière
Busch M buisson; *in Afrika* brousse *f* **Büschel** N touffe *f*
Busen M poitrine *f*, seins *mpl*
Busenfreund(in) M(F) ami(e) intime
Busfahrer(in) M(F) conducteur *m*, conductrice *f* de bus **Bushaltestelle** F arrêt *m* de bus
Business Class F classe affaires
Buslinie F ligne de bus **Busreise** F voyage *m* en car
Bussard M buse *f*
Buße F REL pénitence; *Geldbuße* amende **Bußgeld** N amende *f*
Büste F buste *m* **Büstenhalter** M soutien-gorge
Bustier N MODE bustier *m*
Butangas N butane *m*
Butter F beurre *m* **Butterbrot** N tartine *f* beurrée **Butterdose** F beurrier *m* **But-**

termilch F petit-lait *m*, babeurre *m*
Button M MODE badge
Bypass M MED bypass, pontage
bzw. (*beziehungsweise*) respectivement

C

Cabrio N décapotable *f*
Café N salon *m* de thé **Cafeteria** F cafétéria
Callcenter N centre *m* d'appels
Camcorder M caméscope
Camembert M camembert
campen camper **Camper(in)** M(F) campeur *m*, campeuse *f*
Camping N camping *m* **Campingausrüstung** F matériel *m* de camping **Campingbus** M camping-car **Campingplatz** M (terrain de) camping
Cappuccino M cappuccino [kaputʃino]
Caprihose F pantalon *m* corsaire
Caravan M caravane *f*
Carport M abri pour voitures
Carvingski M ski de carving
Castingshow F casting *m* télévisé
CD F (*Compact Disc*) CD *m* **CD-Brenner** M graveur de CD **CD-Laufwerk** N lecteur *m* de CD **CD-Player** M lecteur de CD **CD-ROM** F CD-ROM *m* **CD-ROM-Laufwerk** N lecteur *m* de CD-ROM
Cello N violoncelle *m*
Cellulite F MED cellulite
Celsius N **3 Grad ~** 3 degrés centigrade
Cent M *Währung der EU* cent, centime
Chamäleon N caméléon *m*
Champagner M champagne
Champignon M champignon de Paris
Chance F chance
Chaos N chaos [kao] *m* **chaotisch** chaotique
Charakter M caractère **charakteristisch** caractéristique **(für** de)
charmant charmant
Charme M charme
Charterflug M vol charter [ʃartɛr] **Chartergesellschaft** F compagnie de charters **Chartermaschine** F charter *m*
chartern affréter
Charts PL MUS °hit-parade *m*
Chat M IT chat [tʃat] **Chatroom** M IT salon de conversation
chatten IT chatter [tʃate], bavarder (en ligne)
checken TECH contrôler; *umg* (*kapieren*) piger **Check-in** N *od* M FLUG enregistrement *m*
Checkliste F liste de contrô-

le
Chef M chef, patron **Chefarzt** M médecin-chef **Chefin** F patronne **Chefsekretärin** F secrétaire de direction
Chemie F chimie **Chemiefaser** F fibre synthétique
Chemiker(in) M(F) chimiste
chemisch chimique; ~ **reinigen** nettoyer à sec
Chemotherapie F chimiothérapie
Chicorée M *od* F endive *f*
Chile N le Chili
China N la Chine **Chinese** M Chinois **chinesisch** chinois
Chinin N quinine *f*
Chip M *Spielmarke* jeton; IT puce *f* **Chipkarte** F IT carte à puce
Chips MPL chips [ʃips] *fpl*
Chirurg M chirurgien **chirurgisch** chirurgical
Chlor N chlore *m*
Choke M AUTO starter
Cholera F choléra *m*
Cholesterin N cholestérol *m* **cholesterinfrei** sans cholestérol
Chor M chœur **Choreografie** F chorégraphie
Christ M chrétien **Christentum** N christianisme *m* **Christkind** N enfant Jésus *m* **christlich** chrétien **Christus** M le Christ [krist], Jésus-Christ [kri]
Chrom N chrome *m*
chronisch chronique
circa environ
City F centre-ville *m*
Clementine F clémentine
Clown M clown [klun]
Club M club [klœb] **Cluburlaub** M vacances *fpl* (en) club
Cockpit N cockpit [kɔkpit] *m*
Cocktail M cocktail **Cocktailtomate** F tomate cerise
Cola F *umg* coca *m*
Comic M bande *f* dessinée (*abk* BD)
Computer M ordinateur **Computerarbeitsplatz** M poste de travail **computergestützt**assisté par ordinateur **Computerprogramm** N programme *m* informatique **Computerspiel** N jeu *m* vidéo **Computertisch** M desserte *f* informatique **Computertomografie** F scanographie **Computervirus** N *od* M virus *m* informatique
Container M conteneur
cool *umg lässig* cool [kul]; *toll* super
Copyshop M centre de photocopies
Cord M velours côtelé
Cornflakes PL corn-flakes [kɔrnflɛks] *mpl*
Couch F canapé *m* **Couchtisch** M table *f* de salon
Countdown M *od* N compte *m* à rebours
Cousin(e) M(F) cousin(e)
Cowboy M cow-boy [kobɔj]
Creme F crème **cremig** cré-

meux
Curry N od M curry *m*
Cursor M IT curseur *m*
Cyberspace M cybermonde

D

da ADV *räumlich* là; *zeitlich* alors, à ce moment-là; KONJ *weil* comme; **~** (*nun einmal*) puisque; **~ kommt er (ja)!** le voilà!; **~ drüben** là-bas; **von ~ an** depuis; **ich bin gleich wieder ~!** je reviens tout de suite!; **~ sein** être là; **ist noch Milch ~?** il y a encore du lait?
dabei *örtlich* à côté; *zeitlich* en même temps; *mit enthalten* compris; **etw ~ haben** avoir qc sur soi; **gerade ~ sein, etw zu tun** être en train de faire qc
dableiben rester (là)
Dach N toit *m* **Dachboden** M combles *mpl*, grenier **Dachdecker** M couvreur **Dachgepäckträger** M AUTO galerie *f* **Dachkammer** F mansarde **Dachrinne** F gouttière
Dachs M blaireau
Dachstuhl M charpente *f* du toit
dachte → denken
Dachziegel M tuile *f*
Dackel M teckel
dadurch par là; *deshalb* c'est pourquoi; **~, dass** comme
dafür pour cela; *als Ersatz* en échange; *zum Ausgleich* par contre; **~ sein** être pour; **ich kann nichts ~** je n'y peux rien
dagegen contre cela; *im Gegensatz dazu* par contre; *im Vergleich dazu* en comparaison; **~ sein** être contre
daheim à la maison, chez moi, toi, *etc*
daher de là; en; *deshalb* c'est pourquoi; *folglich* par conséquent **dahin** là; y; **bis ~** jusque-là **dahinten** là-bas **dahinter** (là-)derrière
Dalmatiner M ZOOL dalmatien
damals à l'époque
Dame F dame (*a. Spielkarte*); *beim Schach* reine; **~ spielen** jouer aux dames
Damenbinde F serviette hygiénique **Damenfriseur** M coiffeur pour dames **Damenschuhe** MPL chaussures *fpl* de femme **Damentoilette** F toilettes *fpl* pour dames
damit avec cela; KONJ pour que, afin que (*+subj*)
Damm M digue *f*; *Staudamm* barrage
dämmern es dämmert *morgens*: le jour se lève; *abends*: la nuit tombe **Dämmerung** F *morgens*: aube; *abends*: crépuscule *m*

Dampf M vapeur *f* **Dampfbad** N bain *m* de vapeur, bain *m* turc **Dampfbügeleisen** N fer *m* à vapeur **dampfen** dégager de la vapeur; *Speisen* fumer
dämpfen *Speisen* (faire) cuire à l'étouffée *od* à l'étuvée; *Stoß, Geräusch* amortir; *Licht* tamiser
Dampfer M bateau à vapeur; *Ozeandampfer* paquebot
Dampfkochtopf M cocotte--minute *f*, autocuiseur
danach après (cela), ensuite
Däne M Danois
daneben à côté; *außerdem* en outre
Dänemark N le Danemark **Dänin** F Danoise **dänisch** danois
Dank M remerciement; **vielen ~!** merci beaucoup
dank PRÄP (*gen od dat*) grâce à
dankbar reconnaissant (**für** de) **Dankbarkeit** F reconnaissance, gratitude
danke merci; **~ schön** (*od* **sehr**) merci beaucoup; **~, gleichfalls** merci, à vous aussi
danken remercier (**j-m für etw** qn de qc)
dann ensuite
daran y (*a. räumlich*), en; **~ glauben** y croire; **~ sterben** en mourir; **nahe ~ sein zu ...** être sur le point de ...
darauf (là-)dessus; **bald ~** peu après; **am Tag ~** le lendemain; **~ verzichten** s'en passer; **das kommt ~ an** ça dépend
daraus en; **~ folgt, dass ...** il en résulte que ...; **mach dir nichts ~!** ne t'en fais pas!
darbieten offrir, présenter **Darbietung** F spectacle *m*
darf(st) → **dürfen**
darin (là-)dedans
darlegen exposer
Darleh(e)n N prêt *m*
Darm M intestin **Darmgrippe** F grippe intestinale **Darmkrebs** M cancer de l'intestin
darstellen représenter; *Theater* interpréter
Darsteller(in) M(F) interprète
darüber (au-)dessus; *darüber hinweg* par-dessus; *mehr* plus; **sich ~ freuen** s'en réjouir; **~ hinaus** *außerdem* en plus
darum c'est pourquoi; **es geht ~, dass ...** il s'agit de (+*inf*)
darunter (au-)dessous; *dazwischen* parmi eux *od* elles; **~ leiden** en souffrir
das → der; PRON cela, ça
Dasein N existence *f*
dass que; **so ~** de sorte que
dasselbe → derselbe
Datei F fichier *m* (de données)
Daten NPL données *fpl* **Datenbank** F banque de données **Datenbestand** M base *f* de données **Datenschutz** M protection *f* contre les abus de l'informatique **Datenübertragung** F transmission de données **Datenverarbei-

tung F informatique
Dativ M datif
Dattel F datte **Dattelpalme** F dattier *m*
Datum N date *f*
Dauer F durée; **auf die ~** à la longue
dauerhaft durable **Dauerkarte** F abonnement *m*
dauern durer
dauernd continuel(lement)
Dauerwelle F permanente
Daumen M pouce
Daunen PL duvet *m* **Daunendecke** F édredon *m*
davon de cela, en **davonlaufen** s'enfuir, se sauver
davor devant; *zeitlich* avant; **er hat Angst ~** il en a peur
dazu *zusätzlich* avec cela; *Zweck* pour cela; **(noch) ~** en plus; **was meinen Sie ~?** qu'en pensez-vous?
dazugehören en faire partie
dazurechnen, dazutun ajouter
dazwischen entre les deux, au milieu; *zeitlich* entre-temps
dazwischenkommen survenir; **wenn nichts dazwischenkommt** sauf imprévu
DB (*Deutsche Bahn*) chemins *mpl* de fer allemands
DDR (*Deutsche Demokratische Republik*) *hist* **die ~** la RDA (*République démocratique allemande*)
Debatte F débat *m*
Deck N pont *m*
Decke F *Bettdecke* couverture; *Tischdecke* nappe; *Zimmerdecke* plafond *m*
Deckel M couvercle
decken couvrir; **den Tisch ~** mettre la table
Deckung F couverture (*a.* HANDEL)
Decoder M TV décodeur
defekt défectueux; *Motor* en panne
Defekt M défaut (**an** *dat* de); panne (de)
Defibrillator M MED défibrillateur
Definition F définition
Defizit N déficit *m* (*a. fig*)
Degen M épée *f*
dehnbar extensible, élastique
dehnen (sich) ~ (s')étirer
Deich M digue *f*
Deichsel F timon *m*
dein(e) ton (ta); **~e** PL tes **deinerseits** de ton côté, de ta part **deinetwegen** à cause de toi; *für dich* pour toi
Deklination F déclinaison
Dekolleté N décolleté *m*
Dekoration F, *umg* **Deko** F décoration; *Theater, Film* décors *mpl* **dekorieren** décorer (**mit** de)
Delegation F délégation **Delegierte(r)** M délégué
Delfin M dauphin
delikat *köstlich* délicieux; *heikel* délicat
Delikatesse F mets *m* délicat; **das ist eine ~** c'est délicieux

Delikatess(en)geschäft N épicerie *f* fine
Delikt N délit
Delle F *umg* bosse
dementieren démentir
dementsprechend conformément à cela **demnach** par conséquent, donc **demnächst** prochainement
Demo F *umg* manif
Demokratie F démocratie [demɔkrasi] **demokratisch** démocratique; *Partei, Person* démocrate
demolieren démolir
Demonstration F manifestation **demonstrieren** manifester
demütigen humilier **Demütigung** F humiliation
denkbar imaginable
denken penser (**an** *akk* à); **sich etw ~** s'imaginer qc; **wie ~ Sie darüber?** qu'en pensez-vous?
Denkmal N monument *m* **denkwürdig** mémorable
denn car; **wo ist er ~?** où est-il donc passé?; **mehr ~ je** plus que jamais; **es sei ~, dass ...** à moins que (*+subj*)
dennoch cependant, pourtant
denunzieren dénoncer
Deo(dorant) N déodorant *m* **Deoroller** M déodorant *m* bille
Deponie F décharge **deponieren** déposer
der, **die**, **das** le, la, *vor Vokal* l'; **die** PL les; *relativ* qui (*akk* que)
derart tellement **derartig** tel
derb grossier
deren dont
derjenige, **diejenige**, **dasjenige** celui, celle; **diejenigen** PL ceux, celles
dermaßen tellement
derselbe, **dieselbe**, **dasselbe** le même, la même; **dieselben** PL les mêmes; **das ist dasselbe** c'est la même chose
desertieren déserter
desgleichen de même
deshalb pour cette raison, c'est pourquoi
Design N design *m* **Designer(in)** M(F) designer **Designermöbel** NPL meubles *mpl* design **Designermode** F mode design, mode griffée
Desinfektionsmittel N désinfectant *m*
desinfizieren désinfecter
Dessert N dessert *m*
destilliert ~es Wasser N eau *f* distillée
desto d'autant; **~ besser** tant mieux
deswegen → deshalb
Detail N détail *m*
Detektei F agence de détectives **Detektiv** M détective
deuten interpréter; **auf etw** (*akk*) **~** indiquer qc
deutlich distinct; *Schrift* lisible; *eindeutig* clair, net **Deutlichkeit** F netteté
deutsch allemand; **auf Deutsch** en allemand; **spre-**

chen Sie Deutsch? parlez-vous allemand?
Deutsche(r) M/F(M) Allemand(e) *m(f)* **Deutschland** N l'Allemagne *f*
Devisen FPL devises
Dezember M décembre
dezent discret
d. h. (*das heißt*) c.-à-d. (*c'est à dire*)
Dia N *umg* diapo *f*
Diabetes M diabète **Diabetiker(in)** M(F) diabétique
Diagnose F diagnostic *m*
Dialekt M dialecte
Dialog M dialogue
Diamant M diamant
Diaprojektor M projecteur (de diapositives)
Diät F régime *m*; ~ **halten** suivre un régime
dich te, *vor Vokal* t'; *betont, nach Präp* toi; **für ~** pour toi
dicht dense (*a. Verkehr*), épais; *wasserdicht* étanche; **~ an** (*dat*), **~ bei** tout près de
Dichter(in) M(F) poète *m*
Dichtung F poésie; TECH joint *m*
dick épais; *Person* gros; (*geschwollen*) enflé; **~(er) werden** grossir
Dickdarm M gros intestin **Dickicht** N taillis *m* **dickköpfig** entêté, têtu **Dickmilch** F lait *m* caillé
die → der
Dieb M voleur **Diebstahl** M vol
Diele F *Flur* entrée; *Brett* planche
dienen servir (**zu** à, **als** de)
Diener(in) M(F) domestique
Dienst M service; **~ haben, im ~ sein** être de service; **j-m e-n ~ erweisen** rendre (un) service à qn
Dienstag M mardi **dienstags** le mardi
Dienstleistung F (prestation *f* de) service *m*
dienstlich officiel, de service
Dienstmädchen N bonne *f*
Dienstreise F déplacement *m*, mission **Dienststelle** F service *m*, office *m* **Dienststunden** FPL heures de service
diese(r, -s) ce (*vor Vokal* cet), cette; ~ PL ces; *allein stehend* celui-ci, celle-ci, *pl* ceux-ci, celles-ci
Diesel[1] N *Öl* gasoil *od* gazole *m* **Diesel**[2] M *Fahrzeug* diesel
Dieselmotor M moteur diesel **Dieselöl** N gasoil *od* gazole *m*
diesig brumeux
diesjährig de cette année
diesmal cette fois(-ci) **diesseits** de ce côté
Dietrich M passe-partout
Differenz F différence
digital numérique **Digitalkamera** F appareil *m* photo numérique **Digitaluhr** F montre à affichage numérique
Diktat N dictée *f*

Diktatur F dictature
diktieren dicter **Diktiergerät** N dictaphone *m*
Dill M aneth [anɛt]
Dimmer M variateur *m* (de lumière)
Ding N chose *f*; **vor allen ~en** avant tout **Dings(da)** N *umg* truc *m*, machin *m*
Dinkel M épeautre
Dinosaurier M, *umg* **Dino** M dinosaure
Dip M GASTR dip, sauce *f*
Diphterie F diphtérie
Diplom N diplôme *m*
Diplomat(in) M(F) diplomate **diplomatisch** diplomatique
dir te, *vor Vokal* t'; *betont* à toi; **mit ~** avec toi
direkt direct; **~ gegenüber** juste en face
Direktflug M vol direct
Direktion F direction
Direktor M directeur; *e-s Gymnasiums* proviseur
Direktübertragung F émission en direct **Direktverbindung** F liaison directe
Dirigent M chef d'orchestre **dirigieren** diriger
Discjockey M disc-jockey **Disco** F *umg* disco, boîte
Discounter M magasin °hard-discount [arddiskunt]
Diskette F disquette
Diskettenlaufwerk N lecteur *m* de disquettes
Disko F *umg* disco, boîte **Diskothek** F discothèque
diskret discret
diskriminieren discriminer **Diskriminierung** F discrimination
Diskussion F discussion
Diskuswerfen N lancement *m* du disque
diskutieren discuter (**über** *akk* de *od* sur)
Display N IT écran *m*
disqualifizieren disqualifier
distanzieren sich von etw ~ désapprouver qc
Distel F chardon *m*
Disziplin F discipline
dividieren diviser
DJ M ABK → Discjockey
DM,D-Mark F (*Deutsche Mark*) *hist* mark *m* allemand
doch (*trotzdem*) pourtant; *als Antwort* **~!** si!; **das gibts ~ gar nicht!** c'est pas possible!
Docht M mèche *f*
Dock N dock *m*
Dogge F dogue *m*
Doktor M docteur (*a. umg Arzt*)
Dokument N document *m* **Dokumentarfilm** M documentaire
Dolch M poignard
Dollar M dollar
dolmetschen servir d'interprète; *etw* traduire **Dolmetscher(in)** M(F) interprète
Dom M cathédrale *f*
Donau F Danube *m*
Döner M kebab [kebab]
Donner M tonnerre **donnern**

es donnert il tonne
Donnerstag M jeudi **donnerstags** le jeudi
doof *umg* bête, idiot
dopen doper
Doping N dopage *m* **Dopingkontrolle** F contrôle *m* antidopage
Doppel N double *m* (*a.* SPORT) **Doppelbett** N lits *mpl* jumeaux; (*französisches Bett*) grand lit *m* **Doppelgänger(in)** M(F) sosie *m* **Doppelklick** M IT double-clic **doppelklicken** IT double-cliquer (**auf** *akk* sur) **Doppelpunkt** M deux-points
doppelt double; **das Doppelte** le double
Doppelzimmer N chambre *f* pour deux personnes
Dorf N village *m*
Dorn M épine *f*
Dörrobst N fruits *mpl* secs
Dorsch M morue *f*
dort là-bas; **warst du schon mal ~?** tu y es déjà allé?
dorthin là-bas; **~ fahren, kommen** y aller
Dose F boîte
Dosenbier N bière *f* en boîte **Dosenmilch** F lait *m* concentré **Dosenöffner** M ouvre-boîte(s)
Dosis F dose
Dotter N jaune *m* d'œuf
downloaden IT télécharger (**aus** de)
Drache M dragon
Drachen M *Spielzeug*: cerf-volant; *Fluggerät*: deltaplane **Drachenfliegen** N deltaplane *m*
Dragée N dragée *f*
Draht M fil de fer **drahtlos** sans fil **Drahtseilbahn** F téléférique *m*
Drama N drame *m* **dramatisch** dramatique
dran *umg* → daran; **ich bin ~** c'est mon tour
drängeln bousculer, pousser
drängen pousser; **(sich) ~** (se) presser; **j-n ~, etw zu tun** presser qn de faire qc; **die Zeit drängt** le temps presse
drankommen *umg* **wer kommt jetzt dran?** c'est à qui (le tour)?
draußen dehors
Dreck M saleté; *Straßendreck* boue *f* **dreckig** sale
Drehbuch N scénario *m*
drehen tourner (*a. Film*); **sich ~** tourner (**um** autour de); **es dreht sich um …** il s'agit de …
Drehkreuz N tourniquet *m* **Drehstrom** M courant triphasé **Drehtür** F porte à tambour **Drehung** F tour *m* **Drehzahlmesser** M compte-tours
drei trois **Dreibettzimmer** N chambre *f* à trois lits **Dreieck** N triangle *m* **dreieckig** triangulaire **dreifach** triple **dreihundert** trois cents **Dreikampf** M SPORT triath-

lon **dreimal** trois fois **Dreirad** N tricycle *m* **Dreisprung** M SPORT triple saut **dreispurig** à trois voies
dreißig trente
dreist effronté; *umg* culotté
dreitägig de trois jours **Dreiviertelstunde** F trois quarts *mpl* d'heure **dreizehn** treize
dreschen battre
dressieren dresser
Dressing N sauce *f* (de salade)
Dressur F dressage *m*
dringen ~ durch (**in** *akk*) pénétrer dans; **auf etw** (*akk*) **~** exiger qc
dringend urgent
drinnen dedans
dritte(**r**, **-s**) troisième **Drittel** N tiers *m* **drittens** troisièmement
Droge F drogue **drogenabhängig**, **drogensüchtig** drogué, toxicomane
Drogerie F droguerie
drohen menacer (**j-m** qn, **mit** de) **drohend** menaçant; *Gefahr* imminent
dröhnen retentir; *Motor* vrombir
Drohung F menace
drollig amusant, drôle
Dromedar N dromadaire *m*
Drossel F grive
drüben de l'autre côté; **da ~**, **dort ~** là-bas
Druck M pression *f*; *Buchdruck* impression *f* **Druckbuchstabe** M caractère d'imprimerie
drucken imprimer
drücken presser; *stoßen* pousser; *Hand, Schuhe* serrer; **auf den Knopf ~** appuyer sur le bouton; **sich ~** *umg* se défiler
drückend *Hitze* étouffant
Drucker M *Gerät*: imprimeur; IT imprimante *f* **Druckerei** F imprimerie
Druckfehler M faute *f* d'impression **Druckknopf** M bouton-pression **Druckluft** F air *m* comprimé **Drucksache** F imprimé *m* **Druckschrift** F caractères *mpl* d'imprimerie
drunter es *od* **alles geht ~ und drüber** tout est sens dessus dessous
Drüse F glande
Dschungel M jungle *f*
du tu; *betont* toi
Dübel M cheville *f*
ducken sich ~ se baisser
Dudelsack M cornemuse *f*
Duell N duel *m*
Duett N MUS duo *m* (de chant)
Duft M parfum **duften** sentir bon **Duftkerze** F bougie parfumée
dulden tolérer
dumm bête **Dummheit** F bêtise **Dummkopf** M imbécile
dumpf sourd; *unklar* vague
Düne F dune
Dünger M engrais
dunkel obscur (*a. fig*); sombre; *Farbe* foncé; **es wird ~** la nuit tombe; **im Dunkeln** dans

l'obscurité
Dunkelheit F obscurité
dunkelrot rouge foncé
dünn mince; *Kaffee, Kleid* léger; *Haar, Luft* rare **Dünndarm** M intestin grêle
Dunst M brume *f*; *Küchendunst* vapeur *f*
dünsten cuire à l'étuvée
dunstig brumeux
Duplikat N duplicata *m*
Dur N mode *m* majeur; **C-~** do *m* majeur
durch par; *quer durch* à travers; **hier ~** par ici; **das ganze Jahr ~** toute l'année
durchaus tout à fait; **~ nicht** pas du tout
durchblättern feuilleter
durchblicken ~ lassen laisser entendre
Durchblutung F circulation sanguine
durchbohren percer **durchbrennen** *Sicherung* sauter; *Glühbirne* griller; *fig umg* filer **durchdenken** examiner à fond **durchdrehen** *Räder* patiner; *umg* déjanter **durchdringen** pénétrer
durcheinander en désordre **Durcheinander** N désordre *m*
durchfahren passer par, traverser; *nicht halten* ne pas s'arrêter; **bei Rot ~** griller un feu rouge
Durchfahrt F traversée; **~ verboten!** passage interdit!
Durchfall M MED diarrhée *f*
durchfallen *im Examen*: échouer
durchführbar réalisable
durchführen réaliser
Durchgang M passage; **kein ~!** passage interdit! **Durchgangsverkehr** M trafic de transit
durchgebraten bien cuit
durchgehen passer par; *Zug* être direct (**bis** jusqu'à); **etw ~ lassen** laisser passer qc
durchgehend *Zug* direct; **~ geöffnet** ouvert en permanence *od* à midi; **~ warme Küche** plats *mpl* chauds à toute heure
durchhalten tenir jusqu'au bout **durchkommen** passer par, *fig* s'en tirer; *im Examen* être reçu; TEL obtenir la communication **durchlassen** laisser passer **durchlässig** perméable
Durchlauferhitzer M chauffe-eau instantané
durchlesen lire en entier; *flüchtig* parcourir **Durchleuchtung** F MED radioscopie **Durchmesser** M diamètre **durchnässt** trempé
durchqueren traverser
Durchreise F passage *m*; **auf der ~** de passage **durchreisen** passer par **Durchreisevisum** N visa *m* de transit
durchreißen déchirer
Durchsage F annonce
durchschauen *Absichten* per-

cer à jour; **j-n ~** pénétrer les intentions de qn
Durchschlag M copie *f*, double **durchschneiden** couper (en deux)
Durchschnitt M moyenne *f*; **im ~** en moyenne **durchschnittlich** moyen; ADV en moyenne **Durchschnitts...** IN ZSSGN moyen
Durchschrift F copie, double *m* **durchsehen** examiner, réviser
durchsetzen faire adopter; **s-n Willen ~** imposer sa volonté; **sich ~** s'imposer
Durchsicht F examen *m*, révision **durchsichtig** transparent
durchsprechen discuter **durchstellen** TEL passer **durchstreichen** rayer
durchsuchen fouiller **Durchsuchung** F fouille; *e-r Wohnung* perquisition
durchtrieben rusé
Durchwahl(nummer) F (numéro *m* de sa) ligne directe
durchwandern parcourir à pied
durchweg sans exception
durchwühlen fouiller (**etw** dans qc) **durchzählen** compter un à un
Durchzug M courant d'air
dürfen avoir le droit *od* la permission de; **darf ich ...?** est-ce que je peux...?; **man darf nicht ...** il ne faut pas ..., on ne doit pas...; **was darf es sein?** vous désirez?
durfte → dürfen
dürftig médiocre; *armselig* pauvre
dürr sec (*a. Mensch*); *Ast, Blatt* mort; *Land* aride **Dürre** F sécheresse
Durst M soif *f*; **ich habe ~** j'ai soif
durstig ~ sein avoir soif
Dusche F douche **duschen (sich) ~** prendre une douche, se doucher
Duschgel N gel *m* moussant **Duschvorhang** M rideau de douche
Düse F tuyère **Düsenflugzeug** N avion *m* à réaction
düster sombre
Duty-free-Shop M boutique *f* °hors taxes
Dutzend N douzaine *f*
duzen tutoyer
DVD F (*digital versatile disc*) DVD *m*; **auf ~** en DVD, sur DVD **DVD-Brenner** M graveur de DVD **DVD-Player** M lecteur de DVD **DVD-Rekorder** M enregistreur DVD
Dynamit N dynamite *f*
Dynamo M dynamo *f*
D-Zug M train direct, express

E

Ebbe F marée basse; **~ und Flut** marée
eben ADJ plat; ADV justement; **er ist ~ gekommen** il vient d'arriver
Ebene F plaine; POL plan *m*
ebenfalls également, aussi
ebenso de même; **~ groß wie** aussi grand que; **~ viel** autant (**wie** que); **~ wenig** aussi peu (**wie** que)
Eber M verrat
ebnen aplanir
EC M (*Eurocity*) Eurocity
Echo N écho [eko] *m*
echt véritable, authentique **Echtheit** F authenticité
EC-Karte F carte eurochèque
Eckball M corner [kɔrnɛr]
Ecke F coin *m*; **um die ~ biegen** tourner au coin de la rue
eckig anguleux
Eckzahn M canine *f*
Economyklasse F classe économique
edel noble **Edelstahl** M acier inoxydable **Edelstein** M pierre *f* précieuse
EDV F (elektronische Datenverarbeitung) informatique
Efeu M lierre
Effekt M effet
EG N ABK (Erdgeschoss) RDC (*rez-de-chaussée*)
egal égal; **das ist mir ~** ça m'est égal
Egoist M, **egoistisch** égoïste
ehe avant que (*+subj*)
Ehe F mariage *m* **Ehebett** N lit *m* conjugal **Ehebruch** M adultère **Ehefrau** F épouse **Ehekrach** M *umg* scène *f* de ménage **Eheleute** PL époux *mpl* **ehelich** conjugal; *Kind* légitime
ehemalig ancien
Ehemann M mari **Ehepaar** N couple *m* (marié)
eher *früher* plus tôt; *lieber* plutôt
Ehering M alliance *f* **Ehescheidung** F divorce *m* **Eheschließung** F mariage *m*
Ehre F honneur *m*
ehren honorer **ehrenamtlich** honorifique **Ehrengast** M invité d'honneur **Ehrenwort** N parole *f* d'honneur
Ehrfurcht F respect *m* (**vor** *dat* de, pour) **Ehrgeiz** M ambition *f* **ehrgeizig** ambitieux
ehrlich honnête(ment) **Ehrlichkeit** F honnêteté
Ei N œuf *m*; **hartes ~** œuf *m* dur; **weiches ~** œuf *m* à la coque
Eibe F if *m*
Eiche F chêne *m* **Eichel** F gland *m* **Eichhörnchen** N écureuil *m*
Eid M serment
Eidechse F lézard *m*

eidesstattlich ~e Erklärung F déclaration à titre de serment
Eidotter N jaune *m* d'œuf
Eierbecher M coquetier **Eierkuchen** M crêpe *f* **Eierlikör** M liqueur *f* aux œufs **Eierschale** F coquille d'œuf **Eierstock** M ovaire **Eiertomate** F olivette
Eifer M enthousiasme **Eifersucht** F jalousie **eifersüchtig** jaloux (**auf** *akk* de)
eifrig enthousiaste; *Schüler* studieux
Eigelb N jaune *m* d'œuf
eigen propre **Eigenart** F particularité **eigenartig** étrange **Eigenbedarf** M consommation *f* personnelle **Eigenheim** N maison *f* individuelle **Eigenname** M nom propre **eigennützig** intéressé
Eigenschaft F caractéristique; **gute ~en** PL qualités
eigensinnig obstiné
eigentlich véritable; ADV en réalité, à vrai dire
Eigentum N propriété *f* **Eigentümer(in)** M(F) propriétaire **Eigentumswohnung** F appartement *m* en copropriété
eignen sich ~ convenir; *Person* avoir les qualités requises (**für** pour, **als** *od* **zu** pour être)
Eilbote M **durch ~n** par exprès [ɛksprɛs]
Eilbrief M lettre *f* exprès [ɛksprɛs]
Eile F °hâte; **in ~ sein** être pressé
eilen presser; **eilt!** urgent!
eilig pressé; *Sache* urgent; **es ~ haben** être pressé
Eilzug M train direct
Eimer M seau; *umg* **im ~ sein** être fichu
ein ⟨*f* eine⟩ un, une; **~ für alle Mal** une fois pour toutes; **~er von beiden** l'un des deux
einander l'un l'autre, les uns les autres; l'un à l'autre, les uns aux autres
einarbeiten sich ~ se familiariser (**in** *akk* avec)
einatmen inspirer; *Gas, Rauch etc* respirer
Einbahnstraße F (rue à) sens *m* unique
Einband M reliure *f*
einbauen *Geräte* monter, installer; *Möbel* encastrer **Einbauküche** F cuisine aménagée
einbiegen tourner (**in** *akk* dans, **nach links** à gauche)
einbilden sich etw ~ s'imaginer qc
Einbildung F imagination; *irrige* illusion; *Anmaßung* suffisance
einbrechen cambrioler (**in etw** *akk* qc) **Einbrecher** M cambrioleur
einbringen *Gewinn* rapporter
Einbruch M cambriolage; **bei ~ der Nacht** à la tombée de la nuit

einbürgern naturaliser
einbüßen perdre
einchecken FLUG *abfertigen* enregistrer; *sich abfertigen lassen* se faire enregistrer
eindecken sich ~ mit s'approvisionner en
eindeutig clair, net, sans équivoque
eindringen pénétrer (**in** *akk* dans) **Eindringling** M intrus
Eindruck M impression *f*
eindrücken enfoncer
eindrucksvoll impressionnant
eine → ein
eineinhalb un et demi
einerseits d'un côté
einfach simple; *schlicht* modeste; **e-e ~e Fahrkarte** un aller simple (**nach** pour)
einfahren *Zug* entrer en gare (**auf Gleis 3** quai numéro 3); *neues Auto* roder
Einfahrt F entrée; *Tor* porte cochère
Einfall M idée *f*
einfallen *einstürzen* s'écrouler; MIL envahir (**in ein Land** un pays); *Gedanke* venir à l'esprit; **sein Name fällt mir nicht ein** son nom m'échappe
Einfamilienhaus N maison *f* individuelle
einfarbig uni
einfetten graisser
Einfluss M influence *f* **einflussreich** influent
einfrieren geler; *Lebensmittel* congeler **einfügen** insérer
Einfuhr F importation
einführen introduire; HANDEL importer **Einführung** F introduction
Einfuhrverbot N embargo *m* sur les importations **Einfuhrzoll** M taxes *fpl* à l'importation
Eingang M entrée *f*
Eingangstür F porte d'entrée
eingeben IT entrer; *Geheimnummer* taper
eingebildet prétentieux **Eingeborene(r)** M/F(M) indigène *m/f*
eingehen *Post* arriver; *Pflanze, Tier* mourir; *Stoff* rétrécir; **auf etw** (*akk*) **~** *Angebot* accepter; *Details* entrer dans; **ein Risiko ~** courir un risque
Eingemachte(s) N conserves *fpl* maison
eingeschneit bloqué par la neige **eingeschrieben** *Brief* recommandé
Eingeweide PL intestins *mpl*
eingewöhnen sich ~ s'acclimater
eingießen verser (**in** *akk* dans)
eingleisig à voie unique
eingliedern incorporer **eingreifen** intervenir **Eingriff** M intervention *f* (*a.* MED) **einhalten** *Frist* respecter **einhängen** TEL *Hörer* raccrocher
einheimisch local **Einheimische(r)** M/F(M) personne *f* du pays

Einheit F unité **einheitlich** homogène; *für alle gleich* unique **Einheitspreis** M prix unique
einholen *j-n, Zeitverlust* rattraper
Einhorn N licorne *f*
einig sich ~ sein/werden être/tomber d'accord (**über** *akk* sur)
einige quelque(s); *allein stehend* quelques-un(e)s; **~ Male** plusieurs fois
einigen sich ~ se mettre d'accord (**über** *akk* sur)
einigermaßen relativement
Einigkeit F union, concorde
Einigung F accord *m*
einjährig d'un an
einkalkulieren tenir compte de
Einkauf M achat; **Einkäufe machen** → **einkaufen** faire les courses; *etw* acheter
Einkaufsbummel M **e-n ~ machen** faire du shopping
Einkaufspassage F galerie marchande **Einkaufstasche** F sac *m* à provisions, cabas *m* **Einkaufswagen** M caddie® **Einkaufszentrum** N centre *m* commercial
einkehren s'arrêter dans un restaurant, une auberge **einklammern** mettre entre parenthèses
einkleiden sich neu ~ s'habiller de neuf
einklemmen coincer
Einkommen N revenu *m* **Einkommensteuer** F impôt *m* sur le revenu
Einkünfte PL revenus *mpl*
einladen *j-n* inviter; *Gepäck etc* charger **Einladung** F invitation
Einlage F *im Schuh*: semelle orthopédique
Einlass M entrée *f*; **~ ab 18 Uhr** ouverture des portes à 18 heures
einlassen laisser entrer; **sich auf etw** (*akk*) **~** se laisser embarquer dans qc
einlaufen *Schiff* entrer au port; *Stoff* rétrécir
einleben sich ~ s'acclimater
einlegen *Film* mettre; AUTO *Gang* passer; *Fisch* mariner; *Pause* faire **Einlegesohle** F semelle orthopédique
Einleitung F introduction
einleuchtend évident
einliefern in ein Krankenhaus ~ hospitaliser
Einlieferung F MED hospitalisation **Einlieferungsschein** M *Post®* récépissé, reçu
einloggen IT **(sich) ~** se connecter **einlösen** *Scheck* encaisser; *Versprechen* tenir **einmachen** faire des conserves de
einmal une fois; *künftig* un jour; **auf ~** *plötzlich* tout à coup; *in e-m Zug* d'un seul coup; *zugleich* à la fois; **noch ~** encore une fois
Einmaleins N table *f* de mul-

tiplication **einmalig** unique
einmischen sich ~ se mêler (**in** *akk* de)
einmünden déboucher (**in** *akk* sur) **einmütig** unanime; ADV à l'unanimité
Einnahme F HANDEL recette
einnehmen *Geld* toucher; *Arznei, Platz* prendre; *Stellung* occuper
einölen huiler
einordnen AUTO **sich links/rechts ~** prendre la file de gauche/droite
einpacken empaqueter; *in Papier* emballer; *in den Koffer* mettre (dans la valise)
einparken se garer; *rückwärts* faire un créneau
einplanen prévoir
einprägen sich etw ~ retenir, mémoriser qc
einquartieren *u.* **sich ~** loger
einrahmen encadrer
einräumen ranger; (*zugestehen*) accorder
einreiben (sich) ~ (se) frictionner **Einreibung** F friction
einreichen déposer
Einreise F entrée (dans un pays) **Einreiseerlaubnis** F permis *m* d'entrée
einreisen entrer (**nach Frankreich** en France) **Einreisevisum** N visa *m* d'entrée
einrenken MED remettre, remboîter
einrichten *Wohnung etc* aménager; **sich ~** s'installer **Einrichtung** F aménagement *m*; *Möbel* ameublement *m*; *Institution* institution
eins un; *Uhrzeit* **es ist ~** il est une heure
einsam *verlassen* seul; *abgelegen* isolé **Einsamkeit** F solitude
einsammeln ramasser
Einsatz M *persönlicher* engagement; *Verwendung* emploi; *im Spiel* mise *f*
einscannen scanner
einschalten *Licht, Radio,* TV allumer; **sich ~** intervenir
Einschaltquote F TV audience, audimat *m*
einschätzen estimer **einschenken** verser **einschicken** envoyer **einschieben** intercaler
einschiffen sich ~ embarquer **Einschiffung** F embarquement *m*
einschlafen s'endormir; *Glieder* s'engourdir **einschläfern** endormir (*a.* MED); *Tier* piquer
einschlagen *Nagel* enfoncer; *Glasscheibe* casser; *Weg* prendre; *Blitz* tomber (**in** *akk* sur)
einschleppen *Krankheit* introduire
einschließen (*umfassen*) renfermer; MIL encercler; **(sich) ~** (s')enfermer (à clé) **einschließlich** y compris
Einschnitt M incision *f*; *fig* tournant

einschränken limiter, restreindre; **sich ~** réduire ses dépenses **Einschränkung** F limitation; *Vorbehalt* restriction
einschreiben (sich) ~ (s')inscrire
Einschreiben N lettre *f* recommandée; **per Einschreiben schicken** *Brief* envoyer en recommandé
einschreiten intervenir **einschüchtern** intimider **einsehen** voir; *Fehler* reconnaître **einseitig** d'un seul côté; POL unilatéral; *parteiisch* partial
einsenden envoyer **Einsendeschluss** M date *f* limite d'envoi **Einsendung** F envoi *m*
einsetzen mettre, insérer (**in** *akk* dans); *Mittel, Kräfte* employer; *Leben* risquer; *beginnen* commencer; **sich ~** s'engager; **sich ~ für** *j-n* intervenir en faveur de; *etw* défendre
Einsicht F compréhension **einsichtig** compréhensif
Einsiedler(in) M(F) ermite *m*
einsparen économiser
einsperren emprisonner
einspringen für j-n ~ remplacer qn
einspritzen injecter **Einspritzmotor** M moteur à injection
Einspruch M protestation *f*; JUR opposition *f*; **~ erheben** protester (**gegen** contre)
einspurig *Straße* à une seule voie; *Bahn* à voix unique
einstecken empocher; *Brief* mettre à la boîte; *hinnehmen* encaisser
einsteigen monter (**in** *akk* dans); **~!** en voiture!
einstellen *Radio*, TV régler; FOTO mettre au point; *Arbeitskräfte* embaucher; *Arbeit* cesser; *Rekord* égaler; **sich auf etw** (*akk*) **~** se préparer à qc
Einstellung F *Haltung* attitude (**zu** envers)
einstimmig unanime; ADV à l'unanimité **einstöckig** à un étage **einstufen** classer
Einsturz M écroulement **einstürzen** s'écrouler **Einsturzgefahr** F danger *m* d'écroulement
einstweilen en attendant **einstweilig** provisoire
eintägig d'une journée **eintauchen** plonger **eintauschen** échanger (**gegen** contre)
einteilen diviser; *Zeit, Geld* répartir (**in** *akk* en)
einteilig d'une pièce
Einteilung F division, répartition
eintönig monotone
Eintopf M plat unique
eintragen inscrire **einträglich** rentable, lucratif **eintreffen** arriver; *Voraussage* se réaliser
eintreten entrer; *sich ereignen* arriver; **~ für** défendre

Eintritt M entrée *f*; **~ frei** entrée gratuite; **~ verboten** entrée interdite
Eintrittskarte F billet *m* d'entrée **Eintrittspreis** M prix *m* d'entrée
eintrocknen sécher **einüben** étudier
einverstanden d'accord; (**mit** avec) **Einverständnis** N accord *m*
Einwand M objection *f* (**gegen** à)
Einwanderer M, **Einwanderin** F immigrant(e) *m(f)*; *Eingewanderter* immigré(e) *m(f)* **einwandern** immigrer **Einwanderung** F immigration
einwandfrei impeccable, irréprochable
Einwegflasche F bouteille non consignée **Einwegspritze** F seringue jetable **Einwegverpackung** F emballage *m* perdu *ou* jetable
einweichen faire tremper
einweihen *Bauwerk* inaugurer; *j-n* initier (**in** *akk* à) **Einweihung** F inauguration
Einweisung F *in eine Anstalt, ein Heim*: envoi *m* (**in** *akk* dans); *in e-e Klinik*: hospitalisation
einwenden objecter
einwerfen *Brief* mettre à la boîte; *Münze* introduire
einwickeln envelopper
einwilligen consentir (**in** *akk* à) **Einwilligung** F consentement *m*
Einwohner(in) M(F) habitant(e)
Einwurf M *Schlitz* fente *f*; SPORT remise *f* en jeu
Einzahl F singulier *m*
einzahlen verser **Einzahlung** F versement *m*
einzäunen entourer d'une clôture, clôturer
Einzel N *Tennis* simple *m* **Einzelbett** N lit *m* à une place **Einzelfall** M cas isolé *od* unique **Einzelgänger(in)** M(F) solitaire **Einzelhandel** M commerce de détail **Einzelheit** F détail *m* **Einzelkind** N enfant *m* unique
einzeln seul; ADV un à un, séparément; **im Einzelnen** en détail
Einzelzimmer N chambre *f* individuelle
einziehen *Bauch, Fahrwerk, Antenne* rentrer; *Steuern* percevoir; *Erkundigungen* prendre; *in e-e Wohnung* emménager (dans); *Flüssigkeit* pénétrer (**in** *akk* dans)
einzig unique; **kein Einziger** pas un seul **einzigartig** unique (en son genre), exceptionnel
Einzimmerwohnung F studio *m*
Eis N glace *f*; **~ am Stiel** esquimau *m*
Eisbahn F patinoire **Eisbär** M ours blanc **Eisbecher** M coupe *f* glacée **Eisbein** N

jambonneau *m* **Eisberg** M iceberg **Eiscafé** N, **Eisdiele** F glacier *m*
Eisen N fer *m*
Eisenbahn F chemin *m* de fer **Eisenbahnlinie** F ligne de chemin de fer **Eisenbahnunglück** N accident *m* de chemin de fer
Eisenwaren FPL quincaillerie *f*
eisern en fer; *fig* de fer
eisgekühlt glacé; *Sekt* frappé **Eishockey** N °hockey *m* sur glace
eisig glacial (*a. fig*)
Eiskaffee M café liégeois **eiskalt** glacé, glacial **Eiskunstlauf** M patinage artistique **Eislauf** M patinage **eislaufen** faire du patin **Eispickel** M piolet **Eistee** M thé glacé **Eisverkäufer(in)** M(F) marchand(e) de glaces **Eiswürfel** M glaçon **Eiszapfen** M glaçon
eitel vaniteux **Eitelkeit** F vanité
Eiter M pus **eit(e)rig** purulent **eitern** suppurer
Eiweiß N blanc *m* d'œuf; BIOL protéines *fpl*
Ekel N dégoût (**vor** *dat* de) **ekelhaft** répugnant
EKG N (*Elektrokardiogramm*) E.C.G. *m* (*électrocardiogramme*)
Ekzem N eczéma *m*
elastisch élastique
Elch M élan
Elefant M éléphant
elegant élégant
Elektriker(in) M(F) électricien *m*, électricienne *f* **elektrisch** électrique
Elektrizität F électricité **Elektrizitätswerk** N centrale *f* électrique
Elektroauto N voiture *f* électrique **Elektrogerät** N appareil *m* électrique **Elektroherd** M cuisinière *f* électrique
Elektronenblitz M flash *m* électronique **Elektronik** F électronique **elektronisch** électronique
Elektrorasierer M rasoir électronique **Elektrotechnik** F électrotechnique
Element N élément *m* **elementar** élémentaire
elend misérable; **Elend** N misère *f* **Elendsviertel** N bidonville *m*
elf onze **Elf** F SPORT onze *m*
Elfenbein N ivoire *m*
Elfmeter M penalty
Ell(en)bogen M coude *m*
Elsass N l'Alsace *f*
Elsässer(in) M(F) Alsacien *m*, Alsacienne *f* **elsässisch** alsacien
Elster F pie
Eltern PL parents *mpl* **Elterngeld** N allocation *f* parentale **Elternzeit** F *etwa* congé *m* parental d'éducation
Email N émail *m*
E-Mail F *Einrichtung* courrier *m* électronique; *Nachricht* e-

mail *m*; **per ~** par e-mail **E-Mail-Adresse** F adresse e-mail
Emanzipation F émancipation **emanzipiert** émancipé
Embargo N embargo *m*
Embolie F embolie
Embryo M embryon
Empfang M réception *f* (*a.* TV, *Radio, Hotel*); *Begrüßung* accueil **empfangen** recevoir
Empfänger M destinataire; *Radio,* TV récepteur **empfänglich** sensible (**für** à)
empfängnisverhütend contraceptif **Empfängnisverhütung** F contraception
Empfangsbescheinigung F récépissé *m*, reçu *m* **Empfangsbestätigung** F accusé *m* de réception **Empfangsbüro** N réception *f* **Empfangschef** M réceptionniste
empfehlen recommander **empfehlenswert** recommandable **Empfehlung** F recommandation
empfinden ressentir **empfindlich** sensible (**gegen, für** à); (*leicht verletzt*) susceptible
Empfindung F sensation; *Gefühl* sentiment *m*
empörend révoltant
empört indigné **Empörung** F indignation
Ende N fin *f*; *räumlich* bout *m*; **~ April** à la fin avril; **am ~** à la fin (de); au bout (de); *schließlich* finalement; **zu ~** terminé; **zu ~ gehen** toucher à sa fin
enden finir, se terminer
Endergebnis N résultat *m* final **endgültig** définitif
Endivie F chicorée
Endlagerung F stockage *m* définitif **endlich** enfin **endlos** sans fin, infini; interminable
Endspiel N finale *f* **Endspurt** M SPORT sprint **Endstand** M SPORT score final **Endstation** F terminus [tɛrminys] *m*
Endung F GRAM terminaison
Energie F énergie **Energiesparlampe** F ampoule basse consommation **Energieversorgung** F alimentation en énergie
energisch énergique
eng étroit; *dicht* serré; **~er machen** rétrécir; **~ anliegend** *Kleid* moulant
Enge F **j-n in die ~ treiben** acculer qn
Engel M ange
England N l'Angleterre *f*
Engländer(in) M(F) Anglais(e)
englisch anglais
Engpass M goulot d'étranglement (*a. fig*) **engstirnig** borné
Enkel M petit-fils **Enkelin** F petite-fille
enorm énorme
Ensemble N *Theater* troupe *f*
entbehren manquer de; **nicht ~ können** ne pas pouvoir se passer de

entbehrlich superflu **Entbehrungen** FPL privations
Entbindung F MED accouchement *m*
entdecken découvrir **Entdecker(in)** M(F) explorateur *m*, exploratrice *f* **Entdeckung** F découverte
Ente F canard *m* (*a. fig*)
enteignen exproprier **Enteignung** F expropriation
enterben déshériter
entfallen *wegfallen* être supprimé; **j-m ~** échapper à qn; **auf j-n ~** revenir à qn
entfernen *Fleck* enlever; **(sich) ~** (s')éloigner **entfernt** éloigné **Entfernung** F distance; *Beseitigung* enlèvement *m*
entfliehen s'enfuir
Entfroster M dégivreur
entführen enlever; *Flugzeug* détourner **Entführer(in)** M(F) ravisseur *m*, ravisseuse *f* **Entführung** F enlèvement *m*; *e-s Flugzeugs* détournement *m*
entgegen (*dat*) *Richtung* vers; *im Gegensatz zu* contrairement à **entgegengehen** aller à la rencontre (**j-m** de qn) **entgegengesetzt** opposé **entgegenkommen** *fig* faire des concessions (**j-m** à qn)
entgegnen répliquer
entgehen échapper (**e-r Gefahr** à un danger); **sich etw (nicht) ~ lassen** (ne pas) manquer qc
Entgelt N rémunération *f*
entgleisen dérailler
Enthaarungsmittel N dépilatoire *m*
enthalten contenir; **sich ~** s'abstenir (**e-r Sache** *gen* de qc) **enthaltsam** abstinent
enthüllen dévoiler **Enthüllung** F découverte
enthusiastisch enthousiaste
entkalken détartrer **entkommen** s'échapper **entkorken** déboucher **entkräften** affaiblir; *Argument* infirmer
entladen décharger (*a.* ELEK); **sich ~** *Batterie* se vider; *Gewitter* éclater
entlang den *od* **am Fluss ~** le long du fleuve **entlangfahren, entlanggehen** longer (**an etw** *dat* qc)
entlarven démasquer
entlassen *Arbeitskräfte* licencier; **~ werden** *Patient* sortir de l'hôpital; *Häftling* sortir de prison **Entlassung** F licenciement *m*; *aus dem Krankenhaus* sortie
entlasten décharger (*a.* JUR); *bei der Arbeit* aider
Entlastungsstraße F voie de délestage **Entlastungszug** M train supplémentaire
entlaufen s'échapper **entlegen** éloigné **entleihen** emprunter (**von** à) **entmündigen** mettre sous tutelle **entmutigen** décourager **entnehmen** prendre (**aus** dans);

schließen conclure (**aus** de) **entreißen** arracher
entrüsten sich ~ s'indigner (**über** *akk* de) **Entrüstung** F indignation
entschädigen dédommager (**für** de) **Entschädigung** F dédommagement *m*; *Summe* indemnité
entscheiden décider (**über** *akk* de); **sich ~** se décider (**für** pour) **entscheidend** décisif **Entscheidung** F décision
entschließen sich ~ se décider (**zu** à)
entschlossen déterminé **Entschlossenheit** F détermination
Entschluss M décision *f*; **e-n ~ fassen** prendre une décision
entschuldigen excuser; **sich ~** s'excuser (**wegen, für** de, **bei** auprès de); **~ Sie bitte!** excusez-moi!
Entschuldigung F excuse(s) *f(pl)*; **~!** pardon!
Entsetzen N effroi *m*, horreur *f* **entsetzlich** horrible
entsorgen éliminer les déchets
entspannen sich ~ se détendre **Entspannung** F détente
entsprechen correspondre (**e-r Sache** *dat* à qc) **entsprechend** correspondant; PRÄP (*dat*) conformément à
entspringen *Fluss* prendre sa source
entstehen naître (**aus** de), résulter (de) **Entstehung** F naissance, origine
entstellen défigurer
enttäuschen décevoir; **enttäuscht sein von** être déçu par **Enttäuschung** F déception
entwaffnen désarmer **Entwarnung** F fin d(e l)'alerte
entweder ~ ... oder ou ... ou
entweichen s'échapper **entwenden** dérober **entwerfen** *Muster* esquisser; *Plan* concevoir
entwerten *Fahrschein* composter; *Briefmarke* oblitérer **Entwerter** M composteur
entwickeln développer (*a.* FOTO); TECH mettre au point; **sich ~** se développer **Entwicklung** F développement *m*
Entwicklungshelfer(in) M(F) coopérant(e) **Entwicklungsland** N pays *m* en voie de développement
entwischen s'échapper
Entwurf M projet, plan; *Skizze* ébauche *f*
entziehen *Führerschein etc* retirer **Entziehungskur** F cure de désintoxication
entziffern déchiffrer
entzückend ravissant **entzückt** ravi
Entzugserscheinung F **~en haben** être en état de manque
entzünden allumer; **sich ~** s'enflammer (*a.* MED) **Entzün-**

dung F MED inflammation
entzwei cassé **entzweigehen** se casser, se briser
Enzian M gentiane *f*
Enzym N enzyme *m od f*
Epidemie F épidémie
Epilepsie F épilepsie
Episode F épisode *m*
Epoche F époque
er il; *betont* lui
Erachten N **meines ~s** à mon avis
Erbarmen N pitié *f* **erbärmlich** lamentable; *Leistung, moralisch* minable **erbarmungslos** impitoyable
erbauen construire; *a. fig* édifier **Erbauer** M bâtisseur
Erbe¹ N héritage *m* **Erbe²** M héritier **erben** hériter
erbeuten capturer
Erbfolge F succession
Erbin F héritière
erbitten demander (**etw von j-m** qc à qn)
erblich héréditaire
erblicken apercevoir
erblinden perdre la vue
erbost fâché
erbrechen *u.* **sich ~** vomir **Erbrechen** N vomissement(s) *m(pl)*
Erbschaft F héritage *m*
Erbse F pois *m*; **grüne ~n** petits pois
Erdapfel M *österr* pomme *f* de terre **Erdbeben** N tremblement *m* de terre, séisme *m*
Erdbeere F fraise **Erdboden** M sol; terre *f*
Erde F terre **erden** ELEK mettre à la terre
Erderwärmung F réchauffement *m* de la planète **Erdgas** N gaz *m* naturel **Erdgeschoss** N rez-de-chaussée *m*
Erdkunde F géographie
Erdnuss F cacahuète **Erdöl** N pétrole *m*
erdrosseln étrangler
erdrücken écraser (*a. fig*)
Erdrutsch M glissement de terrain **Erdteil** M continent
ereignen sich ~ se produire, arriver, se passer **Ereignis** N événement *m*
Erektion F érection
erfahren apprendre; *erleben* éprouver; ADJ expérimenté **Erfahrung** F expérience
erfassen saisir (*a. fig*, IT)
erfinden inventer **Erfinder(in)** M(F) inventeur *m*, inventrice *f* **Erfindung** F invention
Erfolg M succès, réussite *f*; **viel ~!** bonne chance!
erfolglos infructueux; ADV sans succès **erfolgreich** couronné de succès; ADV avec succès
erforderlich nécessaire
erfordern nécessiter, exiger
erforschen explorer
erfreuen faire plaisir à
erfreulich rejouissant
erfreut enchanté (**über** *akk* de); **sehr ~(, Sie kennenzuler-**

nen)! enchanté (de faire votre connaissance)!
erfrieren geler; *Person* mourir de froid
erfrischen (**sich**) ~ (se) rafraîchir **Erfrischung** F rafraîchissement *m* **Erfrischungstuch** N pochette *f* rafraîchissante
erfüllen *Pflicht* accomplir; *Bedingung* remplir; *Wunsch* réaliser; *Bitte* satisfaire à; **~ mit** remplir de; **sich ~** se réaliser
ergänzen compléter **Ergänzung** F complément *m*
ergeben donner (pour résultat); **sich ~** résulter (**aus** de); MIL se rendre; ADJ dévoué
Ergebnis N résultat *m* **ergebnislos** sans résultat
ergiebig abondant, riche (*a. Diskussion*)
ergreifen saisir; *Maßnahmen, Flucht* prendre; *Beruf* embrasser; *rühren* toucher, émouvoir **ergriffen** ému, touché; **tief ~** bouleversé
erhalten recevoir; *bewahren* conserver; **gut ~** en bon état
erhältlich en vente
erhängen sich ~ se pendre
erheben *Glas, Hand* lever; *Stimme, Protest* élever; *Zoll, Steuern* percevoir; **sich ~** se lever; *Berg* s'élever; POL se soulever
erheblich considérable
erheitern égayer
erhitzen chauffer
erhöhen *u.* **sich ~** augmenter (**um** de) **Erhöhung** F augmentation
erholen sich ~ se remettre (**von** de); *im Urlaub* se reposer; **~ Sie sich gut!** reposez-vous bien!
Erholung F repos *m* **Erholungsheim** N maison *f* de repos
erinnern rappeler (**j-n an etw** *akk* qc à qn); **sich ~** se souvenir (**an** de)
Erinnerung F souvenir *m*; **zur ~ an** (*akk*) en souvenir de
erkälten sich ~ prendre froid **Erkältung** F rhume *m*
erkennen reconnaître (**an** *dat* à); *deutlich sehen* distinguer
erkenntlich sich (**j-m gegenüber**) **~ zeigen** se montrer reconnaissant envers qn
Erker M encorbellement
erklären expliquer; *förmlich* déclarer **Erklärung** F explication; *Äußerung* déclaration
erkranken tomber malade **Erkrankung** F maladie; *e-s Körperteils* affection
erkundigen sich ~ se renseigner (**nach** sur); **sich nach j-m ~** demander des nouvelles de qn
Erkundigung F renseignement *m*
erlangen obtenir
erlassen promulguer; *Verordnung* publier; **j-m etw ~** dispenser qn de qc

erlauben permettre **Erlaubnis** F permission
erläutern expliquer **Erläuterung** F explication
Erle F au(l)ne
erleben voir; *erfahren* vivre **Erlebnis** N expérience *f*; *Ereignis* événement *m* **Erlebnispark** M parc d'attractions
erledigen régler, finir
erledigt fini; *umg erschöpft* crevé **Erledigung** F règlement *m*
erleichtern faciliter; *seelisch* soulager **Erleichterung** F soulagement *m*
erleiden subir; *Schmerzen* endurer
erlernen apprendre
erlesen ADJ de choix
erleuchten éclairer
Erlös M recette *f*
erlöschen s'éteindre; *Anspruch* expirer; *Firma* cesser d'exister
erlösen délivrer (**von** de) **Erlöser** M REL Rédempteur **Erlösung** F REL Rédemption
ermächtigen autoriser (**zu** à) **Ermächtigung** F autorisation
ermahnen exhorter (**zu** à) **Ermahnung** F exhortation
ermäßigen réduire **Ermäßigung** F réduction
ermessen évaluer, apprécier
ermitteln trouver; *Täter* retrouver; *bestimmen* déterminer **Ermittlungen** FPL enquête *f*, information *f*
ermöglichen rendre possible
ermorden assassiner **Ermordung** F assassinat *m*
ermüden se fatiguer; *j-n* fatiguer **Ermüdung** F fatigue
ermuntern, **ermutigen** encourager (**zu** à)
ernähren (sich) ~ (se) nourrir (**von** de) **Ernährung** F alimentation; *Nahrung* nourriture
ernennen nommer **Ernennung** F nomination
erneuerbar ADJ renouvelable
erneuern renouveler **Erneuerung** F renouvellement *m*
erneut de *od* à nouveau
ernst sérieux, grave; ~ **nehmen** prendre au sérieux
Ernst M sérieux; *der Lage* gravité *f*; **im** ~ sérieusement
Ernstfall M **im** ~ en cas grave
ernsthaft, **ernstlich** sérieux
Ernte F récolte; *Getreideernte* moisson **ernten** récolter (*a. fig*); *Getreide* moissonner
Ernüchterung F désenchantement *m*, désillusion
Eroberer M conquérant **erobern** conquérir **Eroberung** F conquête
eröffnen ouvrir; *feierlich* inaugurer **Eröffnung** F ouverture; inauguration
erörtern examiner, discuter
Erotik F érotisme *m* **erotisch** érotique
erpressen j-n ~ faire chanter

qn **Erpresser** M maître chanteur **Erpressung** F chantage *m*
erproben éprouver, tester
erraten deviner
erregen *erzürnen* énerver; *sexuell* exciter **Erreger** M MED agent pathogène **Erregung** F énervement *m*; excitation
erreichbar accessible **erreichen** atteindre; *j-n* joindre (*a.* TEL); *Zug, Bus* attraper; *erlangen* obtenir
errichten ériger
erröten rougir
Errungenschaft F conquête; *technische*: progrès *m*; *soziale*: acquis *m*
Ersatz M remplacement (**für** de); (*Entschädigung*) dédommagement **Ersatzmann** M remplaçant **Ersatzrad** N roue *f* de rechange **Ersatzspieler(in)** M(F) remplaçant(e) **Ersatzteil** N pièce *f* de rechange
erscheinen paraître (*a. Buch*); *Person, Geist* apparaître **Erscheinung** F apparition; *Aussehen* aspect *m*; *Naturerscheinung* phénomène *m*
erschießen tuer (d'un coup de feu); (*hinrichten*) fusiller
erschlagen assommer; **vom Blitz ~ werden** être foudroyé
erschöpfen épuiser **erschöpft** épuisé **Erschöpfung** F épuisement *m*
erschrecken effrayer, faire peur à; V/I *u.* **sich ~** s'effrayer
erschreckend effrayant
erschrocken → erschrecken
erschüttern secouer; *fig a.* bouleverser **Erschütterung** F secousse; *fig* bouleversement *m*
erschweren rendre (plus) difficile
erschwinglich abordable
ersetzen remplacer (**durch** par); *Schaden* indemniser (**j-m etw** qn de qc); *Unkosten* rembourser
ersparen économiser; *fig* épargner (**j-m etw** qc à qn) **Ersparnis(se)** F(PL) économie(s)
erst d'abord; *nur* seulement, ne ... que; **~ gestern** seulement hier; **nun ~ recht!** plus que jamais!
erstatten *Auslagen* rembourser; **Anzeige ~** porter plainte (**gegen** contre); **Bericht ~** faire un rapport
Erstaufführung F première
Erstaunen N étonnement *m*
erstaunlich étonnant
erstaunt étonné
erste(r, -s) premier, première; **am ~n Juni** le premier juin; **zum ~n Mal** pour la première fois; **Erste Hilfe** premiers soins *mpl*
erstechen poignarder
erstens premièrement
ersticken étouffer (*a. fig*)
erstklassig de première qualité **erstmals** pour la première

fois
erstrahlen briller
erstrebenswert digne d'efforts
erstrecken sich ~ s'étendre (**bis zu** jusqu'à; **über** *akk* sur)
ersuchen j-n um etw ~ demander qc à qn
ertappen surprendre; **auf frischer Tat ~** prendre sur le fait
ertönen retentir
Ertrag M rendement
ertragen supporter; **nicht zu ~** insupportable
erträglich supportable
ertränken noyer
ertrinken se noyer
erübrigen avoir encore; **sich ~** être inutile
erwachen s'éveiller; *aufwachen* se réveiller
erwachsen adulte **Erwachsene(r)** M/F(M) adulte *m/f*
erwägen considérer, examiner; *ins Auge fassen* envisager
erwähnen mentionner
erwärmen chauffer
erwarten attendre; *rechnen mit* s'attendre à **Erwartung** F attente
erwecken *Verdacht* éveiller; *Vertrauen* inspirer; *Eindruck* donner
erweisen *Dienst, Ehre* rendre; **sich ~ als** se révéler
erweitern (sich) ~ (s')élargir
Erwerb M acquisition *f* **erwerben** acquérir **erwerbslos** sans travail, chômeur
erwerbstätig actif **erwerbsunfähig** invalide **Erwerbsunfähigkeit** F invalidité
erwidern répondre (**auf** *akk* à), répliquer (à); *Gruß, Besuch* rendre
erwischen attraper
erwünscht souhaité
erwürgen étrangler
Erz N minerai *m*
erzählen raconter (**von etw** qc) **Erzählung** F récit *m*, nouvelle
Erzbischof M archevêque
erzeugen produire; *verursachen* engendrer **Erzeugnis** N produit *m*
erziehen élever, éduquer **Erzieher(in)** M(F) éducateur *m*, éducatrice *f* **Erziehung** F éducation
erzielen atteindre, obtenir
erzwingen forcer
es *als Subjekt* il, ce; *als Objekt* le, la; **~ regnet** il pleut; **~ ist genug!** ça suffit!; **~ gibt** il y a; **ich bin ~** c'est moi; **~ klingelt** on sonne
Escapetaste F IT touche échappe
Esche F frêne *m*
Esel M âne
Eskimo M Esquimau
Espresso M express
essbar comestible
essen manger; **zu Mittag ~** déjeuner; **zu Abend ~** dîner
Essen N nourriture *f*; *Mahlzeit* repas *m*

Essensmarke F ticket-repas *m* **Essenszeit** F heure des repas
Essig M vinaigre **Essiggurke** F cornichon *m* **Essig- und Ölständer** M huilier
Esslöffel M cuiller [kɥijɛr] *f* à soupe **Esswaren** FPL comestibles *mpl* **Esszimmer** N salle *f* à manger
Etage F étage *m* **Etagenbett** N lits *mpl* superposés
Etappe F étape
Etat M budget
Ethik F éthique
E-Ticket N billet *m* électronique
Etikett N étiquette *f*
etliche quelques, pas mal de
Etui N étui *m*
etwa environ, à peu près **etwaig** éventuel
etwas quelque chose; *ein wenig* un peu (de); **~ anderes** autre chose
EU F (*Europäische Union*) UE (Union européenne)
euch vous, à vous
euer votre; **eure** PL vos
Eukalyptus M eucalyptus
EU-Kommissar(in) M(F) POL commissaire européen(ne) **EU-Kommission** F Commission Européenne **EU-Land** N POL pays *m* (membre) de l'UE
Eule F °hibou *m*
euretwegen à cause de vous, pour vous
Euro M euro **Eurocent** M cent(ime) d'euro **Eurocity** M Eurocity **Euroland** N zone *f* euro; *einzelnes* pays *m* de la zone euro
Europa N l'Europe *f* **Europäer(in)** M(F) Européen(ne)
europäisch européen
Europameister(in) M(F) champion(ne) d'Europe **Europameisterschaft** F championnat *m* d'Europe
Europaparlament N Parlement *m* européen **Europapokal** M coupe *f* d'Europe
Europarat M Conseil de l'Europe **Europastraße** F route européenne **Europawahlen** FPL élections européennes **europaweit** dans toute l'Europe
Euroscheck M eurochèque
Eurozone F zone euro
Euter N pis *m*
evakuieren évacuer
evangelisch protestant **Evangelium** N Évangile *m*
Event N *od* M événement *m*
eventuell éventuel(lement)
ewig éternel **Ewigkeit** F éternité
exakt exact, précis
Examen N examen [ɛgzamɛ̃] *m*
Exemplar N exemplaire *m*
Exil N exil *m*; **ins ~ gehen** s'exiler
Existenz F existence
existieren exister
exotisch exotique
Expedition F expédition

Experiment N expérience *f* **experimentieren** faire des expériences (**mit** sur)
Experte M expert (**für** en)
explodieren exploser **Explosion** F explosion
Export M exportation *f* **exportieren** exporter
Expressionismus M expressionnisme
extra *speziell* spécialement; *umg absichtlich* exprès; *getrennt* à part; *zusätzlich* en plus
Extra N AUTO option *f*
Extrakt M extrait
extrem extrême **Extremist(in)** M(F) extrémiste
extrovertiert extraverti
Exzess M excès
Eyeliner M eye-liner
EZB F ABK (Europäische Zentralbank) BCE (Banque centrale européenne)

F

Fabel F fable **fabelhaft** formidable
Fabrik F usine **Fabrikarbeiter(in)** M(F) ouvrier *m*, ouvrière *f* d'usine
Fabrikat N produit *m*
Fabrikationsfehler M défaut de fabrication
fabrizieren fabriquer
Fach N compartiment *m*, casier *m*; *Gebiet* branche *f*, spécialité *f*; *Schulfach, Studienfach* matière *f* **Facharbeiter(in)** M(F) ouvrier, ouvrière qualifié(e) **Facharzt** M spécialiste
Fachausbildung F formation spécialisée **Fachausdruck** M terme technique
Fächer M éventail
Fachgebiet N spécialité *f*
Fachgeschäft N magasin *m* spécialisé **Fachkenntnisse** FPL connaissances spéciales
Fachmann M spécialiste
Fachwerkhaus N maison *f* à colombages
Fackel F flambeau *m*
fad(e) fade, insipide
Faden M fil **Fadennudeln** FPL vermicelle *m*
Fagott N MUS basson *m*
fähig capable (**zu** de) **Fähigkeit** F capacité
fahnden rechercher (**nach j-m** qn) **Fahndung** F recherches *fpl*
Fahne F drapeau *m*
Fahrbahn F chaussée
Fähre F bac *m*; *große* ferry *m*
fahren aller (**mit dem Auto** en voiture); *abfahren* partir (**nach** pour, à); V/T *Auto* conduire; *Lasten* transporter; **durch** ... **~** passer par ...; **j-n nach** ... **~** conduire qn à ...
Fahrer M conducteur; chauffeur **Fahrerflucht** F délit *m* de fuite **Fahrerin** F conduc-

trice
Fahrgast M passager; *im Taxi* client **Fahrgeld** N argent *m* du billet **Fahrgemeinschaft** F covoiturage *m* **Fahrgestell** N châssis *m* **Fahrkarte** F billet *m*
Fahrkartenautomat M distributeur de billets **Fahrkartenschalter** M guichet
fahrlässig négligent; JUR **~e Tötung** homicide *m* involontaire **Fahrlässigkeit** F négligence
Fahrlehrer(in) M(F) moniteur *m*, monitrice *f* d'auto-école
Fahrplan M horaire; *als Broschüre* indicateur (des chemins de fer) **fahrplanmäßig** d'après l'horaire
Fahrpreis M prix du billet
Fahrrad N bicyclette *f*; vélo *m* **Fahrradverleih** M location *f* de vélos **Fahrradweg** M piste *f* cyclable
Fahrschein M billet **Fahrscheinautomat** M distributeur de billets
Fährschiff N ferry *m*
Fahrschule F auto-école **Fahrspur** F voie, file **Fahrstuhl** M ascenseur **Fahrstunde** F leçon de conduite
Fahrt F *Strecke* trajet *m*; *Reise* voyage *m*; *Ausflug* excursion; **gute ~!** bonne route!
Fahrtrichtung F sens *m* de la marche
Fahrwerk N train *m* d'atterrissage **Fahrzeit** F durée du parcours
Fahrzeug N véhicule *m* **Fahrzeugpapiere** NPL papiers *mpl* du véhicule **Fahrzeugschein** M carte *f* grise
fair fair-play [fɛrplɛ]; **~er Handel** commerce équitable
Fakultät F faculté
Falke M faucon
Fall M cas (*a.* GRAM); **auf jeden/keinen ~** en tout/aucun cas; **für den ~, dass ...** au cas où ...
Falle F piège *m*
fallen tomber; *Preise, Temperatur* baisser; **~ lassen** laisser tomber
fällen abattre; *Urteil* prononcer
fällig *Zug etc* attendu; *Zahlung* exigible
falls au cas où, si
Fallschirm M parachute **Fallschirmspringer(in)** M(F) parachutiste
falsch faux
fälschen falsifier
Falschgeld N fausse monnaie *f*
Fälschung F contrefaçon; *Gemälde* faux *m*
Faltboot N canot *m* pliant
Falte F pli *m*; *Runzel* ride
falten plier **Faltenrock** M jupe *f* plissée
Falter M papillon
familiär *vertraut* familier; *die Familie betreffend* familial
Familie F famille

Familienangehörige(r) M/F(M) membre *m* de la famille, parent(e) *m(f)* **Familienanschluss** M accueil dans une famille **Familienbetrieb** M entreprise *f* familiale **Familienname** M nom de famille **Familienstand** M situation *f* de famille

Fan M fan [fan]; SPORT supporter [sypɔrtɛr]

Fanatiker(in) M(F), **fanatisch** fanatique

Fanfare F fanfare

Fang M prise *f* **fangen** attraper; *Fisch* prendre

Fantasie F imagination **fantastisch** fantastique

Farbdrucker M imprimante *f* couleur

Farbe F couleur; *Malfarbe* peinture **farbecht** grand teint

färben teindre; *abfärben* déteindre

farbenblind daltonien

Farbfernseher M téléviseur couleurs **Farbfilm** M film en couleurs; FOTO pellicule *f* couleur **Farbfoto** N photo *f* couleur **farbig** coloré **Farbige(r)** M/F(M) homme *m*, femme *f* de couleur **farblos** incolore **Farbstift** M crayon de couleur **Farbstoff** M matière *f* colorante

Farm F ferme **Farmer(in)** M(F) fermier *m*, fermière *f*

Farn(kraut) M(N) fougère *f*

Fasan M faisan

Fasching M carnaval

Faser F fibre

Fass N tonneau *m*; *Weinfass* fût *m*

Fassade F façade

Fassbier N bière *f* (à la) pression

fassen prendre, saisir; *begreifen* comprendre; *enthalten* contenir

Fassung F *Brillenfassung* monture; *Glühbirnenfassung* douille; *Text* version; *fig* calme *m*; **aus der ~ bringen** décontenancer

fassungslos décontenancé

Fassungsvermögen N capacité *f*

fast presque

fasten jeûner **Fasten** N jeûne *m* **Fastenzeit** F REL carême *m*

Fastnacht F mardi *m* gras

faszinieren fasciner

faul paresseux; *verfault* pourri; **~e Ausrede** mauvaise excuse

faulen pourrir

faulenzen paresser **Faulenzer(in)** M(F) paresseux *m*, paresseuse *f*

Faulheit F paresse

Faust F poing *m*; **auf eigene ~** de son propre chef

Faustschlag M coup de poing

Favorit(in) M(F) favori(te)

Fax N fax *m*; *Gerät*: télécopieur *m*; **j-m ein ~ schicken** envoyer un fax à qn **faxen** faxer **Fax-**

gerät N télécopieur *m* **Faxnummer** F numéro *m* de télécopieur
FCKW (*Fluorchlorkohlenwasserstoffe*) CFC *mpl* (*chlorofluorocarbones*)
Februar M février
Fechten N escrime *f*
Feder F plume (*a. Schreibfeder*); TECH ressort *m* **Federball** M volant **Federbett** N édredon *m*
federn faire ressort **Federung** F ressorts *mpl*; AUTO suspension
Fee F fée
Feedback N feed-back *m* [fidbak]
fegen balayer
Fehlbetrag M déficit
fehlen manquer; *Person a.* être absent; **es fehlt uns an …** (*dat*) nous manquons de …
Fehler M faute *f*, erreur *f*; TECH, *Charakterfehler* défaut **fehlerfrei** sans faute(s); sans défaut(s) **fehlerhaft** *Aussprache* incorrect; *Material* défectueux
Fehlgeburt F fausse couche
fehlschlagen échouer
Fehlstart M faux départ
Fehlzündung F AUTO ratés *mpl*
Feier F fête; *offiziell* cérémonie
Feierabend M **nach ~** après le travail; **~ machen** finir de travailler
feierlich solennel
feiern faire la fête; V/T fêter
Feiertag M jour férié; **schöne ~e!** bonnes fêtes!
feige lâche
Feige F figue
Feigheit F lâcheté **Feigling** M lâche
Feile F lime **feilen** limer
feilschen marchander (**um etw** qc)
fein fin; *vornehm* distingué
Feind M ennemi **feindlich** ennemi, hostile **Feindschaft** F inimitié
Feingefühl N tact *m* **Feinheit(en)** F(PL) finesse(s) (*a. fig*)
Feinkosthandlung F épicerie fine **Feinschmecker(in)** M(F) gourmet *m*
Feld N champ *m*; *Brettspiel* case *f*; *Spielfeld* terrain *m* **Feldsalat** M mâche *f* **Feldstecher** M jumelles *fpl* **Feldweg** M chemin de terre **Feldzug** M campagne *f*
Felge F jante
Fell N poil *m*, pelage *m*; *von toten Tieren* peau *f*
Felsen M rocher; roc **felsig** rocheux **Felswand** F paroi rocheuse
feminin féminin **Feminist(in)** M(F) féministe **feministisch** féministe
Fenchel M fenouil
Fenster N fenêtre *f*; *Wagenfenster* glace *f* **Fensterbrett** N rebord *m* **Fensterheber** M AUTO lève-glaces **Fenster-**

laden M volet **Fensterplatz** M coin fenêtre **Fensterscheibe** F vitre
Ferien PL vacances *fpl*; **schöne ~!** bonnes vacances!
Ferienarbeit F job *m* de vacances **Feriendorf** N village *m* de vacances **Ferienjob** M job de vacances **Ferienkurs** M cours de vacances **Ferienlager** N colonie *f* de vacances **Ferienwohnung** F location
Ferkel N porcelet *m*, goret *m*
fern loin (**von** de); *entlegen* lointain
Fernbedienung F télécommande
Ferne F lointain *m*; **in/aus der ~** au/de loin
ferner de plus, en outre
Fernfahrer(in) M(F) routier *m*, routière *f* **Ferngespräch** N communication *f* interurbaine **ferngesteuert** téléguidé, télécommandé **Fernglas** N jumelles *fpl* **Fernheizung** F chauffage *m* urbain **Fernlicht** N feux *mpl* de route, phares *mpl* **Fernmeldewesen** N télécommunications *fpl* **Fernreise** F voyage *m* dans un pays lointain **Fernrohr** N télescope *m* **Fernschreiben** N télex *m*
Fernsehen N télévision *f*; *umg* télé *f* **fernsehen** regarder la télévision **Fernseher** M téléviseur **Fernsehnachrichten** FPL journal *m* télévisé **Fernsehprogramm** N *Heft* programme *m* de télévision; *Sendungen* programmes *mpl*; *Kanal* chaîne *f* **Fernsehsendung** F émission de télévision **Fernsehspiel** N téléfilm *m* **Fernsehturm** M tour *f* de télévision **Fernsehwerbung** F publicité télévisée **Fernsehzuschauer** M téléspectateur
Fernsicht F vue
Fernstraße F grand axe *m* routier **Fernstudium** N cours *mpl* par correspondance **Fernverkehr** M trafic *m* à grande distance **Fernweh** N nostalgie *f* des pays lointains
Ferse F talon *m*
fertig fini; *bereit* prêt; *umg erschöpft* à plat; **mit etw ~ sein** avoir fini qc; **~ bringen** *beenden* arriver à finir; **~ machen** terminer; **sich ~ machen** se préparer
fertigbringen es ~, etw zu tun *es schaffen* être capable de faire qc; *sich trauen* oser faire qc
Fertiggericht N plat *m* cuisiné **Fertighaus** N maison *f* préfabriquée
fesseln ligoter; *fig* captiver
fesselnd captivant
fest ferme; *nicht flüssig* solide; *Zeitpunkt, Preis, Wohnsitz* fixe; *Schlaf* profond
Fest N fête *f*; **(ein) frohes ~!** joyeuse fête!

festbinden attacher (**an** *dat* à) **Festessen** N banquet *m* **festhalten** retenir; **~ an** (*dat*) *fig* tenir à; **sich ~ an** (*dat*) s'accrocher à
Festland N terre *f* ferme; continent *m*
festlich solennel
festmachen fixer **Festnahme** F arrestation **festnehmen** arrêter
Festnetz N TEL réseau *m* fixe **Festnetzanschluss** M (poste) fixe **Festnetznummer** F numéro *m* de fixe
Festplatte F IT disque *m* dur **Festpreis** M prix fixe
festsetzen fixer **festsitzen** *Nagel etc* tenir bien; (*klemmen*) être coincé; *Fahrzeug* être en panne, rester bloqué; **wir sitzen fest** nous sommes bloqués
Festspiele NPL festival *m*
feststehen être certain
feststellen constater
Festung F forteresse
Festzug M cortège
Fete *umg* F fête, boum
fett gras **Fett** N graisse *f*; *am Fleisch* gras *m* **fettarm** maigre; *Milch* écrémé **Fettfleck** M tache *f* de graisse **fettig** graisseux
Fetzen M lambeau
feucht humide **Feuchtigkeit** F humidité **Feuchtigkeitscreme** F crème hydratante
Feuer N feu *m*; *Brand* incendie *m* **Feueralarm** M alerte *f* au feu **Feuerbestattung** F incinération **feuerfest** incombustible; *Schüssel* résistant à la chaleur **feuergefährlich** inflammable **Feuerleiter** F échelle de secours **Feuerlöscher** M extincteur **Feuermelder** M avertisseur d'incendie **Feuerwehr** F pompiers *mpl* **Feuerwerk** N feu *m* d'artifice **Feuerzeug** N briquet *m*
Fewo F ABK → Ferienwohnung
Fichte F épicéa *m*
Fieber N fièvre *f*; **hohes ~** forte fièvre *f*; **~ haben** avoir de la fièvre
Fieberanfall M accès de fièvre **fieberhaft** fébrile **Fiebermittel** N fébrifuge *m* **Fieberthermometer** N thermomètre *m* médical
fiebrig fiévreux
Figur F *geometrische, Eislauf* figure; *e-r Frau* silhouette; *Schachfigur* pièce
Filet N filet *m* **Filetsteak** N bifteck dans le filet
Filiale F succursale
Film M film; FOTO pellicule *f* **filmen** filmer **Filmfestspiele** NPL festival *m* du cinéma **Filmkamera** F caméra **Filmregisseur(in)** M(F) metteur *m* en scène de cinéma **Filmschauspieler(in)** M(F) acteur *m*, actrice *f* de cinéma **Filmstar** M vedette *f* de cinéma,

star *f*
Filter M filtre **Filterkaffee** M café filtre
filtern filtrer **Filterpapier** N papier-filtre **Filterzigarette** F cigarette à bout filtre
Filz M feutre **Filzstift** M (crayon) feutre
Finale N MUS final(e) *m*; SPORT finale *f*
Finanzamt N *Gebäude* perception *f*; *Behörde* fisc *m* **Finanzen** PL finances *fpl* **finanziell** financier **finanzieren** financer **Finanzkrise** F crise financière
finden trouver **Finderlohn** M récompense *f*
Finger M doigt **Fingerabdruck** M empreinte *f* digitale **Fingerhut** M dé (à coudre) **Fingernagel** M ongle **Fingerring** M bague *f*
Fingerspitze F bout *m* du doigt **Fingerspitzengefühl** N doigté *m*
Fink M pinson
Finne M Finlandais **finnisch** finlandais **Finnland** N la Finlande
finster obscur, sombre **Finsternis** F obscurité
Firma F entreprise
Firnis M vernis
Fisch M poisson **fischen** pêcher
Fischer M pêcheur **Fischerboot** N bateau *m* de pêche **Fischerdorf** N village *m* de pêcheurs
Fischerei F pêche *f* **Fischerin** F pêcheuse *f* **Fischfang** M pêche *f* **Fischgeschäft** N poissonnerie *f* **Fischhändler(in)** M(F) poissonnier *m*, poissonnière *f* **Fischotter** M loutre **Fischstäbchen** NPL bâtonnets *mpl* de poisson **Fischsuppe** F soupe de poisson **Fischzucht** F pisciculture
fit en forme **Fitness** F (pleine) forme **Fitnesscenter** N, **Fitnessstudio** N club *m* de remise en forme
fix *umg* rapide; ADV vite; **~ und fertig** fin prêt, *erschöpft* sur les genoux
fixen *umg* se piquer, se shooter
fixieren fixer
FKK N (*Freikörperkultur*) naturisme *m*, nudisme *m* **FKK-Strand** M plage *f* naturiste
flach plat (*a. fig*); *niedrig* bas **Flachbildschirm** M IT, TV écran plat
Fläche F surface, superficie
Flachland N plaine *f*
Flachs M lin
Flagge F pavillon *m*
flambiert flambé
Flame M Flamand
Flamingo M flamant (rose)
flämisch flamand
Flamme F flamme
Flandern N la Flandre

Flanell M flanelle *f* **Flanellhemd** N chemise *f* de flanelle
Flanke F flanc *m*; *Fußball* centre *m*
Flasche F bouteille; *Säuglingsflasche* biberon *m*
Flaschenbier N bière *f* en bouteille **Flaschenöffner** M ouvre-bouteille(s) **Flaschenpfand** N consigne *f* **Flaschenzug** M palan
Flatrate F forfait *m* illimité
flattern voleter; *Fahne* flotter
flau faible
Flaum M duvet
Flaute F SCHIFF calme *m* plat
Flechte F BOT lichen [likɛn] *m*; MED dartre
flechten tresser
Fleck M tache *f*; *Stelle* endroit **Fleckentferner** M détachant **fleckig** taché
Fledermaus F chauve-souris
Flegel M malappris
Fleisch N viande *f*; *lebendes* chair *f* **Fleischbrühe** F consommé *m*, bouillon *m*
Fleischer M boucher
Fleischerei F boucherie *f*
fleischig charnu; *Frucht* pulpeux
Fleischklößchen N boulette *f* (de viande) **Fleischwunde** F blessure (dans les chairs)
Fleiß M application *f* **fleißig** appliqué, travailleur
flexibel ADJ flexible; *fig a.* souple
flicken rapiécer; *Fahrradschlauch* réparer **Flicken** M pièce *f*; *aus Gummi*: rustine *f*
Flieder M lilas
Fliege F mouche; *Mode* nœud *m*, papillon *m*
fliegen voler; *im Flugzeug* prendre l'avion
Fliegenklatsche F tapette **Fliegenpilz** M amanite *f* tue-mouches
Flieger M aviateur
fliehen fuir (**vor j-m** qn); **~ aus** s'enfuir de; *Gefangener* s'évader de
Fliese F carreau *m*, dalle
Fließband N chaîne *f* (de montage)
fließen couler
fließend ~es Wasser eau *f* courante; **~ Französisch sprechen** parler couramment (le) français
Flinte F fusil [fyzi] *m*
Flip-Flops® M(PL) tongs [tõg] *f(pl)*
flirten flirter
Flitterwochen FPL lune *f* de miel
Flocke F flocon *m*
Floh M puce *f* **Flohmarkt** M marché aux puces
Floß N radeau *m*
Flosse F nageoire
Flöte F flûte
flott *schwungvoll* rapide; *schick* chic
Flotte F flotte
Fluch M *Kraftwort* juron; *Verwünschung* malédiction *f* **flu-**

chen jurer
Flucht F fuite; *aus e-m Gefängnis* évasion
flüchten s'enfuir; **sich ~** se réfugier (**in** *akk* dans, **zu j-m** chez qn)
flüchtig fugitif; *oberflächlich* superficiel **Flüchtling** M réfugié
Flug M vol **Flugblatt** N tract [trakt] *m* **Flugdrachen** M deltaplane
Flügel M aile *f*; *Türflügel, Fensterflügel* battant; MUS piano à queue
Fluggast M passager **Fluggesellschaft** F compagnie aérienne **Flughafen** M aéroport **Flugkapitän** M commandant de bord **Fluglinie** F ligne aérienne **Fluglotse** M contrôleur aérien; aiguilleur du ciel **Flugplan** M horaire des vols **Flugplatz** M aérodrome **Flugreise** F voyage *m* en avion **Flugschein** M billet d'avion **Flugschreiber** M boîte *f* noire **Flugsteig** M porte *f* **Flugticket** N billet *m* d'avion **Flugverbot** N interdiction *f* de vol **Flugverkehr** M trafic aérien
Flugzeug N avion *m* **Flugzeugabsturz** M catastrophe *f* aérienne **Flugzeugentführung** F détournement *m* d'avion
Flur M couloir
Fluss M rivière *f*; *großer* fleuve **flussabwärts** en aval **flussaufwärts** en amont
flüssig liquide; *Verkehr* fluide **Flüssigkeit** F liquide *m*
flüstern chuchoter
Flut F marée °haute; *Wassermasse* flots *mpl*; *fig* flot *m* **Flutlicht** N lumière *f* des projecteurs **Flutwelle** F raz *m* de marée
Fohlen N poulain *m*
Föhn M sèche-cheveux **föhnen** sécher au sèche-cheveux
Föhre F pin *m* sylvestre
Folge F suite, conséquence; *Reihe* série; **zur ~ haben** avoir pour conséquence
folgen suivre (**j-m** qn; *zeitlich* **auf etw** *dat* qc); *gehorchen* obéir; **aus etw ~** résulter de qc
folgend suivant **folgendermaßen** de la manière suivante
folgern conclure (**aus** de) **Folgerung** F conclusion
folglich par conséquent; donc
folgsam docile
Folie F *Metallfolie* feuille; *Plastikfolie* film *m*
Folklore F folklore *m*
Folter F torture
foltern torturer
fordern exiger (**etw von j-m** qc de qn); *Recht* revendiquer
fördern encourager; *Kohle etc* extraire **Förderschule** F établissement *m* scolaire spécialisé
Forderung F exigence; *be-*

rechtigte: revendication
Forelle F truite
Form F forme; *Backform* moule *m*; **in ~ sein** être en forme
formal formel **Formalität** F formalité
Format N format *m* **formatieren** V/T IT formater
Formel F formule
formell formel
formen former
förmlich *steif* guindé
formlos sans façons
Formular N formulaire *m* **formulieren** formuler
forschen faire de la recherche **Forscher(in)** M(F) chercheur *m*, chercheuse *f* **Forschung** F recherche
Forst M forêt *f*
Förster(in) M(F) garde *m* forestier
fort parti, absent; **in einem ~** sans arrêt; **und so ~** et ainsi de suite
fortbestehen continuer à exister, se perpétuer
fortbewegen sich ~ se déplacer
Fortbildung F formation continue *od* permanente
fortfahren partir; *weitermachen* continuer **fortgehen** partir, s'en aller **fortgeschritten** avancé **Fortpflanzung** F reproduction
fortschaffen emmener
Fortschritt M progrès **fortschrittlich** progressiste
fortsetzen continuer, poursuivre **Fortsetzung** F suite; **~ folgt** à suivre
fortwährend continuel (-lement)
Forum N forum *m a.* INTERNET
Foto N photo *f* **Fotoapparat** M appareil photo **Fotograf** M photographe **Fotografie** F photographie **fotografieren** photographier; V/I prendre des photos **Fotohandy** N portable *m* avec appareil photo intégré **Fotokopie** F photocopie **fotokopieren** photocopier
Fr. (*Frau*) Mme (*Madame*)
Fracht F fret **Frachter** M, **Frachtschiff** N cargo *m*
Frack M habit
Frage F question; **e-e ~ stellen** poser une question; **das kommt gar nicht in ~!** il n'en est pas question!
Fragebogen M questionnaire
fragen demander (**j-n nach etw** qc à qn; **nach j-m** des nouvelles de qn)
Fragezeichen N point *m* d'interrogation
fraglich *unsicher* incertain; *betreffend* en question
Franken M (**Schweizer**) **~** franc suisse
Frankfurt Francfort
frankieren affranchir
Frankreich N la France
Franse F frange
Franzose M Français **Franzö-**

sin F Française **französisch** français **französisch-deutsch** franco-allemand
Frau F femme (*a. Ehefrau*); *Anrede* Madame
Frauenarzt M, **Frauenärztin** F gynécologue *m/f* **Frauenbewegung** F féminisme *m* **Frauenzeitschrift** F magazine *m* féminin
Fräulein N demoiselle *f*; *hist Anrede* Mademoiselle
frech insolent **Frechheit** F insolence
frei libre; (*kostenlos*) gratuit; **ein ~er Tag** un jour de congé; **~ halten** *Platz* réserver; **Einfahrt ~ halten!** sortie de voitures; **~ machen** *Weg etc* dégager; **sich ~ machen** *beim Arzt*: se déshabiller; **Zimmer ~** chambre à louer; **im Freien** en plein air
Freibad N piscine *f* en plein air **freigebig** généreux **Freigepäck** N franchise *f* de bagages **freihaben** avoir congé
Freiheit F liberté **Freiheitsstrafe** F peine de prison
Freikarte F billet *m* gratuit **Freikörperkultur** F naturisme *m*, nudisme *m* **freilassen** libérer **Freilauf** M roue *f* libre
freilich bien sûr
Freilichtbühne F théâtre *m* de verdure
freimachen *Brief* affranchir; **sich ~** *zeitlich* se libérer
freimütig franc
freisprechen JUR acquitter **Freisprechset** N TEL téléphone *m* mains libres **Freispruch** M acquittement
freistehen es steht Ihnen frei, zu ... vous êtes libre de ...
Freistoß M SPORT coup franc
Freitag M vendredi **freitags** le vendredi **Freitagsgebet** N prière *f* du vendredi
freiwillig volontaire **Freiwillige(r)** M/F(M) volontaire *m/f*
Freizeichen N TEL tonalité *f*
Freizeit F loisirs *mpl* **Freizeitgestaltung** F organisation des loisirs **Freizeitkleidung** F vêtements *mpl* sport **Freizeitpark** M parc de loisirs
fremd étranger; *unbekannt* inconnu; **ich bin ~ hier** je ne suis pas d'ici
Fremde(r) M/F(M) qui n'est pas du pays; *Besucher(in)* touriste *m/f*
Fremdenführer(in) M(F) guide **Fremdenlegion** F Légion étrangère
Fremdenverkehr M tourisme **Fremdenverkehrsamt** N, **Fremdenverkehrsbüro** N office *m* de *od* du tourisme, syndicat *m* d'initiative
Fremdenzimmer N chambre *f* à louer **Fremdsprache** F langue étrangère **Fremdwort** N mot *m* étranger
Fresko N fresque *f*
fressen *Tier* manger; *sl pej*

bouffer
Freude F joie, plaisir *m*; **j-m e-e ~ machen** faire plaisir à qn
freuen sich ~ über (*akk*) se réjouir de; **sich ~ auf** (*akk*) se réjouir à l'avance de; **es freut mich, dass** ... je suis heureux que ... (*+subj*)
Freund(in) M(F) ami(e)
freundlich gentil (**zu j-m** avec qn); *Zimmer etc* gai; *Wetter* beau; **das ist sehr ~ von Ihnen** c'est très aimable à vous
Freundschaft F amitié **freundschaftlich** amical
Frieden M paix *f*
Friedhof M cimetière
friedlich pacifique; *ruhig* paisible
frieren geler; *Person* avoir froid; **es friert** il gèle; **mich friert** j'ai froid
Frikassee N fricassée *f*
frisch frais; *Wäsche* propre; **~ gestrichen!** peinture fraîche!; **auf ~er Tat** sur le fait
Frische F fraîcheur **Frischhaltebeutel** M sachet fraîcheur
Friseur M coiffeur **Friseursalon** M salon de coiffure **Friseuse** F coiffeuse
frisieren (sich) ~ (se) coiffer
Frist F délai *m* **fristlos** sans préavis
Frisur F coiffure
Fritten *umg* FPL frites **Fritteuse** F friteuse
Frl. (*Fräulein*) Mlle (*Mademoiselle*)
froh content (**über** *akk* de); **ich bin ~, dass** ... je suis content que ... (*+subj*); **~e Ostern!** joyeuses Pâques!; **~e Weihnachten!** joyeux Noël!
fröhlich gai, joyeux
fromm pieux
Fronleichnam M Fête-Dieu *f*
Front F front *m*; ARCH façade **frontal** de face, de front **Frontalzusammenstoß** M choc frontal **Frontantrieb** M traction *f* avant
Frosch M grenouille *f* **Froschmann** M homme-grenouille **Froschschenkel** MPL cuisses *fpl* de grenouilles
Frost M gel
frösteln frissonner
frostig froid; *fig* glacial **Frostschutzmittel** N antigel *m*
Frotteetuch N serviette *f* éponge **frottieren (sich) ~** (se) frotter, (se) frictionner
Frucht F fruit *m* (*a. fig*) **fruchtbar** AGR fertile; *Lebewesen* fécond; *fig* fructueux **Fruchteis** N glace *f* aux fruits **Fruchtfleisch** N pulpe *f* **Fruchtsaft** M jus de fruits
früh de bonne heure, tôt; **heute/morgen ~** ce/demain matin; **zu ~** trop tôt
Frühaufsteher(in) M(F) lève-tôt
Frühchen N MED prématuré(e) *m(f)*
früher plus tôt; *ehemals* autre-

fois
Frühjahr N, **Frühling** M printemps *m*
Frühstück N petit déjeuner *m* **frühstücken** prendre le petit déjeuner **Frühstücksbüfett** N buffet *m* de petit déjeuner
Frust *umg* M *umg* frustration *f* **frustriert** frustré
Fuchs M renard
Fuchsie F fuchsia *m*
fühlbar sensible **fühlen** sentir; *Puls* tâter
führen mener, conduire; *Touristen* guider; *Betrieb* diriger; *Ware* faire; SPORT mener; **zu etw ~** mener à qc
Führer M *Reiseführer* guide (*a. Buch*); *e-r Gruppe* chef; POL *a.* leader **Führerin** F *Reiseführerin* guide; *e-r Gruppe* chef *m* **Führerschein** M permis de conduire
Führung F *Besichtigung* visite guidée; *Leitung* direction; SPORT **in ~ liegen** mener
Fuhrunternehmen N entreprise *f* de transport **Fuhrwerk** N charrette *f*
Fülle F abondance
füllen remplir; GASTR farcir
Füll(federhalt)er M stylo (à encre)
Füllung F remplissage *m*; GASTR farce; *Zahnfüllung* plombage *m*
Fund M objet trouvé; *glücklicher* trouvaille *f*; *archäologischer* découverte *f*
Fundament N fondations *fpl*; *fig* fondement *m*
Fundbüro N bureau *m* des objets trouvés **Fundgegenstand** M, **Fundsache** F objet *m* trouvé
fünf cinq **fünfhundert** cinq cents **fünfte**(r, -s) cinquième **Fünftel** N cinquième *m* **fünfzehn** quinze **fünfzig** cinquante
Funk M radio *f*; **über ~** par radio
Funkamateur M radio-amateur
Funke M étincelle *f* **funkeln** étinceler, scintiller
funken transmettre par radio **Funker** M radio **Funkgerät** N poste *m* émetteur-récepteur **Funkloch** N TEL zone *f* °hors réseau **Funkspruch** M message radio **Funkstreife** F voiture *f* de police (radio) **Funktaxi** N radio-taxi *m* **Funktelefon** N radiotéléphone *m*
Funktion F fonction **funktionieren** fonctionner **Funktionstaste** F touche de fonction
Funkuhr F horloge *f* radiopilotée **Funkwecker** M TEL réveil radiopiloté
für (*akk*) pour
Furche F sillon *m*
Furcht F crainte *f*, peur *f* (**vor** de) **furchtbar** terrible, affreux
fürchten craindre (**dass** ...

que ... ne *+subj*); **sich ~** avoir peur (**vor** *dat* de)
fürchterlich terrible
furchtlos intrépide **furchtsam** craintif
füreinander l'un pour l'autre
Fürsorge F soins *mpl*; *Sozialfürsorge* aide sociale
Fürsprache F intercession, intervention
Fürst M prince **Fürstentum** N principauté *f* **Fürstin** F princesse **fürstlich** princier
Furt F gué *m*
Furunkel M furoncle
Fuß M pied; *e-s Tieres* patte *f*; **zu ~** à pied
Fußball M football [futbol]; *Ball* ballon de football; **~ spielen** jouer au football
Fußballplatz M terrain de football **Fußballspiel** N match *m* de football **Fußballspieler(in)** M(F) footballeur *m*, footballeuse *f* **Fußballtoto** N loto *m* sportif **Fußballweltmeisterschaft** F Coupe du monde de football
Fußboden M plancher **Fußbodenheizung** F chauffage *m* par le sol
Fußbremse F pédale de frein
Fußgänger(in) M(F) piéton **Fußgängerbrücke** F passerelle **Fußgängerüberweg** M passage pour piétons **Fußgängerzone** F zone piétonne *od* piétonnière
Fußgelenk N cheville *f* **Fußmatte** F paillasson *m* **Fußpflege** F soins *mpl* des pieds **Fußsohle** F plante du pied **Fußspur** F trace de pied **Fußtritt** M coup de pied **Fußweg** M sentier, chemin
Futter N nourriture *f*; *in Kleidung*: doublure *f*
Futteral N étui *m*
füttern *Tier* donner à manger à; *Kind* faire manger; *Kleidung* doubler **Fütterung** F alimentation
Futur N futur *m*

G

gab → **geben**
Gabe F don *m*
Gabel F fourchette **gabeln sich ~** *Weg* bifurquer
gackern caqueter
Gage F cachet *m*
gähnen bâiller
galant galant
Galerie F galerie
Galgen M potence *f*, gibet
Galle F bile; *Tiergalle* fiel *m*
Gallenblase F vésicule biliaire **Gallenkolik** F colique hépatique **Gallenstein** M calcul biliaire
Galopp M galop **galoppieren** galoper
gammeln *umg* glander

Gämse F chamois *m*
Gang M marche *f*; *Art des Gehens* démarche; *Ablauf* cours; *Korridor* couloir; AUTO vitesse *f*; GASTR plat; **in ~ bringen** mettre en marche; **in vollem ~(e) sein** battre son plein
Gangschaltung F AUTO changement *m* de vitesse; *Fahrrad* dérailleur *m*
Gangster M gangster [gɑ̃gstɛr]
Gangway F passerelle
Ganove M truand
Gans F oie
Gänseblümchen N pâquerette *f* **Gänsebraten** M oie *f* rôtie **Gänsehaut** F *fig* chair de poule **Gänseleberpastete** F (pâté *m* de) foie *m* gras **Gänsemarsch** M **im ~** en file indienne
ganz tout; *vollständig* entier; *heil* intact; **den ~en Tag** toute la journée; **in der ~en Welt** dans le monde entier; **~ gut** assez bien; **~ und gar nicht** pas du tout
Ganztagsarbeit F travail *m* à plein temps
gar[1] GASTR cuit; *Fleisch* à point
gar[2] ADV **~ nicht/nichts** pas/rien du tout
Garage F garage *m*
Garantie F garantie **garantieren** garantir (**für etw** qc) **Garantieschein** M certificat de garantie
Garderobe F *Kleidung* garde-robe; *Theater etc* vestiaire *m*; *im Flur* portemanteau *m*
Garderobenfrau F dame du vestiaire **Garderobenmarke** F numéro *m* de vestiaire
Gardine F rideau *m*
gären fermenter
Garn N fil *m*
Garnele F crevette
garnieren garnir (**mit** de)
Garnitur F ensemble *m*; *Polstergarnitur* salon *m*
Garten M jardin **Gartenbau** M horticulture *f* **Gartenfest** N garden-party *f* **Gartenlokal** N restaurant *od* café *m* avec jardin **Gartenzaun** M clôture *f* de jardin
Gärtner M jardinier **Gärtnerei** F établissement *m* horticole **Gärtnerin** F jardinière
Gärung F fermentation
Gas N gaz *m*; **~ geben** accélérer
Gasflasche F bouteille de gaz **Gashahn** M robinet du gaz **Gasheizung** F chauffage *m* au gaz **Gasherd** M cuisinière *f* à gaz **Gasleitung** F conduite de gaz **Gasofen** M radiateur à gaz **Gaspedal** N accélérateur *m*
Gasse F ruelle
Gast M invité; *im Hotel, Lokal* client **Gastarbeiter(in)** M(F) *neg!* travailleur *m*, travailleuse *f* immigré(e)
Gästebuch N livre *m* d'or **Gästezimmer** N chambre *f*

d'amis; *e-r Pension etc*: chambre à louer
Gastfamilie F famille d'accueil **gastfreundlich** hospitalier **Gastfreundschaft** F hospitalité **Gastgeber(in)** M(F) hôte(sse) **Gasthaus** N, **Gasthof** M auberge *f* **gastlich** hospitalier, accueillant **Gaststätte** F restaurant *m* **Gastwirt** M restaurateur **Gastwirtschaft** F café-restaurant *m*
Gasvergiftung F intoxication par le gaz **Gaszähler** M compteur à gaz
Gatte M époux **Gattin** F épouse
Gattung F genre *m*; BIOL espèce
GAU M ABK (größter anzunehmender Unfall) accident majeur
Gaumen M palais
Gauner M escroc [ɛskro]
Gaze F gaze
Gazelle F gazelle
Gebäck N pâtisserie *f*; *Plätzchen* petits gâteaux *mpl*
gebacken cuit (au four)
Gebärde F geste *m*
Gebärmutter F utérus *m*
Gebäude N bâtiment *m*
geben donner (**j-m etw** qc à qn); *reichen, am Telefon* passer; **es gibt** il y a; **was gibt es?** qu'est-ce qu'il y a?
Gebet N prière *f* **gebeten** → bitten
Gebiet N région *f*; POL territoire *m*; *Fachgebiet* domaine *m*
gebildet cultivé
Gebirge N montagne *f*; **im ~, ins ~** à la montagne **gebirgig** montagneux
Gebirgsbach M torrent **Gebirgskette** F, **Gebirgszug** M chaîne *f* de montagnes
Gebiss N dentition *f*; *künstliches* dentier *m*
Gebläse N AUTO ventilateur *m*
geblieben → bleiben
geblümt à fleurs
geboren né (**am** le); **~e Müller** née Müller; **~ werden** naître
geborgen en sécurité
gebracht → bringen
gebrannt → brennen
gebraten rôti
Gebrauch M usage, emploi **gebrauchen** utiliser; **gut zu ~ sein** être utile **gebräuchlich** usuel
Gebrauchsanweisung F mode *m* d'emploi **gebrauchsfertig** prêt à l'emploi **Gebrauchsgegenstand** M objet d'usage courant
gebraucht usagé **Gebrauchtwagen** M voiture *f* d'occasion
gebrechlich fragile
gebrochen → brechen
Gebrüder PL frères *mpl*
Gebrüll N °hurlements *mpl*
Gebühr F taxe; *Maut* péage *m*;

Fernsehgebühr redevance **gebührenfrei** gratuit **gebührenpflichtig** soumis à une taxe; *Parkplatz* payant; *Straße* à péage; **~e Verwarnung** F contravention
gebunden → binden
Geburt F naissance
Geburtenkontrolle F contrôle *m* des naissances **Geburtenrückgang** M dénatalité *f*
Geburtsdatum N date *f* de naissance **Geburtshaus** N maison *f* natale **Geburtsname** M nom de jeune fille **Geburtsort** M lieu de naissance
Geburtstag M anniversaire; **alles Gute zum ~!** bon anniversaire!
Geburtsurkunde F acte *m* de naissance
Gebüsch N buissons *mpl*
gedacht → denken
Gedächtnis N mémoire *f*; **aus dem ~** de mémoire
Gedanke M pensée *f*, idée *f*; **sich ~n machen** s'inquiéter (**über** *akk* pour); *nachdenken* réfléchir (sur)
Gedankenaustausch M échange d'idées **gedankenlos** irréfléchi; (*zerstreut*) distrait **Gedankenstrich** M tiret
Gedeck N couvert *m*; menu *m*
gedeihen prospérer
gedenken (*gen*) *ehrend* commémorer; *vorhaben* penser (**etw zu tun** faire qc) **Gedenkstätte** F lieu *m* commémoratif **Gedenktafel** F plaque commémorative
Gedicht N poème *m*
Gedränge N bousculade *f*
Geduld F patience **gedulden sich ~** patienter **geduldig** patient
geehrt *in Briefen* **Sehr ~er Herr N., …** Monsieur, …
geeignet approprié; *Person* fait (**für** pour)
Gefahr F danger *m*; **~ laufen zu …** courir le risque de …; **auf eigene ~** à ses risques et périls [peril]
gefährden mettre en danger
gefährlich dangereux
gefahrlos sans danger
Gefährte M compagnon **Gefährtin** F compagne
Gefälle N pente *f*
gefallen plaire (**j-m** à qn); **sich etw ~ lassen** se laisser faire
Gefallen[1] M service; **j-m e-n ~ tun** rendre (un) service à qn
Gefallen[2] N **~ finden an** (*dat*) prendre plaisir à
gefällig *hilfsbereit* serviable; *anziehend* plaisant, agréable
Gefälligkeit F *Dienst* service
gefangen prisonnier; **~ nehmen** faire prisonnier
Gefangene(r) M/F(M) prisonnier *m*, prisonnière *f* **Gefangenschaft** F captivité
Gefängnis N prison *f*; **im ~ sitzen** être en prison

Gefäß N récipient *m*; *Blutgefäß* vaisseau *m*
gefasst (avec) calme; **auf etw ~ sein** s'attendre à qc
Gefecht N combat *m*
Gefieder N plumage *m*
gefleckt tacheté
geflogen → fliegen
Geflügel N volaille *f*
Gefolge N suite *f*
gefräßig vorace, glouton
gefrieren geler **Gefrierfach** N freezer [frizœr] *m* **Gefrierfleisch** N viande *f* congelée **gefriergetrocknet** lyophilisé **Gefrierschrank** M, **Gefriertruhe** F congélateur *m*
gefroren → gefrieren **Gefrorene(s)** N *österr* glace *f*
gefügig docile
Gefühl N sentiment *m*; *physisch* sensation *f*; *Gespür* sens *m* (**für** de); *Gemütsbewegung* émotion *f* **gefühllos** insensible (**gegen** à) **gefühlvoll** sensible; sentimental
gefüllt GASTR farci
gefunden → finden
gegangen → gehen
gegebenenfalls le cas échéant
gegen contre; *Richtung, zeitlich* vers
Gegend F région; *Nähe* voisinage *m*
gegeneinander l'un contre l'autre **Gegenfahrbahn** F voie d'en face **Gegenfrage** F question posée en retour
Gegengift N contrepoison *m*
Gegenleistung F **als ~** en contrepartie
Gegenlicht N **(im) ~** (à) contre-jour *m* **Gegenmittel** N MED antidote *m* **Gegenrichtung** F direction opposée
Gegensatz M contraste; **im ~ zu** contrairement à
Gegenseite F JUR parti *m* adverse **gegenseitig** mutuel, réciproque
Gegenstand M objet (*a. fig*); *Thema* sujet **Gegenstück** N pendant *m* **Gegenteil** N contraire *m* (**von** de); **im ~** au contraire
gegenüber **1** ADV en face **2** PRÄP (*dat*) en face de; *fig* envers; *im Vergleich zu* par rapport à **gegenüberstehen** être face à face **gegenüberstellen** confronter
Gegenverkehr M circulation *f* (venant) en sens inverse **Gegenwart** F présent *m* (*a.* GRAM); *Anwesenheit* présence **gegenwärtig** présent (*a. anwesend*); *jetzig* actuel; ADV à présent **Gegenwind** M vent contraire
gegessen → essen
Gegner(in) M(F) adversaire
Gehackte(s) N viande *f* °hachée
Gehalt[1] M teneur *f* (**an** *dat* en)
Gehalt[2] N salaire *m* **Gehaltsempfänger(in)** M(F) salarié(e)
Gehaltserhöhung F aug-

mentation de salaire
gehässig °haineux
Gehäuse N boîtier *m*
gehbehindert ADJT à mobilité réduite
geheim secret **Geheimdienst** M services *mpl* secrets **Geheimnis** N secret *m*, mystère *m* **geheimnisvoll** mystérieux **Geheimnummer** F code *m* secret **Geheimtipp** M *umg* tuyau **Geheimwaffe** F arme secrète **Geheimzahl** F code *m* confidentiel
gehemmt complexé, inhibé
gehen aller (à pied); marcher (*a. funktionieren*); *fortgehen* partir; *Ware* se vendre; *Zimmer* **auf den Hof ~** donner sur la cour; **das geht nicht** ça ne va pas; **es geht um ...** il s'agit de ...; **wie geht es Ihnen?** comment allez-vous?; **es geht mir gut/schlecht** je vais bien/mal; **sich ~ lassen** se laisser aller
Gehilfe M aide, commis
Gehirn N cerveau *m* **Gehirnerschütterung** F commotion cérébrale **Gehirnschlag** M apoplexie *f*
geholfen → helfen
Gehör N ouïe *f*
gehorchen obéir (**j-m** à qn)
gehören j-m ~ appartenir *od* être à qn; **~ zu** faire partie de; **es gehört sich nicht** ça ne se fait pas
gehörlos sourd
gehorsam obéissant **Gehorsam** M obéissance *f*
Gehsteig M, **Gehweg** M trottoir
Geier M vautour
Geige F violon *m* **Geiger(in)** M(F) violoniste
Geigerzähler M compteur Geiger
geil *umg* (*lüstern*) lubrique; (*toll*) cool [kul], génial
Geisel F otage *m* **Geiselnahme** F prise d'otage(s) **Geiselnehmer** M preneur d'otage(s)
Geist M esprit; (*Gespenst*) fantôme; **der Heilige ~** le Saint-Esprit
Geisterbahn F train *m* fantôme **Geisterfahrer(in)** M(F) automobiliste roulant à contresens sur l'autoroute
geistesabwesend absent **Geistesgegenwart** F présence d'esprit **geistesgestört** dérangé **Geisteskranke(r)** M/F(M) malade *m/f* mental(e) **Geisteswissenschaften** FPL sciences humaines **Geisteszustand** M état mental
geistig intellectuel; *psych* mental; **~e Getränke** NPL spiritueux *mpl*
geistlich religieux; *Musik* sacré **Geistliche(r)** M *katholischer* prêtre; *evangelischer* pasteur
geistreich spirituel

Geiz M avarice *f* **Geizhals** M avare **geizig** avare
Gejammer N lamentations *fpl*
gekannt → kennen
gekränkt vexé, blessé
Gelächter N rires *mpl*
gelähmt paralysé
Gelände N terrain *m*
Geländer N *Balkongeländer* balustrade *f*; *Treppengeländer* rampe *f*; *Brückengeländer* parapet *m*
Geländewagen M voiture *f* tout-terrain
gelassen calme **Gelassenheit** F calme *m*, sang-froid *m*
Gelatine F gélatine
geläufig courant; *vertraut* familier (**j-m** à qn)
gelaunt **gut/schlecht ~** de bonne/mauvaise humeur
gelb jaune; *Ampel* orange; **bei Gelb** à l'orange **gelblich** jaunâtre **Gelbsucht** F jaunisse
Geld N argent *m* **Geldautomat** M distributeur (automatique) de billets **Geldbeutel** M porte-monnaie *m* **Geldbuße** F amende **Geldkarte** F carte Moneo **Geldschein** M billet de banque **Geldstrafe** F amende **Geldstück** N pièce *f* (de monnaie) **Geldwechsel** M change **Geldwechsler** M *Automat* changeur (de monnaie)
Gelee N gelée *f*
gelegen *örtlich* situé; **das kommt mir sehr ~** cela m'arrange; *umg* ça tombe à pic
Gelegenheit F occasion; **bei dieser ~** à cette occasion
Gelegenheitsarbeit F petit boulot *m* **Gelegenheitskauf** M occasion *f*
gelegentlich à l'occasion
Gelehrte(r) M/F(M) érudit(e) *m(f)*; *Wissenschaftler(in)* savant *m*
Gelenk N articulation *f* **gelenkig** souple **Gelenkrheumatismus** M rhumatisme articulaire
gelernt *ausgebildet* qualifié
Geliebte F maîtresse **Geliebte(r)** M amant
gelingen réussir; **es gelingt mir zu ...** je réussis à ...
gelogen → lügen
gelten *gültig sein* être valable; *wert sein* valoir; *Gesetz* être en vigueur; **~ für** concerner; **~ als** passer pour; **j-m ~** s'adresser à qn
geltend valable, en vigueur; **~ machen** faire valoir
Geltung F *Gültigkeit* validité; *Bedeutung* importance; *Ansehen* autorité; **zur ~ bringen** mettre en valeur; **zur ~ kommen** ressortir
Gelübde N vœu *m*
gelungen réussi
gemächlich tranquille
Gemälde N peinture *f*, tableau *m* **Gemäldegalerie** F galerie de peinture
gemäß (*dat*) conformément à,

selon
gemäßigt modéré; *Klima* tempéré
gemein commun; (*niederträchtig*) odieux, méchant
Gemeinde F commune; REL paroisse **Gemeinderat** M conseil municipal
Gemeinheit F méchanceté
gemeinnützig d'utilité publique **gemeinsam** commun; ADV en commun, ensemble
Gemeinschaft F communauté **gemeinschaftlich** (en) commun **Gemeinschaftsantenne** F antenne collective
Gemisch N mélange *m* **gemischt** mixte
Gemurmel N murmure *m*
Gemüse N légumes *mpl* **Gemüsehändler(in)** M(F) marchand(e) de légumes **Gemüsesuppe** F potage *m* aux légumes
gemütlich *Lokal* accueillant; *Wohnung* douillet; *Sessel* confortable; *Abend* tranquille; **hier ist es ~** on est bien ici
Gen N gène *m*
genannt → nennen
genau exact, précis; **peinlich ~** minutieux; **~ um drei Uhr** à trois heures précises
Genauigkeit F exactitude, précision **genauso** → ebenso
genehmigen autoriser **Genehmigung** F autorisation; *Schein* permis *m*
General M général **Generaldirektor** M P-DG **Generalkonsulat** N consulat *m* général **Generalprobe** F répétition générale **Generalstreik** M grève *f* générale
Generation F génération
Generator M générateur
generell général; ADV en général
Genesung F guérison
Genetik F génétique
genetisch génétique
Genf Genève; **der ~er See** le lac Léman
Genforschung F recherche génétique
genial génial, de génie
Genick N nuque *f*; **sich das ~ brechen** se casser le cou
Genie N génie *m*
genieren sich ~ être gêné
genießbar consommable; *essbar* mangeable; *trinkbar* buvable **genießen** savourer; *fig Natur, Ruhe* apprécier; *Ansehen etc* jouir de **Genießer(in)** M(F) bon vivant
Genitiv M génitif
genmanipuliert génétiquement modifié
genommen → nehmen
genormt standardisé
Genosse M camarade **Genossenschaft** F société coopérative
Gentechnik F ingénierie génétique, génie génétique

gentechnikfrei sans OGM, sans recours au génie génétique **gentechnisch** génétique; **~ verändert** génétiquement modifié **Gentest** M test génétique
genug assez; **~ Geld** assez d'argent **genügen** suffire **genügend** suffisant
Genugtuung F satisfaction
Genuss M plaisir; *Nahrung, Alkohol* consommation *f*
geöffnet ouvert
Geografie F géographie **Geologie** F géologie
Gepäck N bagages *mpl* **Gepäckabfertigung** F, **Gepäckannahme** F enregistrement *m* des bagages **Gepäckaufbewahrung** F consigne **Gepäckausgabe** F remise des bagages **Gepäckkarren** M chariot à bagages **Gepäckkontrolle** F contrôle *m* des bagages **Gepäckschein** M bulletin de bagages **Gepäckschließfach** N consigne *f* automatique **Gepäckstück** N colis *m* **Gepäckträger** M *Person* porteur; *am Fahrrad* porte-bagages **Gepäckversicherung** F assurance bagages **Gepäckwagen** M fourgon (à bagages)
gepanzert blindé **gepfeffert** poivré; *fig* salé **gepflegt** soigné
gerade droit; *Zahl* pair; ADV justement; *genau* juste; **~ ein Jahr** juste un an; **er ist ~ angekommen** il vient (juste) d'arriver; **nicht ~ leicht** pas vraiment facile
Gerade F droite **geradeaus** tout droit **geradewegs** directement **geradezu** vraiment, tout simplement
Geranie F géranium *m*
gerannt → rennen
Gerät N ELEK appareil *m*; *Radio*, TV poste; *Küchengerät* ustensile *m*; *Turnen* **~e** PL agrès *mpl*
geraten tomber (**in etw** *akk* dans qc; **an j-n** sur qn); **gut/schlecht ~** bien/ne pas réussir
Geräteturnen N exercices *mpl* aux agrès
Geratewohl N **aufs ~** à l'aventure
geräuchert fumé
geräumig spacieux
Geräusch N bruit *m* **geräuschlos** silencieux **geräuschvoll** bruyant
gerecht juste, équitable **gerechtfertigt** justifié **Gerechtigkeit** F justice
Gerede N bavardage *m*
gereizt irrité
Gericht N *Speise* plat *m*; JUR tribunal *m*; *Gebäude* palais *m* de justice **gerichtlich** judiciaire
Gerichtsarzt M médecin légiste **Gerichtshof** M cour *f* (de justice) **Gerichtssaal** M salle *f* d'audience **Gerichts-**

verfahren N procédure *f* (judiciaire) **Gerichtsverhandlung** F débats *mpl*, audience *f* **Gerichtsvollzieher** M huissier (de justice)
gering peu (de), petit
geringfügig peu important, insignifiant **geringschätzig** dédaigneux
geringste(r, -s) moindre; **nicht im Geringsten** pas le moins du monde
gerinnen *Blut* se coaguler; *Milch* se cailler
Gerippe N squelette *m*
gerissen *fig* rusé, roué
gern(e) volontiers; **~(e) etw tun** aimer faire qc; **~(e) essen** aimer; **ich möchte ~(e)** … j'aimerais bien …; **~ geschehen!** il n'y a pas de quoi!
gernhaben aimer
Geröll N éboulis *m*
Gerste F orge **Gerstenkorn** N MED orgelet *m*
Geruch M odeur *f*; *Sinn* odorat **geruchlos** inodore
Gerücht N bruit *m*, rumeur *f*
gerührt touché, ému
Gerümpel N bric-à-brac *m*
Gerüst N échafaudage *m*
gesalzen salé (*a. fig*)
gesamt (tout) entier; *Summe* total; **die ~e Belegschaft** l'ensemble du personnel
Gesamtbetrag M total **Gesamteindruck** M impression *f* générale **Gesamtgewicht** N AUTO **das zulässige ~** le poids total autorisé
Gesang M chant **Gesangverein** M chorale *f*
Gesäß N derrière *m*
Geschäft N affaire *f*; *Laden* magasin *m* **geschäftlich** d'affaires, commercial; ADV pour affaires
Geschäftsbrief M lettre *f* d'affaires **Geschäftsfrau** F femme d'affaires **Geschäftsführer(in)** M(F) gérant(e) **Geschäftsmann** M homme d'affaires **Geschäftsreise** F voyage *m* d'affaires **Geschäftsstelle** F agence **Geschäftszeit** F heures *fpl* d'ouverture (des magasins *od* des bureaux)
geschehen se passer, arriver, se produire
gescheit intelligent
Geschenk N cadeau *m* **Geschenkgutschein** M chèque-cadeau **Geschenkpapier** N papier-cadeau *m*
Geschichte F histoire **geschichtlich** historique
Geschicklichkeit F adresse
geschickt adroit
geschieden divorcé
Geschirr N vaisselle *f* **Geschirrspüler** M lave-vaisselle
Geschirrtuch N torchon *m*
Geschlecht N BIOL sexe *m*; *Familie* famille *f*; GRAM genre *m* **geschlechtlich** sexuel
Geschlechtskrankheit F MST **Geschlechtsorgane**

NPL, **Geschlechtsteile** NPL organes *mpl* génitaux **Geschlechtsverkehr** M rapports *mpl* sexuels
geschlossen fermé
Geschmack M goût **geschmacklos** insipide; *taktlos* de mauvais goût; ADV sans goût **Geschmack(s)sache** F affaire de goût **geschmackvoll** de bon goût; ADV avec goût
geschmeidig souple
geschmort braisé, mijoté
geschnitten → schneiden
Geschöpf N créature *f*
Geschoss N projectile *m*; *Stockwerk* étage *m*
Geschrei N cris *mpl*
geschrieben → schreiben
Geschwätz N bavardage *m* **geschwätzig** bavard
Geschwindigkeit F vitesse
Geschwindigkeitsbegrenzung F limitation de vitesse **Geschwindigkeitsüberschreitung** F excès *m* de vitesse
Geschwister PL frère(s) *m(pl)* et sœur(s) *f(pl)*
geschwollen enflé
Geschworene(r) M juré
Geschwulst F tumeur
Geschwür N ulcère *m*
Geselchte(s) N *österr* viande *f* fumée
gesellig sociable; **~es Beisammensein** N réunion *f* entre amis
Gesellschaft F société; **in ~ von** en compagnie de; **geschlossene ~** réunion privée; **j-m ~ leisten** tenir compagnie à qn
Gesellschafter M HANDEL associé **gesellschaftlich** social
Gesellschaftsanzug M tenue *f* de soirée **Gesellschaftsreise** F voyage *m* organisé **Gesellschaftsschicht** F couche sociale **Gesellschaftsspiel** N jeu *m* de société
gesessen → sitzen
Gesetz N loi *f* **Gesetzbuch** N code *m* **Gesetzgebung** F législation **gesetzlich** légal **gesetzwidrig** illégal
Gesicht N figure *f*, visage *m*
Gesichtsausdruck M expression *f* (du visage) **Gesichtsfarbe** F teint *m* **Gesichtsmaske** F masque *m* **Gesichtspunkt** M point de vue; aspect **Gesichtswasser** N lotion *f* pour le visage **Gesichtszüge** MPL traits
Gesindel N racaille *f*
Gesinnung F sentiments *mpl*; (*Meinung*) opinion
gesondert séparé
Gespann N attelage *m*
gespannt tendu (*a. fig*); **ich bin ~, ob ...** je suis curieux de savoir si ...
Gespenst N fantôme *m*
gesperrt barré

gespickt (entre)lardé
Gespräch N conversation *f*, entretien *m*; TEL communication *f* **gesprächig** bavard
Gesprächspartner(in) M(F) interlocuteur *m*, interlocutrice *f* **Gesprächsstoff** M, **Gesprächsthema** N sujet *m* de conversation
gesprochen → sprechen
gesprung → springen
Gestalt F forme; *Wuchs* taille **gestalten** former, façonner; *Freizeit* organiser
gestanden → stehen
Geständnis N aveu *m*
Gestank M puanteur *f*
gestatten permettre; ~ **Sie?** vous permettez?
Geste F geste *m*
gestehen avouer
Gestein N roche *f*
Gestell N *Bock* chevalet *m*; *Regal* rayonnages *mpl*; *Brillengestell* monture *f*
gestern hier; ~ **Abend** hier soir
Gestirn N astre *m*
gestohlen → stehlen
gestorben → sterben
gestreift rayé
gestrig d'hier
Gestrüpp N broussailles *fpl*
Gestüt N °haras *m*
Gesuch N demande *f* (**um** de)
gesund sain; *Person* en bonne santé, bien portant; ~ **werden** guérir
Gesundheit F santé; ~**!** *beim Niesen* à vos souhaits!
Gesundheitsamt N service *m* (local) de l'hygiène sociale et de la santé publique **gesundheitsschädlich** nocif
Gesundheitszustand M état de santé
getan → tun
Getränk N boisson *f*
Getränkeautomat M distributeur de boissons **Getränkekarte** F carte des boissons
Getreide N céréales *fpl*, blé *m*
getrennt séparé; ~ **zahlen** payer séparément
Getriebe N AUTO boîte *f* de vitesses **Getriebeöl** N huile *f* de graissage
getrocknet sec
getroffen → treffen
getrunken → trinken
Gewächs N végétal *m*
gewachsen e-r Sache (*dat*) ~ **sein** être à la °hauteur de qc
Gewächshaus N serre *f*
gewagt risqué; osé
Gewähr F garantie **gewähren** accorder **gewährleisten** garantir
Gewahrsam M garde *f*; *Haft* détention *f*
Gewalt F force; *Gewalttätigkeit* violence; *Macht* pouvoir *m*; **höhere** ~ force majeure; **mit** ~ de force
gewaltig énorme
gewaltlos non-violent **gewaltsam** violent; *öffnen etc* de force **gewalttätig** violent

gewandt adroit; *körperlich* agile **Gewandtheit** F adresse; agilité; *im Benehmen* aisance
Gewässer N eaux *fpl*
Gewebe N tissu *m* (*a. fig*)
Gewehr N fusil [fyzi] *m*
Geweih N bois *mpl*
Gewerbe N industrie *f*; *Beruf* métier *m* **gewerblich** industriel **gewerbsmäßig** professionnel
Gewerkschaft F syndicat *m* **gewerkschaftlich** syndical
gewesen → sein
Gewicht N poids *m*; *fig* importance *f*; **nach ~** au poids **gewichtig** *fig* important
Gewimmel N fourmillement *m*
Gewinde N pas *m* de vis
Gewinn M gain; HANDEL bénéfice **gewinnbringend** lucratif
gewinnen gagner **Gewinner(in)** M(F) gagnant(e) **Gewinnspanne** F marge bénéficiaire **Gewinnzahl** F numéro *m* gagnant
gewiss certain(ement); **ein gewisser Herr ...** un certain monsieur ...
Gewissen N conscience *f* **gewissenhaft** consciencieux **gewissenlos** sans scrupules **Gewissensbisse** MPL remords
gewissermaßen pour ainsi dire
Gewissheit F certitude
Gewitter N orage *m* **gewitterig** orageux **Gewitterregen** M pluie *f* d'orage
gewöhnen (sich) ~ (s')accoutumer, (s')habituer (**an** *akk* à)
Gewohnheit F habitude
gewöhnlich *gewohnt* habituel; *alltäglich* ordinaire, normal; *unfein* vulgaire; ADV d'habitude; **wie ~** comme d'habitude
gewohnt habituel; **etw** (*akk*) **~ sein** être habitué à qc
Gewölbe N voûte *f*
gewonnen → gewinnen
geworden → werden
Gewühl N cohue *f*
Gewürz N épice *f* **Gewürzgurke** F cornichon *m* **Gewürznelke** F clou *m* de girofle
gewusst → wissen
Gezeiten PL marée *f*
geziert affecté, maniéré
gezogen → ziehen
gezwungen → zwingen
gib, gibt → geben
Gicht F MED goutte
Giebel M pignon
Gier F avidité **gierig** avide
gießen verser; *Blumen* arroser; TECH couler, fondre; **es gießt** il pleut à verse
Gießkanne F arrosoir *m*
Gift N poison *m*; ZOOL venin *m* **giftig** toxique; *Tiere* venimeux; *Pflanzen* vénéneux
Giftmüll M déchets *mpl* toxiques **Giftpilz** M champignon

vénéneux **Giftschlange** F serpent *m* venimeux
gigantisch gigantesque
gilt → gelten
Gin M gin [dʒin]
ging → gehen
Ginster M genêt
Gipfel M sommet (*a.* POL); *umg* **das ist der ~!** c'est un comble!
Gips M plâtre **gipsen** MED plâtrer **Gipsverband** M plâtre
Giraffe F girafe
Girlande F guirlande
Giro N virement *m* **Girokonto** N compte *m* courant
Gitarre F guitare
Gitter N grille *f*, grillage *m* **Gitterfenster** N fenêtre *f* grillagée
Gladiole F glaïeul *m*
Glanz M éclat; *fig* splendeur *f*
glänzen briller (*a. fig*)
glänzend brillant (*a. fig*)
Glas N verre *m* **Glaser(in)** M(F) vitrier *m*
gläsern de *od* en verre
Glashütte F verrerie **Glasscheibe** F vitre **Glasscherbe** F morceau *m* de verre **Glastür** F porte vitrée
Glasur F vernis *m*; GASTR glaçage *m*
glatt lisse; *rutschig* glissant; ADV sans problème
Glätte F *der Fahrbahn* état *m* glissant
Glatteis N verglas *m*
Glatze F calvitie; **e-e ~ haben** être chauve
Glaube M croyance *f* (**an** *akk* en); REL foi *f* (**an** *akk* en)
glauben croire (**etw** qc; **j-m** qn; **an etw** *akk* à qc; **an j-n** en qn)
Glaubensbekenntnis N Credo *m*
gläubig croyant; **die Gläubigen** les fidèles *mpl*
Gläubiger(in) M(F) WIRTSCH créancier *m*, créancière *f*
glaubwürdig crédible
gleich égal; *identisch* même; *ähnlich* pareil; *sofort* tout de suite; **das Gleiche** la même chose; **das ist mir ~** ça m'est égal; **~ groß** de même taille; **~ gegenüber** juste en face; **bis ~!** à tout à l'heure!
gleichaltrig du même âge
gleichberechtigt égal en droits
gleichen ressembler (**j-m** à qn); **sich ~** se ressembler
gleichfalls également; **danke, ~!** merci, à vous aussi
Gleichgewicht N équilibre *m*
gleichgültig indifférent
Gleichheit F égalité **gleichmäßig** régulier
Gleichstrom M courant continu **Gleichung** F équation
gleichwertig équivalent
gleichzeitig simultané; ADV en même temps
Gleis N voie *f*
gleiten glisser; **~de Arbeits-**

zeit F horaire *m* individualisé **Gleitflug** M vol plané **Gleitschirm** M parapente
Gletscher M glacier **Gletscherspalte** F crevasse
Glied N membre *m; männliches*: pénis; *e-r Kette*: maillon *m* **gliedern (sich)** ~ (se) diviser (**in** *akk* en) **Gliederung** F division; *e-s Aufsatzes, e-r Rede*: plan *m* **Gliedmaßen** PL membres *mpl*
glitschig glissant
glitzern étinceler, scintiller
global (*weltweit*) mondial, universel; (*umfassend*) global, général **Globalisierung** F mondialisation
Globus M globe
Glocke F cloche
Glockenblume F campanule **Glockenspiel** N carillon *m* **Glockenturm** M clocher
Glück N bonheur *m; durch Zufall* chance *f*; **zum ~** heureusement; **viel ~!** bonne chance!; **~ haben** avoir de la chance; **~ bringen** porter bonheur
glücken réussir **glücklich** heureux **glücklicherweise** heureusement
Glücksspiel N jeu *m* de hasard
Glückwunsch M félicitations *fpl*; **herzlichen ~!** félicitations!; *zum Geburtstag* joyeux anniversaire!
Glühbirne F ampoule **glühen** *Metall* être incandescent; *fig Gesicht* être en feu **glühend** ardent, brûlant (*beide a. fig*); *Hitze* torride **Glühwein** M vin chaud **Glühwürmchen** N ver *m* luisant
Glut F braise; *fig* ardeur
Gluten N CHEM gluten [glytɛn] *m* **glutenfrei** sans gluten
Glutenunverträglichkeit F intolérance au gluten
Glyzerin N glycérine *f*
GmbH F (*Gesellschaft mit beschränkter Haftung*) SARL (*société à responsabilité limitée*)
Gnade F grâce **Gnadengesuch** N recours *m* en grâce
gnädig clément; **~e Frau!** Madame!
Gold N or *m* **Goldbarren** M lingot d'or **golden** d'or; *Farbe* doré **Goldfisch** M poisson rouge **goldig** mignon, adorable **Goldmedaille** F médaille d'or **Goldmünze** F pièce d'or **Goldschmied(in)** M(F) orfèvre
Golf¹ M GEOGR golfe
Golf² N SPORT golf *m* **Golfplatz** M terrain de golf **Golfschläger** M club
Gondel F gondole; *Seilbahn* cabine
gönnen j-m etw ~ se réjouir pour qn de qc; **sich etw ~** se payer *od* s'offrir qc
Gorgonzola M gorgonzola
Gorilla M gorille
Gotik F style *m od* époque gothique **gotisch** gothique

Gott M dieu; *christl.* REL Dieu; **~ sei Dank!** Dieu merci!
Gottesdienst M office; *evangelischer* culte; *katholischer* messe *f*
Göttin F déesse
göttlich divin
Götze M *pej* idole
Gouda M gouda
Grab N tombe *f*
graben creuser
Graben M fossé
Grabmal N tombeau *m*
Grabstein M pierre *f* tombale
Grad M degré; *Rang* grade; **zehn ~ minus/plus** dix degrés en dessous/dessus de zéro
Graf M comte
Grafik F arts *mpl* graphiques; *Druck* gravure, estampe; *Diagramm* graphique *m* **Grafiker(in)** M(F) graphiste **Grafikkarte** F carte graphique
Gräfin F comtesse
Gramm N gramme *m*
Grammatik F grammaire
Granatapfel M grenade *f*
Granate F obus [ɔby] *m*
Granit M granit(e)
Grapefruit F pamplemousse *m*
Gras N herbe *f* **Grashalm** M brin d'herbe
grässlich atroce, horrible
Grat M crête *f*
Gräte F arête
gratiniert gratiné
gratis gratuitement
gratulieren j-m zu etw ~ féliciter qn de qc
grau gris **Graubrot** N pain *m* bis
Graubünden N les Grisons *mpl*
Gräuel M, **Gräueltat** F atrocité *f*
grauen mir graut vor ... j'ai horreur de ...
Grauen N horreur *f* **grauenhaft**, **grauenvoll** horrible
grauhaarig aux cheveux gris
Graupeln FPL grésil [grezil] *m* **Graupelschauer** M giboulée *f*
grausam cruel **Grausamkeit** F cruauté
gravierend sérieux, grave
Grazie F grâce **graziös** gracieux
greifbar à portée de la main; *fig* tangible
greifen saisir (**nach etw** qc); **zu etw ~** recourir à qc; **um sich ~** se propager
Greifvogel M oiseau de proie, rapace
Greis M vieillard **Greisin** F vieille femme
grell *Licht* cru; *Farbe* criard; *Ton* aigu
Grenze F frontière; *fig* limite; **an der ~** à la frontière
grenzen border (**an etw** *akk* qc); *fig* friser (qc)
Grenzgänger M frontalier
Grenzgebiet N zone *f* frontalière **Grenzkontrolle** F contrôle *m* à la frontière

Grenzstein M borne *f* **Grenzübergang** M poste frontière **Grenzverkehr** M trafic frontalier
grenzwertig limite
Grieche M Grec **Griechenland** N la Grèce **griechisch** grec
Grieß M semoule *f*
Griff M *Türgriff, Koffergriff* poignée *f*; *Messergriff, Werkzeuggriff* manche; SPORT prise *f*; **etw im ~ haben** avoir qc en main
griffbereit à portée de la main
Grill M gril [gril]; *elektrischer* rôtissoire *f*; *Gartengrill* barbecue [barbəkju]; **vom ~** grillé; *Hähnchen* rôti
Grille F grillon *m*
grillen griller [grije]; V/I faire un barbecue [barbəkju] **Grillfest** N, **Grillparty** F barbecue *m*
Grimasse F grimace; **~n schneiden** faire des grimaces
grinsen ricaner
Grippe F grippe; **saisonale ~grippe** saisonnière; **~ haben** avoir la grippe
grob grossier **Grobheit** F grossièreté
Groll M rancœur *f*
Grönland N le Groenland
Groschen M *hist* **1** *umg* pièce de dix pfennigs **2** *österr Währung* groschen
groß grand; *voluminös* gros; **wie ~ bist du?** tu mesures combien?; **im Großen und Ganzen** dans l'ensemble
großartig magnifique; *umg* formidable **Großaufnahme** F gros plan *m* **Großbritannien** N la Grande-Bretagne **Großbuchstabe** M majuscule *f*
Größe F grandeur (*a. fig*); *Körpergröße, Kleidergröße* taille; *Schuhgröße* pointure
Großeltern PL grands-parents *mpl* **Großhandel** M commerce de *od* en gros **Großhändler(in)** M(F) grossiste **Großmacht** F grande puissance **Großmutter** F grand-mère **Großraumwagen** M *Bahn* voiture *f* corail **großspurig** crâneur **Großstadt** F grande ville
größtenteils pour la plupart
Großvater M grand-père
großzügig généreux
grotesk grotesque
Grotte F grotte
Grube F fosse; *Bergbau* mine
grübeln ruminer (**über etw** *akk* qc)
Gruft F caveau *m*
grün vert; **~er Salat** M salade *f* verte; **~ werden** *Ampel* passer au vert; POL **die Grünen** les Verts *mpl*
Grünanlage F espace *m* vert
Grund M fond; *Erdboden* sol; *Ursache* raison *f*; **im ~e** au fond; **aus diesem ~** pour cette

raison
Grundbesitz M propriété *f* foncière
gründen fonder **Gründer(in)** M(F) fondateur *m*, fondatrice *f*
Grundfläche F *e-r Wohnung*: surface **Grundgebühr** F taxe de base; TEL taxe d'abonnement **Grundgedanke** M idée *f* de base **Grundgesetz** N loi *f* fondamentale **Grundlage** F base, fondement *m* **grundlegend** fondamental
gründlich approfondi; ADV à fond
grundlos pas fondé, gratuit
Gründonnerstag M jeudi saint
Grundriss M plan **Grundsatz** M principe **grundsätzlich** ADV en principe; *aus Prinzip* par principe **Grundschule** F école primaire **Grundsteuer** F impôt *m* foncier
Grundstück N terrain *m* **Grundstücksmakler(in)** M(F) agent *m* immobilier
Gründung F fondation
Grundwasser N nappe *f* phréatique
grünen verdir
Grünfläche F espace *m* vert **Grünkohl** M chou vert **Grünstreifen** M *Autobahn* bande *f* médiane
grunzen grogner
Gruppe F groupe *m* **Gruppenreise** F voyage *m* organisé
gruppieren (sich) ~ (se) grouper (**um** autour de)
Gruß M salut; **j-m e-n ~ von j-m bestellen** donner le bonjour à qn de la part de qn; **herzliche Grüße an ...** (*akk*) mes amitiés à ...; **mit freundlichen Grüßen** sincères salutations
grüßen saluer; **Lisa lässt ~** tu as le bonjour de Lisa; **~ Sie ihn von mir!** donnez-lui le bonjour de ma part!
gucken *umg* regarder; **guck mal!** regarde!
Gulasch N goulasch *m od f*
gültig valable **Gültigkeit** F validité
Gummi N caoutchouc *m*, *Radiergummi* gomme *f* **Gummiball** M balle *f* en caoutchouc **Gummiband** N élastique *m* **Gummibärchen** N ourson *m* en gomme gélifiée **Gummiknüppel** M matraque *f* **Gummistiefel** MPL bottes *fpl* en caoutchouc **Gummistrumpf** M bas à varices
günstig favorable; *Preis* avantageux
Gurgel F gorge **gurgeln** se gargariser
Gurke F concombre *m*; *Gewürzgurke* cornichon *m* **Gurkensalat** M salade *f* de concombres
Gurt M sangle *f*; *Sicherheitsgurt* ceinture *f* (de sécurité)
Gürtel M ceinture *f* **Gürtel-**

reifen M pneu à carcasse radiale **Gürtelrose** F zona *m* **Gürteltasche** F (sac *m*) banane *f*

GUS (*Gemeinschaft Unabhängiger Staaten*) **die ~** la CEI (*Communauté des États Indépendants*)

Guss M *Regenguss* averse *f* **Gusseisen** N fonte *f*

gut bon; ADV bien; *Wetter* beau; **ganz ~** pas mal; **~ gehen** bien finir; **es geht mir ~** je vais bien; **~ riechen** sentir bon; **es schmeckt ~** c'est bon; **mir ist nicht ~** je ne me sens pas bien; **also ~!** bon d'accord!; *umg* **mach's ~!** bonne chance!

Gut N bien *m*; *Landgut* domaine *m*, propriété *f* **Gutachten** N expertise *f* **Gutachter(in)** M(F) expert *m*

gutartig MED bénin

Güte F bonté; *e-r Ware* qualité **Güterbahnhof** M gare *f* de marchandises **Güterwagen** M wagon de marchandises **Güterzug** M train de marchandises

Guthaben N avoir *m*

gütig bon

gütlich *Einigung* à l'amiable

gutmütig (d'un naturel) bon

Gutschein M bon

gutschreiben j-m etw ~ créditer qn de qc

Gutshof M ferme *f*

guttun faire du bien (**j-m** à qn)

Gymnasium N lycée *m*

Gymnastik F gymnastique

Gynäkologe M, **Gynäkologin** F gynécologue

H

Haar N cheveu *m*; **~(e)** (*Pl*) cheveux *mpl*; *Körperhaar, Tierhaar* poil *m*; **sich die ~e schneiden lassen** se faire couper les cheveux

Haarausfall M chute *f* des cheveux **Haarbürste** F brosse à cheveux **Haarfarbe** F couleur des cheveux **Haarfärbemittel** N teinture *f* pour les cheveux **Haarfestiger** M fixateur **Haargel** N gel *m* coiffant **Haarklemme** F pince à cheveux **Haarnadelkurve** F virage *m* en épingle à cheveux **Haarnetz** N résille *f* **Haarschnitt** M coupe *f* (de cheveux) **Haarspange** F barrette **Haarspray** N laque *f* **Haartrockner** M sèche-cheveux **Haarwäsche** F, **Haarwaschmittel** N shampooing *m* **Haarwasser** N lotion *f* capillaire

haben avoir; **wir ~ den 2. Mai** nous sommes le 2 mai; **was hast du?** qu'est-ce que tu as?; **bei sich ~** avoir sur soi

Haben N HANDEL crédit *m*

habgierig cupide
Habicht M autour
Hacke F pioche; *Ferse* talon *m*
hacken GASTR °hacher; *Holz* casser
Hacker(in) M(F) IT pirate
Hackfleisch N viande *f* °hachée
Hafen M port **Hafenarbeiter** M docker [dɔkɛr] **Hafenkneipe** F bistrot *m* du port **Hafenrundfahrt** F tour *m* du port en bateau **Hafenstadt** F ville portuaire **Hafenviertel** N quartier *m* du port
Hafer M avoine *f* **Haferflocken** FPL flocons *mpl* d'avoine **Haferschleim** M crème *f* d'avoine
Haft F détention **haftbar** responsable (**für** de) **Haftbefehl** M mandat d'arrêt
haften adhérer (**an** *dat* à); **~ für** répondre de
Häftling M détenu
Haftnotiz F post-it® *m*
Haftpflicht F responsabilité civile **Haftpflichtversicherung** F assurance responsabilité civile
Haftschalen FPL verres *mpl* de contact
Haftung F responsabilité (**für** de)
Hagebutte F fruit *m* de l'églantier
Hagel M grêle *f* **hageln es hagelt** il grêle
Hahn M ZOOL coq; TECH robinet
Hähnchen N poulet
Hai(fisch) M requin
häkeln faire du crochet
Haken M crochet; *Angelhaken* hameçon; *umg* **die Sache hat e-n ~** il y a un os *od* un °hic
halb ADJ demi; ADV à moitié; **~ leer/voll** à moitié vide/plein; **zum ~en Preis** à moitié prix; **ein ~es Jahr** six mois; **e-e ~e Stunde** une demi-heure; **~ zwei (Uhr)** une heure et demie
Halbdunkel N pénombre *f*
Halbfinale N SPORT demi-finale *f*
halbieren partager en deux
Halbinsel F presqu'île, péninsule **Halbjahr** N semestre *m* **Halbkreis** M demi-cercle **Halbkugel** F hémisphère *m* **Halbmond** M croissant **Halbpension** F demi-pension **Halbschuh** M chaussure *f* basse **halbstündlich** toutes les demi-heures **halbtägig** d'une demie journée **Halbtagsarbeit** F emploi *m* à mi-temps **Halbzeit** F SPORT mi-temps
Hälfte F moitié; **zur ~** à moitié
Halle F (grande) salle; *Bahnhofshalle, Hotelhalle* °hall [ol] *m*
hallen résonner
Hallenbad N piscine *f* couverte
hallo! *Ruf* hé!, hep!; *Gruß* salut!; TEL allô!

Halogenlampe F lampe (à) halogène
Hals M cou; *Kehle* gorge *f* **Halsband** N collier *m* (*a. für Tiere*) **Halsentzündung** F angine **Halskette** F collier *m*
Hals-Nasen-Ohren-Arzt M oto-rhino-laryngologiste
Halsschmerzen MPL **~ haben** avoir mal à la gorge
Halstuch N foulard *m* **Halsweite** F encolure **Halswirbel** M vertèbre *f* cervicale
Halt M *Anhalten* arrêt; *Stütze* stabilité *f*; *moralischer* soutien; **e-n ~ suchen** chercher une prise
halt! stop!
haltbar solide; *Lebensmittel* qui se conserve **Haltbarkeitsdatum** N date *f* limite de consommation
halten 1 tenir; *Rekord* détenir; *Rede* prononcer, faire; **sich rechts/links ~** tenir sa droite/gauche 2 *stehen bleiben* s'arrêter 3 **~ für** tenir pour; *fälschlich* prendre pour; **was ~ Sie davon?** qu'en pensez-vous?
Haltestelle F arrêt *m*
Halteverbot N arrêt *m* interdit; **eingeschränktes ~** stationnement *m* interdit (mais arrêt toléré)
haltmachen s'arrêter, faire une °halte
Haltung F *Körperhaltung* position; *Einstellung* attitude
Hamburger M GASTR °hamburger
Hammel M mouton **Hammelfleisch** N mouton *m* **Hammelkeule** F gigot *m*
Hammer M marteau
hämmern marteler
Hämorrhoiden FPL hémorroïdes
Hampelmann M pantin
Hamster M °hamster **hamstern** faire des stocks
Hand F main; **mit der ~** à la main; **zu Händen von** à l'attention de; **etw bei der ~, zur ~ haben** avoir qc sous la main
Handarbeit F travail *m* manuel **Handball** M °handball **Handbewegung** F geste *m* de la main **Handbremse** F frein *m* à main **Handbuch** N manuel *m* **Handcreme** F crème pour les mains
Händedruck M poignée *f* de main
Handel M commerce (**mit** de)
handeln agir; *feilschen* marchander (**um etw** qc); **mit etw ~** faire le commerce de qc; **es handelt sich um** il s'agit de
Handelsbeziehungen FPL relations commerciales
Handelskammer F chambre de commerce **Handelsschule** F école de commerce
Handfeger M balayette *f*
Handfläche F paume
Handgelenk N poignet *m*
handgemacht fait main

Handgepäck N bagages *mpl* à main **Handgriff** M poignée *f* **handhaben** manier, manipuler **Handkoffer** M petite valise *f*
Händler(in) M(F) marchand(e)
handlich maniable
Handlung F *Tat* acte *m*; *e-s Films etc* action; *Laden* magasin *m*
Handschellen FPL menottes
Handschrift F écriture **handschriftlich** écrit à la main
Handschuh M gant **Handschuhfach** N boîte *f* à gants
Handstand M appui tendu **Handtasche** F sac *m* à main **Handteller** M paume *f* (de la main) **Handtuch** N serviette *f* (de toilette)
Handwerk N métier *m* **Handwerker(in)** M(F) artisan *m* **Handwerkszeug** N outils *mpl*
Handy N portable *m* **Handynummer** F numéro *m* du portable
Hanf M chanvre
Hang M pente *f*; *fig* penchant (**zu** pour)
Hängebrücke F pont *m* suspendu **Hängematte** F °hamac *m*
hängen pendre, être suspendu *od* accroché (**an** *dat* à); *aufhängen* suspendre, accrocher (**an** *akk* à); **~ bleiben** rester accroché (**an** *dat* à); **~ lassen** *Mantel etc* laisser
Hantel F haltère *m*
Happen M bouchée *f*; *fig* morceau
Happy Hour F °happy hour [apiauwœr]
Hardware F matériel *m*
Harfe F °harpe
Harke F râteau *m*
harmlos inoffensif
harmonisch harmonieux
Harn M urine *f* **Harnblase** F vessie **Harnleiter** M uretère
Harpune F °harpon *m*
hart dur (*a. fig*); *rau* rude; *streng* rigoureux; **~ werden** durcir; **~ gekocht** *Ei* dur
Härte F dureté
hartherzig insensible **hartnäckig** opiniâtre
Harz N résine *f* **harzig** résineux
Haschee N °hachis *m*
Haschisch N °haschisch *m*
Hase M lièvre
Haselnuss F noisette
Hasenbraten M rôti de lièvre **Hasenpfeffer** M civet de lièvre **Hasenscharte** F bec-de-lièvre *m*
Hass M °haine *f* **hassen** °haïr; détester
hässlich laid, vilain
hast → haben
Hast F précipitation **hastig** précipité; ADV en toute °hâte; précipitamment
hat, hatte, hätte → haben
Haube F AUTO capot *m*; *Tro-*

ckenhaube casque
Hauch M souffle **hauchdünn** très fin **hauchen** souffler
hauen battre; frapper
Haufen M tas; *Menschen* foule *f*
häufen sich ~ s'entasser; *Beweise* s'accumuler; *Beschwerden* se multiplier
häufig fréquent; ADV fréquemment **Häufigkeit** F fréquence
Haupt N tête *f* (*a. fig*) **Hauptbahnhof** M gare *f* centrale **Hauptdarsteller(in)** M(F) acteur *m*, actrice *f* principal(e) **Haupteingang** M entrée *f* principale **Hauptfach** N matière *f* principale **Hauptgericht** N plat *m* principal **Hauptgeschäftszeit** F heures *fpl* d'affluence **Hauptgewinn** M gros lot
Häuptling M chef de tribu
Hauptmahlzeit F repas *m* principal **Hauptperson** F personnage *m* principal **Hauptreisezeit** F pleine saison (des voyages) **Hauptrolle** F premier rôle *m* **Hauptsache** F essentiel *m* **hauptsächlich** essentiel(lement) **Hauptsaison** F pleine saison **Hauptsendezeit** F TV heures *fpl* de grande écoute **Hauptstadt** F capitale **Hauptstraße** F rue principale **Hauptverkehrsstraße** F route à grande circulation, artère **Hauptverkehrszeit** F heures *fpl* de pointe
Haus N maison *f*; **nach ~e, zu ~e** à la maison, chez soi
Hausapotheke F (armoire à) pharmacie **Hausarbeit** F travaux *mpl* du ménage; *Schule* devoirs *mpl* **Hausarzt** M, **Hausärztin** F médecin *m* de famille **Hausaufgabe** F devoir *m* **Hausbesitzer(in)** M(F) propriétaire
Häuserblock M pâté de maisons
Hausfrau F femme au foyer **hausgemacht** fait maison **Haushalt** M ménage; WIRTSCH budget **Haushälterin** F gouvernante **Haushaltsgerät** N appareil *m* ménager **Hausherr(in)** M(F) maître *m*, maîtresse *f* de maison
Hausierer M colporteur
häuslich domestique; *Person* casanier
Hausmannskost F cuisine bourgeoise *od* des familles **Hausmeister(in)** M(F) concierge **Hausmittel** N remède *m* de bonne femme **Hausnummer** F numéro *m* (de la maison) **Hausordnung** F règlement *m* intérieur **Hausschlüssel** M clé *f* de la maison **Hausschuh** M chausson **Haussuchung** F perquisition **Haustier** N animal *m* domestique **Haustür** F porte

d'entrée
Haut F peau **Hautabschürfung** F écorchure **Hautarzt** M, **Hautärztin** F dermatologue *m/f* **Hautausschlag** M eczéma **Hautcreme** F crème pour la peau **hauteng** collant, moulant **Hautfarbe** F couleur de la peau **Hautkrankheit** F maladie de peau **Hautpflege** F soins *mpl* de la peau
Hbf. (*Hauptbahnhof*) gare *f* centrale
Hebamme F sage-femme
Hebel M levier
heben *Last* soulever; *Hand* lever; *Niveau* relever
hebräisch hébreu
Hecht M brochet
Heck N AUTO arrière *m*; SCHIFF *a.* poupe *f* **Heckantrieb** M traction *f* arrière
Hecke F °haie **Heckenrose** F églantine; *Strauch* églantier *m*
Heckklappe F AUTO °hayon *m* **Heckmotor** M moteur arrière **Heckscheibe** F lunette arrière
Heer N armée *f*
Hefe F levure
Heft N cahier *m*; *e-r Zeitschrift* numéro *m*
heften attacher (**an** *akk* à); *vornähen* bâtir
heftig violent **Heftigkeit** F violence
Heftklammer F agrafe **Heftpflaster** N sparadrap *m* **Heftzwecke** F punaise
Hehlerei F recel *m*
Heide[1] M païen
Heide[2] F lande **Heidekraut** N bruyère *f*
Heidelbeere F myrtille
heikel délicat; *Person* difficile
heil *Person* indemne; *Sache* intact; *umg gesund* guéri
Heil N salut *m*
Heilanstalt F maison de santé
heilbar guérissable
Heilbutt M flétan
heilen guérir
heilig saint; *geweiht* sacré **Heiligabend** M veille *f* de Noël **Heilige(r)** M/F(M) saint(e) *m(f)* **Heiligtum** N sanctuaire *m*
Heilkräuter NPL herbes *fpl* médicinales **Heilmittel** N remède *m* **Heilpflanze** F plante médicinale **Heilpraktiker(in)** M(F) guérisseur **Heilquelle** F source thermale
Heilung F guérison; *e-r Wunde* cicatrisation
heim à la maison, chez soi
Heim N foyer *m*; *Altenheim* maison *f* de retraite **Heimarbeit** F travail *m* à domicile
Heimat F pays *m* (natal), patrie **Heimatanschrift** F adresse du domicile **Heimatland** N pays *m* (natal) **Heimatmuseum** N musée *m* régional
Heimcomputer M ordinateur familial **Heimfahrt** F re-

tour *m*
heimisch local; **sich ~ fühlen** se sentir chez soi
Heimkehr F rentrée **heimkehren** rentrer, retourner chez soi
heimlich secret; ADV secrètement
Heimreise F retour *m* **Heimspiel** N SPORT match *m* à domicile **Heimweg** M chemin du retour **Heimweh** N mal *m* du pays; *fig* nostalgie *f* **Heimwerker(in)** M(F) bricoleur *m*, bricoleuse *f*
Heirat F mariage *m* **heiraten** se marier
Heiratsantrag M demande *f* en mariage **Heiratsurkunde** F acte *m* de mariage **Heiratsvermittlung** F agence matrimoniale
heiser enroué
heiß chaud; **es ist ~** il fait chaud; **mir ist ~** j'ai chaud
heißen s'appeler, se nommer; *bedeuten* signifier, vouloir dire; **das heißt** c'est-à-dire; **ich heiße ...** je m'appelle...; **was heißt ... auf Französisch?** comment dit-on ... en français?
heiter gai; *Wetter* beau **Heiterkeit** F sérénité; *Gelächter* hilarité
heizen chauffer **Heizkissen** N coussin *m* électrique **Heizkörper** M radiateur **Heizlüfter** M radiateur soufflant
Heizöl N mazout [mazut] *m*
Heizung F chauffage *m*
Hektik F agitation
Held M °héros **heldenhaft** °héroïque
helfen aider (**j-m** qn); **sich nicht mehr zu ~ wissen** ne plus savoir quoi faire; **kann ich Ihnen ~?** je peux vous aider?
Helfer(in) M(F) aide
hell clair; **~es Bier** N bière *f* blonde; **es wird ~** il commence à faire jour; **am ~en Tag** en plein jour
hellblau bleu clair
Helligkeit F clarté
Hellseher(in) M(F) voyant(e)
Helm M casque
Hemd N chemise *f* **Hemdbluse** F chemisier *m*
hemmen freiner; *behindern* entraver
Hemmungen FPL complexes *mpl*; **~ haben, etw zu tun** ne pas oser faire qc
hemmungslos déchaîné; ADV sans retenue
Hengst M étalon
Henkel M anse *f*
Henker M bourreau
Henna F *od* N °henné *m*
Henne F poule
Hepatitis F hépatite; **~ A, B** hépatite (virale) A, B
her hier ~ par ici; *umg* **~ damit!** donne!; **von weit ~** de loin; **es ist lange ~** ça fait longtemps

herab von oben ~ d'en °haut; *fig* de °haut
herablassen baisser **herablassend** condescendant **herabsetzen** *Preis* réduire **herabsteigen** descendre
herankommen s'approcher (**an** *akk* de) **heranwachsen** grandir
herauf von unten ~ d'en bas
heraufbeschwören *Gefahr* provoquer **heraufholen** *Koffer* monter **heraufkommen** monter **heraufsetzen** *Preis* augmenter
heraus dehors; **zum Fenster ~** par la fenêtre
herausbekommen parvenir à enlever; *Geheimnis* découvrir; **ich bekomme noch zehn Euro heraus** vous me devez encore dix euros
herausbringen sortir (*a. Buch*); *erraten* deviner **herausfordern** provoquer, défier **Herausforderung** F défi *m* **herausgeben** remettre; *Geld* rendre (la monnaie); *Buch* publier **herausholen** sortir (**aus** de) **herauskommen** sortir **herauslassen** laisser sortir **herausnehmen** retirer **herausschrauben** dévisser
herausstellen sich als falsch ~ se révéler faux
herausziehen extraire (**aus** de)
herb âpre; *Wein* sec
herbeieilen accourir **herbeiholen** aller chercher, faire venir
Herberge F *Jugendherberge* auberge de la jeunesse
herbringen apporter, amener (*a. j-n*)
Herbst M automne **herbstlich** automnal
Herd M cuisinière *f*; *fig* foyer
Herde F troupeau *m* (*a. fig*)
herein dedans; **~!** entrez!
hereinbitten prier d'entrer
hereinfallen *fig umg* se faire avoir (**auf** *akk* par) **hereinkommen** entrer **hereinlassen** laisser entrer **hereinlegen** *fig umg* rouler (**j-n** qn)
Herfahrt F **auf der ~** en venant
Hergang M déroulement
hergeben donner **herholen** aller chercher, faire venir
Hering M °hareng; *Zelthering* piquet
herkommen venir; **komm her!** viens ici!; **wo kommen Sie her?** d'où venez-vous?
Herkunft F origine *f* **Herkunftsbezeichnung** F appellation d'origine
Heroin N héroïne *f*
Herpes M herpès [ɛrpɛs]
Herr M monsieur; *als Anrede* Monsieur; *Gebieter* maître; REL **der ~** le Seigneur
Herrenbekleidung F vêtements *mpl* pour hommes
Herrenfriseur M coiffeur

pour hommes **herrenlos** sans maître, abandonné **Herrenmode** F mode masculine **Herrenrad** N bicyclette *f* d'homme **Herrentoilette** F toilettes *fpl* pour hommes

herrichten préparer; *Haus* aménager

Herrin F maîtresse **herrlich** magnifique **Herrschaft** F domination; *Regierungszeit* règne *m*

herrschen régner (**über** *akk* sur) **Herrscher(in)** M(F) souverain(e)

herrühren provenir (**von** de)

herstellen fabriquer **Hersteller(in)** M(F) fabricant(e) **Herstellung** F fabrication

herüber de ce côté-ci **herüberreichen** passer

herum um ... ~ autour de **herumfahren** contourner (**um etw** qc); *ziellos* circuler **herumführen** faire visiter (**j-n in etw** *dat* qc à qn) **herumirren** errer **herumkriegen** *umg* faire changer d'avis (**j-n** à qn) **herumliegen** traîner **herumlungern** *umg* traîner (les rues) **herumreichen** faire circuler

herunter ~ mit euch! descendez (de là)!

herunterbringen descendre **herunterfallen** tomber (par terre) **heruntergekommen** *Mensch* tombé bien bas; *Haus* à l'abandon **herunterladen** IT télécharger

hervorbringen produire **hervorgehen** ressortir (**aus** de) **hervorheben** faire ressortir; *betonen* souligner **hervorragend** excellent **hervorrufen** provoquer

Herz N cœur *m* **Herzanfall** M crise *f* cardiaque, attaque *f* **Herzbeschwerden** PL troubles *mpl* cardiaques **Herzfehler** M malformation *f* cardiaque **herzhaft** *nahrhaft* consistant; *würzig* relevé **Herzinfarkt** M infarctus (du myocarde)

Herzklopfen N palpitations *fpl*; **~ haben** avoir le cœur qui bat

herzkrank cardiaque **herzlich** cordial **Herzlichkeit** F cordialité **herzlos** dur, inhumain

Herzog M duc **Herzogin** F duchesse

Herzschlag M battement du cœur; MED arrêt *m* du cœur **Herzschrittmacher** M stimulateur cardiaque **Herzspezialist** M cardiologue **Herzverpflanzung** F greffe du cœur **Herzversagen** N crise *f* cardiaque

Hessen N la Hesse

Hetze F course, bousculade **hetzen** pourchasser; *Hund* lâcher (**auf** *akk* sur)

Heu N foin *m*

Heuchelei F hypocrisie

Heuernte F fenaison
heulen °hurler; *umg weinen* pleurnicher
Heuschnupfen M rhume des foins **Heuschrecke** F sauterelle
heute aujourd'hui; ~ **Morgen/Abend** ce matin/soir; ~ **in e-r Woche/in 14 Tagen** aujourd'hui en °huit/en quinze; ~ **Mittag** à midi
heutig d'aujourd'hui; *jetzig* actuel **heutzutage** de nos jours
Hexe F sorcière **Hexenschuss** M lumbago
Hieb M coup
hielt → halten
hier ici; ~! présent!; ~ **entlang** par ici; ~ **ist**, ~ **sind** voici; **von** ~ **(aus)** d'ici
hierbleiben rester (ici) **hierdurch** par là **hierfür** pour cela **hierher**, **hierhin** ici, par ici **hiermit** avec cela; *im Brief* par la présente **hiervon** de cela, en **hierzu** à cela; *diesbezüglich* à ce sujet
hiesig d'ici
hieß → heißen
Hilfe F aide; ~! au secours!; **mit** ~ **von** à l'aide de; **Erste** ~ premiers soins *mpl*
Hilferuf M appel au secours
hilflos *ratlos* désemparé; *unbeholfen* maladroit
Hilfsarbeiter(in) M(F) manœuvre *m* **hilfsbedürftig** dans le besoin **hilfsbereit** serviable
Hilfskraft F aide *m/f* **Hilfsmittel** N moyen *m* **Hilfsmotor** M moteur auxiliaire **Hilfsverb** N verbe *m* auxiliaire
hilft → helfen
Himbeere F framboise **Himbeersaft** M jus de framboise
Himmel M ciel; **unter freiem** ~ en plein air
himmelblau bleu ciel
Himmelfahrt F l'Ascension; **Mariä** ~ l'Assomption
Himmelsrichtung F point *m* cardinal **himmlisch** céleste; *fig* divin, sublime
hin là, y; **nach Norden** ~ vers le nord; ~ **und her** dans un sens et dans l'autre; ~ **und wieder** de temps à autre; ~ **und zurück** aller et retour
hinab en bas, en descendant **hinabfahren**, **hinabgehen** descendre
hinauf en °haut, en montant **hinauffahren**, **hinaufgehen** monter
hinaus dehors **hinausgehen** sortir; *Fenster* donner (**auf** *akk* sur) **hinauslaufen** *fig* aboutir (**auf** *akk* à) **hinauslehnen sich** ~ se pencher au dehors **hinausschieben** *fig* reporter **hinauswerfen** mettre à la porte
Hinblick M **im** ~ **auf** (*akk*) compte tenu de
hindern empêcher (**an** *dat* de)
Hindernis N obstacle *m* **Hindernisrennen** N course *f* d'obstacles

hindurch à travers, par; **die ganze Nacht ~** (durant) toute la nuit
hinein dedans **hineingehen** entrer dans **hineinlassen** laisser (*od* faire) entrer **hineinpassen** (r)entrer (**in** *akk* dans)
hinfahren (y) aller; *j-n* (y) conduire; *etw* transporter
Hinfahrt F aller *m*
hinfallen tomber **hinfällig** caduc
Hinflug M (vol) aller
hing → hängen
Hingabe F dévouement *m*
hingeben sich ~ (*dat*) s'adonner à **hingehen** (y) aller
hinhalten *Hand* tendre; *j-n* faire attendre
hinken boiter
hinlegen poser; **sich ~** s'allonger; *ins Bett* se coucher
hinnehmen *dulden* supporter, accepter **hinreißend** ravissant; *Musik* entraînant
hinrichten exécuter **Hinrichtung** F exécution
hinschicken envoyer (**zu** à, chez) **hinsetzen sich ~** s'asseoir
Hinsicht F **in dieser ~** à cet égard **hinsichtlich** (*gen*) quant à
Hinspiel N SPORT match *m* aller
hinstellen mettre, poser; **sich hinten ~** se mettre derrière
hinten derrière, à l'arrière; **von ~** par derrière; **nach ~** en arrière
hinter (*dat, akk*) derrière **Hinterachse** F pont *m* arrière
Hinterbliebene(n) MPL survivants
hintere(r, -s) de derrière, arrière; **in der hintersten Reihe** au dernier rang **hintereinander** l'un après l'autre; **dreimal ~** trois fois de suite
Hintergrund M fond
Hinterhalt M embuscade *f*
hinterhältig sournois
hinterher après
Hinterkopf M occiput [ɔksipyt] **Hinterland** N arrière-pays *m* **hinterlassen** laisser
hinterlegen déposer **hinterlistig** sournois
Hintern M *umg* derrière
Hinterrad N roue *f* arrière
Hinterradantrieb M traction *f* arrière
Hintertür F porte de derrière
hintun *umg* mettre
hinüber de l'autre côté **hinübergehen** traverser (**über etw** *akk* qc) **hinüberreichen** passer
Hin- und Rückfahrt F aller (et) retour *m*
hinunter en bas **hinunterbringen** *etw* descendre; *j-n* raccompagner jusqu'en bas
hinunterfallen tomber **hinuntergehen** descendre **hinunterschlucken** avaler
Hinweg M **auf dem ~** à l'aller

Hinweis M indication *f* **hinweisen** faire remarquer (**j-n auf etw** *akk* qc à qn) **Hinweisschild** N, **Hinweistafel** F panneau *m* indicateur
hinziehen sich ~ traîner en longueur
hinzu en plus **hinzufügen** ajouter (**zu** à) **hinzukommen** s'ajouter **hinzurechnen**, **hinzuzählen** ajouter **hinzuziehen** *Arzt* consulter
Hip-Hop M °hip-hop
Hirn N cervelle *f* (*a.* GASTR *u. fig*); *Organ* cerveau **Hirnhautentzündung** F méningite
Hirsch M cerf [sɛr] **Hirschkuh** F biche
Hirse F millet *m*
hissen °hisser
Historiker(in) M(F) historien(ne) **historisch** historique
Hitze F chaleur **hitzebeständig** résistant à la chaleur **Hitzewelle** F vague de chaleur
Hitzschlag M coup de chaleur
HIV-negativ séronégatif
HIV-positiv séropositif
HNO-Arzt M, **HNO-Ärztin** F oto-rhino-laryngologiste
Hobby N °hobby *m*
Hobel M rabot
hoch ⟨*devant nom* hohe[r, -s]⟩ °haut; *Preis* élevé; *Verlust, Summe* gros; *Fieber* fort; *Geschwindigkeit* grand; *Alter* avancé; *Ton* aigu; **zwei Treppen ~** au second étage
Hoch N anticyclone *m* **Hochachtung** F grande estime
Hochbetrieb M *umg* **es herrscht ~** il y a un monde fou
hochdeutsch °haut allemand
Hochdruck M °haute pression *f* **Hochdruckgebiet** N zone *f* de °haute pression
Hochebene F (°haut) plateau *m* **Hochformat** N format *m* vertical **Hochgebirge** N °haute montagne *f* **hochgeschlossen** *Kleid* montant
Hochgeschwindigkeitszug M train à grande vitesse
Hochhaus N building *m*, tour *f* **hochheben** *Last* soulever; *Kleid* relever; *Hand* lever
hochklappen relever
Hochland N °hauts plateaux *mpl*
hochmütig °hautain **hochprozentig** fortement alcoolisé
Hochsaison F pleine saison
Hochschule F établissement *m* d'enseignement supérieur
Hochseefischerei F pêche en °haute mer **Hochsommer** M plein été **Hochspannung** F °haute tension
Hochsprung M saut en °hauteur
höchst le plus °haut, maximum; *fig* extrême; ADV extrêmement; **~ selten** très rare
Hochstapler(in) M(F) imposteur *m*
Höchstbetrag M plafond

höchstens (tout) au plus **Höchstgeschwindigkeit** F vitesse maximum **höchstwahrscheinlich** très probablement

Hochwasser N crue *f*; *Überschwemmung* inondation *f*

hochwertig de qualité supérieure

Hochzeit F mariage *m*, noces *fpl*; *Fest* noce

Hochzeitsgeschenk N cadeau *m* de mariage **Hochzeitsreise** F voyage *m* de noces

Hocker M tabouret

Höcker M bosse *f*

Hockey N °hockey [ɔkɛ] *m*

Hoden M testicule

Hof M cour *f*; *Bauernhof* ferme *f*

hoffen espérer

hoffentlich j'espère que ...; *Antwort* **~!** j'espère que oui!

Hoffnung F espoir *m* **hoffnungslos** désespéré; ADV sans espoir

höflich poli **Höflichkeit** F politesse

hohe(r, -s) → hoch

Höhe F °hauteur; FLUG altitude; *e-r Summe* montant *m*

Hoheitsgebiet N territoire *m* national **Hoheitsgewässer** NPL eaux *fpl* territoriales

Höhenangst F vertige *m* **Höhenkrankheit** F mal *m* des montagnes **Höhenlage** F altitude **Höhensonne** F MED lampe à rayons ultraviolets

Höhenunterschied M différence *f* de niveau, dénivelé

höhenverstellbar réglable en °hauteur

Höhepunkt M point culminant

hohl creux (*a. fig*)

Höhle F caverne; *Tropfsteinhöhle* grotte; *Tierhöhle* tanière

holen aller *od* venir chercher; **~ Sie e-n Arzt!** faites venir un médecin!; **~ lassen** envoyer chercher; **sich ~** *Krankheit* attraper

Holland N la Hollande **Holländer(in)** M(F) °Hollandais(e)

holländisch °hollandais

Hölle F enfer *m* (*a. fig*)

holp(e)rig *Weg* cahoteux

Holunder M sureau

Holz N bois *m* **hölzern** de (*od* en) bois **Holzfäller** M bûcheron **holzig** ligneux; *Gemüse* filandreux

Holzkohle F charbon *m* de bois **Holzschnitt** M gravure *f* sur bois **Holzwolle** F fibre de bois **Holzwurm** M ver du bois

Homebanking N banque *f* à domicile

Homepage F IT page d'accueil

Homöopath M homéopathe

homöopathisch homéopathique

homosexuell homosexuel

Homosexuelle(r) M/F(M) ho-

mosexuel(le) *m(f)*
Honig M miel **Honigkuchen** M pain d'épice
Honorar N honoraires *mpl*
Hopfen M °houblon
hörbar audible **Hörbuch** N livre-cassette *m*
hören entendre; *zuhören, anhören* écouter; **auf j-n ~** écouter qn; **von j-m ~** avoir des nouvelles de qn
Hörer M TEL écouteur
Hörfunk M radio *f* **Hörgerät** N prothèse *f* auditive
Horizont M horizon **horizontal** horizontal
Hormon N hormone *m* **hormonell** ADJ hormonal
Horn N corne *f*; MUS cor *m*
Hornbrille F lunettes *fpl* d'écaille
Hörnchen N croissant *m*
Hornhaut F durillon *m*; *des Auges* cornée
Hornisse F frelon *m*
Horoskop N horoscope *m*
Hörsaal M salle *f* de cours **Hörspiel** N pièce *f* radiophonique
Hörweite F **in/außer ~** à portée/°hors de portée de la voix
Hose F pantalon *m*; *kurze* short *m*
Hosenanzug M tailleur-pantalon **Hosenrock** M jupe-culotte *f* **Hosenschlitz** M braguette *f* **Hosentasche** F poche (de pantalon) **Hosenträger** MPL bretelles *fpl*
Hostess F hôtesse
Hotdog M *od* N °hot-dog *m*
Hotel N hôtel *m* **Hotelbar** F bar *m* de l'hôtel **Hotelboy** M groom [grum] **Hotelgast** M client de l'hôtel **Hotelhalle** F °hall *m* de l'hôtel **Hotelier** M hôtelier **Hotelverzeichnis** N guide *m* des hôtels **Hotelzimmer** N chambre *f* d'hôtel
Hotline F ligne directe
HP ABK (Halbpension) demi-pension
Hr. (Herr) M. (*Monsieur*)
Hubraum M cylindrée *f*
hübsch joli
Hubschrauber M hélicoptère
Huf M sabot **Hufeisen** N fer *m* à cheval
Hüfte F °hanche
Hügel M colline *f* **hügelig** vallonné
Huhn N poule *f*
Hühnchen N poulet *m*
Hühnerauge N cor *m*, œil-de-perdrix *m* **Hühnerbrühe** F bouillon *m* de poule **Hühnerstall** M poulailler
Hülle F enveloppe
Hülsenfrüchte FPL légumes *mpl* secs
human humain **humanitär** humanitaire
Hummel F bourdon *m*
Hummer M °homard
Humor M humour **humorvoll** plein d'humour
humpeln boiter

Humus M humus
Hund M chien
Hundefutter N nourriture *f* pour chiens **Hundehütte** F niche **Hundeleine** F laisse
hundert cent **Hunderter** M *Geldschein* billet de cent **Hundertjahrfeier** F centenaire *m* **hunderttausend** cent mille
Hündin F chienne
Hundstage MPL canicule *f*
Hunger M faim *f*; **~ haben** avoir faim
hungern souffrir de la faim **Hungersnot** F famine, disette **Hungerstreik** M grève *f* de la faim
hungrig affamé
Hupe F klaxon® *m*
hupen klaxonner
hüpfen sautiller
Hürde F °haie; *fig* obstacle *m* **Hürdenlauf** M course *f* de °haies
Hure F *sl* putain
hüsteln toussoter
husten tousser
Husten M toux *f* **Hustenbonbon** N *od* M bonbon *m* pour la toux **Hustensaft** M sirop pour la toux
Hut M chapeau
hüten garder; **das Bett ~** garder le lit; **sich ~ vor** (*dat*) prendre garde à
Hütte F cabane; *Berghütte* refuge *m*
Hyäne F hyène
Hyazinthe F jacinthe
Hydrant M bouche *f* d'eau
Hydrokultur F culture hydroponique
Hygiene F hygiène **hygienisch** hygiénique
Hymne F hymne *m*
hyperaktiv ADJ hyperactif **hyperkorrekt** hypercorrect **Hyperlink** M IT hyperlien **hypermodern** ultramoderne
hypnotisieren hypnotiser
Hypothek F hypothèque
Hypothese F hypothèse
hysterisch hystérique

I

IC M (*Intercity*) train de grandes lignes
ICE M (*Intercity Express*) *etwa* TGV (*train à grande vitesse*)
ich je, *vor Vokal* j'; *betont* moi; **~ bins** c'est moi
ideal idéal **Ideal** N idéal *m* **Idealismus** M idéalisme **idealistisch** idéaliste
Idee F idée
identifizieren identifier **identisch** identique (**mit** à) **Identität** F identité
ideologisch idéologique
Idiot M idiot **idiotisch** idiot
Idol N idole *f*
idyllisch idyllique

Igel M °hérisson
ignorieren ignorer
ihm lui; *betont* à lui; **mit ~** avec lui
ihn le, *vor Vokal* l'; *betont, nach Präp* lui; **für ~** pour lui
ihnen leur; *betont* à eux (à elles); **mit ~** avec eux (elles)
Ihnen vous; *betont* à vous
ihr[1] (*dat von* **sie**) lui; *betont* à elle; **mit ~** avec elle
ihr[2] (PL *von* **du**) vous
ihr[3] ⟨*f u.* PL ihre⟩ *possessiv* son (sa), *pl* ses; *bei mehreren Besitzern* leur, *pl* leurs
Ihr ⟨*f u.* PL Ihre⟩ votre, *pl* vos
illegal illégal
Illusion F illusion
Illustrierte F magazine *m*
Iltis M putois
im → in; **~ Schrank** dans l'armoire; **~ Bett** au lit; **~ Mai** en mai; **~ Französischen** en français
Image N image *f* (de marque)
Imbiss M casse-croûte **Imbissbude** F buvette, marchand *m* de frites **Imbissstube** F snack *m*
Imker(in) M(F) apiculteur *m*, apicultrice *f*
Immatrikulation F inscription
immer toujours; **~ noch** toujours, encore; **schon ~** toujours; **~ wieder** sans arrêt; **für ~** pour toujours; **~ schöner** de plus en plus beau; **~ weniger** de moins en moins; **~ wenn ...** chaque fois que ...
immerhin après tout, quand même **immerzu** toujours
Immobilien PL immobilier *m*
Immobilienmakler(in) M(F) agent *m* immobilier
immun immunisé **Immunschwäche** F MED déficience immunitaire **Immunsystem** N système immunitaire
impfen vacciner **Impfpass** M carnet de vaccinations **Impfschein** M certificat de vaccination **Impfstoff** M vaccin
Impfung F vaccination
Implantat N MED implant *m*
imponierend impressionnant
Import M importation *f* **importieren** importer
impotent impuissant
imprägnieren imperméabiliser
Impressionismus M impressionnisme
improvisiert improvisé
impulsiv impulsif
imstande ~ sein zu être en mesure de
in (*akk, dat*) dans, à, en; **~ der Stadt** en ville; **~ Paris** à Paris; **~ Frankreich** en France; **~ drei Tagen** dans trois jours; **~ dieser Woche** cette semaine; → im
inbegriffen compris; **alles ~** tout compris
indem pendant que; **~ man etw tut** en faisant qc
Inder(in) M(F) Indien(ne)

Indianer(in) M(F) Indien(ne) (d'Amérique)
Indien N l'Inde *f*
indirekt indirect
indisch indien
indiskret indiscret
individuell individuel
Individuum N individu *m*
Indiz N indice *m*
Indonesien N l'Indonésie *f*
Industrialisierung F industrialisation
Industrie F industrie **Industriegebiet** N région *f* industrielle
industriell industriel
ineinander l'un dans l'autre
Infarkt M MED infarctus
Infektion F infection **Infektionskrankheit** F maladie infectieuse
infizieren contaminer
Inflation F inflation **Inflationsrate** F taux *m* d'inflation
infolge (*gen*) par suite de **infolgedessen** par conséquent
Informatik F informatique
Informatiker(in) M(F) informaticien(ne)
Information F information; renseignements *mpl* **Informationstechnologie** F technologie de l'information
Informationszentrum N centre *m* d'information
informieren (sich) ~ (s')informer (**über** *akk* sur), (se) renseigner (sur)
Infostand *umg* M information *f*
Infusion F MED perfusion
Ingenieur(in) M(F) ingénieur *m*
Ingwer M gingembre
Inhaber(in) M(F) propriétaire; *Passinhaber, Kontoinhaber* titulaire
Inhalt M contenu **Inhaltsverzeichnis** N table *f* des matières
Initiative F initiative
Injektion F injection
inklusive y compris
Inland N intérieur *m* du pays
Inlandflug M vol intérieur
Inliner rollers [rɔlœr] *mpl*, patins *mpl* en ligne **inlineskaten** faire du roller [rɔlœr] **Inlineskates** PL → Inliner
inmitten (*gen*) au milieu de
innen à l'intérieur **Innenkabine** F cabine intérieure **Innenminister(in)** M(F) ministre *m* de l'Intérieur **Innenstadt** F centre *m* (de la) ville
innere(r, -s) intérieur; MED interne **Innere(s)** N intérieur *m*
Innereien FPL abats *mpl*
innerhalb (*gen*) à l'intérieur de; *zeitlich* en (l'espace de) **innerlich** interne; *geistig* intérieur; ADV intérieurement
Innovation F innovation
inoffiziell non officiel; *Mitteilung* officieux
Insasse M AUTO, FLUG passager
insbesondere en particulier

Inschrift F inscription
Insekt N insecte *m* **Insektenspray** N bombe *f* insecticide **Insektenstich** M piqûre *f* d'insecte
Insel F île **Inselbewohner(in)** M(F) insulaire **Inselgruppe** F archipel *m*
Inserat N annonce *f* **inserieren** faire passer une annonce
insgesamt en tout, au total
insofern ~ **als** dans la mesure où
Inspektion F inspection; *v. Auto*: révision
Installateur M installateur, plombier **installieren** installer
instand ~ **halten** entretenir; ~ **setzen** réparer
Instanz F instance
Instinkt M instinct [ɛ̃stɛ̃]
Institut N institut *m*
Instrument N instrument *m*
Insulin N insuline *f*
Inszenierung F mise en scène
intakt intact
intellektuell intellectuel **intelligent** intelligent **Intelligenz** F intelligence
intensiv intense **Intensivkurs** M cours intensif **Intensivstation** F service *m* de réanimation
interaktiv interactif
interessant intéressant
Interesse N intérêt *m*; ~ **haben** s'intéresser (**an** *dat*, **für** à)
interessieren intéresser; **sich** ~ **für** s'intéresser à
Internat N internat *m*
international international
Internet N Internet [ɛ̃tɛrnɛt] *m* **Internetadresse** F adresse Internet **Internetanschluss** M connexion *f* Internet **Internetcafé** N cybercafé *m* **internetfähig** avec connexion Internet **Internetsurfer(in)** M(F) internaute **Internetzugang** M accès à Internet
Internist(in) M(F) spécialiste des maladies organiques
Interview N interview *f*
intim intime
intolerant intolérant
Intranet N IT Intranet [ɛ̃tranɛt] *m*
Intrige F intrigue
introvertiert introverti
Intuition F intuition
Invalide M invalide
Invasion F invasion
Inventur F inventaire *m*
investieren investir **Investition** F investissement *m* **Investmentfonds** M fonds commun de placement
inwiefern, **inwieweit** dans quelle mesure
inzwischen entre-temps; *einstweilen* en attendant
Irak der ~ l'Iraq
Iran der ~ l'Iran
irdisch terrestre
Ire M Irlandais

irgendein un ... quelconque, n'importe quel ... **irgendeiner** quelqu'un; *egal wer* n'importe qui **irgendetwas** quelque chose; *egal was* n'importe quoi **irgendjemand** quelqu'un; *egal wer* n'importe qui **irgendwann** un jour; *egal wann* n'importe quand **irgendwie** d'une façon ou d'une autre; *egal wie* n'importe comment **irgendwo(hin)** quelque part; *egal wo(hin)* n'importe où

irisch irlandais **Irland** N l'Irlande *f*

ironisch ironique

irre fou; *umg toll* super; *umg sehr groß* dingue

Irre(r) M/F(M) fou *m*, folle *f* **irreführen** induire en erreur

irren *umherirren* errer; *a.* **sich ~** se tromper (**in etw** *dat* de; **in j-m** sur qn)

Irrsinn M folie *f* **irrsinnig** fou (*a. fig*) **Irrtum** M erreur *f* **irrtümlich** erroné; ADV par erreur

Ischias M sciatique *f*

ISDN N (*Integrated Services Digital Network*) RNIS *m* (*réseau numérique à intégration de services*) **ISDN-Anschluss** M connexion *f* RNIS

Islam M islam **islamisch** islamique **islamistisch** islamiste

Island N l'Islande *f*

Isländer(in) M(F) Islandais(e) **isländisch** islandais

Isolierband N ruban *m* isolant **isolieren** isoler **Isolierkanne** F thermos® *m* **Isolierung** F isolement *m*; ELEK isolation

Isomatte F natte isolante

Israel N Israël *m* **Israeli** M Israélien **israelisch** israélien

iss, isst → essen

ist → sein

IT F ABK (Informationstechnologie) informatique *f*

Italien N l'Italie *f* **Italiener(in)** M(F) Italien(ne) **italienisch** italien

J

ja oui; **Sie wissen ~** vous savez bien

Jacht F yacht [jɔt] *m*

Jacke F veste **Jackett** N veston *m*

Jagd F chasse **Jagdgewehr** N fusil *m* de chasse **Jagdschein** M permis de chasse **Jagdzeit** F saison de la chasse

jagen chasser; *verfolgen* pourchasser

Jäger(in) M(F) chasseur *m*, chasseuse *f*

Jahr N an *m*, année *f*; **im ~ 1997** en 1997; **einmal im ~** une fois par an; **mit 20 ~en** à

20 ans; **seit ~en** depuis des années; **das ganze ~** toute l'année; **jedes ~** tous les ans; **dieses ~** cette année; **gutes neues ~!** bonne année!
jahrelang pendant des années
Jahrestag M anniversaire **Jahresurlaub** M congé annuel **Jahreszeit** F saison
Jahrgang M année *f*; *Wein a.* millésime *m* **Jahrhundert** N siècle *m*
jährlich annuel; ADV par an
Jahrmarkt M foire **Jahrtausend** N millénaire **Jahrzehnt** N décennie *f*
jähzornig coléreux
Jalousie F store *m* (vénitien)
jämmerlich *ärmlich* misérable; *beklagenswert*, *pej* lamentable
jammern se lamenter
Januar M janvier
Japan N le Japon **Japaner(in)** M(F) Japonais(e) **japanisch** japonais
Jasmin M jasmin
Jause F *österr* casse-croûte *m*
jawohl oui, Monsieur
Jazzband F orchestre *m* de jazz [dʒɑz]
je *jemals* jamais; *jeweils* chacun; *pro* par; **... kosten ~ 5 Euro** ... coûtent 5 euros chacun; **~ zwei** deux de chaque; **~ nachdem** (**, wie**) ça dépend (de); **~ ... desto** plus ... plus
Jeans PL jean [dʒin] *m*, jeans [dʒins] *m* **Jeansjacke** F veste *f* en jean [dʒin]
jede(r, -s) chaque; *verallgemeinernd* tout(e); *allein stehend* chacun(e); **jeden (zweiten) Tag** tous les (deux) jours
jedenfalls en tout cas
jedermann tout le monde **jederzeit** à tout moment **jedesmal** → Mal
jedoch cependant
jemals jamais
jemand quelqu'un; **~ anders** quelqu'un d'autre
jene(r, -s) ce (cette) ... (-là); *vor Vokal* cet ... (-là)
jenseits (*gen*) au delà de
jetzig actuel
jetzt maintenant; **~ gleich** tout de suite
jeweils chaque fois
Job M job [dʒɔb]
Jod N iode *m* **Jodtinktur** F teinture d'iode
Joga M *od* N yoga *m*
joggen faire du jogging **Jogging** N jogging *m* **Jogginganzug** M jogging
Jog(h)urt M/N ya(h)ourt *m*
Johannisbeere F *rote* groseille; **Schwarze ~** cassis [kasis] *m*
jonglieren jongler (**mit** avec)
Journalist M journaliste
Jubel M joie *f* **Jubeln** pousser des cris de joie **Jubiläum** N anniversaire *m*
jucken démanger **Juckreiz** M démangeaison *f*
Jude M Juif
Jüdin F Juive **jüdisch** juif

Judo N judo *m*
Jugend F jeunesse **Jugendgruppe** F groupe *m* de jeunes **Jugendherberge** F auberge de jeunesse **jugendlich** jeune **Jugendliche(r)** M/F(M) adolescent(e) *m(f)*; JUR mineur(e) *m(f)* **Jugendstil** M art nouveau
Juli M juillet
jung jeune
Junge M garçon
Junge(s) N ZOOL petit *m*
jünger plus jeune; **mein ~er Bruder** mon frère cadet
Jungfrau F vierge
Junggeselle M, **Junggesellin** F célibataire *m/f*
Jüngling M *ironisch* jouvenceau
Juni M juin
Junkfood N *umg* malbouffe *f*
Jura NPL droit
Jurist(in) M(F) juriste **juristisch** juridique
Jury F jury *m*
Justiz F justice
Juwelen NPL bijoux *mpl* **Juwelier(in)** M(F) bijoutier *m*, bijoutière *f*, joaillier *m*, joaillière *f*
Jux M *umg* blague *f*; **aus ~** pour rigoler

K

Kabarett N théâtre *m* de chansonniers
Kabel N câble *m* **Kabelanschluss** M raccordement, abonnement au câble **Kabelfernsehen** N (télévision *f* par) câble
Kabeljau M cabillaud
Kabine F cabine
Kabrio(lett) N décapotable *f*
Kachel F carreau *m*
Kacke F *sl* merde
Kadaver M cadavre
Käfer M coléoptère
Kaffee M café **Kaffeekanne** F cafetière **Kaffeelöffel** M cuillère *f* à café **Kaffeemaschine** F cafetière électrique **Kaffeemühle** F moulin *m* à café **Kaffeetasse** F tasse à café
Käfig M cage *f*
kahl nu; *Kopf* chauve; *Landschaft* dénudé
Kahn M canot, barque *f*
Kai M quai
Kaiser M empereur **Kaiserin** F impératrice **Kaiserschnitt** M MED césarienne *f*
Kajak M kayak
Kajal N khôl *m*
Kajüte F cabine
Kakao M cacao; *Getränk* cho-

colat (chaud)
Kakerlake F blatte, cafard *m*
Kaktus M cactus
Kalb N veau *m* **Kalbfleisch** N veau *m*
Kalbsbraten M rôti de veau **Kalbsschnitzel** N escalope *f* de veau
Kaldaunen FPL tripes *mpl*
Kalender M calendrier
Kalk M chaux *f*; MED calcium **Kalkstein** N calcaire *m*
Kalorie F calorie **kalorienarm** hypocalorique
kalt froid; **es ist ~** il fait froid; **mir ist ~** j'ai froid; **~ stellen** mettre au frais
kaltblütig de sang froid
Kälte F froid *m*; *fig* froideur **Kältewelle** F vague de froid
Kaltmiete F loyer *m* sans les charges
Kalzium N calcium *m*
kam, käme → **kommen**
Kamel N chameau *m*
Kamera F appareil *m* photo; *Filmkamera* caméra
Kamerad M camarade **Kameradschaft** F camaraderie
Kamerun N le Cameroun
Kamille F camomille **Kamillentee** M (infusion *f* de) camomille *f*
Kamin M cheminée *f*
Kamm M peigne; *Hahnenkamm, Gebirgskamm* crête *f*
kämmen (sich) ~ (se) peigner
Kammer F chambre **Kammermusik** F musique de chambre
Kampf M combat, lutte *f*
kämpfen combattre (**gegen j-n** qn *od* contre qn), se battre (**mit j-m** avec qn), lutter (**gegen** contre; **um** *od* **für** pour)
Kämpfer(in) M(F) combattant(e)
Kampfhund M chien de combat **Kampfrichter** M SPORT arbitre
kampieren camper
Kanada N le Canada **Kanadier(in)** M(F) Canadien(ne) **kanadisch** canadien
Kanal M canal; TV chaîne *f* **Kanalisation** F égouts *mpl*
Kanarienvogel M canari
Kandidat(in) M(F) candidat(e)
kandiert ~e Früchte FPL fruits *mpl* confits
Känguru N kangourou *m*
Kaninchen N lapin *m*
Kanister M bidon
kann → **können**
Kännchen N petit pot *m*
Kanne F pot *m*
Kannibale M cannibale
kannst → **können**
kannte → **kennen**
Kanone F canon *m*
Kante F arête; *Rand* bord *m*
Kantine F cantine
Kanton M *bes schweiz* canton
Kanu N canoë *m*
Kanzel F chaire
Kanzler(in) M(F) chancelier, -ière
Kap N cap *m*

Kapelle F chapelle; MUS orchestre *m* **Kapellmeister** M chef d'orchestre
Kaper F câpre
kapieren *umg* piger
Kapital N capital *m*; *Vermögen* capitaux *mpl* **Kapitalismus** M capitalisme **Kapitalist** M, **kapitalistisch** capitaliste
Kapitän M capitaine
Kapitel N chapitre *m*
Kaplan M vicaire
Kappe F casquette
Kapsel F capsule
kaputt *umg defekt* en panne; *entzwei* cassé; *müde* crevé
Kapuze F capuchon *m*
Karaffe F carafe
Karamell M caramel **Karamellbonbon** M *od* N caramel *m*
Karaoke N karaoké *m*
Karat N carat *m*
Karate N karaté *m*
Karawane F caravane
Kardinal M cardinal
Karfiol M *österr* chou-fleur
Karfreitag M vendredi saint
kariert à carreaux
Karies F carie
Karikatur F caricature
Karneval M carnaval **Karnevalszug** M cortège du carnaval
Karo N carreau *m*
Karosserie F carrosserie
Karotte F carotte
Karpfen M carpe *f*
Karre(n) F(M) charrette *f*
Karriere F carrière
Karte F carte; *Fahrkarte, Eintrittskarte* billet *m*, ticket *m*; **nach der ~ essen** manger à la carte; **~n spielen** jouer aux cartes
Kartei F fichier *m* **Karteikarte** F fiche
Kartenspiel N partie *f* de cartes; *Satz Karten* jeu *m* de cartes **Kartentelefon** N téléphone *m* à carte **Kartenvorverkauf** M location *f*
Kartoffel F pomme de terre **Kartoffelbrei** M purée *f* de pommes de terre **Kartoffelchips** MPL chips [ʃips] *fpl* **Kartoffelpuffer** M galette *f* de pommes de terre **Kartoffelsalat** M salade *f* de pommes de terre
Karton M carton
Karussell N manège *m*
Käse M fromage **Käsebrot** N tartine *f* de fromage **Käsekuchen** M gâteau au fromage blanc **Käseplatte** F plateau *m* de fromages
Kaserne F caserne
Kasino N *Spielkasino* casino *m*; *Kantine* restaurant *m* d'entreprise
Kaskoversicherung F *Vollkaskoversicherung* assurance tous risques
Kasperle(theater) M(N) guignol *m*
Kasse F caisse
Kassenarzt M, **Kassenärz-**

tin F médecin *m* conventionné **Kassenbon** M ticket de caisse **Kassenpatient(in)** M(F) assuré(e) social(e) **Kassenzettel** M ticket de caisse
Kassette F cassette **Kassettenrekorder** M magnétophone à cassettes
kassieren encaisser **Kassierer(in)** M(F) caissier *m*, caissière *f*
Kastanie F châtaigne; *Baum* châtaignier *m*
Kasten M boîte *f*; *für Flaschen* caisse *f*
kastrieren castrer
Kat *umg* → Katalysator
Katakombe F catacombe
Katalog M catalogue
Katalysator M AUTO pot catalytique
Katamaran M catamaran
Katarr(h) M catarrhe
Katastrophe F catastrophe **Katastrophengebiet** N région *f* sinistrée
Kater M matou; *umg fig* **e-n ~ haben** avoir la gueule de bois
Kathedrale F cathédrale
Katholik(in) M(F), **katholisch** catholique
Katze F chat *m*; *weibliche* chatte
kauen mâcher; **an den Nägeln ~** se ronger les ongles
Kauf M achat **kaufen** acheter
Käufer(in) M(F) acheteur *m*, acheteuse *f*
Kauffrau F commerciale
Kaufhaus N grand magasin *m* **Kaufmann** M commercial; *Händler* commerçant **kaufmännisch** commercial
Kaufpreis M prix d'achat
Kaufvertrag M contrat de vente
Kaugummi M chewing-gum
kaum à peine, ne ... guère
Kaution F caution
Kavalier M homme galant
Kaviar M caviar
Kegel M MATH cône; *Spielkegel* quille *f* **Kegelbahn** F piste de quilles
kegeln jouer aux quilles
Kehle F gorge **Kehlkopf** M larynx
Kehre F tournant *m* **kehren** *fegen* balayer **Kehrseite** F revers *m*; *Nachteil* mauvais côtés *mpl*
Keil M coin; *Unterlegkeil* cale *f* **Keilriemen** M courroie *f*
Keim M germe **keimen** germer **keimfrei** stérilisé **keimtötend** antiseptique
kein (ne) ... pas de; *betont* (ne) ... aucun; **ich habe ~ Geld** je n'ai pas d'argent; **in ~em Fall** en aucun cas
keiner personne ... ne; **~ (von beiden)** aucun (des deux)
keinerlei ne ... aucun **keinesfalls** en aucun cas **keineswegs** nullement
Keks M biscuit
Kelle F louche; *Maurerkelle* truelle

Keller M cave *f*
Kellner M garçon, serveur **Kellnerin** F serveuse
Kenia N le Kenya
kennen (sich) ~ (se) connaître **kennenlernen** faire la connaissance de
Kenner(in) M(F) connaisseur *m*, connaisseuse *f*
Kenntnis F connaissance (**von** de); **~se** PL notions *fpl*
Kennzeichen N caractéristique; AUTO numéro *m* d'immatriculation **kennzeichnen** marquer; caractériser
kentern chavirer
Keramik F céramique
Kerbe F entaille, cran *m*
Kerl M *umg* type
Kern M *von Steinobst* noyau; *von Kernobst* pépin; *Reaktorkern* cœur **Kernenergie** F énergie nucléaire **kerngesund** en parfaite santé
Kernkraft F énergie nucléaire **Kernkraftgegner(in)** M(F) antinucléaire **Kernkraftwerk** N centrale *f* nucléaire
kernlos sans pépins
Kerze F bougie (*a.* AUTO); REL cierge *m* **Kerzenhalter** M bougeoir
Kessel M *Wasserkessel* bouilloire *f*; TECH chaudière *f*
Ket(s)chup M/N ketchup *m*
Kette F chaîne; *Halskette* collier *m*
Ketzer M hérétique **Ketzerei** F hérésie **Ketzerin** F hérétique **ketzerisch** hérétique
keuchen °haleter **Keuchhusten** M coqueluche *f*
Keule F *Geflügelkeule* cuisse; *Hammelkeule* gigot *m*
Kfz N (*Kraftfahrzeug*) véhicule *m*
Kfz... → Kraftfahrzeug...
Kfz-Werkstatt F garage *m* (auto)
Kichererbse F pois *m* chiche
Kickboard N trottinette *f*
Kids *umg* NPL *Kinder* gosses *mpl*; *Jugendliche* ados *mpl*
Kiebitz M vanneau
Kiefer[1] M mâchoire *f*
Kiefer[2] F pin *m*
Kiel M SCHIFF quille *f*
Kiemen FPL branchies
Kies M gravier
Kiesel(stein) M galet, caillou
Kilo(gramm) N kilo(gramme) *m*
Kilometer M kilomètre; **mit 60 ~n in der Stunde** à 60 kilomètres (à l')heure
Kilometerstand M kilométrage **Kilometerstein** M borne *f* kilométrique **Kilometerzähler** M compteur (kilométrique)
Kilowatt N kilowatt *m* **Kilowattstunde** F kilowattheure
Kind N enfant *m/f*
Kinderarzt M, **Kinderärztin** F pédiatre *m/f* **Kinderbett** N lit *m* d'enfant **Kindergarten** M maternelle *f* **Kindergärtnerin** F institutrice d'école

maternelle **Kindergeld** N allocations *fpl* familiales **Kinderheim** N foyer *m* d'enfants **Kinderhort** M garderie *f* **Kinderkrankheit** F maladie infantile **Kinderkrippe** F crèche **Kinderlähmung** F polio(myélite) **kinderlos** sans enfants **Kindermädchen** N bonne *f* d'enfants **Kinderreisepass** M passeport enfant **Kindersitz** M AUTO siège pour enfants **Kinderwagen** M landau; *Buggy* poussette *f* **Kinderzimmer** N chambre *f* d'enfant

Kindheit F enfance **kindisch** puéril **kindlich** enfantin

Kinn N menton *m* **Kinnhaken** M crochet à la mâchoire

Kino N cinéma *m* **Kinofilm** M film

Kiosk M kiosque

kippen (V/T faire) basculer

Kirche F église

Kirchenchor M chorale *f* paroissiale **Kirchenfenster** N vitrail *m* **Kirchenmusik** F musique sacrée **Kirchenschiff** N nef *f*

kirchlich religieux **Kirchturm** M clocher **Kirchweih** F kermesse

Kirschbaum M cerisier

Kirsche F cerise **Kirschwasser** N kirsch *m*

Kissen N coussin *m*; *Kopfkissen* oreiller **Kissenbezug** M taie *f* (d'oreiller)

Kiste F caisse (*a. umg Auto*)

Kitsch M, **kitschig** kitsch

Kitt M mastic

Kittel M blouse *f*

kitz(e)lig chatouilleux; *heikel* délicat **kitzeln** chatouiller

Kiwi F kiwi *m*

Klage F plainte; JUR *a.* action (en justice)

klagen se plaindre (**über** *akk* de); JUR porter plainte (**gegen** contre, **wegen** pour)

Kläger(in) M(F) JUR plaignant(e)

Klammer F *Haarklammer, Wäscheklammer* pince; *Büroklammer* trombone; **in ~n** PL entre parenthèses

Klammeraffe M IT arobase *f*

klammern sich ~ an (*akk*) se cramponner à

Klamotten FPL *umg* fringues

Klang M son

Klappbett N lit *m* pliant

Klappe F clapet *m* **klappen** rabattre; *umg gelingen* marcher **klappern** cliqueter

Klapprad N bicyclette *f* pliante **Klappsitz** M strapontin **Klappstuhl** M chaise *f* pliante

klar clair; *deutlich* net

Kläranlage F station d'épuration **klären** clarifier (*a. fig*)

Klarinette F clarinette

Klasse F classe; catégorie

klassisch classique

Klatsch M commérages *mpl*

klatschen applaudir; *umg*

schwätzen jaser (**über j-n** sur qn)
Klaue F griffe; *Vogel* serre
klauen *umg* piquer
Klavier N piano *m*; **~ spielen** jouer du piano
Klebeband N ruban *m* adhésif **kleben** coller **klebrig** collant **Klebstoff** M colle *f*
Klecks M tache *f*
Klee M, **Kleeblatt** N trèfle *m*
Kleid N robe *f*
Kleiderbügel M cintre **Kleiderhaken** M portemanteau **Kleiderschrank** M penderie *f* **Kleiderständer** M portemanteau
Kleidung F habits *mpl*, vêtements *mpl*
klein petit
Kleingeld N monnaie *f*
Kleinigkeit F bagatelle; **eine ~ essen** manger un petit quelque chose
Kleinkind N petit enfant *m*
kleinlich mesquin
Kleinstadt F petite ville
Kleister M colle *f* (d'amidon)
Klementine F clémentine
Klemme F pince; *umg* embarras *m* **klemmen** coincer
Klette F bardane
klettern grimper (**auf** *akk* sur, **an** *dat* à) **Kletterpflanze** F plante grimpante
klicken IT cliquer (**auf** *akk* sur)
Klima N climat *m* **Klimaanlage** F climatisation **Klimaschutz** M protection *f* du climat **Klimawandel** M changement climatique
Klinge F lame
Klingel F sonnette **klingeln** sonner; **es klingelt** on sonne **Klingelton** M TEL sonnerie *f*
klingen sonner
Klinik F clinique
Klinke F poignée
Klippe F écueil *m* (*a. fig*)
klirren *Ketten* cliqueter; *Gläser* tinter
Klischee N cliché *m* (*a. fig*)
Klo N W.-C. *mpl*
klonen cloner
Klopapier N papier *m* hygiénique
klopfen battre (*a. Herz*); *Motor* cogner; **an die Tür ~** frapper à la porte; **es klopft** on frappe
Klops M boulette *f* (de viande)
Kloß M boulette *f*
Kloster N *Mönchskloster* monastère *m*; *Nonnenkloster* couvent *m*
Klotz M *Holzklotz* bille *f*
Klub M club [klœb]
klug intelligent **Klugheit** F intelligence
Klumpen M motte *f*; *Goldklumpen* pépite *f*; GASTR grumeau
knabbern grignoter (**an etw** *dat* qc)
Knäckebrot N pain *m* suédois
knacken *Nüsse* casser; *Auto* forcer; *Holztreppe* craquer
Knall M détonation *f* **knallen** exploser; *Schuss* retentir; *Tür*

claquer **Knallfrosch** M, **Knallkörper** M pétard
knapp *Geld* rare; *Zeit* limité; *eng* juste, étroit
knarren *Dielen* craquer; *Bett* grincer
knattern *Motor* pétarader
Knäuel M *od* N pelote *f*
Knautschzone F AUTO zone rétractable
Knecht M valet
kneifen pincer **Kneifzange** F tenailles *fpl*
Kneipe F *sl* bistrot *m*
kneten pétrir
Knick M coude; *in Papier* pli **knicken** *Papier* plier; *Zweig* (se) casser
Knie N genou *m* **Kniebundhose** F knicker(bocker)s *mpl* **Kniekehle** F jarret *m*
knien être à genoux; **sich ~** s'agenouiller
Kniescheibe F rotule **Kniestrumpf** M chaussette *f* (montante)
Kniff M pli; *fig* truc [tryk]
knipsen poinçonner; *umg* FOTO prendre une *od* des photo(s)
knistern *Feuer* crépiter
knitterfrei infroissable
knittern se froisser
Knoblauch M ail [aj] **Knoblauchpresse** F presse-ail *m* **Knoblauchzehe** F gousse d'ail
Knöchel M cheville *f*
Knochen M os [ɔs, *pl* o] **Knochenbruch** M fracture *f* **Knochenmark** N moelle *f*
Knödel M boulette *f* de mie de pain *od* de pommes de terre
Knolle F BOT tubercule *m*; *Zwiebel* bulbe
Knopf M bouton **Knopfloch** N boutonnière *f*
Knorpel M cartilage
Knospe F bourgeon *m*, bouton *m*
Knoten M nœud
knüpfen nouer
Knüppel M gourdin
knurren *Hund* grogner, gronder; *Magen* gargouiller
knusprig croustillant
Koala(bär) M koala
Koalition F coalition
Kobra F cobra *m*
Koch M cuisinier **Kochbuch** N livre *m* de cuisine **kochen** *Wasser, Wäsche* faire bouillir; *Kaffee* faire; VI *sieden* bouillir; *Essen zubereiten* faire la cuisine
Kocher M réchaud
Kochgelegenheit F possibilité de faire la cuisine
Köchin F cuisinière
Kochlöffel M cuillère *f* en bois **Kochnische** F kitchenette, coin *m* cuisine **Kochplatte** F réchaud *m* **Kochrezept** M recette *f* de cuisine
Kochsalz N gros sel *m*
Kochtopf M faitout, casserole *f*
Köder M appât

Koffein N caféine *f*
koffeinfrei décaféiné
Koffer M valise *f*; *großer Reisekoffer* malle *f* **Kofferkuli** M chariot **Kofferradio** N transistor *m* **Kofferraum** M AUTO coffre
Kognak M cognac
Kohl M chou
Kohle F charbon *m* **Kohlenhydrat** N hydrate *m* de carbone
Kohlensäure F *im Getränk* gaz *m* carbonique; **Mineralwasser ohne ~** eau non gazeuse
Kohletablette F pastille de charbon
Kohlrabi M chou-rave
Koje F SCHIFF couchette
Kokain N cocaïne *f*
kokett coquet
Kokosnuss F (noix de) coco *m*
Koks M coke
Kolben M TECH piston
Kolibri M colibri
Kolik F colique
Kollege M, **Kollegin** F collègue
Köln Cologne **Kölnischwasser** N eau *f* de Cologne
Kolonie F colonie
Kolonne F colonne; *Autoschlange* file
Kolumbien N la Colombie
Koma N MED coma *m*; **im ~ liegen** être dans le coma
Kombi M AUTO break *m*
Kombination F combinaison; *Kleidung* ensemble *m*
Komfort M confort **komfortabel** confortable
Komiker(in) M(F) comique **komisch** comique; *sonderbar* bizarre
Komitee N comité *m*
Komma N virgule *m*
kommandieren commander
kommen venir; *ankommen* arriver; **durch Lyon ~** passer par Lyon; **wie komme ich nach ...?** pour aller à ...?; **~ lassen** faire venir
Kommentar M commentaire
kommentieren commenter
Kommissar M commissaire
Kommission F commission
Kommode F commode
Kommune F commune
Kommunion F communion
Kommunismus M communisme **Kommunist(in)** M(F), **kommunistisch** communiste
Komödie F comédie
Kompass M boussole *f*
kompatibel compatible
kompetent compétent
Kompetenz F compétence
komplett complet
Komplikation F complication
Kompliment N compliment *m* **Komplize** M complice
kompliziert compliqué
Komponist M compositeur
Kompott N compote *f* **Kompresse** F compresse **Kompromiss** M compromis

Kondensmilch F lait *m* concentré
Kondition F SPORT forme; HANDEL condition
Konditorei F pâtisserie
Kondom N préservatif *m*
Konfekt N confiserie *f*; chocolats *mpl*
Konferenz F conférence
Konfirmation F REL confirmation
Konfitüre F confiture
Konflikt M conflit
Kongo der ~ le Congo
Kongress M congrès **Kongressteilnehmer(in)** M(F) congressiste
König M roi **Königin** F reine **königlich** royal **Königreich** N royaume *m*
Konjunktur F conjoncture
konkret concret
Konkurrenz F concurrence **konkurrenzfähig** compétitif
Konkurs M faillite *f* **Konkursverwalter** M syndic
können pouvoir; *gelernt haben* savoir; **schwimmen ~** savoir nager; **Französisch ~** parler (le) français; **(es) kann sein** c'est possible
konnte → können
Konserve F conserve **Konservendose** F boîte de conserve **Konservierungsmittel** N conservateur *m*
Konstruktion F construction
Konsulat N consulat *m*
Konsum M consommation *f*
konsumieren consommer
Kontakt M contact; **~ aufnehmen mit** prendre contact avec
Kontaktdaten NPL coordonnées *fpl*
Kontaktlinsen FPL lentilles de contact **Kontaktlinsenmittel** N solution *f* pour lentilles de contact
Kontinent M continent
Konto N compte *m* **Kontoauszug** M relevé de compte **Kontonummer** F numéro *m* de compte **Kontostand** M situation *f* du compte
Kontrast M contraste
Kontrolle F contrôle *m* **Kontrolleur** M contrôleur **kontrollieren** contrôler **Kontrolllampe** F lampe témoin
Konversation F conversation
Konzentrationslager N camp *m* de concentration
konzentrieren sich ~ se concentrer (**auf** *akk* sur)
Konzern M groupe, trust [-œ-]
Konzert N concert *m* **Konzertsaal** M salle *f* de concert
Kopf M tête *f*; **pro ~** par personne
Kopfhörer M écouteur **Kopfkissen** N oreiller *m* **Kopfsalat** M laitue *f* **Kopfschmerzen** MPL maux *mpl* de tête
Kopfschmerztablette F cachet *m* contre le mal de tête
Kopfsprung M plongeon

Kopfstütze F AUTO repose-tête *m* **Kopftuch** N foulard *m*
Kopie F copie
kopieren copier **Kopierer** M, **Kopiergerät** N photocopieuse *f*
Kopilot(in) M(F) copilote
Koralle F corail *m*
Korb M corbeille *f*, panier **Korbsessel** M fauteuil en rotin
Kordel F cordon *m*
Korea N la Corée
Kork M liège
Korken M bouchon **Korkenzieher** M tire-bouchon
Korn[1] N grain *m*; *Getreide* céréales *fpl*
Korn[2] M eau *f* de vie
Körper M corps **Körperbehinderte(r)** M/F(M) °handicapé(e) *m(f)* physique **Körpergröße** F taille **körperlich** physique **Körperpflege** F hygiène corporelle **Körperteil** M partie *f* du corps
korrekt correct **Korrektur** F correction; IT annulation **Korrekturtaste** F touche *f* de correction
Korrespondenz F correspondance
Korridor M couloir
korrigieren corriger
Korsika N la Corse **korsisch** corse
Kortison N cortisone *f*
Kosmetik F soins *mpl* de beauté **Kosmetikerin** F esthéticienne **Kosmetiksalon** M salon de beauté **Kosmetikum** N produit *m* de beauté
Kost F nourriture
kostbar précieux
kosten coûter; *Speisen* goûter; **was kostet ...?** combien coûte ...?
Kosten PL frais *mpl* **Kostenerstattung** F remboursement *m* des frais **Kostenfrage** F question de prix **kostenlos** gratuit(ement) **Kostenvoranschlag** M devis
köstlich délicieux
kostspielig coûteux
Kostüm N costume *m*; *Damenkostüm* tailleur
Kot M excréments *mpl*
Kotelett N côtelette *f*
Kotflügel M AUTO aile *f*
Krabbe F crabe *m*; *umg Garnele* crevette
Krach M *Lärm* vacarme; *Streit* dispute *f*
Kraft F force; *Person* aide *m/f*; **in ~ treten** entrer en vigueur
Kraftbrühe F consommé *m*
Kraftfahrer(in) M(F) automobiliste
Kraftfahrzeug N véhicule *m* **Kraftfahrzeugschein** M carte *f* grise **Kraftfahrzeugsteuer** F vignette (automobile) **Kraftfahrzeugversicherung** F assurance automobile
kräftig fort; *nahrhaft* substantiel

Kraftstoff M carburant **Kraftwagen** M automobile *f* **Kraftwerk** N centrale *f* électrique

Kragen M col **Kragenweite** F encolure

Krähe F corneille

krähen *Hahn* chanter

Kralle F griffe

Krampf M crampe *f* **Krampfader** F varice **krampfhaft** convulsif; *Bemühungen* laborieux **krampflösend** antispasmodique

Kran M grue *f*

Kranich M grue *f*

krank malade; **~ werden** tomber malade

Kranke(r) M/F(M) malade *m/f*

kränken vexer, blesser

Krankengymnast(in) M(F) kinésithérapeute **Krankengymnastik** F kinésithérapie **Krankenhaus** N hôpital *m* **Krankenkasse** F caisse d'assurance maladie **Krankenpfleger(in)** M(F) infirmier *m*, aide *f* soignante **Krankenschein** M feuille *f* de soins **Krankenschwester** F infirmière **Krankenversicherung** F assurance maladie **Krankenwagen** M ambulance *f*

krankhaft maladif **Krankheit** F maladie

kränklich maladif

Kranz M couronne *f*

Krapfen M beignet

krass *Unterschied* gros; *Fehler* grossier; *Irrtum, Widerspruch* flagrant; *sl* **voll ~** (*schlimm*) dégueu

Krater M cratère

kratzen (sich) ~ (se) gratter **Kratzer** M égratignure *f*

kraus *Haar* crépu

Kraut N herbe *f*; *Kohl* chou

Kräutertee M tisane *f*

Krawall M échauffourée *f*; *Lärm* tapage

Krawatte F cravate

Krebs M écrevisse *f*; MED cancer [kɑ̃sɛr]

Kredit M crédit **Kreditkarte** F carte de crédit

Kreide F craie

Kreis M cercle; POL district

Kreisel M toupie *f*

kreisen tourner (**um** autour de) **kreisförmig** circulaire **Kreislauf** M circulation *f* (*a.* MED) **Kreislaufstörungen** FPL troubles *mpl* circulatoires **Kreissäge** F scie circulaire **Kreißsaal** M salle *f* d'accouchement **Kreisverkehr** M sens giratoire

Krematorium N crématorium *m*

Kren M *österr* raifort

Kresse F cresson *m*

Kreta N la Crète

Kreuz N croix *f*; ANAT reins *mpl*; *Kartenspiel* trèfle *m*; **kreuz und quer** dans tous les sens

kreuzen (sich) ~ (se) croiser

Kreuzfahrt F croisière **Kreuzgang** M cloître **Kreuzigung** F crucifixion
Kreuzkümmel M GASTR cumin **Kreuzschmerzen** MPL **~ haben** avoir mal aux reins
Kreuzung F croisement *m*
Kreuzworträtsel N mots *mpl* croisés
kriechen ramper
Krieg M guerre *f*
kriegen *umg* → bekommen
Kriegsdienstverweigerer M objecteur de conscience **Kriegsverbrecher** M criminel de guerre
Krimi M *umg* policier
Kriminalfilm M film policier **Kriminalität** F criminalité **Kriminalpolizei** F police judiciaire **Kriminalroman** M roman policier
kriminell criminel
Kripo F ABK → Kriminalpolizei
Krippe F REL *u. Kinderkrippe* crèche
Krise F crise **Krisengebiet** N région *f* en crise
Kritik F critique **Kritiker(in)** M(F) critique **kritisch** critique **kritisieren** critiquer
Kroate M Croate **Kroatien** N la Croatie **kroatisch** croate
Krokette F croquette
Krokodil N crocodile *m*
Krokus M crocus
Krone F couronne **Kronleuchter** M lustre
Kröte F crapaud *m*
Krücke F béquille
Krug M cruche *f*, pichet
Krümel M miette *f*
krumm tordu; *Linie* courbe
Krüppel M infirme
Kruste F croûte
Kruzifix N crucifix [krysifi] *m*
Kuba N Cuba
Kübel M baquet; *Eimer* seau
Kubikmeter M mètre *m* cube
Küche F cuisine; **kalte ~** repas *mpl* froids
Kuchen M gâteau
Küchenschrank M buffet de cuisine **Küchenzeile** F cuisine intégrée
Kuckuck M coucou
Kugel F boule (*a. Billard*); *Geschoss* balle; SPORT poids *m* **Kugellager** N roulement *m* à billes **Kugelschreiber** M stylo (à) bille **Kugelstoßen** N lancement *m* du poids
Kuh F vache
kühl frais; *fig* froid **Kühlbox** F glacière **kühlen** rafraîchir; *Lebensmittel* réfrigérer; *Motor* refroidir **Kühler** M AUTO radiateur **Kühlfach** N freezer *m* **Kühlschrank** M réfrigérateur **Kühltasche** F sac *m* isotherme **Kühltruhe** F congélateur *m* **Kühlwasser** N eau *f* de refroidissement
kühn audacieux, courageux; *gewagt* osé
Küken N poussin *m*
Kuli M *umg* stylo
Kultur F culture **Kulturbeu-**

tel M trousse *f* de toilette **Kulturfilm** M (film) documentaire
Kümmel M carvi
Kummer M chagrin; *Sorgen* souci(s) *m(pl)*
kümmern sich ~ um (*akk*) se soucier de
Kunde M client **Kundendienst** M service après-vente **Kundenkarte** F *e-s Geschäfts* carte de fidélité
Kundgebung F manifestation
kündigen licencier (**j-m** qn); *Vertrag* résilier; *selbst* donner sa démission **Kündigung** F licenciement *m*; résiliation; démission **Kündigungsfrist** F délai *m* de préavis
Kundin F cliente
Kundschaft F clientèle
Kunst F art *m* **Kunstausstellung** F exposition **Kunstfaser** F fibre synthétique **Kunstgewerbe** N arts *mpl* décoratifs **Kunstleder** N similicuir *m*
Künstler(in) M(F) artiste
künstlerisch artistique
künstlich artificiel
Kunstsammlung F collection d'objets d'art **Kunstseide** F rayonne **Kunststoff** M plastique **Kunststück** N tour *m* d'adresse **Kunstwerk** N œuvre *f* d'art
Kupfer N cuivre *m* **Kupferstich** M taille-douce *f*
Kuppel F *innere* coupole; *äußere* dôme *m*
kuppeln AUTO embrayer **Kupplung** F embrayage *m* **Kupplungspedal** N pédale *f* d'embrayage
Kur F cure
Kür F figures *fpl* libres
Kurbel F manivelle
Kürbis M courge *f*; *großer* potiron
Kurgast M curiste
Kurier M coursier; **per ~** par coursier
kurieren guérir
Kurort M station *f* thermale
Kurs M cours; SCHIFF route *f* **Kursbuch** N indicateur *m* des chemins de fer
Kursus M cours
Kurswagen M voiture *f* directe
Kurtaxe F taxe de séjour
Kurve F courbe; *Straße*: virage *m* **kurvenreich** sinueux
kurz court; *zeitlich a.* bref; **vor Kurzem** récemment; **~ (und gut)** bref
Kurzarbeit F chômage *m* partiel
Kürze F brièveté; **in ~** sous peu
kürzen raccourcir
kurzfassen sich ~ être bref **Kurzfilm** M court métrage **kurzfristig** à court terme **Kurzgeschichte** F nouvelle
kürzlich récemment
Kurzparkzone F zone bleue

Kurzschluss M court-circuit **kurzsichtig** myope **Kurzwaren** FPL mercerie *f* **Kurzwelle** F onde courte
Kusine F cousine
Kuss M baiser **küssen (sich) ~** (s')embrasser
Küste F côte **Küstenschifffahrt** F navigation côtière
Kutsche F calèche; *prächtige* carrosse **Kutscher** M cocher
Kutteln PL tripes *fpl*
Kuvert N enveloppe *f*

L

Label N label *m*, marque *f*
labil instable
Labor N laboratoire *m*
lächeln sourire (**über** *akk* de)
lachen rire (**über** *akk* de) **Lachen** N rire *m*
lächerlich ridicule
Lachs M saumon
Lack M laque *f*, vernis; AUTO peinture *f* **lackieren** laquer, vernir
Ladegerät N ELEK chargeur *m*
laden charger (*a.* IT)
Laden M magasin; *kleiner* boutique *f* **Ladenschluss** M fermeture *f* des magasins **Ladentisch** M comptoir
Ladung F chargement *m*; SCHIFF cargaison; ELEK charge
Lage F situation; position; *Schicht* couche; **in schöner ~** bien situé; **in der ~ sein zu** être en mesure de
Lager N camp *m*; HANDEL entrepôt **Lagerfeuer** N feu *m* de camp
lagern camper; *Waren* stocker
Lagune F lagune
lahm paralysé; *umg fig* mou
lähmen paralyser (*a. fig*) **Lähmung** F paralysie
Laie M profane; REL laïque
Laken N drap *m* (de lit)
lakonisch laconique
Lakritze F réglisse
Laktose F lactose *m* **laktosefrei** sans lactose **Laktoseunverträglichkeit** F intolérance au lactose
Lamm N agneau *m* **Lammfleisch** N agneau *m*
Lampe F lampe **Lampenschirm** M abat-jour
Land N pays *m*; *Festland* terre *f*; *Gegensatz zu Stadt* campagne *f*; **auf dem ~** à la campagne; **an ~ gehen** débarquer
Landeanflug M phase *f* d'approche **Landebahn** F piste d'atterrissage **landen** FLUG atterrir
Länderspiel N SPORT rencontre *f* internationale
Landesgrenze F frontière nationale **Landessprache** F langue nationale **Landestracht** F costume *m* national (*od* régional)

Landhaus N maison *f* de campagne **Landkarte** F carte
ländlich rural
Landschaft F paysage *m*
Landsmann M compatriote
Landstraße F route départementale **Landstreicher(in)** M(F) vagabond(e)
Landung F FLUG atterrissage *m*; SCHIFF débarquement *m* **Landungsbrücke** F débarcadère *m*
Landwein M vin de pays
Landwirt M agriculteur
Landwirtschaft F agriculture **landwirtschaftlich** agricole
lang long; **drei Wochen ~** pendant trois semaines
lange longtemps; **wie ~?** combien de temps?; **seit Langem** depuis longtemps
Länge F longueur; *zeitlich* durée **Längengrad** M degré de longitude
Langeweile F ennui *m*
langfristig à long terme
Langlauf M ski de fond
länglich oblong
längs *(gen)* le long de
langsam lent; **~er fahren** ralentir
Langschläfer(in) M(F) lève-tard
längst depuis longtemps
Languste F langouste
langweilen (sich) ~ (s')ennuyer **langweilig** ennuyeux
Langwelle F grandes ondes *fpl*
Lappen M chiffon
Laptop M IT portable
Lärche F mélèze *m*
Lärm M bruit **lärmen** faire du bruit
las → lesen
Laser M MED, TECH laser [lazɛr] **Laserdrucker** M IT imprimante *f* (à) laser [lazɛr] **Lasershow** F spectacle *m* laser [lazɛr]
lassen *zulassen* laisser; *veranlassen* faire; **machen ~** faire faire
lässig nonchalant
Last F charge; *fig* fardeau *m* **Lastenaufzug** M monte-charge(s)
Laster[1] N vice *m*
Laster[2] M *umg* poids lourd
lästern médire (**über** *akk* de)
lästig embêtant, pénible
Lastkahn M péniche *f*
Last-Minute... IN de dernière minute **Last-Minute-Flug** M vol de dernière minute
Lastwagen M camion, poids lourd
Latein N latin *m* **Lateinamerika** N l'Amérique *f* latine **lateinisch** latin
latent latent
Laterne F lanterne; *Straßenlampe* réverbère
Latschen M *umg* godasse *f*
Latte F latte; SPORT barre
Latte macchiato M (latte) macchiato [(late)makjato]
Lätzchen N bavette *f*

Latzhose F salopette
lau tiède; *Wetter* doux
Laub N feuillage *m* **Laubbaum** M (arbre) feuillu
Lauch M poireau
lauern guetter (**auf** *akk* qc)
Lauf M course *f*; *Maschine* marche *f*; *Gewehr* canon; **im ~e** (*gen*) au cours de
Laufbahn F carrière
laufen aller à pied, marcher; *rennen* courir; *Film* passer; *Maschine* marcher
laufend am ~en Band sans arrêt; **auf dem Laufenden sein** être au courant
Läufer M coureur; *Schach* fou; *Teppich* passage **Läuferin** F coureuse
Laufmasche F maille filée
Laufsteg M podium *m* **Laufwerk** N IT lecteur *m*
Laune F humeur; **gute/schlechte ~ haben** être de bonne/mauvaise humeur
launisch lunatique
Laus F pou *m*
laut[1] bruyant; *Stimme* °haut
laut[2] PRÄP (*gen*) d'après, selon
Laut M son
läuten sonner
lautlos silencieux **Lautsprecher** M °haut-parleur **Lautstärke** F volume *m*
lauwarm tiède
Lava F lave
Lavendel M lavande *f*
Lawine F avalanche
leasen acheter en crédit-bail [kredibaj] **Leasingvertrag** M contrat *m* de crédit-bail [kredibaj]
leben vivre **Leben** N vie *f* **lebendig** vivant; *Stadt* animé; *Farbe* vif
Lebensgefahr F danger *m* de mort **Lebensgefährte** M compagnon **Lebensgefährtin** F compagne **Lebenshaltungskosten** PL coût *m* de la vie **lebenslänglich** à perpétuité **Lebenslauf** M curriculum vitae
Lebensmittel NPL vivres *fpl*; denrées *fpl* alimentaires **Lebensmittelgeschäft** N épicerie *f* **Lebensmittelvergiftung** F intoxication alimentaire
Lebenspartner(in) M(F) compagnon, compagne **Lebenspartnerschaft** F **eingetragene ~** *etwa* PACS *m* (pacte civil de solidarité)
Lebensstandard M niveau de vie
Lebensunterhalt M moyens *mpl* d'existence; **s-n ~ verdienen** gagner sa vie
Lebensversicherung F assurance-vie
Leber F foie *m* **Leberpastete** F pâté *m* de foie
Lebewesen N être *m* vivant
lebhaft vif; *Diskussion* animé; *Verkehr* intense
Lebkuchen M pain d'épice
leblos inanimé

Leck N fuite *f*; SCHIFF voie *f* d'eau
lecken lécher
lecker appétissant **Leckerbissen** M régal
Leder N cuir *m* **Lederhandschuhe** MPL gants de peau **Lederjacke** F veste, *kurze* blouson *m* de cuir **Lederwarengeschäft** N maroquinerie *f*
ledig célibataire
leer vide; *unbewohnt* inoccupé **leeren** vider **Leerlauf** M AUTO point mort **Leerung** F *des Briefkastens* levée
legal légal
legen mettre; poser; **sich ~** se coucher; *Wind* tomber
Legende F légende
Leggin(g)s PL caleçon *m*
legitim légitime
Leguan M iguane
Lehm M glaise *f*
Lehne F *Rückenlehne* dossier *m*; *Armlehne* accoudoir *m*
lehnen ~(s')appuyer (**an** *akk* contre)
Lehrbuch N manuel *m*
Lehre F leçon; *Ausbildung* apprentissage *m*
lehren enseigner, apprendre (**j-n etw** qc à qn)
Lehrer(in) M(F) *Grundschule* instituteur *m*, institutrice *f*; *Oberschule* professeur *m*
Lehrgang M cours **Lehrling** M apprenti **lehrreich** instructif **Lehrstelle** F place d'apprenti **Lehrstuhl** M chaire *f* **Lehrzeit** F apprentissage *m*
Leib M corps; *Bauch* ventre
Leibesvisitation F fouille corporelle
Leibgericht N plat *m* préféré **Leibschmerzen** MPL mal *m* au ventre **Leibwächter** M garde du corps
Leiche F cadavre *m*
Leichenhalle F chapelle mortuaire **Leichenwagen** M corbillard
leicht léger; *einfach* facile **Leichtathletik** F athlétisme *m* **leichtgläubig** crédule **Leichtigkeit** F *fig* facilité **Leichtmetall** N métal *m* léger **Leichtsinn** M inconscience *f* **leichtsinnig** inconscient
Leid N mal *m*
leiden souffrir (**an** *dat* de); **nicht ~ können** ne pas pouvoir souffrir
Leiden N souffrance *f*; MED affection
Leidenschaft F passion **leidenschaftlich** passionné (-ment)
leider malheureusement
leidlich passable
leidtun es tut mir leid je suis désolé; **er tut mir leid** il me fait pitié
Leihbücherei F bibliothèque de prêt
leihen prêter (**j-m etw** qc à qn); **sich etw ~** emprunter qc

(**von j-m** à qn)
Leihgebühr F frais *mpl* de location **Leihhaus** N mont-de-piété *m* **Leihwagen** M voiture *f* de location **leihweise** à titre de prêt
Leim M colle *f*
Leine F corde; *Hundeleine* laisse
Leinen N toile *f* **Leinsamen** M graine *f* de lin **Leinwand** F écran *m*
leise bas; ADV doucement; **~r stellen** baisser
Leiste F liteau *m*; ANAT aine
leisten faire; *vollbringen* accomplir; *Dienst* rendre; *Zahlung* effectuer; **Widerstand ~** résister; **j-m Hilfe ~** secourir qn; **sich etw ~** se permettre qc; *sich etw gönnen* se payer qc
Leistenbruch M °hernie *f* inguinale
Leistung F résultats *mpl* (obtenus); *große* performance; TECH puissance **leistungsfähig** performant
Leitartikel M éditorial
leiten *Betrieb* diriger; TECH conduire
Leiter[1] F échelle
Leiter[2] M directeur, chef; ELEK conducteur **Leiterin** F directrice
Leitplanke F glissière de sécurité **Leitung** F direction; TEL, ELEK ligne; *Wasserleitung* conduite **Leitungswasser** N eau *f* du robinet
Lektion F leçon
Lektüre F lecture
lenken diriger; AUTO conduire **Lenkrad** N volant *m* **Lenkradschloss** N antivol *m* **Lenkstange** F guidon *m* **Lenkung** F AUTO direction
Leopard M léopard
Lepra F lèpre
Lerche F alouette
lernen apprendre
lesbisch lesbien
lesen lire
Leser(in) M(F) lecteur *m*, lectrice *f* **leserlich** lisible
Lesezeichen N marque-page *m*, signet *m*
letzte(r, -s) dernier, dernière; *äußerste* extrême; **~ Woche** la semaine dernière
Leuchte F lampe **leuchten** luire; *Lampe* éclairer **leuchtend** lumineux **Leuchter** M chandelier **Leuchtmarker** M marqueur fluorescent **Leuchtreklame** F enseigne lumineuse **Leuchtröhre** F tube *m* fluorescent **Leuchtturm** M phare
leugnen nier
Leukämie F leucémie
Leute PL gens *mpl*; **viele ~** beaucoup de monde; **die jungen ~** les jeunes (gens)
Lexikon N encyclopédie *f*
Libanon der ~ le Liban
Libelle F libellule
liberal libéral
Licht N lumière *f*; **~ machen**

allumer (la lumière) **Lichtbild** N photographie *f* **Lichthupe** F **die ~ betätigen** faire un appel de phares
Lichtjahr N année-lumière *f* **Lichtmaschine** F AUTO dynamo **Lichtschalter** M interrupteur **Lichtschutzfaktor** M indice de protection (solaire)
Lichtung F clairière
Lid N paupière *f* **Lidschatten** M ombre *f* à paupières
lieb cher; *nett, artig* gentil **Liebe** F amour *m* **lieben** aimer; **sich ~** *körperlich* faire l'amour
liebenswürdig aimable **Liebenswürdigkeit** F amabilité
lieber ~ haben aimer mieux, préférer; **etw ~ tun** aimer mieux *od* préférer faire qc
Liebesbrief M lettre *f* d'amour **Liebeskummer** M chagrin d'amour **Liebespaar** N amoureux *mpl*
liebevoll affectueux **Liebhaber(in)** M(F) *Geliebte(r)* amant *m*, maîtresse *f*; *Fan* amateur *m*, amatrice *f* **lieblich** *Wein* moelleux **Liebling** M préféré(e) *m(f)*; *Anrede* chéri(e) *m(f)*
Lied N chanson *f*, chant *m*
liederlich désordonné
Liedermacher(in) M(F) auteur-compositeur *m*, auteur-compositrice *f*
Lieferant M fournisseur **lieferbar** livrable **Lieferfrist** F délai *m* de livraison
liefern livrer, fournir (*a. Beweis*) **Lieferung** F livraison **Lieferwagen** M camionnette *f*
Liege F divan *m*; *Gartenliege* chaise longue
liegen être couché; GEOGR être situé **Liegesitz** M AUTO siège-couchette **Liegestuhl** M chaise *f* longue **Liegewagen** M voiture-couchettes *f* **Liegewiese** F pelouse de repos
liest → lesen
Lift M ascenseur; *Skilift* remonte-pente, téléski
Liga F ligue; SPORT division
light allégé
Likör M liqueur *f*
lila lilas
Lilie F lys *m*
Limonade F limonade
Limousine F berline
Linde F tilleul *m*
lindern soulager, apaiser
Lineal N règle *f*
Linie F ligne
Linienbus M autobus régulier **Linienflug** M vol régulier **Linienmaschine** F avion de ligne
Link M/N IT lien *m*
Linke F gauche (*a.* POL) **linke(r, -s)** gauche
links à gauche; **nach ~** à gauche; **von ~** de la gauche; **sich ~ einordnen** prendre la file de gauche

Linksabbieger M véhicule qui tourne à gauche **Linkshänder(in)** M(F) gaucher *m*, gauchère *f*
Linse F BOT, *Optik* lentille
Lipgloss M gloss, brillant à lèvres
Lippe F lèvre **Lippenbalsam** M baume à lèvres **Lippenstift** M rouge à lèvres
lispeln zézayer
List F ruse
Liste F liste
listig rusé
Liter M od N litre *m*
Literatur F littérature
Litfaßsäule F colonne Morris
Litschi F BOT litchi *m*
live TV en direct **Livesendung** F émission en direct
Lizenz F licence
Lkw, LKW M (*Lastkraftwagen*) camion, poids lourd **Lkw-Fahrer** M routier
Lob N louange *f*, éloge *m* **loben** louer **lobenswert** louable
Loch N trou *m* **lochen** poinçonner **Locher** M perforateur
Locke F boucle
locken attirer; **sich ~** friser
Lockenwickler M bigoudi
locker *Schraube* desserré; (*entspannt*) décontracté
lockern (sich) ~ (se) relâcher
Löffel M cuillère [kɥijɛr] *f*
Loge F loge
logisch logique
Lohn M salaire, paie *f*; *fig* récompense *f* **Lohnempfänger(in)** M(F) salarié(e)
lohnen es lohnt sich (nicht) cela (ne) vaut (pas) la peine
Lohnerhöhung F augmentation (de salaire) **Lohnsteuer** F impôt *m* sur le salaire
Loipe F piste de ski de fond
Lok → Lokomotive
Lokal N restaurant *m*, café *m*
Lokomotive F locomotive **Lokomotivführer** M mécanicien
London Londres
Lorbeer M laurier
los *abgetrennt* détaché; **~!** allez!; **was ist ~?** qu'est-ce qu'il y a?; **hier ist nicht viel ~** il ne se passe pas grand-chose ici
Los N billet *m* de loterie; *Schicksal* sort *m*
löschen éteindre; *Tonband* effacer; *Durst* étancher
lose lâche; *unverpackt* en vrac
Lösegeld N rançon *f*
losen tirer au sort (**um etw** qc)
lösen détacher; *Handbremse* desserrer; *Problem* résoudre
losfahren, losgehen partir
loslassen lâcher
löslich soluble
losmachen détacher
Lösung F solution (*a.* CHEM)
Lösungsmittel N solvant *m*
löten souder
Lotse M pilote
lotsen piloter
Lotterie F loterie

Lotto N loto *m* **Lottoschein** M bulletin de loto
Löwe M lion **Löwenzahn** M pissenlit **Löwin** F lionne
Luchs M lynx *m*
Lücke F vide *m* (*a. fig*); *Mangel* lacune
Luft F air *m* **Luftballon** M ballon **Luftbild** N photo *f* aérienne **luftdicht** hermétique **Luftdruck** M pression *f* atmosphérique
lüften aérer
Luftfahrt F aviation **Luftfracht** F fret *m* aérien **Luftgewehr** N fusil *m* à air comprimé **Luftkissenboot** N aéroglisseur *m* **Luftkrankheit** F mal *m* de l'air **Luftkühlung** F refroidissement *m* par air **Luftkurort** M station *f* climatique **Luftloch** N FLUG trou *m* d'air **Luftmatratze** F matelas *m* pneumatique **Luftpirat** M pirate de l'air
Luftpost F **mit ~** par avion
Luftpumpe F pompe à air
Luftröhre F trachée
Lüftung F aération
Luftverkehr M trafic aérien
Luftverschmutzung F pollution atmosphérique **Luftwaffe** F armée de l'air **Luftzug** M courant d'air
Lüge F mensonge *m* **lügen** mentir **Lügner(in)** M(F) menteur *m*, menteuse *f*
Luke F lucarne; SCHIFF écoutille
Lunchpaket N panier-repas *m*
Lunge F poumon *m* **Lungenentzündung** F pneumonie
Lupe F loupe
Lust F envie; **(keine) ~ haben zu** (ne pas) avoir envie de
lüstern lubrique
lustig *fröhlich* gai; *witzig* drôle; **sich ~ machen über** (*akk*) se moquer de
lustlos sans entrain
Lustspiel N comédie *f*
lutschen sucer **Lutscher** M sucette *f*
Luxemburg N le Luxembourg
Luxemburger(in) M(F) Luxembourgeois(e) **luxemburgisch** luxembourgeois
luxuriös luxueux
Luxus M luxe **Luxushotel** N hôtel *m* de luxe
Lychee F BOT litchi *m*
Lymphknoten M ganglion lymphatique
lynchen lyncher

M

machen faire; **j-n glücklich ~** rendre qn heureux; **was** *od* **wie viel macht das?** ça fait combien?; **was macht sie?** qu'est-ce qu'elle fait (*beruflich* dans la vie)?; *wie geht es ihr?*

comment va-t-elle?; **das macht nichts** cela ne fait rien
Macho M *umg* macho *m*
Macht F pouvoir *m*; *Staat* puissance **mächtig** puissant; ADV *umg sehr* énormément
machtlos impuissant
Madagaskar N Madagascar
Mädchen N fille *f* **Mädchenname** M nom de jeune fille
Made F ver *m* **madig** véreux
mag → **mögen**
Magazin N *Zeitschrift* magazine *m*; *Lager* entrepôt *m*
Magen M estomac [ɛstɔma]; **auf nüchternen ~** à jeun; **sich den ~ verderben** se détraquer l'estomac
Magenbitter M amer **Magengeschwür** N ulcère *m* de l'estomac **Magenschmerzen** MPL maux d'estomac **Magenverstimmung** F indigestion
mager maigre **Magermilch** F lait *m* écrémé **Magersucht** F anorexie **magersüchtig** anorexique
Magnet M aimant
magst → **mögen**
Mahagoni N acajou *m*
mähen *Gras* faucher; *Rasen* tondre; *Getreide* moissonner
mahlen moudre
Mahlzeit F repas *m*
Mähne F crinière
Mahnung F avertissement *m*; HANDEL rappel *m*
Mai M mai **Maiglöckchen** N muguet *m* **Maikäfer** M °hanneton
Mail F IT mail *m* **Mailbox** F IT boîte aux lettres; *Handy* boîte vocale
mailen j-m ~ envoyer un e-mail à qn; **j-m etw ~** envoyer qc à qn par e-mail
Mainz Mayence
Mais M maïs **Maiskolben** M épi de maïs
Majoran M marjolaine *f*
makaber macabre
makellos immaculé
Make-up N maquillage *m*
Makkaroni PL macaronis *mpl*
Makler(in) M(F) agent *m* immobilier
Makrele F maquereau *m*
Makrone F macaron *m*
mal → **einmal**; MATH **zwei ~ zwei** deux fois deux; **guck ~!** regarde!; **zeig ~!** fais voir!
Mal N fois; **zum ersten ~** pour la première fois; **das nächste ~** la prochaine fois; **jedes ~** chaque fois; **jedes ~ wenn** toutes les fois que
Malaria F malaria
malen peindre **Maler** M peintre **Malerei** F peinture **Malerin** F femme peintre **malerisch** pittoresque
Malz N malt *m* **Malzbier** N bière *f* de malt
Mama F, **Mami** F maman
man on
manche(r, -s) plus d'un(e); PL certains

manchmal quelquefois
Mandarine F mandarine
Mandel F amande; ANAT amygdale **Mandelentzündung** F amygdalite
Manege F *Zirkus* piste *f*
Mangel M *Fehlen* manque (**an** *dat* de); *Fehler* défaut **mangelhaft** défectueux; *Schulnote* médiocre
mangels (*gen*) faute de
Mango F mangue
Manieren FPL bonnes manières
Maniküre F manucure
manipulieren manipuler
Mann M homme; *Ehemann* mari
Männchen N ZOOL mâle *m*
Mannequin N mannequin *m*
männlich masculin (*a.* GRAM); BIOL mâle
Mannschaft F équipe (*a.* SPORT); FLUG, SCHIFF équipage *m*
Manöver N manœuvre *f*
Manschettenknopf M bouton de manchette
Mantel M manteau; *Reifenmantel* bandage pneumatique
Mappe F serviette; *Schulmappe* cartable *m*
Maracuja F BOT maracuja *m*
Märchen N conte *m* (de fées) **märchenhaft** féérique; fabuleux **Märchenprinz** M prince charmant
Marder M martre *f*
Margarine F margarine
Margerite F marguerite
Marienkäfer M coccinelle *f*
Marille F *österr* abricot *m*
Marine F marine
mariniert mariné
Marionette F marionnette
Mark[1] F *hist Geld* mark *m*
Mark[2] N moelle *f*
Marke F HANDEL marque; *Spielmarke*, TEL jeton *m*; *Gebührenmarke, Briefmarke* timbre *m*; *Essensmarke* ticket **Markenartikel** M produit de marque
markieren marquer; *Weg* baliser **Markierung** F balise
Markise F store *m*
Markt M marché **Markthalle** F marché *m* couvert **Marktplatz** M place *f* du marché
Marktstand M étal
Marmelade F confiture
Marmor M marbre
Marokkaner(in) M(F) Marocain(e) **marokkanisch** marocain **Marokko** N le Maroc
Marone F marron *m*
Marsch M marche *f* (*a.* MUS) **marschieren** marcher
März M mars
Marzipan N pâte *f* d'amandes
Masche F maille (*a. fig*)
Maschine F machine; FLUG appareil *m*
Maschinenbau M construction *f* mécanique **Maschinengewehr** N mitrailleuse *f*
Maschinenpistole F mitraillette
Maschinist M chef mécani-

cien
Masern PL rougeole *f*
Maske F masque *m* **maskieren** masquer; **sich ~** se déguiser (**als** en)
Maß[1] N mesure *f*; **nach ~** sur mesure
Maß[2] F chope d'un litre de bière
Massage F massage *m*
Massaker N massacre *m*
Masse F masse **massenhaft** en masse
Massenkarambolage F carambolage *m* **Massenmedien** NPL mass media *mpl*
Massentourismus M tourisme de masse
Masseur M masseur **Masseurin** F masseuse
maßgeblich déterminant, décisif
massieren masser
mäßig modéré; *mittelmäßig* médiocre **mäßigen (sich) ~** (se) modérer
massiv massif
maßlos démesuré **Maßnahme** F mesure **Maßstab** M échelle *f* **maßvoll** modéré
Mast M mât
mästen engraisser
Material N matériel *m*; *Baumaterial* matériau *m*
materiell matériel; *pej* matérialiste
Mathematik F mathématiques *fpl*
Matjeshering M °hareng salé
Matratze F matelas *m*
Matrose M matelot, marin
matt épuisé; FOTO, *Schach*: mat; *Glas* dépoli
Matte F natte; *Fußmatte* paillasson *m*; SPORT tapis
Mauer F mur *m*
Maul N gueule *f* **Maulbeerbaum** M mûrier **Maulesel** M mulet **Maulkorb** M muselière *f* **Maulwurf** M taupe *f*
Maurer M maçon
Maus F souris (*a.* IT) **Mausefalle** F souricière **Mausklick** M clic de la souris
Mausoleum N mausolée *m*
Mauspad N IT tapis *m* (de souris) **Maustaste** F IT bouton *m* (de souris)
Maut F, **Mautgebühr** F, **Mautstelle** F péage *m* **Mautstraße** F route à péage
maximal maximal; ADV au maximum
Mayonnaise F mayonnaise
MC F (*Musikkassette*) K7
Mechanik F mécanique **Mechaniker** M mécanicien **mechanisch** mécanique; *fig* machinal **Mechanismus** M mécanisme
meckern *fig umg* rouspéter
Mecklenburg-Vorpommern N le Mecklembourg et la Poméranie occidentale
Medaille F médaille
Medien NPL médias *mpl*
Medikament N médicament *m* **Medizin** F médecine; (*Arz-*

nei) médicament
Meer N mer *f*; **am ~** au bord de la mer; **ans ~** à la mer
Meerenge F détroit *m*
Meeresfrüchte FPL fruits *mpl* de mer
Meeresspiegel M **über dem ~** au dessus du niveau de la mer
Meerrettich M raifort **Meerschweinchen** N cochon *m* d'Inde
Mehl N farine *f*
mehr plus (**als** que; *vor Substantiven* de); **nicht ~** ne ... plus; **immer ~** de plus en plus; **noch ~** encore plus
mehrere plusieurs
mehrfach à plusieurs reprises
Mehrfahrtenkarte F carnet *m* **Mehrheit** F majorité
Mehrkosten PL frais *mpl* supplémentaires **mehrmals** plusieurs fois **mehrtägig** de plusieurs jours **Mehrwertsteuer** F taxe sur la valeur ajoutée, TVA **Mehrzahl** F majorité; GRAM pluriel *m*
meiden éviter
Meile F mille *m*
mein(e) mon (ma); **~e** PL mes
Meineid M parjure
meinen croire, penser; *sagen wollen* vouloir dire
meinetwegen à cause de moi; *für mich* pour moi; **~!** si tu veux (vous voulez)!
Meinung F avis *m*, opinion; **meiner ~ nach** à mon avis
Meinungsumfrage F sondage *m* (d'opinions) **Meinungsverschiedenheit** F désaccord *m*
Meise F mésange
Meißel M burin
meiste der, die, das ~ ... la plupart de ..., la majeure partie de ...; **die ~n** la plupart; **am ~n** le plus
meistens le plus souvent
Meister(in) M(F) maître *m*; SPORT champion(ne) **Meisterschaft** F SPORT championnat *m* **Meisterwerk** N chef-d'œuvre *m*
melden annoncer; *Unfall* déclarer; **sich ~** se présenter (**bei** chez); *(von sich hören lassen)* donner de ses nouvelles; *Schule*: lever la main; TEL répondre
Meldepflicht F déclaration obligatoire
Meldung F *(Nachricht)* information; *amtliche*: déclaration; *(Bericht)* rapport *m*
melken traire
Melodie F mélodie
Melone F melon *m*
Menge F quantité; *Leute*: foule
Meniskus M ménisque
Mensa F restaurant *m* universitaire
Mensch M homme
Menschenleben N vie *f* humaine **menschenleer** désert
Menschenmenge F foule
Menschenrechte NPL droits

mpl de l'homme **menschenscheu** farouche
Menschheit F humanité
menschlich humain
Menschlichkeit F humanité
Menstruation F MED règles *fpl*
Menü N menu *m* (*a.* IT)
Merkblatt N notice *f*
merken remarquer, s'apercevoir de; **sich etw ~** retenir qc
merklich sensible **Merkmal** N caractéristique *f* **merkwürdig** curieux, bizarre
Messe F REL messe; HANDEL foire **Messegelände** N parc *m* des expositions
messen mesurer
Messer N couteau *m*
Messestand M stand
Messing N laiton *m*
Metall N métal *m* **Metallarbeiter** M métallurgiste
Metastase F MED métastase
meteorologisch météorologique
Meter M *od* N, **Metermaß** N mètre *m*
Methode F méthode
Metzger M boucher **Metzgerei** F boucherie
Meuterei F mutinerie
Mexikaner(in) M(F) Mexicain(e) **mexikanisch** mexicain **Mexiko** N le Mexique
mich me, *vor Vokal* m'; *betont, nach Präp* moi; **für ~** pour moi
Miene F air *m*, mine
Miete F loyer *m* **mieten** louer
Mieter(in) M(F) locataire
Mietvertrag M bail, contrat de location **Mietwagen** M voiture *f* de location **Mietwohnung** F appartement *m* loué
Migräne F migraine
Migrant(in) M(F) migrant(e)
Mikrofaser F microfibre **Mikrofon** N micro *m* **Mikroprozessor** M microprocesseur
Mikroskop N microscope *m*
Mikrowellenherd M four à micro-ondes
Milbe F acarien *m*
Milch F lait *m* **Milchkaffee** M café au lait **Milchprodukte** NPL produits *mpl* laitiers **Milchpulver** N lait *m* en poudre **Milchshake** M milk-shake *m* [milkʃɛk] **Milchzahn** M dent *f* de lait
mild doux **mildern** adoucir
Militär N armée *f* **militärisch** militaire
Milliarde F milliard *m* **Millimeter** M millimètre *m*
Million F million *m* **Millionär** M millionnaire
Milz F rate
Minarett N minaret *m*
Minderheit F minorité **minderjährig** mineur **minderwertig** inférieur; HANDEL de mauvaise qualité
Mindest... ... minimum **mindeste(r, -s)** moindre **mindestens** au moins
Mindesthaltbarkeitsda-

tum N date *f* limite de conservation **Mindestlohn** M salaire minimum
Mine F mine
Mineral N minéral *m* **Mineralwasser** N eau *f* minérale; *mit Kohlensäure* eau *f* gazeuse
Minibar F minibar *m* **Minigolf** N golf *m* miniature **Minijob** M petit boulot
Minimum N minimum *m* (**an** *dat* de)
Minirock M minijupe *f*
Minister(in) M(F) ministre *m* **Ministerium** N ministère *m*
minus moins; **2 Grad ~** 2 degrés au-dessous de zéro
Minute F minute
mir me, *vor Vokal* m'; moi; *betont* à moi; **mit ~** avec moi
Mischbrot N pain *m* bis **mischen** mélanger; *Karten* battre **Mischung** F mélange *m*
missachten *Vorfahrt etc* ne pas respecter; *verachten* dédaigner **missbilligen** désapprouver **Missbrauch** M abus **missbrauchen** abuser de **Misserfolg** M échec **Missgeschick** N mésaventure *f* **misshandeln** maltraiter **misslingen** échouer
misstrauen se méfier (**j-m** de qn) **Misstrauen** N méfiance *f* **misstrauisch** méfiant
Missverständnis N malentendu *m* **missverstehen** mal comprendre
Mist(haufen) M (tas de) fumier
mit (*dat*) avec; **~ dem Zug** en train
Mitarbeiter(in) M(F) collaborateur *m*, collaboratrice *f* **Mitbenutzung** F utilisation en commun **mitbringen** amener; *Sache* apporter **miteinander** ensemble
mitfahren bei j-m ~ partir *od* venir avec qn; **wollen Sie ~?** je peux vous déposer quelque part?
mitgeben donner
Mitgefühl N compassion *f*
Mitgift F dot [dɔt]
Mitglied N membre *m*
mitkommen kommst du (mit uns) mit? tu viens avec nous?
Mitleid N pitié *f* **mitleidig** compatissant; ADV plein de pitié
mitmachen participer (**bei** à)
mitnehmen emmener; *Sache* emporter **Mitreisende(r)** M/F(M) compagnon *m* de voyage, compagne *f* de voyage
mitschuldig complice (**an** *dat* de)
mitspielen prendre part au jeu; **spielst du mit?** tu joues avec nous (*od* moi *etc*)?
Mittag M midi; **heute ~** ce midi; **morgen ~** demain (à) midi; (**zu**) **~ essen** déjeuner
Mittagessen N déjeuner *m*
mittags à midi **Mittagspause** F heure du déjeuner **Mittagsruhe** F, **Mittagsschlaf**

M sieste *f*
Mitte F milieu *m*; **~ März** à la mi-mars
mitteilen communiquer, faire savoir (**j-m etw** qc à qn) **Mitteilung** F information; *amtliche* communiqué *m*
Mittel N moyen *m*; *Heilmittel* remède *m*; *Putzmittel* produit *m* **Mittelalter** N moyen âge *m* **mittelalterlich** médiéval **Mittelamerika** N l'Amérique *f* centrale **Mittelfinger** M majeur **mittelfristig** à moyen terme **mittellos** sans moyens **mittelmäßig** médiocre
Mittelmeer das ~ la (mer) Méditerranée
Mittelohrentzündung F otite moyenne **Mittelpunkt** M centre **Mittelstreifen** M *auf Autobahnen* terre-plein central **Mittelwelle** F ondes *fpl* moyennes
mitten ~ in ... (*dat*) au milieu de; *zeitlich* **~ in der Nacht** en pleine nuit
Mitternacht F minuit *m*
mittlere(r, -s) moyen
Mittwoch M mercredi **mittwochs** le mercredi
mitunter de temps en temps
mitwirken collaborer (**bei** à) **Mitwirkung** F collaboration
Mixbecher M shaker **mixen** mélanger **Mixer** M barman; *Küchenmixer* mixer
Mobbing N °harcèlement *m* moral
Möbel N meuble *m*; PL ameublement *m* **Möbelwagen** M voiture *f* de déménagement
Mobilfunk M téléphonie *f* numérique mobile **Mobilfunknetz** N réseau *m* de téléphonie mobile **Mobiltelefon** N téléphone *m* mobile
möbliert ~es Zimmer chambre *f* meublée (*od* garnie)
Mode F mode
Model N modèle *m*,mannequin *m*
Modell N modèle *m*
Modem M/N modem *m*
Modenschau F défilé *m* de mode
Moderator M TV présentateur **moderieren** présenter
modern ADJ moderne **modernisieren** moderniser
Modeschmuck M bijoux *mpl* (de) fantaisie **Modezeitschrift** F revue de mode
modisch à la mode
Mofa N cyclomoteur *m*, mobylette *f*
mögen aimer; **ich möchte** je voudrais; **ich möchte gern** j'aimerais bien; **das mag sein** ça se peut
möglich possible **Möglichkeit** F possibilité
Mohn M pavot
Möhre F, **Mohrrübe** F carotte
Mokka M moka
Mole F môle *m*, jetée

Molkerei F laiterie
Moll N mode *m* mineur; **c-Moll** do *m* mineur
Moment M instant; **im ~** actuellement
Monarchie F monarchie
Monat M mois **monatlich** mensuel, par mois
Monatskarte F carte mensuelle **Monatsrate** F mensualité
Mönch M moine
Mond M lune *f* **Mondfinsternis** F éclipse de lune
Mondschein M clair de lune
Monitor M IT écran
Montag M lundi
Montage F montage *m*
montags le lundi
Monteur M monteur **montieren** monter
Moor N marais *m* **Moorbad** N bain *m* de boue
Moos N mousse *f*
Moped N vélomoteur *m*
Moral F morale
Morast M bourbe *f*
Mord M meurtre **Mörder(in)** M(F) meurtrier *m*, meurtrière *f*, assassin *m*
morgen demain; **~ Abend/früh** demain soir/matin
Morgen M matin; **am ~** le matin; **heute ~** ce matin; **guten ~!** bonjour!
Morgendämmerung F, **Morgengrauen** N aube *f*
Morgenland N Orient *m*
Morgenmantel M, **Morgenrock** M peignoir **Morgenröte** F aurore
morgens le matin
morgig de demain
Morphium N morphine *f*
morsch pourri
Mörtel M mortier
Mosaik N mosaïque *f*
Moschee F mosquée
Moskito M moustique **Moskitonetz** N moustiquaire *f*
Moslem M musulman
Most M moût; *Apfelmost* cidre
Motel N motel *m*
Motiv N motif *m*; JUR mobile *m* **motivieren** motiver
Motor M moteur **Motorboot** N bateau *m* à moteur **Motorhaube** F capot *m* **Motorrad** N moto *f* **Motorradfahrer(in)** M(F) motocycliste **Motorroller** M scooter [skutɛr]
Motorschaden M panne *f* de moteur
Motte F mite
Motto N devise *f*
Mountainbike N VTT *m*
Mouse-Pad N → **Mauspad**
Möwe F mouette
Mozzarella M mozzarella *f*
MP3-Player M baladeur MP3
Mücke F moucheron *m*; *Stechmücke* moustique *m*
Mückenstich M piqûre *f* de moustique
müde fatigué
Müdigkeit F fatigue
muffig ~ riechen sentir le renfermé

Mühe F peine; **sich ~ geben** se donner de la peine; **der ~ wert sein** valoir la peine
Mühle F moulin *m*
mühsam pénible(ment)
Mulde F cuvette
Müll M ordures *fpl* **Müllabfuhr** F ramassage *m* des ordures **Müllbeutel** M sac poubelle
Mullbinde F bande de gaze
Mülldeponie F décharge (publique) **Mülleimer** M poubelle *f* **Müllschlucker** M vide-ordures **Mülltonne** F poubelle **Mülltrennung** F collecte sélective **Mülltüte** F sac poubelle **Müllverbrennungsanlage** F usine d'incinération des ordures ménagères **Müllwagen** M benne *f* à ordures
multikulturell multiculturel
Multimedia... IN ZSSGN multimédia **multiplizieren** multiplier **Multivitaminsaft** M jus (de fruits) multivitaminé
Mumps M oreillons *mpl*
München Munich [mynik]
Mund M bouche *f* **Mundart** F dialecte *m*
münden **~ in** (*akk*) se jeter dans
Mundharmonika F harmonica *m*
mündig majeur
mündlich oral
Mündung F embouchure
Mundwasser N eau *f* dentifrice
Mund-zu-Mund-Beatmung F bouche-à-bouche *m*
Munition F munitions *fpl*
munter gai; *lebhaft* vif; *wach* éveillé
Münze F pièce (de monnaie) **Münztank** M distributeur d'essence **Münztelefon** M cabine *f* téléphonique (fonctionnant avec des pièces) **Münzwechsler** M changeur de monnaie
murmeln murmurer
murren grogner
mürrisch grincheux
Mus N *Brei* purée *f*; *Apfelmus* compote
Muschel F ZOOL coquillage *m*; *Schale* coquille; *Miesmuschel* moule
Museum N musée *m*
Musical N comédie *f* musicale
Musik F musique **musikalisch** musical; **~ sein** être musicien
Musikbox F juke-box *m* **Musiker(in)** M(F) musicien(ne) **Musikhochschule** F conservatoire *m* **Musikinstrument** N instrument *m* de musique
musizieren faire de la musique
Muskat N muscade *f*
Muskel M muscle **Muskelkater** M courbatures *fpl* **Muskelzerrung** F claquage *m*
muskulös musclé

Müsli N mu(e)sli *m*
Muslim M, **muslimisch** musulman
Muße F temps *m* (libre)
müssen devoir; **ich muss jetzt gehen** il faut que j'aille
Muster N modèle *m*; *Stoffmuster* motif *m*; *Warenprobe* échantillon *m* **mustergültig**, **musterhaft** exemplaire
Musterwohnung F appartement-témoin *m*
Mut M courage **mutig** courageux **mutlos** découragé
Mutter F mère; TECH écrou *m* **mütterlich** maternel
Muttermal N tache *f* de vin
Muttersprache F langue maternelle **Muttertag** M fête *f* des mères
Mutti F maman
mutwillig volontaire
Mütze F bonnet *m*, casquette
MwSt. (*Mehrwertsteuer*) TVA *f* (*taxe sur la valeur ajoutée*)
mysteriös mystérieux

N

Nabe F moyeu *m*
Nabel M nombril [nõbri]
nach (*dat*) *örtlich* à, vers, en; *zeitlich* après; **~ Paris** à Paris, *Zug* pour Paris; **~ Frankreich** en France; **~ Osten** vers l'est; **fünf ~ drei** trois heures cinq; **~ und ~** peu à peu
nachahmen imiter **Nachahmung** F imitation
Nachbar(in) M(F) voisin(e)
Nachbarschaft F voisinage *m*; *die Nachbarn* voisins *mpl*
nachbestellen commander encore
Nachbildung F réplique
nachdem après que, après avoir (*+inf*); **je ~, ob** suivant que; → je
nachdenken réfléchir (**über** *akk* à *od* sur) **nachdenklich** pensif **nachdrücklich** ferme; ADV vivement **nacheinander** l'un après l'autre
Nachfolger(in) M(F) successeur *m* **Nachforschung** F recherches *fpl* **Nachfrage** F HANDEL demande **nachfüllen** recharger **nachgeben** céder **Nachgebühr** F surtaxe **nachgehen** suivre (**j-m** qn); *Uhr* retarder (**zwei Minuten** de deux minutes) **Nachgeschmack** M arrière-goût **nachgiebig** conciliant **nachhaltig** durable
nachher après, plus tard; **bis ~!** à tout à l'heure!
Nachhilfe F cours *mpl* particuliers **nachholen** rattraper
Nachkomme M descendant
Nachkriegszeit F après-guerre *m* **Nachlass** M HANDEL remise *f*, réduction *f*; *Erbe* succession *f*

nachlassen *Fieber* diminuer; *Schmerz, Wind* se calmer; *Regen* cesser; *leistungsmäßig, Augen* baisser
nachlässig négligent **nachlaufen** courir (**j-m** après qn)
nachmachen imiter; **~ lassen** *Foto* faire refaire
Nachmittag M après-midi; **am ~** l'après-midi; **morgen ~** demain après-midi
nachmittags l'après-midi
Nachnahme F **per ~** contre remboursement
Nachname M nom de famille
nachprüfen vérifier **nachrechnen** recompter, vérifier
Nachricht F nouvelle;(**j-m**) **e-e ~ hinterlassen** laisser un message (à qn) **Nachrichten** PL *Radio* bulletin *m* d'informations; TV journal *m* télévisé
Nachrichtenagentur F agence de presse **Nachrichtensatellit** M satellite de télécommunications
Nachruf M nécrologie *f*
Nachsaison F arrière-saison
nachschicken faire suivre
Nachschlüssel M fausse clé
nachsehen vérifier; voir (**ob** si) **nachsenden** faire suivre
Nachsicht F indulgence
nachsichtig indulgent
Nachspeise F dessert *m*
nächste(r, -s) prochain (*a. räumlich*), suivant; **~ Woche** la semaine prochaine; **am ~n Tag** le jour suivant, le lendemain; **der Nächste bitte!** au suivant!
nachstellen *Uhr* retarder
Nacht F nuit; **gute ~!** bonne nuit!; **heute ~** cette nuit; **in der ~, bei ~** la nuit
Nachtcreme F crème de nuit
Nachtdienst M *im Krankenhaus* garde *f* de nuit
Nachteil M inconvénient; **im ~ sein** être désavantagé
Nachtflug M vol de nuit
Nachtfrost M gelée nocturne **Nachthemd** N chemise *f* de nuit
Nachtigall F rossignol *m*
Nachtisch M dessert
Nachtleben N vie *f* nocturne
Nachtlokal N boîte *f* de nuit
Nachtportier M concierge de nuit
Nachtrag M supplément
nachtragend rancunier
nachträglich ultérieur
nachts la nuit
Nachttisch M table *f* de nuit
Nachttischlampe F lampe de chevet
Nachtvorstellung F *im Kino* dernière séance **Nachtwächter** M veilleur de nuit
Nachweis M preuve *f* **nachweisen** prouver, démontrer
Nachwirkungen FPL séquelles **Nachwuchs** M progéniture *f*; *Beruf* relève *f* **nachzahlen** payer un supplément
nachzählen recompter
Nachzahlung F paiement

m ultérieur **Nachzügler(in)** M(F) retardataire
Nacken M nuque *f*
nackt nu **Nacktbadestrand** M plage *f* pour nudistes
Nadel F aiguille; *Stecknadel* épingle **Nadelbaum** M conifère
Nagel M clou; *Fingernagel* ongle **Nagelbürste** F brosse à ongles **Nagelfeile** F lime à ongles **Nagellack** M vernis à ongles **Nagellackentferner** M dissolvant
nageln clouer **nagelneu** flambant neuf **Nagelschere** F ciseaux *mpl* à ongles
Nagetier N rongeur *m*
nah(e) proche; **~(e) bei** près de
Nähe F proximité; **ganz in der ~** tout près
nähen coudre
näher plus proche, plus près **nähern** **sich j-m, e-r Sache ~** s'approcher de qn, qc
Nähgarn N fil *m* à coudre **Nähmaschine** F machine à coudre **Nähnadel** F aiguille
nahrhaft nourrissant; *Essen* substantiel **Nahrung** F nourriture **Nahrungsmittel** NPL produits *mpl* alimentaires
Naht F couture; MED suture
Nahverkehr M *Bahn* trafic de banlieue **Nahverkehrszug** M train de banlieue
Nähzeug N nécessaire *m* de couture
naiv naïf
Name M nom; **im ~n von** au nom de
Namenstag M fête *f*
namentlich nominal; ADV par son (mon *etc*) nom
namhaft renommé
nämlich à savoir; *denn* car
Napf M écuelle *f*, jatte *f*
Narbe F cicatrice
Narkose F anesthésie
Narr M, **närrisch** fou
Narzisse F narcisse *m*; *gelbe* jonquille
naschen manger par gourmandise; **gern ~** aimer les sucreries
Nase F nez *m*
Nasenbluten N **~ haben** saigner du nez **Nasenloch** N narine *f* **Nasenspray** N spray *m* nasal **Nasentropfen** PL gouttes *fpl* nasales
Nashorn N rhinocéros *m*
nass mouillé; **~ machen** mouiller
Nässe F humidité
Nation F nation
national national **Nationalelf** F équipe nationale de football **Nationalfeiertag** M fête *f* nationale **Nationalgericht** N plat *m* national **Nationalhymne** F hymne *m* national **Nationalität** F nationalité **Nationalmannschaft** F SPORT équipe nationale **Nationalpark** M parc national
NATO die ~ l'OTAN *f*

Natur F nature **Naturereignis** N phénomène *m* naturel **Naturheilkunde** F médecines *fpl* naturelles **Naturkatastrophe** F catastrophe naturelle **Naturkostladen** M magasin de produits naturels
natürlich naturel(lement)
Naturpark M parc régional
Naturschutz M protection *f* de la nature **Naturschutzgebiet** N réserve *f* naturelle
Naturwissenschaften FPL sciences physiques et naturelles
Navi *umg* N GPS [ʒepeɛs] *m* **Navigation** F navigation **Navigationsgerät** N appareil *m* de navigation **Navigationssystem** N système *m* de navigation
Nebel M brouillard; *Dunst* brume *f* **Nebelscheinwerfer** M phare antibrouillard **Nebelschlussleuchte** F feu *m* arrière antibrouillard
neben (*akk, dat*) à côté de, auprès de **nebenan** à côté **nebenbei** en passant **Nebenbeschäftigung** F activité annexe **nebeneinander** l'un à côté de l'autre **Nebenfluss** M affluent **Nebengebäude** N dépendance *f*, annexe *m* **Nebenjob** M *umg* boulot d'appoint **Nebenkosten** PL faux frais *mpl*; *Miete* charges *fpl* **Nebensache** F accessoire *m* **Nebenstraße** F route secondaire **Nebenverdienst** M gain supplémentaire **Nebenwirkung** F effet *m* secondaire
neblig brumeux
necken taquiner
Neffe M neveu
Negativ N FOTO négatif *m*
nehmen prendre; **Platz ~** prendre place
Neid M jalousie *f*, envie *f* **neidisch** envieux, jaloux (**auf** *akk* de)
neigen pencher; *fig* **~ zu** avoir tendance à
Neigung F pente; *fig* tendance (**zu** à)
nein non
Nelke F œillet *m*
nennen appeler; *angeben* nommer; **sich ~** s'appeler
Neonröhre F tube *m* au néon
Nerv M nerf
Nervenschock M choc nerveux **Nervenzusammenbruch** M dépression *f* nerveuse
nervös nerveux
Nervosität F nervosité
Nerz M vison
Nesselfieber N urticaire *f*
Nest N nid *m*
nett gentil, sympathique
netto net
Netz N filet *m*; *fig* réseau *m*; *Stromnetz* secteur *m*; TEL **ich habe kein ~** il n'y a pas de réseau **Netzanschluss** M raccordement au secteur **Netz-**

haut F rétine **Netzkarte** F carte d'abonnement
neu nouveau, neuf **Neubau** M construction *f* récente **Neuerscheinung** F nouveauté
Neuerung F innovation
Neugeborene(s) N nouveau-né *m*
Neugier F curiosité **neugierig** curieux
Neuheit F nouveauté **Neuigkeit** F nouvelle
Neujahr N nouvel an *m*; **Prosit ~!** bonne année!
neulich l'autre jour **Neuling** M nouveau; novice **neumodisch** à la (dernière) mode **Neumond** M nouvelle lune *f*
neun neuf **neunhundert** neuf cents **neunte(r, -s)** neuvième **Neuntel** N neuvième *m* **neunzehn** dix-neuf **neunzig** quatre-vingt-dix
Neuralgie F névralgie
Neureiche(r) M nouveau riche
Neurodermitis F névrodermite
Neuschnee M neige *f* fraîche
Neuseeland N la Nouvelle-Zélande
neutral neutre
nicht ne ... pas; **~ mehr** ne ... plus; **noch ~** pas encore; **~ einmal** même pas; **gar ~, überhaupt ~** pas du tout; **ich auch ~** moi non plus; **~ (wahr)?** n'est-ce pas?, °hein?
Nichte F nièce
Nichtraucher M non-fumeur; **ich bin ~** je ne fume pas **Nichtraucherabteil** N compartiment *m* non-fumeurs **Nichtraucherin** F non-fumeuse **Nichtraucherschutz** N protection *f* des non-fumeurs **Nichtraucherzone** F espace *m* non-fumeurs
nichts (ne) rien
Nichtschwimmer(in) M(F) non-nageur *m*, non-nageuse *f*; **er war ~** il ne savait pas nager
nicken faire un signe de (la) tête
nie ne ... jamais; *ohne Verb* jamais; **~ mehr, ~ wieder** (ne ...) plus jamais
niedergeschlagen abattu
Niederlage F défaite
Niederlande die ~ PL les Pays-Bas *mpl* **Niederländer(in)** M(F) Néerlandais(e)
niederländisch néerlandais
niederlassen sich ~ s'établir
Niederlassung F HANDEL succursale **niederlegen** *Amt* se démettre de
Niedersachsen N la Basse-Saxe
Niederschlag M précipitations *fpl* **niederschlagen** jeter à terre; *Aufstand* écraser
niederträchtig infâme
niedlich mignon
niedrig bas

niemals ne ... jamais; *ohne Verb* jamais
niemand personne ne ...; ne ... personne; *ohne Verb* personne
Niere F rein *m*; GASTR rognon *m*
Nierenkolik F colique néphrétique **Nierenstein** M calcul rénal
Nieselregen M bruine *f*
niesen éternuer
Niete F *Los* billet *m* perdant
Nikotin N nicotine *f* **nikotinarm** ADJ à faible teneur en nicotine
Nilpferd N hippopotame *m*
nimm, nimmst → nehmen
nirgends, **nirgendwo** nulle part
Nische F niche
nisten nicher
Nizza N Nice *f*
Nobelpreis M prix Nobel [nɔbɛl] (**für** de)
noch encore; **~ einmal** encore une fois; **~ nicht** pas encore; **immer ~** toujours, encore; **weder ... ~** ni ... ni
Nomade M nomade
Nominativ M nominatif
Nonne F religieuse
Nonstop-Flug M vol sans escale
Norden M nord
Nordic Walking N marche *f* nordique
nördlich du nord; **~ von** au nord de
Nordosten M nord-est **Nordpol** M pôle nord **Nordrhein-Westfalen** N la Rhénanie-du-Nord-Westphalie
Nordsee F mer du Nord
Nordwesten M nord-ouest
Nordwind M vent du nord
Norm F norme
normal normal **Normalbenzin** N essence *f* ordinaire
normalerweise normalement
Norwegen N la Norvège
Norweger(in) M(F) Norvégien(ne) **norwegisch** norvégien
Not F besoin *m*, embarras *m*; *Elend* misère; *Notlage* détresse; **zur ~** à la rigueur
Notar M notaire
Notarzt M médecin d'urgence
Notarztwagen M ambulance *f*
Notaufnahme F (service *m* des) urgences *fpl* **Notausgang** M sortie *f* de secours
Notbremse F signal *m* d'alarme **Notdienst** M (service de) garde **notdürftig** provisoire
Note F note (*a. Schule*, MUS)
Notebook N *PC* (ordinateur) portable *m*
Notfall M cas d'urgence; **im ~** en cas de besoin **notfalls** ADV au besoin
notieren noter
nötig nécessaire; **etw ~ haben** avoir besoin de qc

Notiz F note **Notizbuch** N bloc-notes *m*
Notlage F situation difficile **Notlandung** F atterrissage *m* forcé **Notlösung** F solution de fortune *od* provisoire **Notlüge** F pieux mensonge *m* **Notruf** M (numéro d')appel d'urgence **Notrufsäule** F borne téléphonique *od* d'appel **Notwehr** F légitime défense **notwendig** nécessaire
Novelle F nouvelle
November M novembre
nüchtern auf ~en Magen à jeun
Nudeln FPL nouilles, pâtes
Nudist M nudiste
null zéro; **eins zu ~** un à zéro; **3 Grad unter ~** 3 degrés au-dessous de zéro
Nummer F numéro *m* **nummerieren** numéroter **Nummernschild** N AUTO plaque *f* d'immatriculation
nun maintenant; **von ~ an** dorénavant
nur ne … que, seulement
Nuss F *Walnuss* noix; *Haselnuss* noisette **Nussbaum** M noyer **Nussknacker** M casse-noix; casse-noisettes
Nutte F *sl pej* pute
nutzen, **nützen** *j-m* servir (**zu** à); *etw* utiliser; *Gelegenheit* profiter de; **nichts ~** ne servir à rien
Nutzen M utilité *f*, profit **Nutzer(in)** M(F) IT utilisateur *m*, utilisatrice *f* **Nutzfahrzeug** N véhicule *m* utilitaire
nützlich utile
nutzlos inutile
Nylon N nylon *m*

Oase F oasis
ob si; **als ~** comme si
obdachlos sans abri **Obdachlose(r)** M/F(M) sans-abri *m/f*
Obduktion F autopsie
oben en °haut; **da ~** là-haut; **nach ~** vers le °haut; **von ~** d'en °haut; **von ~ bis unten** de °haut en bas; *umg* **~ ohne** seins nus
Ober M garçon; **Herr ~!** garçon!, Monsieur!
Oberarm M bras **Oberbekleidung** F vêtements *mpl* **Oberdeck** N SCHIFF pont *m* supérieur
obere(r, -s) supérieur
Oberfläche F surface, superficie **oberflächlich** superficiel **Obergeschoss** N, *österr* **Obergeschoß** N étage *m* supérieur **oberhalb** (*gen*) au-dessus de **Oberhemd** N chemise *f* **Oberkiefer** M mâchoire *f* supérieure **Oberkörper** M torse **Oberlippe** F lèvre

supérieure
Obers N *österr* crème *f*
Oberschenkel M cuisse *f*
oberste(r, -s) le (la) plus °haut(e); *im Rang* suprême
Oberweite F tour *m* de poitrine
obgleich bien que (+*subj*)
Objekt N objet *m*
objektiv, **Objektiv** N objectif *m*
obligatorisch obligatoire
Oboe F °hautbois *m*
Obst N fruits *mpl* **Obstbaum** M arbre fruitier **Obstgarten** M verger **Obstkuchen** M tarte *f* aux fruits **Obstsaft** M jus de fruits **Obstsalat** M salade *f* de fruits
obszön obscène
obwohl bien que (+*subj*)
Ochse M bœuf **Ochsenschwanzsuppe** F oxtail *m*
öde désert
Ödem N MED œdème *m*
oder ou; **~ aber** ou alors
Ofen M poêle [pwal]; *Backofen* four
offen ouvert; *Stelle* vacant; *Wein* en pichet; *freimütig* franc; **~ gesagt** franchement; **~ lassen** *Tür* laisser ouvert; **auf ~er See** au large
offenbar ADV apparemment
Offenheit F franchise **offenlassen** *Frage* laisser en suspens **offensichtlich** manifeste(ment)
öffentlich public; ADV publiquement, en public **Öffentlichkeit** F public *m*
offiziell officiel
Offizier M officier
offline IT °hors ligne
öffnen ouvrir; *Flasche a.* déboucher **Öffner** M *Flaschenöffner* ouvre-bouteilles **Öffnung** F ouverture **Öffnungszeiten** FPL heures d'ouverture
oft souvent; **wie ~?** combien de fois?
öfter(s) assez souvent
OG N ABK → Obergeschoss
ohne (*akk*) sans **ohnehin** de toute façon
Ohnmacht F MED évanouissement *m* **ohnmächtig** évanoui; **~ werden** s'évanouir
Ohr N oreille *f*
Ohrenarzt M, **Ohrenärztin** F oto-rhino *m/f* **Ohrenschmerzen** MPL **ich habe ~** j'ai mal aux oreilles
Ohrfeige F gifle **Ohrring** M, **Ohrringstecker** M boucle *f* d'oreille
Öko... IN ZSSGN écologique; *Lebensmittel*: biologique **Ökoladen** M magasin de produits naturels **Ökologie** F écologie
ökologisch écologique
Ökosteuer F écotaxe **Ökosystem** N écosystème *m*
Ökotourismus M écotourisme
Oktober M octobre
Öl N huile *f*; *Erdöl* pétrole *m*;

Heizöl mazout [mazut] *m*, fioul *m*; AUTO **das ~ wechseln** faire la vidange
Oldtimer M voiture *f* ancienne
Oleander M laurier-rose
ölen graisser
Ölfarbe F peinture à l'huile
Ölgemälde N (peinture *f* à l')huile *f* **Ölheizung** F chauffage *m* au mazout
Olive F olive
Olivenbaum M olivier **Olivenöl** N huile *f* d'olive
Ölmessstab N jauge *f* (de niveau) d'huile **Ölpest** F marée noire **Ölsardinen** FPL sardines à l'huile **Ölstand** M niveau d'huile **Ölwechsel** M vidange *f*
Olympiasieger(in) M(F) champion(ne) olympique
olympisch Olympische Spiele NPL jeux *mpl* olympiques
Oma F mamie, mémé
Omelett N omelette *f*
Omnibus M autobus; *Reisebus* autocar
Onkel M oncle
online IT en ligne **Onlinebanking** N banque *f* en ligne **Onlinedienst** M service en ligne **Onlineshop** M boutique *f* en ligne
OP M → Operationssaal
Opa M papy, pépé
Open-Air-... IN ZSSGN en plein air
Oper F opéra *m*
Operation F opération **Operationssaal** M salle *f* d'opération
Operette F opérette
operieren opérer
Operngias N jumelles *fpl* de théâtre **Opernhaus** N opéra *m*
Opfer N sacrifice *m*; *Person* victime *f*
opfern sacrifier
Opium N opium *m*
Opposition F opposition
Optiker(in) M(F) opticien(ne)
Optimist(in) M(F), **optimistisch** optimiste
orange orange
Orange F orange
Orangensaft M jus d'orange
Orchester N orchestre *m*
Orchidee F orchidée
Orden M décoration *f*; REL ordre
ordentlich *Zimmer* en ordre; *Person* ordonné
ordinär vulgaire
ordnen ranger; *regeln* régler
Ordner M *Aktenordner* classeur
Ordnung F ordre *m*; **in ~** *Papiere* en règle; *Fahrzeug* en bon état; **in ~!** d'accord!; **in ~ bringen** arranger
Organ N organe *m* **Organisation** F organisation **organisieren** organiser **Organismus** M organisme
Orgasmus M orgasme
Orgel F orgue *m*
orientalisch oriental

orientieren sich ~ s'orienter; *sich informieren* se renseigner (**über** *akk* sur)
original *echt* véritable; *ursprünglich* d'origine **Original** N original *m* **originell** original
Orkan M ouragan
Ort M lieu, endroit; *Ortschaft* localité *f*; **an ~ und Stelle** sur place
orthodox orthodoxe
Orthografie F orthographe
Orthopäde M, **Orthopädin** F orthopédiste *m/f*
örtlich, **Orts...** local **Ortschaft** F localité
Ortsgespräch N TEL communication *f* urbaine (*od* locale)
Ortszeit F heure locale
Öse F œillet *m*
ostdeutsch ADJ de l'Allemagne de l'Est **Ostdeutschland** N l'Allemagne *f* de l'Est
Osten M est [ɛst]; **im ~** à l'Est
Osterei N œuf *m* de Pâques **Osterhase** M lapin de Pâques **Ostermontag** M lundi de Pâques
Ostern N Pâques *fpl*; **an ~** à Pâques; **frohe ~!** joyeuses Pâques!
Österreich N l'Autriche *f* **Österreicher(in)** M(F) Autrichien(ne) **österreichisch** autrichien
Osteuropa N l'Europe *f* orientale
östlich de l'est, d'est, oriental; **~ von** à l'est de
Ostsee F mer Baltique **Ostwind** M vent d'est
Otter F vipère
outen V/R **sich ~** *als homosexuell* révéler son homosexualité; **sich ~ als** *Raucher etc* se reconnaître
oval ovale
Overall M combinaison *f*
Ozean M océan
Ozon N ozone *m* **Ozonloch** N trou *m* dans la couche d'ozone **Ozonschicht** F couche d'ozone **Ozonwert** M taux d'ozone

Paar N *Sachen* paire *f*; *Personen* couple *m*; **ein paar** quelques; **vor ein paar Tagen** il y a quelques jours
Pacht F bail *m* **pachten** prendre en bail
Päckchen N petit paquet *m*
packen *Koffer, Paket* faire; *ergreifen* saisir (**an** *dat* par) **Packpapier** N papier *m* d'emballage **Packung** F paquet *m*; MED compresse
Paddel N pagaie *f* **Paddelboot** N canoë *m* **paddeln** pagayer
Page M *im Hotel* groom [grum]

Paket N colis *m*, paquet *m* **Paketannahme** F réception des colis **Paketkarte** F bulletin *m* d'expédition
Pakt M pacte
Palast M palais
Palme F palmier *m* **Palmsonntag** M dimanche des Rameaux
Pampelmuse F pamplemousse *m/f*
Pandemie F MED pandémie
Paniermehl N chapelure *f*
paniert pané
Panik F panique
Panne F panne **Pannenhilfe** F (service *m* de) dépannage *m*
Panorama N panorama *m*
Panther M panthère *f*
Pantoffel M pantoufle *f*
Panzer M ZOOL carapace *f*; MIL blindé, char **Panzerschrank** M coffre-fort
Papa M papa
Papagei M perroquet
Papaya F papaye [papaj]
Papier N papier *m*; **~e** PL papiers *mpl* **Papiergeld** N billets *mpl* (de banque) **Papierkorb** M corbeille *f* à papier **Papiertaschentuch** N mouchoir *m* en papier **Papierwarenhandlung** F papeterie
Pappe F carton *m*
Pappel F peuplier *m*
Paprika M paprika **Paprikaschote** F poivron *m*
Papst M pape
Parabolantenne F antenne parabolique
Parade F revue, défilé *m*
Paradeiser M *österr* tomate *f*
Paradies N paradis *m*
Paragraf M paragraphe
parallel parallèle
Pärchen N couple
Parfüm N parfum *m* **Parfümerie** F parfumerie
Paris Paris [pari]
Park M parc **Parkautomat** M horodateur **parken** se garer; *Auto* garer; **Parken verboten** stationnement interdit
Parkett N parquet *m*; *Theater* orchestre *m*, parterre *m*
Parkgebühr F droit *m* de stationnement **Parkhaus** N parking *m* à plusieurs étages **Parkkralle** F sabot *m* de Denver **Parklücke** F place libre (*pour se garer*) **Parkplatz** M parking **Parkscheibe** F disque *m* de stationnement **Parkuhr** F parcmètre *m* **Parkverbot** N interdiction *f* de stationner
Parlament N parlement *m*
Parmesan M parmesan
Parodie F parodie
Parodontose F maladie parodontale
Partei F parti *m*; JUR partie
Parterre N rez-de-chaussée *m*
Partie F partie
Partner(in) M(F) partenaire; *Lebensgefährte* compagnon *m*, compagne *f* **Partnerstadt** F

ville jumelée

Party F fête; *abends* soirée; *bei jungen Leuten* boum **Partyservice** M traiteur (*livrant à domicile*)

Pass M passeport; *Gebirgspass* col; SPORT passe *f*

Passage F passage *m*

Passagier(in) M(F) passager *m*, passagère *f*

Passbild N photo *f* d'identité

passen *Kleidung* aller bien (**j-m** à qn); convenir; **~ zu** aller avec

passend *Schlüssel* bon; *Worte* juste; *Krawatte* assorti

passieren *Grenze* traverser; *geschehen* arriver, se passer **Passierschein** M laissez-passer

passiv, **Passiv** N GRAM passif (*m*)

Passkontrolle F contrôle *m* des passeports **Passwort** N *a.* IT mot *m* de passe

Pastete F pâté *m*; *mit Blätterteig* vol-au-vent *m*

Pate M parrain

Patenkind N filleul(e) *m(f)*
Patenschaft F parrainage *m*

Patent N brevet *m*

Patient(in) M(F) patient(e)

Patin F marraine

Patrone F cartouche

Pauke F grosse caisse

pauschal forfaitaire; *allgemein* global

Pauschale F forfait *m* **Pauschalpreis** M prix forfaitaire **Pauschalreise** F voyage *m* organisé

Pause F pause; *Schule* récréation; *Theater* entracte *m*

Pay-TV N chaîne *f* cryptée

Pazifik der ~ le Pacifique

pazifisch der Pazifische Ozean l'océan *m* Pacifique

PC M (*Personal Computer*) micro (-ordinateur), PC

Pech N *umg* poisse *f*; **~ haben** ne pas avoir de veine

Pedal N pédale *f*

Pediküre F pédicure

peinlich gênant; **~ genau** méticuleux

Peitsche F fouet *m*

Pelle F pelure; *Wurstpelle* peau **Pellkartoffeln** FPL pommes de terre en robe des champs

Pelz M fourrure *f* **Pelzmantel** M manteau de fourrure

pendeln *Zug, Person* faire la navette **Pendelverkehr** M navette *f*

Penis M pénis

Penizillin N pénicilline *f*

Pension F *Hotel* pension (de famille); *Ruhegehalt, -stand* retraite **pensioniert** retraité **Pensionierung** F retraite

Peperoni F piment *m*

perfekt parfait

Periode F période; (*Menstruation*) règles *fpl*

Peripherie F périphérie **Peripheriegeräte** NPL IT périphériques *mpl*

Perle F perle **Perlmutt** N nacre *f*

Person F personne; *im Theater*:

personnage *m*
Personal N personnel *m* **Personalabbau** M compression *f* du personnel **Personalausweis** M carte *f* d'identité
Personal Computer M micro-ordinateur
Personalien PL identité *f*
Personen(kraft)wagen M voiture *f* de tourisme **Personenzug** M train de voyageurs
persönlich personnel(lement) **Persönlichkeit** F personnalité
Perücke F perruque
Pessimist(in) M(F), **pessimistisch** pessimiste
Pest F peste
Petersilie F persil *m*
Petroleum N pétrole *m*
Pfad M sentier **Pfadfinder(in)** M(F) (boy-)scout *m*, guide *f*
Pfahl M pieu
Pfalz die ~ le Palatinat
Pfand N consigne *f* **Pfandflasche** F bouteille consignée
Pfanne F poêle [pwal] **Pfannkuchen** M crêpe *f*; (*Krapfen*) beignet
Pfarrer M *katholischer*: curé; *evangelischer*: pasteur **Pfarrerin** F pasteur *m*
Pfau M paon
Pfeffer M poivre **Pfefferkuchen** M pain d'épice
Pfefferminze F menthe **Pfefferminztee** M infusion *f* de menthe
pfeffern poivrer
Pfeife F sifflet *m*; *für Tabak*: pipe **pfeifen** siffler
Pfeil M flèche *f*
Pfeiler M pilier
Pfennig M *hist* pfennig
Pferd N cheval *m*
Pferderennen N course *f* de chevaux **Pferdeschwanz** M queue *f* de cheval **Pferdestall** M écurie *f* **Pferdestärke** F cheval-vapeur *m*
Pfiff M coup de sifflet **Pfifferling** M chanterelle *f*, girolle *f*
Pfingsten N la Pentecôte **Pfingstmontag** lundi *m* de Pentecôte
Pfirsich M pêche *f*
Pflanze F plante **pflanzen** planter **Pflanzenschutzmittel** N pesticide *m* **pflanzlich** végétal **Pflanzung** F plantation
Pflaster N MED sparadrap *m*; *Straßenpflaster* pavé *m* **Pflasterstein** M pavé
Pflaume F prune
Pflege F soins *mpl* **pflegen** soigner **Pfleger(in)** M(F) infirmier *m*, infirmière *f*
Pflicht F devoir *m* **Pflichtversicherung** F assurance obligatoire
Pflock M piquet
pflücken cueillir
Pflug M charrue *f*
pflügen labourer
Pförtner(in) M(F) concierge
Pfosten M poteau

Pfote F patte
pfui! pouah!
Pfund N livre *f*
pfuschen *umg* bâcler
Pfütze F flaque; *größere* mare
Phantasie → Fantasie
Phase F phase
Photo N *etc* → Foto
Physik F physique
physisch physique
Pianist(in) M(F) pianiste
Pickel M piolet; MED bouton
Pickerl N *österr* AUTO *péage autoroute sous la forme d'une vignette*
Picknick N pique-nique *m*; **~ machen** pique-niquer
Piercing N piercing [pirsiŋ] *m*
Pik N pique *m*
pikant épicé
Pilger M pèlerin **Pilgerfahrt** F pèlerinage *m* **Pilgerin** F femme pèlerin
Pille F pilule
Pilot M pilote
Pils N, **Pils(e)ner** N Pils *f*
Pilz M champignon; MED *umg* mycose *f*
PIN F, **PIN-Nummer** F (*persönliche Identifikationsnummer*) code *m* confidentiel
Pinguin M pingouin
Pinie F pin *m* parasol
pinkeln *umg* faire pipi
Pinsel M pinceau
Pinzette F pince *f* à épiler
Pistazie F pistache
Piste F piste
Pistole F pistolet *m*
Pitbull M pitbull
Pizza F pizza **Pizzeria** F pizzeria
Pkw, **PKW** M (*Personenkraftwagen*) voiture *f* de tourisme
Plakat N affiche *f*
Plan M plan; *Vorhaben* projet
Plane F bâche
planen projeter
Planet M planète *f*
Planierraupe F bulldozer *m*
Planke F planche
planmäßig *Ankunft* prévu; ADV comme prévu; *ankommen* à l'heure prévue
Planschbecken N pataugeoire *f* **planschen** patauger
Plantage F plantation
Plastik[1] F sculpture
Plastik[2] N plastique *m* **Plastikbeutel** M, **Plastiktüte** F sac *m* en plastique
plätschern clapoter
platt plat; *Reifen* à plat, crevé; **einen Platten haben** avoir crevé
Platte F plaque; GASTR plat *m*; **kalte ~** assiette anglaise
Plattenspieler M tourne-disque
Platz M place *f*; *Ort* endroit; **nehmen Sie ~!** asseyez-vous! **Platzanweiserin** F ouvreuse
Plätzchen N gâteau *m* sec
platzen éclater
Platzkarte F réservation
Platzregen M averse *f*
plaudern causer (**über** *akk*,

von de)
Pleite F faillite
Plombe F *Zahnplombe* plombage *m* **plombieren** *Zahn* plomber
plötzlich soudain
plump lourd; *Lüge* grossier
plündern piller
Plural M pluriel
plus plus; **3 Grad ~** 3 degrés au-dessus de zéro
PLZ (*Postleitzahl*) code *m* postal
Po M *umg* derrière
Pocken FPL variole *f* **Pockenschutzimpfung** F vaccination antivariolique
Podium N estrade *f*
poetisch poétique
Pokal M coupe *f*
Pol M pôle **Polarstern** M étoile *f* polaire
Pole M Polonais
Polen N la Pologne
Police F police (d'assurance)
polieren polir
Politesse F contractuelle
Politik F politique **Politiker(in)** M(F) homme *m*, femme *f* politique **politisch** politique
Polizei F police **polizeilich** de la police; ADV par la police **Polizeirevier** N commissariat *m* de police **Polizeistreife** F patrouille de police **Polizeistunde** F heure réglementaire de fermeture (des cafés *etc*)
Polizist(in) M(F) agent de police
polnisch polonais
Polstersessel M fauteuil rembourré
Pommes frites PL frites *fpl*
Pony[1] N poney *m*
Pony[2] M *Frisur* frange *f*
Popcorn N pop-corn *m*
Popmusik F musique pop **Popsänger(in)** M(F) chanteur *m*, chanteuse *f* pop
populär populaire
Pore F pore **porös** poreux
Porree M poireau
Portemonnaie N porte-monnaie *m*
Portier M concierge; *Hotelportier* portier
Portion F portion
Porto N port *m* **portofrei** franc(o) de port
Porträt N portrait *m*
Portugal N le Portugal **Portugiese** M Portugais **portugiesisch** portugais
Porzellan N porcelaine *f*
Posaune F trombone *m*
Post® F poste; *Postsendung* courrier *m*; **mit der ~** par la poste
Postamt N bureau *m* de poste **Postanweisung** F mandat--poste *m* **Postbank** F Banque Postale, **Postbote** M facteur
Posten M *Stellung* poste
Postfach N boîte *f* postale **Postgirokonto** N compte *m* courant postal **Postkarte** F carte postale **postlagernd** poste restante **Postleitzahl**

F code *m* postal **Postsparbuch** N livret *m* d'épargne de la poste **Postsparkasse** F caisse d'épargne de la poste **Poststempel** M cachet de la poste **postwendend** par retour du courrier
prächtig magnifique
prahlen se vanter (**mit** de)
Praktikant(in) M(F) stagiaire **Praktikum** N stage *m*; **ein ~ machen** (**bei**) faire un stage (chez)
praktisch pratique; **~er Arzt** M généraliste
Praline F, **Praliné** N, **Pralinee** N chocolat *m*
Prämie F prime
Präparat N préparation *f*
Präsens N présent
Präservativ N préservatif *m*
Präsident(in) M(F) président(e)
Praxis F pratique; MED cabinet *m* de consultation
predigen prêcher
Predigt F sermon *m*
Preis M prix; **um jeden ~** à tout prix **Preisausschreiben** N concours *m*
Preiselbeere F airelle
preisen louer, vanter
Preiserhöhung F augmentation des prix **Preisermäßigung** F réduction **preisgekrönt** primé **preisgünstig** avantageux **Preisliste** F liste des prix **Preisnachlass** M rabais, remise *f* **Preissenkung** F baisse des prix **Preisträger(in)** M(F) lauréat(e) **preiswert** bon marché
Prellung F MED contusion
Premiere F première
Presse F presse
pressen presser
prickeln picoter; *Getränk* pétiller
Priester M prêtre
prima *umg* super
primitiv primitif
Prinz M prince **Prinzessin** F princesse
Prinzip N principe *m* **prinzipiell** *aus Prinzip* par principe; *im Prinzip* en principe
privat privé; *persönlich* personnel; **~ versichert sein** avoir une assurance privée **Privatadresse** F adresse personnelle **Privateigentum** N propriété *f* privée **Privatsender** M TV chaîne *f* privée **Privatsphäre** F vie privée, intimité **Privatunterricht** M cours *mpl* particuliers
pro par; **~ Tag** par jour
Probe F essai *m*; HANDEL échantillon *m*; *Theater* répétition **Probefahrt** F essai *m*
proben répéter **probeweise** à titre d'essai **Probezeit** F période d'essai
probieren essayer
Problem N problème *m*; **kein ~!** pas de problème!
Produkt N produit *m* **Produktion** F production **produzieren** produire

Professor(in) M(F) professeur *m* (d'université)
Profi M SPORT professionnel
Profil N profil *m*; *Reifenprofil* sculptures *fpl*
Profit M profit **profitieren** profiter (**von** de)
Prognose F prognostic *m*
Programm N programme *m* (*a.* IT); IT*a.* logiciel *m*; TV chaîne *f*
programmieren programmer **Programmierer(in)** M(F) programmeur *m*, programmeuse *f*
Projekt N projet *m*
Projektor M projecteur
Prokurist M fondé de pouvoir
Promenade F promenade
Promi M *umg* VIP
Promille N *umg* **1,5 ~** 1 gramme 5 d'alcoolémie
Promillegrenze F taux *m* légal d'alcoolémie
prominent célèbre
Propangas N propane *m*
Propeller M hélice *f*
Prosecco M Prosecco
Prospekt M prospectus
prost! à ta (*od* à votre) santé!
Prostituierte F prostituée
Protest M protestation *f*
Protestant M, **protestantisch** protestant
protestieren protester
Prothese F prothèse
Protokoll N procès-verbal *m*
Proviant M provisions *fpl*
Provider M IT fournisseur *m* d'accès
Provinz F province
Provision F commission
provisorisch provisoire **Provisorium** N ZAHNMED pansement *m*
provozieren provoquer
Prozent N pour cent *m* **Prozentsatz** M pourcentage *m*
Prozess M procès
prüfen examiner; *nachprüfen* vérifier **Prüfung** F examen *m*; *Nachprüfung* vérification
Prügelei F bagarre **prügeln (sich) ~** (se) battre
prunkvoll fastueux
PS (*Pferdestärke*) ch (*cheval-vapeur*)
Psychiater(in) M(F) psychiatre [-k-] **psychisch** psychique **psychologisch** psychologique [-k-]
Pubertät F puberté
Publikum N public *m*
Pudding M flan, crème *f* renversée
Pudel M caniche **Pudelmütze** F bonnet *m* de laine
Puder M poudre *f* **Puderdose** F poudrier *m* **Puderzucker** M sucre glace
Pulli M, **Pullover** M pull-over
Puls M pouls **Pulsader** F artère
Pulver N poudre *f* **Pulverschnee** M poudreuse *f*
Pumpe F pompe
pumpen pomper; *umg* prêter;

(**sich**) **etw von j-m ~** *Geld* taper qn (de) qc
Punk M *Person, Musik* punk [pœ̃k] *m/f*
Punkt M point; **~ drei Uhr** à trois heures précises
pünktlich ponctuel; ADV à l'heure
Puppe F poupée **Puppenspiel** N marionnettes *fpl*
pur pur
Püree N purée *f*
pusten souffler
Pute F dinde
Putsch M POL putsch
Putz M ARCH enduit; *Rauputz* crépi **putzen** nettoyer; *Schuhe* cirer; *Zähne* se laver **Putzfrau** F femme de ménage **Putzmittel** N produit *m* de nettoyage
Puzzle N puzzle [pœzəl] *m*
Pyjama M pyjama [-ʒa-]
Pyramide F pyramide
Pyrenäen PL **die ~** les Pyrénées

Q

Quad N AUTO quad [kwad] *m*
Quadrat N, **quadratisch** carré (*m*) **Quadratmeter** M mètre *m* carré
Qual F supplice *m*; **~en** PL souffrances *fpl*, agonie *f*
quälen tourmenter; *foltern* torturer; **sich ~** se donner de la peine
qualifizieren sich ~ se qualifier (**für** *akk* pour)
Qualität F qualité **Qualitätserzeugnis** N produit *m* de qualité
Qualle F méduse
Qualm M fumée *f* épaisse
Quantität F quantité
Quark M fromage blanc
Quartal N trimestre *m*
Quartett N quatuor [kwatɥɔr] *m*
Quartier N logement *m*
Quarz M quartz [kwarts] **Quarzuhr** F montre à quartz [kwarts]
quasseln V/I *umg* jacasser
Quatsch *umg* M bêtises *fpl*
quatschen *umg* papoter; **dummes Zeug~** sortir des âneries
Quecksilber N mercure *m*
Quelle F source (*a. fig*)
quer en travers (**über** *akk* de); **~ durch** à travers
Querflöte F flûte traversière **Querformat** N format *m* oblong **Querschiff** N ARCH transept *m* **Querschnitt** M coupe *f* transversale **querschnittsgelähmt** paraplégique **Querstraße** F rue transversale
Quetschung F MED contusion
quietschen grincer

Quirl M batteur **quirlen** battre

quitt ~ **sein** être quitte

Quitte F coing *m*

quittieren acquitter **Quittung** F quittance, reçu *m*

Quiz N jeu *m* de questions-réponses

Quote F quota *m*, taux *m*

R

Rabatt M rabais

Rabbi(ner) M rabbin

Rabe M corbeau

Rache F vengeance

Rachen M gorge *f*

rächen (sich) ~ (se) venger

Rad N roue *f*; *Fahrrad* vélo *m*; ~ **fahren** faire du vélo

Radar M *od* N radar *m* **Radarkontrolle** F contrôle *m* radar

Radfahrer(in) M(F) cycliste **Radfahrweg** M piste *f* cyclable **Radhose** F cycliste *m*

Radiergummi M gomme *f*

Radieschen N radis *m* (rose)

radikal radical; POL extrémiste

Radio N radio *f*; → Rundfunk **radioaktiv** radioactif **Radiogerät** N poste *m* de radio **Radiorekorder** M radiocassette *f* **Radiosender** M station *f* de radio **Radiosendung** F émission de radio **Radiowecker** M radio-réveil *m*

Radkappe F enjoliveur *m*

Radrennen N course *f* cycliste **Radsport** M cyclisme **Radtour** F randonnée, *kleinere* balade à vélo **Radwandern** N cyclotourisme **Radwechsel** M changement de roue **Radweg** M piste *f* cyclable

raffiniert raffiné (*a. fig*)

Rahm M *süddeutsch* crème *f*

Rahmen M cadre (*a. Fahrradrahmen*); *Autorahmen* châssis

Rakete F fusée

Ramadan M ramadan [ramadɑ̃]

Ramsch M camelote *f*

Rand M bord; *Buch* marge *f*

randalieren faire du chahut

Randstreifen M accotement

Rang M rang; MIL grade; *Theater* balcon **rangieren** manœuvrer

ranken V/R **sich** ~ grimper

ranzig rance

Rap M MUS rap [rap] **rappen** MUS rapper [rape] **Rapper(in)** M(F) MUS rappeur *m*, rappeuse *f*

Raps M BOT colza [kɔlza]

rar rare **Rarität** F rareté

rasch rapide; ADV vite

rascheln bruire, frémir

Rasen M gazon, pelouse *f*

rasen foncer; **vor Wut** ~ être furieux **rasend** furieux; *Tempo* fou; *Kopfschmerzen* violent; *Bei-*

fall frénétique
Rasenmäher M tondeuse *f* à gazon
Rasierapparat M rasoir **Rasiercreme** F mousse à raser **rasieren (sich)** ~ (se) raser **Rasierklinge** F lame de rasoir **Rasiermesser** N rasoir *m* **Rasierschaum** M mousse *f* à raser **Rasierwasser** N lotion *f* après-rasage
Rasse F race **Rassismus** M racisme **rassistisch** raciste
Rast F °halte **rasten** s'arrêter **Rastplatz** M aire *f* de repos **Raststätte** F restoroute® *m*
Rat M conseil; *Person* conseiller; **j-n um ~ fragen** demander conseil à qn
Rate F versement *m*; **auf ~n kaufen** acheter à crédit
raten conseiller (**etw** *od* **zu etw** qc); *Rätsel* deviner
Ratenzahlung F paiement *m* en plusieurs versements
Rathaus N mairie *f*
Ration F ration **rationalisieren** rationaliser **rationell** rationnel
ratlos perplexe **ratsam** préférable **Ratschlag** M conseil
Rätsel N énigme *f*; *Rätselaufgabe* devinette *f* **rätselhaft** énigmatique
Ratte F rat *m*
rau rude (*a. Klima*); *Stimme* rauque; *Sitte* grossier
Raub M vol (**bewaffneter** à main armée) **rauben** voler
Räuber M voleur
Raubkopie F copie pirate **Raubmord** M crime crapuleux **Raubtier** N fauve *m* **Raubüberfall** M °hold-up, attaque *f* à main armée **Raubvogel** M oiseau de proie, rapace
Rauch M fumée *f* **rauchen** fumer; **Rauchen verboten!** défense de fumer! **Raucher** M fumeur
Räucher... *Lachs etc* fumé
Raucherabteil N compartiment *m* fumeurs **Raucherin** F fumeuse
räuchern fumer
Rauchfleisch N viande fumée **Rauchmelder** M détecteur de fumée **Rauchverbot** N interdiction *f* de fumer **Rauchwolke** F nuage *m* de fumée
raufen (sich) ~ se battre **Rauferei** F bagarre
rauh → rau
Raum M espace; *Platz* place *f*; *Zimmer* pièce *f*
räumen *Ort* évacuer; *wegräumen* enlever
Raumfähre F navette spatiale **Raumfahrt** F astronautique **Raumflug** M vol spatial
räumlich de *od* dans l'espace
Raumpflegerin F femme de ménage **Raumschiff** N vaisseau *m* spatial
Räumung F évacuation **Räumungsverkauf** N liquida-

tion *f* totale
Raupe F chenille
Raureif M givre
raus ~! dehors!; → heraus *u.* hinaus
Rausch M ivresse *f*
rauschen *Bach* murmurer; *Blätter* frémir; *Radio*, TEL grésiller
Rauschgift N stupéfiant *m* **rauschgiftsüchtig** toxicomane
Rave M rave [rɛv] **Raver(in)** M(F) raveur [rɛvœr] *m*, raveuse *f*
Razzia F descente de police
reagieren réagir (**auf** *akk* à)
real réel **realistisch** réaliste **Realität** F réalité **Realschule** F *etwa* collège *m*
Rebe F vigne
Rebell M rebelle **rebellieren** se rebeller
Rebhuhn N perdrix *f*
Rechen M râteau
Rechenaufgabe F problème *m* d'arithmétique **Rechenfehler** M erreur *f* de calcul
Rechenschaft F **~ ablegen** rendre compte (**über** *akk* de); **j-n zur ~ ziehen** demander des comptes à qn
rechnen calculer; **mit etw ~** s'attendre à qc; **mit j-m ~** compter sur qn
Rechner M calculateur; *Computer* ordinateur
Rechnung F calcul *m*; HANDEL facture; *Hotel* note; *Restaurant* addition
recht *richtig* juste; **~ haben** avoir raison; **das ist mir ~** cela me convient
Recht N droit *m* (**auf** *akk* à)
Rechte F droite (*a.* POL)
rechte(r, -s) droit
Rechteck N rectangle *m* **rechteckig** rectangulaire
rechtfertigen justifier **Rechtfertigung** F justification
rechtlich juridique(ment) **rechtmäßig** légal, légitime
rechts à droite **Rechtsabbieger** M véhicule tournant à droite
Rechtsanwalt M avocat
Rechtschreibung F orthographe
rechtsextrem ADJ d'extrême droite **Rechtsextremist(in)** M(F) extrémiste de droite
Rechtsverkehr M circulation *f* à droite
rechtzeitig à temps
Reck N barre *f* fixe
recyceln V/T ÖKOL recycler **Recycling** N recyclage *m* **recyclingfähig** recyclable **Recyclingpapier** N papier *m* recyclé
Redakteur M rédacteur **Redaktion** F rédaction
Rede F discours *m* **reden** parler (**über** *akk*, **von** de) **Redensart** F locution **Redewendung** F expression **Redner(in)** M(F) orateur *m*

reduzieren réduire
Reeder M armateur **Reederei** F compagnie maritime
reell *Chance* réel; *Preis etc* correct
Referat N exposé *m*
Reflektor M réflecteur
Reflex M MED réflexe
Reform F réforme **Reformhaus** N magasin *m* de produits diététiques
Regal N étagère *f*
Regatta F régates *fpl*
rege actif; *Geist* vif; *Diskussion* animé; *Verkehr* intense
Regel F règle; MED règles *fpl* **regelmäßig** régulier **regeln** régler **Regelung** F règlement *m*
Regen M pluie *f*; **bei ~** par temps de pluie; **im ~** sous la pluie
Regenbogen M arc-en-ciel **Regenmantel** M imperméable
Regensburg Ratisbonne
Regenschauer M averse *f* **Regenschirm** M parapluie **Regenwasser** N eau *f* de pluie **Regenwurm** M ver de terre **Regenzeit** F saison des pluies
Reggae M reggae [rege]
Regie F mise en scène
regieren gouverner; *Herrscher* régner **Regierung** F gouvernement *m*
regional régional
Regisseur M metteur en scène
Register N registre *m*; *in Büchern* index *m*
regnen pleuvoir; **es regnet** il pleut **regnerisch** pluvieux
regungslos immobile
Reh N chevreuil *m*
Reha(bilitation) F MED rééducation **Rehaklinik** F MED centre *m* de rééducation
Reibe F râpe **reiben** frotter; GASTR râper **Reibung** F frottement *m* **reibungslos** sans problèmes
reich riche
Reich N empire *m*; *fig* royaume
reichen **1** *j-m etwas* passer; *Hand* tendre **2** *sich erstrecken* s'étendre, aller (**bis** jusqu'à) **3** *genügen* suffire; **mir reicht's!** j'en ai assez!
reichhaltig, **reichlich** abondant; *Essen* copieux **Reichtum** M richesse *f* **Reichweite** F portée
reif mûr
Reif M gelée *f* blanche
Reife F maturité (*a. fig*)
reifen mûrir
Reifen M cerceau; AUTO pneu **Reifendruck** M pression *f* du pneu **Reifenpanne** F crevaison **Reifenwechsel** M changement de pneu
Reifeprüfung F baccalauréat *m*
Reihe F rangée; *Sitzreihe* rang *m*; *nacheinander* file; *Serie* sé-

rie, suite; **der ~ nach** l'un après l'autre; **ich bin an der ~** c'est mon tour
Reihenfolge F ordre *m*
rein pur **Reinheit** F pureté
reinigen nettoyer **Reiniger** M *Mittel* détergent **Reinigung** F **chemische ~** nettoyage *m* à sec; *Geschäft* teinturerie
Reinigungsmilch F lait *m* démaquillant **Reinigungsmittel** N détergent *m*
Reis M riz
Reise F voyage *m*; **auf ~n** en voyage; **gute ~!** bon voyage! **Reiseandenken** N souvenir *m* **Reiseapotheke** F pharmacie portative **Reisebüro** N agence *f* de voyages **Reisebus** M (auto)car **Reiseführer** M guide (*a. Buch*) **Reisegepäck** N bagages *mpl* **Reisegruppe** F groupe *m* (de touristes) **Reisekosten** PL frais *mpl* de voyage **Reiseleiter(in)** M(F) guide
reisen voyager **Reisende(r)** M/F(M) voyageur *m*, voyageuse *f*
Reisepass M passeport **Reiseroute** F itinéraire *m* **Reisescheck** M chèque de voyage **Reisetasche** F sac *m* de voyage **Reiseveranstalter** M tour-opérateur, voyagiste **Reisewarnung** F avertissement *m* aux voyageurs *m* **Reisewecker** M réveil de voyage **Reiseziel** N destination *f*
reißen *Seil* (se) rompre; *Papier* se déchirer; *wegreißen* arracher **Reißverschluss** M fermeture *f* éclair® **Reißzwecke** F punaise
Reiswaffel F galette de riz
reiten monter à cheval; SPORT faire du cheval **Reiter(in)** M(F) cavalier *m*, cavalière *f* **Reitsport** M équitation *f* **Reitstall** M écurie *f* **Reitstiefel** M botte *f* d'équitation **Reitturnier** N concours *m* hippique **Reitweg** M piste *f* cavalière
Reiz M *fig* charme, attrait **reizen** *anziehen* attirer; *ärgern* exciter; MED irriter **reizend** charmant **Reizung** F MED irritation
Reklamation F réclamation
Reklame F publicité
reklamieren réclamer
Rekord M record **Rekordzeit** F temps *m* record
Rekrut M conscrit, recrue *f*
relativ relatif
Relief N relief *m*
Religion F religion
Reling F bastingage *m*
Rendezvous N rendez-vous *m* amoureux
Rendite F (taux *m* de) rendement *m*
Rennbahn F *Pferderennbahn* hippodrome *m*; *Radrennbahn* vélodrome *m*; *Autorennbahn* circuit *m* **rennen** courir **Rennen** N course *f* **Rennfah-**

rer(in) M(F) coureur *m* (automobile, cycliste *etc*) **Rennpferd** N cheval *m* de course **Rennrad** N vélo *m* de course **Rennstrecke** F parcours *m* **Rennwagen** M voiture *f* de course
renovieren rénover
rentabel rentable
Rente F retraite; *Kapitalrente* rente **rentieren sich ~** être rentable **Rentner(in)** M(F) retraité(e)
Reparatur F réparation **Reparaturkosten** PL frais *mpl* de réparation **Reparaturwerkstatt** F atelier *m* de réparation; AUTO garage *m* **reparieren** réparer
Reportage F reportage *m* **Reporter(in)** M(F) reporter [rəpɔrtɛr] *m*
Republik F république
Reserve F réserve **Reserverad** N roue *f* de secours
reservieren réserver **reserviert** réservé **Reservierung** F réservation
resignieren se résigner
Respekt M respect (**vor** *dat* pour) **respektieren** respecter
Rest M reste
Restaurant N restaurant *m*
restaurieren restaurer
Restbetrag M restant, solde **restlich** restant **restlos** complètement **Restmüll** M déchets *mpl* non recyclables
retten (**sich**) **~** (se) sauver (**aus, vor** *dat* de) **Retter(in)** M(F) sauveteur *m*; *fig* sauveur *m*
Rettich M radis
Rettung F sauvetage *m*
Rettungsaktion F opération de sauvetage **Rettungsboot** N canot *m* de sauvetage **Rettungsdienst** M secours *mpl* **Rettungsmannschaft** F équipe de secours, sauveteurs *mpl* **Rettungsring** M bouée *f* de sauvetage **Rettungswagen** M ambulance *f*
Returntaste F IT touche retour
Reue F repentir *m*, regret *m*
Revier N territoire *m*; *Polizeirevier* commissariat *m*
Revolution F révolution
Revolver M revolver
Revue F revue
Rezept N recette *f*; MED ordonnance *f* **rezeptfrei** délivré sans ordonnance **rezeptpflichtig** délivré uniquement sur ordonnance
Rhabarber M rhubarbe *f*
Rhein der ~ le Rhin **Rheinland-Pfalz** N la Rhénanie-Palatinat
Rheuma N rhumatisme *m*
Rhythmus M rythme
Ribisel F *österr* groseille
richten *Blick* diriger (**auf** *akk* vers); *Bitte, Brief* adresser (**an** *akk* à); *herrichten* préparer; *ordnen* arranger; **sich ~ nach** régler sa conduite sur

Richter(in) M(F) juge
Richtgeschwindigkeit F vitesse maximale conseillée
richtig juste **richtigstellen** rectifier
Richtlinien FPL directives
Richtung F direction
riechen sentir (**nach etw** qc)
Riegel M verrou; *Schokolade etc* barre *f*
Riemen M courroie *f*; *Ruder* rame *f*
Riese M géant
rieseln couler; *Wasser* ruisseler; *Schnee* tomber doucement
Riesenslalom M SPORT slalom géant
riesig gigantesque
Riff N récif *m*
Rikscha F pousse-pousse *m*
Rille F rainure
Rind N bœuf *m*
Rinde F écorce; *Brotrinde* croûte
Rinderbraten M rôti de bœuf
Rinderwahnsinn M maladie *f* de la vache folle
Rindfleisch N bœuf *m*
Ring M anneau; *Fingerring* bague *f*; *Boxen* ring; *Straße* périphérique **ringen** lutter **Ringer** M lutteur **Ringfinger** M annulaire **Ringkampf** M SPORT lutte *f*
rings(her)um tout autour
Rinne F rigole; *Dachrinne* gouttière **rinnen** couler
Rinnstein M caniveau
Rippe F côte **Rippenfellentzündung** F pleurésie
Risiko N risque *m* **riskant** risqué **riskieren** risquer
Riss M déchirure *f*; *im Stoff* accroc; *in der Mauer* fissure *f*; *in der Haut* gerçure *f* **rissig** fissuré; *Haut* gercé
Ritt M tour, promenade *f* à cheval
Ritter M chevalier
Ritze F fente **ritzen** *kratzen* rayer; **~ in** (*akk*) graver dans
Rivale M rival **Rivalin** F rivale **rivalisieren** rivaliser (**mit** avec)
Rizinusöl N huile *f* de ricin
Roaming N TEL itinérance *f*
Roaming-Gebühren FPL frais *mpl* d'itinérance
Roastbeef N rosbif *m*
Robbe F phoque *m*
Roboter M robot
robust robuste
Rock[1] M jupe *f*
Rock[2] M, **Rockmusik** F MUS rock *m* **Rockband** F groupe *m* rock
Rodelbahn F piste de luge
rodeln faire de la luge **Rodelschlitten** M luge *f*
roden défricher
Roggen M seigle
roh cru; *unverarbeitet* brut [bryt]; *fig* grossier **Rohkost** F crudités *fpl* **Rohöl** N pétrole *m* brut
Rohr N tube *m*, tuyau *m*; BOT roseau *m* **Röhre** F tuyau *m*; *Backröhre* four *m*

Rohstoff M matière *f* première
Rollbahn F FLUG piste
Rolle F rouleau *m*; *Theater* rôle *m*; **e-e ~ spielen** jouer un rôle, être (l')important
Roller M patinette *f* **Rollkoffer** M valise *f* à roulettes **Rollkragen** M col roulé **Rollkragenpullover** M pull à col roulé **Rollladen** M volet roulant **Rollschuh** M patin à roulettes **Rollstuhl** M fauteuil roulant **Rolltreppe** F escalier *m* roulant
Rom N Rome *f*
Roman M roman
romanisch roman; *Länder* latin
Romantik F romantisme *m* **romantisch** romantique
römisch romain
röntgen radiographier **Röntgenarzt** M, **Röntgenärztin** F radiologue *m* **Röntgenaufnahme** F, **Röntgenbild** N radio *f* **Röntgenstrahlen** MPL rayons X
rosa rose
Rose F rose
Rosé M (vin) rosé
Rosenkohl M chou de Bruxelles **Rosenkranz** M rosaire **Rosenmontag** M lundi avant le Mardi gras
Roséwein M (vin) rosé
rosig rose
Rosine F raisin *m* sec
Rosmarin M romarin
Rost[1] M rouille *f*
Rost[2] M *Bratrost* gril; *Gitter* grille *f* **Rostbraten** M grillade *f*
rosten rouiller
rösten griller; *Kaffee* torréfier
rostfrei inoxydable
Rösti PL *schweiz* röstis *mpl*; pommes de terre sautées *fpl*
rostig rouillé **Rostschutzmittel** N antirouille *m*
rot rouge; *Haar* roux; **~ werden** rougir; **bei Rot rübergehen** traverser au rouge; **das Rote Kreuz** la Croix Rouge
Röteln PL MED rubéole *f*
Rotkehlchen N rouge-gorge *m* **Rotkohl** M chou rouge
Rotwein M vin rouge
Roulade F paupiette
Route F itinéraire *m* **Routenplaner** M IT atlas routier électronique
Routine F *Übung* expérience; *pej* routine
Rübe F rave; **weiße ~** navet *m*; **rote ~** betterave rouge
Rubin M rubis
Rubrik F rubrique
Ruck M secousse *f*
Rückblick M rétrospective *f*
rücken déplacer; **näher ~** approcher; **zur Seite ~** se pousser
Rücken M dos **Rückenlehne** F dossier *m* **Rückenmark** N moelle *f* épinière **Rückenschmerzen** MPL **~ haben** avoir mal au dos **Rückenschwimmen** N nage *f* sur le

dos **Rückenwind** M vent arrière
Rückerstattung F remboursement *m* **Rückfahrkarte** F billet *m* aller et retour **Rückfahrt** F retour *m*
rückfällig ~ **werden** récidiver; MED rechuter
Rückflug M (vol de) retour **Rückgabe** F restitution **Rückgang** M recul, baisse *f*
rückgängig ~ **machen** annuler
Rückgrat N colonne *f* vertébrale **Rücklicht** N feu *m* arrière **Rückporto** N port *m* pour la réponse **Rückreise** F retour *m* **Rückruf** M TEL rappel
Rucksack M sac à dos **Rucksacktourist(in)** M(F) *umg* routard(e)
Rückschlag M *fig* revers **Rückseite** F dos *m*; *e-s Blattes a.* verso *m*; *e-s Stoffes* envers *m*
Rücksicht F égard(s) *m(pl)*; ~ **nehmen auf** (*akk*) tenir compte de
rücksichtslos sans égard(s), brutal **rücksichtsvoll** plein d'égard(s), attentionné
Rücksitz M siège arrière **Rückspiegel** M rétroviseur **Rückstand** M retard **rückständig** arriéré; *Mensch* rétrograde **Rücktritt** M démission *f*
rückwärts en arrière; ~ **einparken** faire un créneau
rückwärtsfahren V/I reculer **Rückwärtsgang** M marche *f* arrière
Rückweg M retour **rückwirkend** rétroactif **Rückzahlung** F remboursement *m* **Rückzug** M MIL retraite *f*
Rucola M roquette *f*
Ruder N rame *f*; aviron *m*; *Steuer* gouvernail *m* **Ruderboot** N barque *f* **rudern** ramer **Rudersport** M aviron
Ruf M appel; *Schrei* cri; *Ansehen* réputation *f* **rufen** appeler, crier **Rufname** M prénom usuel **Rufnummer** F numéro *m* de téléphone
Ruhe F calme *m*; *Stille* silence *m*; *Ausruhen* repos *m*; **~!** silence!; **j-n in ~ lassen** laisser qn tranquille
ruhelos agité
ruhen se reposer; ~ **auf** (*dat*) reposer sur; **hier ruht ...** ci-gît ...
Ruhepause F pause **Ruhestand** M retraite *f* **Ruhestörung** F perturbation **Ruhetag** M jour de repos (hebdomadaire)
ruhig calme; tranquille
Ruhm M gloire *f*
Rührei N œufs *mpl* brouillés **rühren** *umrühren* remuer; *innerlich* toucher **rührend** touchant **Rührung** F émotion
Ruine F ruine **ruinieren** **(sich)** ~ (se) ruiner

rülpsen roter
Rum M rhum
Rumäne M Roumain **Rumänien** N la Roumanie **rumänisch** roumain
Rummel M foire *f* **Rummelplatz** M fête *f* foraine
Rumpf M ANAT tronc
Rumpsteak N romsteck *m*
rund rond; *ungefähr* environ; **~ um** autour de **Rundblick** M vue *f* panoramique
Runde F *Rundgang* ronde; *Bier* tournée; SPORT tour *m*; *Boxen* reprise, round *m*
Rundfahrt F circuit *m*, tour *m* **Rundflug** M circuit aérien
Rundfunk M radio *f*; **im ~** à la radio; *in zssgn* → Radio… **Rundfunkgerät** N poste *m* de radio **Rundfunksender** M station *f* de radio **Rundfunksendung** F émission de radio
Rundgang M tour (**durch** de) **rundherum** tout autour **Rundreise** F circuit *m* **Rundschreiben** N circulaire *f*
Runzel F ride
rupfen plumer
Ruß M suie *f*
Russe M Russe **russisch** russe
Russland N la Russie
rüsten MIL armer **rüstig** vigoureux **Rüstung** F armement *m*
Rutsch M *Erdrutsch* glissement de terrain; *umg* **guten ~ (ins neue Jahr)!** bonne année!
Rutschbahn F toboggan *m* **rutschen** glisser; AUTO déraper **rutschfest** antidérapant **rutschig** glissant
rütteln secouer

S

Saal M salle *f*
Saarland das ~ la Sarre
Saat F *Saatgut* semences *fpl*; *Aussaat* semailles *fpl*
Sabbat M sabbat
Säbel M sabre
Sache F chose; *Angelegenheit* affaire; **meine ~n** PL mes affaires
Sachkenntnis F connaissance des faits **sachkundig** expert, compétent **sachlich** objectif **sächlich** neutre
Sachschaden M dégâts *mpl* matériels
Sachsen N la Saxe **Sachsen-Anhalt** N la Saxe-Anhalt
Sachverständige(r) M/F(M) expert *m*
Sack M sac **Sackgasse** F impasse, cul-de-sac *m* (*beide a. fig*)
säen semer
Safari F safari *m*
Safe M coffre-fort

Safran M safran
Saft M jus **saftig** juteux
Sage F légende
Säge F scie **Sägemehl** N sciure *f*
sagen dire
sägen scier
sagenhaft légendaire; *umg* formidable
Sägewerk N scierie *f*
sah → sehen
Sahne F crème; *Schlagsahne* (crème) chantilly; **mit ~** *Eis* avec de la chantilly
Saison F saison **saisonal**, **saisonbedingt** saisonnier
Saite F corde **Saiteninstrument** N instrument *m* à cordes
Sakko M veston
Salami F salami *m*
Salat M salade *f* **Salatplatte** F assiette *f* de crudités **Salatschüssel** F saladier *m*
Salbe F pommade
Salbei M sauge *f*
Salmiakgeist M ammoniaque *f*
Salmonellen FPL salmonelles
Salsa M MUS salsa *f*
Salz N sel *m* **salzen** saler **salzig** salé **Salzkartoffeln** FPL pommes de terre à l'eau **Salzstange** F stick *m* salé **Salzstreuer** M salière *f* **Salzwasser** N eau *f* salée
Samen M graine *f*; *männlicher* sperme *m*
sammeln *Beweise* rassembler; *Briefmarken etc* collectionner; *Geld* collecter
Sammler(in) M(F) collectionneur *m*, collectionneuse *f*
Sammlung F *Kunstsammlung* collection; *Geldsammlung* collecte
Samstag M samedi; **am ~** samedi **samstags** le samedi
Samt M velours
Sanatorium N maison *f* de santé
Sand M sable
Sandale F sandale *f*
Sandbank F banc *m* de sable
sandig sablonneux **Sandpapier** N papier *m* de verre
Sandstein M grès **Sandstrand** M plage *f* de sable
sanft doux
Sänger(in) M(F) chanteur *m*, chanteuse *f*
Sanitäter(in) M(F) secouriste
Sardelle F anchois *m*
Sardine F sardine
Sarg M cercueil
saß → sitzen
Satellit M satellite **Satellitenfernsehen** N télévision *f* par satellite **Satellitenschüssel** F *umg* antenne parabolique
satt ~ sein ne plus avoir faim
Sattel M selle *f*
satthaben *umg fig* **etw ~** en avoir marre de qc
sättigend nourrissant
Satz M phrase *f*; *Sprung* bond; *Briefmarken* série *f*; *Tennis* set;

MUS mouvement **Satzzeichen** N signe *m* de ponctuation
Sau F truie
sauber propre **Sauberkeit** F propreté **säubern** nettoyer
sauer aigre; CHEM acide (*a. Regen*); *umg* fâché (**auf j-n** contre qn); **~ werden** se fâcher
Sauerkraut N choucroute *f*
Sauerstoff M oxygène
saufen boire; *sl* pinter **Säufer(in)** M(F) ivrogne
saugen sucer; *Kind* téter; TECH aspirer; **Staub ~** passer l'aspirateur
Säugetier N mammifère *m*
Säugling M nourrisson
Säule F colonne
Saum M ourlet
Sauna F sauna *m*
Säure F acide *m*; *Geschmack* acidité
sausen siffler; *rasen* foncer
Saxofon N saxophone *m*
S-Bahn® F *etwa* RER *m* (*réseau express régional*)
scannen scanner [skane]
Scanner M scanner [skanɛr]
Schabe F blatte, cafard *m*
schäbig râpé; *fig* mesquin
Schach N échecs *mpl*; **~ spielen** jouer aux échecs
Schachbrett N échiquier *m*
Schachfigur F pièce (d'un jeu d'échec) **schachmatt** échec et mat **Schachspiel** N jeu *m* d'échecs
Schachtel F boîte
schade es ist ~, dass ... c'est dommage que ... (*+subj*); **~!** (c'est) dommage!
Schädel M crâne
schaden nuire (**j-m** à qn)
Schaden M dommage; *durch Unwetter, Feuer* dégâts *mpl*
Schadenersatz M dédommagement, dommages-intérêts *mpl* **Schadenfreude** F joie maligne
schadhaft endommagé
schädigen porter préjudice à
schädlich nuisible, nocif
Schädling M parasite
Schadstoff M polluant
schadstofffrei non polluant
Schaf N brebis *f*
Schäfer M berger **Schäferhund** M berger allemand
Schäferin F bergère *f*
schaffen *erschaffen* créer; *Platz, Ordnung* faire; *bewältigen* arriver à (finir); *arbeiten* travailler; **es ~** y arriver
Schaffner(in) M(F) *Bahn* contrôleur *m*, contrôleuse *f*
Schal M écharpe *f*
Schale F *Obstschale, Kartoffelschale* peau; *Orangenschale* écorce; *abgeschält* pelure, épluchure; *Eierschale, Nussschale* coquille; *Gefäß* coupe
schälen peler, éplucher
Schall M son **Schalldämmung** F insonorisation
Schalldämpfer M AUTO *etc* silencieux **schalldicht** insonorisé **Schallmauer** F mur

m du son **Schallplatte** F disque *m*
schalten ELEK brancher, connecter; AUTO changer de vitesse **Schalter** M ELEK interrupteur; *Bankschalter, Postschalter* guichet **Schalthebel** M AUTO levier de vitesse
Schaltjahr N année *f* bissextile
Scham F °honte, pudeur
schämen sich ~ avoir °honte
schamhaft pudique **schamlos** impudique; *Lüge* éhonté
Schande F °honte **schändlich** °honteux
Schar F bande
scharf *Essen* épicé; *Klinge* tranchant; FOTO net; *Kurve* dangereux; *Verstand* aigu **Scharfblick** M perspicacité *f*
Schärfe F acuité; FOTO netteté
schärfen *Messer etc* aiguiser
Scharfsinn M sagacité *f*
Scharlach M scarlatine *f*
Scharnier N charnière *f*
Schaschlik M *od* N brochette
Schatten M ombre *f* **schattig** ombragé
Schatz M trésor; *Anrede* chéri(e) *m(f)*
schätzen évaluer; *hochschätzen* estimer, apprécier **schätzungsweise** approximativement
Schau F spectacle *m*; *Ausstellung* exposition; **zur ~ stellen** exposer
schauderhaft horrible
schauen voir, regarder
Schauer M frisson; *Regenschauer* averse *f* **schauerlich** horrible
Schaufel F pelle
Schaufenster N vitrine *f*
Schaufensterbummel M lèche-vitrines
Schaukel F balançoire
schaukeln (*selber* se) balancer
Schaukelstuhl M fauteuil à bascule; rocking-chair
Schaulustige(n) MPL curieux
Schaum M écume *f*; *Bierschaum, Seifenschaum* mousse *f* **Schaumbad** N bain *m* moussant
schäumen mousser
Schaumfestiger M mousse *f* coiffante **Schaumgummi** M mousse *f* **Schaumstoff** M mousse *f* **Schaumwein** M (vin) mousseux
Schauplatz M théâtre
Schauspiel N spectacle *m*
Schauspieler(in) M(F) acteur *m*, actrice *f* **Schauspielhaus** N théâtre *m*
Scheck M chèque **Scheckbuch** N, **Scheckheft** N chéquier *m*, carnet *m* de chèques
Scheckkarte F carte (de garantie) bancaire
Scheibe F disque *m*; *Fensterscheibe* vitre; *Brotscheibe, Wurstscheibe* tranche
Scheibenbremse F frein *m* à disque **Scheibenwaschan-**

lage F lave-glace *m* **Scheibenwischer** M essuie-glace
Scheide F ANAT vagin *m*
scheiden sich ~ lassen divorcer (**von** d'avec)
Scheidung F divorce *m*
Schein M *Bescheinigung* certificat; *Geldschein* billet; *Lichtschein* lueur *f*; *Anschein* apparence *f* **scheinbar** apparent; ADV en apparence **scheinen** briller; *den Anschein haben* sembler **Scheinwerfer** M projecteur; AUTO phare
Scheiße *sl* F merde
Scheitel M *Haarscheitel* raie *f*
scheitern échouer
Schellfisch M aiglefin
Schema N schéma *m* **schematisch** schématique
Schemel M tabouret
Schenkel M cuisse *f*
schenken offrir
Scherbe F tesson *m*; **~n** PL débris *mpl*
Schere F ciseaux *mpl*
Scherereien *umg* FPL ennuis *mpl*
Scherz M plaisanterie *f* **scherzen** plaisanter **scherzhaft** pour rire
scheu timide; *Kind* sauvage
Scheuerlappen M serpillière *f* **Scheuermittel** N détergent *m* abrasif
scheuern récurer; *reiben* frotter
Scheune F grange
Scheusal N monstre *m*
scheußlich horrible
Schi M ski; → Ski
Schicht F couche (*a. fig*); *Arbeitsschicht* poste *m* **Schichtarbeit** F travail *m* posté
schick chic
schicken envoyer (**j-m, an j-n** à qn)
Schickeria F *umg* gotha *m*
Schicksal N destin *m*
Schiebedach N toit *m* ouvrant **schieben** pousser; HANDEL *pej* faire le trafic (**mit** de) **Schiebetür** F porte coulissante
Schiedsrichter(in) M(F) arbitre
schief penché; *geneigt* en pente
Schiefer M ardoise *f*
schiefgehen tourner mal
schielen loucher
Schienbein N tibia *m*
Schiene F *Bahn* rail *m*; MED attelle
schießen tirer (**auf j-n** sur qn) **Schießerei** F fusillade **Schießscheibe** F cible **Schießstand** M stand de tir
Schiff N bateau *m*; *Kirchenschiff* nef *f*; **auf dem ~** à bord; **mit dem ~** par bateau
Schiffbruch M naufrage **Schiffbrüchige(r)** M/F(M) naufragé(e) *m(f)*
Schifffahrt F navigation **Schifffahrtsgesellschaft** F compagnie maritime, de navigation **Schifffahrtslinie** F

compagnie maritime, de navigation
Schiffsarzt M médecin de bord **Schiffsjunge** M mousse **Schiffskarte** F billet *m* de bateau **Schiffsreise** F voyage en bateau
Schikane F chicane **schikanieren** chicaner
Schild N pancarte *f*; *Namensschild* plaque *f*; *Verkehrsschild* panneau *m*; *Firmenschild* enseigne *f*
Schilddrüse F (glande) thyroïde
schildern décrire **Schilderung** F description
Schildkröte F tortue
Schilf N roseau *m*
Schilling M *hist* schilling
Schimmel M ZOOL cheval blanc; BOT moisissure *f* **schimmelig** moisi **schimmeln** moisir
schimpfen pester (**auf** *akk* contre); se fâcher (**mit j-m** contre qn) **Schimpfwort** N gros mot *m*
Schinken M jambon
Schirm M parapluie; *Sonnenschirm* parasol; *Bildschirm* écran
Schlacht F bataille **schlachten** abattre **Schlachthof** M abattoir
Schlaf M sommeil **Schlafanzug** M pyjama **Schlafcouch** F, **Schlafsofa** canapé-lit *m*
Schläfe F tempe
schlafen dormir; **~ gehen** (aller) se coucher; **mit j-m ~** coucher avec qn
schlaff lâche; *Haut* flasque; *kraftlos* mou
schlaflos ~e Nacht F nuit blanche
Schlaflosigkeit F insomnie
Schlafmittel N somnifère *m*
schläfrig somnolent
Schlafsack M sac de couchage **Schlaftablette** F somnifère *m* **Schlafwagen** M wagon-lit **Schlafzimmer** N chambre *f* à coucher
Schlag M coup **Schlagader** F artère **Schlaganfall** M attaque *f* d'apoplexie **schlagartig** brusque **Schlagbaum** M barrière *f*
schlagen battre (*a.* SPORT, *Herz*), frapper; *Uhr* sonner; *Sahne* fouetter
Schlager M tube
Schläger M *Tennis* raquette *f*; *Golf* club **Schlägerei** F bagarre
Schlagersänger(in) M(F) chanteur *m*, chanteuse *f* à la mode
schlagfertig ~ sein avoir la répartie facile
Schlagloch N nid-de-poule *m*
Schlagsahne F (crème) chantilly **Schlagzeile** F manchette **Schlagzeug** N MUS batterie *f*
Schlamm M *Erde* boue *f*; *Schlick* vase *f* **Schlammlawi-**

ne F coulée de boue
schlampig *Mensch* négligé; *Arbeit* bâclé
Schlange F serpent *m*; **~ stehen** faire la queue
schlängeln sich ~ serpenter
schlank mince **Schlankheitskur** F cure d'amaigrissement
schlapp épuisé; *energielos* mou
Schlappen M *umg* savate *f*
schlau rusé, malin
Schlauch M tuyau; *Fahrradschlauch* chambre *f* à air
Schlauchboot N canot *m* pneumatique
schlecht mauvais; ADV mal; **~ werden** *verderben* pourrir; *Milch* avoir tourné; **mir ist ~** je me sens mal
Schleier M voile **schleierhaft** mystérieux; **das ist mir ~** c'est un mystère pour moi
Schleife F boucle; nœud *m*
schleifen[1] *schleppen* traîner
schleifen[2] *Messer etc* aiguiser; *Edelstein* tailler **Schleifstein** M meule *f*
Schleim M MED mucus *m*; *zäher* glaires *mpl*; *der Schnecke* bave *f* **Schleimhaut** F muqueuse
schlemmen festoyer
schlendern flâner
schleppen traîner; SCHIFF remorquer; **sich ~** se traîner
Schlepper M AUTO tracteur; SCHIFF remorqueur **Schlepplift** M téléski, remonte-pente
Schleswig-Holstein N le Schleswig-Holstein
Schleuder F lance-pierres *m*; *Wäscheschleuder* essoreuse
schleudern lancer; *Wäsche, Salat* essorer; AUTO **ins Schleudern kommen** déraper
Schleuse F écluse
schlicht simple, modeste
schlichten *Streit* arbitrer
schlief → schlafen
schließen fermer; *Vertrag* conclure; **aus etw ~** conclure de qc
Schließfach N *Gepäckschließfach* consigne *f* automatique; *Bankschließfach* coffre *m*
schließlich finalement; *immerhin, doch* quand même
Schließung F fermeture
schlimm mauvais; ADV mal; *schwerwiegend* grave; **~er** pire; **das Schlimmste** le pire
Schlinge F nœud *m* coulant; *Armschlinge* écharpe **Schlingpflanze** F plante grimpante
Schlips M cravate *f*
Schlitten M traîneau; *Rodelschlitten* luge *f*; **~ fahren** faire de la luge
Schlittschuh M patin; **~ laufen** patiner **Schlittschuhbahn** F patinoire **Schlittschuhläufer(in)** M(F) patineur *m*, patineuse *f*
Schlitz M fente *f*
Schloss[1] N *Bau* château *m*
Schloss[2] N *Türschloss* serrure *f*
Schlosser M serrurier

Schlucht F ravin *m*
schluchzen sangloter
Schluck M gorgée *f* **Schluckauf** M °hoquet **schlucken** avaler (*a. fig*) **Schluckimpfung** F vaccination par voie buccale
schlummern sommeiller
Schlüpfer M slip **schlüpfrig** glissant; *fig* scabreux
Schlupfwinkel M cachette *f*
Schluss M fin *f*; *Folgerung* conclusion *f*; **zum ~** à la fin
Schlüssel M clé *f* **Schlüsselbein** N clavicule *f* **Schlüsselbund** N trousseau *m* de clés **Schlüsselloch** N trou *m* de serrure
Schlussfolgerung F conclusion **Schlusslicht** N feu *m* arrière **Schlussverkauf** M soldes *mpl*
schmächtig fluet, chétif
schmackhaft savoureux
schmal étroit
Schmalfilm M film (de) format réduit
Schmalz N saindoux *m*
Schmarotzer M parasite
schmecken j-m ~ plaire à qn; **nach etw ~** avoir le goût de qc; (**gut**) **~** être bon; **hat es geschmeckt?** *im Restaurant* vous êtes satisfaits?
Schmeichelei F flatterie **schmeichelhaft** flatteur **schmeicheln** flatter (**j-m** qn)
schmeißen *umg* flanquer
schmelzen fondre **Schmelzkäse** M fromage fondu
Schmerz M douleur *f*; **~en haben** avoir mal
schmerzen faire mal **schmerzhaft**, **schmerzlich** douloureux **schmerzlos** indolore **schmerzstillend** analgésique **Schmerztablette** F comprimé *m* contre la douleur
Schmetterling M papillon
Schmied M forgeron **Schmiede** F forge **Schmiedeeisen** N fer *m* forgé **schmieden** forger (*a. fig*)
schmieren graisser; *verstreichen* étaler (**auf** *akk* sur); *Brote* tartiner; *umg bestechen* graisser la patte à **Schmiergeld** N pot-de-vin *m* **schmierig** graisseux; *fig* graveleux
Schmiermittel N lubrifiant
Schmierseife F savon *m* mou
Schminke F fard *m* **schminken** (**sich**) **~** (se) maquiller
Schmirgelpapier N papier *m* émeri
schmollen bouder (**mit j-m** qn)
Schmorbraten M bœuf braisé **schmoren** braiser
Schmortopf M cocotte *f*
Schmuck M ornement, décoration *f*; *Juwelen* bijoux *mpl*
schmücken orner, décorer (**mit** de)
Schmuggel M contrebande *f*
schmuggeln faire de la con-

trebande; *etw* passer en fraude **Schmuggler(in)** M(F) contrebandier *m*, contrebandière *f*
schmunzeln sourire
Schmutz M saleté *f* **schmutzig** sale; *fig a.* sordide; **(sich) ~ machen** (se) salir
Schnabel M bec
Schnalle F boucle
Schnäppchen N (belle) occasion *f*
schnappen *umg erwischen* attraper; **Luft ~** prendre l'air
Schnappschuss M FOTO instantané
Schnaps M schnaps
schnarchen ronfler
Schnauze F museau *m*; *sl Mund* gueule
Schnecke F escargot *m*; *Nacktschnecke* limace
Schnee M neige *f* **Schneeball** M boule *f* de neige **schneebedeckt** enneigé **Schneebesen** M GASTR fouet **Schneefall** M chute *f* de neige **Schneeflocke** F flocon *m* de neige **schneefrei** sans neige **Schneegestöber** N rafales *fpl* de neige **Schneeglöckchen** N perce-neige *m* **Schneehöhe** F enneigement *m* **Schneeketten** FPL AUTO chaînes **Schneemann** M bonhomme de neige **Schneepflug** M chasse-neige *m* **Schneeregen** M neige *f* fondue **Schneeschmelze** F fonte des neiges **Schneesturm** M tempête *f* de neige **Schneeverhältnisse** NPL enneigement *m* **Schneewehe** F congère
schneiden couper; AUTO **j-n ~** faire une queue de poisson à qn **schneidend** *Kälte* mordant **Schneider(in)** M(F) tailleur *m*, couturière *f*
schneien es schneit il neige
Schneise F laie; percée
schnell rapide; ADV vite **Schnellgaststätte** F snack *m*, fast food *m* **Schnellhefter** M chemise *f* **Schnelligkeit** F vitesse, rapidité **Schnellimbiss** M snack **Schnellstraße** F voie express **Schnellzug** M rapide, (train) express
schnitt → schneiden
Schnitt M coupe *f*; **im ~** en moyenne
Schnittblumen FPL fleurs coupées **Schnittlauch** M ciboulette *f* **Schnittmuster** N patron *m* **Schnittwunde** F coupure, entaille
Schnitzel N escalope *f*; **Wiener ~** escalope *f* viennoise
schnitzen sculpter (sur bois) **Schnitzerei** F sculpture sur bois
Schnorchel M tuba
schnüffeln renifler (**an** *etw dat* qc); fouiner (**in** *dat* dans)
Schnuller M tétine *f*
Schnupfen M rhume

schnuppern flairer (**etw** *od* **an etw** *dat* qc)
Schnur F ficelle; *Kabel* fil *m*
schnüren ficeler, lacer
Schnurrbart M moustache *f*
schnurren ronronner
Schnürschuh M chaussure *f* lacée **Schnürsenkel** M lacet
Schock M choc **schockieren** choquer, scandaliser
Schöffe M juré
Schoko... IN ZSSGN de chocolat
Schokolade F chocolat *m*; **dunkle/weiße ~** chocolat *m* noir/blanc **Schokoriegel** M barre *f* de chocolat
Scholle F ZOOL plie
schon déjà; **~ wieder** encore
schön beau; ADV bien
schonen (sich) ~ (se) ménager
Schönheit F beauté
Schönheitschirurgie F chirurgie esthétique **Schönheitsfehler** M petit défaut **Schönheitspflege** F soins *mpl* de beauté
Schonkost F régime *m* **Schonung** F ménagement *m*; *nach Krankheit* repos *m* **Schonzeit** F *Jagd* fermeture de la chasse
schöpfen puiser (**aus** à *od* dans)
Schöpfer(in) M(F) créateur *m*, créatrice *f* **schöpferisch** créatif **Schöpfkelle** F louche
Schöpfung F création
Schoppen M chope *f*
Schorf M croûte *f*, escarre *f*
Schorle F *mélange soit de vin soit de jus de pommes et d'eau minérale gazeuse*
Schornstein M cheminée *f*
Schornsteinfeger M ramoneur
schoss → schießen
Schoß M sein; **auf dem ~** sur les genoux
Schote F BOT cosse, gousse
Schotte M Écossais
Schotter M pierraille *f*, galets *mpl*; *Bahn* ballast
schottisch écossais **Schottland** N l'Écosse *f*
schräg oblique, biais
Schramme F éraflure
Schrank M armoire *f*
Schranke F barrière **Schrankenwärter** M garde-barrière
Schraube F vis; SCHIFF, FLUG hélice **schrauben** visser
Schraubenmutter F écrou *m* **Schraubenschlüssel** M clé *f* **Schraubenzieher** M tournevis
Schraubstock M étau
Schraubverschluss M fermeture *f* à vis
Schreck M frayeur *f* **schrecklich** terrible
Schrei M cri
schreiben écrire (**j-m** *od* **an j-n** à qn)
Schreiben N lettre *f*
Schreibheft N cahier *m*
Schreibmaschine F machine à écrire **Schreibpapier** N papier *m* pour écrire
Schreibtisch M bureau

Schreibwarengeschäft N papeterie *f*
schreien crier
Schreiner(in) M(F) menuisier *m*, menuisière *f*
Schrift F écriture; *Werk* écrit *m* **schriftlich** écrit; ADV par écrit **Schriftsteller(in)** M(F) écrivain *m* **Schriftwechsel** M correspondance *f*
schrill aigu, strident
Schritt M pas; *fig* démarche *f*; **~ fahren** rouler au pas
schroff brusque; *steil* raide
Schrott M ferraille *f* **Schrotthändler** M ferrailleur **schrottreif** bon pour la casse
schrubben frotter **Schrubber** M balai-brosse
Schubfach N tiroir *m* **Schubkarre** F brouette
schüchtern timide **Schüchternheit** F timidité
Schuh M chaussure *f* **Schuhanzieher** M chausse-pied **Schuhband** N lacet *m* **Schuhbürste** F brosse à chaussures **Schuhcreme** F cirage *m* **Schuhgeschäft** N magasin *m* de chaussures **Schuhgröße** F pointure **Schuhlöffel** M chausse-pied **Schuhmacher** M cordonnier **Schuhputzer** M cireur **Schuhsohle** F semelle
Schularbeiten FPL devoirs *mpl* **Schulbildung** F formation scolaire **Schulbuch** N livre *m* de classe
Schuld F faute; JUR culpabilité; *Geldschuld* dette; **an etw** *dat* **schuld sein** être responsable de qc
schuldig coupable; **j-m etw ~ sein** devoir qc à qn
schuldlos innocent
Schule F école
Schüler M élève **Schüleraustausch** M échange scolaire **Schülerin** F élève
Schulferien PL vacances *fpl* scolaires
schulfrei ~ haben ne pas avoir cours *od* classe
Schulfreund(in) M(F) camarade d'école **Schuljahr** N année *f* scolaire **Schulstunde** F heure de cours **Schultasche** F cartable *m*
Schulter F épaule
Schulung F formation **Schulzeit** F scolarité
Schund M *Ware* camelote *f*
Schuppe F écaille; **~n** PL *im Haar* pellicules
Schuppen M remise *f*
Schurke M canaille *f*
Schurwolle F laine vierge
Schürze F tablier *m*
Schuss M coup de feu; *Fußball* shoot
Schüssel F plat *m* creux; *Salatschüssel* saladier *m*; *Suppenschüssel* soupière
Schusswaffe F arme à feu
Schuster M cordonnier
Schutt M gravats *mpl*; *Trümmer* décombres *mpl*

Schüttelfrost M MED frissons *mpl*
schütteln (sich) ~ (se) secouer; **j-m die Hand** ~ serrer la main à qn
schütten verser
Schutz M protection *f* (**vor** *dat* contre); *bei Unwetter* abri **Schutzblech** N garde-boue *m* **Schutzbrille** F lunettes *fpl* de protection
Schütze M tireur
schützen (sich) ~ (se) protéger (**vor** *dat* de *od* contre)
Schutzengel M ange gardien **Schutzheilige(r)** M patron **Schutzhütte** F refuge *m* **Schutzimpfung** F vaccination **schutzlos** sans défense
schwach faible; *schlecht* médiocre; *Gedächtnis* mauvais; *Tee* léger
Schwäche F faiblesse; *fig* faible *m* (**für** pour) **schwächen** affaiblir **schwächlich** faible
Schwachsinn M débilité *f* **schwachsinnig** débile
Schwachstrom M ELEK courant faible *od* de basse tension
Schwager M beau-frère
Schwägerin F belle-sœur
Schwalbe F hirondelle
Schwamm M éponge *f*
Schwan M cygne
schwanger enceinte **Schwangerschaft** F grossesse **Schwangerschaftsabbruch** M interruption *f* volontaire de grossesse
schwanken se balancer; *Betrunkene* tituber; *Temperatur*, varier; *zögern* hésiter
Schwanz M queue *f*
Schwarm M *Insekten* essaim; *Vögel* volée *f* **schwärmen** ~ **für** s'enthousiasmer pour
Schwarte F *v. Speck* couenne
schwarz noir **Schwarzarbeit** F travail *m* au noir **Schwarzbrot** N pain *m* noir
Schwarze(r) M/F(M) Noir(e) *m(f)*
Schwarzfahrer(in) M(F) resquilleur *m*, resquilleuse *f* **Schwarzmarkt** M marché noir **Schwarzweißfilm** M film en noir et blanc; FOTO pellicule *f* noir et blanc
schwatzen bavarder; *pej* bavasser
Schwebebahn F monorail *m* suspendu; téléphérique *m*
schweben planer; **in Gefahr** ~ être en danger
Schwede M Suédois **Schweden** N la Suède **schwedisch** suédois
Schwefel M soufre
schweigen se taire **Schweigen** N silence *m* **schweigsam** taciturne
Schwein N cochon *m*, porc *m* **Schweinebraten** M rôti de porc **Schweinefleisch** N porc *m* **Schweinegrippe** F grippe porcine **Schweinerei** F *umg pej* cochonnerie(s) *f(pl)* **Schweinestall** M porcherie *f*

Schweiß M sueur *f*
schweißen TECH souder
Schweiz die ~ la Suisse; **in der ~** en Suisse; **die französische ~** la Suisse romande
Schweizer M Suisse; ADJ suisse; **~ Käse** M emmental **Schweizerin** F Suisse
Schwelle F seuil *m* (*a. fig*)
schwellen MED enfler **Schwellung** F enflure
schwer lourd; *schwierig* difficile; *Krankheit* grave; **~ krank** gravement malade; **~ verdaulich** indigeste; **~ verletzt** grièvement blessé; **~ verständlich** difficile à comprendre
schwerbehindert invalide **Schwerbehinderte(r)** M/F(M) invalide *m/f*
schwerfällig lourd **schwerhörig** dur d'oreille **Schwerindustrie** F industrie lourde **Schwerpunkt** M centre *m* de gravité; *fig* point principal
Schwert N épée *f*
schwerwiegend grave, sérieux
Schwester F sœur
Schwiegereltern PL beaux-parents *mpl* **Schwiegermutter** F belle-mère **Schwiegersohn** M beau-fils, gendre **Schwiegertochter** F belle-fille, bru **Schwiegervater** M beau-père
schwierig difficile **Schwierigkeit** F difficulté
Schwimmbad N piscine *f*
Schwimmbecken N bassin *m*
schwimmen nager; *Sachen* flotter; **~ gehen** aller se baigner
Schwimmer(in) M(F) nageur *m*, nageuse *f* **Schwimmflosse** F palme **Schwimmhalle** F piscine couverte **Schwimmweste** F gilet *m* de sauvetage
Schwindel M MED vertige; *umg Betrug* escroquerie *f* **Schwindler(in)** M(F) escroc *m*; *Lügner(in)* menteur *m*, menteuse *f*
schwindlig mir ist ~ j'ai le vertige
schwingen agiter; *Pendel* osciller **Schwingung** F oscillation
Schwips *umg* M **e-n ~ haben** être éméché
schwitzen suer
schwören jurer
schwul *umg* homo, gay
schwül lourd, étouffant
Schwule(r) M *umg* homo, gay
Schwüle F chaleur étouffante
Schwung M élan; *fig* entrain **schwungvoll** plein d'entrain
Schwur M serment
sechs six **sechshundert** six cents **sechste(r, -s)** sixième **Sechstel** N sixième *m*
sechzehn seize **sechzig** soixante
See[1] M lac
See[2] F mer; **an der ~** au bord

de la mer
Seeblick M **mit ~** avec vue sur le lac *od* la mer
Seegang M °houle *f*; **starker** *od* **schwerer ~** mer *f* forte
Seehund M phoque
seekrank ~ sein avoir le mal de mer **Seekrankheit** F mal *m* de mer
Seele F âme **seelisch** psychique
Seeluft F air *m* marin **Seemann** M marin **Seemeile** F mille *m* marin **Seenot** F détresse (en mer) **Seestern** M étoile *f* de mer
Seeweg M voie *f* maritime; **auf dem ~** par mer
Seezunge F sole
Segel N voile *f* **Segelboot** N canot *m* à voiles **Segelfliegen** N vol *m* à voile **Segelflugzeug** N planeur *m*
segeln faire voile (**nach** pour); SPORT faire de la voile
Segelschiff N voilier *m* **Segelsport** M voile *f*
Segen M bénédiction *f*
sehbehindert malvoyant
sehen voir; **vom Sehen kennen** connaître de vue
sehenswert qui vaut la peine d'être vu **Sehenswürdigkeit** F curiosité
Sehne F tendon *m*
sehnen sich ~ aspirer (**nach etw** à qc); s'ennuyer (**nach j-m** de qn)
Sehnenscheidenentzündung F tendinite
Sehnsucht F besoin *m* (**nach** de); impatience (de *+inf*); nostalgie (de) **sehnsüchtig** plein de désir
sehr très; *mit Verben* beaucoup; **zu ~** trop; **~ viel** énormément
Sehtest M test visuel
seicht peu profond, bas
seid → sein
Seide F soie
Seife F savon *m*
Seil N corde *f*; *starkes* câble *m*
Seilbahn F téléphérique *m*
sein être; exister; *sich befinden* se trouver; *stattfinden* avoir lieu; **ich bins!** c'est moi!; **das wärs!** voilà!; *beim Einkaufen* c'est tout
sein(e) son (sa); **~e** PL ses
seit (*dat*) depuis; KONJ depuis que; **~ wann?** depuis quand?
seitdem depuis; KONJ depuis que
Seite F côté *m*; *im Buch* page
Seitenairbag M airbag latéral
Seitensprung M **e-n ~ machen** avoir une aventure
Seitenstechen N point *m* de côté **Seitenstraße** F rue latérale **Seitenstreifen** M accotement **Seitenwind** M vent de côté
Sekretär(in) M(F) secrétaire
Sekt M (vin) mousseux
Sekunde F seconde **Sekundenkleber** M colle *f* à prise rapide

selbst même; **ich ~** moi-même; **von ~** de soi-même, tout seul; **~ gemacht** (fait à la) maison
selbständig indépendant
Selbstauslöser M déclencheur automatique
Selbstbedienung F libre-service *m* **Selbstbedienungsladen** M libre-service **Selbstbedienungsrestaurant** N self(-service) *m*
Selbstbeherrschung F maîtrise de soi **selbstbewusst** conscient de sa valeur **Selbstdisziplin** F autodiscipline **Selbstkostenpreis** M **(zum) ~** (à) prix coûtant **selbstlos** désintéressé
Selbstmord M suicide **Selbstmordanschlag** M attentat suicide **Selbstmörder(in)** M(F) suicidé(e)
selbstsicher sûr de soi **selbstständig** indépendant **Selbstverpflegung** F *im Urlaub* **mit ~** sans pension
selbstverständlich naturel, normal; ADV bien sûr; **das ist ~** cela va de soi
Sellerie M *od* F céleri *m*
selten rare **Seltenheit** F rareté
seltsam étrange, bizarre
Semester N semestre *m* **Semesterferien** PL vacances *fpl* universitaires (entre les semestres d'études)
Semmel F *süddeutsch* petit pain *m*
senden envoyer; TV, *Radio* diffuser **Sender** M émetteur; TV chaîne *f*; *Radio* station *f* de radio **Sendung** F envoi *m*; TV, *Radio* émission
Senf M moutarde *f*
Senioren PL **die ~** le troisième âge **Seniorenheim** N maison *f* de retraite **Seniorenpass** M *Bahn* carte *f* vermeil
senken *Kopf, Preise* baisser; *Fieber* faire baisser; **sich ~** *Boden* s'affaisser
senkrecht vertical
Sensation F sensation
Sense F faux
sensibel sensible
sentimental sentimental
September M septembre
Serbe M Serbe **Serbien** N la Serbie **serbisch** serbe
Serie F série; TV feuilleton *m*
Serpentine F lacet *m*
Serum N sérum *m*
Server M IT serveur
Service M service **Service-Werkstatt** F garage *m* service
servieren servir **Serviererin** F serveuse **Serviette** F serviette (de table)
Servolenkung F AUTO direction assistée
Sessel M fauteuil **Sessellift** M télésiège
setzen mettre, poser; **~ auf** (*akk*) miser sur; **sich ~** s'asseoir
Seuche F épidémie

seufzen soupirer
Sex M sexe; *Geschlechtsverkehr* rapports *mpl* sexuels
sexuell sexuel
Shampoo N shampo(o)ing *m*
Sherry M sherry, xérès
shoppen faire les magasins, du shopping; **~ gehen** (aller) faire les magasins, du shopping **Shopping** N shopping *m* **Shoppingcenter** N centre *m* comercial
Shorts PL short *m*
Show F show *m*
Shuttle N, **Shuttlebus** M navette *f*
sich se, *vor Vokal* s'; *nach Präp* soi; **jeder für ~** chacun pour soi
Sichel F faucille
sicher sûr, certain **Sicherheit** F sécurité
Sicherheitsdienst M *privat* service de sécurité **Sicherheitsgurt** M ceinture *f* de sécurité **Sicherheitslücke** F faille de sécurité **Sicherheitsnadel** F épingle à nourrice **Sicherheitsschloss** N serrure *f* de sûreté
sicherlich sûrement
sichern assurer **Sicherung** F ELEK fusible *m*
Sicht F vue; *Sichtweite* visibilité; **in ~** en vue; **auf lange ~** à long terme
sichtbar visible **Sichtvermerk** M visa **Sichtweite** F **in/außer ~** en/°hors vue
sie elle; *akk* la, *vor Vokal* l'; PL ils (elles); *akk* les; *betont u. nach Präp* eux (elles)
Sie *Anrede* vous
Sieb N passoire *f*
sieben sept **siebenhundert** sept cents
siebte(r, -s) septième **Siebtel** N septième *m* **siebzehn** dix-sept **siebzig** soixante-dix
Siedler M colon **Siedlung** F lotissement *m*
Sieg M victoire *f*
Siegel N sceau *m*, cachet *m*
siegen gagner; **~ über** (*akk*) remporter une victoire sur, *fig u.* SPORT l'emporter sur
Sieger(in) M(F) vainqueur *m*; SPORT *a.* gagnant(e)
sieh, sieht → sehen **siehe** voir, cf (confer)
siezen vouvoyer
Signal N signal *m*
Silbe F syllabe
Silber N argent *m* **Silbermedaille** F médaille d'argent
silbern argenté
Silvester N la Saint-Sylvestre
SIM-Karte F TEL carte SIM
sind → sein
Sinfonie F symphonie
singen chanter
Single[1] M célibataire *m/f*
Single[2] F *CD* single *m*
Singular M singulier
sinken *Preise, Temperatur* baisser; *Schiff* couler
Sinn M sens (**für etw** de qc)
sinnlich sensuel **sinnlos** in-

sensé **sinnvoll** sensé, judicieux
Sintflut F déluge *m*
Sitte F coutume; **~n** PL mœurs
sittlich moral
Sitz M siège **sitzen** être assis; *Kleid* aller bien **Sitzplatz** M place *f* assise **Sitzung** F séance
Skala F échelle
Skandal M scandale
Skateboard N planche *f* à roulettes **skaten** *inlineskaten* faire du roller [rɔlœr]; *mit Skateboards* faire de la planche à roulettes
Skelett N squelette *m*
skeptisch sceptique
Ski M ski; **~ laufen, ~ fahren** skier
Skianzug M combinaison *f* de ski **Skifahrer(in)** M(F) skieur *m*, skieuse *f* **Skigebiet** N domaine *m* skiable **Skikurs** M cours de ski **Skiläufer(in)** M(F) skieur *m*, skieuse *f* **Skilehrer(in)** M(F) moniteur *m*, monitrice *f* de ski **Skilift** M téléski
Skin M *umg* skin *m/f* **Skinhead** M skinhead [skinɛd] *m/f*
Skipass M forfait ski **Skisport** M ski **Skistiefel** M chaussure *f* de ski **Skiträger** M AUTO porte-skis **Skiurlaub** M vacances *fpl* de neige **Skiwachs** N fart *m* **Skiwandern** N ski *m* de randonnée
Skizze F esquisse
Skulptur F sculpture
Slip M slip **Slipeinlage** F protège-slip *m*
Slowake M Slovaque **Slowakei** F Slovaquie **slowakisch** slovaque
Smalltalk M brin de causette
Smartphone N TEL smartphone *m*
SMS F (*Short Message Service*) SMS *m*, texto® *m*; **j-m e-e ~ schicken** envoyer un SMS, un texto® à qn
Snack M casse-croûte *m*
so ainsi; **~ groß wie** aussi grand que; **~ sehr** tant, tellement; **ich bin ~ weit** je suis prêt; **ach ~!** ah bon!; **~ dass** → sodass
sobald aussitôt que, dès que
Socke F chaussette
Sockel M piédestal
sodass de sorte que
Sodbrennen N aigreurs *fpl* d'estomac
soeben tout à l'heure
Sofa N canapé *m*
sofort tout de suite, immédiatement
Software F IT logiciel *m*
sogar même
Sohle F *Schuhsohle* semelle; *Fußsohle* plante
Sohn M fils
Soja F soja *m* **Sojasoße** F sauce au soja
solange tant que
Solaranlage F panneaux *mpl* solaires **Solarenergie** F énergie solaire **Solarium** N

solarium *m* [-rjɔm] **Solarzelle** F pile solaire
solche(r, -s) tel(le), pareil(le)
Soldat M soldat
Söldner M mercenaire
solide solide; *Person* sérieux
Solist(in) M(F) soliste
Soll N HANDEL débit *m*
sollen devoir; **du solltest...** tu devrais...; **sie soll sehr krank sein** il paraît qu'elle est très malade; **was soll das?** à quoi ça rime?
Sommer M été *f*; **im ~** en été
Sommerferien PL vacances *fpl* d'été **sommerlich** estival, d'été **Sommerschlussverkauf** M soldes *mpl* d'été **Sommersprossen** FPL taches de rousseur **Sommerzeit** F *Uhrzeit* heure d'été
Sonder... spécial **sonderbar** étrange **Sondermarke** F timbre *m* de collection **Sondermüll** M déchets *mpl* dangereux
sondern mais; **nicht nur ..., ~ auch** non seulement ..., mais (encore)
Sonnabend M samedi **sonnabends** M le samedi
Sonne F soleil *m*; **in der ~** au soleil
sonnen sich ~ prendre un bain de soleil
Sonnenaufgang M lever du soleil **Sonnenbad** N bain *m* de soleil **Sonnenblende** F AUTO pare-soleil *m* **Sonnenblume** F tournesol *m* **Sonnenbrand** M coup de soleil **Sonnenbrille** F lunettes *fpl* de soleil **Sonnencreme** F crème solaire **Sonnenenergie** F énergie solaire **Sonnenfinsternis** F éclipse du soleil **Sonnenhut** M chapeau de soleil **Sonnenöl** N huile *f* solaire **Sonnenschein** M soleil **Sonnenschirm** M parasol **Sonnenschutzmittel** N produit solaire **Sonnenstich** M insolation *f* **Sonnenstudio** N centre *m* de bronzage **Sonnenuntergang** M coucher du soleil
sonnig ensoleillé
Sonntag M dimanche **sonntags** le dimanche
sonst autrement, sinon; *außerdem* à part cela; **~ noch etwas?** et avec ça *od* cela?; **~ nichts/niemand** rien/personne d'autre
sooft aussi souvent que
Sorge F souci *m*; **sich ~n machen** se faire des soucis (**um** pour)
sorgen ~ für s'occuper de; **dafür ~, dass ...** veiller à ce que ... (*+subj*); **sich ~ um** s'inquiéter pour **Sorgerecht** N JUR droit *m* de garde
sorgfältig soigneux **sorglos** insouciant
Sorte F sorte, espèce **sortieren** trier, classer **Sortiment** N assortiment *m*

Soße F sauce
Soundkarte F IT carte son **Soundtrack** M TV, FILM bande *f* sonore
Souvenir N souvenir *m*
soviel ~ ich weiß autant que je sache
sowie ainsi que
sowieso de toutes façons
sowohl ~ ... als auch aussi bien ... que
sozial social **sozialdemokratisch** social-démocrate **Sozialhilfe** F aide sociale **sozialistisch** socialiste **Sozialversicherung** F assurance sociale **Sozialwohnung** F HLM *m od f*
sozusagen pour ainsi dire
Spa N *od* M spa *m*
Spaghetti PL spaghetti *mpl*
Spalte F fente, fissure; *Gletscherspalte* crevasse; *Zeitungsspalte* colonne
spalten (sich) ~ (se) fendre; *fig* (se) diviser
Spam M IT spam
Späne MPL copeaux
Spange F agrafe
Spanien N l'Espagne *f* **Spanier(in)** M(F) Espagnol(e) **spanisch** espagnol
Spann M cou-de-pied
Spanne F *Zeitspanne* laps *m* de temps
spannen tendre **spannend** captivant **Spannlaken** N, drap-°housse *m* **Spannung** F tension (*a.* ELEK, *fig*); *in Filmen* suspense *m*
Sparbuch N livret *m* de caisse d'épargne **sparen** épargner; *einsparen* économiser (**an** *dat* sur) **Sparer(in)** M(F) épargnant(e)
Spargel M asperge *f*
Sparkasse F caisse d'épargne **sparsam** *Person* économe; *Gerät* économique
Spaß M plaisanterie *f*; *Freude* plaisir; **es macht (mir) ~** cela me plaît beaucoup; **sie macht ~** elle plaisante; **viel ~!** amuse-toi/amusez-vous bien
spaßen plaisanter
spät tard; **wie ~ ist es?** quelle heure est-il?; **zu ~** trop tard; *umg* **~ dran sein** être à la bourre
Spaten M bêche *f*
später plus tard; **bis ~!** à tout à l'heure **spätestens** au plus tard **Spätnachrichten** FPL TV dernier journal *m*
Spatz M moineau
spazieren ~ gehen (aller) se promener **Spaziergang** M promenade *f* **Spazierstock** M canne *f*
Specht M pivert
Speck M lard
Spediteur M transporteur **Spedition** F entreprise de transport
Speer N javelot *m*
Speiche F rayon *m*
Speichel M salive *f*
Speicher M *Dachboden* gre-

nier; *Warenlager* entrepôt; IT mémoire *f* **Speicherkarte** F IT. TEL carte à mémoire **speichern** stocker; IT mémoriser; *Text* sauvegarder
Speise F *Gericht* plat *m*; *Süßspeise* entremets *m*; *Nahrung* nourriture **Speiseeis** N glace *f* **Speisekarte** F carte **Speiseröhre** F œsophage *m* **Speisesaal** M salle *f* à manger **Speisewagen** M wagon-restaurant
Spende F don *m* **spenden** *Blut, Geld* donner **Spender(in)** M(F) donateur *m*, donatrice *f* **spendieren** *umg* offrir
Sperma N sperme *m*
Sperre F barrage *m* **sperren** *Straße* fermer à la circulation; *Grenze, Pass* fermer; *Hafen, Konto* bloquer **Sperrgebiet** N zone *f* interdite **Sperrholz** N contre-plaqué *m* **sperrig** encombrant **Sperrmüll** M encombrants *mpl* **Sperrstunde** F couvre-feu *m*
Spesen PL frais *mpl*
Spezi® N *boisson à base de coca-cola et de limonade*
Spezialist(in) M(F) spécialiste
Spezialität F spécialité **speziell** spécial
Spiegel M miroir, glace *f* **Spiegelei** N œuf *m* sur le plat **spiegelglatt** *Straße* verglacé
spiegeln miroiter; **sich ~** se refléter
Spiel N jeu *m*; SPORT match *m* **Spielautomat** M machine *f* à sous **Spielbank** F casino *m* **Spieldose** F boîte à musique **spielen** jouer (**Karten** aux cartes) **Spieler(in)** M(F) joueur *m*, joueuse *f* **Spielfeld** N terrain *m*; *Tennis* court *m* **Spielfilm** M long-métrage **Spielhalle** F salle de jeu **Spielkarte** F carte (à jouer) **Spielkasino** N casino *m* **Spielmarke** F jeton *m* **Spielplan** M programme; **auf dem ~** à l'affiche **Spielplatz** M terrain de jeu **Spielregel** F règle du jeu **Spielzeit** F *Theater* saison **Spielzeug** N jouet *m*, joujou *m*
Spieß M GASTR broche *f*; **am ~** à la broche
Spinat M épinard
Spinne F araignée **spinnen** filer; *fig umg* déjanter **Spinngewebe** N toile *f* d'araignée
Spion M espion **Spionage** F espionnage *m*
Spirale F spirale; MED stérilet *m*
Spirituosen PL spiritueux *mpl*
Spiritus M alcool **Spirituskocher** M réchaud à alcool
spitz pointu; *Winkel* aigu
Spitze F pointe (*a. fig*); *Gipfel* sommet *m*; *Gewebe* dentelle; **an der ~ stehen** être en tête; *umg* **(das ist) spitze!** super!

Spitzel M mouchard
spitzen *Bleistift* tailler
Spitzengeschwindigkeit F vitesse maximum, de pointe **Spitzenleistung** F SPORT record *m*
Spitzname M surnom
Splitter M éclat; *in der Haut* écharde *f*
Sponsor M sponsor
Sport M sport; **~ treiben** faire du sport
Sportartikel MPL articles de sport **Sportflugzeug** N avion de tourisme **Sporthalle** F stade *m* couvert **Sportkleidung** F vêtements *mpl* de sport **Sportler(in)** M(F) sportif *m*, sportive *f*
sportlich sportif
Sportplatz M terrain de sport **Sporttauchen** N plongée *f* sous-marine **Sportunfall** M accident de sport **Sportveranstaltung** F rencontre, compétition (sportive) **Sportverein** M club (sportif) **Sportwagen** M voiture *f* de sport
Spott M moquerie(s) *f(pl)* **spottbillig** donné **spotten** se moquer (**über** *akk* de)
spöttisch moqueur
Sprache F langue **Sprachenschule** F école *f* de langues **Sprachführer** M guide de conversation **Sprachkurs** M cours de langue
sprachlos interloqué
Spray M *od* N spray *m* **Spraydose** F bombe
sprechen parler (**mit** à, avec; **über** *akk* de) **Sprecher(in)** M(F) TV, *Radio* présentateur *m*, présentatrice *f*; *Wortführer(in)* porte-parole
Sprechstunde F heures *fpl* de consultation; **~ haben** recevoir **Sprechstundenhilfe** F *neg!* secrétaire médicale **Sprechzimmer** N cabinet *m* de consultation
sprengen faire sauter; *Garten* arroser **Sprengstoff** M explosif
sprich, spricht → sprechen
Sprichwort N proverbe *m*
Springbrunnen M jet d'eau
springen sauter; *Glas* se fêler
Sprit *umg* M essence *f*
Spritze F MED seringue; *Einspritzung* piqûre **spritzen** jaillir, gicler; MED injecter
spröde *Nägel* cassant; *Lippen* sec; *Stimme* cassé; *fig* froid
Spruch M dicton **Spruchband** N banderole *f*, calicot *m*
Sprudel M eau *f* gazeuse
Sprühdose F atomiseur *m* **Sprühregen** M bruine *f*
Sprung M saut; *Riss* fêlure *f* **Sprungbrett** N, **Sprungschanze** F tremplin *m* **Sprungtuch** N toile *f* de sauvetage
Spucke F salive **spucken** cracher

Spule F bobine
Spüle F évier *m*
spülen *Geschirr* faire la vaisselle; *WC* tirer la chasse d'eau; *Gläser, Wäsche* rincer **Spülmaschine** F lave-vaisselle *m* **Spülmittel** N liquide *m* vaisselle **Spülung** F *WC* chasse d'eau
Spur F *Fußspur* trace; *Ski-, Tonspur* piste; *Fahrspur* voie
spüren sentir
spurlos sans trace
Squash N squash [skwaʃ] *m*
Staat M État **staatlich** de l'État, national; ADV par l'État
Staatsangehörigkeit F nationalité **Staatsanwalt** M, **Staatsanwältin** F procureur *m* **Staatsbürger(in)** M(F) citoyen(ne)
Stab M bâton **Stabhochsprung** M saut à la perche
Stachel M BOT épine *f*; *Insektenstachel* dard **Stachelbeere** F groseille à maquereau **Stacheldraht** M (fil de fer) barbelé
Stadion N stade *m*
Stadt F ville **Stadtbummel** M *umg* tour *f* en ville
Städtepartnerschaft F jumelage *m* **städtisch** urbain; *städtisch verwaltet* municipal
Stadtmitte F centre(-ville) *m*
Stadtplan M plan de la ville
Stadtrand M périphérie *f*
Stadtrundfahrt F visite (guidée) de la ville (en car); tour *m* de ville **Stadtteil** M, **Stadtviertel** N quartier *m*
Stahl M acier **Stahlwerk** N aciérie *f*
Stall M *Vieh* étable *f*; *für Pferde* écurie *f*
Stamm M BOT tronc; *Volk* tribu *f* **stammen** être originaire (aus de) **Stammgast** M habitué **Stammkunde** M bon client
Stand M *Zustand* état; *Messestand* stand **Standbild** N statue *f*
Ständer M support; *vulg* **e-n ~ haben** bander
Standesamt N bureau *m* de l'état civil
standhalten (*dat*) résister (à)
ständig constant; ADV constamment
Standlicht N feux *mpl* de position **Standort** M endroit; *e-r Firma* emplacement
Standpunkt M point de vue
Standspur F bande d'arrêt d'urgence
Stange F perche; *Metallstange* barre; *Zigaretten* cartouche
Stängel M tige *f*
Stapel M pile *f* **Stapellauf** M mise *f* à l'eau, lancement *m*
stapeln empiler
Star M ZOOL étourneau, *Filmstar* star *f*; MED **grauer ~** cataracte; **grüner ~** glaucome
starb → sterben
stark fort; *mächtig* puissant; *Verkehr* intense; *Raucher, Esser*

gros
Stärke F force; *starke Seite* (point *m*) fort *m*; *Wäschestärke* amidon *m*
stärken fortifier, renforcer; *Wäsche* amidonner; **sich ~** se restaurer
Starkstrom M courant fort *od* de haute tension
Stärkung F renforcement; *Imbiss* collation **Stärkungsmittel** N MED fortifiant *m*
starr *Blick* raide; *steif* rigide
Start M départ; FLUG décollage; AUTO démarrage **Startautomatik** F starter *m* automatique **Startbahn** F piste de décollage **starten** partir; FLUG décoller; AUTO démarrer
Starter M AUTO démarreur
Starthilfekabel N câbles *mpl* de démarrage
Station F *U-Bahn* station; *Bus, Bahn* arrêt *m*; *im Krankenhaus* service *m*
stationär MED à l'hôpital; **~e Behandlung** F (traitement *m* nécessitant l')hospitalisation
Statist M figurant
Stativ N trépied *m*
statt au lieu de **stattfinden** avoir lieu
Statue F statue
Stau M AUTO bouchon
Staub M poussière *f* **staubig** poussiéreux **staubsaugen** passer l'aspirateur **Staubsauger** M aspirateur
Staudamm M barrage **stauen** *Wasser* retenir; **sich ~** s'amasser; *Verkehr* former un bouchon
staunen s'étonner (**über** *akk* de)
Stausee M lac de retenue
Steak N steak *m*, bifteck *m*
stechen *Insekt* piquer **stechend** *Schmerz* lancinant
Stechmücke F moustique *m* **Stechuhr** F pointeuse
Steckbrief M avis de recherche **Steckdose** F prise (de courant)
stecken mettre (**in** *akk* dans); *sich befinden* se trouver; **~ bleiben** rester bloqué
Stecker M fiche *f* mâle **Stecknadel** F épingle
Steg M *Bootssteg* passerelle *f*
stehen être *od* se tenir debout; *sich befinden* se trouver; *Kleidung* **j-m (gut) ~** aller bien à qn; **~ bleiben** s'arrêter
Stehlampe F lampadaire *m*
stehlen voler
Stehplatz M place *f* debout
steif raide (*a. fig*)
steigen monter (**auf** *akk* sur)
steigern augmenter; *verbessern* améliorer **Steigerung** F augmentation **Steigung** F montée
steil raide, escarpé
Stein M pierre *f*; *Spielstein* pion; *Obststein* noyau **Steinbruch** M carrière *f* **Steingut** N faïence *f* **steinig** pierreux
Steinkohle F °houille **Stein-**

schlag M chute *f* de pierres **Stelldichein** N rendez-vous *m*
Stelle F endroit *m*; *Arbeitsstelle* emploi *m*; *Textstelle* passage *m*; **an deiner ~** à ta place
stellen mettre; *aufrecht stellen* mettre debout; *Uhr* régler; *Frage* poser
Stellenangebot N offre *f* d'emploi
Stellung F position; *berufliche* emploi *m*
Stellvertreter(in) M(F) suppléant(e), adjoint(e)
Stempel M tampon **stempeln** tamponner; *Post* oblitérer
Stengel M → Stängel
Stenotypistin F sténodactylo
Steppdecke F couette
Sterbehilfe F euthanasie
sterben mourir **Sterbeurkunde** F acte *m* de décès
sterblich mortel
Stereo N **in ~** en stéréo **Stereoanlage** F chaîne stéréo *od* °hi-fi
steril stérile; *Instrumente* stérilisé; *fig* aseptisé
Stern M étoile *f* **Sternbild** N constellation *f* **Sternschnuppe** F étoile filante **Sternwarte** F observatoire *m* **Sternzeichen** N signe *m* astrologique
stets toujours
Steuer[1] N SCHIFF barre *f*; AUTO volant *m*
Steuer[2] F impôt *m* (**auf** sur) **Steuererklärung** F déclaration d'impôt **steuerfrei** non imposable
Steuermann M SPORT barreur
steuern piloter; AUTO *a.* conduire; TECH commander
steuerpflichtig imposable
Steuerung F TECH commande **Steuerzahler(in)** M(F) contribuable
Steward M steward **Stewardess** F hôtesse de l'air
Stich M *Insektenstich* piqûre *f*; *Messerstich* coup; *Nähstich* point; *Kupferstich* gravure *f*; **im ~ lassen** abandonner
stichhaltig valable; **nicht ~** peu sérieux
sticken broder **Stickerei** F broderie
stickig suffocant
Stickstoff M azote
Stiefel M botte *f*
Stiefmutter F belle-mère **Stiefsohn** M beau-fils **Stieftochter** F belle-fille **Stiefvater** M beau-père
stiehlt → stehlen
Stiel M manche *f*; BOT tige *f*
Stier M taureau **Stierkampf** M corrida *f*
Stift M *Bleistift* crayon
stiften *gründen* fonder; *spenden* donner **Stiftung** F fondation
Stil M style
still calme; *schweigsam* silen-

cieux; **~!** silence!; **~ halten** ne pas bouger
Stille F calme *m*; silence *m*
stillen *Kind* allaiter; *Schmerz, Durst* apaiser
Stimme F voix
stimmen voter (**für** pour; **gegen** contre); MUS accorder; **das stimmt** c'est vrai
Stimmrecht N droit *m* de vote
Stimmung F humeur; *Atmosphäre* ambiance; **für ~ sorgen** mettre de l'ambiance
stinken puer
Stipendium N bourse *f*
stirbt → sterben
Stirn F front *m* **Stirnhöhlenentzündung** F sinusite
Stock M bâton; *Spazierstock* canne *f*; *Stockwerk* étage **stocken** s'arrêter **Stockung** F arrêt *m*; *Verkehrsstockung* ralentissement *m* **Stockwerk** N étage *m*
Stoff M tissu; *Materie* matière *f* **Stofftier** N (animal *m* en) peluche *f* **Stoffwechsel** M métabolisme
stöhnen gémir
stolpern trébucher (**über** *akk* sur)
stolz fier [fjɛr] (**auf** *akk* de)
Stolz M fierté *f*
stopfen *Pfeife* bourrer; *Wäsche* repriser
stoppen *Auto* arrêter; *Zeit* chronométrer; V/I *anhalten* s'arrêter **Stoppschild** N stop *m* **Stoppuhr** F chronomètre *m*
Stöpsel M bouchon
Storch M cigogne *f*
stören déranger; *Ruhe* troubler; *Unterricht* perturber; *missfallen* déplaire **Störung** F dérangement *m* (*a.* TEL); TECH *a.* panne; *Radio* parasites *mpl*
Stoß M coup; *Stapel* tas **Stoßdämpfer** M amortisseur
stoßen pousser; **~ gegen, an** (*akk*) °heurter; **auf j-n ~** tomber sur qn; **sich ~ an** (*dat*) se cogner contre; *fig* être choqué par
Stoßstange F pare-chocs *m* **Stoßverkehr** M embouteillages *mpl* (aux heures de pointe) **Stoßzeit** F heures *fpl* de pointe
stottern bégayer
Str. (*Straße*) rue
Strafanstalt F maison d'arrêt **Strafanzeige** F plainte **strafbar** répréhensible
Strafe F punition; JUR peine; *Geldstrafe* amende **strafen** punir
straff tendu, raide
straffrei impuni **Strafgefangene(r)** M/F(M) détenu(e) *m(f)* **Strafgesetzbuch** N code *m* pénal **Strafraum** M SPORT surface *f* de réparation **Strafrecht** N droit *m* pénal **Strafstoß** M SPORT penalty **Straftat** F délit **Strafzettel** M *umg* P.V. (*procès verbal*)

Strahl M rayon; *Wasserstrahl* jet; PHYS **~en** PL radiations *fpl* **strahlen** rayonner (*a. fig*); *Uran* être radioactif **Strahlenschutz** M radioprotection *f* **Strahlung** F PHYS rayonnement *m*
Strähne F, **Strähnchen** N mèche; **sich ~ machen lassen** se faire faire un balayage
Strampelanzug M grenouillère *f* **strampeln** gigoter
Strand M plage *f*; **am ~** sur, à la plage
Strandbad N plage *f* **Strandgut** N épave *f* **Strandkorb** M fauteuil-cabine *m* (en osier) **Strandpromenade** F front *m* de mer
Strapaze F fatigue **strapazierfähig** résistant, solide **strapaziös** fatigant
Straßburg Strasbourg [strazbur]
Straße F rue; *Fahrstraße* route; **auf der ~** dans la rue
Straßenarbeiten FPL travaux *mpl* (de voirie) **Straßenbahn** F tramway *m* **Straßenbeleuchtung** F éclairage *m* des rues **Straßencafé** N café *m* (avec terrasse) **Straßenglätte** F verglas *m* **Straßenhändler** M marchand ambulant **Straßenkarte** F carte routière **Straßenlage** F tenue de route **Straßennetz** N réseau *m* routier **Straßenrand** M bas-côté **Straßenschild** N plaque *f* de rue **Straßensperre** F barrage *m* routier **Straßenverkehr** M circulation *f* **Straßenverkehrsordnung** F code *m* de la route **Straßenzustand** M état des routes
sträuben sich ~ gegen s'opposer à
Strauch M arbrisseau
Strauchtomate F tomate en grappe
Strauß M ZOOL autruche *f*; *Blumenstrauß* bouquet
streben aspirer (**nach** à)
strebsam ambitieux
Strecke F distance; (*Route*) trajet *m*; *Bahn*: ligne
strecken (sich) ~ (s')étendre
Streich M *fig* tour
streicheln caresser
streichen *anstreichen* peindre; *Brote* tartiner (**mit** de); *ausstreichen* supprimer; *Name* rayer; *Flug etc* annuler
Streichholz N allumette *f*
Streichinstrument N instrument *m* à cordes **Streichkäse** M fromage à tartiner
Streife F patrouille
streifen effleurer
Streifen M bande *f*; *im Stoff* rayure *f* **Streifenwagen** M voiture *f* de police
Streik M grève *f* **streiken** faire grève
Streit M querelle *f*; *Wortstreit* dispute *f* **streiten** se quereller; se disputer **Streitkräfte**

FPL forces
streng sévère; *Regeln* strict
Stress M stress **stressig** stressant **Stresstest** M test de résistance
Stretch M *Stoff* stretch **Stretchhose** F pantalon *m* (en) stretch
streuen répandre; **Zucker auf etw** (*akk*) **~** saupoudrer qc de sucre
Strich M trait; *umg Prostitution* trottoir
Strick M corde *f*
stricken tricoter **Strickjacke** F gilet *m* **Stricknadeln** FPL aiguilles à tricoter **Strickwaren** FPL articles *mpl* en tricot **Strickzeug** N tricot *m*
strikt strict
String(tanga) M string *m*
Striptease M strip-tease
strittig controversé
Stroh N, **Strohhalm** M paille *f* **Strohhut** M chapeau de paille
Strom M fleuve; ELEK courant **Stromanschluss** M prise *f* de courant **Stromausfall** M panne *f* d'électricité
strömen couler (à flots); *Menschenmenge* affluer
Stromstärke F intensité du courant
Strömung F courant *m*
Stromverbrauch M consommation *f* de courant
Strumpf M bas **Strumpfhose** F collant(s) *m(pl)*
Stück N morceau *m* (*a.* MUS); *e-r Sammlung* pièce *f* (*a. Theater*); **5 Euro pro ~** 5 euros (la) pièce
Student(in) M(F) étudiant(e)
Studentenausweis M carte *f* d'étudiant **Studenten(wohn)heim** N foyer *m* d'étudiants
Studiengebühren PL droits *mpl* universitaires **Studienplatz** M place *f* à l'université **studieren** faire ses études; *etw* étudier **Studium** N études *fpl*
Stufe F marche
Stuhl M chaise *f* **Stuhlgang** M selles *fpl*
stumm muet
Stummel M bout; *Zigarette* mégot
Stummfilm M film muet
stumpf *Messer* émoussé; *fig Blick* terne **stumpfsinnig** stupide
Stunde F heure; *Schulstunde* cours *m*, leçon
Stundenkilometer MPL kilomètres-heure **stundenlang** pendant des heures **Stundenlohn** M salaire horaire **Stundenplan** M emploi du temps
stündlich toutes les heures
stur entêté
Sturm M tempête *f*
stürmen SPORT attaquer; MIL prendre d'assaut (*a. fig*) **Stürmer(in)** M(F) SPORT avant *m*

stürmisch orageux; *fig* impétueux; *Beifall* frénétique
Sturz M chute *f* (*a. fig u.* POL)
stürzen tomber (**auf j-n** sur qn); *etw u. fig* renverser; **sich ~ auf** (*akk*) se jeter sur
Sturzhelm M casque
Stute F jument
Stütze F soutien *m* (*a. fig*)
stützen soutenir (*a. fig*); **sich ~ auf** (*akk*) s'appuyer sur
Stützstrumpf M bas à varices
Subjekt N GRAM sujet; *pej* individu **subjektiv** subjectif
Substantiv N substantif *m*
Substanz F substance
subtrahieren soustraire
Suche F recherche (**nach** de)
suchen chercher; *intensiv* rechercher **Sucher** M FOTO viseur **Suchmaschine** F IT moteur *m* de recherche
Sucht F manie (**nach** de); *Abhängigkeit* dépendance (à)
süchtig dépendant
Süddeutschland N l'Allemagne *f* du Sud **Süden** M sud
Südfrankreich N le Midi
Südfrüchte FPL fruits *mpl* tropicaux
südlich du sud; **~ von** au sud de
Südosten M sud-est **Südwesten** M sud-ouest **Südwind** M vent du sud
Sülze F museau *m*
Summe F somme
Sumpf M marais
Sünde F péché *m*
super *umg* super
Super N, **Superbenzin** N super *m* **Supermarkt** M supermarché **Superstar** M *umg* superstar *f*, vedette *f*
Suppe F soupe, potage *m*
Suppenlöffel M cuillère *f* à soupe **Suppenteller** M assiette *f* creuse
Surfbrett N planche *f* à voile
surfen *windsurfen* faire de la planche à voile; *wellenreiten* faire du surf, surfer; **im Internet ~** naviguer sur Internet
Surfstick M stick USB
süß sucré; *niedlich* mignon **süßen** sucrer **Süßigkeiten** FPL friandises **süßsauer** aigre-doux **Süßspeise** F entremets *m* **Süßstoff** M édulcorant
Swimmingpool M piscine *f*
sympathisch sympathique
Symptom N symptôme *m*
Synagoge F synagogue
Syndrom N syndrôme *m*
synthetisch synthétique
System N système *m* **systematisch** systématique
Szene F scène; *Milieu* milieux *mpl*

T

Tabak M tabac [taba] **Tabakladen** M bureau de tabac

tabellarisch sous forme de tableau **Tabelle** F tableau *m*
Tablet N,**Tablet PC** M IT tablette *f*
Tablett N plateau *m*
Tablette F comprimé *m*
Tachometer M AUTO compteur (de vitesse)
Tadel M blâme **tadellos** irréprochable
tadeln blâmer
Tafel F *Schild* panneau *m*; *Schule* tableau *m*; *Tisch* table; *Schokolade* tablette
Tag M jour, journée *f*; **guten ~!** bonjour!; **am ~e** de jour; **am nächsten ~** le lendemain
tagelang ADV des jours entiers
Tagesgericht N plat *m* du jour **Tageskarte** F billet *m* valable pour la journée; *im Restaurant* menu *m* du jour **Tageslicht** N (lumière *f* du) jour *m* **Tagesmutter** F nourrice **Tagesordnung** F ordre *m* du jour **Tagesschau** F TV journal *m* télévisé **Tageszeitung** F quotidien *m*
täglich quotidien; ADV tous les jours; **zweimal ~** deux fois par jour
tagsüber pendant la journée
Tagung F congrès *m*
Taille F taille
Takt M MUS mesure *f*; *Taktgefühl* tact **taktlos** sans tact; *Frage* indiscret **Taktstock** M baguette *f* **taktvoll** plein de tact; ADV avec tact
Tal N vallée *f*
Talent N talent *m*
Talg M suif
Talkshow F débat *m* télévisé
Talsperre F barrage *m*
Tampon M tampon
Tang M varech [varɛk]
Tanga M tanga
Tango M MUS tango
Tank M réservoir **tanken** prendre de l'essence; *voll* faire le plein **Tanker** M SCHIFF pétrolier **Tankstelle** F station-service **Tankwart** M pompiste
Tanne F sapin *m*
Tante F tante
Tanz M danse *f* **Tanzabend** M soirée *f* dansante **tanzen** danser
Tänzer(in) M(F) danseur *m*, danseuse *f*
Tanzlokal N dancing *m* **Tanzmusik** F musique de danse **Tanztee** M thé dansant
Tapete F papier *m* peint
tapfer courageux
Tarif M tarif **Tarifpartner** MPL partenaires sociaux **Tarifvertrag** M convention *f* collective
Tasche F *an der Kleidung* poche; *Einkaufstasche, Handtasche* sac *m*
Taschenbuch N livre *m* de poche **Taschendieb** M pickpocket **Taschengeld** N argent *m* de poche **Taschen-**

lampe F lampe de poche **Taschenmesser** N canif *m* **Taschenrechner** M calculette *f* **Taschentuch** N mouchoir *m*

Tasse F tasse

Tastatur F clavier *m*

Taste F touche **Tastentelefon** N téléphone *m* à touches

tat → tun

Tat F action, acte *m*; *Verbrechen* crime *m*; **in der ~** en effet

Tatbestand M faits *mpl*

Täter(in) M(F) auteur *m* du délit, du crime

tätig actif; **in e-r Bank ~ sein** travailler dans une banque

Tätigkeit F activité

Tatort M lieu du crime

Tatsache F fait *m* **tatsächlich** vrai(ment), réelle(ment)

Tattoo N tatouage *m*

Tatze F patte

Tau[1] N cordage *m*

Tau[2] M rosée *f*

taub sourd

Taube F pigeon *m*

taubstumm sourd-muet

tauchen plonger

Taucher M plongeur; *mit Taucheranzug* scaphandrier **Taucherbrille** F masque *m* de plongée **Taucherin** F plongeuse

Tauchsieder M thermo-plongeur **Tauchsport** M plongée *f* (sous-marine)

tauen fondre; **es taut** il dégèle

Taufe F baptême [-at-] *m* **taufen** baptiser [-at-] **Taufpate** M parrain **Taufpatin** F marraine

taugen être bon (**zu, für** pour); **nichts ~** *Sache* ne rien valoir; *Person* n'être bon à rien **tauglich** bon (**zu, für** pour); MIL apte au service

Tausch M échange **tauschen** échanger (**gegen** contre); *Geld* changer

täuschen tromper; **sich ~** se tromper (**in** *dat* sur) **Täuschung** F tromperie; *Sinnestäuschung* illusion

tausend mille **Tausender** *umg* M billet de mille **Tausendstel** N millième *m*

Tauwetter N dégel *m*

Taxi N taxi *m* **Taxifahrer(in)** M(F) chauffeur *m* de taxi **Taxistand** M station *f* de taxis

Team N équipe *f* **Teamarbeit** F, **Teamwork** N travail *m* en équipe

Technik F technique [-k-]

Techniker(in) M(F) technicien(ne) [-k-] **technisch** technique [-k-]

Techno M *od* N MUS techno [-k-] *f*

Technologie F technologie [-k-]

Tee M thé; *Kräutertee* infusion *f*, tisane *f* **Teebeutel** M sachet de thé **Teegebäck** N gâteaux *mpl* secs **Teekanne** F théière **Teelöffel** M cuillère *f* à café

Teer M goudron
Teesieb N passe-thé *m* **Teetasse** F tasse à thé
Teich M étang
Teig M pâte *f* **Teigwaren** FPL pâtes (alimentaires)
Teil N *od* M partie *f*; *Anteil* part *f*; **zum ~** en partie
teilen (sich) ~ (se) diviser (**in** *akk* en); (*aufteilen*) (se) partager (**mit** avec)
Teilhaber(in) M(F) associé(e) **Teilnahme** F participation (**an** *akk* à); *Anteilnahme* sympathie
teilnehmen participer (**an** *dat* à) **Teilnehmer(in)** M(F) participant(e)
teils en partie **Teilung** F division; partage *m* **teilweise** partiel; ADV en partie **Teilzahlung** F paiement *m* à tempérament **Teilzeit** F temps *m* partiel; (**in**) **~ arbeiten** travailler à temps partiel **Teilzeitarbeit** F, *umg* **Teilzeitjob** M travail *m* à temps partiel
Telefax N télécopie *f*
Telefon N téléphone *m* **Telefonanruf** M appel (téléphonique), coup de téléphone **Telefonbanking** N (services *mpl* de) banque *f* électronique **Telefonbuch** N annuaire *m* **Telefongespräch** N conversation *f* téléphonique **telefonieren** téléphoner (**mit** à) **telefonisch** par téléphone **Telefonistin** F standardiste **Telefonkarte** F télécarte **Telefonnummer** F numéro *m* de téléphone **Telefonzelle** F cabine téléphonique **Telefonzentrale** F central *m* (téléphonique); *e-r Firma* standard *m*
telegrafieren télégraphier
Telegramm N télégramme *m*
Teleobjektiv N téléobjectif *m*
Telex N télex *m*
Teller M assiette *f*
Tempel M temple
temperamentvoll plein d'entrain, de fougue
Temperatur F température
Tempo N vitesse *f*, allure *f*; MUS tempo *m* **Tempolimit** N limitation *f* de vitesse
Tendenz F tendance
Tennis N tennis *m* **Tennisball** M balle *f* de tennis **Tennisplatz** M court [kur] (de tennis) **Tennisschläger** M raquette *f*
Teppich M tapis **Teppichboden** M moquette *f*
Termin M date *f*; *beim Arzt etc* rendez-vous **Terminkalender** M agenda
Terrasse F terrasse
Terrine F soupière
Terroranschlag M attentat terroriste **Terrorist(in)** M(F) terroriste
Tesafilm® M scotch®
Test M test
Testament N testament
testen tester

Tetanus M tétanos
teuer cher; **wie ~ ist das?** combien ça coûte?; **zu ~** trop cher
Teufel M diable
Text M texte
Textilien PL textiles *mpl*
Textverarbeitung F traitement *m* de texte
Thailand N la Thaïlande
Theater N théâtre *m*; *fig* **~ machen** faire des histoires
Theaterstück N pièce *f* (de théâtre) **Theatervorstellung** F représentation (théâtrale)
Theke F comptoir *m*
Thema N sujet *m*, thème *m*
Theorie F théorie
Therapie F thérapie
Thermalbad N station *f* thermale **Thermometer** N thermomètre *m* **Thermosflasche** F thermos
Thriller M film *bzw* roman de suspense
Thrombose F thrombose
Thunfisch M thon
Thüringen N la Thuringe
Thymian M thym
Ticket N *Flugticket, Eintrittskarte* billet *m*; *Fahrschein* ticket *m*
tief profond; *niedrig* bas; *Stimme* grave; *Teller* creux
Tief N, **Tiefdruckgebiet** N zone *f* de basse pression
Tiefe F profondeur
Tiefgarage F parking *m* souterrain **tiefgekühlt** surgelé
Tiefkühlfach N freezer [frizœr] **Tiefkühlkost** F surgelés *mpl* **Tiefkühltruhe** F congélateur *m*
Tier N animal *m* **Tierarzt** M, **Tierarztärztin** F vétérinaire
Tiergarten M zoo **Tierhandlung** F animalerie
Tierversuche MPL expérimentation *f* animale
Tiger M tigre
tilgen *Schulden* rembourser
Timing N minutage *m*
Tinnitus M MED acouphène
Tinte F encre **Tintenfisch** M seiche *f*
Tipp M *umg Hinweis* tuyau
tippen taper à la machine; *wetten* parier (**auf** *akk* sur); *im Lotto, Toto* jouer
Tisch M table *f*; **bei ~** à table
Tischler M menuisier
Tischtennis N ping-pong *m*
Tischtuch N nappe *f* **Tischwein** M vin de table
Titel M titre
Toast M toast **Toaster** M grille-pain
toben être furieux; *Kinder* faire les fous
Tochter F fille
Tod M mort *f*
Todesanzeige F faire-part *m* de décés **Todesopfer** N mort *m* **Todesstrafe** F peine de mort
tödlich mortel
todmüde mort de fatigue
Tofu M tofu

Toilette F toilettes *fpl*, W.-C. *m(pl)*; **wo ist die ~** où sont les toilettes? **Toilettenpapier** N papier *m* hygiénique **toll** *umg großartig* super **Tollwut** F rage **tollwütig** enragé **Tomate** F tomate **Tomatensaft** M jus de tomates **Ton**[1] M *Lehm* argile *f*; (terre *f*) glaise *f* **Ton**[2] M ton; *Film*, TV *etc* son **Tonband** N bande *f* magnétique **Tonbandgerät** N magnétophone *m* **tönen** *Haar* teindre **Toner** M encre *f* **Tonfilm** M film parlant **Tonne** F tonneau *m*; *Maß* tonne **Tönung** F coloration **Topf** M pot; *Kochtopf* faitout, marmite *f* **Topfen** M *österr* fromage blanc **Töpferei** F poterie **Töpferwaren** FPL poteries **Tor** N porte *f*; SPORT but *m* **Torf** M tourbe *f* **töricht** fou **Torschütze** M buteur **Törtchen** N tartelette *f* **Torte** F gâteau *m*; *Obsttorte* tarte **Torwart** M gardien de but **tot** mort **total** total **Totalausverkauf** M liquidation *f* totale **Totalschaden** M AUTO destruction *f* totale du véhicule

Tote(r) M/F(M) mort(e) *m(f)* **töten** tuer **Totenschein** M acte de décès **Toto** N loto sportif **Totoschein** M bulletin du loto sportif **Totschlag** M homicide **Touchscreen** M écran tactile **Toupet** N postiche *m* **Tour** F tour *m* (**durch** de); *Ausflug* excursion; *Route* itinéraire *m* **Tourenrad** M vélo *m* de tourisme **Tourismus** M tourisme; **sanfter ~** écotourisme **Tourist(in)** M(F) touriste **Touristeninformation** F office *m* du tourisme **Touristenklasse** F classe touriste **Touristik** F tourisme *m* **Trab** M trot **traben** trotter **Tracht** F costume *m* régional **Tradition** F tradition **Tragbahre** F civière **tragbar** portable, portatif **träge** indolent; *faul* paresseux **tragen** porter; **bei sich ~** avoir sur soi **Träger** M *Kleidung* bretelle *f*; ARCH poutre *f* **Tragetasche** F sac *m* **Tragfläche** F aile **Tragflügelboot** N hydroptère *m* **tragisch** tragique **Tragödie** F tragédie **Tragweite** F portée **Trainer(in)** M(F) entraîneur *m*, entraîneuse *f* **trainieren** (s')entraîner **Training** N en-

traînement *m* **Trainingsanzug** M survêtement
Traktor M tracteur
trampen faire du stop **Tramper(in)** M(F) auto-stoppeur *m*, auto-stoppeuse *f*
Träne F larme **Tränengas** N gaz *m* lacrymogène
Transfer M tranfert
Transistor(radio) M(N) transistor *m*
Transitverkehr M trafic de transit
Transport M transport **transportfähig** transportable **transportieren** transporter **Transportkosten** PL frais *mpl* de transport
Traube F *Weintraube* (grain *m* de) raisin *m*; BOT grappe (*a. fig*); **~n kaufen** acheter du raisin
Traubensaft M jus de raisin **Traubenzucker** M glucose *m*
trauen j-m ~ avoir confiance en qn; **sich ~ zu** oser (*+inf*); V/T marier; **sich ~ lassen** se marier
Trauer F deuil *m* **Trauerfeier** F funérailles *fpl*
trauern être en deuil; **um j-n ~** pleurer (la mort de) qn
Traum M rêve
träumen rêver
traurig triste **Traurigkeit** F tristesse
Trauring M alliance *f* **Trauschein** M acte de mariage
Trauung F mariage *m* **Trauzeuge** M témoin du (de la) marié(e)
Treff N trèfle *m*
treffen *Ziel* toucher; *kränken* blesser; *Entscheidung* prendre; (*begegnen*) **(sich) ~** (se) rencontrer
Treffen N rencontre *f*
treffend juste **Treffpunkt** M (lieu de) rendez-vous
treiben pousser; SPORT, *Studien, Handel* faire; *auf dem Wasser* dériver
Treibgas N gaz *m* propulseur
Treibhaus N serre *f* **Treibhauseffekt** M effet de serre
Treibstoff M carburant
Trekking N trekking *m* **Trekkingrad** N VTC *m*, vélo *m* tout chemin **Trekkingschuhe** MPL chaussures *fpl* de trekking
Trend M (*Tendenz*) tendance *f*; (*Mode*) mode *f*
trennen (sich) ~ (se) séparer (**von** de) **Trennung** F séparation **Trennwand** F cloison
Treppe F escalier *m*
Treppengeländer N rampe *f* **Treppenhaus** N cage *f* d'escalier
Tresor M coffre-fort
Tretboot N pédalo *m*
treten *j-n* donner un coup de pied à; **auf etw** (*akk*) **~** marcher sur qc; **auf die Bremse ~** appuyer sur le frein
treu fidèle, loyal **Treue** F fidé-

lité, loyauté **treulos** infidèle, déloyal
Triathlon M SPORT triathlon
Tribüne F tribune
Trichter M entonnoir
Trick M truc **Trickfilm** M dessins *mpl* animés **tricksen** *umg* goupiller
Triebkraft F force motrice **Triebwagen** M BAHN automotrice *f* **Triebwerk** N FLUG réacteur *m*
Trier Trèves
triff(t) → treffen
Trikot N SPORT maillot *m*
trinkbar buvable; *Wasser* potable **trinken** boire **Trinkgeld** N pourboire *m* **Trinkwasser** N eau *f* potable
tritt → treten
Tritt M pas; *Fußtritt* coup de pied **Trittbrett** N marchepied *m*
trocken sec (*a. Wein*) **Trockenhaube** F séchoir *m* **Trockenheit** F sécheresse **Trockenmilch** F lait *m* en poudre
trocknen sécher **Trockner** M *Wäschetrockner* sèche-linge
Trödelmarkt M marché aux puces
Trommel F tambour *m* **Trommelfell** N tympan *m* **trommeln** battre le tambour
Trompete F trompette
Tropen PL tropiques *mpl*; **in den ~** sous les tropiques
Tropf M MED **am ~ hängen** être sous perfusion
tropfen *Wasserhahn* goutter
Tropfen M goutte *f*
tropisch tropical
Trost M consolation *f*
trösten consoler (**über** A de); **sich ~** se consoler (**mit** avec)
trostlos désolant; *öde* désolé **Trostpreis** M prix de consolation
trotz (*gen*) malgré; **~ allem** malgré tout
Trotz M obstination *f* **trotzdem** quand même **trotzig** obstiné
trübe *Flüssigkeit* trouble; *glanzlos* terne; *Wetter* sombre; *fig* triste
Trubel M tumulte
trübsinnig mélancolique
Trüffel F truffe
trügerisch trompeur
Truhe F coffre *m*, bahut *m*
Trümmer PL décombres *mpl*
Trumpf M atout
Trunkenheit F **~ am Steuer** conduite en état d'ivresse
Trunksucht F alcoolisme *m*
Trupp M bande *f*; *Arbeitstrupp* équipe *f*
Truppe F troupe; *Theater a.* compagnie
Truthahn M dindon
Tscheche M Tchèque **Tschechien** N la République tchèque **tschechisch** tchèque
tschüs(s)! *umg* salut!
Tsunami M tsunami
Tube F tube *m*

Tuch N drap *m*; *Kopftuch, Halstuch* foulard *m*; *Staubtuch* chiffon *m*
tüchtig bon; *fähig* capable; *fleißig* travailleur; *umg* ADV beaucoup
tückisch perfide, sournois
Tugend F vertu
Tulpe F tulipe
Tumor M tumeur *f*
Tümpel M mare *f*
Tumult M tumulte
tun faire; *hintun* mettre; **so ~, als ob** faire semblant de
Tunesien N la Tunisie **Tunesier(in)** M(F) Tunisien(ne) **tunesisch** tunisien
Tunfisch M thon
Tunnel M tunnel
Tür F porte
Turbine F turbine
turbulent turbulent
Türke M, **Türkin** F Turc, Turque **Türkei die ~** la Turquie **Türkis** M turquoise *f* **türkisch** turc
Türklinke F poignée de porte
Turm M tour *f*; *Kirchturm* clocher **Turmuhr** F horloge
turnen faire de la gymnastique **Turner(in)** M(F) gymnaste **Turnhalle** F gymnase
Turnier N tournoi *m*
Turnschuh M tennis; *knöchelhoher* basket *f*
Turnus M roulement
Türöffner M ouvre-porte électrique
Tusche F encre de Chine
Tüte F sac *m* en papier *bzw* en plastique; *spitze* cornet *m*
TÜV M (*Technischer Überwachungsverein*) AUTO (centre de) contrôle technique
twittern utiliser Twitter®
Typ M type
Typhus M (fièvre *f*) typhoïde *f*
typisch typique (**für** de)

U

U-Bahn F métro *m* **U-Bahn-Station** F station de métro
übel mauvais; **mir ist ~** je me sens mal; **~ nehmen** prendre mal; **ich nehme es ihm nicht ~** je ne lui en veux pas
Übelkeit F envie de vomir
üben exercer
über (*akk, dat*) au-dessus de; *auf* sur; *mehr als* plus de; **reisen ~** passer par; **sprechen ~** parler de; **~ Nacht** pendant la nuit
überall partout
überanstrengen sich ~ se surmener
überbacken GASTR gratiné
überbelichtet surexposé
überbieten *j-n* enchérir sur; *Rekord* battre **Überbleibsel** N reste *m*
Überblick M vue *f* d'en-

semble; *Darstellung* résumé **überblicken** embrasser d'un coup d'œil **überbringen** remettre **Überbringer(in)** M(F) porteur *m*, porteuse *f* **überdacht** couvert **überdauern** survivre à **überdenken** réfléchir à **überdurchschnittlich** au dessus de la moyenne **übereilt** précipité **übereinander** l'un sur l'autre **übereinkommen ~, dass** convenir de (+*inf*) **übereinstimmen** être d'accord (**mit** avec) **überfahren** *j-n* renverser **Überfahrt** F traversée **Überfall** M attaque *f* (**auf** *akk* de), agression *f* (de) **überfallen** *Bank* attaquer; *j-n* agresser; *fig umg* débarquer chez **überfliegen** survoler **Überfluss** M abondance *f* (**an** *dat* de) **überflüssig** superflu **überfluten** inonder **überfordern** *j-n* demander trop à **überführen** *Leiche* transférer; *Verbrecher* convaincre (**e-r Sache** *gen* de qc) **Überführung** F *Bahn* passage *m* supérieur **überfüllt** *Saal* comble; *Zug etc* bondé **Übergabe** F remise **Übergang** M passage; *fig* transition *f* **Übergangszeit** F période transitoire; *Jahreszeit* demi-saison **übergeben** remettre; **sich ~** vomir **übergehen** *übersehen* ignorer; **~ zu** passer à **Übergepäck** N excédent *m* de bagages **Übergewicht** N excédent *m* de poids; *fig* prédominance *f* **Übergröße** F grande taille **überhaupt** en général; **~ nicht** pas du tout **überheblich** arrogant **überholen** AUTO doubler, dépasser; TECH réviser **überholt** périmé **Überholverbot** N interdiction de dépasser **überladen** ADJ surchargé (*a. fig*) **überlassen** laisser, céder **überlaufen**[1] *Gefäß* déborder **überlaufen**[2] ADJ envahi **überleben** survivre **Überlebende(r)** M/F(M) survivant(e) *m(f)* **überlegen**[1] réfléchir (**etw** sur qc) **überlegen**[2] ADJ supérieur **Überlegung** F réflexion **übermäßig** excessif **übermitteln** transmettre **übermorgen** après-demain **übermüdet** surmené **übernachten** passer la nuit **Übernachtung** F nuit (à l'hôtel); **~ und Frühstück** chambre et petit déjeuner **übernehmen** *Arbeit* se charger de; *Verantwortung* assumer **überprüfen** vérifier **überqueren** traverser **überragen** dépasser **überraschen** surprendre

überraschend surprenant **Überraschung** F surprise **überreden** persuader (**zu etw** de faire qc) **überreichen** remettre **überrumpeln** prendre au dépourvu **überschätzen** surestimer **überschlagen** *Kosten* faire un calcul rapide; *Seite* sauter; **sich ~** AUTO capoter **überschneiden sich ~** *Linien* se croiser; *zeitlich* coïncider **überschreiten** franchir **Überschrift** F titre *m* **Überschuss** M excédent (**an** *dat* de) **Überschwemmung** F inondation **überseeisch**, **Übersee...** d'outre-mer **übersehen** *nicht bemerken* ne pas voir; **das habe ich ~** cela m'a échappé **übersenden** envoyer **übersetzen** *Text* traduire; *mit der Fähre* passer sur l'autre rive **Übersetzer(in)** M(F) traducteur *m*, traductrice *f* **Übersetzung** F traduction **Übersicht** F vue d'ensemble; *Zusammenfassung* résumé *m* **übersichtlich** clair **überspringen** sauter **übersteigen** *fig* dépasser **Überstunden** FPL heures supplémentaires **überstürzt** précipité **übertragen** *Radio*, TV, *Krankheit* transmettre **Übertragung** F transmission **übertreffen** surpasser **übertreiben** exagérer **Übertreibung** F exagération **übertreten** *Gesetz* enfreindre **übervölkert** surpeuplé **überwachen** surveiller **Überwachungskamera** F caméra de surveillance **überwältigen** vaincre **überwältigend** grandiose; *Mehrheit* écrasant **überweisen** *Geld* virer; *Patienten* envoyer (**zu** chez) **Überweisung** F virement *m* **überwiegen** prédominer **überwiegend** ADV principalement **überwinden** vaincre **überzeugen** convaincre (**von** de) **Überzeugung** F conviction **überziehen** *Mantel* mettre; **(sein Konto) ~** avoir un découvert (**um** de); **~ mit** recouvrir de **Überzug** M couverture *f* **üblich** habituel, d'usage **U-Boot** N sous-marin *m* **übrig** restant; **~ bleiben** rester; **~ lassen** laisser **übrigens** du reste, d'ailleurs **Übung** F exercice *m* **Ufer** N rive *f*; *Meer* rivage *m* **UG** N ABK → Untergeschoss **Uhr** F montre; *Turmuhr* horloge; **wie viel ~ ist es?** quelle heure est-il?; **es ist ein ~** il est une heure; **um wie viel ~?** à quelle heure? **Uhrarmband** N bracelet *m* (pour montre) **Uhrma-**

cher(in) MF horloger *m*, horlogère *f* **Uhrzeiger** M aiguille *f* **Uhrzeit** F heure
Uhu M grand duc
UKW (*Ultrakurzwelle*) FM *f* (*modulation de fréquence*)
Ulme F orme *m*
um (*akk*) *örtlich* **~ (... herum)** autour de; *zeitlich* aux environs de, vers; *Uhrzeit* à; **~ drei (Uhr)** à trois heures; **~ jeden Preis** à tout prix; **~ zu** pour; → besser
umarmen embrasser **Umbau** M transformations *fpl* **umbinden** *Tuch* mettre **umblättern** tourner la page **umbringen** *umg* tuer
umdrehen tourner; **sich ~** se retourner (**nach** vers) **Umdrehung** F tour *m*
umfallen tomber **Umfang** M *Größe* étendue *f*; *Menge* volume **umfangreich** volumineux **umfassen** comprendre **Umfrage** F enquête **umfüllen** transvaser
umgänglich sociable
Umgangsformen FPL (bonnes) manières **Umgangssprache** F langage *m* familier
umgeben entourer (**mit** de) **Umgebung** F *e-r Person* entourage *m*; *e-s Ortes* environs *mpl*
umgehen *Hindernis, Gesetz* contourner; *fig vermeiden* éviter; **mit j-m ~** traiter qn
umgehend ADV immédiatement
Umgehungsstraße F rocade
umgekehrt inverse, contraire; ADV inversement; **und ~** et vice versa
Umhängetasche F sac *m* à bandoulière
Umkehr F retour *m* **umkehren** faire demi-tour; *Taschen* retourner
umkippen renverser; V/I se renverser; *umg ohnmächtig werden* tomber dans les pommes
Umkleideraum M vestiaire *m*
umkommen périr, être tué (**bei** dans)
Umkreis M **im ~ von** dans un rayon de
umleiten dévier **Umleitung** F déviation
umliegend environnant
umpacken *Koffer* refaire **umpflanzen** transplanter **umquartieren** loger ailleurs
umrechnen convertir (**in** *akk* en) **Umrechnungskurs** M taux de change
umringen entourer **Umrisse** MPL contours **umrühren** remuer **Umsatz** M HANDEL chiffre d'affaires
Umschlag M MED compresse *f*; *Briefumschlag* enveloppe *f*; *Buchumschlag* jaquette *f* **umschlagen** V/I *Boot* chavirer; *Wetter* changer brusquement
umschulen *Berufstätige* recy-

cler, reconvertir **Umschwung** M changement brusque, revirement
umsehen sich ~ *zurücksehen* se retourner; *ringsherum* regarder autour de soi; **sich in der Stadt ~** faire un tour en ville; **sich nach etw ~** chercher qc
umsichtig circonspect **Umsiedler** M personne *f* déplacée **umsonst** *gratis* gratuitement; *vergebens* en vain
Umstände MPL circonstances *fpl*; *Förmlichkeiten* façons *fpl*; **unter diesen ~n** dans ces circonstances, conditions; **unter ~n** éventuellement; **unter keinen ~n** en aucun cas; **ohne ~** sans faire de façons
umständlich compliqué
Umstandskleid N robe *f* de grossesse
umsteigen changer (de train)
umstellen changer de place; *fig Betrieb etc* réorganiser; **sich ~** s'adapter (**auf** *akk* à)
umstoßen renverser **umstritten** contesté **Umsturz** M révolution *f*
Umtausch M échange **umtauschen** échanger
umwandeln transformer (**in** *akk* en) **umwechseln** changer
Umweg M détour
Umwelt F environnement *m*
Umweltbelastung F nuisances *fpl*, pollution **umweltbewusst** respectueux de l'environnement **umweltfreundlich** *Auto, Verpackung* non-polluant **Umweltplakette** F pastille écologique
umweltschädlich polluant
Umweltschutz M protection *f* de l'environnement **Umweltschützer(in)** M(F) écologiste **Umweltverschmutzung** F pollution
umwerfen renverser
umziehen déménager; **sich ~** se changer
Umzug M déménagement; *Festzug* cortège
unabhängig indépendant (**von** de) **Unabhängigkeit** F indépendance
unabsichtlich involontaire
unachtsam inattentif
unangebracht déplacé **unangenehm** désagréable **unannehmbar** inacceptable
Unannehmlichkeit F désagrément *m* **unanständig** indécent
unappetitlich peu appétissant **unartig** *Kind* mal élevé
unauffällig discret **unaufhörlich** incessant **unaufmerksam** inattentif
unausstehlich insupportable
unbarmherzig impitoyable
unbeabsichtigt involontaire
unbedeutend insignifiant
unbedingt ADV absolument
unbefahrbar impraticable
unbefangen impartial; ADV sans parti pris **unbefriedi-**

gend peu satisfaisant; *nicht ausreichend* insuffisant **unbefugt** non autorisé **unbegabt** peu doué (**zu, für** pour) **unbegreiflich** incompréhensible **unbegrenzt** illimité **unbegründet** non fondé **Unbehagen** N malaise *m* **unbeholfen** maladroit **unbekannt** inconnu **unbekümmert** insouciant **unbeliebt** impopulaire

unbemannt *Raumfahrt* non habité **unbemerkt** inaperçu **unbequem** inconfortable **unberechenbar** *Person* imprévisible **unberührt, unbeschädigt** intact **unbescheiden** présomptueux **unbeschränkt** illimité **unbeschreiblich** indescriptible

unbeständig changeant **unbestechlich** incorruptible **unbestimmt** indéfini; *unsicher* incertain **unbestritten** incontesté **unbeteiligt** étranger (**an** *dat* à); *gleichgültig* indifférent **unbewacht** *Parkplatz* non gardé **unbeweglich** immobile **unbewohnt** inhabité; *Haus* inoccupé **unbewusst** inconscient **unbezahlbar** impayable (*a. fig*)

unbrauchbar inutilisable

und et; **~ so weiter** et cetera; **na ~?** et alors?

undankbar ingrat **undenkbar** impensable **undeutlich** *Foto* flou (*a. fig*); *Schrift* illisible; *Aussprache* mauvais **undicht** perméable

undurchlässig imperméable

undurchsichtig opaque

uneben inégal **unecht** faux **unehelich** illégitime; naturel **unehrlich** malhonnête **uneigennützig** désintéressé **uneinig** en désaccord (**über** *akk* sur) **unempfindlich** insensible (**gegen** à) **unendlich** infini

unentbehrlich indispensable **unentgeltlich** gratuit; *Tätigkeit* bénévole **unentschieden** indécis; ADV en suspens **Unentschieden** N SPORT match *m* nul **unentschlossen** indécis

unerbittlich inexorable **unerfahren** inexpérimenté **unerfreulich** désagréable **unerhört** inouï **unerklärlich** inexplicable **unerlässlich** indispensable **unerledigt** non fait, inachevé **unermüdlich** infatigable

unerreichbar inaccessible **unerschütterlich** imperturbable **unersetzlich** irremplaçable; *Verlust* irréparable **unerträglich** insupportable **unerwartet** inattendu **unerwünscht** indésirable

unfähig incapable (**zu** de) **Unfähigkeit** F incapacité

unfair déloyal

Unfall M accident **Unfallflucht** F délit *m* de fuite **Un-**

fallort M lieu de l'accident **Unfallstation** F service *m* de traumatologie **Unfallversicherung** F assurance accidents **Unfallwagen** M voiture *f* accidentée

unfassbar inconcevable; *unerklärlich* incompréhensible **unfehlbar** infaillible **unfrankiert** non affranchi **unfreiwillig** involontaire

unfreundlich peu aimable, désagréable; *Wetter* maussade

unfruchtbar stérile

Unfug M bêtises *fpl*

Ungar M °Hongrois **ungarisch** °hongrois **Ungarn** N la °Hongrie

ungebildet inculte **ungebräuchlich** peu usité **ungeduldig** impatient

ungeeignet qui n'est pas approprié (**für** à); *Person* non qualifié (pour)

ungefähr ADV à peu près, environ **ungefährlich** inoffensif, sans danger **ungeheuer** énorme **Ungeheuer** N monstre *m* **ungehorsam** désobéissant

ungelegen inopportun; **j-m ~ kommen** ne pas arranger qn

ungelernt non qualifié **ungelogen** *umg.* sans mentir

ungemütlich peu accueillant; *steif* guindé **ungenau** inexact

ungeniert sans gêne

ungenießbar immangeable; *Getränk* imbuvable **ungenügend** insuffisant **ungepflegt** négligé

ungerade *Zahl* impair

ungerecht injuste **Ungerechtigkeit** F injustice

ungern à contrecœur

ungeschickt maladroit **ungestört** tranquille **ungesund** malsain; *Klima* insalubre; *Aussehen* malade

ungewiss incertain **ungewöhnlich**, **ungewohnt** inhabituel

Ungeziefer N vermine *f*

ungezogen mal élevé

ungezwungen naturel, décontracté

unglaublich incroyable **ungleichmäßig** inégal

Unglück N malheur *m*; *Unfall* accident *m* **unglücklich** malheureux **unglücklicherweise** malheureusement

ungültig non valable; *Ausweis* périmé **ungünstig** défavorable **Unheil** N malheur *m*, désastre *m* **unheilbar** incurable **unhöflich** impoli **unhygienisch** peu hygiénique

Uni F UMG université, *umg* fac

Uniform F uniforme *m*

Union F union; **die Europäische ~** l'Union européenne

Universität F université

unklar peu clair **unklug** imprudent **Unkosten** PL frais *mpl* **Unkraut** N mauvaise herbe *f* **unlängst** dernière-

ment, récemment **unleserlich** illisible
Unmenge F quantité énorme (**von** de)
unmenschlich inhumain **unmerklich** imperceptible **unmittelbar** immédiat **unmöbliert** non meublé **unmodern** démodé **unmöglich** impossible **unmoralisch** immoral **unmündig** mineur **unnatürlich** peu naturel; *geziert* affecté
unnötig, **unnütz** inutile
UNO F **die ~** l'ONU
unordentlich en désordre; *Person* désordonné **Unordnung** F désordre *m*
unparteiisch impartial **unpassend** *Zeitpunkt* mal choisi; *Bemerkung* déplacé **unpersönlich** impersonnel **unpraktisch** peu pratique; *Person* maladroit **unpünktlich** inexact; ADV en retard
Unrecht N injustice *f*, tort *m*; **unrecht haben** avoir tort
unregelmäßig irrégulier
unreif pas mûr (*a. fig*); *Obst* vert
Unruhe F inquiétude; **~n** PL POL troubles *mpl* **unruhig** inquiet
uns (à) nous
unsauber malpropre; *Arbeit* bâclé; *Geschäfte* malhonnête **unschädlich** inoffensif **unscharf** FOTO flou **unschlagbar** imbattable **unschlüssig** indécis
Unschuld F innocence **unschuldig** innocent
unser(e) notre; **~e** PL nos
unsicher peu sûr; *ungewiss* incertain; *Person* qui manque d'assurance **Unsicherheit** F incertitude; *e-r Person* manque *m* d'assurance; *e-r Gegend* insécurité
Unsinn M bêtises *fpl*, absurdité(s) *f(pl)* **unsinnig** insensé, absurde
unsittlich immoral **unsterblich** immortel **unsympathisch** antipathique **untätig** inactif
unten en bas; **von ~** d'en bas; **nach ~** vers le bas; **von ~ nach oben** de bas en °haut
unter (*akk, dat*) sous; *unterhalb* au-dessous de; *zwischen* parmi; **~ uns** entre nous
Unterarm M avant-bras **unterbelichtet** sous-exposé **Unterbewusstsein** N subconscient *m*
unterbrechen interrompre **Unterbrechung** F interruption
unterbringen *Gast* loger **unterdessen** en attendant **unterdrücken** réprimer; *Volk* opprimer
untere(r, -s) inférieur; *Stockwerk* du dessous
untereinander l'un sous l'autre; *miteinander* entre eux (nous *etc*); *gegenseitig* mutuel-

lement **unterentwickelt** sous-développé **unterernährt** sous-alimenté
Unterführung F passage *m* souterrain **Untergang** M SCHIFF naufrage **Untergebene(r)** M/F(M) subordonné(e) *m(f)* **untergehen** *Sonne, Mond* se coucher; *Schiff* couler **Untergeschoss** N sous-sol *m*
Untergrundbahn F métro *m*
unterhalb (*gen*) *od von* au--dessous de
Unterhalt M *Lebensunterhalt* subsistance *f*; *Instandhaltung* en-tretien; JUR pension *f* alimentaire
unterhalten *Person* entretenir; *zerstreuen* distraire; *instandhalten* entretenir; **sich ~** s'entretenir (**über** *akk* de); *sich zerstreuen* s'amuser
Unterhaltung F *Gespräch* conversation; *Vergnügen* amusement *m*; *Instandhaltung* entretien *m*
Unterhemd N maillot *m*, tricot *m* de corps **Unterhose** F *Herrenunterhose* caleçon *m*; *Damenunterhose* culotte **Unterkunft** F hébergement *m*
unterlassen *etw* s'abstenir de **Unterleib** M bas-ventre
Unterlippe F lèvre inférieure
Untermieter(in) M(F) sous-locataire
unternehmen entreprendre
Unternehmen N entreprise *f* **Unternehmer(in)** M(F) entrepreneur *m*, entrepreneuse *f* **unternehmungslustig** entreprenant
Unterredung F entretien *m*
Unterricht M enseignement; *Schulstunden* cours *mpl*
unterrichten enseigner (**etw** qc, **j-n in etw** *dat* qc à qn); *informieren* informer (**über** *akk*, **von** de)
Unterrock M jupon
unterscheiden distinguer
Unterscheidung F distinction
Unterschied M différence *f*
unterschiedlich différent
unterschreiben signer **Unterschrift** F signature **Unterseeboot** N sous-marin *m*
unterste(r, -s) le (la) plus bas(se)
unterstreichen souligner
unterstützen soutenir; *finanziell* aider **Unterstützung** F soutien *m*; *Beihilfe* aide
untersuchen examiner (*a.* MED); *ermitteln* enquêter sur; JUR instruire **Untersuchung** F examen [ɛgzamɛ̃] *m* (*a.* MED); *Ermittlung* enquête; JUR instruction
Untersuchungshaft F détention préventive **Untersuchungsrichter** M juge d'instruction
Untertasse F soucoupe **untertauchen** plonger; *fig* dis-

paraître **Unterteil** N od M partie *f* inférieure **Untertitel** M *Film* sous-titre **Unterwäsche** F linge *m* de corps
unterwegs en route
unterzeichnen signer
unterziehen *Hemd* mettre par-dessous; **sich ~** se soumettre (**e-r Sache** *dat* à qc)
Unterzucker M *umg* hypoglycémie *f*
Untiefe F bas-fond *m*
untragbar intolérable **untrennbar** inséparable **untreu** infidèle **Untreue** F infidélité **untröstlich** inconsolable
unüberlegt irréfléchi **unübersichtlich** peu clair **unumgänglich** indispensable
ununterbrochen ininterrompu; ADV sans interruption
unveränderlich invariable **unverändert** inchangé **unverantwortlich** irresponsable **unverbesserlich** incorrigible **unverbindlich** qui n'oblige à rien **unverbleit** sans plomb **unverdaulich** indigeste **unvereinbar** incompatible (**mit** avec) **unvergesslich** inoubliable **unvergleichlich** incomparable **unverheiratet** célibataire **unverkäuflich** invendable **unverletzt** sans blessure(s); indemne **unvermeidlich** inévitable **unvermutet** inattendu **unvernünftig** déraisonnable
unverschämt impertinent **Unverschämtheit** F impertinence
unversehrt intact; *Person* indemne **unverständlich** incompréhensible; *Worte* inintelligible **unverzüglich** immédiat; ADV sans délai
unvollendet inachevé **unvollkommen** imparfait **unvollständig** incomplet
unvorbereitet non préparé **unvorhergesehen** imprévu **unvorsichtig** imprudent **unvorstellbar** inimaginable
unwahr faux **Unwahrheit** F mensonge *m* **unwahrscheinlich** peu probable, invraisemblable
unwesentlich peu important
Unwetter N tempête *f*
unwichtig sans importance **unwiderstehlich** irrésistible **unwillkürlich** involontaire **unwirksam** inefficace **unwissend** ignorant
unwohl indisposé **Unwohlsein** N indisposition *f*
unwürdig indigne **unzählige** innombrables
unzerbrechlich incassable **unzertrennlich** inséparable **unzufrieden** mécontent **unzugänglich** inaccessible **unzulänglich** insuffisant **unzulässig** inadmissible **unzuverlässig** peu fiable
Update N IT mise *f* à jour

üppig *Vegetation* luxuriant; *Mahlzeit, Busen* plantureux
uralt très vieux
Uran N uranium *m*
Uraufführung F première
Urenkel M arrière-petit-fils
Urgroßmutter F arrière--grand-mère **Urgroßvater** M arrière-grand-père
Urheber(in) M(F) auteur *m* **Urheberrecht** N droit *m* d'auteur
Urin M urine *f*
Urkunde F document *m*
Urlaub M vacances *fpl*; *bei Berufstätigen a.* congé; **in ~ sein** être en vacances; **schönen ~!** bonnes vacances!
Urlauber(in) M(F) vacancier *m*, vacancière *f*
Urlaubsanschrift F adresse de vacances **Urlaubsort** M lieu de vacances **Urlaubszeit** F période des vacances
Urne F urne
Urologe M urologue
Ursache F cause; **keine ~!** (il n'y a) pas de quoi!
Ursprung M origine *f* **ursprünglich** d'origine, initial; ADV à l'origine
Urteil N jugement *m* (*a.* JUR) **urteilen** juger (**über** *akk* de), porter un jugement (sur)
Urwald M forêt *f* vierge
USA PL **die ~** les USA *mpl*
USB M IT (*universal serial bus*) USB [yɛsbe] *m* **USB-Anschluss** M port USB **USB-Kabel** N câble *m* USB **USB-Stick** M clé *f* USB
User(in) M(F) IT utilisateur *m*, utilisatrice *f*
Usus M *umg* **das ist hier so ~** c'est l'usage ici
usw. (*und so weiter*) etc.
Utensilien PL ustensiles *mpl*
utopisch utopique
UV-Strahlen PL rayons *mpl* ultraviolets

vage vague
vakuumverpackt emballé sous vide
Vanille F vanille **Vanilleeis** N glace *f* à la vanille **Vanillezucker** M sucre vanillé
Varietee N music-hall *m*
Vase F vase *m*
Vater M père **Vaterland** N patrie *f*
väterlich paternel
vegan végétalien **Veganer(in)** M(F) végétalien(ne)
Vegetarier(in) M(F) végétarien(ne) **vegetarisch** végétarien **Vegetation** F végétation
Veilchen N violette *f*
Vene F veine
Ventil N TECH soupape *f*; *e-s Reifens* valve *f* **Ventilator** M

ventilateur **verabreden** **etw ~** convenir de qc; **sich ~** prendre rendez-vous (**mit** avec) **Verabredung** F rendez-vous *m*
verabschieden *Gäste* dire au revoir à; *Gesetz* voter; **sich ~** prendre congé (**von** de)
verachten mépriser **verächtlich** méprisant **Verachtung** F mépris *m*
verallgemeinern généraliser
veraltet vieilli
veränderlich variable **verändern** *u.* **sich ~** changer **Veränderung** F changement *m*
veranlassen pousser (**zu** à); *anordnen* ordonner **Veranlassung** F motif *m*
veranstalten organiser **Veranstalter(in)** M(F) organisateur *m*, organisatrice *f* **Veranstaltung** F manifestation
verantworten répondre de; **sich ~** se justifier (**für** de) **verantwortlich** responsable (**für** de) **Verantwortung** F responsabilité (**für** de) **verantwortungslos** irresponsable
verärgert fâché (**wegen** à cause de)
Verb N verbe *m*
Verband M association *f*; MED pansement; *Binde* bandage **Verband(s)kasten** M trousse *f* de premiers soins **Verband(s)zeug** N pansements *mpl*
verbergen cacher
verbessern améliorer; *berichtigen* corriger **Verbesserung** F amélioration; correction
Verbeugung F révérence
verbiegen tordre; **sich ~** se déformer **verbieten** défendre **verbilligt** à prix réduit
verbinden (re)lier; (ré)unir; *Wunde* panser; TEL **ich verbinde (Sie)** je vous passe la communication
verbindlich *bindend* obligatoire; *gefällig* obligeant
Verbindung F *mit j-m* relation; *mit etw* lien *m*; *Verkehrsverbindung* jonction; *Zug a.* liaison; TEL communication
verbleit contenant du plomb
verblüfft stupéfait **verblühen** se faner **verbluten** perdre tout son sang **verborgen** ADJ caché
Verbot N défense *f* **verboten** défendu **Verbotsschild** N panneau *m* d'interdiction
Verbrauch M consommation *f* **verbrauchen** consommer **Verbraucher(in)** M(F) consommateur *m*, consommatrice *f* **Verbrauchermarkt** M hypermarché **Verbraucherschutz** M défense *f* du consommateur
Verbrechen N crime *m* **Verbrecher(in)** M(F) criminel(le) **verbrecherisch** criminel
verbreiten répandre **verbreitern** élargir **Verbrei-**

tung F diffusion
verbrennen brûler **Verbrennung** F combustion; MED brûlure; v. *Leichen, Müll* incinération
verbringen *Zeit* passer
verbünden sich ~ s'allier (**mit** à) **Verbündete(r)** M/F(M) allié(e) *m(f)*
verbürgen sich ~ für se porter garant de
Verdacht M soupçon
verdächtig suspect **verdächtigen** suspecter (**e-r Sache** *gen* de qc)
verdammen condamner
verdanken devoir (**j-m etw** qc à qn)
verdauen digérer (*a. fig*) **verdaulich leicht ~** digeste; **schwer ~** indigeste
Verdauung F digestion **Verdauungsbeschwerden** FPL troubles *mpl* digestifs
Verdeck N AUTO capote *f*
verdecken couvrir
verderben abîmer; *Freude* gâcher; *Preise* casser; V/I *Lebensmittel* s'abîmer **verderblich** périssable
verdienen *Geld* gagner; *Lob* mériter
Verdienst¹ M gain
Verdienst² N mérite *m*
verdoppeln doubler **verdorben** pourri **verdunkeln** obscurcir **verdünnen** diluer; *Wein* couper **verdursten** mourir de soif **veredeln** BOT greffer
verehren vénérer **Verehrer(in)** M(F) admirateur *m*, admiratrice *f* **Verehrung** F vénération
vereidigen assermenter
Verein M association *f* **vereinbaren** convenir de; *Termin a.* fixer **Vereinbarung** F accord *m* **vereinfachen** simplifier **vereinigen** (ré)unir **Vereinigung** F (ré)union
vereinzelt sporadique; *Fälle* isolé **vereitert** purulent **verengen sich ~** se rétrécir **vererben** laisser (en mourant); *Krankheit* transmettre
verfahren procéder; **sich ~** se tromper de route **Verfahren** N procédé *m*, JUR procédure *f*
Verfall M délabrement; HANDEL échéance *f* **verfallen** *Gebäude* se délabrer; *ungültig werden* (se) périmer; ADJ délabré; périmé **Verfallsdatum** N date *f* limite de consommation **Verfall(s)tag** M échéance *f*
verfassen rédiger **Verfasser(in)** M(F) auteur *m* **Verfassung** F POL constitution
verfaulen pourrir
verfehlen *Ziel, Zug, j-n* manquer; *Weg, Tür* se tromper de
verfeindet hostile, ennemi
verfilmen porter à l'écran
verfliegen, **verfließen** *Zeit* passer **verflucht** maudit
verfolgen poursuivre (*a.* JUR);

POL persécuter; *Spur, Ereignisse* suivre **Verfolger(in)** M(F) poursuivant(e) **Verfolgung** F poursuite
verformen sich ~ se déformer
verfrüht prématuré
verfügbar disponible **verfügen** disposer (**über** *akk* de)
Verfügung F **j-m etw zur ~ stellen** mettre qc à la disposition de qn
verführen séduire; inciter (**zu** à) **verführerisch** séduisant
vergangen passé **Vergangenheit** F passé *m*
Vergaser M carburateur
vergeben *verzeihen* pardonner; *geben* donner (**an j-n** à qn) **vergebens** en vain **vergeblich** inutile, vain; ADV en vain
vergehen *Zeit* passer **Vergehen** N JUR délit *m*
Vergeltung F récompense; *Rache* revanche
vergessen oublier **vergesslich** oublieux **vergeuden** gaspiller **vergewaltigen** violer
vergewissern sich ~ s'assurer (**e-r Sache** *gen* de qc)
vergießen *Blut, Tränen* verser; (*verschütten*) renverser
vergiften (sich) ~ (s')empoisonner; MED (s')intoxiquer **Vergiftung** F empoisonnement *m*; MED intoxication
vergiss, vergisst → vergessen **Vergissmeinnicht** N myosotis *m*
Vergleich M comparaison *f*; JUR compromis **vergleichen** comparer (**mit** à, avec)
Vergnügen N plaisir *m*; **mit ~** avec plaisir; **viel ~!** amuse-toi (amusez-vous) bien!; **es war mir ein ~!** tout le plaisir était pour moi!
vergnügt gai **Vergnügungspark** M parc *m* d'attractions
vergoldet doré **vergraben** enterrer **vergriffen** *Buch* épuisé
vergrößern agrandir **Vergrößerung** F agrandissement *m* (*a.* FOTO)
Vergünstigung F avantage *m* **Vergütung** F remboursement *m*; *Summe* rémunération
verhaften arrêter **Verhaftung** F arrestation
verhalten sich ~ se comporter **Verhalten** N comportement *m*
Verhältnis N *Größenverhältnis* rapport *m*; *persönliches* rapports *mpl* (**zu** avec); *Liebesverhältnis* liaison *f*; **~se** PL conditions *fpl* **verhältnismäßig** relativement
verhandeln négocier (**über etw** *akk* qc) **Verhandlung** F négociation; JUR débats *mpl*
verhängnisvoll fatal **verhasst** détesté **verheimlichen** dissimuler

verheiratet marié **verhindern** empêcher; **verhindert sein** être retenu
Verhör N interrogatoire *m* **verhören** interroger; **sich ~** mal entendre
verhungern mourir de faim
verhüten empêcher, prévenir **Verhütungsmittel** N contraceptif *m*
verirren sich ~ s'égarer
Verjährung F prescription
Verkauf M vente *f* **verkaufen** vendre; **zu ~** à vendre
Verkäufer(in) M(F) vendeur *m*, vendeuse *f* **verkäuflich** à vendre
Verkehr M circulation *f*; *mit j-m* relations *fpl*; *Geschlechtsverkehr* rapports *mpl* sexuels
verkehren *Bus etc* circuler; **mit j-m ~** être en relations avec qn
Verkehrsamt N, **Verkehrsbüro** N office *m* du tourisme **Verkehrshindernis** N entrave *f* à la circulation **Verkehrsinsel** F refuge *m* **Verkehrsmeldung** F message *m* routier
Verkehrsmittel N moyen *m* de transport; **öffentliche ~** PL transports *mpl* en commun
Verkehrspolizei F police de la route **verkehrsreich** *Straße* à grande circulation **Verkehrsstockung** F encombrement *m* **Verkehrsteilnehmer(in)** M(F) usager *m*, usagère *f* de la route **Verkehrsunfall** M accident de la route **Verkehrszeichen** N panneau *m* de signalisation
verkehrt à l'envers; *falsch* faux
verklagen *j-n* porter plainte contre **verkleiden** TECH revêtir; **sich ~** se déguiser **verkleinern** réduire **verkommen** ADJ *Gebäude* délabré; *Lebensmittel* pourri; *Mensch* dépravé, tombé bien bas **verkörpern** personnifier **verkraften** supporter **verkrampft** crispé **verkrüppelt** estropié
verkünden annoncer; JUR *Urteil* prononcer **verkürzen** raccourcir **verladen** charger; SCHIFF embarquer
Verlag M maison *f* d'édition
verlangen demander (**etw von j-m** qc à qn); exiger (qc de qn); *Preis a.* vouloir (**für** pour); **~ nach** demander
verlängern rallonger; *zeitlich* prolonger **Verlängerung** F rallongement *m*; prolongation **Verlängerungsschnur** F EL rallonge
verlangsamen ralentir
verlassen quitter; *im Stich lassen* abandonner; **sich auf j-n ~** compter sur qn
Verlauf M cours **verlaufen** se dérouler; **sich ~** se perdre
verlegen déplacer; *Wohnsitz etc* transférer; *Termin* remettre (**auf** *akk* à); *Brille* égarer; ADJ

embarrassé **Verlegenheit** F embarras *m*
Verleih M location *f* **verleihen** (*leihen*) prêter; (*vermieten*) louer; *Preis* décerner
verleiten inciter (**zu** à)
verletzen (sich) ~ (se) blesser **Verletzte(r)** M/F(M) blessé(e) *m(f)* **Verletzung** F blessure
verleumden calomnier **Verleumdung** F calomnie
verlieben sich ~ tomber amoureux (**in j-n** de qn)
verliebt amoureux
verlieren perdre **Verlierer(in)** M(F) perdant(e)
verlinken INTERNET **~ (auf)** relier
verloben sich ~ se fiancer **Verlobte(r)** M/F(M) fiancé(e) *m(f)* **Verlobung** F fiançailles *fpl*
verloren perdu
verlosen mettre en loterie; *ziehen* tirer au sort **Verlosung** F loterie; *Ziehung* tirage *m*
Verlust M perte *f*
vermehren augmenter; **sich ~** augmenter; BIOL se reproduire
vermeiden éviter
Vermerk M note *f*
vermieten louer **Vermieter(in)** M(F) loueur *m*, loueuse *f*; *Zimmervermieter* logeur *m*, logeuse *f*; *Wohnungsvermieter* propriétaire
vermindern diminuer **vermissen** ne pas retrouver
Vermittlung F médiation; *Büro* agence; TEL central *m* téléphonique; *in e-m Betrieb* standard *m* **Vermögen** N *Fähigkeit* faculté *f*; *Besitz* fortune *f*
vermuten supposer **vermutlich** probablement **Vermutung** F supposition
vernachlässigen négliger
vernehmen JUR interroger
verneinen nier **vernetzt** interconnecté **vernichten** anéantir; détruire
Vernunft F raison; **~ annehmen** entendre raison
vernünftig raisonnable
veröffentlichen publier
verordnen MED prescrire **Verordnung** F MED ordonnance
verpacken emballer **Verpackung** F emballage *m*
verpassen manquer, rater
Verpflegung F nourriture
verpflichten obliger; **sich zu etw ~** s'engager à faire qc
Verpflichtung F obligation
verpfuschen *Arbeit* bâcler; *fig* gâcher **verprügeln** rosser
Verputz M crépi **verputzen** crépir
Verrat M trahison *f* **verraten** trahir **Verräter(in)** M(F) traître(sse)
verrechnen compter (**mit** dans), déduire (de); **sich ~** se tromper (**um e-n Euro** d'un euro)

Verrechnungsscheck M chèque barré **verreisen** partir en voyage **verrenken** luxer **verriegeln** verrouiller **verringern** diminuer **verrosten** rouiller
verrückt fou
verrufen ADJ mal famé
Vers M vers
versagen *Kräfte etc* manquer (**j-m** à qn); *Motor etc* tomber en panne; *Bremsen* lâcher; *Person* échouer **Versager(in)** M(F) raté(e)
versalzen ADJ trop salé
versammeln (sich) ~ (se) rassembler **Versammlung** F assemblée
Versand M expédition *f* **Versandhaus** N maison *f* de vente par correspondance
versäumen manquer; **~, etw zu tun** négliger de faire qc
verschaffen procurer **verschenken** faire cadeau de, donner **verschicken** expédier **verschieben** déplacer; *zeitlich* remettre (**auf** *akk* à)
verschieden différent (**von** de); **~e** plusieurs **verschiedentlich** à plusieurs reprises
verschiffen transporter par bateau
verschimmelt moisi
verschlafen 1 V ne pas se réveiller (à temps); *Tag* passer à dormir; *Termin* oublier 2 ADJ somnolent
verschlechtern (sich) ~ (se) détériorer **Verschlechterung** F détérioration
verschleiern voiler; *fig a.* dissimuler **verschleppen** *Person* déporter; *Krankheit* traîner
verschließen fermer à clé
verschlimmern (sich) ~ (s')aggraver **verschlossen** fermé (à clé)
verschlucken avaler; **sich** ~ avaler de travers
Verschluss M fermeture *f*; FOTO obturateur
verschlüsselt codé **verschmähen** dédaigner **verschmutzen** salir; *Umwelt* polluer **verschneit** enneigé **verschnüren** ficeler **verschollen** disparu **verschonen** épargner (**j-n mit etw** qc à qn) **verschönern** embellir
verschreiben MED prescrire; **sich** ~ faire une faute (*en écrivant*)
verschrotten mettre à la ferraille **verschulden** *Unfall* causer **verschütten** répandre; *j-n* ensevelir **verschweigen** taire
verschwenden gaspiller **verschwenderisch** dépensier **Verschwendung** F gaspillage *m*
verschwiegen discret **verschwinden** disparaître **verschwommen** vague; FOTO flou
Verschwörung F conspiration, complot *m*

versehen munir (**mit** de); **sich ~** se tromper
Versehen N erreur *f*; **aus ~** →
versehentlich par inadvertance
versenken *Schiff* couler
versetzen *Beamte* muter; *Schüler* faire passer dans la classe supérieure; *j-n in e-e Lage* mettre; *Schlag* donner; *umg* **j-n ~** poser un lapin à qn
verseucht contaminé
versichern (sich) ~ (s')assurer **Versicherung** F assurance
Versicherungsbeitrag M prime *f* d'assurance **Versicherungsfall** M sinistre **Versicherungsgesellschaft** F compagnie d'assurances **Versicherungspolice** F, **Versicherungsschein** M police *f* d'assurance
versinken s'enfoncer (**in** *dat* dans)
versöhnen (sich) ~ (se) réconcilier **Versöhnung** F réconciliation
versorgen approvisionner (**mit** en); fournir (en); *Familie* avoir la charge de
verspäten sich ~ être en retard **Verspätung** F retard *m*
versperren barrer **verspielen** perdre au jeu **verspotten** se moquer de
versprechen promettre **Versprechen** N, **Versprechung** F promesse *f*
verstaatlichen nationaliser
Verstand M intelligence *f*, entendement; **den ~ verlieren** perdre la raison
verständigen informer (**von, über** *akk* de); **sich ~** se faire comprendre; *sich einigen* s'entendre (**mit** avec) **Verständigung** F *sprachliche* compréhension
verständlich compréhensible; *deutlich* intelligible **Verständnis** N compréhension *f*
verstärken renforcer **Verstärker** M amplificateur **Verstärkung** F renforcement *m*
verstauchen sich den Fuß ~ se fouler le pied **Verstauchung** F entorse, foulure
Versteck N cachette *f* **verstecken (sich) ~** (se) cacher
verstehen comprendre; **sich ~** s'entendre
Versteigerung F vente aux enchères
verstellbar réglable **verstellen** *einstellen* régler; *falsch einstellen* dérégler; *Stimme* déguiser; **sich ~** jouer la comédie
verstimmt MUS désaccordé; *fig* de mauvaise humeur **verstohlen** *Blick* furtif **verstopfen** boucher; *Straße* encombrer; MED constiper **Verstopfung** F MED constipation **verstorben** mort
Verstoß M entorse *f* (**gegen** à); JUR infraction (à) **verstoßen** *j-n* rejeter; **gegen etw ~**

pécher contre qc
verstreichen *Frist* expirer; *Zeit* passer **verstreuen** éparpiller; *verschütten* répandre **verstümmeln** mutiler
Versuch M essai; tentative *f*; *Test* expérience *f* **versuchen** essayer; *Schwieriges* tenter
vertagen ajourner
vertauschen échanger (**mit, gegen** contre)
verteidigen (**sich**) ~ (se) défendre **Verteidiger(in)** M(F) défenseur *m*; SPORT arrière *m* **Verteidigung** F défense
verteilen distribuer **vertiefen** approfondir
Vertrag M contrat; *zwischen Staaten* traité **vertragen** supporter; **sich** ~ s'entendre **Vertragswerkstatt** F AUTO garage *m* agréé
vertrauen avoir confiance (**j-m, auf j-n** en qn) **Vertrauen** N confiance *f* **vertraulich** confidentiel
vertraut familier
vertreiben chasser; **sich die Zeit mit etw** ~ passer son temps à faire qc
vertreten *j n* remplacer; *Firma, Land* représenter **Vertreter(in)** M(F) remplaçant(e); HANDEL, POL représentant(e) **Vertretung** F remplacement *m*; *Person* remplaçant; HANDEL représentation
Vertrieb M débit, vente *f*
Vertriebene(r) M/F(M) réfugié(e) *m(f)*
vertrocknen sécher
verüben *Verbrechen* commettre **verunglücken** avoir un accident **verursachen** causer
verurteilen condamner (*a. fig*) **Verurteilung** F condamnation
vervielfältigen *Text* faire des copies de **vervollkommnen** perfectionner **vervollständigen** compléter
verwackelt FOTO bougé
verwählen TEL **sich** ~ faire un mauvais numéro
verwahrlost négligé, laissé à l'abandon
verwalten administrer **Verwalter(in)** M(F) administrateur *m*, administratrice *f* **Verwaltung** F administration
verwandt parent (**mit** de) **Verwandte(r)** M/F(M) parent(e) *m(f)* **Verwandtschaft** F parenté
Verwarnung F avertissement *m* (*a.* SPORT); **gebührenpflichtige** ~ contravention
verwechseln confondre **Verwechslung** F confusion
verweigern refuser **Verweis** M *Rüge* réprimande *f*; *Hinweis* renvoi (**auf** *akk* à) **verwelkt** fané **verwenden** employer, utiliser; *Zeit, Geld* consacrer (**auf** *akk* à) **Verwendung** F emploi *m*, utilisation **verwerten** utiliser; *wiederverwerten*

récupérer **verwickeln** impliquer (**in** *akk* dans) **verwirklichen** réaliser
verwirren *j-n* déconcerter, troubler **Verwirrung** F confusion
verwitwet *Mann* veuf; *Frau* veuve **verwöhnen** gâter
Verwunderung F étonnement *m* **Verwundete(r)** M/F(M) blessé(e) *m(f)* **verwünschen** maudire **verwüsten** ravager
verzählen sich ~ se tromper (*en comptant*)
verzaubern enchanter (*a. fig*)
Verzehr M consommation *f* **verzehren** consommer
Verzeichnis N liste *f*, relevé *m*; *Register* registre *m*
verzeihen pardonner; *entschuldigen* excuser **Verzeihung** F pardon *m*; **~!** pardon!, excuse(z)-moi!
Verzicht M renoncement (**auf** *akk* à) **verzichten** renoncer (**auf** *akk* à)
Verzierung F ornement *m*
verzögern retarder; **sich ~** avoir du retard **Verzögerung** F retard *m*
verzollen dédouaner; **haben Sie etwas zu ~?** avez-vous quelque chose à déclarer?
verzweifeln désespérer **Verzweiflung** F désespoir *m*
Vetter M cousin
Viadukt M viaduc
Video N vidéo *f* **Videoaufzeichnung** F enregistrement *m* vidéo **Videokamera** F caméscope *m* **Videokassette** F cassette vidéo **Videorekorder** M magnétoscope **Videospiel** N jeu *m* vidéo **Videotext** M télétexte **Videothek** F vidéothèque **Videoüberwachung** F vidéosurveillance
Vieh N bétail *m* **Viehzucht** F élevage *m*
viel beaucoup (de); **sehr ~** bien de; **ziemlich ~** assez (de); **nicht ~** peu; **zu ~** trop (de)
vielfach multiple; ADV souvent
vielleicht peut-être
vielmehr plutôt **vielseitig** étendu; *Mensch* plein de ressources
vier quatre **Vierbettkabine** F cabine à quatre lits **Viereck** N quadrilatère *m* **viereckig** quadrangulaire; *umg quadratisch* carré **vierfach** quadruple **vierhundert** quatre cents **vierspurig** *Straße* à quatre voies **Viertaktmotor** M moteur a quatre temps
vierte(r, -s) quatrième
Viertel N quart *m*; *Stadtviertel* quartier *m* **Vierteljahr** N trimestre *m* **Viertelstunde** F quart *m* d'heure
vierzehn quatorze; **~ Tage** quinze jours
vierzig quarante
Vietnam N le Viêt-nam
Vignette F (*Autobahnvignette*)

vignette *f* (de péage autoroutier)
Villa F villa
violett violet
Violine F violon *m*
Virenschutz M IT protection *f* contre les virus; *Software* antivirus
virtuell virtuel
Virus N/M virus *m*
Visitenkarte F carte (de visite)
Visum N visa *m*
Vitamin N vitamine *f*
Vogel M oiseau **Vogelgrippe** F grippe aviaire **Vogelkäfig** M cage *f*
Vokabel F mot *m*; **~n** PL vocabulaire *m*
Vokal M voyelle *f*
Volk N peuple *m*
Volksfest N fête *f* populaire **Volkshochschule** F université populaire **Volkskunst** F art *m* folklorique **Volkslied** N chant *m* populaire, folklorique **Volksrepublik** F république populaire **Volksschule** F école primaire **Volkstanz** M danse *f* populaire **volkstümlich** populaire **Volkswirtschaft(slehre)** F économie politique
voll plein; *gefüllt* rempli; *ganz* entier; *betrunken umg* rond; **~ und ganz** totalement
vollautomatisch entièrement automatique **Vollbart** M barbe *f* **vollenden** achever
Volleyball M volley-ball [vɔlɛbol]
Vollgas N **~ geben** appuyer sur le champignon
völlig ADV complètement, entièrement
volljährig majeur; **nicht ~** mineur
Vollkaskoversicherung F AUTO assurance tous risques
vollkommen parfait; ADV → völlig
Vollkornbrot N pain *m* complet **Vollmacht** F procuration **Vollmilch** F lait *m* entier **Vollmond** M pleine lune *f* **Vollnarkose** F anesthésie générale **Vollpension** F pension complète
vollständig complet **volltanken** faire le plein **vollzählig** complet
Volumen N volume *m*
von (*dat*) de; *beim Passiv* par; *grüßen* **~ mir** de ma part; **~ … bis** de … à; **~ … ab** (*od* **an**) à partir de
voneinander l'un de l'autre
vor *örtlich* devant; *zeitlich* avant; **~ drei Tagen** il y a trois jours; **Viertel ~ drei** trois heures moins le quart
Vorabend M veille *f*
voran en tête, en avant **vorangehen** marcher en tête (*dat* de); précéder (**e-r Sache** qc); *Arbeit* avancer
Voranschlag M devis
voraus j-m ~ sein avoir de l'a-

vance sur qn; **s-r Zeit ~ sein** être en avance sur son temps; **im Voraus** à l'avance; *zahlen* d'avance
vorausgehen partir le premier
vorausgesetzt ~, dass ... à condition que ... (+*subj*)
voraussagen prédire **voraussehen** prévoir **Voraussetzung** F *Vorbedingung* condition; *Annahme* supposition **voraussichtlich** probable **Vorauszahlung** F avance
Vorbehalt M réserve *f*
vorbei ADV *zeitlich* fini; *örtlich* passé (**an** *dat* devant)
vorbeifahren, **vorbeigehen** passer (**an** *dat* devant); *besuchen* passer (**bei** chez) **vorbeilassen** laisser passer
vorbereiten préparer **Vorbereitung** F préparation **vorbestellen** réserver, retenir **Vorbestellung** F réservation
vorbeugen prévenir (**e-r Sache** *dat* qc); **sich ~** se pencher en avant **Vorbeugungsmaßnahme** F mesure préventive
Vorbild N modèle *m* **vorbildlich** exemplaire
Vorderachse F pont *m* avant
vordere(r, -s) de devant
Vordergrund M premier plan **Vorderrad** N roue *f* avant **Vorderseite** F devant *m*, façade **Vordersitz** M siège avant
Vordruck M imprimé **voreilig** précipité **voreingenommen** partial **vorerst** en attendant, pour le moment
Vorfahrt F priorité **Vorfahrtsstraße** F route prioritaire
Vorfall M incident
vorfinden trouver
vorführen présenter; *Film, Dias* projeter **Vorführung** F présentation; *Filmvorführung* projection
Vorgang M processus; *Ereignis* événement **Vorgänger(in)** M(F) prédécesseur *m*
vorgehen *handeln* procéder; *geschehen* se passer; *Uhr* avancer; *den Vorrang haben* avoir la priorité
Vorgesetzte(r) M/F(M) supérieur(e) *m(f)*
vorgestern avant-hier
vorhaben avoir l'intention de **Vorhaben** N projet *m*
vorhanden existant; *verfügbar* disponible; **~ sein** exister
Vorhang M rideau **Vorhängeschloss** N cadenas *m*
vorher avant **vorhergehend** précédent **Vorhersage** F *Wettervorhersage* prévisions *fpl* **vorhersehen** prévoir
vorhin tout à l'heure
vorig dernier
Vorkenntnisse FPL notions
vorkommen *geschehen* arriver; *existieren* exister; *j-m er-*

scheinen sembler, paraître **Vorkommnis** N événement *m*
Vorkriegszeit F avant-guerre *m*
vorladen convoquer; *als Zeuge a.* citer **Vorladung** F convocation, citation
Vorlage F *Muster* modèle *m* **vorlassen** laisser passer (devant) **vorläufig** provisoire; ADV pour le moment **vorlegen** *Urkunde* présenter; *Plan, Vorschlag* soumettre
vorlesen lire (**j-m etw** qc à qn) **Vorlesung** F cours *m* magistral
vorletzte(r, -s) avant-dernier, avant-dernière
Vorliebe F prédilection (**für** pour)
vorliebnehmen ~ mit (*dat*) se contenter de
vorliegen être là, exister **Vormarsch** M progression *f* **vormerken** prendre note de
Vormittag M matin; **heute ~** ce matin; **gestern ~** hier matin; **am Samstag ~** samedi matin
vormittags le matin
Vormund M tuteur
vorn devant; *an der Spitze a.* en tête; **nach ~** en avant; **von ~** de face; *zeitlich* depuis le début; **von ~ anfangen** recommencer (à zéro)
Vorname M prénom
vornehm distingué
vornehmen sich ~ avoir l'intention (**etw zu tun** de faire qc)
vornherein von ~ dès le début
Vorort M banlieue *f* **Vorortzug** M train de banlieue
Vorrang M priorité *f* **Vorrat** M provisions *fpl* (**an** *dat* de); HANDEL stock (de) **vorrätig** en stock **Vorrecht** N privilège *m* **Vorrichtung** F dispositif *m* **Vorruhestand** M préretraite *f* **Vorrunde** F SPORT éliminatoires *fpl* **Vorsaison** F basse saison **Vorsatz** M résolution *f* **vorsätzlich** délibéré(ment)
Vorschein M **zum ~ kommen** apparaître
Vorschlag M proposition *f* **vorschlagen** proposer
vorschreiben prescrire **Vorschrift** F prescription **vorschriftsmäßig** réglementaire
Vorschuss M avance *f*
vorsehen prévoir; **sich ~** prendre garde (**vor** *dat* à)
Vorsicht F prudence; **~!** attention! **vorsichtig** prudent **vorsichtshalber** par précaution **Vorsichtsmaßnahme** F précaution
Vorsitz M présidence *f* **Vorsitzende(r)** M/F(M) président(e) *m(f)*
Vorsorgeuntersuchung F MED examens *mpl* de dépista-

ge **vorsorglich** prévoyant; ADV par précaution
Vorspeise F °hors-d'œuvre *m*, entrée **Vorspiel** N MUS prélude *m* (*a. fig*) **Vorsprung** M ARCH avancée *f*; *fig* avance *f*
Vorstadt F banlieue **Vorstand** M comité directeur, direction *f*
vorstellen *j-n* présenter; *Uhr* avancer; **sich etw ~** (s')imaginer qc
Vorstellung F présentation; *Idee* idée; *Theater* représentation; *Kino* séance
Vorstellungsgespräch N entretien *m* d'embauche
Vorstrafen FPL antécédents *mpl*
vorstrecken *Geld* avancer
Vorteil M avantage **vorteilhaft** avantageux
Vortrag M conférence *f*
vortrefflich excellent
vorüber passé **vorübergehen** passer **vorübergehend** passager
Vorurteil N préjugé *m* **Vorverkauf** M *Theater* location *f*
Vorwahl(nummer) F TEL indicatif *m* **Vorwand** M prétexte
vorwärts en avant **vorwärtskommen** avancer; *fig* faire des progrès
Vorwäsche F prélavage *m*
vorweisen présenter **vorwerfen** reprocher (**j-m etw** qc à qn) **vorwiegend** ADV principalement
Vorwort N préface *f* **Vorwurf** M reproche **Vorzeichen** N signe *m* précurseur
vorzeigen présenter **vorzeitig** anticipé **vorziehen** *Termin* avancer; *lieber mögen* préférer, aimer mieux **Vorzug** M préférence *f*; *Vorteil* avantage **vorzüglich** excellent
Voucher N/M *Tourismus* voucher [vuʃœr] *m*, bon *m* d'échange
vulgär vulgaire
Vulkan M volcan

W

Waage F balance **waagerecht** horizontal
wach éveillé (*a. fig*); **~ werden** se réveiller
Wache F garde
Wacholder M genièvre
Wachs N cire *f*
wachsam vigilant **Wachsamkeit** F vigilance
wachsen[1] pousser; *Kind, Tier* grandir; *zunehmen* augmenter
wachsen[2] *Ski* farter
Wächter(in) M(F) gardien(e)
Wackelkontakt M faux contact
wackeln *Tisch* être bancal; *Zahn* bouger

Wade F mollet *m*
Waffe F arme
Waffel F gaufre
Waffenschein M permis de port d'armes
wagen oser (**etw zu tun** faire qc); *etw* risquer
Wagen M voiture *f*; *Güterwagen* wagon **Wagenheber** M cric **Wagenstandanzeiger** M *Zug* tableau de composition des trains
Waggon M wagon
Wagnis N risque *m*
Wahl F choix *m*; POL élection; **nach ~** au choix; HANDEL **zweite ~** deuxième choix
wählen choisir; *bes* POL élire; *abstimmen* voter (**j-n** pour qn); TEL composer le numéro **Wähler(in)** M(F) électeur *m*, électrice *f* **wählerisch** difficile (**in** *dat* sur)
Wahlfach N matière *f* facultative **Wahlheimat** F patrie d'adoption **Wahlkampf** M campagne *f* électorale **Wahllokal** N bureau *m* de vote **wahllos** au °hasard
Wahnsinn M folie *f* **wahnsinnig** fou; *umg sehr groß* terrible; *Schmerzen, Angst* atroce
wahr vrai, véritable; **nicht ~?** °hein?
während PRÄP (*gen*) pendant; KONJ pendant que
Wahrheit F vérité **wahrnehmen** percevoir; *bemerken* remarquer; *Gelegenheit* profiter de
wahrscheinlich probable (-ment) **Wahrscheinlichkeit** F vraisemblance, probabilité
Währung F monnaie
Wahrzeichen N emblème *m*
Waise F orphelin(e) *m(f)*
Wal M baleine *f*
Wald M forêt *f*; *kleinerer* bois **Waldbrand** M incendie de forêt **waldig** boisé **Waldsterben** N mort *f* des forêts **Waldweg** M chemin forestier
Walkman® M baladeur
Wall M rempart
Wallfahrt F pèlerinage *m*
Walnuss F noix
Walze F *Straßenwalze* rouleau *m* compresseur
Walzer M valse *f*
Wand F mur *m*; *Trennwand* cloison; *Felswand* paroi
Wandel M changement
Wanderausstellung F exposition itinérante **Wanderkarte** F topoguide *m*, carte des sentiers de (grande) randonnée
wandern faire une (des) randonnée(s)
Wanderung F randonnée, marche **Wanderweg** M sentier de (grande) randonnée
Wandschrank M placard
Wandteppich M tapisserie *f*
Wange F joue
wanken chanceler, vaciller

wann quand; **seit ~?** depuis quand?; **bis ~?** jusqu'à quand?
Wanne F cuve; *Badewanne* baignoire
Wanze F punaise
Wappen N armoiries *fpl*
war, wäre → sein
Ware F marchandise
Warenhaus N grand magasin *m* **Warenzeichen** N marque *f*
warf → werfen
warm chaud
Wärme F chaleur **wärmen** (ré)chauffer **Wärmflasche** F bouillotte
Warnblinkanlage F feux *mpl* de détresse **Warndreieck** N triangle *m* de présignalisation **warnen** avertir; mettre en garde (**vor** *dat* contre) **Warnstreik** M grève *f* d'avertissement **Warnung** F avertissement *m*; *Hinweis* avis *m* (**vor** *dat* de) **Warnweste** F AUTO gilet *m* de sécurité
Warteliste F liste d'attente
warten attendre (**auf j-n** qn); *Maschinen* entretenir **Warten** N attente *f*
Wärter(in) M(F) gardien(e)
Wartesaal M salle *f* d'attente **Warteschlange** F file d'attente **Warteschleife** F FLUG circuit *m* d'attente **Wartezimmer** N salle *f* d'attente
Wartung F entretien *m*; TECH *a.* maintenance
warum pourquoi
Warze F verrue
was *fragend* qu'est-ce que, *Subjekt* qu'est-ce qui; *relativ*, *Subjekt* ce qui; *wie viel* combien; *umg etwas* quelque chose; **~ für ein(e)** quel(le)
Waschanlage F AUTO lavage *m* automatique **waschbar** lavable **Waschbecken** N lavabo *m*
Wäsche F linge *m*; *Unterwäsche* linge de corps; *das Waschen* lavage *m* **Wäscheklammer** F pince à linge **Wäschekorb** M corbeille *f* à linge
waschen *Wäsche* faire la lessive; **(sich) ~** (se) laver
Wäscherei F blanchisserie **Wäscheständer** M séchoir à linge **Wäschetrockner** M sèche-linge
Waschlappen M gant de toilette **Waschmaschine** F machine à laver, lave-linge *m* **Waschmittel** N, **Waschpulver** N lessive *f* **Waschsalon** M laverie *f* automatique
Wasser N eau *f* **Wasserbad** N GASTR bain-marie *m* **Wasserball** M water-polo **wasserdicht** imperméable **Wasserfall** M cascade *f* **Wasserflugzeug** N hydravion *m* **Wasserhahn** M robinet **Wasserkraftwerk** N centrale *f* hydro-électrique **Wasserkühlung** F refroidissement *m* par eau **Wasserlei-**

tung F conduite d'eau **Wassermelone** F pastèque **wasserscheu** qui craint l'eau **Wasserski** M ski nautique **Wassersport** M sport nautique **Wasserspülung** F chasse d'eau **Wasserstand** M niveau des eaux **Wasserstoff** M hydrogène **Wasserverschmutzung** F contamination de l'eau **Wasserwaage** F niveau *m* à bulle **Wasserwerk** N usine *f* hydraulique

waten patauger

Watte F coton *m* hydrophile **Wattebausch** M coton

WC N W.-C. *mpl*

Web N IT Web *m*, Toile *f* **Webcam** F IT webcam® [wɛbkam]

weben tisser

Webmaster M IT webmestre [wɛbmɛstr] **Webseite** F IT page Web **Webshop** M IT boutique *f* en ligne **Website** F IT site *m* Web

Webstuhl M métier à tisser

Wechsel M changement; *regelmäßiger* alternance *f*; *Geldwechsel* change **Wechselgeld** N monnaie *f* **wechselhaft** *Wetter* variable **Wechseljahre** NPL ménopause *f* **Wechselkurs** M cours du change

wechseln changer; *Blicke, Briefe* échanger **Wechselstrom** M courant alternatif **Wechselstube** F bureau *m* de change

wecken *j-n* réveiller; *etw* éveiller **Wecker** M réveil

weder ~ ... **noch** ... ni ... ni ...

weg *fort* parti; *verschwunden* disparu; *verloren* perdu; **weit** ~ éloigné

Weg M chemin; *fig Lösungsweg* moyen; **sich auf den ~ machen** se mettre en route **Wegbeschreibung** F itinéraire *m*

wegbleiben ne pas venir

wegbringen emporter

wegen (*gen*) à cause de, pour

wegfahren partir **Wegfahrsperre** F **(elektronische)** ~anti-démarrage *m* (électronique)

wegfallen être supprimé

weggehen partir **wegjagen** chasser **weglassen** supprimer, omettre **weglaufen** se sauver **wegnehmen** enlever; *entwenden* prendre **wegräumen** ranger, enlever

wegschicken envoyer; *j-n* renvoyer

Wegweiser M poteau indicateur

wegwerfen jeter **Wegwerfflasche** F bouteille jetable **Wegwerfgesellschaft** F société de gaspillage

wegziehen retirer; *umziehen* déménager

wehen *Wind* souffler; *Fahnen, Haare* flotter

Wehen FPL douleurs

wehleidig pleurnicheur **weh-**

mütig mélancolique
Wehr N barrage *m*
Wehrdienst M *hist* service militaire **Wehrdienstverweigerer** M *hist* objecteur de conscience
wehren sich ~ se défendre (**gegen** contre) **wehrlos** sans défense **Wehrpflicht** F *hist* service *m* militaire obligatoire
wehtun j-m ~ faire mal à qn
Weibchen N ZOOL femelle *f* **weiblich** féminin
weich mou; *Bett, Sessel* moelleux; *Ei* à la coque; *Fleisch* tendre
Weiche F *Bahn* aiguille
Weide F *Viehweide* pâturage *m*; BOT saule *m*; *Korbweide* osier *m*
weigern sich ~ refuser (**zu** de) **Weigerung** F refus *m*
weihen consacrer
Weihnachten N Noël *m*; **fröhliche ~!** joyeux Noël!
Weihnachtsabend M veille *f* de Noël **Weihnachtsbaum** M arbre de Noël **Weihnachtsgeschenk** N cadeau *m* de Noël **Weihnachtslied** N chant *m* de Noël **Weihnachtsmann** M père Noël
Weihrauch M encens **Weihwasser** N eau *f* bénite
weil parce que
Weile F **e-e ~** quelque temps; **e-e ganze ~** un bon bout de temps
Wein M vin; BOT vigne *f* **Weinbau** M viticulture *f* **Weinberg** M vignoble, vigne *f* **Weinbergschnecke** F GASTR escargot *m* de Bourgogne **Weinbrand** M eau-de--vie *f* de vin, cognac
weinen pleurer
Weinessig M vinaigre de vin **Weinglas** N verre *m* à vin **Weingut** N domaine *m* viticole **Weinhandlung** F négociant *m* en vin **Weinkarte** F carte des vins **Weinkeller** M cave *f* (à vin) **Weinlese** F vendange **Weinlokal** N bar *m* à vin(s) **Weinprobe** F dégustation de vins **Weintraube** F (grain *m* de) raisin *m*; **~n** PL raisin *m*
weise sage
Weise F manière, façon; **auf diese ~** de cette manière
Weisheitszahn M dent *f* de sagesse
weiß[1] blanc
weiß[2] → wissen
weiß[2] → wissen
Weißbrot N pain *m* blanc **Weißkohl** M, **Weißkraut** N chou *m* blanc **Weißwein** M vin blanc
weit *Reise, Weg* long; *Kleidung* large; *Tal, Wälder* étendu; *entfernt* loin; **wie ~ ist es von hier nach …?** il y a combien de kilomètres d'ici à …?; **von Weitem** de loin
weiter plus loin; **~!** continue(z)!; **etwas ~ links** un peu

plus à gauche; **und so ~** et cetera, et ainsi de suite
weitere(r, -s) *sonstige* autre; *spätere(r, -s)* ultérieur; **bis auf Weiteres** jusqu'à nouvel ordre
weiterfahren continuer (sa route); *Auto, Zug* repartir **weitergehen ~!** circulez! **weiterkommen** avancer **weitermachen** continuer **weiterreisen** continuer le voyage
weitsichtig presbyte **Weitwinkelobjektiv** N grand-angle *m*
Weizen M froment
welche(r, -s) *fragend* quel(le); *allein stehend u. nach Präp* lequel, laquelle; *relativ* qui (*akk* que)
welken se faner
Wellblech N tôle *f* ondulée
Welle F vague (*a. fig*); PHYS onde
Wellenlänge F *Radio* longueur d'onde **Wellenlinie** F ligne ondulée **Wellenreiten** N surf *m* **Wellensittich** M perruche *f*
Wellness F bien-être *m*, wellness *m* **Wellnessbereich** M espace bien-être **Wellnesshotel** N (hôtel *m* avec) centre *m* de bien-être
Welt F monde *m* **Weltall** N univers *m* **Weltanschauung** F vision du monde **weltberühmt** célèbre dans le monde entier **Weltkarte** F mappemonde **Weltkrieg** M guerre *f* mondiale **Weltkulturerbe** N patrimoine *m* mondial culturel **Weltmeister(in)** M(F) champion(ne) du monde **Weltmeisterschaft** F championnat *m* du monde **Weltraum** M espace **Weltreise** F tour *m* du monde **Weltrekord** M record mondial **Weltstadt** F grande métropole **weltweit** mondial (-ement)
wem à qui; **von ~?** de qui?
wen qui; **für ~?** pour qui?
Wende F tournant *m* **Wendekreis** M GEOGR tropique; AUTO rayon de braquage
Wendeltreppe F escalier *m* en colimaçon
wenden tourner; AUTO faire demi-tour; **sich ~ an** (*akk*) s'adresser à
wenig peu (de); **ein ~** un peu (de); **~er** moins (de); **am ~sten** le moins **wenigstens** *mindestens* au moins; *einschränkend* du moins
wenn *Bedingung* si; *zeitlich* quand; **selbst ~** même si
wer qui; *derjenige (diejenige)* celui (celle) qui
Werbeagentur F agence de publicité **Werbefernsehen** N publicité *f* télévisée **Werbekampagne** F campagne publicitaire
werben faire de la publicité (**für** pour) **Werbespot** M spot

publicitaire **Werbung** F publicité
werden devenir; **er wird kommen** il viendra; **er würde kommen** il viendrait; *Passiv* **verkauft ~** être vendu
werfen jeter, lancer
Werft F chantier *m* naval
Werk N ouvrage *m*; *Gesamtwerk u. fig* œuvre *f*; *Fabrik* usine *f* **Werkstatt** F atelier *m*; AUTO garage *m* **Werktag** M jour ouvrable **werktags** en semaine **Werkzeug** N outil *m*
wert ~ sein valoir (**etw** qc)
Wert M valeur *f*; **im ~ von** d'une valeur de; **~ legen auf** (*akk*) attacher de l'importance à
wertlos sans valeur **Wertpapiere** NPL valeurs *fpl*, titres *mpl* **Wertsachen** FPL objets *mpl* de valeur **wertvoll** précieux
Wesen N *Lebewesen* être *m*; *Eigenart* nature *f*; *Kern* essence *f*
wesentlich essentiel
weshalb pourquoi
Wespe F guêpe
wessen de qui
westdeutsch de l'Allemagne de l'Ouest **Westdeutschland** N l'Allemagne *f* de l'Ouest
Weste F gilet *m*
Westen M ouest; POL Ouest **Westeuropa** N l'Europe *f* occidentale **westlich** de l'ouest, occidental; **~ von** à l'ouest de
Wettbewerb M concours (*a.* SPORT); HANDEL concurrence *f*
Wette F pari *m* **wetten** parier (**um etw** qc)
Wetter N temps *m* **Wetterbericht** M bulletin météorologique, météo *f* **Wetterlage** F conditions *fpl* atmosphériques **Wettervorhersage** F prévisions *fpl* météorologiques
Wettkampf M compétition *f* **Wettlauf** M, **Wettrennen** N course *f* **Wettstreit** M concours
WG F ABK → Wohngemeinschaft
Whirlpool M jacuzzi®
Whisky M whisky
wichtig important **Wichtigkeit** F importance
wickeln enrouler (**um** *akk* autour de); *einwickeln* envelopper (**in** *akk* dans); *Kind* langer
wider (*akk*) contre **widerlegen** réfuter **widerlich** dégoûtant, répugnant **widerrechtlich** illégal **widerrufen** *Geständnis* rétracter **widersetzen sich ~** s'opposer (à) **widersinnig** absurde **widerspenstig** récalcitrant **widersprechen** contredire (**j-m** qn) **Widerspruch** M contradiction *f*
Widerstand M résistance *f* (**gegen** à) **Widerstandskämpfer(in)** M(F) résistant(e)
Widerwille M aversion *f* (**gegen** pour) **widerwillig** à con-

trecœur
widmen *Buch* dédier; **(sich) ~** (*dat*) (se) consacrer (à), (se) vouer (à) **Widmung** F dédicace
wie *fragend* comment; *vergleichend* comme; **~ viel** combien (de); **~ lange?** combien de temps?
wieder de nouveau
Wiederaufbau M reconstruction *f* **Wiederaufbereitung** F retraitement *m*
wiederbekommen récupérer **wiederbeleben** ranimer, réanimer **Wiederbelebungsversuche** MPL tentatives *fpl* de réanimation **wiederbringen** rapporter **wiederentdecken** redécouvrir **wiedererkennen** reconnaître **wiederfinden** retrouver **wiedergeben** rendre **wiedergutmachen** réparer **Wiedergutmachung** F réparation
wiederherstellen rétablir; *Fassade etc* restaurer
wiederholen répéter **Wiederholung** F répétition
wiedersehen revoir
Wiedersehen auf ~! au revoir!
Wiedervereinigung F *hist* réunification **wiederverwerten** recycler **Wiederverwertung** F recyclage *m* **Wiederwahl** F réélection
Wiege F berceau *m* **wiegen** peser; *Baby* bercer
Wien Vienne
Wiese F pré *m*; *Rasen* pelouse
wieso pourquoi
wild sauvage
Wild N gibier *m* **Wilddieb** M, **Wilderer** M braconnier **Wildleder** N daim *m* **Wildnis** F désert *m* **Wildschwein** N sanglier *m* **Wildwestfilm** M western
will → wollen
Wille M volonté *f*
willkommen bienvenu
willkürlich arbitraire
willst → wollen
wimmeln fourmiller (**von** de)
wimmern gémir
Wimper F cil *m* **Wimperntusche** F mascara *m*
Wind M vent **Windbeutel** M choux à la crème
Windel F couche
windgeschützt à l'abri du vent **windig** venteux
Windkraft F énergie éolienne **Windmühle** F moulin *m* à vent **Windpocken** PL varicelle *f* **Windschutzscheibe** F pare-brise *m* **Windstärke** F force du vent **Windstille** F calme *m* **Windstoß** M rafale *f* **Windsurfen** N planche *f* à voile
Winkel M angle; *Ecke* coin
winken faire signe (**j-m** à qn)
Winter M hiver; **im ~** en hiver
Winterfahrplan M horaire d'hiver **winterlich** hivernal;

Kleidung d'hiver **Wintermantel** M manteau d'hiver **Wintermonat** M mois d'hiver **Winterreifen** MPL pneus neige **Winterschlussverkauf** M soldes *mpl* d'hiver **Wintersport** M sports *mpl* d'hiver **Winterzeit** F *Uhrzeit* heure *f* d'hiver
Winzer(in) M(F) vigneron(ne)
winzig minuscule
wir nous
Wirbel M tourbillon; *fig* remous *mpl*; ANAT vertèbre *f* **Wirbelsäule** F colonne vertébrale **Wirbelsturm** M cyclone
wirbt → werben
wird → werden
wirft → werfen
wirken avoir un effet (**auf** *akk* sur); faire son effet; **jung ~** faire jeune
wirklich réel(lement); *echt* vrai(-ment) **Wirklichkeit** F réalité
wirksam efficace **Wirkung** F effet *m* **wirkungslos** inefficace **wirkungsvoll** efficace
wirr confus
Wirsing(kohl) M chou frisé
wirst → werden
Wirt(in) M(F) *Gastwirt* restaurateur *m*, restauratrice *f*; *Hauswirt* propriétaire; *Zimmerwirt* logeur *m*, logeuse *f*
Wirtschaft F économie; *Gastwirtschaft* café-restaurant *m* **Wirtschafterin** F gouvernante **wirtschaftlich** économique; *sparsam* économe
Wirtshaus N auberge *f*
wischen essuyer **Wischer** M AUTO essuie-glace **Wischlappen** M torchon
wissen savoir; **~ lassen** faire savoir **Wissen** N savoir *m*
Wissenschaft F science **Wissenschaftler(in)** M(F) savant *m* **wissenschaftlich** scientifique
wissentlich ADV sciemment
wittern flairer **Witterung** F flair *m* (*a. fig*); *Wetter* temps *m*
Witwe F veuve **Witwer** M veuf
Witz M plaisanterie *f*
WLAN N (*wireless local area network*) IT Wi-Fi® *m*
WM F ABK → Weltmeisterschaft
wo où
Woche F semaine; **in zwei ~n** dans quinze jours
Wochenarbeitszeit F heures *fpl* de travail hebdomadaires
Wochenende N week-end *m*; **am ~** le week-end; **schönes ~!** bon week-end!
wochenlang ADV pendant des semaines **Wochentag** M jour de la semaine; *Werktag* jour ouvrable
wöchentlich hebdomadaire; **zweimal ~** deux fois par semaine
Wodka M vodka *f*
wodurch par quoi; *relativ* ce

qui **wogegen** contre quoi **woher** d'où **wohin** où

wohl bien; *wahrscheinlich* sans doute

Wohl N bien *m*; **zum ~!** à ta (votre) santé!

Wohlbefinden N bien-être *m* **wohlbehalten** saint et sauf **wohlfühlen sich (nicht) ~** (ne pas) se sentir bien

wohlhabend aisé **wohlschmeckend** savoureux **Wohlstand** M aisance *f* **wohltuend** bienfaisant **Wohlwollen** N bienveillance *f*

Wohnanhänger M caravane *f* **Wohnblock** M pâté de maisons

wohnen habiter **(in Paris** (à) Paris**)**

Wohngebiet N zone *f* résidentielle **Wohngemeinschaft** F communauté **wohnhaft** domicilié **(in** *dat* à**)** **Wohnhaus** N immeuble *m* **Wohnmobil** N camping-car *m* **Wohnort** M lieu de résidence **Wohnsitz** M domicile **Wohnung** F appartement *m* **Wohnwagen** M caravane *f* **Wohnzimmer** N (salle *f* de) séjour *m*, salon *m*

Wolf M loup

Wolke F nuage *m*

Wolkenbruch M trombe *f* d'eau **Wolkenkratzer** M gratte-ciel **wolkenlos** sans nuages

wolkig nuageux

Wolle F laine

wollen vouloir; **lieber ~** aimer mieux, préférer

Wolljacke F cardigan *m*

womit avec quoi **wonach** après quoi; *gemäß* d'après quoi

woran à quoi; *relativ* dont

worauf sur quoi; *zeitlich* là-dessus; **~ wartest du?** qu'est-ce que tu attends?

woraus *Material* en quoi; *relativ* dont; d'où **worin** en quoi, dans quoi, où

Workshop M atelier

Wort N mot *m*; **in ~en** en toutes lettres **Wörterbuch** N dictionnaire *m* **wörtlich** littéral

worüber sur quoi

worum ~ geht es? de quoi s'agit-il?

wovon de quoi; *relativ* dont **wovor** de quoi **wozu** à quoi; *warum* pourquoi

Wrack N épave *f* (*a. fig*)

wringen tordre

Wucher M usure *f*

wuchern BIOL proliférer **Wucherpreis** M *pej* prix exorbitant, prohibitif **Wucherung** F MED excroissance; *Geschwulst* tumeur

Wuchs M croissance *f*; *Gestalt* taille *f*

Wucht F force; *Heftigkeit* violence; **mit voller ~** de toute sa force

wuchtig massif; *Schlag* violent
wühlen fouiller (**in** *dat* dans)
Wulst M bourrelet
wund écorché; **sich ~ reiben** s'écorcher
Wunde F blessure
Wunder N miracle *m* **wunderbar** merveilleux
wundern sich ~ s'étonner (**über** *akk* de)
Wundstarrkrampf M tétanos
Wunsch M désir; *Hoffnung* souhait
wünschen désirer; *wollen* vouloir (avoir); **j-m etw ~** souhaiter qc à qn
wünschenswert souhaitable
wurde → werden
Würde F dignité **würdig** digne (**e-r Sache** *gen* de qc)
würdigen apprécier
Wurf M jet; ZOOL portée *f*
Würfel M MATH cube; *Spielwürfel* dé **Würfelbecher** M gobelet (à dés) **würfeln** jouer aux dés **Würfelzucker** M sucre en morceaux
Wurm M ver **wurmstichig** *Holz* vermoulu; *Obst* véreux
Wurst F saucisse; *Hartwurst* saucisson *m; Aufschnitt* charcuterie
Würstchen N saucisse *f*
Würze F assaisonnement *m*; *fig* sel *m*, piment *m*
Wurzel F racine
würzen assaisonner **würzig** épicé, relevé

wusste → weiß
wüst *Gegend* désert; *unordentlich* en désordre **Wüste** F désert *m*
Wut F rage, colère **Wutanfall** M accès de fureur
wütend furieux (**auf j-n** contre qn); **~ werden** se mettre en colère

x-mal *umg* trente-six fois, mille fois
x-te(r, -s) *umg* ADJ énième; **zum ~n Mal** pour la énième fois

Zacke F dent; *e-s Sterns* branche
zaghaft craintif, timide
zäh tenace; *Fleisch* coriace **zähflüssig** visqueux
Zahl F nombre *m* **zahlbar** payable **zahlen** payer
zählen compter **Zähler** M compteur
Zahlkarte F mandat-carte *m* **zahllos** innombrable **zahl-**

reich nombreux **Zahltag** M jour de paie **Zahlung** F paiement *m*
Zählung F comptage *m*
Zahlungsanweisung F mandat *m* de paiement **Zahlungsbedingungen** FPL conditions de paiement **Zahlungsfrist** F délai *m* de paiement **Zahlungsmittel** N moyen *m* de paiement
zahm apprivoisé **zähmen** apprivoiser (*a. fig*)
Zahn M dent *f* **Zahnarzt** M, **Zahnärztin** F dentiste **Zahnbürste** F brosse à dents **Zahnersatz** M prothèse *f* dentaire **Zahnfleisch** N gencive *f* **Zahnpasta** F dentifrice *m*
Zahnrad N roue *f* dentée **Zahnradbahn** F train *m* à crémaillère
Zahnschmerzen MPL **~ haben** avoir mal aux dents
Zahnseide F fil *m* dentaire **Zahnstein** M tartre **Zahnstocher** M cure-dent
Zander M sandre
Zange F pince, tenailles *fpl*
zanken sich ~ se disputer, se quereller (**um etw** pour qc)
zänkisch querelleur
Zäpfchen N ANAT luette *f*; MED suppositoire *m*
Zapfen M TECH bouchon; *e-r Kiefer* pomme *f* de pin
Zapfsäule F pompe à essence
zappen TV zapper
zart *weich* tendre; *zerbrechlich* délicat; *sanft* doux **zartbitter** *Schokolade* noir extra fin **Zartgefühl** N délicatesse *f*
zärtlich tendre **Zärtlichkeit** F tendresse
Zauber M magie *f* (*a. fig*); *böser Zauber* sortilège **Zauberer** M magicien **zauberhaft** ravissant **Zauberin** F magicienne **Zauberkünstler(in)** M(F) prestidigitateur *m*, prestidigitatrice *f* **zaubern** pratiquer la magie **Zauberspruch** M formule *f* magique
zaudern hésiter
Zaum M bride *f*
Zaun M clôture *f*
z. B. (*zum Beispiel*) p. ex. (*par exemple*)
ZDF (*Zweites Deutsches Fernsehen*) deuxième chaîne de la télévision publique allemande
Zebra N zèbre *m* **Zebrastreifen** M passage pour piétons
Zecke F tique
Zehe F orteil *m*
zehn dix **Zehneuroschein** M billet de dix euros **zehnte(r, -s)** dixième **Zehntel** N dixième *m*
Zeichen N signe *m*; *verabredetes* signal *m* **Zeichenblock** M bloc à dessin **Zeichenpapier** N papier *m* à dessin **Zeichentrickfilm** M dessin animé
zeichnen dessiner **Zeichnung** F dessin *m*

Zeigefinger M index
zeigen montrer
Zeiger M aiguille *f*
Zeile F ligne
Zeit F temps *m*; *Uhrzeit* heure; **mit der ~** avec le temps; **keine ~ haben** ne pas avoir le temps; **eine ~ lang** pour un certain temps
Zeitarbeit F travail *m* temporaire (*od* intérimaire)
zeitgemäß moderne **zeitgenössisch** contemporain
Zeitkarte F (carte d')abonnement *m*
zeitlich ~ begrenzt limité dans le temps
zeitlos *Kleidung* classique
Zeitlupe F ralenti *m* **Zeitplan** M emploi du temps **Zeitpunkt** M moment **Zeitraum** M période *f* **Zeitschrift** F revue
Zeitung F journal *m*
Zeitungsanzeige F petite annonce **Zeitungsartikel** M article de journal **Zeitungskiosk** M kiosque à journaux
Zeitverschwendung F perte de temps **Zeitvertreib** M passe-temps **zeitweise** de temps en temps **Zeitwort** N verbe *m*
Zelle F cellule; TEL cabine
Zellstoff M cellulose *f*
Zelt N tente *f*; **im ~** sous la tente
zelten camper
Zeltlager N camping *m* **Zeltplatz** M terrain de camping
Zement M ciment
Zensur F censure; *Note* note
Zentimeter M *od* N, **Zentimetermaß** N centimètre *m*
Zentner M demi-quintal
zentral central
Zentrale F direction centrale; TEL standard *m* **Zentralheizung** F chauffage *m* central
Zentrum N centre *m*; *Stadtzentrum a.* centre-ville *m*
Zeppelin M dirigeable
zerbrechen (V/I se) casser; (se) briser **zerbrechlich** fragile
zerdrücken écraser
Zeremonie F cérémonie
zerfallen *Gebäude* tomber en ruine **zerfetzen** déchirer **zerfließen** fondre **zerfressen** ronger; CHEM corroder **zerkleinern** broyer **zerknittern** froisser, chiffonner **zerkratzen** *Haut* égratigner; *Möbel* rayer; *mit Nägeln* griffer **zerlegbar** TECH démontable **zerlegen** décomposer; TECH démonter **zerplatzen** crever, éclater **zerquetschen** écraser **zerreißen** (V/I se) déchirer
zerren tirer (avec violence) (**an** *dat* sur) **Zerrung** F MED claquage *m*
zerrüttet *Ehe* ruiné **zerschlagen** casser **zerschneiden** découper **zersetzen** décomposer **zerspringen** se briser
Zerstäuber M vaporisateur
zerstören détruire **Zerstö-**

rung F destruction
zerstreuen (**sich**) ~ (se) disperser; *fig* (se) distraire
zerstreut *fig* distrait
Zerstreuung F *fig* distraction
zerstückeln mettre en morceaux; *Grundbesitz* morceler
zerteilen diviser **zertreten** écraser (du pied) **zertrümmern** démolir, casser
Zerwürfnis N brouille *f*
Zettel M bout de papier
Zeug N *umg pej* truc(s) *m(pl)*; *Plunder* bazar *m*; **dummes ~** bêtises *fpl*
Zeuge M témoin **zeugen** témoigner (**von** *dat* de) **Zeugin** F témoin *m* **Zeugnis** N certificat *m*; *Schulzeugnis* bulletin *m* (semestriel, de fin d'année)
Zickzack M **im ~** en zigzag
Ziege F chèvre
Ziegel M brique *f*; *Dachziegel* tuile *f*
Ziegenbock M bouc **Ziegenkäse** M fromage de chèvre
ziehen tirer; *Zahn* arracher; *Linie* tracer; **nach Berlin ~** aller habiter à Berlin; **sich in die Länge ~** tirer en longueur; **es zieht** il y a un courant d'air
Ziehharmonika F accordéon *m* **Ziehung** F tirage *m*
Ziel N but *m*, objectif *m*; *Reiseziel* destination *f*; SPORT arrivée *f*
zielen auf j-n ~ viser qn; **auf etw** (*akk*) **~** viser à (*+inf*)
Zielgruppe F *Werbung* cible
ziellos sans but **Zielscheibe** F cible **zielstrebig** déterminé
ziemlich ADV assez; plutôt; **~ viel** pas mal (de)
zierlich gracile; *Hände* fin; *anmutig* gracieux
Ziffer F chiffre *m* **Zifferblatt** N cadran *m*
Zigarette F cigarette
Zigarettenautomat M distributeur de cigarettes
Zigarre F cigare *m*
Zigeuner(in) M(F) *neg!* gitan(e), bohémien(ne)
Zimmer N pièce *f*; *Schlafzimmer, Hotelzimmer* chambre *f*
Zimmerkellner(in) M(F) garçon *m*, serveuse *f* d'étage
Zimmermädchen N femme *f* de chambre **Zimmermann** M charpentier **Zimmernummer** F numéro *m* de la chambre
Zimt M cannelle *f*
Zink N zinc [zɛ̃g] *m*
Zinn N étain *m*
Zinsen MPL intérêts **Zinssatz** M taux d'intérêt
Zipfel M coin; *Wurstzipfel* bout
Zippverschluss M *österr* fermeture *f* éclair
zirka environ
Zirkel M compas; *Gruppe* cercle, club
Zirkus M cirque
zischen siffler
Zisterne F citerne

Zitat N citation *f* **zitieren** citer
Zitrone F citron *m*
Zitronenlimonade F citronnade **Zitronenpresse** F presse-citron *m* **Zitronensaft** M jus de citron
Zitrusfrüchte FPL agrumes *mpl*
zittern trembler (**vor Kälte** de froid)
zivil civil; **in Zivil** en civil
Zivilbevölkerung F population civile **Zivildienst** M service civil **Zivildienstleistende(r)** M appelé qui effectue son service civil **Zivilisation** F civilisation **Zivilist(in)** M(F) civil
zog → ziehen
zögern hésiter
Zoll M douane *f*; *Abgabe* droits *mpl* de douane **Zollabfertigung** F formalités *fpl* douanières **Zollamt** N (bureau *m* de) douane *f* **Zollbeamte(r)** M douanier **Zollerklärung** F déclaration en douane **zollfrei** °hors taxes; HANDEL en franchise douanière **Zollkontrolle** F contrôle *m* douanier **zollpflichtig** soumis aux droits de douane
Zone F zone
Zoo M zoo **Zoohandlung** F animalerie
Zopf M natte *f*, tresse *f*
Zorn M colère *f* **zornig** en colère

zu PRÄP (*dat*) à; *zu j-m* chez; *vor inf* de, à; ADV trop; *geschlossen* fermé; **~ Hause** à la maison, chez moi (toi, *etc*); **~ Mittag** à midi; **~ viel** trop; **~ groß** trop grand; **~ wenig** trop peu; **um ~** pour (*+inf*); **Tür ~!** (fermez) la porte!
Zubehör N accessoires *mpl*
zubereiten préparer **Zubereitung** F préparation
zubinden attacher, ficeler (*pour fermer*)
Zubringerbus M navette *f* **Zubringerdienst** M *für Flughafen etc* desserte *f* **Zubringerstraße** F *zur Autobahn* bretelle
Zucchini PL courgettes *fpl*
züchten *Pflanzen* cultiver; *Tiere* élever
zucken tressaillir
Zucker M sucre; MED **~ haben** être diabétique **Zuckerdose** F sucrier *m* **zuckerkrank**, **Zuckerkranke(r)** M/F(M) diabétique *m/f*
zuckern sucrer **Zuckerrohr** N canne *f* à sucre **Zuckerwatte** F barbe à papa
zudecken couvrir (**mit** de) **zudrehen** *Hahn* fermer **zudringlich** importun
zuerst d'abord; *als Erster* le premier
Zufahrt F accès *m* **Zufahrtsstraße** F voie d'accès
Zufall M °hasard **zufällig** ADV par °hasard

zufrieden content (**mit** de), satisfait (de) **Zufriedenheit** F satisfaction **zufriedenstellen** satisfaire **zufriedenstellend** satisfaisant

Zufuhr F approvisionnement *m* (**von** en)

Zug[1] M *Bahn* train; *v. Menschen*: cortège; **mit dem~ fahren** prendre le train

Zug[2] M *Luftzug* courant d'air; *beim Rauchen*: bouffée *f*; *Schach etc*: coup; *Gesichtszug, Charakterzug* trait; **in e-m ~** d'un trait

Zugabe F *Theater* bis *m* **Zugang** M accès **zugänglich** accessible **zugeben** ajouter; *gestehen* avouer **zugehen** se diriger (**auf** *akk* vers); *Tür* se fermer; *geschehen* se passer

Zügel M bride *f*; **~** PL rênes *fpl* (*a. fig*) **zügellos** effréné

Zugeständnis N concession *f* **zugestehen** concéder (**j-m etw** qc à qn)

Zugführer M *Bahn* chef de train

zugig exposé aux courants d'air

zügig rapide(ment)

zugleich en même temps

Zugluft F courant *m* d'air **Zugmaschine** F tracteur *m*

zugrunde ~ gehen périr; **~ richten** ruiner

Zugschaffner(in) M(F) *Bahn* contrôleur *m*, contrôleuse *f* **Zugunglück** N accident *m* de chemin de fer

zugunsten (*gen*) en faveur de

Zugverbindung F communication ferroviaire **Zugverkehr** M trafic ferroviaire

Zugvogel M oiseau migrateur

zuhaben *umg* être fermé **Zuhälter** M souteneur **zuheilen** se fermer **zuhören** écouter (**j-m** qn) **Zuhörer(in)** M(F) auditeur *m*, auditrice *f* **zujubeln** acclamer (**j-m** qn) **zukleben** *Brief* cacheter **zuknöpfen** boutonner

Zukunft F avenir *m*; GRAM futur *m*; **in ~** à l'avenir

zukünftig futur

Zulage F prime (**für** de)

zulassen *erlauben* permettre; *zu etw* admettre; *Auto* immatriculer; *Tür* laisser fermé **zulässig** permis **Zulassung** F admission (**zu** à); AUTO immatriculation; *umg Schein etwa* carte grise

zuletzt à la fin; *als letzter* le dernier; *zum letzten* MAL pour la dernière fois

zuliebe (*dat*) pour l'amour de

zumachen fermer

zumindest du moins **zumuten** exiger (**j-m etw** qc de qn)

Zumutung F exigence; **das ist e-e ~** c'est inadmissible

zunächst (tout) d'abord

Zunahme F augmentation

Zuname M nom de famille

Zündholz N allumette *f*

Zündkabel N câble *m* d'allumage **Zündkerze** F bougie **Zündschloss** N contact *m* **Zündschlüssel** M clé *f* de contact **Zündschnur** F mèche **Zündung** F allumage *m*
zunehmen augmenter; *Person* grossir (**ein Kilo** d'un kilo)
Zuneigung F affection (**zu** pour)
Zunge F langue; **auf der ~ zergehen** fondre dans la bouche **Zungenreiniger** M gratte-langue
zunichtemachen *Pläne etc* réduire à néant
zunutze sich etw ~ machen exploiter qc
zurechtfinden sich ~ trouver ses marques; *im Fahrplan* s'y retrouver; *auf e-r Karte* trouver son chemin **zurechtmachen** préparer; **sich ~** se (re)faire une beauté
zurück en arrière; *wieder da* de retour **zurückbekommen** récupérer **zurückbleiben** rester (en arrière) **zurückbringen** rapporter **zurückerstatten** rembourser **zurückfahren** retourner **zurückführen** ramener; attribuer (**auf** *akk* à) **zurückgeben** rendre **zurückgeblieben** *fig* attardé **zurückgehen** retourner; *abnehmen* baisser **zurückgezogen** retiré **zurückhalten** retenir **zurückhaltend** réservé
zurückholen aller rechercher **zurückkommen** revenir **zurücklassen** laisser **zurücklegen** *an s-n Platz* remettre; *Geld* mettre de côté; *Strecke* parcourir **zurücknehmen** *Ware* reprendre; *Versprechen* revenir sur; *Beleidigung* retirer **zurückrufen** rappeler **zurückschicken, zurücksenden** renvoyer **zurücksetzen** AUTO reculer **zurückstellen** *an s-n Platz* remettre; *Uhr* retarder (**um** de); *aufschieben* reporter **zurücktreten** *von Amt* démissionner **zurückweisen** refuser; *Anschuldigung* rejeter **zurückwerfen** rejeter **zurückzahlen** rembourser
zurückziehen (sich) ~ (se) retirer
zurzeit en ce moment
zusagen *auf ein Angebot, e-e Einladung* accepter; *gefallen* plaire (**j-m** à qn); **j-m etw ~** promettre qc à qn
zusammen ensemble **Zusammenarbeit** F collaboration, coopération **zusammenbauen** monter **zusammenbinden** lier
zusammenbrechen s'effondrer; *Verkehr* être paralysé **Zusammenbruch** M effondrement **zusammenfallen** s'écrouler; *zeitlich* coïncider
zusammenfassen résumer **Zusammenfassung** F résu-

mé *m* **zusammenfügen** joindre **zusammengehören** aller ensemble
Zusammenhang M rapport; *im Text* contexte
zusammenklappbar pliant **zusammenklappen** (re)plier
zusammenkommen se réunir **Zusammenkunft** F réunion
zusammenpassen aller bien ensemble
Zusammenprall M °heurt **zusammenprallen** °heurter (**mit etw** qc)
zusammenrechnen additionner **zusammenrücken** se serrer; *Tische* rapprocher **Zusammenschluss** M (ré)union *f*
zusammensetzen assembler; **sich ~ aus** (*dat*) se composer de **Zusammensetzung** F composition
zusammenstellen combiner
Zusammenstoß M °heurt; AUTO collision *f*; *leichter* accrochage (*a. umg fig*) **zusammenstoßen** °heurter (**mit etw** qc); AUTO entrer en collision
zusammenstürzen s'écrouler **zusammentreffen** se rencontrer; *zeitlich*: coïncider **zusammenzählen** additionner **zusammenziehen** (**sich**) ~ (se) contracter
Zusatz M addition *f* **zusätzlich** additionnel
zuschauen → zusehen **Zuschauer(in)** M(F) spectateur *m*, spectatrice *f*
zuschicken envoyer
Zuschlag M supplément (*a. Bahn*) **zuschlagen** *Tür* claquer **zuschlagpflichtig** *Zug* à supplément
zuschließen fermer à clef
zuschneiden *Stoff* couper; *Holz* débiter
zuschnüren *Paket* ficeler; *Schuh* lacer **zuschrauben** visser **Zuschrift** F lettre
Zuschuss M subvention *f*
zusehen regarder (**bei etw** qc)
zusehends à vue d'œil
zusenden envoyer **zusetzen** ajouter; *Geld* perdre
zusichern assurer (**j-m etw** qc à qn) **Zusicherung** F assurance
zuspitzen sich ~ *fig* devenir critique, s'aggraver
Zustand M état
zustande ~ bringen réussir à faire; **~ kommen** se faire, se réaliser
zuständig compétent
zustehen j-m ~ appartenir à qn, revenir à qn
zustellen *Post* distribuer; *überbringen* remettre **Zustellung** F distribution; remise
zustimmen consentir (**e-r Sache** *dat* à qc) **Zustimmung** F consentement *m*
zustoßen *j-m* arriver à

Zutaten FPL ingrédients *mpl*
zuteilen attribuer (**j-m etw** qc à qn) **Zuteilung** F attribution
zutrauen j-m etw ~ croire qn capable de qc **zutraulich** confiant
zutreffen être juste; s'appliquer (**auf** *akk* à) **zutreffend** juste
Zutritt M accès, entrée *f*
zuverlässig sérieux, fiable; *Freund* sûr **Zuverlässigkeit** F fiabilité
Zuversicht F confiance **zuversichtlich** confiant, optimiste; ADV avec confiance
zu viel → zu
zuvor *zuerst* d'abord; *vorher* auparavant **zuvorkommen** devancer (**j-m** qn); prévenir (**e-r Sache** *dat* qc) **zuvorkommend** prévenant
Zuwachs M accroissement
zuweilen parfois
zuweisen attribuer
zuwenig → zu
zuwider j-m ~ sein répugner qn
zuwinken faire signe (**j-m** à qn) **zuzahlen** payer en plus
zuziehen *Vorhang* tirer, fermer; **sich ~** *Krankheit* contracter, *umg* attraper
zuzüglich en plus
zwang → zwingen
Zwang M contrainte *f*
zwanglos décontracté, sans façon **Zwangsläufig** forcé (-ment) **zwangsweise** (de gré ou) de force
zwanzig vingt
zwar il est vrai; **und ~** pour être précis
Zweck M but; **es hat keinen ~** cela ne sert à rien; **s-n ~ erfüllen** remplir sa fonction
Zwecke F punaise
zwecklos inutile **zweckmäßig** approprié; *Kleidung* pratique, fonctionnel
zwecks (*gen*) en vue de
zwei deux
Zweibettkabine F cabine double **Zweibettzimmer** N chambre *f* à deux lits
zweideutig ambigu; *Lächeln* équivoque **zweierlei** de deux sortes **zweifach** double
Zweifel M doute **zweifelhaft** douteux **zweifellos** sans aucun doute
zweifeln douter (**an** *dat* de)
Zweifelsfall M **im ~** en cas de doute
Zweig M rameau; *großer* branche *f* (*a. fig*) **Zweigstelle** F succursale
zweihändig à deux mains
zweijährig de deux ans
zweimal deux fois **zweimotorig** bimoteur **zweiseitig** bilatéral **Zweisitzer** M biplace **zweisprachig** bilingue
zweispurig *Straße* à deux voies **zweistöckig** à deux étages
zweit zu ~ à deux
zweiteilig *Kleidung* deux piè-

ces **zweitens** deuxièmement
Zwerchfell N diaphragme *m*
Zwerg M nain
Zwetsch(g)e F prune
zwicken pincer
Zwieback M biscuit
Zwiebel F oignon [ɔɲõ] *m*; *Blumenzwiebel* bulbe *m*
Zwilling M jumeau; *Mädchen* jumelle *f*
zwingen forcer (**zu** à)
Zwirn M fil retors
zwischen (*dat, akk*) entre; *mitten unter* parmi **Zwischendeck** N entrepont *m* **zwischendurch** entre-temps **Zwischenfall** M incident **Zwischenlandung** F escale **Zwischenraum** M espace; *Abstand* distance *f* **Zwischensaison** F intersaison **Zwischenstation** F °halte **Zwischenwand** F cloison **Zwischenzeit** F **in der ~** entre-temps
zwitschern gazouiller
zwölf douze
Zwölffingerdarm M duodénum [dyɔdenɔm]
Zylinder M cylindre; *Hut* chapeau °haut de forme **Zylinderkopf** M culasse *f*
zynisch cynique
Zypern N Chypre *f*
Zypresse F cyprès *m*
Zyste F kyste *m*
zz(t). (*zurzeit*) actuellement

Anhang | Annexes

Zahlen | Adjectifs numéraux

Grundzahlen | Nombres cardinaux

0 *null* zéro
1 *eins* un, une
2 *zwei* deux
3 *drei* trois
4 *vier* quatre
5 *fünf* cinq
6 *sechs* six
7 *sieben* sept
8 *acht* huit
9 *neun* neuf
10 *zehn* dix
11 *elf* onze
12 *zwölf* douze
13 *dreizehn* treize
14 *vierzehn* quatorze
15 *fünfzehn* quinze
16 *sechzehn* seize
17 *siebzehn* dix-sept
18 *achtzehn* dix-huit
19 *neunzehn* dix-neuf
20 *zwanzig* vingt
21 *einundzwanzig* vingt et un
22 *zweiundzwanzig* vingt-deux
23 *dreiundzwanzig* vingt-trois
24 *vierundzwanzig* vingt-quatre
25 *fünfundzwanzig* vingt-cinq
26 *sechsundzwanzig* vingt-six
27 *siebenundzwanzig* vingt-sept
28 *achtundzwanzig* vingt-huit
29 *neunundzwanzig* vingt-neuf
30 *dreißig* trente
31 *einunddreißig* trente et un
32 *zweiunddreißig* trente-deux
40 *vierzig* quarante
50 *fünfzig* cinquante
60 *sechzig* soixante
70 *siebzig* soixante-dix
71 *einundsiebzig* soixante et onze
72 *soixante-douze* soixante-douze
80 *achtzig* quatre-vingt(s)
81 *einundachtzig* quatre-vingt-un
82 *zweiundachtzig* quatre-vingt-deux
90 *neunzig* quatre-vingt-dix
91 *einundneunzig* quatre-vingt-onze
92 *zweiundneunzig* quatre-vingt-douze
100 *hundert* cent
101 (*ein*)*hunderteins* cent un
102 *hundertzwei* cent deux
200 *zweihundert* deux cent(s)
210 *zweihundertzehn* deux cent dix
300 *dreihundert* trois cent(s)
400 *vierhundert* quatre cent(s)
500 *fünfhundert* cinq cent(s)
600 *sechshundert* six cent(s)
700 *siebenhundert* sept cent(s)
800 *achthundert* huit cent(s)
900 *neunhundert* neuf cent(s)
1000 *tausend* mille
1001 (*ein*)*tausendeins* mille un
1002 (*ein*)*tausendzwei* mille deux
1100 (*ein*)*tausendeinhundert* onze cent(s)
1311 (*ein*)*tausenddreihundertelf* treize cent onze
2000 *zweitausend* deux mille
100 000 *hunderttausend* cent mille
1 000 000 *eine Million* un million

Ordnungszahlen | Nombres ordinaux

1er *le premier* der erste
1re *la première* die erste
2e *le (la) deuxième, le (la) second(e)* der (die) zweite
3e *le (la) troisième* der (die) dritte
4e *quatrième* vierte
5e *cinquième* fünfte
6e *sixième* sechste
7e *septième* siebente
8e *huitième* achte
9e *neuvième* neunte
10e *dixième* zehnte
11e *onzième* elfte
12e *douzième* zwölfte
13e *treizième* dreizehnte
14e *quatorzième* vierzehnte
15e *quinzième* fünfzehnte
16e *seizième* sechzehnte
17e *dix-septième* siebzehnte
18e *dix-huitième* achtzehnte
19e *dix-neuvième* neunzehnte
20e *vingtième* zwanzigste
21e *vingt et unième* einundzwanzigste
22e *vingt-deuxième* zweiundzwanzigste
23e *vingt-troisième* dreiundzwanzigste
24e *vingt-quatrième* vierundzwanzigste
25e *vingt-cinquième* fünfundzwanzigste
26e *vingt-sixième* sechsundzwanzigste
27e *vingt-septième* siebenundzwanzigste
28e *vingt-huitième* achtundzwanzigste
29e *vingt-neuvième* neunundzwanzigste
30e *trentième* dreißigste
31e *trente et unième* einunddreißigste
32e *trente-deuxième* zweiunddreißigste
40e *quarantième* vierzigste
50e *cinquantième* fünfzigste
60e *soixantième* sechzigste
70e *soixante-dixième* siebzigste
71e *soixante et onzième* einundsiebzigste
72e *soixante-douzième* zweiundsiebzigste
80e *quatre-vingtième* achtzigste
81e *quatre-vingt-unième* einundachtzigste
82e *quatre-vingt-deuxième* zweiundachtzigste
90e *quatre-vingt-dixième* neunzigste
91e *quatre-vingt-onzième* einundneunzigste
92e *quatre-vingt-douzième* zweiundneunzigste
100e *centième* hundertste
101e *cent unième* hunderterste
102e *cent deuxième* hundertzweite
200e *deux centième* zweihundertste
300e *trois centième* dreihundertste
400e *quatre centième* vierhundertste
500e *cinq* centième fünfhundertste
600e *six* centième zweihundertste
1000e *millième* tausendste
1001e *mille unième* tausenderste
1002e *mille deuxième* tausendzweite
2000e *deux millième* zweitausendste
$100\,000^{e}$ *cent millième* hunderttausendste
$1\,000\,000^{e}$ *millionième* millionste

Brüche | Fractions

1/2	*ein halb* (un) demi; *die Hälfte* la moitié	1/10	*ein Zehntel* un dixième
1/3	*ein Drittel* un tiers	9/10	*neun Zehntel* (les) neuf dixièmes
2/3	*zwei Drittel* (les) deux tiers	in Dezimalform:	
1/4	*ein Viertel* un quart	0,5	*null Komma fünf* zéro virgule cinq
3/4	*drei Viertel* (les) trois quarts		
1/5	*ein Fünftel* un cinquième	7,45	*sieben Komma vier fünf* sept virgule quarante cinq
1/8	*ein Achtel* un huitième		

Maße und Gewichte | Mesures et poids

Längenmaße | Mesures de longueur

1 mm	*Millimeter* millimètre
1 cm	*Zentimeter* centimètre
1 dm	*Dezimeter* décimètre
1 m	*Meter* mètre
1 dkm	*Dekameter* décamètre
1 km	*Kilometer* kilomètre
1 sm	*Seemeile (1852 m)* mille marin

Flächenmaße | Mesures de superficie

1 mm^2	*Quadratmillimeter* millimètre carré
1 cm^2	*Quadratzentimeter* centimètre carré
1 dm^2	*Quadratdezimeter* décimètre carré
1 m^2	*Quadratmeter* mètre carré
1 km^2	*Quadratkilometer* kilomètre carré
1 a	*Ar* (= *100 m^2*) are
1 ha	*Hektar* hectare

Raummaße | Mesures de volume

1 mm^3	*Kubikmillimeter* millimètre cube
1 cm^3	*Kubikzentimeter* centimètre cube
1 dm^3	*Kubikdezimeter* décimètre cube
1 m^3	*Kubikmeter* mètre cube
1 fm	*Festmeter* mètre cube
1 rm	*Raummeter* stère
1 RT	*Registertonne* (= *2,83 m^3*) tonneau (de jauge)

Hohlmaße | Mesures de capacité

1 ml	*Milliliter* millilitre
1 cl	*Zentiliter* centilitre
1 dl	*Deziliter* décilitre
1 l	*Liter* litre
1 hl	*Hektoliter* hectolitre

Gewichte | Poids

1 mg	*Milligramm* milligramme
1 cg	*Zentigramm* centigramme
1 dg	*Dezigramm* décigramme
1 g	*Gramm* gramme
1 dkg	*Dekagramm* décagramme
1 hg	*Hektogramm* hectogramme
1 Pfd.	*Pfund* livre
1 kg	*Kilogramm* kilogramme
1 Ztr.	*Zentner* 50 kg, *österr, schweiz* quintal
1 dz	*Doppelzentner* quintal
1 t	*Tonne* tonne

Die Uhrzeit | L'heure

Quelle heure est-il?	Wie spät ist es?
A quelle heure?	Um wie viel Uhr?
1.00 Il est une heure.	Es ist ein Uhr *od* Es ist eins.
2.00 à deux heures	um zwei (Uhr)
3.10 trois heures dix	zehn (Minuten) nach drei
4.15 quatre heures et quart	Viertel nach vier *od* viertel fünf
5.20 cinq heures vingt	zwanzig (Minuten) nach fünf *od* zehn Minuten vor halb sechs
6.30 six heures et demie	halb sieben
7.40 huit heures moins vingt	zwanzig (Minuten) vor acht *od* zehn (Minuten) nach halb acht
8.45 neuf heures moins le quart	Viertel vor neun *od* drei viertel neun
9.55 dix heures moins cinq	fünf (Minuten) vor zehn
15.35 quinze heures trente-cinq	fünfzehn Uhr fünfunddreißig
vers onze heures	ungefähr um elf (Uhr)
à neuf heures précises	pünktlich um neun (Uhr)

Silbentrennung im Französischen

Die Trennung eines Wortes am Zeilenende erfolgt im Französischen nach Sprechsilben. Dabei gelten folgende Regeln:

1. Ein einzelner Konsonant zwischen zwei Vokalen tritt zur folgenden Silbe, z. B. **di-ri-ger, pay-san, la-va-bo, sa-lé, thé-ra-pie**
   Ausnahme: Bei x zwischen zwei Vokalen wird im Allgemeinen nicht getrennt, z. B. **Saxon, re-laxer**

2. Von zwei oder mehr Konsonanten zwischen zwei Vokalen tritt nur der letzte Konsonant zur folgenden Silbe, z. B. **par-tir, ex-cur-sion, res-ter, doc-ker, chas-seur, nom-mer, ail-leurs** (Doppel-l, das wie [j] gesprochen wird, ist trennbar),
   comp-ter, cons-cience, subs-tan-tif
   (auch etymologische Trennung **con-science, sub-stantif** ist möglich, aber nicht üblich).
   Dabei gelten folgende Ausnahmen:
   a) Konsonant + l oder + r werden nicht getrennt,
      z. B. **ci-ble, es-clan-dre, an-glais, dé-sas-tre, af-freux, ins-truit**
   b) Die einen einzigen Laut darstellenden Konsonantenpaare ch, gn, ph, th werden nicht getrennt,
      z. B. **ro-cher, ga-gner, or-tho-gra-phe**

3. Mehrere aufeinanderfolgende Vokale werden nicht getrennt,
   z. B. **théâ-tre, priè-re, sec-tion, voya-ge, muet, croyons, louaient**
   Ausnahme: Eine Vorsilbe kann vom Stamm getrennt werden,
   z. B. **pré-avis, an-ti-al-coo-li-que**

4. Ein einzelner Vokal eines Wortes kann nicht abgetrennt werden, z. B. **état, abré-ger, oser**
   Ausnahme: Möglich sind Trennungen wie **qu'a-vec, l'é-tui, s'a-me-ner**
5. Nach dem Apostroph darf nicht getrennt werden, z. B. **au-jour-d'hui, puis-qu'il**

Zeichensetzung im Französischen

1. Punkt, Strichpunkt, Doppelpunkt, Fragezeichen, Ausrufezeichen, Gedankenstrich, Klammern und Anführungszeichen (im Französischen « ») werden im Wesentlichen wie im Deutschen gebraucht. An geringen Abweichungen sind zu erwähnen:
   a) Vor Ausrufezeichen, Fragezeichen, Doppelpunkt und Strichpunkt sowie bei Anführungszeichen steht in der Regel ein Zwischenraum, z. B.:
   Tu viens ?
   Mais certainement !
   Faites le calcul : 20 pour cent de 5000, cela fait 1000.
   b) Vor drei Pünktchen „..." steht kein Zwischenraum: **et ainsi de suite...**
   c) Kein Punkt steht nach Ordnungszahlen: **1er** bzw. **1re**, **2e**, **3e** usw.
   d) Das Datum wird meist so geschrieben: **12/03/10**
2. Einige bedeutende Abweichungen vom Deutschen gibt es dagegen beim Gebrauch des Kommas:
   a) Adverbiale Bestimmungen zu Beginn eines Satzes werden durch Komma abgetrennt:
   À trois heures, il n'était toujours pas arrivé.
   Avec lui, il faut se méfier.

b) Nicht durch Komma abgetrennt werden dagegen:
   - Objektsätze: **Je sais qu'il a tort.**
   - indirekte Fragesätze: **Je me demande s'il n'est pas malade.**
   - nachgestellte Adverbialsätze: **J'irai le voir avant qu'il parte.**
   - zum Verständnis des Hauptsatzes notwendige Relativsätze: **Le livre que tu m'as prêté ne me plaît pas.**
   - Infinitivgruppen: **Il m'a prié de l'aider.**

c) Vor „etc." steht im Französischen ein Komma: **Paris, Londres, Berlin, etc.**

Die französischen Departements

01* **Ain** [ɛ̃] (l' *m*)
02 **Aisne** [ɛn] (l' *f*)
03 **Allier** [alje] (l' *m*)
04 **Alpes-de-Haute-Provence** (les *f/pl*)
05 **Hautes-Alpes** [otzalp] (les *f/pl*)
06 **Alpes-Maritimes** (les *f/pl*)
07 **Ardèche** (l' *f*)
08 **Ardennes** (les *f/pl*)
09 **Ariège** (l' *f*)
10 **Aube** (l' *f*)
11 **Aude** (l' *m*)
12 **Aveyron** [avɛrõ] (l' *m*)
13 **Bouches-du-Rhône** (les *f/pl*)
14 **Calvados** [-os] (le)
15 **Cantal** (le)
16 **Charente** (la)
17 **Charente-Maritime** (la)
18 **Cher** [ʃɛr] (le)
19 **Corrèze** (la)
2A **Corse-du-Sud** (la)
2B **Haute-Corse** (la)
21 **Côte-d'Or** (la)
22 **Côtes d'Armor** (les *f/pl*)
23 **Creuse** (la)
24 **Dordogne** (la)
25 **Doubs** [du] (le)
26 **Drôme** (la)

* Die Kennziffer des Departements erscheint in den beiden letzten Ziffern der französischen Autonummern (z. B. 3471 CN 91) sowie in den beiden ersten Ziffern der fünfstelligen französischen Postleitzahlen (z. B. Abbeville 80100).

27 **Eure** [œr] (l' *f*)
28 **Eure-et-Loir** (l' *m*)
29 **Finistère** (le)
30 **Gard** (le)
31 **Haute-Garonne** (la)
32 **Gers** [ʒɛrs] (le)
33 **Gironde** (la)
34 **Hérault** [ero] (l' *m*)
35 **Ille-et-Vilaine** (l' *f*)
36 **Indre** (l' *f*)
37 **Indre-et-Loire** (l' *f*)
38 **Isère** (l' *f*)
39 **Jura** (le)
40 **Landes** (les *f/pl*)
41 **Loir-et-Cher** (le)
42 **Loire** (la)
43 **Haute-Loire** (la)
44 **Loire-Atlantique** (la)
45 **Loiret** (le)
46 **Lot** [lɔt] (le)
47 **Lot-et-Garonne** (le)
48 **Lozère** (la)
49 **Maine-et-Loire** (le)
50 **Manche** (la)
51 **Marne** (la)
52 **Haute-Marne** (la)
53 **Mayenne** [majɛn] (la)
54 **Meurthe-et-Moselle** (la)
55 **Meuse** (la)
56 **Morbihan** [mɔrbiɑ̃] (le)
57 **Moselle** (la)
58 **Nièvre** (la)
59 **Nord** (le)
60 **Oise** (l' *f*)
61 **Orne** (l' *f*)
62 **Pas-de-Calais** (le)
63 **Puy-de-Dôme** (le)
64 **Pyrénées-Atlantiques** (les *f/pl*)
65 **Hautes-Pyrénées** (les *f/pl*)
66 **Pyrénées-Orientales** (les *f/pl*)
67 **Bas-Rhin** (le)
68 **Haut-Rhin** (le)
69 **Rhône** (le)
70 **Haute-Saône** (la)
71 **Saône-et-Loire** [son-] (la)
72 **Sarthe** (la)
73 **Savoie** (la)
74 **Haute-Savoie** (la)
75 **Ville de Paris** (la)
76 **Seine-Maritime** (la)
77 **Seine-et-Marne** (la)
78 **Yvelines** (les *f/pl*)
79 **Deux-Sèvres** (les *f/pl*)
80 **Somme** (la)
81 **Tarn** (le)
82 **Tarn-et-Garonne** (le)
83 **Var** (le)
84 **Vaucluse** (le)

85 **Vendée** (la)
86 **Vienne** (la)
87 **Haute-Vienne** (la)
88 **Vosges** [voʒ] (les *f/pl*)
89 **Yonne** (l' *f*)
90 **Territoire-de-Belfort** (le)
91 **Essonne** (l' *f*)
92 **Hauts-de-Seine** [odsɛn] (les *m/pl*)
93 **Seine-Saint-Denis** (la)
94 **Val-de-Marne** (le)
95 **Val-d'Oise** (le)

Französische Feiertage

1. Januar	**le jour de l'An** Neujahrstag
März / April	**Pâques** *m* Ostern
1. Mai	**la Fête du Travail** Tag der Arbeit
8. Mai	**le Jour de la Victoire** Ende des 2. Weltkriegs
Mai	**l'Ascension** *f* Christi Himmelfahrt
Mai/Juni	**la Pentecôte** Pfingsten
14. Juli	**la fête nationale** Nationalfeiertag
15. August	**l'Assomption** *f* Mariä Himmelfahrt
1. November	**la Toussaint** Allerheiligen
11. November	**l'Armistice** *m* Ende des 1. Weltkriegs
25. Dezember	**Noël** Weihnachten

Übrigens: Karfreitag und der 26. Dezember sind in Frankreich nur in den Departements Moselle, Bas-Rhin und Haut-Rhin Feiertage!

Buchstabieralphabete | Codes d'épellation

französisch

A comme Anatole

B	Berthe	**K**	Kléber	**S**	Suzanne
C	César	**L**	Louis	**T**	Théodore
D	Désiré	**M**	Marie	**U**	Ursule
E	Emile	**N**	Nicolas	**V**	Victor
F	François	**O**	Oscar	**W**	Wagon
G	Gaston	**P**	Paul	**X**	Xavier
H	Henri	**Q**	Québec	**Y**	Yvonne
I	Isidore	**R**	Robert	**Z**	Zoé
J	Jean				

deutsch

A wie Anton

Ä	Ärger	**J**	Julius	**S**	Samuel
B	Berta	**K**	Kaufmann	**Sch**	Schule
C	Cäsar	**L**	Ludwig	**T**	Theodor
Ch	Charlotte	**M**	Martha	**U**	Ulrich
D	Dora	**N**	Nordpol	**Ü**	Übermut
E	Emil	**O**	Otto	**V**	Viktor
F	Friedrich	**Ö**	Ökonom	**W**	Wilhelm
G	Gustav	**P**	Paula	**X**	Xanthippe
H	Heinrich	**Q**	Quelle	**Y**	Ypsilon
I	Ida	**R**	Richard	**Z**	Zacharias

Reise-Dolmetscher für unterwegs | Mini-guide de conversation pour les touristes

Das Allerwichtigste | L'essentiel

Guten Tag!	**Bonjour!** [bõʒur!]
Guten Abend!	**Bonsoir!** [bõswar!]
Auf Wiedersehen!	**Au revoir!** [or(ə)_vwar!]
… bitte!	**… , s'il vous plaît!** [… silvuplɛ!]
Danke!	**Merci!** [mɛrsi!]
Ja.	**Oui.** [wi.]
Nein.	**Non.** [nõ.]
Entschuldigung.	**Pardon.** [pardõ.]
In Ordnung!	**D'accord!** [dakɔr!]
Hilfe!	**Au secours!** [o s(ə)kur!]
Rufen Sie schnell einen Arzt!	**Appelez vite un médecin!** [aple vit œ̃ medsɛ̃!]
Rufen Sie schnell einen Krankenwagen!	**Appelez vite une ambulance!** [aple vit yn ɑ̃bylɑ̃s!]
Wo ist die Toilette?	**Où sont les toilettes?** [u sõ le twalɛt?]
Wann?	**Quand?** [kɑ̃?]
Was?	**Quoi?** [kwa?]
Wo?	**Où?** [u?]
Hier.	**Ici.**[isi.]
Da.	**Là.** [la.]
Dort.	**Là-bas.** [labɑ.]

Rechts.	**A droite.** [a drwat.]
Links.	**A gauche.** [a goʃ.]
Geradeaus.	**Tout droit.** [tu drwa.]
Haben Sie …?	**Je voudrais …** [ʒə vudrɛ ...]
Was kostet das?	**Combien ça coûte?** [kõbjɛ̃ sa kut?]
Bitte schreiben Sie mir das auf.	**Ecrivez-moi cela, s'il vous plaît.** [ekrive‿mwa səla, silvuplɛ.]
Wo ist …?	**Où est …?** [u ɛ ...?]
Wo gibt es …?	**Où est-ce qu'il y a …?** [u ɛskilja ...?]
Heute.	**Aujourd'hui.** [oʒurdɥi.]
Morgen.	**Demain** [dəmɛ̃.]
Ich will nicht.	**Je ne veux pas.** [ʒə nə vø pa.]
Ich kann nicht.	**Je ne peux pas.** [ʒə nə pø pa.]
Einen Moment bitte!	**Un instant, s'il vous plaît.** [œ̃‿n‿ɛ̃stɑ̃, silvuplɛ.]
Lassen Sie mich in Ruhe!	**Laissez-moi tranquille!** [lese‿mwa trɑ̃kil.]

Verständigung | Compréhension

Haben Sie / Hast du verstanden?	**Vous avez / Tu as compris?** [vu‿z‿ave/ty a kõpri?]
Ich habe verstanden.	**J'ai compris.** [ʒe kõpri.]
Ich habe das nicht verstanden.	**Je n'ai pas compris.** [ʒə ne pa kõpri.]
Sagen Sie es bitte noch einmal?	**Vous pourriez répéter, s'il vous plaît?** [vu purje repete, silvuplɛ?]

Bitte sprechen Sie etwas langsamer.	**Parlez plus lentement, s'il vous plaît.** [parle ply lɑ̃tmɑ̃, silvuplɛ.]

Small Talk | Conversation

Wie heißen Sie / heißt du?	**Comment vous appelez-vous/tu t'appelles?** [kɔmɑ̃ vu‿z‿aplevu/ ty tapɛl?]
Ich heiße …	**Je m'appelle …** [ʒə mapɛl …]
Woher kommen Sie?	**D'où venez-vous?** [du vəne vu?]
Woher kommst du?	**Tu viens d'où?** [ty vjɛ̃ du?]
Ich komme aus …	**Je viens …** [ʒə vjɛ̃ …]
Deutschland.	**d'Allemagne.** [dalmaɲ.]
Österreich.	**d'Autriche.** [dotriʃ.]
der Schweiz.	**de Suisse.** [də sɥis.]
Wie alt sind Sie / bist du?	**Quel âge avez-vous / as-tu?** [kɛl‿ɑʒ avevu/a ty?]
Ich bin … Jahre alt.	**J'ai … ans.** [ʒe … ɑ̃.]
Was machen Sie / machst du beruflich?	**Qu'est-ce que vous faites / tu fais comme travail?** [kɛskə vu fɛt/ty fɛ kɔm travaj?]
Ich bin …	**Je suis …** [ʒə sɥi …]
Sind Sie / Bist du zum ersten Mal hier?	**C'est la première fois que vous venez / tu viens?** [sɛ la prəmjɛr fwa kə vu vəne / ty vjɛ̃?]
Nein, ich war schon … mal in Frankreich.	**Non, c'est la … fois que je viens en France.** [nõ, sɛ la … fwa kə ʒə vjɛ̃ ɑ̃ frɑ̃s.]

Wie lange sind Sie / bist du schon hier?	**Vous êtes / Tu es là depuis combien de temps déjà?** [vu‿z‿ɛt/ty ɛ la dəpɥi kõbjɛ̃ də tɑ̃ deʒa?]
Seit ... Tagen/Wochen.	**Depuis ... jours / semaines.** [dəpɥi ... ʒur/səmɛn.]
Wie lange sind Sie/bist du noch hier?	**Vous restez / Tu restes encore combien de temps ici?** [vu rɛste/ty rɛst ɑ̃kɔr kõbjɛ̃ də tɑ̃ isi?]
Noch eine Woche / zwei Wochen.	**Encore une semaine / quinze jours.** [ɑ̃kɔr yn səmɛn/kɛ̃z ʒur.]
Gefällt es Ihnen / dir hier?	**Ça vous / te plaît ici?** [sa vu/tə plɛ isi?]
Es gefällt mir sehr gut.	**Ça me plaît beaucoup.** [sa mə plɛ boku.]

Nach dem Weg fragen | Demander son chemin

Entschuldigung, wo ist ...?	**Pardon, où est ...?** [pardõ, u ɛ ...?]
Wie komme ich nach / zu ...?	**Pour aller à ...?** [pur‿ale a ...?]
Wie komme ich am schnellsten / billigsten ...	**Quel est le moyen le plus rapide / le moins cher pour aller ...** [kɛl‿ɛ lə mwajɛ̃ lə ply rapid/lə mwɛ̃ ʃɛr pur‿ale ...]
zum Bahnhof?	**à la gare?** [a la gar?]
zum Busbahnhof?	**à la gare routière?** [a la gar rutjɛr?]

zum Flughafen?	**à l'aéroport?** [a laerɔpɔr?]
Am besten mit dem Taxi.	**Le mieux, c'est de prendre un taxi.** lə mjø, sɛ də prɑ̃drə œ̃ taksi.]
Dort.	**Là-bas.** [la bɑ.]
Zurück.	**En arrière.** [ɑ̃‿n‿arjɛr.]
Geradeaus.	**Tout droit.** [tu drwa.]
Nach rechts.	**A droite.** [a drwat.]
Nach links.	**A gauche.** [a goʃ.]

Im Hotel | À l'hôtel

Für mich ist bei Ihnen ein Zimmer reserviert. Mein Name ist ...	**On a retenu chez vous une chambre à mon nom. Je m'appelle ...** [ɔn‿a rətəny ʃe vu yn ʃɑ̃brə a mɔ̃nɔ̃. ʒə mapɛl ...]
Hier ist meine Bestätigung.	**Voici ma confirmation.** [vwasi ma kɔ̃firmasjɔ̃.]
Haben Sie ein Doppelzimmer / Einzelzimmer frei ...	**Vous auriez une chambre pour deux personnes / une personne ...** [vu‿z‿orje yn ʃɑ̃brə pur dø pɛrsɔn/yn pɛrsɔn ...]
für einen Tag / für ... Tage?	**pour une nuit / ... nuits?** [pur yn nɥi / ...nɥi?]
mit Bad / Dusche und WC?	**avec bain / douche et WC?** [avɛk bɛ̃/duʃ e vese?]
Wir sind leider ausgebucht.	**Malheureusement, nous sommes complets.** [malœrøzmɑ̃, nu sɔm kɔ̃plɛ].
Morgen / Am Montag wird	**Une chambre se libérera**

ein Zimmer frei.	**demain / lundi.** [yn ʃɑ̃brə sə liberəra dəmɛ̃/lœ̃di.]
Wie viel kostet es …	**Combien ça coûte ..** [kõbjɛ̃ sa kut …]
mit / ohne Frühstück?	**avec / sans le petit déjeuner?** [avɛk/sɑ̃ lə pti deʒœne?]
mit Halbpension / Vollpension?	**avec la demi-pension / pension complète?** [avɛk la dəmipɑ̃sjõ/ pɑ̃sjõ kõplɛt?]

Shopping | Shopping

Wo bekomme ich …?	**Où est-ce que je peux acheter …?** [u ɛskə ʒə pø aʃte …?]
Bitte schön?	**Vous désirez?** [vu dezire?]
Kann ich Ihnen helfen?	**Est-ce que je peux vous aider?** [ɛskə ʒə pø vu‿z‿ɛde?]
Danke, ich sehe mich nur um.	**Merci, je regarde seulement.** [mɛrsi, ʒə rəgard sœlmɑ̃.]
Ich werde schon bedient.	**Merci, on me sert.** [mɛrsi, õ mə sɛr.]
Ich hätte gerne eine Flasche Wasser.	**Je voudrais une bouteille d'eau.** [ʒə vudrɛ yn butɛj do.]
Es tut mir leid, wir haben keine … mehr.	**Je regrette, nous n'avons plus de …** [ʒə rəgrɛt, nu navõ ply də …]
Was kostet (kosten) …?	**Combien coûte / coûtent …?** [kõbjɛ̃ kut/kut …?]
Das gefällt mir. Ich nehme es.	**Cela me plaît. Je le prends.** [səla mə plɛ. ʒə lə prɑ̃.]

Darf es sonst noch etwas sein?	**Vous désirez encore quelque chose?** [vu dezire ɑ̃kɔr kɛlkə ʃoz?]
Danke, das ist alles.	**Merci, ce sera tout.** [mɛrsi, sə səra tu.]
Kann ich mit dieser Kreditkarte bezahlen?	**Est-ce que je peux payer avec cette carte de crédit?** [ɛskə ʒə pø pɛje avɛk sɛt kart də kredi?]

Im Restaurant | Au restaurant

Die Karte bitte.	**La carte, s'il vous plaît.** [la kart silvuplɛ.]
Was möchten Sie trinken?	**Que désirez-vous boire?** [kə dezirevu bwar?]
Ich möchte ein Viertel Rotwein.	**Je voudrais un quart de vin rouge.** [ʒə vudrɛ œ̃ kar də vɛ̃ ruʒ.]
Haben Sie vegetarische Gerichte?	**Avez-vous de la cuisine végétarienne?** [avevu də la kɥizin veʒetarjɛn?]
Was nehmen Sie als Vorspeise/Nachtisch?	**Comme entrée / dessert, qu'est-ce que vous prenez?** [kɔm ɑ̃tre/desɛr kɛskə vu prəne?]
Hat es Ihnen geschmeckt?	**Vous êtes satisfaits?** [vu‿z‿ɛt satisfɛ?]
Danke, sehr gut.	**Merci, c'était très bon.** [mɛrsi, setɛ trɛ bɔ̃.]
Ich möchte zahlen.	**L'addition, s'il vous plaît.** [ladisjɔ̃, silvuplɛ.]

Carte | Speisekarte

Potages et soupes | Suppen

bouillabaisse *f* [bujabɛs]	südfranzösische Fischsuppe
consommé *m* [kõsɔme]	Kraftbrühe
potage *m* **parmentier** [potaʒ parmɑ̃tje]	Kartoffelsuppe
soupe *f* **à l'oignon** [sup‿a‿lɔɲõ]	Zwiebelsuppe
soupe *f* **de poisson** [sup də pwasõ]	Fischsuppe

Hors-d'œuvre | Kalte Vorspeisen

avocat *m* **vinaigrette** [avɔka vinɛgrɛt]	Avocado mit Sauce Vinaigrette
charcuterie *f* [ʃarkytri]	Aufschnittplatte
cœurs *m/pl* **d'artichauts** [kœr dartiʃo]	Artischockenherzen
crudités *f/pl* **(variées)** [krydite (varje)]	Rohkostteller
huîtres *f/pl* [ɥitrə]	Austern
olives *f/pl* [ɔliv]	Oliven
pâté *m* [pɑte]	Fleischpastete
– de campagne [də kɑ̃paɲ]	– grobe Leberwurst

rillettes *f/pl* [rijɛt]	Schweinefleischpastete im eigenen Fett konserviert
salade *f* [salad]	Salat
– **composée** [kõpoze]	– gemischter Salat
– **mixte** [mikst]	– gemischter Salat
– **niçoise** [niswaz]	– grüner Salat mit Tomaten, Ei, Sardellen und Oliven
saumon *m* **fumé** [somõ fyme]	Räucherlachs
terrine *f* **de canard** [tɛrin də kanar]	Entenpastete

Entrées | Warme Vorspeisen/Snacks

bouchées *f/pl* **à la reine** [buʃe a la rɛn]	Königinpastete
crêpes *f/pl* [krɛp]	dünne Pfannkuchen
croque-monsieur *m* [krɔkməsjø]	Schinken-Käse-Toast
escargots *m/pl* [ɛskargo]	Weinbergschnecken
omelette *f* [ɔmlɛt]	Omelette
quiche *f* **lorraine** [kiʃ lɔrɛn]	Lothringer Speckkuchen
tarte *f* **à l'oignon** [tart‿a lɔɲõ]	Zwiebelkuchen

Viandes | Fleischgerichte

agneau *m* [aɲo]	Lamm
bœuf *m* [bœf]	Rindfleisch
lièvre *m* [ljɛvrə]	Hase

mouton *m* [mutõ]	Hammelfleisch
porc *m* [pɔr]	Schweinefleisch
veau *m* [vo]	Kalbfleisch
andouillette *f* [ɑ̃dujɛt]	Kuttelbratwurst
bifteck *m* [biftɛk]	Steak
bœuf *m* **bourguignon** [bœf burgiɲõ]	Rindsgulasch in Rotwein
bœuf *m* **à la mode** [bœf‿a la mɔd]	Schmorbraten
boudin *m* [budɛ̃]	Blutwurst
cassoulet *m* [kasulɛ]	Eintopf aus weißen Bohnen, Gänse- und anderem Fleisch
côte *f* [kot]	Rippchen, Kotelett
escalope *f* **de veau** [ɛskalɔp də vo]	Kalbsschnitzel
filet *m* **de bœuf** [filɛ də bœf]	Rinderfilet
gigot *m* **d'agneau** [ʒigo daɲo]	Lammkeule
grillade *f* [grijad]	Grillteller
hachis *m* [aʃi]	Hackbraten
jarret *m* **de veau** [ʒarɛ də vo]	Kalbshaxe
quenelles *f/pl* [kənɛl]	Fleisch- oder Fischklößchen
rôti *m* [roti]	Braten
sauté *m* **de veau** [sote də vo]	Kalbsragout
selle *f* **d'agneau** [sɛl daɲo]	Lammrücken
steak *m* [stɛk]	Steak
– au poivre [o pwavrə]	– Pfeffersteak
– tartare [tartar]	– Tatar
– haché [aʃe]	– Hacksteak
tournedos *m* [turnədo]	Filetsteak

Volaille | Geflügel

blanc *m* **de poulet** [blɑ̃ də pulɛ]	Hühnerbrust
canard *m* **à l'orange** [kanar‿a lɔrɑ̃ʒ]	Ente mit Orange
confit *m* **de canard** [kõfi də kanar]	im eigenen Fett eingelegte Entenstücke
coq *m* **au vin** [kɔk‿o vɛ̃]	Hähnchen in Rot- oder Weißweinsoße
dinde *f* **aux marrons** [dɛ̃d‿o marõ]	Truthahn mit Maronenfüllung
oie *f* **rôtie** [wa roti]	gebratene Gans
pintade *f* [pɛ̃tad]	Perlhuhn
poulet *m* **rôti** [pulɛ roti]	Brathähnchen

Poissons | Fisch

anguille *f* [ɑ̃gij]	Aal
brandade *f* [brɑ̃dad]	gekochter u. pürierter Stockfisch mit Sahne, Olivenöl u. Knoblauch angemacht
brochet *m* [brɔʃɛ]	Hecht
cabillaud *m* [kabijo]	Kabeljau
calmar *m* **frit** [kalmar fri]	gebackene Tintenfischringe
carpe *f* [karp]	Karpfen
colin *m* [kɔlɛ̃]	Seehecht
friture *f* [frityr]	in Öl oder Fett ausgebackene Fische

lotte *f* [lɔt]	Seeteufel
morue *f* [mɔry]	Stockfisch
rouget *m* [ruʒɛ]	Rotbarbe
saint-pierre *m* [sɛ̃pjɛr]	Petersfisch
saumon *m* [somõ]	Lachs
sole *f* [sɔl]	Seezunge
thon *m* [tõ]	Thunfisch
truite *f* [trɥit]	Forelle
– au bleu [o blø]	– blau
– meunière [mønjɛr]	– Müllerin
turbot *m* [tyrbo]	Steinbutt

Coquillages et crustacés | Muscheln und Schalentiere

araignée *f* **de mer** [areɲe də mɛr]	Seespinne
coquilles *f/pl* **Saint-Jacques** [kɔkij sɛ̃ʒak]	Jakobsmuscheln
crabes *m/pl* [krab]	Krabben
crevettes *f/pl* [krəvɛt]	Garnelen
huîtres *f/pl* [ɥitrə]	Austern
langouste *f* [lãgust]	Languste
langoustines *f/pl* [lãgustin]	Scampi
moules *f/pl* [mul]	Miesmuscheln
plateau *m* **de fruits de mer** [plato də frɥi də mɛr]	Meeresfrüchteplatte

Légumes | Gemüse

artichauts *m/pl* [artiʃo]	Artischocken
asperges *f/pl* [aspɛrʒ]	Spargel
aubergines *f/pl* [obɛrʒin]	Auberginen
carottes *f/pl* [karɔt]	Möhren
céleri *m* [sɛlri]	Sellerie
champignons *m/pl* [ʃãpiɲõ]	Pilze
– de Paris [də pari]	– Champignons
chou *m* [ʃu]	Kohl
– de Bruxelles [də brysɛl]	– Rosenkohl
– -fleur [flœr]	– Blumenkohl
– -rave [rav]	– Kohlrabi
– rouge [ruʒ]	– Rotkohl
choucroute *f* [ʃukrut]	Sauerkraut
courgettes *f/pl* [kurʒɛt]	Zucchini
épinards *m/pl* [epinar]	Spinat
endives *f/pl* [ãdiv]	Chicorée
fenouil *m* [fənuj]	Fenchel
haricots *m/pl* [ariko]	Bohnen
macédoine *f* **de légumes** [masedwan də legym]	gemischtes Gemüse
navets *m/pl* [navɛ]	Weiße Rüben
petits pois *m/pl* [pti pwa]	Erbsen
poivron *m* [pwavrõ]	Paprika
ratatouille *f* [ratatuj]	Gemüse aus Tomaten, Paprika, Auberginen und Zucchini

Comment le désirez-vous? | Wie hätten Sie's denn gern?

bien cuit [bjɛ̃ kɥi]	durchgebraten
(fait) maison [(fɛ) mɛzõ]	hausgemacht
farci [farsi]	gefüllt
fumé [fyme]	geräuchert
gratiné [gratine]	überbacken
grillé [grije]	gegrillt
rôti [roti]	gebraten

Garnitures | Beilagen

pâtes *f/pl* [pɑt]	Nudeln
pommes *f/pl* **de terre** [pɔm də tɛr]	Kartoffeln
– frites [frit]	– Pommes frites
– nature [natyr]	– Salzkartoffeln
– sautées [sote]	– Bratkartoffeln
riz *m* [ri]	Reis

Fromages | Käse

bleu *m* [blø]	Blauschimmelkäse
fromage *m* [frɔmaʒ]	Käse
– au lait cru [o lɛ kry]	– Rohmilchkäse
– de brebis [də brəbi]	– Schafskäse

– de chèvre [də ʃɛvrə]	– Ziegenkäse
plateau *m* **de fromages** [plato də frɔmaʒ]	Käseplatte

Desserts | Nachtisch

coupe *f* **maison** [kup mɛzõ]	Eisbecher nach Art des Hauses
crème *f* **caramel** [krɛm karamɛl]	Karamellpudding
flan *m* [flɑ̃]	Cremepudding
glace *f* [glas]	Eis
– à la fraise [a la frɛz]	– Erdbeereis
– à la vanille [a la vanij]	– Vanilleeis
– au chocolat [o ʃɔkɔla]	– Schokoladeneis
macédoine *f* **de fruits** [masedwan də frɥi]	Obstsalat
meringue *f* [mərɛ̃g]	Baiser
parfait *m* [parfɛ]	Halbgefrorenes
sorbet *m* **de cassis** [sɔrbɛ də kasis]	Johannisbeereis

Fruits | Obst

dattes *f/pl* [dat]	Datteln
figues *f/pl* [fig]	Feigen
fraises *f/pl* [frɛz]	Erdbeeren
framboises *f/pl* [frɑ̃bwaz]	Himbeeren
melon *m* [məlõ]	Melone

pastèque *f* [pastɛk]	Wassermelone
pêche *f* [pɛʃ]	Pfirsich
poire *f* [pwar]	Birne
pomme *f* [pɔm]	Apfel
raisins *m/pl* [rɛzɛ̃]	Weintrauben

Gâteaux et pâtisseries | Kuchen und Gebäck

baba *m* **au rhum** [baba o rɔm]	mit Rum getränkter Hefekuchen
biscuit *m* **roulé** [biskɥi rule]	Biskuitrolle
cake *m* [kɛk]	Teekuchen
chausson *m* **aux pommes** [ʃosõ o pɔm]	Apfeltasche
chou *m* **à la crème** [ʃu a la krɛm]	Windbeutel
éclair *m* [eklɛr]	Eclair, Liebesknochen
– au café [o kafe]	– mit Mokkacreme
mille-feuille *m* [milfœj]	Blätterteiggebäck mit Creme
tarte *f* [tart]	Torte
– aux pommes [o pɔm]	– Apfelkuchen
– Tatin [tatɛ̃]	– gestürzte Apfeltorte mit Karamellguss
tartelette *f* **aux fraises** [tartlɛt o frɛz]	Erdbeertörtchen

Abkürzungen und Symbole | Abréviations et symboles

a.	auch	aussi
abk, ABK	Abkürzung	abréviation
adj, ADJ	Adjektiv	adjectif
adv, ADV	Adverb	adverbe
AGR	Landwirtschaft	agriculture
akk	Akkusativ	accusatif
ANAT	Anatomie	anatomie
ARCH	Architektur	architecture
AUTO	Auto	automobile
bes	besonders	particulièrement
BIOL	Biologie	biologie
BOT	Botanik	botanique
CHEM	Chemie	chimie
dat	Dativ	datif
e-e	eine	un(e)
ELEK	Elektrotechnik, Elektrizität	électrotechnique, électricité
e-m	einem	à un(e)
e-n	einen	un(e)
e-r	einer	d'un(e), à un(e)
e-s	eines	d'un(e)
etc	und so weiter	et cetera
etw	etwas	quelque chose
f, F	Femininum, weiblich	féminin
fig	figürlich, bildlich	figuré
FLUG	Luftfahrt	aviation

FOTO	Fotografie	photographie
fpl, FPL	Femininum Plural	féminin pluriel
fut	Futur	futur
GASTR	Gastronomie, Kochkunst	gastronomie, cuisine
gen	Genitiv	génitif
GEOG	Geografie	géographie
GRAM	Grammatik	grammaire
HANDEL	Handel	commerce
HIST	Geschichte, historisch	histoire, historique
inf	Infinitiv	infinitif
IT	Informatik, Internet	informatique, Internet
j-d	jemand	quelqu'un
j-m	jemandem	à quelqu'un
j-n	jemanden	quelqu'un
j-s	jemandes	de quelqu'un
JUR	Rechtswesen	droit, langage juridique
konj, KONJ	Konjunktion	conjonction
m, M	Maskulinum, männlich	masculin
MAL	Malerei	peinture
MATH	Mathematik	mathématiques
MED	Medizin	médecine
m(f), M(F)	Maskulinum mit Femininform in Klammern	masculin avec terminaison féminine entre parenthèses
m/f, M/F	Maskulinum und Femininum	masculin et féminin
m/f(m), M/F(M)	Maskulinum und Femininum mit zusätzlicher Maskulinendung in Klammern	masculin et féminin avec terminaison masculine supplémentaire entre parenthèses

MIL	Militär	militaire
mpl, MPL	Maskulinum Plural	masculin pluriel
MUS	Musik	musique
n, N	Neutrum, sächlich	neutre
neg!	wird oft als beleidigend empfunden	souvent perçu comme outrageant
npl, NPL	Neutrum Plural	neutre pluriel
od	oder	ou
österr	österreichische Variante	autrichien
pej	abwertend	péjoratif
PHYS	Physik	physique
pl, PL	Plural	pluriel
POL	Politik	politique
pperf, PPERF	Partizip Perfekt	participe passé
präp, PRÄP	Präposition	préposition
präs, PRÄS	Präsens	présent
pron, PRON	Pronomen, Fürwort	pronom
qc	etwas	quelque chose
qn	jemand(en)	quelqu'un
®	eingetragene Marke	marque déposée
REL	Religion	religion
SCHIFF	Marine, Schifffahrt	marine, navigation
sl	Slang, saloppe Umgangssprache, derb	populaire, grossier
s-n	seinen	son, sa, à ses
SPORT	Sport	sports
subj, SUBJ	Subjonctif, Konjunktiv	subjonctif
TECH	Technik	technique
TEL	Telefon	téléphone
TV	Fernsehen	télévision

u.	und	et
umg	umgangssprachlich	familier
v/i, V/I	intransitives Verb	verbe intransitif
v/t, V/T	transitives Verb	verbe transitif
WIRTSCH	Wirtschaft	économie
ZOOL	Zoologie	zoologie
→	siehe	voir